内容简介

本书收录傅向升同志2021年至今对石化行业的思考、在不同场景的讲话稿、出访交流的收获与体会和发表的署名文章等，共计91篇文章。按照内容梳理成历史篇、行业篇、专业篇、区域篇、园区篇。

全书回顾了“十四五”期间石化全行业的成绩与挑战、喜悦与坎坷，并展望了“十五五”石化产业高质量发展的新征程。特别是作者出访国外众多跨国公司、化工园区的收获和体会，为读者带来发达国家和跨国公司战略转型、科技创新、管理理念、企业文化等的第一手体验和启示。

本书对于石化行业相关从业人员了解石化全行业“十四五”取得的进步和成绩、研究制订“十五五”行业发展规划，有很好的参考价值。

图书在版编目（CIP）数据

石化强国新征程 / 傅向升著. -- 北京 : 化学工业出版社, 2026. 3. -- ISBN 978-7-122-50062-5

Ⅰ. F426.72-53

中国国家版本馆CIP数据核字第2026H06Q56号

责任编辑：高　宁　仇志刚　　　装帧设计：王晓宇
责任校对：宋　玮

出版发行：化学工业出版社
（北京市东城区青年湖南街13号　邮政编码100011）
印　　装：中煤（北京）印务有限公司
710mm×1000mm　1/16　印张40¾　字数668千字
2026年3月北京第1版第1次印刷

购书咨询：010-64518888　　　售后服务：010-64518899
网　　址：http://www.cip.com.cn
凡购买本书，如有缺损质量问题，本社销售中心负责调换。

定　　价：188.00元

序一

向升同志跟我说，他的《石化强国新征程》一书即将出版，邀请我为其作序。

我是1989年由江苏省省长调到化学工业部任部长，到1998年调任全国妇联党组书记和主席，在化工领域工作了整整十年，直到现在我对石化行业和化学工业部的很多老同事都怀有深厚的感情，每当听到石化行业的每一点进步和成就、听到原化学工业部老同事的好消息，都会很高兴并由衷地祝福！

1989年夏天，我接棒化学工业部部长，彼时正是国家改革开放的好时候。我与部党组一起推动化工行业深入开展学吉化、科技兴化、外向型经济，当时化工行业称之为“三件大事”，直接推动了化工行业管理水平、科技创新、对外开放迈上了新台阶、实现了新跨越！今天，很多石化领域的老同志，每见到我都会提起当年的“三件大事”，特别是这“三件大事”给行业带来的转变与新气象。

当时，向升在化学工业部科技司工作，那时他还是一个小伙子，我记得有一次部务会专题研究全国“科技兴化”大会的筹备情况，是他作的汇报，给我留下了深刻的印象。后来，因为工作的需要，部党组安排他挂职到化学工业部感光化工研究院任党委副书记、副院长，主持党委工作；我到全国妇联工作以后，有次到辽宁出差还专门到感光化工研究院去看望过他。尤其是看到他到任后与院班子带领感光化工研究院创新发展、实现面貌一新的局面，那时虽然我已经不在化工领域工作了，但内心仍感到十分高兴。再后来，向升相继到化学工业部科技总院、昊华集团等单位任职，也是经常向我汇报工作和思想情况，到石化联合会工作以后，经常向我汇报石化行业的发展情况，继续巩固和加深我在石化行业工作了十年的深厚感情和记忆。

这次他将出版的《石化强国新征程》一书，是以他“十四五”期间的主要文稿编辑而成，共分历史篇、行业篇、专业篇、区域篇和园区篇五篇，我从样书中了解到我国化工行业“十四五”克服了国际环境复杂多变、全球经济增速放缓、不确定性因素持续增多等不利影响，取得了骄人的业绩、实现了新的跨越。不仅为保障国家能源安全、粮食安全作出了重要贡献，而且2021年实现利润1.16万亿元、创历史新高，2022年营业收入16.56万亿元、创历史新高，同年进出口总额1.05万亿美元，也创历史新高。“十四五”期间实现营业收入总量为78.9万亿元，比“十三五”增加25.7%；利润总额4.65万亿元，比“十三五”增加32.5%；进出口总额4.71万亿美元，比“十三五”增幅高达49.1%。这些成就和进步，得益于以习近平同志为核心的党中央的坚强领导，是石化全行业干部职工贯彻落实党中央决策部署、创新进取、甩开膀子干出来的！

从样书中，我再次看到了当年化学工业部时期那位勤奋好学的小伙子，如今仍在为今天石化行业的高质量发展耕耘不辍，当年那股好学、勤奋和踏实的劲儿没有丢。这本书不仅可以让读者系统地了解石化行业“十四五”的发展成就，更能感受到作者对石化行业的发展史、发展现状及趋势的深入思考和精准研判，是一本值得研读的行业好书。

此为序。

第十届全国人大常委会　副委员长

原化学工业部　部长

顾秀莲

2026年1月

序二

国庆假期刚过，向升同志便与我谈及，拟将其“十四五”期间的文稿汇编成册、编辑出版，并邀我作序。我欣然应允。

我到石化联合会工作以后，阅读了向升同志以“十三五”期间的主要文稿为基础出版的《石化产业高质量发展若干思考》一书。该书不仅让我系统了解了石化产业“十三五”时期的发展脉络与丰硕成果，也深化了对石化产业重要性、国内发展态势及国际格局走向的认识。在我看来，该书不仅仅是普通行业参考读物，对行业从业者和企业经营实践，均兼具实践指导意义和参考价值。

“十四五”时期，国际国内环境更趋错综复杂，石化行业面临的挑战较以往更为严峻——疫情席卷全球、区域动荡不安、经济增长乏力、市场竞争“内卷”加剧，多重压力交织叠加。即便如此，石化全行业及其广大企业迎难而上、承压笃行，不仅为保障国家能源安全、粮食安全做出了重要贡献，也为国民经济稳增长和高端制造业、战略新兴产业的发展以及国防安全，提供了坚实保障。过去的五年，石化行业经营业绩创造了多项新纪录：2021 年利润创历史新高，2022 年营业收入和进出口总额攀升至历史峰值；“十四五”期间，全行业营业收入达 78.91 万亿元、较“十三五”时期增长 25.7%；实现利润总额 4.65 万亿元、比“十三五”增幅 32.5%；进出口总额 4.71 万亿美元、比“十三五”增幅高达 49.1%。这份亮眼业绩的取得殊为不易，值得回顾总结，为后来者从中提炼经验、接续奋进提供有益镜鉴，推动石化产业高质量发展迈上新台阶、达到新水平。

将书稿定名为《石化强国新征程》，契合了当下石化行业的发展阶段和历史进程。2010 年，我国石化行业跃上新平台，自此稳居世界第二石化大国、第一化工大国；“十三五”规划在分析石化大国与强国还有明显差距的基础上，提出了由石化大国向石化强国跨越的奋斗目标，核心愿景是到 2035 年建成石化强国。“十四五”由此成为实现这一宏伟目标的关键进阶时期，肩负承前启后、继往开来的重要使命。这一时期行业取得的每一项成就、每一步跨越，以及所有为石化强国建设凝心聚力、创新图强的行业同仁，皆值得被永远镌刻于行业发展史册。

全书分为历史篇、行业篇、专业篇、区域篇、园区篇五个部分，既涵盖了石化行业的核心领域与关键维度，又体现出鲜明的时代特征。2021 年作为“十四五”开局之年，恰逢中国共产党百年华诞，全党上下开展党史学习教育，学习行业史也被纳入重点任务。在历史篇，作者紧扣时代脉搏，将学党史和学行业史紧密结合，围绕打造百年企业、传承行业精神展开了深入且系统的思考。其余各篇都对行业发展形势、全球石化产业格局重构和产业调整进行了全方位深入研究，尤其是在行业布局优化、创新驱动发展、绿色低碳转型，以及培育世界一流企业、打造世界级石化产业集群、推进绿色智慧园区建设等方面，观点兼具前瞻性与可操作性，提供了多元视角，予人全新启发。这部著作是作者勤于思考、履职尽责的生动缩影，字字凝聚着亲力亲为的务实作风，饱含着对行业的深耕与热爱，提出的观点和见解不仅限于指导“十四五”期间的行业发展与企业创新，更能为“十五五”及未来一段时期的产业前行提供启发和借鉴。

通览全书，感触尤深：石化行业的“十四五”，虽无波澜壮阔之磅礴，却是石化强国征途上浓墨重彩的篇章！虽无轰轰烈烈之张扬，却是一代代石化人创新图强、逐梦跨越的奋斗足印！此书值得每一位石化同仁细品深读、珍藏借鉴，更愿我们以书中经验为指引，同心聚力、并肩笃行，在石化强国征程上续写时代华章。

此为序。亦为先睹为快之浅思随感。

中国石油和化学工业联合会

党委书记　会长

2026 年 1 月

创新驱动高质量发展，为建设石化强国而奋斗！

原化学工业部　副部长
原国家石油和化学工业局　局长

李勇武

二〇二六年一月

前言

时间如梭。转眼到了“十四五”收官之年，有不少朋友讲：“十三五”时期汇编出版的《石化产业高质量发展若干思考》，既是一本系统的行业资料，也是行业发展过程的历史回顾；既有指导性，又有珍藏性。“十四五”结束了，党中央要求“十四五”圆满收官，石化行业如何呢？希望“十四五”期间的文稿尽快编辑出版，既能帮助行业同仁回顾总结，也可回应朋友们对石化行业发展的关心。

“十四五”的确是极不平凡的五年。开局之年，全球都在疫情中挣扎；疫情刚过，世界经济又遭遇单边主义、保护主义抬头，甚至贸易战关税战持续升级；又叠加大国博弈加剧、区域动荡频发，致使百年变局加速递进。为适应百年变局和国际竞争日趋激烈，各国都在集聚力量，聚焦新的科技革命和产业变革，抢占科技创新的制高点。中国保持了战略定力，在充满不确定性的世界里，展现出了强大的韧性与活力，实现了历史性跨越和蝶变。经济总量持续跃上新的平台，2025 年国内生产总值达到 140 万亿元，年均增速远高于全球平均增速，更在各主要经济体中领先，始终是世界经济增长的主要引擎和全球供应链的稳定器。

中国石化产业再创辉煌。“十四五”期间不仅为保障国家能源安全和粮食安全作出了重要贡献，而且为轻工、纺织等民生行业和高端制造、战略性新兴产业提供了重要配套，为国防军工、航空航天等重要领域提供了重要支撑。石化产业自身在产业布局与结构优化、关键核心技术攻关、绿色低碳转型、智慧化数字化升级以及国际合作与交流、培育世界一流企业和世界级石化产业集群等方面，也都取得了显著的进步，实现了新的跨越。

经营业绩连创新高。虽然面临不确定性增多、供强需弱、“内卷”加剧、价格下跌等突出矛盾和不利影响，但 2021 年全行业实现利润 1.16 万亿元、创造历史新高，比“十三五”的最高年份（8462 亿元）高出 37.2%；2022 年全行业实现营业收入 16.56 万亿元、创造历史新高，比“十三五”的最高年份（13.78 万亿元）高出 20%；同年全行业实现进出口总额 1.05 万亿美元，首次突破万亿美元大关、创造新的历史纪录，比“十三五”的最高年份（7432.7 亿美元）高出 40.8%。经济总量也是再创新高：“十四五”5 年全行业营业收入总量为 78.91 万亿元，比“十三五”的 62.8 万亿元增加 25.7%，实现利润总额（“十四五”的 5 年为 4.65 万亿元，“十三五”是 3.51 万亿元）增加 32.5%；进出口总额（“十四五”的 5 年为 4.71 万亿美元，“十三五”是 3.16 万亿美元）增幅高达 49.1%。交出了令人满意的成绩单。

骨干企业的竞争力不断增强。如果把“十四五”末（2025 年）与“十三五”末（2020 年）中国石油和化工行业上榜《财富》世界 500 强榜单的企业做个比较的话，也可以反映出我国石化领域骨干企业的竞争力变化。根据两个榜单发布的数据，2025 年我国上榜石油和化工企业有 11 家，数量上比 2020 年减少 1 家；共实现营业收入 1.5 万亿美元，比 2020 年上榜 12 家的总收入 1.37 万亿美元，增加 9.5%；2025 年上榜石油和化工企业实现利润总额 933.68 亿美元，是 2020 年上榜 12 家企业利润总额 264.42 亿美元的 2.53 倍。2025 年上榜石油和化工企业的平均营业收入是 1361.7 亿美元，比 2020 年的平均值 1141.9 亿美元，增加 19.25%；2025 年上榜石油和化工企业的平均利润是 84.88 亿美元，是 2020 年上榜企业平均利润 22 亿美元的 2.85 倍。自身比进步是显著的。横向比石油和化工 2020 年上榜企业的平均营业收入 1141.9 亿美元，是中国全部上榜企业平均营业收入 669 亿美元的 1.7 倍，石油和化工上榜企业平均利润 22 亿美元与中国上榜非银行业企业的平均利润持平；2025 年上榜石油和化工企业的平均营业收入 1361.7 亿美元，是中国全部上榜企业平均营业收入 820 亿美元的 1.66 倍；平均利润 84.88 亿美元，是中国全部上榜企业平均利润 42 亿美元的 2 倍。这都证明中国石油和化工企业“十四五”的发展成就是瞩目的。

在简要回顾“十四五”的基础上，接续“十三五”的《石化产业高质量发展若干思考》，“十四五”的历程定名为《石化强国新征程》。迈向石化强国的奋斗目标是“十三五”规划提出的。因为 2010 年我国石化产业跃上新的平台，成为全球第二石化大国和第一化工大国，走过“十二五”以后石化大国的地位和影响力得到进一步巩固。但我们也深刻地认识到，与强国相比还存在明显的差距，“大而不强”的短板是明显的，于是“十三五”规划提出了由石化大国迈向石化强国的奋斗目标。到今天已走过了10年，这十年、特别是“十四五”在石化强国目标引领下，全行业和广大石化企业以及化工园区，突出创新驱动、突出高质量发展，加快绿色低碳转型、加快数字化升级，重视管理创新、深化国际合作,“十四五”迎挑战、破困局，实现了开新局、育新机；在不确定、难预料因素不断增加的情况下，实现了确定性的历史性跨越。刚刚走过的这段历程值得回忆、值得记录、值得珍藏。

《石化强国新征程》与《石化产业高质量发展若干思考》，其主题都是一以贯之的，都是围绕石化产业高质量发展这一时代主题，每一篇文稿、每一个观点、每一项成就，记录的都是贯彻党中央高质量发展的战略部署、为石化强国不懈奋斗的过程。石化行业这十年的发展主题、发展目标、发展思路和发展举措，都是为了推动石化产业的高质量发展。正因为如此石化产业始终是一步一个脚印、一年一个台阶，不论遇到什么样的挑战、不论面对什么样的困境，石化全行业和广大石化企业以及全行业干部职工，都会按照党中央的决策部署、结合石化行业和企业的实际情况、结合自己的工作岗位，坚定地向着石化强国的目标，攻坚克难、勇于创新、拼搏进取，克服了前进道路上的一个个困难，取得了一个又一个胜利，创造了新的历史，铸就了今天新的辉煌！也为十年后实现石化强国目标、为中国式现代化作出石化产业的更大贡献奠定了坚实的基础。

感谢行业同仁和朋友们的关心和帮助，大家的关心帮助让我再次思考：梳理是为了回顾，回顾是为了未来更好地发展，也是为了让后来者沿着石化强国的征途把中国石化产业做得更优更强、更具竞争力。在热心朋友们的支持下，上次《石化产业高质量发展若干思考》出版以后，不少同行和朋友反馈良好，甚至不乏赞誉。实际上我自己清楚：那只是真实记录了石化行业“十三五”的发展情况和所走过的路程，作为行业资料供同行和关心石化产业的朋友们参阅而已。作为石化行业的一名老兵，把自己所感、所经历的行业发展过程、进步与成就真实地记录下来，也是作为肩负行业服务职能之人的一份职责和使命所在。

这次《石化强国新征程》的很多思路和观点同样受到了行业同仁和很多朋友的启发，得到了很多同事的大力帮助，更得到了化学工业出版社的鼎力相助。虽然署名是我，实际上编辑花费了大量精力和时间，正因为化学工业出版社朋友们的精心编辑和真诚相助，本书才得以与读者见面，在此一并表示最衷心的感谢！你们都是这部著作的共同作者，我只是一个记录者和汇总者。再一次向朋友们、特别是为本书做出默默奉献的各位致以崇高的敬意！

傅向升
2026 年 1 月于北京

目录

历史篇

行业篇

专业篇

区域篇

园区篇

附件一

附件二

附件三

历史篇

石化百年史　创新再跨越*

石化工业是资源型和能源型产业，也是技术密集型产业。石化工业的整体技术水平及其化工新材料和精细化学品的技术与制造水平，是衡量一个国家整体技术水平和高端制造水平的重要标志。因此，石化产业是原始创新和技术进步活跃而集中的一个领域，也是发达国家创新战略十分重要的组成部分，翻开中国石化工业百年史，纵观世界化学工业和中国石化产业的百年历程，成立220年的杜邦，正是凭借超强的创新力在第二个百年征途上实现了由火药公司向材料公司的转变，聚酯、尼龙以及多种工程塑料品种都是首先由杜邦发明并实现产业化的，今天的新杜邦正在向着第三个百年目标迈进，也正凭借创新领先战略成为特种化学品领域的翘楚；巴斯夫、帝斯曼以及大家熟悉的陶氏、三菱化学、利安德巴赛尔等多家世界知名的跨国公司，都是凭借自己的创新，一直位居世界化工领域的领导者地位。中国石化工业从范旭东创办永利碱厂算起已过百年，但在建国前夕产业规模只有1.77亿元，用范旭东对妻子的话说“那是一个让人害羞的数字”，新中国的建立使我国化学工业开启了新纪元，1978年产业规模达到355.2亿元，改革开放以后我国石化产业迈上了快速发展的轨道，2010年产业规模突破8.76万亿元，从此中国成为世界第二的石化大国和世界第一的化工大国；去年虽然新冠疫情还在全球肆虐，石化规模以上企业（简称规上企业）营业收入14.45万亿元，全行业实现利润1.16万亿元，双双创造了新的历史纪录！回顾我国石化工业百年历程，总结新中国石化工业取得的辉煌成就，这都是不断创新带来的变化与进步。无论是全球石化工业还是一个国家的石化产业，离开了创新就不会有今天现代化的石化工业，可以说石化工业百年史就是一部创新发展史。

* 这是2022年春，傅向升同志在疫情防控居家办公期间，梳理的四篇石化发展历史学习思考之一。

一、农药领域的创新

农药是保障农业丰产丰收的重要化学品，一直是精细化工领域的一个重要子行业，随着精细化学品种类的不断增加和领域的不断拓宽，有人把农药归类为传统精细化工领域，有时也单列为化学工业领域的一个成熟的专业门类。农药也是国民经济和社会生活健康可持续发展的重要支撑，更是我们日常端稳饭碗和菜篮子工程的关键，如果没有农药、病虫草害每年将造成35%的粮食损失，其重要性不言而喻。由于农药的特殊性，农药工业的创新性更强、要求更高，因为一个农药品种用久了，灭杀的虫或草等靶标物就会产生抗药性，抗药性的不断增强，要么用药量增加、要么更换新的农药剂型或新的农药品种，这是需要创新性更强的原因之一；另一个原因是农药主要用于粮食、蔬菜、草场等农作（植）物，粮食和蔬菜直接供人类食用或作为动物饲料，既要求对人畜无害、又要求尽量低的残留，以保障人畜健康和安全；农药用于农田、草场或菜园，通常是露天的环境，直接暴露于生态环境与大自然中，还不能对益鸟、益虫、自然生态造成伤害，只选择性地杀灭靶标性有害虫草，因此农药的创新性要求就比其他化学品更高。

正因为这样的特殊性和更高的要求，农药的创新难度也就越大，不仅创新投入高、而且周期很长，过去有过统计：创新一个农药新品种需要筛选上万个新化合物、投入上亿美元、耗时要10年之久；今天创新的难度比过去更大，需要筛选几万个，甚至十几万个新化合物，创新投入更是巨资、耗时更长。因此农药的创新与生产强国几乎被发达国家和老牌跨国公司所垄断，过去多年位居农药金字塔尖的“六大公司”是：美国的孟山都、杜邦、陶氏，德国的拜耳、巴斯夫和瑞士的先正达，当然日本的住友化学也可以列入第一梯队；近五年来经过多次重组，今天展现在我们面前的农药强企格局是：孟山都被拜耳并购，陶氏杜邦合并后拆分出科迪华，中国化工并购了先正达。今天居于农药金字塔尖的是德国拜耳、巴斯夫，中国先正达和美国科迪华。中国是农药大国，而不是强国。据国家统计局数据：自2010年以来我国农药年产量一直超过200万吨，始终稳居世界第一的位置，就今天“四分天下”的世界农药格局看：中国也已经迈入农药大国序列！但我们一定要清醒地认识到：国内农药工业不论是企业布局、产品结构、制剂剂型，还是产业集中度和技术水平，尤其是原始创新能力、创新条件和创新队伍，与发达国家相比还存在明显的差距。当然，新中国农药工业能够成为今天的世界农药大国，创新是其关键要素。

自20世纪40年代以来，世界农药工业进入化学合成驱动的现代快速发展阶段；而在中华人民共和国成立前，中国农药工业几乎处于空白状态。

1. 农药创新为新中国吃饭穿衣救了急

新中国成立以后为解决近5亿人的吃饭、穿衣问题，国家十分重视农药产品的创新与农药工业的建设与发展，重工业部化工局化工实验所（即后来的化学工业部沈阳化工研究院）于1952年就开始了农药的研发与创新。新中国最早投产的有机合成农药品种是有机氯类杀虫剂滴滴涕和六六六，为抵御当时的蝗灾以及卫生虫害都发挥了重要作用；在有机氯农药快速投产的同时，有机磷杀虫剂的研发和创新也加速推进，对硫磷、敌百虫等相继研发成功并投入生产。到20世纪70年代有机磷农药的产量占到当时农药总产量的1/3，为新中国成立后约30年间粮棉果蔬的应急供应作出了重要贡献。

2. 农药创新为淘汰高毒农药品种发挥了重要作用

20世纪80年代，为解决有机氯农药品种六六六、滴滴涕的高毒性和残留时间长给人畜和环境造成危害的问题，国家作出重大决策，从1983年4月起停止生产和使用六六六和滴滴涕，当时这些品种的产量占全国农药总产量的50%。这一决定引发了广泛的关注：停用之后能不能保障农药市场需求？会不会影响到农业收成？业界和社会各界对此充满忧虑。然而，得益于高效低毒的有机磷农药品种的研发与创新，市场需求得到了有效的满足，打消了人们的疑虑。此后，有机磷杀虫剂一度成为防治虫害的主力军，撑起了农药市场的半壁江山，但随着长期使用，甲胺磷、对硫磷、甲基对硫磷、久效磷和磷胺这5种主要高毒品种的弊端越发显现。1998年，这几个品种被列入严格控制清单，并于2007年全面禁止使用。截至2016年我国共淘汰高毒高风险农药老品种43个，并对23种农药实施限用。这一系列举措有效推动了农药产品结构的优化调整，为安全、高效、低毒、低残留新农药产品的研发和创新提供了有力支撑。

3. 农药创新为新《中华人民共和国专利法》顺利实施作出了重要贡献

20世纪90年代，为适应深化改革开放的需要，国家决定对当时的《中华人民共和国专利法》进行修改，与发达国家知识产权保护进一步接轨：对化合物实施保护，并将保护期从15年延长到20年，同时颁布实施《农业化学物质产品行政保护条例》。为适应这一新的形势和要求，原国家计委和化学工业部（以下简称化工部）经论证以沈阳化工研究院和南开大学元素所为依托，组建了国家农药工程研究中心（简称“北方农药创制中心”），原国家科委和化工部经论证以上海农药研究所、江苏省化工研究所、浙江化工研究院和湖南化工研究院为“四大基地”构成的国家南方农药创制中心（简称“南方农药创制中心”）。这“两大中心”的主要任务就是开展农药创制工作，“两大中心”和“四大基地”之间既有分工、突出重点，又协同创新，“北方中心”属综合性的，开展全方位农药产品的创新和安全评价工作（“安评中心”建在沈阳院），上海农药所以生物农药的创制和研发为主、江苏省化工研究所以拟除虫菊酯类为主、浙江化工研究院以有机氟类为主、湖南化工研究院以氨基甲酸酯类农药创制和研发为主，从此中国的农药创制体系逐步形成，并随着中国农业大学、中国科学院上海有机所、西安近代化学研究所、贵州大学、华东理工大学等一批高校和研究机构加入农药创制工作中来，我国农药的创制与研发力量得到加强，井冈霉素、唑菌酯、氯氟醚菊酯、硫氟肟醚等十几个创制农药新品种陆续产业化、投放市场，我国农药自主创新的步伐开始加快。

农药创新是国家最重视的，自“六五”到“十一五”连续6个五年计划都组织国家级科技攻关，这在所有子行业是绝无仅有的，直到今天以企业为主体的创新也从未间断过。正是通过不断创新，今天我国农药工业的产品结构也得到持续优化和升级，从大的结构看已彻底改变20世纪90年代“3个70”的不合理状况，即由过去的杀虫剂占农药总产量的70%、有机磷品种占杀虫剂的70%、有机磷杀虫剂中高毒品种占70%，调整优化为今天的杀虫剂只占约31%、除草剂约占60%，高毒高残留品种由过去的70%下降到不到3%。正是通过不断创新，农药工业不仅为农业丰产丰收和人们的“菜篮子工程”提供了重要保障，而且为保护人类健康和生态安全、生物多样性都作出了重要贡献！

二、合成氨和化肥工业的创新

化学课堂的老师告诉我们：合成氨是德国化学家哈伯于1902年首先合成的，后与巴斯夫的工程师博施合作实现了工业化，从合成到实现工业化需要一系列创新，从工业化到大型化、现代化更是通过不断创新，世界合成氨与化肥工业是这样的历程，中国合成氨和化肥工业所走的创新之路既更加艰难，也更具有代表性。

1. 合成氨靠艰难创新起步

我国化肥工业的起步是以“南吴北范”为代表。1933 年吴蕴初先生在上海成立的天利氮气公司利用天原电解车间的氢气制得合成氨、再制得硝酸，1937 年范旭东先生在南京的永利铔厂生产出合成氨和硫酸铵，上述两大事件成为我国化肥工业起步的重要标志。新中国化肥工业的起步是以“一五”计划时期苏联援建的“156 项”重点工程中的兰州氮肥厂、太原氮肥厂和吉林氮肥厂的建成与投产为标志。吉林氮肥厂 1957 年 10 月建成，设计产能为合成氨 5 万吨 / 年、硝酸铵 9 万吨 / 年；兰州氮肥厂 1958 年 11 月建成，设计产能为合成氨 5 万吨 / 年、硝酸铵 8.2 万吨 / 年；太原氮肥厂 1961 年建成，设计产能为合成氨 5.2 万吨 / 年、硝酸铵 9.8 万吨 / 年。以当前视角来看，虽然年产 5 万吨的合成氨规模，与如今年产 30 万吨、60 万吨的产能相比显得很小很小，但据史料记载这三家氮肥厂其合成氨技术达到了当时的世界先进水平，装置规模也是当年世界最大的。

2. 中国化肥工业靠自主创新实现跨越

此后，中苏关系破裂，苏联撤走援华专家，中国合成氨和化肥工业转而开启了一条自力更生、自主创新式发展之路。1958 年初，毛主席在讨论国民经济计划和预算的会上提出，中央、省、专区三级可以设立化学肥料厂，为行业自主发展指明了方向。时任化工部第一任部长彭涛亲自组织技术研讨会。当时，生产硫铵或硝铵都必须配套建设硫酸或硝酸装置，不仅投资多、建设周期长，还需要铅和不锈钢等关键材料；相比之下，在当时的条件下生产碳酸氢铵更具有可行性，而且在使用过程中也发现碳酸氢铵的肥效较好。在此背景下，侯德榜博士在其“侯氏制碱法”的基础上，创新研发出“合成氨原料气与氨直接碳化反应获得碳酸氢铵”的新工艺。随后，我们分别在上海和北京开展年产合成氨 2000 吨和 1 万吨实验，两年内便在全国建成约 200 个 800 吨级和 2000 吨级的小型氮肥厂，推动了化肥工业的快速普及。在积累了实际运行经验与教训的基础上，当时的氮肥设计院提出了 1 万吨 / 年合成氨和 4 万吨 / 年碳酸氢铵的设计方案。为解决五六亿人的吃饭问题，1961 年国务院在杭州召开氮肥工业座谈会以后，全国迅速掀起了加快建设氮肥厂的高潮。碳酸氢铵由此成为了世界化肥工业领域中国独有的氮肥品种，直至进入 20 世纪 90 年代后，随着“碳铵改尿素”氮肥品种结构的调整加快，碳酸氢铵才逐步退出了中国氮肥产业的历史舞台。尽管当时的 1 万吨 / 年合成氨、4 万吨 / 年碳酸氢铵装置规模看似有限，但工业化和建成开车的过程具有重大意义：一是经过了夜以继日的、艰苦卓绝的大量试验研究；二是成功克服了当时资源、技术条件下的无数难以想象的困难；三是有效保障了农业生产急需，为粮食增产做出了重要的贡献；四是为我国化学工业体系的建立与工业化积累了非常宝贵的经验，培育了一支能征善战的专业技术人才队伍。

3. 中国化肥工业的大型化与现代化

我国合成氨与化肥工业创新发展进入第三个阶段，以 1973 年国民经济恢复时期国家“四三方案”的制定和实施为标志，核心是引进 13 套大型合成氨、尿素装置。装置规模达年产 30 万吨合成氨、52 万吨尿素，实现了行业真正意义上的大型化转型。这一阶段的创新主要是以“引进消化吸收再创新”为核心，重点推进包括催化剂、净化剂以及关键和核心设备等的国产化替代。“七五”时期，原国家计委、化工部依托四川化工总厂牵头组织的“20 万吨 / 年合成氨大型国产化工程”国家攻关项目，于 1992 年底通过国家验收。该项目不仅使技术水平、操作工培训模拟系统都达到 20 世纪 80 年代末国际先进水平，而且通过大型工程化一条龙攻关，还掌握了大型氨合成塔、汽提塔、造粒塔、换热器等关键设备的制造技术，于 1994 年 11 月获得全国最佳工程设计奖和国家优秀工程设计项目金质奖。在此基础上，我们今天新建 60 万吨 / 年合成氨、100 万吨 / 年尿素大型化装置，实现了完全依托自有技术、自主设计、关键设备自主制造、催化剂自主配套的交钥匙工程。多年来，我国合成氨、氮肥和磷肥的产能产量均稳居世界第一，整体技术、物耗能耗水平以及废弃物排放水平均世界领先，这一切都得益于我们几十年来持续不断的技术创新，更凝聚着几代化肥人的智慧、付出乃至牺牲！

三、氯碱工业的创新发展

氯碱工业的两大主导产品是烧碱和聚氯乙烯。烧碱于 1807 年由英国化学家戴维首次制得，直到 1890 年采用隔膜法或水银法电解盐水工艺实现工业化生产；聚氯乙烯是 1835 年由美国人勒尼奥发现，直到 1913 年德国发明家弗里德里希 • 克拉特研发出聚氯乙烯聚合工艺，1931 年由德国公司实现了工业化生产。中国氯碱工业起步以 1929 年吴蕴初先生在上海创办天原电化厂为标志，该厂采用电化学法生产烧碱、氯气和氢气，当时产品主要为天厨味精提供烧碱原料，不生产聚氯乙烯。我国聚氯乙烯的生产与发展是新中国成立以后的事。20 世纪 50 年代初，重工业部化工局化工实验所（后来化工部沈阳化工研究院的前身）开始电石乙炔法制氯乙烯、聚合制聚氯乙烯的研发和试验。锦西化工厂是国内首个开展聚氯乙烯中试和工业化生产的企业，于 1954 年成功完成年产 100 吨聚氯乙烯的中试，1958 年建成我国第一套年产 3000 吨聚氯乙烯的生产装置并顺利投产。从此我国氯碱工业开启了快速发展新时期。

氯碱工业的创新集中在“三大难点”，这也是我国氯碱工业诞生以来创新的重点。

1. 烧碱关键设备电解槽用离子膜的创新

烧碱生产采用电解工艺，电解槽就成为烧碱生产过程的关键核心设备。最早烧碱生产采用的石墨阳极隔膜电解槽，20 世纪 60 年代，率先工业化的国家开始以金属阳极代替石墨阳极。相较于石墨阳极，金属阳极电解槽具有生产能力显著提高、电耗大幅降低、隔膜寿命可延长一倍等优势。因此我国也于 20 世纪 70 年代在完成技术研发与实验验证的基础上，逐步推进金属阳极对石墨阳极的取代过程。同一时期，以美国、欧洲国家、日本为代表的发达国家又发明了一种更先进的烧碱生产技术——离子膜电解法，该方法不仅消除了隔膜的污染问题，还具备碱液纯度高、产品质量好、能耗显著降低等突出优势。

进入 20 世纪 80 年代以后各工业化国家纷纷用离子膜电解槽替代传统的隔膜电解槽。随着我国工业化进程加快，氯碱工业的技术进步以及烧碱企业竞争力提升对离子膜电解槽的应用提出了迫切的需求。但是当时我国尚未掌握离子膜制备的核心技术，离子膜及其关键配套材料（磺酸树脂、羧酸树脂和全氟磺酸树脂）成为制约行业发展的“卡脖子”短板。因此，从 80 年代开始持续 20 多年的时间里，国内所有新建投产的烧碱装置的离子膜都是靠花费大量外汇进口的，代价巨大！

实际上从“七五”开始，原国家计委和化工部就把离子膜国产化列为国家重点攻关课题。因为技术难度大、发达国家技术封锁，不仅制备膜的配套树脂不过关，而且离子膜制备工艺更难攻克，被发达国家所垄断；进入 21 世纪以后，山东东岳集团与上海交通大学联合开展技术攻关，在国家“863”计划和国家科技支撑计划的支持下，终于于 2009 年 9 月成功下线首张国产氯碱用工业化离子膜。2010 年 5 月，2 张国产化离子膜在黄骅氯碱完成试用；同年 6 月，70 张国产离子膜在东岳集团投入商业运行。经过 20 多年的持续创新攻关，我国终于突破离子膜国产化技术瓶颈。

2. 聚氯乙烯关键设备聚合釜的创新

聚氯乙烯的生产工艺主要有两种：发达国家普遍采用以乙烯为原料的氧氯化工艺，我国则是以电石为原料的乙炔工艺为主。这一工艺选择是由我国“多煤缺油少气”的资源禀赋决定的，我国原油的对外依存度高达 70% 以上，如果聚氯乙烯生产完全采用发达国家的工艺路线，将进一步提升原油对外依存度。因此，我国 80% 的聚氯乙烯一直采用电石乙炔工艺。不论是乙烯氧氯化工艺、还是电石乙炔工艺，都有一个共性的关键设备——氯乙烯单体聚合的反应釜，其技术创新过程最具有代表性。

中国聚氯乙烯第一套装置 3000 吨 / 年规模，6000 吨 / 年定型设计，后逐步扩大到 3 万～ 5 万吨 / 年；聚合釜容积也从 7 立方米、15 立方米迭代到 30 立方米，通过创新不断升级。但是直到 20 世纪 90 年代初，聚合过程的粘釜问题始终没有得到很好解决，此后，我国通过“技术设备 + 助剂研发”双轨创新：一方面研发创新聚合釜的制备与内抛光技术，另一方面同步研发创新防粘釜助剂，使反应釜清理周期由 1 釜 1 清，逐步延长到十几釜、几十釜，最终实现百釜以上才开盖清理。从 2000 年的 70 立方米聚合釜，到当前的 105 立方米、108 立方米及 110 立方米聚合釜，正是这不断的创新奠定了我国 15 年来始终稳居世界聚氯乙烯第一生产大国的地位。

3. 低汞与无汞催化剂的创新

电石乙炔工艺中，乙炔合成氯乙烯单体的反应过程中需要以氯化汞作为催化剂，汞俗称“水银”，属剧毒重金属，且易升华流失，严重危害人体健康。为减少汞对环境和人类健康造成的危害，2013 年联合国环境规划署通过了旨在全球控制和减少汞排放的国际公约《关于汞的水俣公约》，并于 2017 年 8 月正式生效。2016 年 4 月，全国人大常委会正式批准公约并启动履约程序，对原生汞矿关闭时限和电石法聚氯乙烯用汞工艺提出了约束性要求：第一步要求全部改用低汞催化剂，第二步在技术和经济成熟的情况下改用无汞催化剂。这一履约目标的现实需求依托系统性研发创新。到“十三五”末，国内经过大量研发试验取得显著突破：电石法聚氯乙烯生产装置已全部实现了低汞工艺，单位产品用汞量比 2010 年减少 50%，在保障生产稳定的前提下，降低了催化剂消耗和汞污染；无汞催化剂和无汞新工艺研发也都取得阶段性创新成果，为下一步电石法聚氯乙烯全部推广无汞催化剂和无汞新工艺创造了条件。

四、乙烯工业的创新

全球石油化工行业自第二次世界大战以后进入了快速发展期，我国石油化工产业的发展以大庆油田的发现为标志，伴随着改革开放的深化，迈入了大型化、规模化和现代化的快车道。通过不断创新，我国石油化工整体技术水平与世界先进水平并肩。乙烯是石油化工的重要基础化学品，以乙烯为基础原料经过氧化、羰基化、水合、聚合等化学反应，可以衍生出一系列有机化学品、精细化学品和高分子化合物，因此乙烯的工业化水平、产能及产量已成为衡量一个国家石化产业发展水平的重要指标。目前，美国乙烯的产能与产量居世界首位，我国紧随其后，位列世界第二（到 2022 年底的最新统计结果，中国乙烯产能超过美国成为世界第一）。

1. 我国乙烯工业从自主创新起步

根据史料记载，1970年1月兰化公司3.6万吨/年乙烯砂子裂解炉建成投产，标志着我国乙烯工业化进程正式开启。

2. 成套引进实现乙烯工业快速发展

为满足国民经济的快速发展的需求，我国乙烯工业大规模工业化进程，是以 1973 年 1 月国家“四三方案”中确立引进的 3 套大型石化装置与 4 套大化纤装置为标志，其中，乙烯装置设计产能情况如下：上海石化总厂一期工程 11.5 万吨 / 年装置，1977 年上半年建成投产；辽阳石油化纤 7.3 万吨 / 年装置，1979 年 9 月建成投产；最具代表性的是北京燕山石化总厂引进的 30 万吨 / 年乙烯装置，1976 年 6 月建成投产，是我国石油化工历史上建成投产的第一套 30万吨/年乙烯装置，也是中国当时规模最大、技术最复杂的“超级石化工程”。1978 年，我国又引进了 4 套 30 万吨 / 年乙烯及其配套的石化装置，分别建在大庆、齐鲁、南京和上海，从此我国乙烯工业正式跻身世界先进行列。

3. 持续创新实现新跨越

我国对裂解炉及其裂解技术的研发与技术攻关一直没有停步，“七五”期间开始的新型蒸汽裂解炉被列入国家重大技术装备研制项目，于 1988 年获中国实用新型专利，1990 年 2 月以 4 万吨 / 年规模在齐鲁石化试车成功，1991 年获国家重大技术装备办特等奖和国家科技进步奖二等奖；1993 年开始又先后开启了 4 万吨 / 年Ⅱ型炉、6 万吨 / 年Ⅲ型炉的研发与技术攻关，2001 年 10 万吨 / 年大型裂解炉在燕山建成投产，并获 2006 年国家科技进步奖二等奖。经过近

20 年的持续创新和技术攻关，我国自主研发的新型裂解炉技术水平和设计水平都不断提升，炉型逐步成熟、并已形成系列化。目前我国自主研发的复杂原料百万吨级乙烯成套技术获得 2020 年度国家科技进步奖一等奖，不仅为天津石化、镇海炼化 2 套 100 万吨 / 年乙烯装置提供了成套裂解技术，而且我国也成为乙烯裂解技术的国际专利商，成功出口马来西亚和泰国，这都是我国 30 年持续创新实现的跨越。

五、过去与未来

回望过去，学史明理、学史思辨，更是展望未来、开创未来。在梳理这篇文稿的过程中，我翻阅之前的工作笔记、查阅相关史料，过往经历历历在目：如参与“六五”科技攻关总结，组织论证并主持“七五”“八五”“九五”科技攻关项目，主笔编写《化学工业“九五”科技进步规划》，牵头启动“十五”科技攻关选题立项；陪同时任国家计委科技司秦声涛司长、刘艳荣处长调研和论证“北方农药创制中心”方案，陪同时任化工部副部长贺国强同志在上海召开组建“南方农药创制中心”研讨会，陪同原国家科委工业司石定寰司长到“南方农药创制中心四大基地”逐个验收及在北京总体验收等场景，均清晰浮现。后期随着工作岗位和职务的变化，虽然我不直接从事科技创新的组织与管理工作，但创新情结一直难以释怀，石化工业的创新与进步一直是我最关心和重点关注的。以上挑选的几个创新的典型代表，希望带给读者由点及面、由个体到整体、由个性到共性的思考。实际上过去百年，尤其是新中国石化工业的创新发展，还有很多值得回顾与总结的重大成果、宝贵经验与深刻教训。当前我国 20 多种大宗基础石化产品的产能产量稳居世界第一位，石油化工、现代煤化工以及石油天然气的勘探开采技术都居世界先进水平，这一系列成就的取得，核心驱动力源于持续的技术创新。烟台万华通过持续技术攻关，成功掌握了 MDI（二苯基甲烷二异氰酸酯）、TDI（甲苯二异氰酸酯）、HDI（六亚甲基二异氰酸酯）等异氰酸酯领域国际领先技术，其创新实践已成为行业标杆。中国石油、中国石化、中国海油攻克一系列陆上和海上油气勘探开采新技术，推动我国原油产量止跌并连续 3 年增长、天然气产量连续 5 年增产超过 100 亿立方米，保障国家能源安全，这一切得益于持续不断的创新；中昊晨光化工研究院和常州有机二厂开展工程塑料聚碳酸酯工业性试验、天津化工厂推动氯化法钛白和蛋氨酸工业性试验，北京化工大学与吉化联合开展碳纤维制备技术攻关，直至“十三五”时期，鲁西集团、万华化学、宜宾天原、鲁北化工、新和成、中复神鹰等企业持续发力，成功突破上述长期“卡脖子”技术并实现产业化落地，彰显了持续创新对产业升级的关键推动作用。

未来石化工业的高质量发展更寄望创新，因为百年未有之大变局正在加速演进，新一轮科技革命和产业变革进程加快，国际环境日趋复杂和竞争日益激烈，地缘关系和地区政治动荡随时可能加剧，全球政治格局、经济格局和产业格局正在发生重构，我国经济和石化产业已迈入高质量发展的新阶段，这些都对创新提出了更迫切的需要和更高的要求。一方面，未来石化工业贯彻党中央部署做好碳达峰碳中和工作需要创新，未来石化工业构建以国内大循环为主体、国内国际双循环相互促进的新发展格局需要创新，未来要实现由石化大国向石化强国的跨越需要创新！另一方面，中国人要端牢自己的饭碗更需要化肥农药等农化产品的创新，中国要打造高端制造业强国更需要高端石化产品和高性能材料的创新，我国要实现强国强军梦想更需要特种化学品和化工新材料的不断创新！让我们共同努力，持续深入学好党史、学好石化行业史，系统总结百年征程中的辉煌成就和宝贵经验，借鉴发达国家的成功实践和有益启示，更加重视创新，进一步突出创新、强化创新，发扬过去在创新方面好的做法与经验，在持续不断创新中推动石化工业绿色低碳和高质量发展，加速实现从石化大国向石化强国的跨越升级！

石化百年史　艰苦创业路*

一、化工石化为工业化与现代化释放乘数效应

石油和化学工业是国民经济的重要支柱产业，既涉及国家粮食安全、能源安全，也涉及国家国防安全，更关乎高端制造业、战略性新兴产业是否被“卡脖子”。化学工业是工业革命的产物，又是工业化的加速器，伴随着炼钢、炼焦业的发展，化学家发现利用煤焦油可以人工合成染料，从此现代合成化学由德国拜耳和巴登苯胺（巴斯夫的前身）相继开动了工业化的加速器，几乎与第二次工业革命同步迈进了快速工业化时期，也加速了工业化的大型化时代，相继推动工业化开启了现代化的新征程。站在今天的时点回望，以瓦特蒸汽机实际应用开启第一次工业革命为标志，已走过约 250 年时光；以电力的应用开启电气时代为标志的第二次工业革命至今，也已走过约 150 年。从大的时间段划分，第二次工业革命接近 100 年时间里，比第一次工业革命的 100 年所创造的社会财富要多得多、也丰富得多，毫不夸张地说“这与化学工业的创新、成长和快速发展直接相关”！如果再把镜头拉长一点，自二十世纪中叶开启的第三次工业革命不到 70 年的时间所创造的社会财富远超之前的 200 年，这与第二次世界大战结束以来世界石油化工的不断创新、快速发展和大型化、现代化更是密切相关。

站在今天的时点回望，自开启第二次工业革命以来，如果没有现代合成化学工业的不断创新与发展，就不会有后来的现代制造业，更不会开启以信息化为标志的第三次工业革命。历史和工业现代化以及经济成就都告诉今天的人们，离开了现代化的石化产业，就不会有现代制造业、就不会有战略性新兴产

* 这是 2022 年春，傅向升同志在疫情防控居家办公期间，梳理的四篇石化发展历史学习思考之二。

业、就不会有经济强国和国防强国；离开了现代化的石化产业，手机（尤其是最新款的折叠手机）、液晶显示、平板电脑、5G就不可能成为我们的日用品，也许全部金属外壳的汽车和轨道交通以及冰箱、洗衣机等家用电器街上能跑、家里能用，但可以肯定的是能源消耗量会更大；离开了现代化的石化产业，尤其是没有化工新材料及高性能复合材料和特种功能材料，可以肯定的是飞机（尤其是波音787、空客380等大型客机）难以翱翔蓝天，人类探月、航空航天、深海探险等更不可能实现。

纵观欧美等发达国家，作为引领第一次工业革命、第二次工业革命和工业现代化的先行者，其化学工业与石油化工领域长期主导全球创新进程。第二次世界大战结束以后，日本、韩国等国把石化工业的现代化置于优先地位。依托这一产业优势，这些国家也是今天的世界经济强国、科技强国、制造业强国，美欧还更兼具航空和军事强国优势。正是石化产业的这种基础性、配套性和关联性，加之化学工业化学合成和化学反应对社会财富的原创性，工业革命以来，尤其是近百年来，率先实现先工业化的国家（特别是发达国家），都把化学工业及石化产业的创新与领先发展置于其他工业门类之上。因为没有高质量高性能合成材料就不可能有高品质塑料制品，没有高端纤维材料就不可能有穿着舒适的服装面料，没有重水及化学提纯的高浓度铀就不可能有核能工业和核武器，没有高能化学推进剂和超高温耐蚀材料、密封材料就不可能有远程运载火箭和太空往返，因此，各国尤其是发达国家和区域强国，都把化学工业及石化产业的创新与领先战略与国家的精密与高端制造、新能源转型战略、航空航天战略、国防强军等重大战略紧密绑定。

二、百年前中国民族化工起步之艰辛

由于近代历史的原因，中华人民共和国成立前我国工业化规模与水平远远落后于发达国家，现代化更是空白；新中国成立以后党领导全国人民开始由农业国向工业国加快转变，改革开放以后工业现代化开始加速，我们用70多年的时间发展成为今天世界第一的制造业大国和第二经济大国，但我们还不是强国，是当前世界上最大的发展中国家。我国化学工业和石化产业也是错失了世界第一次和第二次工业革命的起飞期，从史料看中国人是品尝酿造酒最早的民族之一，后来的制陶、造纸术、炼丹及火药等与化学反应有关的发明创造都源于中国；但是，当西方进入第二次工业革命、开启化学合成大门、推动近代化学工业驶上快车道，并向着大型化、现代化迈进的时候，我们睡着了，并且长睡不醒。当时代列车驶入20世纪的时候，世界列强对中华民族环伺的时候，中国近代化学工业的代表人物“南吴北范”怀着“实业报国”的情怀，以“打破外国封锁，造福国人”为现实使命，开启了中国民族化学工业的艰苦创业之旅，一般史料都把范旭东创办永利碱厂和吴蕴初创办天原电化厂，作为中国近代化学工业起步的重要标志，那时欧洲化学工业已具备一定的规模，美国石油开采和炼制正如火如荼。

“南吴北范”是指在上海创办天原电化的吴蕴初和在天津创办“永久黄”的范旭东。范旭东1917年决定创办永利碱厂。当时虽然国内有一些小型的碱厂，但都是以土法或最早的吕布兰法制碱工艺为主，普遍存在产量低、质量差的问题，因此中国市场长期被“洋碱”占据，英国卜内门垄断市场供给，比利时索尔维则封锁核心技术。又加上当时第一次世界大战正酣，欧洲列强深陷战事，“洋碱”进口量锐减，导致以纯碱为原料的国内工厂因原料断供陷入生产停滞，纯碱价格也随之暴涨。为解决当时中国人民生活用碱和工厂的纯碱原料急需，范旭东先生在1914年创办久大精盐的基础上，决定发展民族化学工业，筹建永利制碱厂。在当时的条件下，建厂之路面临多重阻碍：首先要克服的是资金缺乏；其次要攻克技术难关，当时最先进的“索尔维制碱法”是保密的，必须经过大量的实验研究自主攻关；最后受限于当时中国的工业化水平和设备制造水平，关键设备只能从国外购买。1924年，永利制碱厂终于产出第一批自主生产的纯碱，却因产品呈暗红色质量不合格难以被客户认可。在遇到这一生产难题的同时，永利还陷入了负债累累的极度困难境地。关键时刻，侯德榜博士通过深入分析、反复研究和不断实验，终于找到了产品含铁量高的原因，随即更换了反应设备。经过前后10个年头的艰苦创业，永利制碱厂于1926年6月末生产出了合格的纯碱，并于1927年8月获得美国费城万国博览会金奖，为民族化学工业赢得了国际认可。1929年10月，吴蕴初创办上海天原电化厂。也是历经一年多的艰苦努力，克服重重困难，工厂才建成投产，如今唐山三友、潍坊海化、内蒙古博源等生产企业，凭借完全自主的技术、自主设计与自制设备，建设一个百万吨级的纯碱工厂已属驾轻就熟；中泰化学、新疆天业、海湾化学等生产企业，更以全自主技术、自主设计、自主催化剂及自制设备为支撑，打造百万吨级的烧碱工厂也是手到擒来！可是在100年前，范旭东和吴蕴初等民族企业家们所遇到的困难和挑战是今天的我们难以想象的！也正是有了百年前他们的艰苦开拓，加之几代石化人的接续奋斗，中国近十几年来稳居世界第一纯碱大国和世界第一烧碱大国的地位。今天，我国纯碱、烧碱产业的整体技术水平以及物耗和能耗水平也位居世界先进行列。

“七七事变”以后，日本侵略者强占永利碱厂和南京永利铔厂。范旭东拒绝与侵略者合作，为了振兴民族化学工业、也为了支援全国人民抗日，于 1938 年在四川乐山五通桥筹建永利川厂，地域的变迁又开始了他们新的艰苦创业。首先要解决原料由海盐变为井盐遇到的问题，因为井盐比海盐产量小、价格高，索尔维工艺食盐利用率低、损耗大，废液还不易处理，必须研究新的制碱法。经过 500 多次实验、2000 多个样品深度分析，全新“侯氏制碱法”诞生了。侯氏制碱法采用独创的氨、碱联合工艺，让制碱流程与合成氨流程合于一体，既省掉了索尔维制碱法的石灰石煅烧和氨回收工序，降低了能耗和成本，同时又联产纯碱和氯化铵。该制碱工艺实现连续化生产以后，不仅解决了索尔维制碱法废碱渣氯化钙的环境污染问题，而且还提高了产量、精简了设备，其综合优越性大大超过了当时的索尔维法。吴蕴初创办的天原电化厂也遭遇了相似的困境。“八•一三事变”后上海沦陷，天原电化厂也被迫西迁，几经周折，1940 年重庆天原电化厂终于建成投产，却随即面临严峻的挑战。日本侵略者频繁对重庆空袭，造成重庆的电力紧张而且极不稳定，而氯碱生产的关键是电解技术和电解槽，这个环节耗电量巨大，电力不稳定是生产过程中的大忌。因此在 1943 年，吴蕴初先生决定增建天原电化厂宜宾分厂——这便是今天宜宾天原的前身，后世石化工业从业者也就知道了重庆天原和宜宾天原的历史脉络。在梳理这篇文稿的过程中，我眼前浮现出乐山五通桥畔四川福华的草甘膦反应釜、宜宾天原高端聚氯乙烯地板以及新能源汽车电池用正极材料生产现场的画面。百年后的今天，化工大国的建设者们仍然在范旭东和吴蕴初两位民族先贤选中的风水宝地上，续写着中国现代化工的新篇章，这让我深感自豪和光荣！

三、化肥工业是化学工业艰苦创业的缩影

我国化肥工业由小到大、由弱到强的发展历程是石化工业，甚至是中华民族艰苦创业的一个缩影。我国化肥工业百年以吴蕴初的天利氮试产合成氨和范

旭东的永利南京铔厂投产硫酸铵为标志，中国化肥工业开始起步；新中国成立以后，大连化学厂修旧利废于1951年6月恢复合成氨和硫酸、硫铵生产，新中国化肥工业开始起步。中国化肥工业的跨越式发展是“一五”时期苏联援建“156项”中“三大化工基地”的三个氮肥厂，即吉林氮肥厂、兰州氮肥厂、太原氮肥厂，分别于1957年、1958年和1961年建成投产；但是，中国化肥工业为满足农业急需走的是一条自力更生、自主创新，独具中国特色的道路，诞生了世界化肥领域独有的肥料品种——碳酸氢铵，且万吨级工业化生产装置在全国范围内广泛落地、遍地开花。中国化肥工业真正实现大型化和现代化是从20世纪70年代、国家“四三方案”引进13套大化肥开始的。回望中国化肥工业的百年史，就是一部艰苦创业史，尤其是中国独有的肥料品种碳酸氢铵的研发、工程化与产业化过程。中苏关系破裂之后，苏联撤走专家，苏联援建的3套氮肥装置投产以后也逐渐暴露出问题：不仅投资大、工艺流程长、建设周期久，而且经济性差。为满足近5亿人的吃饭问题，党中央和毛主席要求大量增产化肥。在彭涛部长亲自主持的技术研讨会上，专家提出大连化学厂曾经用石灰窑气与氨反应获得了碳酸氢铵，经农业科研机构的实验证明，碳酸氢铵有较好的肥效；同时又谈到生产碳酸氢铵与生产硝酸铵、硫酸铵相比，可以省去硝酸和硫酸生产工段，不仅生产工艺缩短了，而且不用靠进口才能解决的铅和不锈钢材料。在当时的条件下生产碳酸氢铵满足农业急需，符合中国的国情和当时的条件，后来侯德榜博士又在他“侯氏制碱法”的基础上提出了完整的碳化法合成氨流程制碳酸氢铵工艺。进入20世纪60年代初，又赶上了“三年困难时期”，粮食供应极度短缺，粮食问题更是成了头等大事。1961年3月，中共中央专门成立化肥小组；同年4月，在杭州座谈会召开，明确了加快氮肥发展的方向，中国化肥工业锚定世界独有的碳酸氢铵这一特色肥料品种，开始踏上自主研发、自力更生的艰苦创业之路。在当时这是一项前无古人的新产品、新技术，起步以400吨/年合成氨设计方案开始，在设计审查会上彭涛部长决定：样板厂的规模改为800吨/年，设计审查会后安排了35套800吨/年样板装置的建设任务，1959年和1960年在全国先后建设约200个800吨级和2000吨级的小型氮肥厂，建成开车的时候发现：装置规模太小、氨合成过程的反应热不能平衡，设备也过于简陋、泄漏和不断停车检修很难做到连续开车；1962年江苏丹阳化肥厂第一个解决了碳化流程中二氧化碳与氨平衡的问题，并一举攻克了技术关、设备关和经济关；后来800吨级提到3000吨级、2000吨级提到5000吨级，在积累经验教训的基础上，当时的化工部氮肥设计院提出了1万吨/年合成氨、4万吨/年碳酸氢铵新的设计方案并在全国推广。到1979年，全国有小氮肥厂1533个，合成氨产能占全国当时总量的55.6%。

20世纪60年代，全国各地建成的小碳酸氢铵生产厂几乎都遇到了开车难的问题。受限于当时的条件和设备加工水平，装置设备简陋，开车后泄漏问题频发，难以做到连续稳定运行。刚修好泄漏设备，又因为气体净化不过关导致催化剂中毒，被迫停车检修；新催化剂刚更换，又因为压缩机或反应釜密封圈出问题，气压上不去，还是不能正常开车。为了保障装置的顺利运行，化工部成立专门的开车小组，成员几十天吃住在厂里，逐个破解现场问题。开车过程遇到的问题都解决了，新的难题接踵而至，小化肥厂吨产品煤耗高、能耗高，即便勉强开车生产，也会陷入亏损的境地，困难一个接着一个。进入70年代，小氮肥行业开始主攻改造升级关，直到70年代中期，小氮肥厂平均吨氨煤耗（原料用煤和燃料用煤）仍超过4吨，吨氨电耗2200多千瓦时，全国2/3之多的小氮肥企业亏损。在此背景之下，一场以提高综合和生产能力为目标的“改造升级”活动在全国展开。首先从原料改造开始，“以无烟粉煤煤球代替无烟块煤”，再到后来的“合成氨生产蒸汽自给节能技术”“小氮肥企业两水闭路循环技术”，又加上强化管理和先进交流、培训，物耗能耗持续降低，终于在攻克技术关的同时也过了经济关，后来有一批小氮肥厂达到了“三个一千”，即吨氨煤耗低于1000公斤、电耗低于1000度、工艺能耗低于1000万千卡。到80年代初经整顿后保留的小氮肥厂基本实现了扭亏为盈、净利过亿。

那个建设碳酸氢铵化肥厂的年代，国内还不知道可以以天然气或石油为原料生产碳酸氢铵，当时建成的碳酸氢铵厂都是以煤为原料，别看一个厂的规模不大，但全流程下来也是“五脏俱全”，从造气炉开始、经净化塔、氨合成塔、到压缩机，在当时的条件下个个都是摆在化工人面前的巨大挑战。今天我们建设一家化肥厂：龙头地位的水煤浆气化炉、航天炉、晋华炉等有众多炉型可供选择，今天我们加工任何一个炉型就像在家里包顿饺子一样简单；化肥生产过程的心脏设备氨合成塔的制造难度更大，因为反应过程需要高温高压，稍有差池就可能造成可怕的后果；这些在当时就像摆在化肥前辈们面前的一座座山，需要逐一去征服、去跨越。化肥厂的另一关键设备是大型压缩机，我国第一台化肥厂用大型压缩机的制备任务交给了大连化学厂的机械厂，当时的机械厂没有起重设备，也没有压力设备，所有的冲天炉总的出铁水能力一次不到10吨，而大型压缩机的重量是18吨，在当时的化机人看来这就是一个庞然大物，对一般人来说简直就是束手无策。而大连化学厂接受任务以后，其机械厂试制会战那天，时任大连化学厂厂长的秦仲达（1982—1989年担任化工部部长）亲临现场并亲自检查了各个工序，当两包铁水连续浇铸成功18吨的大铸件、各部件精密度全合格以后，这个化肥厂的关键设备、能产生200公斤以上压力的大型压缩机诞生了。正是有了那个年代的拼搏和艰苦创业，攻克了无数技术的、设备的及管理的难题和环节，加上以后的消化吸收再创新，才有了今天中国化肥工业产能产量世界第一、整体技术水平世界第一的地位和影响力，才具备了今天完全自主设计、自主制造、建设百万吨级化肥装置，就像山东人包大包子一样容易的能力。

四、石油工业是石化领域艰苦创业的典范

习近平总书记视察胜利油田时强调：石油能源建设对我们国家意义重大，能源的饭碗必须端在自己手里！因为石油是工业的血液、是经济的命脉，基辛格曾经说过：谁掌握了粮食谁就控制了人类，谁掌握了石油谁就控制了世界。说起石油，据考古史料记载，古埃及、古巴比伦时期就已经开始利用石油中的沥青成分，应用于建筑、防腐等领域。中国也是世界上发现和利用石油较早的国家，“石油”这个中文名字是宋朝的沈括命名的。他听闻有一种“水，可燃”，就决定去实地考察，最终发现这一种褐色的液体——当地人用来烧火、做饭、取暖。沈括在他的《梦溪笔谈》中首次将其命名为“石油”，并精准预测：“此物后必大行于世，石油至多，生于地中无穷，不若松木有时而竭”，这便是“石油”一词的由来。石油的大规模开采，若作简单划分是从19世纪后期开始的，真正进入工业化大规模开发，我们首先会想到美国的洛克菲勒（人称“石油大王”）。19世纪末至20世纪最初10年，洛克菲勒的标准石油公司几乎垄断了全美的石油天然气开采和炼制。当然，谈到石油的大规模工业化开发，皇家荷兰壳牌（Shell）、英国石油（BP）等这些熟悉的公司也都是当时的领先者。当前，石油资源拥有量大的国家主要有沙特阿拉伯、俄罗斯、美国、加拿大、委内瑞拉、伊朗、伊拉克等，目前产量和出口量大的国家有沙特阿拉伯、俄罗斯、美

国等，伊朗与委内瑞拉因受以美国为首的西方国家的经济制裁，虽然储量和可开采量大但产量和出口量都不多。中国的资源禀赋属“多煤缺油少气”，我们2021年原油产量1.99亿吨、加工量高于7亿吨，消费量仅次于美国，居世界第二位，近3年来原油和天然气进口量一直居世界第一。

中国的石油工业，以1907年8月第一口油井“延一井”出油为标志，已走过115年；如果以1935年5月中国石油工业史上第一党支部在延长石油厂成立为标志，也走过87个年头，回望中国石油工业的百年历程，其艰苦创业的精神丰碑一直是一面鲜艳的旗帜。2021年党史学习教育期间，我们组织党支部书记以上的同志到延安上党课、重温入党誓词、参观梁家河，也组织大家来到了延长石油厂“中国石油工业史上第一个党支部成立的地方”和“中国大陆第一口油井”旁，参观了1907年9月投产的“中国陆上第一座炼油房”；看到了1938年底共产党为了抗日民族统一大业，为支援玉门油田开发，把延长石油的两套钻机运去了玉门，以保障延长石油的生产当时用木材制作的井架，了解到当时的炼油房用的燃料是上山砍的柴，以供应延安的党中央和八路军总部的油灯用油、印刷油墨和前线指战员的枪械润滑；可见，当时的石油工人们是在何等艰苦的条件下创业和拼搏。毛主席亲笔为延长石油厂长陈振夏题写了“埋头苦干”的题词，至今仍被镌刻在延长石油集团的办公大楼前。

中华人民共和国成立前，累计探明石油地质储量0.3亿吨，探明天然气地质储量不足4亿立方米；1949年全国石油产量仅有12万吨，国内使用的石油产品几乎全部依赖进口。新中国成立以后，很长一段时间我们始终顶着“中国贫油论”的大帽子，甚至国外的知名专家都下了“中国无油”的结论，因为美国人没找到、苏联人没找到、日本人也没找到！在共产党的领导下，我们的地质学家和科学家们没有盲目轻信外国人的结论、没有因为困难而止步，以科学理论为指导、继续发扬艰苦创业的精神，科学分析、冷静判断，终于在1955年取得第一个突破：发现了克拉玛依油田。随后，1959年发现大庆油田，再后来又相继发现了胜利油田、华北油田、辽河油田等大油田。1959年中国石油产量达到373.3万吨，当年主要石油产品的自给率达到40.6%，到1963年，周恩来总理在二届四次人大会议上宣布：“我国需要的石油，现在可以基本自给了”。此后，随着石油战线大规模石油大会战的开展，1978年中国石油产量实现新的跨越：产量突破1亿吨、成为当时世界第8大产油国，1983年我国石油产量再跨越、跃升为第6大产油国！2020年，我国石油剩余探明可采储量

35.5 亿吨，天然气剩余探明可采储量 8.4 万亿立方米；原油产量 1.95 亿吨、天然气产量 1888 亿立方米（其中页岩气产量突破 200 亿立方米、页岩气产量仅次于美国居世界第二位），原油加工量 6.74 亿吨，中国稳居世界第 6 大产油国、第 4 大产气国和第 2 大炼油国。

“铁人”已成为大庆的代名词，“铁人精神”是王进喜为全国人民创造的精神丰碑！ 1959 年 9 月，黑龙江松辽盆地传来喜讯：松基三井喷油，大庆油田被发现！石油大会战的序幕由此拉开，王进喜当时是玉门油田的钻井工人，因国家石油会战的需要，王进喜率领 1205 钻井队赶到大庆参加石油大会战，那时的大庆是因为发现了石油所以刚刚由“大同镇”改名而来，眼前是茫茫荒原，住的是“干打垒”、吃的是土豆白菜苞米馇子，冬天冰天雪地、夏天到处泥泞。我曾到大庆石油馆和王进喜纪念馆参观学习，电影《王进喜》中的片段更让我久久难忘: 1960 年 3 月下旬，王进喜从玉门赶到大庆萨尔图火车站，他一下火车不问吃、不问住，开口就问“钻机到了没有？井位在哪里？”当钻机到了以后，没有吊车和拖拉机，为了抢时间，王进喜说“咱们一刻也不能等，有条件要上、没有条件创造条件也要上”，随后他就带领工人们铺上滚杠，前面的人大绳拉、后面的人撬杠撬，靠双手和肩膀愣是把钻机卸下来并运到钻井现场，奋战三天三夜又把 38 米高、22 吨重的井架迎着寒风矗立在荒原上。要开钻了、水管还没有接通，王进喜又带领工人们到附近的水泡子里破冰取水，大家排成行用脸盆和水桶，一盆一盆、一桶一桶往钻井现场运送了约 50 吨水。凭借这种“宁可少活 20 年，拼命也要拿下大油田”的艰苦创业精神和顽强拼命的意志，王进喜带领大家仅用 5 天零 4 小时就钻完了大庆油田的第一口生产井，又苦战 5 天 5 夜打出了大庆第一口喷油井。还有一个令人难忘的镜头：王进喜因为几百斤重的钻杆砸伤了腿，正拄着拐杖在现场指挥钻井，突然发生了井喷，因为现场没有压井用的重晶粉，他当即决定用水泥代替，而成袋的水泥倒入泥浆池又搅拌不开。危急关头，王进喜立刻扔掉拐杖，带头跳进了齐腰深的泥浆池，用身体搅拌泥浆（在很多地方都能看到这张照片），终于把井喷制服。“铁人王进喜”艰苦创业的事迹还有很多，大庆油田正是因为有王进喜这样的艰苦创业的典范和一代代大庆人的不懈奋斗，才孕育出宝贵的“大庆精神”、举起毛主席号召全国人民“工业学大庆”这面鲜艳的旗帜。正是因为有了“铁人王进喜”和“大庆精神”，茫茫荒原上崛起了我国最大的石油生产基地——大庆油田，它曾连续 27 年石油高产稳产在 5000 万吨以上，62 年累计生产原油 24.63 亿吨、天然气超过1462亿立方米，既为我国经济发展创造了举世瞩目的成就，更为保障我国的能源安全作出了重要贡献！

五、军工配套是强国强军艰苦创业的缩影

人类历史是一部优胜劣汰、不断进化的历史，进入资本主义阶段以后，尤其是西方开启工业革命进程、率先工业化和强大以后，资本家的贪婪和资本主义制度把“弱肉强食、物竞天择”演绎到了极致，近代历史和现实都告诉我们：落后就要挨打！各国各民族的人们要想在和平环境中安享美好生活，自立自强是基础。大航海以来500多年的历史，早已印证了自立自强的极端重要性。纵观全球五大洲、两百多个国家和地区，经济强、国家强固然重要，实则科技强、国防强更为关键。中国的近代史的惨痛教训早已敲响警钟，近三十年来伊拉克、利比亚、南联盟以及阿富汗的现实教训更加深刻，今天欧洲的局势更进一步让我们看清：科技强、国防强才是真正的强，科技强是经济强的关键支撑，国防强是国家强的根本保证！只有坚强的国防才能铸就真正强大的国家；唯有国家强大，人民才能享有安稳祥和的环境，携手共创美好生活。石化工业，尤其是化工新材料和特种化学品，是国防军工配套的重要领域。弹药本身是化工产品，火箭、导弹、鱼雷及卫星、宇宙飞船发射的推进剂是化工产品，卫星、宇宙飞船以及航天器的往返舱需要化工新材料提供耐高温、超高温、耐低温、超低温性能，以及特种密封材料，航母、军舰用高端涂料也属于化工产品范畴，军服用透气、透汗、防寒、防污、耐磨、舒适的面料是化工新材料的成果，军用警用防弹、防切割、防烧蚀等功能服饰，依赖高性能合成纤维及其复合材料支撑。就连与核武器相关的重水、提纯试剂以及防辐射、防泄漏的各类产品和材料，均由化工生产提供保障。

中国国防军工及其配套产品和材料的发展也是历史悠久，火药是中国“四大发明”之一，只是西方首先开启火器军工用途、用于征服世界。在民族独立战争、人民解放战争过程中，枪炮、地雷、手榴弹等用火药类武器的广泛应用，才推动了中国军工配套工业的起步。土地革命时期，各地工农武装和根据地就在极其简陋的条件下开始生产地雷、手榴弹及复装子弹，抗日战争时期八路军有军事工业部、新四军有军工部，按照“兵工建设以弹药为主、枪械为辅”的方针，生产共计1240多万枚（发）的手榴弹、地雷和子弹，为抗日战争的

胜利作出了重要贡献；解放战争时期，兵工部门共生产枪弹 6640 多万发、炮弹 1260 万发、手榴弹 2230 万枚，无烟火药 135 万斤、炸药 805 万斤，为全国人民的解放作出了重要贡献。那时弹药生产需要硫酸、硝酸、盐酸、纯碱、烧碱、酒精、乙醚、甘油、硝化甘油、硝化棉、二硝基萘等多种化学品，各种酸腐蚀性很强，乙醚、甘油、硝化甘油等又易燃易爆，为了前线战况急需，在当时的条件下为生产酸很多时候都是用大缸做反应釜，经常发生酸溅出导致人员烧伤的情况，在生产乙醚、甘油、硝化甘油等易爆产品过程中，由于安全防护条件差经常发生爆炸伤亡事故。因此，前方的胜利离不开后方兵工配套战线、克服各种困难、做出大量牺牲的贡献。

新中国成立后，西方列强对新生的共和国虎视眈眈。1956 年毛主席明确指出：在今天的世界上，我们要不受人家欺负，就不能没有原子弹这个东西。而要有原子弹首先要有高浓度铀，在铀矿开采、分离和提纯的过程中，离不开很多关键材料：过滤与防护放射性尘埃的超细纤维、提纯用的萃取试剂、耐腐蚀和耐辐射的橡胶密封材料以及反应堆热工实验用的特种绝热涂覆材料等，更离不开一个关键产品——重水。重水在外观上和普通水相似，只是密度略大，相对分子量比水高出约 11%，因此叫作重水。重水看起来与普通蒸馏水无异，也没有任何味道，但其特点是参与化学反应的速率比普通水缓慢，且不能燃烧也不会爆炸，因此主要用途是作为核反应堆的“减速剂”，通过减小中子速度来控制核裂变过程，在重水核反应堆中，它是必不可少的。重水可以通过多种方法生产，有电解交换法、硫化氢 - 水双温交换法、液氢精馏法等，其在天然水中的含量约 1/7000，可见要制取高浓度重水其难度之大！为了国防之急需，最初我们选择了当时技术较成熟的电解水交换法技术。

1955 年，当时的重工业部东北化工局化工综合研究所（后来的化工部沈阳化工研究院的前身）承担了电解水交换法制重水的小试研究。研究团队克服各种艰辛和困难，历时一年成功完成小试，但限于规模，却无法产出急需的 10 公斤产品。于是又在当时的大连油脂化学厂和上海化工研究院分别进行中试，又是经历各种艰辛、苦战 700 多个日日夜夜，中试获得成功。在小试、中试成功的基础上，国家决定在吉林建设第一套重水工业化装置。科研人员不仅需要克服技术难题，还要应对随时可能发生的着火和爆炸等安全风险，最终，这套装置提前一年半建成投产，于 1965 年 11 月 16 日生产出合格产品，保障了 1967 年 6 月 17 日第一颗氢弹在西北部上空成功试爆。后来我们又相继自主研发并

产业化了硫化氢 - 水双温交换法、液氢精馏法和氨精馏法重水制备技术，经过20多年的艰苦创业，我们不仅攻克了重水工业化技术，而且克服许多难题，攻克了许多特种材料和关键核心设备的制备技术，其中硫化氢 - 水双温交换法制重水工程设计获1985年国家科技进步奖一等奖。

1959年冬，聂荣臻在给中央的报告中特别强调：新材料已成为突破国防尖端技术和发展国防科技的关键。其中所需的化工新材料更是重中之重，聚四氟乙烯便是其中极具代表性的一种。聚四氟乙烯就是我们常说的有机氟材料，俗称“塑料王”，集耐高低温、抗酸碱和各种溶剂、高绝缘、难燃、耐候性好、低摩擦系数和不粘等特性于一身，是当时国家国防军工配套急需的新材料，但西方国家对我国技术封锁和产品禁运。起初，上海鸿源化学厂承担了聚四氟乙烯的研发任务，因为该厂有氟制冷剂生产，确定的技术路线是：以氟制冷剂为原料经裂解获得单体四氟乙烯再通过聚合反应制备聚四氟乙烯。当时没有裂解炉，时间又不等人，于是研发人员找来一根可以耐燃烧的石英管，搭在炉灶上把炉火烧旺就有了“裂解炉”，让原料氟制冷剂从一头进，希望从另一头得到单体四氟乙烯。这样的“裂解炉”要想把温度稳定控制在700～800℃还真不容易，经过无数次失败，终于制备出了单体四氟乙烯。接下来就是聚合试验了，聚合反应的危险更大：没有聚合釜，就找来一个小钢瓶代替，为了防爆就把小钢瓶放在沙袋垒成的掩体里，实验人员趴在沙袋垒成的土墩掩体后面；聚合反应需要搅拌，只好用一根铁丝拴到小钢瓶上、另一头攥在土墩后的试验人员手里，实验人员有节奏地拉动这根铁丝带动小钢瓶晃动，起搅拌作用。晃着晃着“轰”一声小钢瓶飞了，爆炸了！实验人员冲出掩体，找回小钢瓶，一起分析爆炸的原因，改进后继续试验。没过多久，“轰”的一声小钢瓶又飞了，再找回来继续讨论，进一步改进。当时不仅仅是防爆的条件差，防氟中毒的条件更差，几乎每一位试验人员都忍着氟中毒的疼痛在坚持攻关。暑来寒往，经过无数次失败，克服重重困难，终于得到了一些白色粉末，经检测，这些粉末确实是聚合物，但不能加工成型，产品质量不符合要求，不具有实用价值；后来经过攻关会战，最终成功研制出符合加工要求的聚四氟乙烯产品。再后来，原国家科委和化工部组织多家单位联合技术攻关，终于在1962年建成第二套3吨/年聚四氟乙烯装置，一年多以后满足了国防工业之急需。1964年终于有了50立升不锈钢聚合釜，才建成了30吨/年聚四氟乙烯装置，顺利生产出合格产品，从此被西方封锁的聚四氟乙烯在中国实现了产业化。再后来，千吨级聚四氟乙烯及配套装置工程放大技术，获得 1993 年国家科技进步奖一等奖。今天的上海三爱富、山东东岳等成为国内氟化工领域的领航者，可以说都得益于 60 年前的艰苦创业。

六、时代之问：昨天、今天与明天

以上选取了几个石化百年艰苦创业的代表性事例，希望“窥一斑而知全豹”，通过个例让石化同仁看到整体、通过局部了解全部，我们今天每一个石化人如果都去回望自己的岗位、单位或行业所走过的百年，会发现有许许多多艰苦创业的人和事，学史明理、学史思辨，我们今天所拥有的成就和辉煌，是无数石化前辈们历尽坎坷、历经万难、艰苦创业，甚至是付出牺牲换来的！

在梳理这篇文稿的过程中，翻阅史料、回顾历史，我的耳畔不时萦绕着一个时代之问：今天我们的经济总量已经高达 114.4 万亿元，中国成为当今世界仅次于美国的第二大经济体，已经是世界第一制造业大国、世界第一贸易大国、世界第一外汇储备国，已经全面脱贫、全面实现小康，如此富裕的今天还需要艰苦创业吗？甚至今天有的石化人也在问：中国已连续 12 年稳居世界第二石化大国和世界第一化工大国，我们有 20 多种大宗石化产品多年来一直稳居世界第一，我国石化领域的不少子行业其整体技术水平已经与发达国家并肩，我们今天也有不少石化企业的规模已远超《财富》世界 500 强榜单上有些跨国公司，这样的地位和规模还需要艰苦创业吗？

实际上，看看我们身边各个领域、单位与众多岗位，勤奋务实、勇于创新的人们正在以实际行动回答着时代之问。我们已是经济大国，但尚未成为经济强国：全社会劳动生产率、单位产值的能耗物耗水平与发达国家的先进水平还有较大的差距；经济总量世界第二、可人均值却排在世界第 63 位，还不到美国人均的 1/5；从人均国内生产总值（GDP）看，尚未跨过“中等收入陷阱”、未进入世界中等发达水平；按人均可支配收入算，离全民共同富裕还有一定的差距。因此，无论从国际上看、还是国内“发展不平衡不充分”的矛盾来看，我们都不能丢掉艰苦创业的精神，我们应继承和继续发扬艰苦创业精神，为实现第二个百年奋斗目标、为全面建成社会主义现代化强国继续努力奋斗。从石化行业来看，我国作为世界石化大国和化工大国的地位日益巩固，但尚未迈入石化工业强国的行列，尤其是在创新能力、国际化经营水平，以及高端石化产品和化工新材料、高性能纤维及其复合材料、精细与专用化学品等领域，与发达国家和先进跨国公司还存在明显差距。数据显示，近几年我们的贸易逆差都在 2500 亿美元以上，其中 2021 年逆差达 2689.9 亿美元，更需警惕的是，部分高端或特种化学品、高性能材料及关键技术仍面临“卡脖子”问题；因此，艰苦创业精神不能丢，我们石化人应继承和继续发扬艰苦创业精神，为实现我国从石化大国向石化强国的跨越继续努力奋斗！

以史为鉴　开创未来*

一、纵观历史，以史为鉴

化学工业既是工业革命的产物，又是工业革命的加速器。纵观世界化工发展史，在开启第二次工业革命之前，化学领域的核心探索方向一直围绕着元素的认识和发掘展开，即使有少量产品，世界化工产品库里也主要是以无机化工产品构成。伴随着第二次工业革命的大幕开启，世界化工史翻开了崭新的一页，科研人员在1856年实验过程中意外获得了乙烯、丙烯、乙炔，有了这三种基础的烯烃和炔烃，合成化学开始起步，有机化学品闪亮登场，化工产品库里一下就丰富起来了！1863年的拜耳公司和1865年的巴登苯胺（巴斯夫的前身），分别以煤焦油为原料开始生产苯胺染料；再到1871年门捷列夫发表修订后的元素周期表，虽然当时能够确定的元素还不多、而且原子量也不准确，但化学元素规律研究的大门开启，化学探索及研究进一步加快；当时间来到20世纪，1913年哈伯-博施合成氨在巴斯夫实现了工业化生产，同年费歇尔将煤粉在高压下加氢制得汽油的专利也在德国问世；到了20世纪30年代，高分子化合物如酚醛树脂、聚苯乙烯、聚氯乙烯、聚丙烯和合成橡胶已有了一定的工业生产基础，聚甲醛、氨基树脂、丙烯酸树脂也都已经被合成和开发出来；1935年杜邦的尼龙66诞生，并于第二年开始尝试用其做丝袜，合成纤维诞生。第二次世界大战结束后，世界石油化工、天然气化工迎来了大发展，叠加第三次工业革命的信息化与智能化，世界化学工业和石油化工产业快速实现了大型化和现代化，世界化工产品库的产品日益增多、更加丰富。

回顾世界化工史，让我们更加深刻地认识到：创新是人类社会进步的不竭

---

* 这是2022年春，傅向升同志在疫情防控居家办公期间，梳理的四篇石化发展历史学习思考之三。

动力。当然，创新离不开优秀的带头人和创新团队，没有拉瓦锡通过“燃烧实验”启动“化学革命”，近代化学就不会起步；要是没有门捷列夫的元素周期表，化学家们即使花费更长时间、可能也很难研究清楚化学元素与原子量、原子价的关系以及排列和化学变化的规律；要不是哈伯通过实验发现在催化剂作用下，通过增加压力和降低温度、以氮气和氢气为原料实现了氨的合成，又与巴斯夫当时的工程师博施实现了产业化，化肥工业以及农业的大发展难如愿；要不是居里夫妇发现了人工放射能和爱因斯坦说服罗斯福总统下决心启动“曼哈顿计划”，也许原子弹和人工利用核能就难成为现实；要不是齐格勒-纳塔催化剂的发现与应用，低压聚乙烯和高聚合度聚丙烯就难以实现，就很难奠定高分子工业的基础和实现高分子材料工业的快速发展和大型化。中国化学工业和石化产业也同样离不开创新。如果没有侯德榜博士的“侯氏制碱法”，中国民族化学工业的创新之路便无从开启，我国的纯碱工业和新中国的氮肥工业就难以起步并满足急需；如果没有闵恩泽、侯祥麟等老一辈石油化工前辈们的创新与拼搏，石油化工领域的“五朵金花”可能就不会诞生，石油化工领域的很多关键催化剂、助剂等有可能今天还要受制于人。诺贝尔化学奖设立122年来的获奖者名单，以及“中国化工百年百人”榜单，足可以证明石化产业今天的进步和成就，是无数创新探索者、无数企业家和众多石化人的智慧、汗水，甚至是牺牲推动的。进入20世纪以后，诺贝尔奖对化学和化学工业的创新与发展产生了重要影响。诺贝尔是瑞典化学家，也是一名工程师和实业家，他1866年获得炸药的专利，很快又发明了无烟火药，因此获得了巨额财富，因他的炸药被用于战争，他对此感到遗憾，立遗嘱捐献资产（当时3200万克朗）作为基金，设立了化学、物理学、生理学•医学、文学和和平5个领域的诺贝尔奖，其中物理学、生理学•医学都与化学密切相关，这都大大激发了人们创新的热情。推动化工石化创新发展的另一个重要因素是企业，熟悉世界化工发展史的人都认识到：杜邦、拜耳、巴斯夫、赫斯特、帝国化学、索尔维、孟山都、帝斯曼以及标准石油、壳牌、BP等一批企业，一直是创新的主体、成果转化的主体，要是没有它们不断推动着化工石化产业的创新与发展，今天的世界恐怕也难以如此的发达和文明。

以史为鉴，既要纵向看还要横向看。纵向看是为了总结经验、汲取教训，以利今天的我们少走弯路，以更多的精力开创未来；横向看既为了相互借鉴、相互促进，更为了在对比中看到差距、补齐短板，以利未来做强做优。与世界石化产业尤其是与发达国家石化工业相比，今天中国的石化产业总量大、体系全、结构重、高端少，创新能力和国际竞争能力都有待加强。

总量大，多年来我国石化行业规上企业实现营业收入都在 10 万亿元以上（2021 年 14.45 万亿元），占工业经济总量的 12% 左右，2021 年石化规上企业实现利润总额 1.16 万亿元、约占工业总利润的 14%，不仅是名副其实的重要支柱产业，而且为经济稳增长、保就业以及农业丰产丰收和战略性新兴产业发展都作出了重要贡献；中国已连续 12 年位列世界第二石化大国和世界第一化工大国，据欧洲化工理事会统计，中国化工产值占世界总量的 40.6%，远高于欧美日之总和，可见数量大的基础和平台是扎实的。

体系全，是指我国石化产业经过 70 多年来，尤其是改革开放以来的创新与发展，已形成完整的、成熟的从石油天然气开采到炼油、基础化工产品、精细化工产品以及化工新材料等的全产业链，其中油气勘探开采技术、炼油和基本化学品生产技术、现代煤化工技术等领域的整体技术水平都居世界先进水平之列，甚至新技术、设备制造、主体催化剂等的研发以及自主设计、自主制造和自主配套能力均居世界先进之列，这种总体可控、完整的、成龙配套的体系是自立自强的重要基础。

结构重，是我国石化产业结构不合理的短板体现，也是我国石化产业与发达国家相比的特殊性体现。一个表现是我国石化产业的产品结构重，产品以大宗基础化学品为主，纯碱、烧碱、电石、焦炭、合成氨、尿素以及聚氯乙烯、聚丙烯等通用合成材料和有机硅单体等很多以化石资源为原料、物耗高、排放高的大宗基础产品的产能和产量都排在世界第一位。另一个表现是我国石化产业的原料结构重，世界化学工业从起步一直到二十世纪六七十年代，都是以煤化工、盐化工为主体。第二次世界大战结束以后，发达国家加快原料结构调整，加快向石油化工的转型，到二十世纪八十年代末，发达国家基本都完成以石油和天然气为原料的石油化工为主的转型。而我国因工业化和现代化起步较晚，又加上我国“多煤缺油少气”的资源禀赋，我国目前石化产业的原料结构仍然是煤油气盐并重的局面，最具代表性的是合成氨和甲醇，发达国家都是以天然气为原料，而我国今天约 80% 的合成氨和甲醇都是以煤为原料；另一个代表性的产品是聚氯乙烯，发达国家伴随石油化工的发展都已转型为以乙烯为原料的氧氯化工艺，而我国约 80% 的聚氯乙烯仍是以电石为原料的乙炔化工。类似的还有，发达国家 1,4- 丁二醇大多采用以 C_4 为原料的石油路线，而我国也是以电石为原料的炔醛法（Reppe 工艺）为主。甲醛、醋酸、聚乙烯醇等产品在发达国家都是以天然气为起始原料，而我国生产这些产品的起始原料也是以煤为主。因资源禀赋造成的这种产品链结构和原料结构，自然也就造成了我国石化产业的能耗水平和碳排放量远高于发达国家，实现未来的低碳和碳达峰碳中和也就面临着更为严峻的挑战。

高端少，主要是指我国石化产业产品结构“低端过剩、高端短缺”的结构性矛盾仍然十分突出，我国 20 多种大宗基础化工产品产能产量多年高居世界榜首，而专用化学品和功能化学品、化工新材料及其高端复合材料、高性能纤维、高端膜材料等多年来一直依赖进口，就连高端聚烯烃及其专用料的大量市场需求也是靠进口。“十三五”以来，我国石化产业多年的贸易逆差都高于 2500 亿美元，2021 年高达 2689.9 亿美元。所以，高端、精细、专用化学品和高性能材料及其复合材料少，难以满足我国高端制造业、战略性新兴产业以及航空航天、国防军工等需求的矛盾还是明显的。创新能力和国际竞争力的相关内容，在此不再赘述。

二、鉴古知今，做好当下

今日之中国石化产业，自 2010 年高居世界石化产业第二和世界化工产业之首，欧洲化工理事会和多家跨国公司预测：到 2030 年，中国化工产业将占据世界化工市场的半壁江山。所以，国际化工协会联合会 (ICCA) 以及美欧日韩等石化与化工组织及众多跨国公司，都十分关注中国石化产业的发展以及中国石化产业界的方向、重点及声音。但我们必须清醒地认识到，我们只是石化大国，还不是强国，我们的规模和数量有着一定的优势，但我们的产业结构和产品结构有差距，创新能力和创新水平差距明显，国际竞争力和国际经营水平差距更大。认识到差距并正视差距，才能奋起直追、缩小差距，了解世界化工和石化产业的历史和发展史，才能更好地汲取先工业化过程所走的弯路和教训，借鉴发达国家工业化和现代化的经验，尤其是学习借鉴发达国家和跨国公司自二十世纪九十年代以来产业升级和战略转型的成功经验。立足今天石化大国的现状和基础，坚定地推进石化大国向石化强国迈进。

一是结构优化转型升级是当下的重点。“十三五”以来，石化全行业贯彻国办发〔2016〕57 号文《关于石化产业调结构促转型增效益的指导意见》，调结构、促转型都取得了明显成效。但当前石化产业结构偏重和“低端过剩、高端短缺”的矛盾，仍需要我们加快结构调整和产业优化升级，实际上很多跨国公司已经为我们提供了有益的借鉴。杜邦成立220年来，第一个百年是一家火药公司，不断依靠创新、加快战略转型。在第二个百年实现了由火药帝国向材料公司的转变，并成为聚酯、尼龙、聚甲醛、PBT（聚对苯二甲酸丁二醇酯）、PCT（聚对苯二甲酸-1,4-环己烷二甲醇酯）、液晶聚合物等先进材料和工程塑料的领导者。进入第三个百年的时候，杜邦又宣布将加快向生命科学公司转型；但2018年与陶氏合并、并于2019年6月1日再次拆分出新杜邦的这次转型，我始终认为值得商榷，因为不完全是杜邦的自主所为，究竟有多少被动和无奈也许历史会给出最终的验证和评判。另两个大家熟悉的跨国公司是帝斯曼和索尔维。帝斯曼120年前成立时是一家煤炭公司，从煤和煤化工起家，逐渐拓展至焦炉煤气、化肥、橡胶、塑料、精细化学品和高性能材料等领域，去年高性能材料业务完成重组剥离，如今已转型为营养化学品、医药和专用化学品的跨国公司。索尔维公司的起点，是1861年成功创新“索尔维制碱法”，该方法相比传统吕布兰制碱法，具备原料更易得、污染更少、燃料消耗更低的优势，使其迅速具备市场竞争力。在侯德榜《纯碱制造》公布之前，索维尔凭借其技术封锁垄断全球纯碱市场70多年，但索尔维今天的主导产业已完全转型，聚焦化工新材料和功能化学品领域，其聚砜血液透析材料、液晶显示材料、信息用化学品等具有很强的全球竞争力。日本化工界的转型也值得我们关注，2016年我带队访问经产省、日本化工协会、日本石化协会及部分企业时了解到：日本本土的石脑油裂解装置已关掉3套，其关闭总产能约85万吨/年，原因是中韩石化产业快速发展和海湾地区轻烃制烯烃的成本优势带来的压力；继2022年3月三井化学宣布退出PTA（精对苯二甲酸）业务之后，4月份住友化学又宣布将退出己内酰胺和乙丙橡胶业务，日本化工企业的这种转型值得我们思考。鉴于我国成品油市场过剩、新能源车快速推进、化工新材料和精细化学品短缺的状况，我们的石化企业应当加快推进“减油增化”的产品结构调整进程，在成品油的产出比例上也要尽量调低柴汽比；原来已建成的千万吨级及以上、具有经济规模的炼油装置，需要通过科学论证与设计并延伸产业链和产品链，充分利用好已有的产品基础以增产烯烃及其高端聚合物和精细化学品为目标，做好产业链延伸和产品结构升级优化。

二是绿色低碳转型是当下的紧迫任务。绿色低碳转型是全球各国与各行业为应对气候变暖的共同行动。尽管当前乌克兰危机导致能源供应，尤其天然气供应紧张，给绿色低碳进程带来新挑战，但“气温升高主要源于人为大量排放温室气体”已成为多数国家和民众的共识。在此前提下，为守护人类唯一的地球家园，持续加大绿色低碳转型力度、共同向碳中和目标迈进的总体趋势不会改变。石化产业是国民经济的重要支柱产业，目前也是以石油、天然气、煤炭等化石资源为原料的产业，在生产石化产品的过程必然伴随二氧化碳的产生，其排放量居工业领域前列，因此石化产业的绿色低碳转型比其他行业更为紧迫。当前以及“十四五”期间，石化行业及其重点领域、重点产品、重点企业实施绿色低碳转型的要求、目标和措施、路径都已明确，中共中央、国务院关于《做好碳达峰碳中和工作的意见》、国务院《2030 年前实现碳达峰行动方案》以及国家发展改革委、工业和信息化部等部委印发的《高耗能行业重点领域能效标杆水平和基准水平（2021 年版）》《高耗能行业重点领域节能降碳改造升级实施指南（2022 年版）》《关于“十四五”推动石化化工行业高质量发展的指导意见》《石化化工行业碳达峰碳中和行动方案》等，无论是对碳达峰碳中和的战略部署、战略目标和总体要求，还是对石化化工行业的炼油、乙烯、对二甲苯、合成氨、烧碱、纯碱、焦化等重点子行业和重点产品，都提出了具体的要求、目标，以及采用新技术、新工艺、新设备的转型路径。不仅有指标的要求，还有规模的要求，几乎对每一个重点产品都再次明确“对能效水平在基准值以下，且无法通过节能改造达到基准值以上的生产装置，将依法依规淘汰退出”；针对炼油产能，则要求“按照等量或减量置换的要求，通过上优汰劣、上大压小等方式加快退出”；对于其他重点石化产品则一律强调“无法通过节能改造达到基准值以上的，加快淘汰退出。”建议我们的重点石化企业一定要高度重视、认真研究，加快重点企业和重点产品的绿色低碳转型。

三是关键核心技术的产业化是重点。新世纪以来，尤其是“十三五”以来，石化领域国际国内创新不断，新的重大成套技术、关键核心技术以及新工艺、新设备、核心催化剂相继取得突破，并成功实现产业化，国际国内石化产业的整体技术水平又有大的提升和新的跨越。最具有代表性、也是近 10 年来产业化、大型化发展最快的要数“烯烃原料轻质化”和“原油直接制化学品”。最具代表性的国家或区域要数北美和海湾地区，北美以美国为代表，近 10 年来乙烯增量明显高于以往，而新增乙烯主要采用乙烷裂解工艺；海湾地区以沙特阿拉伯为代表，新增烯烃主要以凝析液中的轻烃组分为原料。

四是生物基化学品和生物可降解材料是近年的热点。生物基化学品和生物可降解材料一直是全球研发的重点，在“双碳”战略驱动下，生物基可再生资源制化学品和可降解材料又迎来了新的发展机遇。大家较为熟悉的生物基化学品是生物基乙醇。其中，美国以转基因玉米、巴西以甘蔗为原料生产乙醇的模式，是技术与经济双成熟的典型代表。以这类生物基乙醇为原料，通过脱水反应即可制得乙烯。这意味着，只要经济性具备竞争力，就能以此为基础，延伸生产出一系列有机化学品及聚合物。目前可工业化的生物基可降解材料有 PLA（聚乳酸）、PHA（聚羟基脂肪酸酯）、PPC（聚碳酸亚丙酯）等，其他的生物基材料还有聚酰胺（尼龙 11、尼龙 1010、尼龙 56 等）以及可降解的 PBAT（聚己二酸对苯二甲酸丁二醇酯）、PGA（聚乙交酯）、PBS（聚丁二酸丁二醇酯）、PTT（聚对苯二甲酸丙二醇酯）等；北京冬奥会一次性餐具用的就是丰原生化提供的聚乳酸，目前 PBAT、PBS、PGA 等可降解塑料拟建规模都很大。三菱化学用异山梨醇代替双酚 A 开发成功的生物基聚碳酸酯，其透明性、光学性能、高耐磨性及抗冲击性能都优于双酚 A 型聚碳酸酯，已用于生产汽车全景天窗，未来还将用于光学、电子仪器、装饰装修等。与帝斯曼、阿科玛、赢创等公司交流中也了解到他们研发的生物基丁二酸以及生物基长碳链尼龙等。

自国家“禁（限）塑令”颁布以来，生物可降解材料领域热度持续高涨。生物可降解材料确实能在一次性购物（包装）袋、地膜、快递包装及医用制品等场景，替代传统不可降解塑料。但受限于其使用性能与加工性能，它无法完全替代原有的不可降解塑料。近年来生物可降解材料的热度攀升，本质上是全球对塑料污染问题日益重视的体现。但与此同时，我们也应客观评价塑料诞生百年来，为人类社会发展与文明进步所作出的重要贡献，尤其是在代钢代木、节能减排等方面发挥的重要作用。塑料污染、塑料的海洋污染是由于使用不当、加上随意丢弃造成的，解决塑料污染问题、保护生态环境，不可能依靠可降解材料完全替代不可降解材料这单一路径来实现，不可降解材料的合理回收和科学循环再利用是解决塑料污染的重要途径之一！熟悉化工历史和发展过程的人可能记得：早在 20 世纪 90 年代，杜邦便已开始研发废物减量化技术，并率先提出“废弃物是未充分利用的资源”这一理念。在持续创新聚合物、引领高分子材料高速发展的同时，杜邦同步投入大量人力物力开发废塑料回收利用技术。其中，已成功开发的“甲醇分解技术”，可将废聚酯（PET）饮料瓶分解为对苯二甲酸甲酯和乙二醇单体，再用于重新合成新的 PET。巴斯夫也在研发热裂解工艺，把废塑料热裂解为合成气或油品再生产各种化学品或聚合物，其品质达到食品级。有人会问："这些技术为什么没有推广开来？"正如前面所讲，技术本身并非关键瓶颈，核心在于经济竞争力——具体体现在运营成本，以及回收塑料的价格是否高于新塑料。简单来说，就是回收再生路线的综合成本，能否与新塑料的生产成本形成竞争优势。目前废弃塑料的污染在持续恶化，尤其是对海洋生态造成的影响更加严重，在此背景下，联合国环境规划署、世界塑料理事会、"终止废弃塑料污染联盟"等国际组织，以及巴斯夫、科思创、亨斯迈、埃克森美孚、壳牌、中国石化、石科院、金发科技等企业，联合瞿金平院士、陈学庚院士等科学家与企业家，共同开启了废弃塑料回收与循环利用创新的新篇章。今天看起来日益严峻的塑料污染问题终会被解决的，可仅仅有成熟的技术是不够的，还需要政策的推动与支持、经济竞争力以及人们的共识和全球的行动。

三、鉴往知来，开创未来

时代的列车已驶入21世纪的20年代，世界石化产业已成为一个成熟而重要的产业，石化产品与合成材料涉及经济、社会以及人类生活的方方面面，这都对石化产业的创新发展提出了更高的要求。2021年结合建党百年学习党史，我们不断深化行业史的学习，学史明理，学史思辨，关键是以史为鉴、开创未来，中国经济正行进在高质量发展的新阶段，我国石化产业也正处于从石化大国向强国跨越的关键期，如何"以史为鉴、开创未来"？世界化学工业和石化产业的发展史告诉我们：关键靠创新！但今天是21世纪，化学、化工与石化的创新与过去有着很多不同。

一是方法不同。以近代化学的鼻祖波义耳1654年通过真空实验发现气体的体积与压力成反比的"波义耳法则"和他1661年出版《怀疑的化学家》为标志，打开了人类探索化学的大门，100多年后的1770年拉瓦锡的"燃烧实验"又为人们打开了化学实验的大门，化学领域的创新进一步提速。但那时以及再以后的100多年，化学领域的很多创新都是偶然的。

1856年，英国皇家化学院一名18岁的学生——帕金，在尝试合成疟疾特效药奎宁时，意外得到了一种褐色物质，当时他并不知道这是什么。于是，他将实验中的一种原料苯甲胺替换为苯胺重新尝试，这次得到了一种黑色物质。

尽管帕金当时并不清楚这种黑色物质的化学结构，却意外发现它能将织物染成鲜艳的紫色。就这样，世界上最早的合成染料“苯胺紫”诞生了！这一发现迅速催生了一批合成染料企业，其中就包括拜耳公司，以及巴斯夫的前身——巴登苯胺苏打厂。青霉素的发现也是偶然的，伦敦圣玛丽医院的弗莱明1928年正在研究流感病毒，外出休假几天归来后，他发现葡萄球菌培养皿被霉污染了，并且发现培养基里的菌受到了霉的抑制，弗莱明进一步研究发现这个霉属青霉菌，进而提取出有效成分并命名为青霉素。进一步实验发现青霉素能杀死很多病菌，但对动物和白细胞无害，全球知名的青霉素就这样被意外发现了。门捷列夫发现元素周期表的过程颇具趣味。他一直致力于对已发现的63种化学元素进行分类与排序，却始终未能找到清晰的规律。于是，他将每种元素的信息写在纸片上，在漫长的火车旅途中反复摆弄、尝试分类——时而按原子量排列，时而按原子价归类。当他最终按原子量顺序将元素排列成行时，突然发现元素的性质呈现出明显的周期性变化。1871年，门捷列夫正式发表了他的元素周期表。尽管当时因部分元素原子量估算不准，导致个别元素位置错位，且受限于已发现元素的数量，表中留有不少空格，但随着后续科学研究的深入，这些空格逐渐被补齐，他当年的预言也大多得到证实，最终形成了我们如今所熟知的元素周期表。

这样的故事还很多，在20世纪之前有不少新化学品和化合物是偶然或意外被发现的。但今天不同了，今天人们的知识和手段可以设计实验流程，实验还没开始、每一步得到的化学品，甚至副产物都基本是明了的。

二是条件不同。第二次世界大战之前，我们的实验条件与今天相比可以说是天壤之别，尤其是分析测试仪器，我访问过UOP在芝加哥的创新总部、杜邦威尔明顿中央研究院、霍尼韦尔全球体验中心（华盛顿、休斯敦、上海）、华谊集团科创研究院以及陶氏、SABIC、赢创、科莱恩、科思创、亨斯迈、塞拉尼斯、空气产品等很多跨国公司的研发中心和国内很多的研究院，今天的核磁、电镜、激光仪、质谱、气液色谱等等一应俱全，确定一个物质的结构很容易，再加上智能化和数字化控制系统，大大提高了创新效率、缩短了创新周期，所以，今天的创新条件、创新手段与以前相比大为改善。

三是难度不同。今天创新条件好了、手段高了，可创新难度却越来越大。若以1802年杜邦成立为时间参照点纵观历史，世界化工石化领域的众多核心产品，大多诞生于19世纪至20世纪前半期——这一阶段是化工产品的集中发现、发明与合成期。进入 20 世纪下半期后，石化产业的进步更多体现在产品生产的大型化、现代化，以及应用场景的持续拓展上。即便出现所谓“新产品”，多数也只是通过官能团调整、支链结构变化实现使用性能的提升；尤其是在无机化学品领域，全新物质的发现更是极为罕见。合成材料也是一样，“五大通用塑料”“五大工程塑料”包括“五大特种工程塑料”几乎都是 20 世纪 80 年代以前合成的。众多主流聚合物的核心发现与工业化集中在 20 世纪：高压法聚乙烯（1933 年发明）、低压法聚乙烯（1953 年合成）、聚丙烯（1957 年工业化）、聚苯乙烯（1930 年商业化）、EVA（1928 年低压合成，1938 年获高压聚合专利）、聚碳酸酯（1958 年首次工业化）、聚甲醛（1955 年均聚产品问世，1961 年共聚产品实现）、PBT（1942 年研制）、PET（1946 年专利，1953 年工业化）、聚四氟乙烯（1938 年发现，1950 年工业化）。茂金属聚合物的发展稍晚，因 1952 年二茂铁化学结构才被推定，茂金属催化剂随之定型，其相关研究在 20 世纪 50 年代后逐步展开。最具代表性的是尼龙系列：最早发现的是尼龙 6（1837 年发现，1942 年工业化），但工业化最早的是尼龙 66（1931 年发现，1938 年工业化）；后续尼龙 610（1941 年工业化）、尼龙 1010（1961 年工业化）、尼龙 1212（1990 年工业化）相继问世。这些尼龙产品的差异仅在于碳链长短或脂肪族与芳香族的区别，核心结构均为二元酸与二元胺缩聚而成——碳链长度及结构类型决定了其化学物理性能，进而影响耐温范围、强度及应用领域。即便是最新的生物基尼龙 56，也只是用生物发酵的戊二胺替代了己二胺，并无本质结构突破。茂金属聚烯烃的情况类似，其差异主要源于催化剂不同，导致聚烯烃性能与用途有所区别，但产品类别仍属于聚乙烯、聚丙烯，并未脱离传统聚烯烃的范畴。

20 世纪下半期以来，精细化学品、农药、医药领域新产品创新还有不少，其他领域的新化学品、新物质创新难度确实越来越大。

四、开创未来的聚焦点如何选择

下面这段话我思考了很久，自知可能只是块“泥巴”，连“砖”都够不上。回望自“近代化学鼻祖波义耳”和“现代化学之父拉瓦锡”以来的世界化工石化发展史，不难发现，化工石化发展到今天，面临着地球变暖、能源安全、粮食保障、水资源短缺，以及新型流行病（如当前的新冠疫情）等诸多新挑战。

21 世纪的今天，与历史上任何一个时期相比都截然不同，而化学化工领域，无疑能为应对这些新挑战发挥独特且关键的作用。

第一个聚焦点是化学合成新方法的创新。化学合成可以比作化学的“核”，化学合成方法若实现突破和创新，必然是化学领域的重大进展。世界化工创新发展史也充分证明了这一点：自波义耳时代至今的 350 年间，世界化学工业的快速发展，与第二次工业革命及现代合成化学的诞生同步开启。1862 年，化学家将氢气通入碳电极电弧中制得乙炔；4 年后，科研人员通过乙炔合成出苯——这一系列突破正式拉开了合成方法研究的序幕。此后，有机化合物数量快速增长，世界化学工业翻开全新篇章；有机化学、高分子化学、现代生物化工也相继诞生，推动全球化工石化产业发生了翻天覆地的变革。科学家若想开创未来，首先应聚焦于新的化学合成方法创新。研究方向可重点围绕高选择性、低能耗、环境友好、定向合成四大核心目标，具体发力于新催化剂研发、分子设计优化、手性合成技术突破及原子催化等关键领域。催化剂是化学合成的核心关键。以合成氨为例：1905 年，哈伯已从化学平衡理论上证实氮气与氢气可合成氨，但直到 1909 年采用锇作为催化剂，才首次实现氨的实验室合成；最终在 1913 年，他与巴斯夫工程师博施合作，开发出高效铁系催化剂后，合成氨才真正实现工业化生产。另外，没有钒系催化剂，大量氧化反应难以实现；缺少铑膦络合催化剂，羰基化反应无法顺利进行；若脱离镍系催化剂，众多加氢反应将失去活性。类似的例子还有很多，这里不再一一罗列。

第二个聚焦点是生命科学领域的创新。自 20 世纪下半期以来，化学逐步渗透到人类社会的各个方面。从工业、经济、国防及制造业等核心板块，到医药、生物科技领域，再到生态环境治理、转基因种子、高效高品质农业、靶向病虫草害防治等细分方向，甚至人类疾病的靶向治疗、细胞定向修复、人造器官等等，这些都与今天的化学科学家们的创新密切相关。20 世纪下半期以来，生物化学与分子生物学领域获得诺贝尔化学奖的人数显著增加，获奖成果多集中在分子生物学、DNA 研究、核苷酸及核苷酸辅酶、蛋白质（如胰岛素）、植物光合作用机制、氨基酸、遗传工程基础理论，以及生物大分子结构测定等方向。彭孝军院士研发的肿瘤靶向治疗技术，已经取得了很好的临床应用成果；三菱化学的细胞修复试剂，以及上海化工研究院和三菱化学的氧 18 特种水，主要用作核医学成像、生物医药、环境监测等方面的示踪剂，今天的化学家和创新工作者，千万不能认为这些跨领域创新与自己无关。

第三个聚焦点是能源的战略转型。人类社会的现代化和经济的快速发展，化石资源的大量消耗，温室气体的持续大量排放，地球已到了难以承受的地步，目前履行《巴黎协定》越来越成为共识，呼声越来越强烈，新能源战略转型迫在眉睫。新能源及新能源汽车等产业所需的众多关键材料与化学品，如高性能催化材料、高性能膜材料、绝缘材料及各类功能化学品，均高度依赖化学、化工及石化产业的支撑。然而，新能源转型过程中急需的这些高性能材料与功能性产品 —— 尤其是能效转化效率高的材料，目前与实际需求仍存在较大差距。这种材料层面的制约，不仅导致相关技术难以突破，更使得项目在经济可行性上面临巨大挑战。一个最典型的代表就是未来新能源——绿氢，其制备、储运与使用全链条均面临挑战，作为新能源，绿氢首先需突破制备技术关：目前主流的化石资源制氢、电解水制氢、甲醇分解制氢等方法，均难以满足新能源对氢的大规模使用需求；而工业副产氢，现阶段仅能适用于局部区域的示范性应用，无法支撑规模化推广。

只有当阳光分解水制氢技术最终取得成功，氢才能真正实现作为清洁能源的广泛应用。目前，阳光分解水制氢的研发与创新在国际国内均在推进，三菱化学、东京大学及中国科学技术大学等机构已取得较好的阶段性成果，但该技术仍面临能效转化率过低、制氢成本过高的问题。要突破这一困境，急需在高效催化剂、氢氧分离用高性能分离膜，以及氢储运材料等关键领域实现创新与突破。一旦绿氢技术取得突破，其产业链价值将进一步延伸 —— 利用绿氢与捕集提纯后的工业排放二氧化碳进行反应，可制备出甲醇、烯烃，以及一系列有机化学品和高分子化合物，形成碳循环利用的闭环。

第四个聚焦点是二氧化碳资源化利用的绿色化学创新。碳达峰碳中和目标为化学家提出了全新的创新命题。目前，CCUS（碳捕集、利用与封存）技术已在国内外开展示范性应用及工程化放大试验；在二氧化碳制化学品的创新领域，国内何鸣元院士、韩布兴院士、丁奎岭院士、李灿院士等学者，以及上海高等研究院、中国科学院化学所等机构，已积累了丰富的阶段性成果与宝贵经验，但这些技术距离真正实现产业化仍有不小差距。因此，相关领域的技术突破与产业化落地，成为化学家和科技工作者需要重点聚焦的新命题。

百年辉煌　基业长青*

改革开放以后，党领导各族人民、各条战线以经济建设为中心，各条战线活力四射、各族人民欣欣向荣，农业连年丰收、工业不断跨越，工业经济总量、制造业水平快速提升，企业规模和竞争力跃居世界前列。我们很多企业都提出打造“百年企业”的目标，纵观先工业化国家，百年企业并不鲜见，但国内的百年企业却寥寥无几；尤其在我们熟悉的石油和化工领域，发达国家的百年企业比比皆是，而国内能叫得出名字的百年企业更是屈指可数。这一现象，更让疫情背景下的我们陷入了深沉的思索。

在世界石化领域的“百年企业”中，美国杜邦无疑是最知名的“长者”——它成立于 1802 年，2022 年恰好迎来 220 周年华诞。若以 1776 年美国发表《独立宣言》、正式宣告美利坚合众国成立为时间节点，杜邦的历史仅比美国这个国家年轻 26 年。当然，世界化工领域拥有百岁以上企业最多的国家当属德国。拜耳距今已有 159 年历史，巴斯夫则有 157 年 —— 这两家企业的成立时间尤为有意思：拜耳成立于 1863 年，巴斯夫成立于 1865 年，均早于 1871 年德意志帝国的建立。也就是说，在“铁血宰相”俾斯麦带领德意志民族实现统一、建立德意志帝国之前，这两家化工巨头就已经诞生了。这两家德国公司虽然在两次世界大战中都遭遇重创，即使经历了第二次世界大战后联邦德国和民主德国 40 多年的分裂状态和 1990 年的“两德统一”等一系列重大事件的影响，但拜耳、巴斯夫等这样的公司力争抓住每一个历史时期，加快发展自己，并一直是世界化学工业的领先者。

美国和德国长时期是世界两个发达经济体，也是世界经济领域创新的先导者，熟悉世界化工发展史的人都知道，开启世界化学工业近代化与现代化的是德国，自 19 世纪下半叶开始一直到第二次世界大战，百年的时间里德国一直

---

* 这是 2022 年春，傅向升同志在疫情防控居家办公期间，梳理的四篇石化发展历史学习思考之四。

是世界化学工业的领先者；美国成为世界石油和化学工业的领导者是一个逐步过程，始于20世纪，加速于石油的大规模开采与石油化工产业的蓬勃发展，并在第二次世界大战结束后最终确立了这一领先地位。这一点可以通过1901年诺贝尔奖设立以来的化学奖获奖数量得到印证：前50余年，德国的获奖数量是美国与英国之和；而第二次世界大战结束后，美国的化学奖获奖数远高于其他所有国家的总和，占据了“半壁以上江山”。

一、发达国家的百年化工企业

1. 最年长的杜邦

杜邦公司由其创始人杜邦于1802年7月在特拉华州威尔明顿市创办，最初是一家火药生产企业。公司从第二年开始生产和销售黑色火药，到19世纪末杜邦成为美国最大的炸药帝国、控制美国炸药市场超过90%，当时世界的两大炸药公司是欧洲的诺贝尔和美国的杜邦。

进入20世纪以后，因为合成化学的不断进步，化学工业的新产品及其新技术不断由德国向瑞士、比利时、法国、英国以及世界各地传播。此时新的杜邦掌门人已经更替为100年前创始人的曾孙，新掌门人这时看到化学工业将是世界的未来，于是杜邦进行了第一次战略转型：由炸药公司向化工公司转型。由于杜邦在以往的炸药生产中需用到硝化甘油与硝化纤维素，公司依托已有的化学纤维素领域知识，逐步向化工领域拓展。当时，杜邦通过收购兼并的方式，迅速具备了涂料、醋酸、橡胶、塑料等产品的生产能力。为推动这些产品的市场应用，公司还曾一度控股通用汽车。第二次世界大战爆发前，杜邦通过自己的研发，还相继投产了氯丁橡胶、尼龙、丙烯酸树脂、氟塑料等产品。大众对20世纪下半叶的杜邦已较为熟悉。此时，杜邦开始聚焦于化学品及化学合成高分子材料业务，推出了众多世界领先的产品，其中不乏我们耳熟能详的品类：包括尼龙、聚酯、高密度聚乙烯、聚甲醛工程塑料等合成材料；莱卡特种纤维、凯夫拉芳纶纤维等高性能纤维；以及氟树脂、氯化法钛白，此外还涵盖农药、医药和先锋种子等领域。到20世纪末，杜邦公司已发展成为全球领先的化工与材料企业，其优势业务涵盖专用化学品、合成树脂、合成纤维，以及高性能纤维、特种树脂、高端膜材料等高端材料，此外在农药、种子领域也保持着领先地位。

今天的杜邦已完成业务调整：其氟化工和氯化法钛白被分立为科慕公司，该公司 2021 年实现营业收入 63.5 亿美元，利润 6.8 亿美元；而与陶氏合并再拆分出的新杜邦，定位为特种化学品公司，新杜邦 2021 年的营业收入 167 亿美元、息税折旧前利润 42 亿美元，稳居全球化工 50 强前列。

2. 世界第一化工公司——巴斯夫

巴斯夫成立于 1865 年 4 月，其前身为巴登苯胺碱厂，主要以煤焦油为原料合成苯胺染料。凭借持续创新，公司又以煤焦油为起始原料，将业务拓展到蒽醌染料领域，进入 20 世纪时，巴斯夫已成长为世界最大的染料生产企业，同时跻身全球最大的化工厂之列。

进入 20 世纪后，德国政府深刻认识到化学工业的战略重要性，随即加大对化学教育、科学研究及化学工业的强力扶持。这一举措成效显著，20 世纪初期，以巴登苯胺碱厂为代表的德国企业，其化学合成技术已位居全球领先水平，染料工业更是占据世界范围内的压倒性优势，同时合成氨与化肥工业也在此期间逐步起步。第一次世界大战以后，德国在重建过程中仍然把化学工业列为重点产业，推动巴登苯胺碱厂与当时的拜耳、赫斯特等 8 家公司合并，组建了法本公司 (I.G.Farben)，这家新企业规模庞大，营业收入一度占据当时德国化学工业总销售额的 1/3，业务范围不仅覆盖染料，还拓展至合成纤维、人造石油等领域，成为名副其实的行业“巨人”。法本公司在第二次世界大战中遭受重创，于 20 世纪 50 年代初解体，拆分为 3 家企业，巴登苯胺公司便是其中之一；到了 60 年代，新的巴登苯胺公司与壳牌、陶氏等合资，以及在安特卫普自建工厂，启动了从煤化工向石油化工的战略转型，并在新兴的塑料领域确立了领先优势；1973 年，公司正式更名为 BASF，该名称是其前身“Badische Anilin-und Soda-Fabrik AG”（巴登苯胺碱厂股份公司）的缩写。20 世纪 60 年代，巴斯夫在加快石油化工战略转型的同时，开启了多元化经营策略，公司通过收购兼并与自主投资建厂相结合的方式，积极拓展涂料、医药、农药、化肥及石油化工的有机化学品和合成材料等领域，这一时期，巴斯夫尤其在丙烯酸生产技术、MDI 及聚氨酯材料技术方面实现了关键突破并掌握了核心能力。到 20 世纪 90 年代，巴斯夫开始退出煤炭业务，正式转型为以石油化工为主导的企业；此时，公司已在多个领域形成综合领先优势，涵盖有机化学品、医药农药等精细化学品，以及丙烯酸及甲基丙烯酸甲酯、有机玻璃、聚氨酯新材料、合成纤维等产品。同时，巴斯夫走出本土的路德维希港基地，将生产布局拓展至美国、比利时、中国、西班牙、韩国等多个国家，开启全球化发展新阶段。如今的巴斯夫已成为全球领先的化工企业，核心业务涵盖化工新材料、特种功能材料、精细与专用化学品及营养化学品四大领域。公司 2021 年实现营业收入 786 亿欧元，息税折旧前利润 78 亿欧元，稳居全球化工 50 强榜首。

3. 名气一直很响亮的拜耳

拜耳成立于 1863 年 8 月，成立之初同样以煤焦油为原料生产苯胺染料。20 多年后，公司开始开拓化工等新业务领域。19 世纪末，拜耳研发成功当时的新型止痛药阿司匹林（化学名：乙酰水杨酸），该产品至今仍作为止痛药及血液抗凝保健品在全球畅销。第一次世界大战后，拜耳与巴斯夫等企业合并组建法本公司；第二次世界大战结束后，法本公司被拆解，拜耳以颜料公司的身份开启二次创业。

20 世纪 60 年代，拜耳正式进入石油化工领域；受 70 年代初第一次石油危机冲击，公司在 80 年代后期加大全球收购兼并力度。迈入新世纪时，拜耳已成为世界最大的合成橡胶生产企业，同时是聚氨酯原料异氰酸酯和多元醇的全球最大生产商，此外在医药、农药、特种化学品等领域也跻身世界领先行列。进入新世纪后，拜耳在快速扩张中逐渐显现出规模与效益失衡的问题，年度利润曾出现巨额亏损。因此，公司从新世纪初启动业务剥离与重组，将核心业务聚焦于医药保健、作物科学、聚合物和化学品四大板块。

2004 年，拜耳以合成橡胶和化学品业务为核心，拆分成立朗盛公司（2021 年销售额 75.6 亿欧元），该公司于 2005 年开始独立运营。2015 年 9 月，拜耳再次拆分业务，以材料科技板块的工程塑料聚碳酸酯，以及 MDI、TDI、多元醇等聚氨酯相关业务为主，成立新公司科思创（2021 年销售额 159 亿欧元）。经过两次拆分，拜耳最终将业务重心聚焦于生命科学及医药、农药领域。2018 年 6 月完成对孟山都并购以后，拜耳已位居世界“四大农药公司”之首。去年公司实现营业收入 440.8 亿欧元，净利润 10 亿欧元。

除了以上三家，我们熟悉的拥有百年以上历史的跨国石化公司还有陶氏、埃克森美孚、BP、壳牌、索尔维、帝斯曼、住友化学等。

陶氏公司成立于 1897 年 5 月，与杜邦合并再拆分后的新陶氏定位于一家新材料公司，2021 年营业收入 550 亿美元，息税折旧前利润 95 亿美元，从其 2021 年的业绩来看应该是仅次于巴斯夫的全球第二大化工公司。

埃克森美孚成立于 1999 年，由埃克森与美孚两家公司合并而成。这两家公司的前身，分别是1882年洛克菲勒石油帝国（洛克菲勒石油托拉斯）旗下的新泽西标准石油公司和纽约标准石油公司，二者均为该托拉斯当年14家子公司之一。若从1882年算起，其历史已整整140年。公司2021年实现营业收入2856.4亿美元，净利润230.4亿美元。BP是一家成立于1909年4月的全球超大型上下游一体化综合石油公司，最初定名为“英波石油公司”，1954年更名为BP（即“英国石油公司”）。进入新世纪后，BP加快了下游化工业务的剥离与重组，如今的化工新秀英力士，其多条产业链便源自BP的此次业务重组。当前，BP已将业务重心聚焦于传统能源及新能源的开发与转型。公司2021年实现营业收入1642亿美元，净利润84.9亿美元。壳牌的前身是1890年成立的皇家荷兰石油公司，1907年初与其他企业联盟组建为“皇家荷兰/壳牌集团”。该集团2021年实现营业收入2615亿美元，归属母公司净利润201亿美元。

其他知名化工企业还包括：

- 索尔维：1863年创办，2021年营业收入101亿欧元，息税折旧前利润23.6亿欧元。
- 帝斯曼：1902年成立，2021年营业收入92亿欧元，净利润8.6亿欧元。
- 住友化学：1915年成立，2021年营业收入推算值209亿美元，净利润推算值13.7亿美元。
- 赢创：前身为1873年成立的德固赛，2007年更名为赢创，2021年营业收入150亿欧元，息税折旧前利润23.8亿欧元。

由此可见，发达国家拥有百年以上历史的企业确实不少，并且这些企业的全球竞争力一直很强。

二、民族化工企业的发展与骨干企业的远航

中国的百年企业屈指可数。主要是受近代历史因素影响，加之工业化进程起步较晚，导致国内鲜有百年企业。与先工业化的国家相比，我们不仅错失了第一次和第二次工业革命的历史机遇，就是在20世纪前半期也是饱受战乱之苦，为民族独立抗争、为人民解放而奋斗。

20世纪初期，当范旭东、吴蕴初等民族先贤立志以“实业救国”推动民族工业发展时，中国正深陷军阀混战、民不聊生的乱局。彼时，国内既无容得下研发创新的一方净土，也缺乏工业化建设与发展所需的基本环境和条件。中

国真正开启工业化进程，是在取得抗日战争胜利与人民解放之后。新中国的成立，以及在中国共产党的领导下，不仅为国家工业化奠定了坚实基础、创造了有利的国内国际环境与条件，更开启了社会主义改造和建设的新时期。而改革开放的推进，才让中国的工业化真正迈入了快速发展的轨道。中国工业化起步晚是拥有百年以上历史的企业数量较少的重要原因。

回溯中国的民族工业史，自封建帝制被推翻以后，一大批民族企业家也纷纷开办生产厂，各地涌现出大量小型化工生产厂。其中，以上海、天津及山东、江苏等地最为集中，代表性行业涵盖涂料、颜料、橡胶、酸碱、合成氨等领域。这一时期，上海开林造漆厂、正太橡胶厂、大中华橡胶厂、远东酒精厂（后更名为上海溶剂厂）、大中染料厂，青岛维新化学工艺社（后发展为青岛染料厂），济南裕兴颜料厂（后改建为裕兴化工厂）、大华颜料公司、天丰颜料厂、华丰颜料厂，以及威海中威橡胶厂、同泰橡皮工厂等企业相继成立。

在当年众多民族化工企业中，最为人熟知且影响深远的，当属范旭东创办的永利与吴蕴初创办的天原。遗憾的是，20 世纪上半叶成立的大批中小化工企业，或因战乱倾覆，或因经营不善关停，还有的因多次更名而逐渐淡出公众记忆。如今，与吴蕴初 1929 年创办的天原相关的企业，主要是上海氯碱旗下的“天原化工厂”，以及抗战时期他带领企业西迁后成立的“重庆天原”与“宜宾天原”。而与范旭东 1917 年创办的“永利”相关的，则是现属天津渤化的“永利化工公司”。值得一提的是，上海氯碱天原、重庆天原、宜宾天原虽规模远超当年，技术与管理水平也大幅提升，但主导产品中仍保留着起家的氯碱业务；天津渤化永利同样如此，尽管规模扩大、业务拓展，却始终未丢掉发家的纯碱主业。

1922 年创办的济南裕兴颜料厂（后更名为裕兴化工厂），在二十世纪八九十年代曾是国内铬盐领域的领军企业，如今其主要产品已转型为钛白粉。1915 年成立的上海开林造漆厂，目前隶属于上海涂料公司，经营状况良好。而当年的大中华橡胶厂与正泰橡胶厂，现已合并组建为上海轮胎橡胶公司，原有的两个厂名已不复存在。令人印象深刻的是，昔日大中华橡胶厂的厂区，如今已变身街心花园，成为上海市民晨练的好去处——这里环境优美、空气清新，早已换了一番模样。

今天有一批骨干企业虽然成立时间不到百年，但都在为打造百年企业而努力。第一家便是中国石油天然气集团公司（中国石油）。从成立沿革来看，中国石油天然气集团公司的历史可追溯至1955年7月成立的石油工业部。1970年6月至1978年3月，其经历了燃料化学工业部（简称“燃化部”）、石油化学工业部（简称“石化部”）的两次部门调整。1978年国家恢复设立石油部，10年后的1988年6月，石油部撤销，中国石油天然气集团公司正式成立，初期主要负责上游石油天然气的勘探与开采业务。1998年，国内两大石油集团进行业务重组，中国石油由此形成覆盖上游勘探开采、中游石油炼制，以及下游化学品和高分子化合物生产的全产业链布局。从地域分布上，当时中国石油被业界习惯称为“北方公司”。该公司2021年营业收入达2.6万亿元，归属母公司净利润为921.7亿元。

第二家是中国海洋石油集团公司（中国海油），其于1982年2月正式成立。成立之初，核心目标是为推进海洋石油资源的对外合作，公司被赋予合作海区内石油勘探、开采、生产及销售的专营权。随着改革开放的不断深化，中国海油逐步实现“登陆”发展：在海南，建成了以天然气为原料生产尿素和甲醇的大型化工基地；在惠州大亚湾，与壳牌集团合资打造了大型炼化一体化基地。据公开数据，该公司2021年营业收入达2461亿元，股东应占利润为703亿元。

第三家是中国石油化工集团公司（中国石化），其成立源于1983年2月中共中央、国务院的联合决定。当时，原化工部、石油部、纺织部管理的39家石化企业被划归整合，组建为中国石化。成立初期，公司主营业务聚焦炼油及其下游化学品，以及“三大合成材料”（合成树脂、合成纤维、合成橡胶），并不涉及上游原油与天然气的勘探开采业务。

1998年，在国务院主导的石油体制改革中，中国石化与中国石油进行业务重组。此次重组打破了此前按“上下游产业链”划分业务的模式，转而以“区域布局”为核心 —— 两大集团分别接管所属区域内的油气田与炼化企业，各自形成覆盖上游油气勘探开采、下游炼化加工的一体化产业格局。从地域分布上，中国石化当时被业界习惯称为“南方公司”。中国石化2021年营业收入达2.74万亿元，归属母公司净利润为712亿元。

目前，石化行业还涌现出一批主业突出、创新能力与核心竞争力强劲、管理水平优异且发展潜力充足的企业。以上海华谊、陕西延长、浙江巨化、天津渤化，以及烟台万华、浙江新和成、山东东岳、海湾集团等为代表，它们均在做强主业与核心竞争力、强化创新驱动及国际化经营等方面，向着打造百年企业的愿景扎实迈进、奋斗进取。

作为行业骨干的中国石油、中国石化、中国海油三大央企，2021 年的营业收入总额占全行业的 39.6%，利润总额约占全行业的 1/4。从发展历程来看，若从中国石油的前身石油工业部算起，它堪称行业“长子”，已有 67 年历史；中国海油今年迎来 40 周岁；中国石化则将于明年迈入 40 岁 —— 三者均处于发展的“壮年”时期。无论是支撑国民经济发展，还是助力新能源转型、保障国家能源安全，亦或是为农业丰产、高端制造业及战略性新兴产业提供配套支撑，这些石化骨干企业都作出了极为重要的贡献。

三、百年企业带给我们的启示

综观企业成长发展史，我们会发现：一家企业若能成长为百年企业 —— 尤其在百年历程中，无论身处哪个历史时期都保持强劲竞争力，始终位居所在领域的领航者地位 —— 是多种因素共同作用的结果。其中，战略、决策、管理与企业文化均至关重要。战略关乎企业远期发展与未来走向，且与决策、实施紧密相连：战略偶有偏差，只要及时纠偏便能重回正轨；但决策失误或执行不力，却可能直接导致企业陷入困境。

当前，疫情肆虐导致物流受阻、生产承压、全球供应链受挫，而今年 2 月底以来突发的地缘政治冲突，更让本就脆弱的供应链“雪上加霜”。在此背景下，大宗原材料及石化产品价格在去年大幅上涨的基础上再度冲高。这一局面引发不少企业投资热情高涨：即便部分产品早已产大于求，当前其新建、拟建及扩建的产能规模仍可用“巨大”形容。相信这些投资均经过研究论证，但仍需追问：此类决策与实施是否契合企业现有主业与核心优势？两三年后项目建成时，市场环境会如何变化？当新建产能集中投产，我们收获的会是喜悦吗？还是会有部分企业无奈面临关停？这正是当下企业在战略制定、决策与执行层面需要深入思考的课题。

自第二次工业革命开启工业化加速发展时代的 150 多年来，历史经验与教训早已表明：经济发展具有周期性。当市场环境趋冷、需求侧收缩进入低潮期，企业最关键的是专注创新、做优做强。若不聚焦未来竞争力，反而追求规模逆势扩张，稍有不慎便可能跌入深渊 —— 尤其对于已产大于求的产品，新建或扩建产能更需慎之又慎。

梳理多家代表性百年企业的发展脉络，我提炼出以下几点共性启示。

第一点启示：创新是奠定百年基业的首要因素。人们常说，创新是推动人类社会进步的不竭动力，对企业而言，它更是基业长青、构筑核心竞争力的动力之源。正如诗句所问："问渠哪得清如许？为有源头活水来。"长江黄河之所以奔流不息，正因其上游有不竭之源——创新，便是百年企业的"源头活水"，是支撑其长久发展的"青藏高原"。前文提及的几家石化领域代表性百年企业，以及读者熟知的其他行业百年企业，均印证了这一点。杜邦（220年）、巴斯夫（167年）、拜耳（169年）、帝斯曼（120年）、陶氏（125年）、住友化学（107年）等，这些始终位居世界化学工业领航者地位的百年企业，自成立之初便以创新立足。在后续发展的每一个阶段，它们都依靠创新实现突破，且始终将创新置于发展战略与举措的核心位置。

第一个还是要说年龄最长的杜邦，杜邦成立于1802年，其起源与创始人E.I.杜邦的技术积淀密不可分。E.I.杜邦曾在法国拉瓦锡实验室当学徒，掌握了火药生产技术，之后移民至新生的美国，在特拉华州威尔明顿市的白兰地河畔建立了一座火药厂。一个世纪后的1902年，杜邦新任掌门人作出向化工公司转型的关键决策。当时，收购兼并虽加速了这一战略转型的进程，但创新才是转型成功的核心要素。因为就在决定转型的同时，杜邦便着手建立了美国最早的工业实验室之一——杜邦东部实验室；次年（1903年），又进一步设立了自己的研究核心——杜邦中央实验站。

中央实验站由43栋建筑构成，100多年来这里一直是杜邦全球研发总部，杜邦人自己把这里称作"杜邦公司的心脏"！我2019年曾带队访问了杜邦威尔明顿市的总部，充分交流之后杜邦科学家陪同我们参观，无论是规划布局、每栋楼的设计与分工还是该创新中心的分析测试仪器和设备，都令我们访问团的成员大开眼界。

杜邦的研发投入长期保持在销售收入的5%以上，且会根据不同发展阶段明确研发方向与投入重点。20世纪末，为面向21世纪发展，杜邦将创新重心聚焦于聚合物科学、保健科学和农业科学三大领域，电子材料与专用化学品则为次要重点方向。

凭借强大的创新实力，杜邦在全球范围内率先发明尼龙，开启了合成纤维领域的全新革命。尼龙、聚酯、特种纤维、工程塑料、高性能膜材料，以及生物科技、显示材料等众多产品，均由杜邦首创或率先实现产业化。正如前文所提及，杜邦在生物基化学品及化学法废塑料循环利用领域的创新处于领先地位，尤其在生物法1,3-丙二醇领域占据全球垄断地位。正是持续不断的创新，支撑着杜邦在220年的发展历程中，始终稳居世界化学工业的领导者行列。

拜耳同样以创新起家。在帕金发现人工合成染料后，拜耳研究室率先从煤焦油中的蒽成功合成天然染料茜素，且首次将发烟硫酸磺化法应用于合成工艺，迅速成长为合成染料领域的领导者。1897年，拜耳再度通过创新合成乙酰水杨酸——这一物质自1899年投入应用以来，便是全球畅销的镇痛及血液抗凝药物阿司匹林，至今仍广泛使用。

拜耳始终高度重视研发与创新，长期将销售额的7%以上投入研发，个别年份甚至达到8.5%或10%以上，研发投入规模长期位居全球化工企业前列。其始终以创新战略主导未来发展，为强化创新能力，还在杜塞尔多夫专门设立拜耳创新公司，专注于基础创新与战略研究。当基础研究验证新创意可行后，便会转入拜耳技术中心或专业技术服务公司，开展实验室放大实验与工程化开发，形成“基础研究—技术转化”的完整创新链条。

拜耳的统计数据显示，公司约40%的销售收入来自上市不足10年的新产品，创新战略持续巩固其全球领先地位。众多化学品与合成材料均由拜耳发明或首次实现工业化：1910年，拜耳率先工业化生产合成橡胶（后成为拆分出的朗盛的主导产品之一）；1937年成功开发聚氨酯系列产品，包括胶黏剂、涂料、发泡材料及高弹性纤维；1953年研发出聚碳酸酯高性能工程塑料、1958年工业化（后成为拆分出的科思创的核心产品）；1956年推出ABS多用途热塑性塑料。此后，拜耳在医药、农药、生物制剂等领域持续突破，凭借对创新的不断强化，长期在材料科学、涂料、胶黏剂、密封材料、医药保健与诊断试剂、动物疫苗与兽药，以及农业杀虫剂、除草剂、杀菌剂等领域，稳居“金字塔顶端的灯塔型企业”行列。

再看一家成立不足百年却极具创新力的企业——三菱化学。该公司成立于1994年10月，由三菱化成与三菱油化合并组建。追溯历史渊源，三菱化成起源于1934年成立的日本焦油工业公司，三菱油化则是1956年为生产聚合物材料而设立。如今，三菱化学在合成树脂、工程塑料、高性能纤维材料、新能源电池材料，以及电子化学品、信息化学品、食品添加剂、医药保健等领域均具备强劲竞争力。据推算，其去年收入约297亿美元，利润约22亿美元。

我对三菱化学的创新力感触颇深，尤其认可其对未来创新的重视。2017年10月，我带队访问该公司时，首席技术官濑户山先生的交流开场便直击核心：

“21 世纪世界需要什么？科学与化学的目标应该是什么？”随后，我们围绕“世界将如何改变？日本将如何改变？我们应该创造什么？又该如何创造？”等问题展开探讨。他还进一步分析并预测了 2040 年世界及主要经济体的经济增长、人口动态、全球能源消耗及新能源占比、各类能源成本，同时对 2100 年地球与人类生存环境及碳减排目标作出展望。最终，我们达成的共识是：“21 世纪以煤炭为主的原料与能源结构已不可持续。”

交流后，濑户山先生陪同我们参观了三菱化学的“舒适广场”，并逐一介绍了陈列展品：碳纤维复合材料制成的氢能储气瓶、生物基聚碳酸酯打造的汽车全景天窗、生物基可降解材料生产的包装膜，以及光伏发电用蓄电池隔膜、健康保健类药品、医药中间体、疫苗、诊断试剂、细胞修复材料等。其中，氧 18 特种水、无土种植蔬菜的立体化示范装置，以及人工光分解水制氢试验给我留下了最为深刻的印象。

当时，人工光分解水制氢已被列为日本政府重点支持的创新项目，其关键技术在于催化剂的制备与效率提升，以及氢气、氧气分离提纯用的膜材料与分子筛。三菱化学设计的技术路线是：将该工艺产生的氢气与工业场景（如钢厂、电厂、焦化厂等）捕集的二氧化碳反应，氧气与甲烷反应，分别获得合成气；再以合成气为原料制备甲醇或烯烃，进而合成一系列有机化学品、精细化学品及高分子化合物。如今氢能成为行业热点，这让我们更清晰地认识到：通过该技术获得的氢才是真正的“绿氢”。待相关技术成熟且实现经济可行性，才能真正推动氢能与石化产业耦合，取代化石原料制氢以实现减碳，也才有可能使氢能成为人类未来的清洁能源。

此外，LG 化学、SK、SABIC 等企业也在创新领域给我留下了深刻印象。尽管这几家公司成立时间均不足百年，但从发展潜力来看，在历史长河中成长为百年基业只是时间问题。

第二点启示：持续转型升级是百年化工企业的核心生存法则。伴随社会进步与时代经济的发展，通过创新驱动及时转型升级，是化工企业穿越周期、成长为百年基业的关键战略。多家行业巨头的发展历程，均印证了这一法则的核心价值。

巴斯夫 157 年前成立时，仅是一家以煤焦油为原料生产苯胺染料的企业。

早期积累（成立至 20 世纪初）：经过 30 余年创新，于 20 世纪初成长为全球最大染料生产商。

技术突破驱动转型（20 世纪初至二战）：工程师博施助力哈伯的合成氨技术于 1913 年实现工业化，1918 年德国合成氨产量达 20 万吨；此后相继攻克尿素（1922 年）、甲醇（1923 年）合成技术，聚苯乙烯、聚丙烯腈、聚氯乙烯等聚合物及丁基橡胶也陆续开发成功。巴斯夫借此从染料企业，快速向无机化工、合成材料、合成橡胶等新兴领域转型。

石油化工时代拓展（二战后至 20 世纪 80 年代）：50 年代进入石油化工领域，同步推进“煤化工向石油化工转型”与“精细化学品、新聚合物开发”，拓展至维生素 A、涂料、农药等领域；合成氨、甲醇装置实现大型化，苯酐、MDI 等产品工业化落地。同时通过收购兼并巩固优势，甚至一度涉足石油天然气勘探开采。

聚焦主业的剥离重组（20 世纪 90 年代至今）：1991 年退出煤炭业务，21 世纪后剥离医药及部分合成纤维单体业务。如今的巴斯夫，已聚焦化工新材料、专用化学品、营养与护理、农业解决方案四大领域。其在中国布局的南京扬巴、广东湛江两大一体化基地，及重庆工厂、上海工厂与科创中心，直观呈现了当前的主业结构全貌。

杜邦的转型贯穿其三个世纪的发展，每一次调整都紧扣时代需求。

第一个百年（成立至 1902 年）：以火药生产为核心业务，奠定工业基础。

第二个百年（20 世纪）：顺应合成材料发展趋势，从“火药帝国”向化学品与材料公司转型。80 年代通过自主创新与并购重组，成长为综合性跨国企业；90 年代逐步退出上游能源、油气、炼油、普通聚酯及纺织业务；21 世纪初将氟制冷剂、氟化学品及钛白粉业务剥离至科慕公司，最终成为合成纤维、特种树脂、高端膜材料及专用精细化学品领域的领导者。

第三个百年（21 世纪至今）：曾宣布向生命科学公司转型；2019 年与陶氏合并后拆分的新杜邦，最终定位为专注特种化学品的企业。

其他巨头的转型路径也印证了这一点。

帝斯曼：120 年前以荷兰政府能源安全为初衷成立，从煤炭及煤化工起家，逐步拓展至焦炉煤气、化肥、橡胶塑料、精细化学品及高性能材料领域；去年剥离高性能材料业务后，已转型为营养化学品、医药及专用化学品的先导企业。

索尔维：1861 年以“索尔维制碱法”（原料易得、污染及能耗低于吕布兰制碱法）起家，在侯德榜《纯碱制造》公布前，靠技术封锁垄断全球纯碱市场

70 余年。如今主导产业已完全转型为化工新材料和功能化学品，其血液透析材料、液晶显示材料等产品具备全球竞争力。

住友化学：1915 年成立时以副产亚硫酸生产化肥为业务核心，107 年来通过持续创新与转型，形成以石油化工和基础化学品为基础，农药（杀虫剂、除草剂等）全球领先，饲料添加剂、医药、高端新材料等领域具备强市场竞争力的业务格局。

第三点启示：国际化布局是百年基业的必经之路。国际化水平是企业经营能力、管理水准与核心竞争力的综合体现。单纯的产品进出口仅是国际化的初级形态，真正的国际化核心在于全球布局与全球化经营。这一过程如同运动员站上奥运赛场：与博尔特同场竞技，才能知道慢在起跑还是冲刺；与费德勒对垒，才能清楚差在发球还是回球力度。唯有直面差距、找准问题根源，通过复盘总结与持续改进，才有可能在下次竞争中站上领奖台。

对企业而言，与跨国公司同场交流合作、在同等成本环境（原料、劳动力）和规则体系下竞争，是提升自身实力的关键途径。纵观百年企业，均是在发展到特定阶段后，立足主导产业、依托核心优势，适时迈向国际舞台，开启全球化经营征程。

杜邦：20 世纪完成向化工与材料企业的转型后，于 60 年代凭借行业领先优势启动国际化战略，率先从欧洲开展并购与投资建厂。到 70 年代末，其海外收入占总销售额近 1/3; 80 年代末进一步提升至约 40%，成长为当时全球规模最大的跨国公司之一。

陶氏化学：1897 年成立初期聚焦美国国内漂白剂生产销售，1906 年切入农用化学品领域，依托漂白剂核心原料“氯”的优势推动产品转型，逐步拓展至含溴化学品、新型塑料及合成纤维领域。第二次世界大战后开启国际化，先从北美邻国加拿大布局，50 年代进军欧洲，通过投资建厂与收购兼并双线推进。至 70 年代中期，海外营业收入占比已接近 50%，成为名副其实的跨国企业。此后凭借创新能力，进一步拓展高吸水性树脂、茂金属聚烯烃、丙烯酸产业链及医药农药等业务，全球化布局持续深化。

三菱化学：其前身三菱化成与三菱油化初期均聚焦日本国内市场，随着业务拓展，率先以美国为起点启动国际化。1994 年合并为三菱化学后，国内并购重组与国际化经营同步加速，曾与萨索尔合资在南非生产丙烯酸及酯，在印度、韩国合资布局 PTA 产能。进入 21 世纪，三菱化学已发展为在美欧、亚洲多国拥有生产基地的跨国公司，尤其通过推进“全球增长战略计划”，海外收入占比提升至30%左右。

当前国际环境与规则较50年前发生显著变化。贸易保护主义与逆全球化思潮抬头，国际产业分工协作面临挑战；疫情冲击全球供应链的有序运行，俄乌冲突进一步加剧断供风险。多重因素叠加下，全球产业链供应链正加速调整重构。

越是形势复杂严峻，企业越需科学谋划国际化布局：既要借鉴跨国公司的历史经验，更要立足时代背景与新挑战，以面向未来的视角强化全球经营能力，在国际化进程中锻造核心竞争力。

对比来看，国内部分企业虽已开展多年国际化业务并积累经验，但与跨国公司在中国的投资规模相比，我国企业前往欧美发达国家或原料产地投资建厂、开展全球化经营的案例仍相对较少。如今，杜邦、巴斯夫、三菱化学、索尔维等国际一流企业，以及霍尼韦尔UOP、托普索等工程化能力突出的公司，均已深度融入中国市场，部分企业在华收益甚至超过本土业绩。疫情期间，不少跨国公司的中国业务更成为全球业务的“压舱石”，实现“西方不亮东方亮”，为国内企业的国际化提供了现实参照。

打造百年企业，既需长远愿景，更需务实行动。众多百岁企业的发展历程中，成功经验与失败教训同样宝贵，均能帮助后来者少走弯路、减少磨难。当前国内百岁企业数量有限，但大批青壮年企业正向着首个百年目标迈进，并为下一个百年谋划蓝图。期待企业携手强化创新，以做强做优的实践，为奠定石化强国基础、迈向百年基业共同努力。

石化强国

新征程

New Journey
of
Petrochemical Power

行业篇

有降有增又有新突破
起步开局开启新征程 *

一年一度的经济运行情况发布如期召开，今年采取线上线下结合的方式召开。回望刚刚走过的 2020 年，石化行业所遭遇的挑战前所未有！我将围绕三个方面的内容进行介绍：2020 年运行的特点与进步、“十三五”回顾以及 2021 年开好局起好步的重点工作。

一、2020 年行业运行有降有增又有新突破

2020 年是极不平凡的一年。就全球来说，年初新冠疫情暴发并快速扩散，正常的社会生活秩序被打乱，世界经济遭遇了自第二次世界大战以来最差的一年，甚至是自 20 世纪 20 年代大萧条以来各大经济体同步大幅下滑的最艰难一年。就中国经济来看，总量首次突破 100 万亿元，实现了新的跨越，但同比增速只有 2.3%。这是自 1976 年以来最艰难的一年。

1. 石化行业经济运行的特点

石化产业遭遇的挑战和冲击更为严峻，全年实现营业收入 11.08 万亿元、同比下降 8.7%，利润总额 5155 亿元、同比下降 13.5%，进出口总额 6297.7 亿美元、同比下降 12.8%。这是石化行业有统计记录以来经营数据较差的一年。总体看全年生产经营的特点可以用“有降有增”来概括：

一是经济数据下降。营业收入同比下降 8.7%，利润总额同比下降 13.5%，进出口总额同比下降 12.8%，这三组数据同步大幅下降是石化行业历史上没有的。

二是产品价格下降。布伦特原油全年均价 41.74 美元 / 桶，同比下降 35.1%，这是在上年度同比下降 9.9% 的基础上出现的大幅下降；化工品价格总水平同

---

* 这是 2021 年 2 月 4 日，傅向升同志在 2020 石化行业经济运行新闻发布会上的讲话。

比下降 5.9%，产品价格的大幅下降是全行业效益大幅下滑的主要因素。

三是产品产量增加。全年原油产量 1.95 亿吨、同比增长 1.6%，连续两年同比增长；天然气产量 1888 亿立方米、同比增长 9.8%，连续 4 年增量高于 100 亿立方米；原油加工量 6.74 亿吨、同比增长 3.0%。主要化学品总产量增长 3.6%。具体产量来看：烧碱同比增长 5.7%，乙烯同比增长 4.9%，纯苯同比增长 8.6%，精甲醇同比增长 4.7%，合成树脂同比增长 7.0%（其中聚乙烯同比增长 8.7%、聚丙烯同比增长 10.8%、聚氯乙烯同比增长 3.3%），合成纤维单体同比增长 8.6%，氮肥折纯同比增长 2.7%，轮胎同比增长 1.7%。

四是产品消费增加。主要石化产品的市场消费虽然一季度大幅受挫，但是自二季度逐步回升，原油表观消费量 7.5 亿吨、同比增长 7.2%，天然气表观消费量 3100 亿立方米、同比增长 6.5%。主要化学品全年市场表观消费量稳定增长：烧碱同比增长 5.8%，乙烯同比增长 1.7%，纯苯同比增长 8.8%，精甲醇同比增长 7.5%。合成树脂同比增长 8.4%（其中进口同比增长 11.2%），合成橡胶同比增长 10%，合成纤维单体同比增长 7.2%。化肥折纯同比下降 1.8%，其中氮肥折纯增长 1.4%、磷肥同比下降 6.3%。

五是分化更加明显。从营业收入维度分析，油气板块同比下降 17.6%，低于行业平均值；炼油板块同比下降 15.4%，同样低于行业平均值；化工板块同比下降 3.6%，表现优于行业平均水平。从利润维度分析，油气板块同比下降 82.3%，大幅差于行业平均值；炼油板块同比下降 45.6%，大幅低于行业平均值；化工板块同比增长 25.4%，明显优于行业平均值，并大幅优于油气和炼油两个板块。分行业看，基础化工产品全年营业收入、利润双下降（−5.2%、−2.6%）；农药（+6.1%、+0.5%）、专用化学品（+1.6%、+13.4%）全年营业收入、利润双增长；合成材料“一降一升”，营业收入下降 6.7%、利润增长 5%；橡胶制品“一降一升”，营业收入微降 0.8%、利润增长 39.6%；煤化工产品“双下降”，营业收入同比下降 14.7%、全年增亏近 11 亿元。

2. 石化产业创新发展又有新突破

2020 年石化行业的经济运行因受新冠疫情的严重冲击，遇到了前所未有的挑战，经营情况不甚理想。但是，广大石化企业和干部职工在疫情面前不畏惧、在困难面前不退缩，一边防疫抗疫、一边复工复产，一边持续推进转型升级、一边加大力度创新驱动。无论是国有骨干大型企业、还是民营中小企业以及在华跨国公司，都取得了极其不易的成绩和许多新的突破。主要表现在：防疫抗疫发挥了突出作用，全力拼搏把疫情影响降到最低，自 5 月份开始生产经营逐步改善并回升向好，全行业营业收入在 9 月份接近正常年份每月 1 万亿元的水平，全行业利润总额在 10 月份恢复到较好年份每月 700 亿元以上的水平。科技创新取得新突破，本质安全实现新提升，据中国化学品安全协会统计，2020 年度全国化工行业未发生重特大事故，全年事故起数和死亡人数同比分别下降 9.8% 和 34.3%。骨干企业“压舱石”作用更趋明显，不仅在抗疫战疫过程中发挥了骨干作用、展现了担当，而且在石化行业经济运行和国民经济稳增长中的“稳定器”和“压舱石”作用愈益明显。园区化又有新突破，石化园区管理的法治化、规范化水平再上新台阶，继山东、江苏、浙江、宁夏规范开展并完成本省区石化园区认定以后，已有 19 个省级政府制定认证标准，累计完成 352 家石化园区认定工作。

二、“十三五”简要回顾、“十四五”发展展望

“十三五”时期，全球格局深度调整，不确定性显著上升，成为二战结束以来国际环境最为复杂动荡的五年。一方面，美国作为全球头号经济体，新政府上台后推行“退群”、单边制裁与关税壁垒等激进政策，其行为如同“闯进瓷器店的大象”，严重冲击全球治理体系与国际经贸秩序；另一方面，英国脱欧进程历经五年谈判博弈，直至 2020 年底达成脱欧协议才告一段落，这一过程不仅加剧了欧盟内部的不确定性，也导致其经济增长陷入停滞。在此背景下，美国奉行霸权主义与逆全球化行径，遏制中国崛起的图谋昭然若揭，在中美关系中出尔反尔，致使贸易摩擦持续升级，将双边关系推向尼克松访华以来的最低点，中国也因此遭遇了改革开放以来最为严峻的外部发展环境。

面对复杂严峻的国际形势，中国始终保持战略定力：对外坚持冷静研判、沉着应对各类风险挑战，坚定维护国家核心利益与发展权益；对内聚焦高质量发展，秉持励精图治、务实创新的理念，持续深化改革、扩大开放。五年来，中国经济发展质量稳步提升，总量实现跨越式增长，2020 年国内生产总值首次突破百万亿元大关，达到 101.6 万亿元（按当年汇率折算约 15.6 万亿美元），占世界经济比重提升至约 17%，在全球动荡格局中展现出强大的发展韧性与活力。

1. 石化“十三五”成就显著

“十三五”期间，石化行业稳步发展，进一步巩固中国作为世界第二石化大国和世界第一化工大国的核心地位，对世界石化市场的贡献度一直稳居 40% 左右。行业整体发展可以概括为“11212”的核心格局。

“一个目标”：强国跨越成为全行业共同的追求。“由石化大国向石化强国跨越”是石化产业“十三五”发展规划提出的长期奋斗目标，这一目标一经提出，即高度凝聚了行业共识，成为广大石化企业和石化人的共同行动，广大企业和石化园区都对标世界一流：找差距、查短板，借鉴典型、学习经验，改变过去拼资源、拼规模、拼资金的传统模式，都把突出主业、做强做优放在了突出位置。

“一个主题”：高质量发展成为全行业的根本要求。基于“十三五”以来我国石化行业淘汰落后产能、加快转型升级、推进产业结构产品结构调整和优化以及创新驱动、绿色发展等方面取得的明显进步，2019 年石化产业发展大会提出：中国石化产业正在迈入高质量发展的新阶段，从此全行业和各企业无论是研究发展思路、还是部署发展目标，都首先统筹高质量发展这一根本要求。

“两大发展战略”：创新驱动和绿色发展成为全行业的共同发力点。创新驱动和绿色发展被确立为石化产业“十三五”发展规划“两大发展战略”。五年来，行业突破了一批先进勘探开发技术，攻克了一批具有自主知识产权的现代煤化工技术，创新开发了一批化工新材料和高端专用化学品领域的“补短板”和“制高点”技术，同时研发了一批先进过程强化和资源化利用技术及重大技术装备，为产业高质量发展提供了坚实支撑。绿色发展战略深入实施，绿色发展理念更加强化，全行业和广大石化企业加快绿色低碳转型步伐，推动环保治理模式由末端治理向源头控制转变；深入开展能效领跑者行动，聚焦绿色技术创新，接连推出绿色新工艺和绿色产品目录，不断提高资源和能源的利用效率，节能减排取得积极进展，绿色发展水平显著提升。行业能耗增速下降了 56.5%，COD（化学需氧量）、氨氮、二氧化硫、氮氧化物等主要污染物排放量均下降 10% 以上，五年来共认定绿色工厂 170 家、绿色产品 416 种、绿色石化工艺 30 项、绿色园区试点示范 12 家。

“一个共识”：国际合作在中外企业和企业家之间深化。对外开放是 20 世纪 90 年代化工部党组提出的“三件大事”之一。随着中国改革开放持续深化、大门越开越大，跨国公司纷纷进入中国市场，中国石化行业国际交流与合作的深度和广度都不断深化和拓展。“十三五”期间我们成为国际化工协会联合会（ICCA）的正式会员，与ICCA等国际组织以及欧美日韩等国家的石化组织都建立了良好的交流与互动机制，并就全球共同关注的碳减排、责任关怀、可持续发展、化学品监管、解决塑料污染等重要议题展开深入探讨并寻求合作。

“两个世界一流”：一流企业和一流产业集群正在阔步向前。“十三五”以来，我们加大培育世界一流企业和现代石化产业集群的力度，中国石化、中国石油、中国海油、中化等央企积极与埃克森美孚、巴斯夫等世界一流跨国公司对标，加快打造具有全球竞争力的世界一流企业。五年来，上榜《财富》世界500强的石化企业在数量、排名及综合实力等方面均实现显著提升。中国石化营业收入由2016年的2943.4亿美元，上升到2020年的4070亿美元，增长38.3%；五年一直保持《财富》世界500强前3位，2020年位列第2位，位居能源化工行业首位；炼油能力、对二甲苯（PX）产能、炼油产品总销量均居全球第一、化工品销售额居全球第二。中国石油营业收入由2016年的2992.7亿美元，上升到2020年发布的3791.3亿美元，增长26.7%；《财富》世界500强排名一直保持前4位、国际大石油公司排名保持前3位；“十三五”期间，创造了历史上持续时间最长的储量增长高峰期，聚烯烃专用料占比提升到54%。中国海油销售利润率等经济指标一直居世界各大能源公司前列，连续16年央企考核A级；《财富》世界500强排名由2016年的109位上升到64位，提升45位；营业收入由678亿美元增长到1086.9亿美元，增长60.3%；值得关注的是，去年国内原油增量贡献占比高达83%，为连续两年增产做出了积极贡献。中化集团实施“科学至上”理念，推动由贸易型和投资驱动型向创新驱动型转变，农药种子业务与美国、德国等强国并列；《财富》世界500强排名由139位上升到109位，营业收入由606.6亿美元上升到803.7亿美元，排名提升30位、收入增长32.5%。中国化工特种化学品竞争力不断增强，五年收入增长58.9%、《财富》世界500强排名大幅提升了70位。恒力集团和延长集团都是新上榜企业，分列第107位和第265位。还有像万华化学、新和成、东岳等一批主业突出、创新能力强、核心竞争力强的企业，在国际市场都有着很强的竞争力。世界一流产业集群方面，以上海化工区、大亚湾石化基地、宁波石化经济技术开发区、长兴岛石化基地，以及南京、常熟、东营港新材料产业园、宁东现代煤化工示范基地等为代表的一大批石化及化工园区，正对标德国路德维希港基地、新加坡裕廊岛等世界一流化工园区和石化基地，都已具备较强的世界一流绿色石化基地的基础。

2. 石化“十四五”发展展望

“十四五”的帷幕已经开启，“十四五”期间我们面临的国际国内环境都将更加严峻复杂，虽然我国仍然处于重要战略机遇期，但发展道路上的困难和遇到的挑战也许将更加艰巨。正如习近平总书记讲：当今世界正经历百年未有之大变局，新冠肺炎疫情全球大流行使这个大变局加速演进，经济全球化遭遇逆流，保护主义、单边主义上升，世界经济低迷，国际贸易和投资大幅萎缩，国际经济、科技、文化、安全、政治等格局都在发生深刻调整，世界进入动荡变革期。在这样的时代大背景下，我们深入贯彻党的十九届五中全会精神，组织完成了《石化产业“十四五”发展指南及2035远景目标》，1月15日已经向全行业和社会发布。做好“十四五”时期石化产业工作，需要把握以下几点：

一是把握总体思路。“十四五”规划的指导思想是：以习近平新时代中国特色社会主义思想为指导，坚定不移贯彻新发展理念，坚持稳中求进工作总基调，落实“四个革命，一个合作”的能源安全战略，充分把握新一轮全球技术创新和产业革命大趋势，以推动高质量发展为主题，以绿色低碳数字化转型为重点，以加快构建“双循环”新发展格局为方向，以提高行业企业核心竞争力为目标，深入实施创新驱动、绿色可持续发展、数字化智能化和人才强企战略，加快建设现代石化工业体系，建设一批具有国际竞争力的企业集团和产业集群，打造一批具有国际影响力的知名品牌，推动我国由石化大国向石化强国迈进，部分细分领域率先进入强国行列，同时提出六大发展思路和八个方面的重点任务。

二是关注专项规划。希望同志们进一步关注即将定稿并陆续发布的“十四五”专项规划及相关文件，即：石化“十四五”科技发展指南、石化“十四五”绿色发展指南、炼油行业“十四五”发展指南、化工新材料“十四五”发展指南、现代煤化工“十四五”发展指南、石化园区“十四五”发展规划及2035中长期展望，以及石化技术装备“十四五”发展指南、石化产业智能制造“十四五”发展指南、油气行业“十四五”发展指南；同时关注氮肥、磷肥、农药、氯碱、纯碱、涂料、染料、合成树脂、橡胶工业等各专业协会正在编写和即将发布的“十四五”专业领域发展规划。

三是研究自身发展。希望各单位认真学习十九届五中全会审议通过的《中共中央关于制定国民经济和社会发展第十四个五年规划和二〇三五年远景目标的建议》，认真领会中央经济工作会议的精神，把握党中央“一个主题，一条主线，两个根本、两个加快”的总遵循，紧密结合已发布的石化行业“十四五”发展规划及其配套的专项规划，上下协同、目标同向地研究和制定本地区、本单位的“十四五”发展规划。尤其是要坚持“四个结合”：问题导向和目标导向相结合、对标国内先进和国际一流相结合、立足自身实际补短板和锻长板相结合、配强内部力量和借助第三方智慧相结合。在此基础上，各地区认真研究确立本地区的重点基地和园区、拟组织实施的重点工程；企业、石化园区要认真研究重点项目、产业链协同、关键核心技术和拟突破的关键点等；各地区、各单位还要进一步勾勒 2035 的愿景路线图，向着世界一流和百年强企的目标，推进本单位核心竞争力实现新提升、高质量发展实现新跨越。尤其是各地区、各石化园区一定要认真研究行业重点培育的“五大世界级石化产业集群”、“十四五”期间拟组织实施的“五项重点工程”和重点培育的“70 个重点石化基地和专业化工园区”，对应“5 个 50”目标确定自己的发展重点、思路和目标。

三、2021 年起步开局开启新征程

2021 年是“十四五”开局之年，当前疫情还在全球蔓延，世界经济仍十分艰难、处于深度调整之中。我们分析新的一年我国经济发展既面临着许多挑战，也有着难得的机遇。国际国内政治经济环境都有着许多不确定性，当前看最大的不确定性是新冠疫情，美欧的情况很严重，每天新增感染人数和死亡人数一直居高不下。根据约翰斯·霍普金斯大学的统计数据：截至 1 月 27 日，全球感染人数累计超过 1 亿，到 1 月 20 日美国因新冠肺炎累计死亡人数高于 40.5 万人，已超过二战致美国死亡的总人数。

第一个不确定性是新冠疫情的控制程度。1 月 19 日召开的世界经济论坛预测“疫情五年内仍将拖累全球经济”，世界经济正深陷冲击中。可以预见的是，随着疫苗的研发成功及接种工作有序推进，下半年开始疫情有望能够被控制，经济社会生活将逐步恢复正常。

第二个不确定性是中美关系的走向。从中国国际环境来看，中俄关系基本稳定，《区域全面经济伙伴关系协定》以及《中欧投资协定》的签署，推动中国与东盟 15 国、中欧关系持续向好，最大的不确定性还是中美关系。特朗普政

府虽已更迭，但其煽动的民粹主义一时还难以消退，美国国内视中国为主要竞争对手、遏制中国崛起的图谋短期难改变。从拜登和他的内阁成员的政策取向预测，其执政风格或较此前“出尔反尔、四面出击”有所调整，就职初期主要精力将用于遏制疫情、重振经济、弥补撕裂，中美关系将会有一段相对平和的缓冲期。但需注意的是，以拜登的执政风格，其联合盟友构建对华遏制体系的可能性较大。

第三个不确定性是世界经济是否重回增长。从目前欧洲各主要国家的疫情扩散和采取的封城、封国措施来看恐怕尚需时日，1 月初世界银行预测 2021 年全球经济增速将恢复至 4%，1 月 25 日联合国预测 2021 年全球经济将反弹 4.7%，1 月 26 日国际货币基金组织（IMF）预测 2021 年全球经济增速为 5.5%，由此预判：虽然存在极大不确定性，但世界经济 2021 年将重回增长是确定的。

就中国经济来看，中国疫情防控取得重要阶段性成果、不会再出现大面积扩散是肯定的，这一点既相信中国政府的能力、又相信中国人民的自觉性。去年中国经济同比增长 2.3%，成为全球唯一正增长的主要经济体；新年过后，世界银行预测中国经济 2021 年将增长 7.9%，IMF 预测中国经济 2021 年增速将高达 8.1%。中央经济工作会议明确继续坚持“稳中求进”工作总基调，强调“努力保持经济运行在合理区间”，并部署了扩大内需、保持宏观政策连续性、稳定性和可持续性等重点任务。我们预判 2021 年中国经济增速将达到 7% 以上是能够实现的。从石化行业来看，新年过后很多机构也都在预测，普遍认为 2021 年全球化学品市场将逐步回暖，美国化工理事会（ACC）预测：全球化学品产量 2020 年出现了 40 年来的最大降幅，下降 2.6%；2021 年全球化学品产量将恢复上涨，尤其是中国引领的亚洲化学品产量增长最为强劲，中国将增长 5.4%、亚太地区整体增长 4.4%、北美增长 4.1%、拉丁美洲增长 4.6%、欧洲增长 3.1%。

基于以上的分析与预判，我们研究做好 2021 年工作的总要求是：以习近平新时代中国特色社会主义思想为指导，深入贯彻十九届五中全会和中央经济工作会议精神，把握新发展阶段、贯彻新发展理念、构建新发展格局，以高质量发展为主题，以深化供给侧结构性改革为主线，深入实施创新驱动和绿色发展战略，加快智能化数字化转型，加大传统产业升级改造力度，加大世界一流企业和现代石化产业集群培育力度，开好局、起好步，为实现石化强国目标跨越争取新的突破。做好“十四五”开局之年的重点工作有：

1. 把握大势，立足新起点开启新征程

十九届五中全会对“十四五”发展及 2035 年远景目标都作了规划和展望，石化产业“十四五”发展规划也已发布，中央经济工作会议从各方面部署了今年经济工作，“把握大势，立足新起点开启新征程”就要求我们在新的一年“把握新发展阶段，贯彻新发展理念，构建新发展格局”。石化行业立足连续十年世界石化大国的平台上，既要正视大宗基础化学品过剩的现状，也要正视创新能力严重不足的问题，深入分析并把握行业、企业、人才等方面的优劣势，密切结合行业、企业的实际情况，紧紧围绕高质量发展这一主题，把创新置于一切工作的首位。通过创新推动传统产业和企业的转型升级，通过创新加快解决结构性矛盾及区域间、行业间发展不平衡不充分的状况，通过创新加快结构调整和产业链、产品链的高端化，通过创新补齐短板、锻强长板，保障产业链供应链的安全。

2. 起步开局，高质量发展再出发

一是起好步开好局至关重要。“一年之计在于春”，今年是新一个五年规划周期的开局之年，如果把五年规划周期的第一年比作是一年四季的春天，从时间段上划分是贴切的、从重要性上看是比较恰当的。尽管已经步入工业社会，与传统农业社会的发展模式有区别，但经验和实践都告诉我们：开局之年的工作如果没有做好，有些机遇可能就会永远错过，甚至留下难以挽回的发展遗憾；反之，第一年起好了步开好了局，把各项工作做扎实了，不仅能为整个五年规划的顺利实施创造有利的条件、为五年目标的实现奠定了坚实的基础，就其意义和深远影响来说，更可能在行业、企业可持续发展乃至是百年企业征途上写下浓墨重彩的一笔。

二是盘实底气再出发。回望刚刚走过的“十三五”，虽然遇到了很多困难，但是世界石化产业的发展、很多新石化装置的建设、很多石化产品的增量，都是世界石化产业历史上少有的。中国石化产业也呈现出大项目集中建设、集中投产的特点，部分行业、企业实现快速成长，大型装置不断涌现。然而，在大宗基础石化产品已严重过剩的前提下，此类集中式扩张进一步加剧了行业供需失衡。今天的状况更需要我们真正领会并把握中央“稳中求进”的总基调，立足国际石化产业大平台，进行冷静的复盘与梳理。全行业应当重点盘整淘汰落后产能、产业结构优化以及创新驱动、绿色发展、本质安全、园区管理等方面的情况和突出问题；相关子行业尤其是化肥、氯碱、纯碱、电石以及炼油等 12

个基础化工领域，应当结合自身的状况和特点，重点盘整落后产能退出情况、产品结构优化以及关键核心技术制约等方面存在的短板、绿色发展和资源综合利用等方面存在的突出问题，以及智能工厂建设、产业升级示范的经验与教训等。

企业层面的盘整需要重点围绕“十三五”规划执行展开：目标是否实现？中期有无调整？同时，把与世界一流企业对标的内容一并盘整。通过盘整既总结经验，更正视教训；既要看到优势，更要找准短板；既盘整了基础，又找到了再出发的方向；既盘整了稳中求进的底气，又为高质量可持续发展注入持久动力。

3. 问题导向，强化优势补齐短板

任何事物都有正反两个面。

第一问题导向是发现问题、解决问题的好方法。经济工作的推进同样离不开问题导向，问题导向做好了就会少走弯路、避免很多资源浪费。从宏观层面看，中央强调财政政策与货币政策需要实施逆周期调控，本质上正是基于对经济运行中各类潜在问题的预判与应对，是问题导向思维的集中体现；从具体实践来说，环境污染治理由末端治理向源头减排和过程控制转变，凸显了问题导向在推动高质量发展中的核心价值。

第二问题导向是只有发现问题、才能解决问题。面对成品油过剩、化工新材料和高端化学品短缺的状况，我们提出“减油增化”发展路径；面对柴油消费接近平台期、而汽油市场小幅增长的情况，我们都在加快调整柴汽比，这都是以问题为导向在推动产业结构和产品结构的调整。去年，有些企业陷入了经营困境，资金链风险逐步显现；新的一年，不稳定性、不确定性因素进一步增加，我们应当认真地分析生产经营中可能会存在哪些风险？如果国际国内环境长期不见好转，我们将遇到什么样的风险？针对各类潜在风险，需提前研究制定科学有效的应对预案与解决方案。第三问题导向是及时发现质量与效益存在的问题。我们石化企业的运营效益与跨国公司差距较大，去年全行业还有 4596 家规模以上企业亏损，占比约 17.6%，同比增加 8.4%，亏损额 1993 亿元，同比增长 8.5%。存货和应收账款居高不下的问题也很严重，去年油气板块应收与库存合计为 937.9 亿元，是利润总额（270.9 亿元）的 3.5 倍；炼油板块应收账款与库存合计为 2295.6 亿元，是利润总额（460 亿元）的 5 倍；化工板块应收账款与库存合计高于 1.1 万亿元，是利润总额（4297.2 亿元）的 2.55 倍。在

利润再创新低的现实面前，我们的库存和应收账款是如此之巨！我们是否可以安排专人对这些库存和应收账款做些分析？系统梳理库存结构与应收账款构成，精准核查各类资产的账龄分布情况，并研究制定“压库存、减应收、提效益”的具体方案和措施。第四问题导向是帮助制定产业链安全预案。为适应构建“双循环”新发展格局的战略转变，我们是否花一些功夫认真梳理产业链供应链的情况，认真梳理关键核心技术是否存在“卡脖子”的瓶颈？并针对特殊情况、特殊时期、制定相应的应对思路和预案。

4. 安全发展，不断提升本质安全水平

2020 年石化行业的安全理念、安全意识和安全管理都进步明显，事故起数和死亡人数都大幅下降。但是，安全工作一定要警钟长鸣，千万不能松懈，1 月份已发生 5 起事故，仔细分析，这些事故都是可以避免的。安全警钟长鸣、安全理念、安全意识、安全操作，这些确保不发生安全事故的内容都很重要，但是一旦发生事故，安全预案、科学施救也很重要。很多事故的直接原因是不规范操作、不该放的放到了一起、不该混的混到了一起，这些应该认真汲取教训，同时，天津“8・12”瑞海公司危险品仓库特别重大火灾爆炸事故的救援过程造成了更多伤亡，也应当总结教训。前年我们在休斯敦访问，访问团从市区到企业的路上，很远就看到黑烟滚滚，一问才知道是储油码头的一个储油罐起火。若是在国内遇到这样的情况，第一方案应该是尽快把火扑灭。可第二天我们看到浓烟还在继续，我们当中就有人不解地问：“为什么不把火扑灭？”美方陪同人员回应道：“此次起火的是 6 个储油罐中的一个，最好的救援方式就是控制住火势、控制燃烧速度。只要不爆炸造成二次事故，让它慢慢烧完产生的代价和造成的损失是最小的。如果强行扑灭，大量的灭火剂可能对周围环境造成更大的影响，一旦部分灭火剂流入了墨西哥湾，将引发更严重的生态污染后果。”这让我不由想起了巴黎圣母院大火及其救援过程。当巴黎圣母院发生火灾后，消防救援人员并未第一时间先灭火，而是采取“控制火势、全力抢救文物”的方案。最终，虽然巴黎圣母院的塔尖是烧没了，但所有的国宝级馆藏几乎全部成功转移，把火灾的损失降到了最低。我们一定要科学公正地认知：事故虽然难以绝对避免，但完善的事故预案和科学的施救体系是降低损失的关键。从业人员综合素质的提升以及应急技术进步的持续进步，也为各类事故的可防、可控创造提供了保障。

5. 绿色发展，把握好保护与发展的辩证关系

石化产业属于资源型和能源型产业，也是技术要求高、产业关联度高的重要支柱产业。其资源型和能源型的属性，决定了行业资源消耗量大、“三废”产生量多。技术要求高、产业关联度高的特性就要求我们强化创新和高质量发展，为高端制造业提供坚强保障。我们一定要以习近平生态文明思想为指导，贯彻新发展理念，突出绿色发展，大力推进传统产业绿色升级改造，加快构建绿色设计和绿色生产体系，大力发展绿色产品，积极创建绿色工厂和绿色石化园区，发展循环、低碳经济和清洁生产。我们相信：不远的将来，花园式工厂、生态石化基地及绿色化工园区将成为石化产业高质量发展中的一颗颗明珠。实际上发达国家几十年、上百年的实践和发展经验，给了我们这种自信！德国巴斯夫路德维希港基地 150 多年来一直屹立在莱茵河畔，赫斯特工业园在法兰克福的莱茵河和美因河地区存续 140 多年，马尔工业园长期坐落于鲁尔地区的利伯河两岸，比利时安特卫普石化基地比邻斯海尔德河畔，美国杜邦公司更是在威尔明顿市河边矗立 218 年。这些案例和事实都表明，石化园区和化工厂不仅不是污染源，反而能为当地居民创造财富、是居民引以为傲的产业载体。其关键是做到本质安全、达标排放和绿色发展。

极不平凡的 2020 年，石化全行业经受住了考验，取得了举世瞩目的进步，作出了极不平凡的贡献！新的一年，世界不确定性因素也许会趋缓，但国际环境将更趋复杂。我们相信，站起来的中华民族面前没有不可逾越的困难，挑战只会让我们越挫越勇，让我们共同携手，在石化产业高质量发展的新征程上，向着石化强国的目标奋勇向前！以优异的成绩向中国共产党成立 100 周年献礼！

石化产业的未来在未来工程师*

一、石化产业现状

新中国石化产业到改革开放前，以苏联援建“156 项”中的三大化（兰化、太化、吉化）为标志，几乎是从零起步，约 30 年时间、主要以自力更生和基础化工产品为主、重点以满足农业需要和为国防军工配套，逐步得到发展。自改革开放到 20 世纪末，以 20 世纪 70 年代整套引进“30 万吨 / 年合成氨、52 万吨 / 尿素”大化肥装置、30 万吨 / 年乙烯成套装置和外资进入中国为标志，采取引进和消化吸收并重的方式，开启了我国石化产业大型化、现代化进程，约用 20 年时间建成了完整的石化产业体系。2000 年以来，我国石化产业与整个国民经济一样、进入了跨越式发展时期，以 2010 年我国成为世界第二石化大国和世界第一化工大国为标志，大多基础石化产品呈现过剩状态、产能产量跃升世界第一，开启了我国石化产业以结构调整为主线、发展理念和方式转变的新时期。当前，我国石化产业正在以高质量发展为主题，深入实施创新驱动和绿色发展战略，不断深化国际交流与合作，加大培育世界一流企业和现代石化产业集群的力度，正在推动石化产业由石化大国向石化强国跨越新征程。其现状是：

1. 规模和经济总量居世界前列

2020 年受新冠疫情的影响，世界经济遭遇了自二战以来最差的一年，欧美日等各大经济体同步大幅下滑。我国防疫抗疫取得重要战略成果，经济总量首次突破百万亿元，同比增长 2.3%，成为全球唯一正增长的主要经济体；我国石化产业与全球石化产业一样，也是遭遇了严重冲击。纵观整个“十三五”期间，

* 这是 2021 年 4 月 15 日，傅向升同志在 2021 绿色工程教育暨未来工程师论坛上的报告。

我国石化产业的总收入、利润总额都保持了基本稳定。2016 年实现主营收入 13.28 万亿元、利润总额 6444 亿元，2017 年 13.78 万亿元、利润总额 8462 亿元，2018 年 12.4 万亿元、利润总额 8394 亿元，2019 年 12.3 万亿元、利润总额 6684 亿元，2020 年 11.08 万亿、利润总额 5155.5 亿元。2020 年虽然受到疫情影响，世界石化市场冲击严重，但中国主要石化产品的产量和市场消费量继续保持了增长、继续位居世界前列，2020 年我国炼油能力约 8.9 亿吨 / 年，原油加工量 6.74 亿吨（+3%），聚乙烯产能 2384 万吨 / 年、产量 1906.6 万吨 / 年（+8.9%），乙二醇产能 1642 万吨 / 年、产量 883.8 万吨 / 年（+8.5%），聚丙烯产能 3278 万吨 / 年、产量 2625.9 万吨 / 年（+10.8%），对二甲苯（PX）产能 2619 万吨 / 年、产量 2045.5 万吨 / 年（+39.1%）。从产能产量来看：只有炼油能力、原油加工量和乙烯的产能、产量居世界第二位，聚氯乙烯、聚丙烯、乙二醇、PX 以及纯碱、烧碱、电石、化肥、农药、甲醇、轮胎、染料等 20 多种主要产品的产能产量都是世界第一位，我国是名副其实的化工第一大国。据欧洲化工理事会统计，2019 年中国化工产业销售额 1.49 万亿欧元（占全球 40.6%）、欧盟 5434 亿欧元（14.8%）、美国 5045 亿欧元（13.8%）、日本 1683 亿欧元（4.6%）、德国 1571 亿欧元（4.3%）。在 2020 年很多跨国公司的全球业务和经营业绩大幅下滑的情况下，我国石化产业取得这样的业绩实属不易。

2. 我国培育世界一流企业的基础较好

石化产业是国民经济的重要支柱产业，也是经济强国的重要基础和支撑。我国近几年有一批稳居《财富》世界 500 强榜单的石化企业，五年来在榜单上都有显著的进步，如中国石化、中国石油、中国海油、中化集团、化工集团、延长石油以及新上榜的恒力集团。还有一批主业突出、创新能力强、核心竞争力强的万华化学、新和成、东岳、华谊集团、华峰集团、确成硅业等一批企业，其行业引领作用和主导产品的全球竞争力日益增强。近两年恒力、荣盛、盛虹等一批市场竞争力强劲的企业，正带着全新的机制和多年市场打拼积累的丰富经验，阔步挺进石化领域，并将为中国石化产业的规模效应、产业链延伸以及产业重构、整体竞争力提升都会起重要作用。

3. 现代石化产业集群已具备较好的条件

培育现代产业集群是党的十九大为建立现代经济体系所做的战略部署。石化产业的园区化、基地化、炼化一体化是发达国家的成功实践，也是我国石化产业高质量发展的趋势和必然途径，石化园区在产业集聚和产业链协同、土地集约利用、资源循环和能源互供、集中管理和公用工程共享等方面，都发挥着越来越重要的作用。据统计 2018 年底全国共有石化园区 676 家，其中产值 500 亿元以上的有 47 家，约占 7%，产值 100 亿元以下的有 405 家，约占 60%。我国石化园区的分布可以简单用“两条线”和“两区域”来概括，“两条线”即沿海线和沿江线，“沿海线”涉及 8 个省市，主要以国家布局的“七大石化基地”、以石化产业链为代表的一批石化基地，“沿江线”涉及 11 个省市，主要分布在重庆以东、230 多家专业化工园区为主体；“两区域”即华北和西北，“华北区域”主要指“2+26”个城市所覆盖的区域，这个区域的石化产业发展重在高质量、总体是受控的；“西北区域”即内蒙古、陕西、宁夏、新疆，这是煤炭资源丰富的地区，是我国与发达国家不同的、也就是国家布局独有的“四大现代煤化工产业示范区”。“十三五”以来，我国石化园区的发展与新加坡裕廊岛、美国墨西哥湾以及德国、比利时等发达国家的大型石化基地和石化产业集群相比，还有一定的差距，但是自己纵向相比无论是装置规模、发展质量，还是产业链协同、管理水平，都变化很大并取得了明显的进步，上海化工区、宁波石化基地、大亚湾石化区以及南京、济宁、东营港、沧州、上虞、嘉兴、烟台等一批新材料产业园和泰兴精细化工、常熟氟材料、东岳氟硅材料等一批专业化园区、宁东、榆林等现代煤化工园区，都已奠定了向世界级石化产业集群和培育专业化工园区的良好的基础和条件。尤其是按照工业和信息化部的要求已经有 12 家智慧化工园区正在试点示范，受国家发展改革委委托也有 12 家绿色石化园区正在试点示范，还有一批园区都在开展着创建工作。这几年《全国石化园区认定导则》《绿色石化园区评价导则》《智慧化工园区建设指南》等多项标准已经制定并颁布；山东、江苏、浙江、湖北、辽宁等 20 多个省市，都积极开展对石化园区的认定与规范化管理整治提升，经过多方努力和共同发力，石化园区管理的规范化水平明显提升。

二、石化产业高质量发展面临的挑战

石化产业作为国民经济的重要支柱产业，不仅与人们的日常生活息息相关，而且是汽车、高铁、电子信息、航空航天以及制造强国和国防强国的重要配套材料，尤其是化工新材料是汽车轻量化、新能源以及大型客机的关键材料，大家通过华为和中兴事件，也知道了电子化学品的极其重要性。

据测算，化肥对农业的增产贡献约 30%，农药对农作物病虫草害的防控作用 70% ～ 80%。通常人们会说：石化产业的技术水平代表着一个国家的整体技术水平，美德日等发达国家的成功表明：石化强则经济强、科技强、国防强，我国现在是名副其实的石化和化工大国，与美德日这些化工强国相比，我国还不是石化强国，在实现石化强国的征途上还有许多挑战，主要有：

1. 原料瓶颈制约

石油是石化工业的主要原料，我国属“多煤少油缺气”的资源禀赋，这几年我国原油产量一直不足 2 亿吨，石化产业快速发展其原料所需也就带来原油进口量不断增加，2018 年我国进口原油和天然气双双成为第一大国。“十三五”期间原油进口量逐年增加，对外依存度持续攀升，2016 年进口 3.8 亿吨，对外依存度 65.4%; 2017 年进口量 4.2 亿吨，对外依存度 68.4%; 2018 年进口量 4.62 亿吨，对外依存度 70.8%; 2019 年进口量 5.06 亿吨，对外依存度 72.6%; 2020 年进口高于 5.4 亿吨、同比增长 7.2%，对外依存度再次创新高到 73.5%。

2. 创新能力不强

创新是引领发展的第一动力。近年来在油气勘探技术、化工新材料、专用化学品、现代煤化工等重点领域取得了一批重大成果，如新型煤气化炉和气化技术、百万吨乙烯成套技术、直接法和间接法煤制油产业化技术、聚氨酯用异氰酸酯、尼龙新材料、聚碳酸酯、聚甲基丙烯酸甲酯（PMMA）、有机硅和氟材料等领域的核心技术相继取得突破，并位居世界先进水平。在看到成绩的同时，还应当承认与发达国家相比，我们的创新能力还不够强，尤其是在化工新材料和高端化学品方面差距更明显，如尼龙 66 用关键单体己二腈、高碳 α- 烯烃及茂金属聚烯烃、高强碳纤维及其关键设备氧化炉和碳化炉、高端电子化学品、高端膜材料（医疗透析用膜，国内 70% 依靠德国和日本进口）等。另一个表现：我国已建成十几套丙烷脱氢装置，几乎全部都是采用 UOP 和鲁姆斯的工艺包，近几年新建的大型炼化一体化装置，其气体净化、聚合物工段等大多都采用美国、欧洲、日本等发达地区的工艺包。所以，我们应当正视在创新理念、创新方法、创新投入以及创新人才等方面一直存在的明显差距。

3. 效益差距较大

从《财富》世界 500 强榜单看，跨国公司的净利润率都在 5% 以上，2018 年埃克森美孚的净利润率是 7.2%、道达尔 7.4%、雪佛龙 8.9%、巴斯夫 7%、杜邦 4.47%、普利司通 8%、米其林 7.6%; 2017 年我带队到东京与日本石化协会和化工协会共同举办“中日石化产经大会和产业政策对话会”，当时了解到日本化工行业的经常利润率年平均约 8%。而我国“十三五”期间企业的净利润率和石化全行业的收入利润率都有明显的差距，行业“十三五”各年度是: 2016 年 4.85%、2017 年 6.14%、2018 年 6.77%、2019 年 5.43%、2020 年 4.65%；化工板块的收入利润率是: 2016 年 5.5%、2017 年 6.65%、2018 年 6.89%、2019 年 5.78%、2020 年 6.5%，这就看出了与发达国家效益的差距。

4. 碳达峰碳中和的新课题

全球气候变暖对生态环境造成的影响日益严峻，温室气体的排放是造成全球气候变暖的主要因素，因此《巴黎协定》指出，全球应加强国际合作，加强应对全球气候变化的影响，尽快实现温室气体排放达到峰值，21 世纪下半叶实现温室气体净零排放，到 21 世纪末把全球气温升高控制在 2 ℃之内、并为控制在 1.5℃之内努力，降低气候变化给地球造成的生态风险和给人类带来的生存危机，已有近 200 个国家签署了《巴黎协定》。中国是缔约方之一，我国承诺“力争 2030 年前碳达峰，努力争取 2060 年前实现碳中和”，虽然中国正处在社会主义初级阶段，发展的任务还十分艰巨，但这充分展现了大国的责任担当。控制温室气体排放的主要成分是二氧化碳的排放，石化产业属资源型和能源型产业，其产品的生产主要以石油、天然气、煤炭等化石资源为原料，生产过程会伴有二氧化碳排放，所以碳达峰碳中和的战略部署和今年两会“制定 2030 年前碳达峰实施方案”的要求，对石化产业高质量发展既是新课题、也是新挑战。

三、石化产业的未来在未来工程师

石化产业既是资源型行业，也是技术密集型行业，石化产业的技术水平是一个国家创新能力和整体技术水平的重要体现，石化产业的发展水平和未来关乎制造强国、航空航天以及国防强国的实现，西方国家对碳纤维、芳纶等一些用于航天、国防等领域的化工新材料一直限制其技术和关键设备许可、甚至产品禁运，近几年的华为和中兴等事件让我们直观地感受到了专用化学品的极其重要性。因此，我国石化产业的未来就是突出高质量发展的主题，把握新发展阶段、贯彻新发展理念、构建新发展格局，通过 15 年左右的努力，把我国建设成为世界石化强国，这一未来目标的实现，离开了未来工程师是万万不可能的。

1. 实现强国跨越关键在未来工程师

实现石化强国跨越是“十三五”规划提出的奋斗目标，美国、日本及欧洲等地区的发达国家的成功实践告诉我们：石化强国是经济强国的重要基础，高端制造强国、航天强国以及国防强国都建立在化工强国为其提供高端新材料及其复合材料、功能化学品配套和支撑。我国自 2010 年起已经迈上了世界石化第二大国、化工第一大国的平台，而我们是数量上的大国，产业竞争力和技术水平看还不是强国，大宗基础石化产品产大于求、高端新材料和专用化学品短缺的结构性矛盾还很突出，石化领域的贸易逆差“十三五”期间每年都高于 2000 多亿美元。

当前，为实现强国跨越首先要做到高质量发展，改变过去高消耗、高排放的粗放式发展模式，通过创新把物耗、能耗降下来，加快企业的转型升级、不断增强企业的核心竞争力。要实现强国目标做强一批世界一流企业很重要，看看发达国家美国有埃克森美孚、杜邦、陶氏等，德国有巴斯夫、赢创、科思创等，日本有三菱化学、住友、旭化成等。通过创新做强专业竞争力很关键，如炼油专业最新的产业化技术“原油直接制化学品”，埃克森美孚在新加坡建成了世界上唯一的一套 100 万吨 / 年的工业化装置，其化学品产出率在 50% ～ 70%，在当前成品油过剩、高端化学品短缺的供需状态下，有着很强的先进性和竞争力；沙特阿美和 SABIC 也在合作开发这一新工艺，其他的还有国内外都在集中研发的天然气直接制烯烃、合成气直接制烯烃等，这些都是石化产业做强竞争力的重大和关键技术。无论是创新能力，还是打造世界一流企业、培育现代产业集群，都离不开未来工程师。

2. 产业结构的高端化靠未来工程师

石化全产业链可以简要地划分为原料、炼制、基础化学品、合成材料及专用化学品，我国石化产业的结构以前端为主，主要集中在炼制环节的成品油和基础化学品，合成材料总量很大、但也都是以普通型号和通用材料为主，国内严重缺乏高性能和差异化的新型材料及其复合材料、高端膜材料和专用料，专用化学品、尤其是功能化学品缺口更大。全球来看，“十三五”以来新增炼化一体化装置主要布局在海湾、印度和中国这些发展中国家和区域，欧洲和日本都在控制新增炼化装置、甚至关停了个别规模小、不具竞争力的炼油或乙烯装置；北美地区得益于页岩气革命的成功、其新增主要发挥轻烃资源的优势扩大烯烃规模，进一步延伸到高端聚烯烃和特种化学品。由此可见，发达国家的石化产业结构是基础化学品占比呈下降趋势，而化工新材料和特种化学品占比越来越高。跨国公司无论是在全球布局、还是在中国布局，也都是以化工新材料和专用化学品为转型的重点，埃克森美孚在大亚湾、巴斯夫在湛江新的基地，都没有新上炼油装置，而是以石脑油为原料裂解制烯烃、高端聚烯烃、弹性体及其高端复合材料；利安德巴赛尔与宝来石化在辽东湾新的合作项目，也是以轻烃为原料制烯烃、高端聚烯烃及其新材料为产品主线。陶氏杜邦的合并与再拆分，其定位均为新材料和特种化学品；三菱化学、三井化学、旭化成、阿科玛、朗盛、索尔维、帝斯曼、赢创以及 SABIC、英力士等公司的转型和发展也都是聚焦新材料和特种化学品。发达国家和跨国公司的经验告诉我们，我国石化产业结构的高端化和产品结构的差异化以及石化企业的转型都需要依靠创新驱动，只有创新能力强和创新水平上去了才能真正实现高质量发展，这些都有赖于未来工程师。

3. 保障本质安全有赖于未来工程师

石化产业反应过程往往存在高温高压、石化产品大都易燃易爆易挥发，这就决定了石化产业的安全生产是全社会和人们高度关注的。再加上近几年张家口氯碱企业、响水园区、温岭运输车辆等安全事故时有发生，更加剧了人们对石化安全生产的担忧。实际上发达国家和跨国公司的经验告诉我们：安全风险是可控的。

一是安全事故是有规律可循的，有一个著名的海因里希事故法则：海因里希针对 50 万件事故统计分析，得出人的不安全行为引起了 88% 的事故；美国杜邦公司的统计结果，96% 的事故是由于人的不安全行为引起的；我国的研究结果表明 85% 的事故由于人的不安全行为引起，数字虽有差异，但都告诉我们一个基本事实：规范操作就会避免很多事故。

二是今天技术的进步也为我们提供了可防可控的科学保障。我到上虞园区调研时，在龙盛研究院看到了两台设备正在做反应热测量实验和内热测量实验，反应量热仪是专业测试各种化合物反应热的仪器，主要用于化学工艺安全性与危险性评估，通过这些实验结果就可以有效地防止和控制因突然断电、误操作等特殊情况造成冷却系统突然中断、反应放热急剧增加而爆炸，从而降低因反应热急剧增加导致的各类重大安全事故。内热测量试验主要针对物料大量堆积自生热而导致火灾或爆炸事故的发生，通过试验可以掌握堆积物料自聚生热的环境条件、时间和生热量，就可以有效防控堆积物料事故的发生。青岛安全工程研究院也为很多工厂、针对不同产品和生产工艺过程，做了很多保障安全生产的方案和操作规程，已经成功应用于环己酮、双氧水、煤制乙二醇等生产装置，不仅从工艺上保障了本质安全，而且还提高了反应效率、提高了产量，为企业带来直接经济效益。我们正在重点推进的智慧园区建设，就是针对园区内重大危险源和风险点做到实时监控、及时预警，及时发现和排除生产过程的安全隐患，如果响水园区已经建成为智慧化工园区的话，危废堆积场所装有视频装置或温度异常监测仪器，当年的“3·21”特别重大爆炸事故就不会发生。这些生产过程中安全规律的研究与把握，这些生产过程中技术的研究与应用，都有赖于未来工程师。

4. 做好绿色发展有赖于未来工程师

石化产业的属性决定了其产品的获得需要以化石资源为原料，如此一来其生产过程就会伴有废气废渣和废水的排放，这些“三废”处理不当就会对生态环境造成影响和危害，所以绿色发展是石化产业高质量可持续发展的重要课题。绿色发展自“十三五”规划确立为“两大发展战略”以来，全行业和广大石化企业大力推进传统产业绿色升级改造，加快构建绿色设计和绿色生产体系，大力发展绿色产品，积极创建绿色工厂和绿色石化园区，发展循环、低碳经济和清洁生产，尤其是通过技术创新，推动绿色发展取得了明显的进步。如焚烧技术的成功及其应用，固体废弃物及其高浓度有机废水的处理不再是难题，加氢还原代替铁粉还原、离子液体氧化和双氧水氧化代替强酸氧化以及微反应设备和技术、水相合成技术等新工艺、新技术的研发成功及其应用，使得过去的污染难题都成为了清洁生产工艺，反应过程也更安全了。发达国家的发展历程也让我们看到：十九世纪末二十世纪上半叶工业化进程的加快，污染也到了令人窒息的地步，从二十世纪下半叶开始随着对保护环境的重视和技术的不断进步，污染得到治理、环境明显改善。今天再来看屹立在德国莱茵河畔150多年的路德维希港巴斯夫基地、位于法兰克福的莱茵河和美因河地区140多年的赫斯特工业园，以及矗立在美国特拉华州威尔明顿市威尔明顿河边近220年的杜邦基地，都通过技术进步很好地解决了“三废”治理和保护环境的问题，他们不是污染源，而是为当地居民创造财富、引以为傲的企业。

绿色发展还有一个当前人们关注的焦点：废弃塑料污染问题，人类自发明塑料和工业化生产以来，总量已生产80多亿吨，其中超过60亿吨用后被废弃，对环境生态和海洋都造成严重污染，这已引起全球的关注，当前解决这一问题的可行方法就是废弃塑料的回收再利用，无论是物理法再利用、还是化学法再利用，都需要未来工程师通过不断创新来解决。自2020年我国全面实施禁（限）塑政策以来，生物基和生物可降解材料的研发与产业化都快速升温，很多品种要实现工业化生产或经济适用，也需要未来工程师的持续创新。还有一个去年以来很热的词氢能更需要科学家和未来工程师的不断创新，在推进传统能源转型的过程中，鉴于氢的洁净性，有人预测氢能将成为21世纪的未来能源，目前获得氢的主要方式是通过煤天然气等化石资源和电解水，小量特殊场景的使用会通过甲醇分解或氨分解制氢，目前最经济的方法是煤制氢，这些成熟的制氢方式都严重制约着氢作为清洁能源的实现，电解水制氢成本高，煤天然气石油等化石资源制氢都排出大量二氧化碳，就我国目前火电为主的电力系统来看，在获得电力的过程中已经排放了大量二氧化碳，所以电解水制氢的全产业链来看也不是绿色清洁的；我们访问三菱化学时，其首席技术官跟我们介绍了三菱化学正在研发的太阳光分解水获得氢的研究与进展，我们都在探讨这项技术成功以后，氢能作为清洁能源才是可行的；我到宁东能源基地调研时看到了宝丰能源正在建设的第一套光伏电解水制氢装置，光伏电是新能源、技术也是成熟的，但其成本较高、经济竞争力差。我们可以进一步延伸：如果有了清洁、经济的绿氢、碳中和的目标就容易实现了，因为国内外都在开展二氧化碳和氢气为原料合成甲醇，进而制烯烃、有机化学品、油品等新技术。从以上介绍的内容和国内外的成功案例都告诉我们：中国石化产业未来的绿色可持续发展以及在“2030碳达峰”的基础上、“2060前实现碳中和”的目标，都有赖于创新、有赖于技术进步，也就是有赖于未来工程师。

世界正面临百年未有之大变局，无论是我国由石化大国向强国跨越、还是世界石化产业的未来转型与重构，创新是关键、未来工程师是关键，让我们共同携手，为石化产业的高质量发展做出新的贡献。

论碳达峰与碳中和之“三重性”*

2020 年 9 月，习近平总书记在联合国大会上作出“力争 2030 年前实现碳达峰，努力争取 2060 年前实现碳中和”的承诺；2021 年两会《政府工作报告》部署的“第七项重点工作”强调：扎实做好碳达峰碳中和各项工作，制定 2030 年前碳排放达峰行动方案；4 月 30 日，中共中央政治局召开会议，明确“要有序推进碳达峰碳中和工作，积极发展新能源”。为贯彻党中央、国务院的系列部署，各地区、各行业、各有关部门都在积极研究制定碳达峰碳中和的行动方案及路线图。石化产业作为国民经济的重要支柱产业，又具有资源型和能源型产业的属性，与碳达峰碳中和的各项工作密切相关，更与石化产业高质量发展、石化产业结构调整与优化、新能源及其创新驱动和绿色发展、资源节约与能源高效利用等关键要素和关键环节密切相关。石化行业和广大石化企业如何贯彻党中央和国务院的要求，做好碳达峰碳中和的各项工作，是当前全行业、各企业的重要课题、重大课题，也是影响深远的课题。

一论碳达峰与碳中和之重要性。全球气候变暖对生态环境造成的影响日益严峻，温室气体的排放是造成全球气候变暖的主要因素。虽然中国正处在社会主义初级阶段，发展的任务还十分艰巨，与发达国家相比实现碳中和的时间短、任务重，但我们主动承诺充分展现了大国的责任与担当。二氧化碳是温室气体排放的核心管控成分。石化产业属资源型和能源型产业，其产品的生产主要以石油天然气煤炭等化石资源为原料，生产过程会伴有二氧化碳排放；石化产业又是国民经济的重要支柱产业，不仅关系到农业丰产丰收（饭碗问题）和人们的衣食住行，而且化工新材料、专用化学品、高端纤维材料和高端膜材料等，为电子电器、轨道交通、5G 等高端制造业，以及航空航天、国防军工等战略领域，提供重要配套。未来 10 ～ 15 年，是建设石化强国的关键阶段，也是全

* 这是 2021 年 5 月，傅向升同志发表的署名文章。

面建设社会主义现代化国家、实现第二个百年奋斗目标的重要战略机遇期。这一阶段，石化产业不仅面临自身高质量发展的任务，更肩负为工业强国、航天强国、国防强国提供配套关键材料的重大使命。石油、天然气、煤炭等化石资源是众多石化产品的重要元素来源，离开这些化石原料，石化产业就成了无米之炊，现代工业体系中的主体和基本构成——石化产业这根“擎天柱”就失去了基础。所以，石化产业的高质量发展必须处理好与碳达峰碳中和的关系，既要为国民经济发展及高端制造业、航空航天、国防事业等关键领域做好配套和支撑，又要为碳达峰碳中和做出其他行业无法替代的积极贡献。

二论碳达峰与碳中和之全局性。为应对全球气候变化、保护人类唯一的地球环境，“力争 2030 年前实现碳达峰、努力争取 2060 年前实现碳中和”是我们贯彻党中央部署的必需行动。前提是深刻领会、准确把握和科学严谨，如果只是片面地强调碳达峰碳中和，而忽视了我国还处在社会主义初级阶段、还有 6 亿人的月可支配收入在 1000 元以下的现状；如果只是片面地要求碳达峰碳中和、而忘记了党中央再三重申发展是现阶段全党的中心任务和通过高质量发展解决我国现阶段发展不平衡不充分的主要矛盾的总要求；如果只是片面地制定提前实现碳达峰碳中和的目标而背离了习近平总书记在十九届五中全会上“到 2035 年实现经济总量或人均收入翻一番，是完全有可能的”明确期望、忽视了我国人均 GDP 只有发达国家约 1/3 的现实——此类做法均是只抓住了矛盾的一个面，都不是辩证地、全面地看问题和分析问题，都是不科学而且是极其有害的。2021 年的地方两会上，碳达峰碳中和成为了各地政府工作报告的高频词，已有 20 多个省区市提出研究编制碳达峰行动方案，其中有多个省市提出要率先实现碳达峰或推动部分城市、部分行业率先达峰。如果是在客观科学、严谨测算的基础上提出率先达峰是可取的，但如果未经测算、主观地拍脑袋“提前达峰”，这种现象就是不可取的，因为这存在着片面性和激进性，也缺乏科学依据。做好碳达峰碳中和工作，一定要胸有“第二个百年奋斗目标”的大局，一定要面向社会主义现代化国家的奋斗目标，一定要统筹高质量发展的主题，建立在准确领会和把握以及辩证的、科学的基础之上。

三论碳达峰与碳中和行动方案之科学性。我国自加入《巴黎协定》以来，通过创新和技术进步，在节能减排和能源消费结构优化领域都取得明显成效: 2019 年的碳排放强度比 2005 年下降 48.1%，提前完成了 2015 年提出下降 40% ～ 45% 的目标；新能源装机规模居世界首位、清洁能源消费占比已达

23.4%。研究制定碳达峰碳中和方案及其路线图和时间表，一定要避免“长官意志”和“拍脑袋”，一定要实事求是、科学严谨。

一是要准确把握阶段性。我们明确提出“力争 2030 年前实现碳达峰，努力争取 2060 年前实现碳中和”，这是总遵循和总要求。各行业、各地区既要贯彻党中央决策部署，为守护人类共同家园、构建人类命运共同体做出应有的贡献，更要按照“双碳”目标的两个关键时间节点，来科学制定碳达峰和碳中和的实施方案和时间表：准确把握好第一个阶段是“2030 年前碳达峰”，核心是统筹发展与减排，科学严谨地研究制定“达峰”的时间表；在“达峰”的前提下再谋划未来 30 年左右实现碳中和的路线图和时间表。一定要避免“达峰和中和一把抓”盲目倾向，“达峰”的方案、措施和路径还没研究清楚，就在盲目地谈“中和”，没有具体措施、具体方法地强调“中和”。所以，准确地把握“2030”和“2060”两个时间节点，依靠创新，科学严谨地研究碳达峰碳中和的方案、路线图和时间表，是各地区、各行业科学贯彻党中央部署的应有之义。

二要实事求是把握科学性。研究制定碳达峰碳中和行动方案和时间表，一定要建立在是实事求是、科学的测算基础之上。一个地区的碳排放量和排放水平一般与当地的经济发展水平正相关，一般能源消耗水平也是正相关，即经济总量高的地区能源消耗总量和碳排放总量也就高；而经济发展阶段和发展水平不同，又决定了当地能源消耗和碳排放强度也不同。所以，不同的地区因为资源禀赋不同、经济发展程度不同，不同行业因为产业布局和产业结构不同，研究制定碳达峰碳中和行动方案和时间表应当有所区别。基本标准就是实事求是，决不能一刀切、齐步走，更不能脱离实际、盲目攀比。某一地区或行业推进碳达峰工作，首先要摸清“家底”：明确当前能耗总量与碳排放量基数，研判本地/本行业能耗强度、碳排放强度相较于全国平均水平的定位，量化与世界先进水平的差距。在此基础上，再兼顾当前经济水平到 2030 年达到中等发达水平的目标，宽一点以当地能耗和排放水平为测算标准、稍严一点以全国先进水平、更严一点以世界先进水平，通过不同测算维度，测算出 2030 年的能耗和碳排放量，科学决策达峰的峰值并确定达峰的时间表。

三要把握实现达峰与中和之可行性。最现实的是做好节能减排的同时，严格禁止高耗能、伴有高碳排放产品的扩能。我国目前总能耗水平大约是世界平均水平的 1.5 倍、经济合作与发展组织（以下简称“经合组织”）国家的 2 ～ 3 倍，可见节能减排的潜力巨大。曾有人测算：如果将我国能耗强度由目前的 0.5 吨标煤 / 万元 GDP 下降到 0.38 吨标煤 / 万元 GDP，碳排放强度可降低 30% 以上；如果我国能耗水平达到今天日本的水平，当前能耗总量不变的情况下经济总量可再增加 2 倍。可见做好节能减排是实现碳达峰碳中和优先选择，也是最现实的捷径。我国实现碳达峰碳中和目标的核心措施，在于加大能源结构调整和优化力度。作为全球能源生产和消费第一大国，我国的资源禀赋决定了煤炭长期以来在能源消费结构中的主导地位，2019 年我国煤炭消费量占世界消费总量的 51.7%，在国内能源消费结构中占比仍在 58% 左右，因此加快能源结构调整优化、推动减煤降碳，是推进“双碳”目标落地的关键路径。

“十三五”以来石化全行业和广大石化企业贯彻落实《关于促进石化产业绿色发展指导意见》，全力推进“六大专项行动计划”的落地实施，节能减排和绿色发展都取得了明显进步，单位产值的能耗一直持续下降，但石化产业资源型的属性也决定了总能耗和碳排放量一直居工业各行业前列。石化产业为做好碳达峰碳中和，应在继续加大淘汰落后产能的同时，大力推广绿色节能新技术、新工艺、新设备，加大循环经济和节能减排的实施力度。石化行业和广大企业、园区要贯彻好《中国石油和化学工业碳达峰与碳中和宣言》的六项倡议和承诺，贯彻好即将定稿的《行动方案》提出的思路和路径。对于如电石、烧碱、纯碱、合成氨、化肥等大宗基础产品及其子行业，一方面存在总产能处于过剩问题，另一方面此类产品都属于高耗能产品，在严格控制新建和扩建新增产能的前提下，应认真研究提前达峰的方案和时间表；而对于国内短缺的化工新材料、专用化学品等高端产品，在确保全行业如期实现碳达峰碳中和前提下，科学确立发展目标，进而制定碳达峰碳中和实施方案及其路线图和时间表。

在研究制定碳达峰碳中和行动方案及其路线图和时间表的过程中，创新是需要高度重视和不容忽视的关键要素。离开了创新碳达峰难以实现、碳中和更不可能实现：通过创新降低原料和能源消耗，减少废弃物生成和排放；通过创新实现能源清洁化和高效化；更重要的是通过创新可以实现工业排放二氧化碳的捕集、封存和再利用，以二氧化碳为原料合成甲醇及其有机化学品、高分子化合物等产品，不仅能实现二氧化碳的少排放、不排放，助力碳达峰碳中和，而且推动二氧化碳变废为宝，造福人类。

为应对全球气候变暖、有效控制温室气体排放，碳达峰碳中和战略目标的提出，不仅是石化产业高质量发展新征程上的新课题，也是对经济和社会发展以及实现中华民族第二个百年奋斗目标重大而影响深远的课题，需要我们高度重视、认真对待、认真研究，化挑战为机遇。

开局风光无限 全年仍需努力*

一、开局风光无限

1. 收入利润同步大幅增长

2021 年上半年，石化全行业规上实现营业收入 6.75 万亿元，同比增长 32.9%，与 2019 年同期相比增长 17.2%；利润总额 6131 亿元，同比增长 335.5%，已超过 2020 年全年的利润总额；进出口总额 4010.3 亿美元，同比增长 31.4%，与 2019 年同期相比增长 11.8%。分油气、炼油、化工三大板块看，油气板块的利润尚未恢复到 2019 年的水平；炼油板块 2020 年上半年亏损 250.7 亿元，2021 年上半年实现利润 1239.6 亿元，一亏一盈增利 1490.3 亿元，效益改善显著；化工板块营业收入增长 36.4%、利润增长 190.3%，总体情况良好。

2. 主要产品产量齐增

据国家统计局统计，上半年主要石化产品除了磷肥产量下降外，原油、天然气以及主要石化产品生产稳定，产量同比增幅较大。一是原油、天然气产量继续增长，原油产量 9932.2 万吨，同比增长 2.4%，这是自 2019 年以来连续 3 年正增长；天然气产量 1044.6 亿立方米，同比增长 10.9%，实现连续多年两位数增长。二是原油加工量、成品油产量以及烯烃、芳烃产量均大幅增长，原油加工量 3.53 亿吨，同比增长 10.7%。成品油产量 1.73 亿吨，同比增长 10.5%: 其中，柴油 7625.1 万吨，同比下降 1.0%；汽油 7411.2 万吨，同比增长 22.1%；煤油 2283.4 万吨，同比增长 20.4%。乙烯产量 1399.7 万吨，同比增长 26.6%。纯苯产量 536.3 万吨，同比增长 8.1% 。三是基础化学品产量齐增，纯碱产量

---

* 这是 2021 年 7 月 30 日，傅向升同志在 2021 全国石油和化工行业上半年经济形势分析会上的报告。

1483.3 万吨，同比增长 5.6%；烧碱 1926 万吨，同比增长 10.8%；硫酸 4598.8 万吨，同比增长 9.1%；精甲醇 2604.5 万吨，同比增长 7.0%。四是主要农用化学品产量增长，氮肥折纯产量 1941.3 万吨、同比增长 2.8%。磷肥产量 488.2 万吨、同比下降 17.2%。农药（折百）产量 129 万吨，同比增长 13.8%：其中，除草剂、杀菌剂同比分别增长 15.5%、11.2%。五是合成材料产量同步大幅增长，合成树脂产量 5492 万吨，同比增长 12.3%：其中，聚乙烯、聚丙烯、聚氯乙烯同比分别增长 13.2%、14.4%、11.0%。合成橡胶产量同比增长 10.8%。合成纤维单体产量同比增长 16.8%。

3. 主要产品市场消费良好

据统计，上半年主要石化产品的市场消费情况，除了柴油和氮肥、磷肥表观消费量下降外，主要石化产品的市场消费量增幅较大。一是天然气以及成品油的市场销量增幅较大。原油表观消费量 3.59 亿吨、同比下降 1.7%，这是十多年以来首现下降，对外依存度 72.4%；天然气表观消费量 1853 亿立方米、同比增长 16.2%；成品油消费量 1.48 亿吨、同比增长 11.9%（其中汽油 6475.7 万吨、同比增长 21.6%，煤油 1995.9 万吨、同比增长 54.9%，柴油 6361.7 万吨、同比下降 4.2%），总体看受疫情的影响在减弱，市场恢复良好。二是有机无机基础化学品市场增势良好。乙烯表观消费量 1497.3 万吨、同比增长 25.0%，纯苯表观消费量 659 万吨、同比增长 10.0%，甲醇表观消费量 3164.5 万吨、同比增长 4.6%，纯碱表观消费量 1444.5 万吨、同比增长 6.2%，烧碱表观消费量 1865.9 万吨、同比增长 10.4%。三是合成材料市场消费量增幅大。合成树脂表观消费量 6498.5 万吨，同比增长 2.9%：其中聚乙烯表观消费量 1809.6 万吨，同比增长 0.2%；聚丙烯表观消费量 1570.8 万吨，同比增长 5.0%；聚氯乙烯表观消费量 1004.2 万吨，同比下降 1.2%；聚苯乙烯表观消费量 204.1 万吨，同比增长 7.4%；ABS 树脂表观消费量 285.1 万吨，同比增长 3.5%。合成橡胶表观消费量 650.1 万吨，同比下降 0.4%。合成纤维单体表观消费量 3457.8 万吨，同比增长 5.4%。

二、特点更加突出

上半年新冠肺炎病毒继续在全球不断变异、持续扩散，每天新增确诊人数不断变化，全球经济也就在恢复中起起伏伏，继续受到影响和冲击。中国防疫和经济运行都呈现出“一枝独秀”和“风景这边独好”的景象，中国经济上半年同比增长 12.7%，中国石化行业实现收入、利润同比大幅增长，并呈现出产销两旺的良好局面。从上半年行业运行情况分析，与往年相比有几个明显的特点：

1. 效益创历史同期新高

一是利润总额创新高。上半年实现利润总额 6131 亿元，若下半年继续保持这种态势，全年利润总额将突破 1.2 万亿元，创历史新高。二是收入利润率创新高。上半年收入利润率 9.1%，比“十三五”最高年份的 6.77% 还高出了 2.33 个百分点。

2. 价格上涨最惊心动魄

石化产品的价格从 2020 年 11 月份开始走高，2021 年一季度大幅上涨，有的产品上涨惊人，我们当时分析有市场回暖因素，也有美国南方极寒天气造成多套石化装置停产的原因，还有人为因素和货币宽松的影响，总之 2021 年上半年石化产品价格成为业内人士最关注的焦点。上半年石油和天然气出厂价格同比上涨 26.7%，主要化学品出厂价格上涨 12.4%。布伦特原油月均价大幅上涨，3 月份同比上涨 104%、4 月份同比上涨 253.8%、5 月份同比上涨 139.4%、6 月份同比上涨 82.4%。上半年国内基础化学品市场回暖向好，价格不断走高，部分大宗原料价格刷新近年来最高纪录。1 ～ 6 月，在监测的 46 种主要无机化学原料中，市场均价同比上涨的有 34 种，占比 73.9%，其中涨幅超过 20% 的有 13 种，占比 28%；在监测的 87 种主要有机化学原料中，同比上涨的有 76 种，占比 87.4%，其中涨幅超过 20% 的有 58 种，占比 66.7%。不论是无机产品还是有机产品，价格上涨产品和涨幅占比如此之高实属罕见。

3. 百元营业收入成本和亏损都明显降低

上半年，全行业和三大板块百元营业收入的成本以及亏损面和亏损额同步大幅下降。石化全行业上半年百元营业收入成本同比下降 4.47 元、亏损面同比降低 5.6 个百分点、亏损额同比下降 71.5%。具体到三大板块：上半年油气板块百元营业收入成本同比下降 11.51 元、亏损面降低 8.1 个百分点、亏损额下降 74.0%；炼油板块百元营业收入成本同比下降 5.2 元、亏损面降低 18 个百分点、亏损额下降 89.8%；化工板块百元营业收入成本同比下降 3.48 元、亏损面降低 5.4 个百分点、亏损额下降 55.0%，同比都明显降低。

4. 骨干企业业绩喜人

截至目前，大部分国内上市公司都已发布上半年业绩预告，已发布预告的公司取得的业绩都是喜人的。中国石油上半年净利润 450 亿～ 600 亿元，2020 年是亏损 299.86 亿元；中国石化上半年归属母公司股东的净利润预计 365 亿～ 385 亿元，2020 年上半年是亏损 229 亿元；卫星石化预告上半年归属上市公司股东的净利润 18.6 亿～ 22.6 亿元，同比增长 2.9 ～ 3.76 倍；恒力石化预告上半年归属上市公司股东的净利润 85 亿元，同比增长 54%；华昌化工预告上半年归属上市公司股东的净利润 8.5 亿～ 9 亿元，同比增长 60 多倍；鲁西化工预告上半年归属上市公司股东的净利润 25.5 亿～ 26.5 亿元，同比增长 10 倍；万华化学预告上半年归属上市公司股东的净利润 134 亿～ 136 亿元，同比增加 3.7 倍以上；新疆天业预告上半年归属上市公司股东的净利润 9.5 亿～ 9.8 亿元，同比增加 6 倍以上。从上半年的运营情况看，石化领域无论是全球国际公司、在华跨国企业，还是国内骨干企业，效益情况都大大超出预期。

三、挑战不可忽视

回顾并总结上半年石化行业经济运行的基本情况和主要特点，面对这样的开局、尤其是利润的大幅增长，全年情况将会如何？这种态势能否继续呢？要保持这种态势是否存在着某些挑战呢？这都需要我们冷静地思考、深入地分析和科学地预判，以便我们沉着应对。我们分析认为：做好全年经济运行工作，尤其是在石化产业高质量发展的征途上，确实还存在一些不容忽视的挑战。

1. 疫情防控仍然是当前经济有序运行的最大不确定因素

新冠肺炎全球感染人数接近 2 亿，死亡人数超过 400 万，受疫情扩散的严重影响和冲击，2020 年全球经济收缩 3.5%，遭遇了自第二次世界大战以来最艰难的一年和自金融危机以来最严重的下滑。随着疫苗接种的普及，疫情防控形势迎来好转。据统计，我国累计接种新冠疫苗已超过 15 亿剂次；7 月初，美国疫苗完全接种人数占比已达到 46.4%，英国为 44.9%，德国为 31.4%。本以为 2021 年经济和社会生活会逐步恢复正常化，现在看除了中国防控取得重要战略成果，生产生活和社会活动基本正常外，其他地区都还处在疫情的肆虐之下。尤其是 4 月份以后源自印度的变异病毒的快速传播给东南亚造成了新的冲击，7 月份以来“德尔塔”变异毒株已在超百个国家出现，美国日增确诊人数又超 5 万，欧洲等地又陷入了新的恐慌，英国在日新增 2 万多确诊病例、危重病房告急的情况下，宣布放弃一切防控措施，彻底向新冠疫情投降。发达国家、疫苗注射率比较高的国家尚且如此，一些欠发达国家和落后地区就更加无奈。年初的世界经济论坛预测“疫情五年内仍将拖累全球经济”，只要新冠疫情不能完全被控制住，世界经济就深陷冲击中，所以说疫情的防控及其影响仍然是当前全球经济正常运行的最大挑战。

2. 价格与市场的波动是下半年最担忧的事情

上半年经济运行同比大幅增长，兴奋之余还应当保持冷静。一方面，这一增长得益于 2020 年同期的低基数效应；另一方面，上半年产品价格的大幅攀升也形成了重要支撑，而下半年产品高价位能否持续，仍有待进一步观察。

上半年炼油板块和化工板块的产成品库存都有较大幅度增长，炼油板块同比增长 13.9%、化工板块同比增长 10.7%，从产成品库存来看下半年市场消费的增速将趋缓或下调。从近两个月的市场价格看，原油价格，因 OPEC+ 内部就增产协议谈判一波三折，我们和三大石油公司都预测布伦特原油价格下半年将在 70 ～ 80 美元 / 桶的区间波动；但要注意油价自 4 月份开始回调，4 月份布伦特原油价格同比上涨 253.8% , 5 月份回落到同比上涨 139.4%，6 月份同比再下滑到 82.4%。主要石化产品价格近两个月也出现回调，从 4 月份开始，无机和有机化工品的价格同比环比都开始下调，重点监测的无机化学品中环比上涨的品种，由 3 月份的占比 78.3% 下滑到 6 月份的 67.4%；重点监测的有机化学品中环比上涨的品种，由 3 月份的占比 85.1% 下滑到 6 月份的 47.1%。我们重点选取了 16 个主要产品作了对比分析，3 月和 4 月份环比全部上涨，而 5 月份环比下降的有 8 种，6 月份环比下降的增加到 11 种，大家一定要高度关注这种变化。下半年随着美国南部因极寒天气停产的多套石化装置陆续恢复正常，全球石化产品供需状况会改变，价格也将会逐步回归理性。跟产品价格相关联的一个令人担忧的问题是：由于上半年的价格高涨，对于有些本已产大于求的产品，很多企业都在酝酿扩大产能。据从专业协会了解的情况，钛白粉在建和拟新建产能有 360 万吨 / 年之巨，与现有产能相当！烧碱、纯碱、1，4- 丁二醇等也有拟扩建产能。

3. 运营质量和效益差距一直很明显

经济运行的质量和效益受多种因素的影响。据中国企业联合会统计，2018 年中国企业 500 强的收入利润率、净利润率、人均利润分别是 4.5%、9.6%、

1.3 万美元，与美国企业 500 强相比只相当于美国企业的 57.7%、69%、36.5%，可见人均利润差距更大。

《财富》世界 500 强榜单中，跨国石化公司的净利润率大都在 5% 以上。2019 年榜单中，埃克森美孚的净利润率是 7.2%、道达尔 7.4%、雪佛龙 8.9%、巴斯夫 7%、杜邦 4.47%、普利司通 8%、米其林 7.6%；2020 年榜单中，埃克森美孚的净利润率是 5.4%、道达尔 6.4%、巴斯夫 13.3%、壳牌 4.5%、拜耳 8.8%、米其林 7.25%。2017 年我们出访日本，了解到日本化工行业的经常利润率年平均约 8%。我国 2021 年上半年石化行业收入利润率创历史新高达 9.1%，而“十三五”最高的年份也只有 6.77%，而不同公司之间的差距则更大。

4. 绿色发展又面临新的挑战

“十三五”以来，石化全行业和广大石化企业贯彻《关于促进石化产业绿色发展的指导意见》，深入实施废固、废气、废水和节能减排、安全提升等“六大专项治理行动”，大力推广绿色化新技术、新工艺和新设备，组织实施能效领跑者活动。石化全行业单位能耗不断下降，废弃物资源化利用水平不断提升，效果是显著的。去年以来石化产业的绿色发展又遇到了新的课题和新的挑战。为应对气候变化，世界各国共同行动，积极落实《巴黎协定》，减少温室气体排放，党中央承诺“力争 2030 年前实现碳达峰，努力争取 2060 年前实现碳中和”，这彰显了大国的责任担当和保护人类共同家园的决心，全面准确地贯彻落实党中央决策部署，是我们石化行业、广大石化企业和广大石化人应承担的责任。然而，当前部分地区存在两类不当做法：一是将石化产业笼统划入“两高一资”范畴，且把原料煤与燃料煤不加区分地纳入能耗总量核算；二是未能统筹经济发展全局，单纯片面强调控制能耗总量、推动提前碳达峰。这些做法严重制约了以化石资源为原料的石化产业实现高质量发展。若不能科学地应对这一挑战，在这一挑战面前不能全面准确地领会和把握党中央的部署，也未能区分合成氨、烧碱、电石等真正高耗能的煤化工产品与高技术含量的化工新材料、精细化学品的本质区别，不仅会严重影响经济的发展，而且将严重制约我国高端制造业以及航空航天、国防强国目标的实现。所以，当前以科学、严谨、实事求是的态度研究制订碳达峰的行动方案和路线图、时间表，具有重要的现实意义。

四、全年仍需努力

上半年中国经济和石化行业都实现了良好开局，尤其是效益增速惊人。2021年是“十四五”开局之年，也是奔向第二个百年奋斗目标的开启之年。我们正面临着世界百年未有之大变局，正处在新一轮科技革命和产业变革深入发展的重要时期，正处在国际力量对比进行深刻调整的关键阶段。我国经济发展的国际环境日趋复杂，不稳定性不确定性因素明显增加，国内挑战也日益增多。我们坚信：做好2021年的工作、尤其是推动石化产业的高质量发展，确保下半年经济运行的稳定与可持续，可以说机遇与挑战并存！我们应当认真学习深刻领会习近平总书记在庆祝中国共产党成立100周年大会上的重要讲话精神，以推动石化产业高质量发展为主题，立足新发展阶段，贯彻新发展理念，构建新发展格局。通过继续深化供给侧结构性改革加快结构调整和转型升级，坚持创新驱动和绿色可持续发展战略，加快推进数字化智能化转型，加大培育世界一流企业和现代石化产业集群的力度，力争下半年经济运行再有新提升、再创新佳绩。下半年建议在以下方面抓实抓细：

1. 在供给侧结构性改革上再下功夫

“十三五”以来，石化全行业按照国务院《关于石化产业调结构促转型增效益的指导意见》，加大淘汰落后产能和结构调整的力度，围绕新能源、化工新材料、专用化学品等重点领域加大实施创新驱动发展战略，围绕大飞机、轨道交通、航空航天等国家重点工程所需，组织实施关键核心技术重点突破工程，石化全行业供给侧结构性改革不断深化，全行业的产业结构、产品结构不断优化，高端制造业、医疗卫生等领域急需的化工材料、功能化学品等供给能力明显提升。但是，与发达国家的产业结构以及与跨国公司的产品结构相比，与国家重点工程对化工新型材料、高性能复合材料和专用化学品的所需相比，我们供给侧结构性改革的任务远未完成，还存在较大的差距。上半年进出口贸易总额4010.3亿美元，逆差1255.2亿美元，比2020年上半年增长21.8%。原油、天然气贸易一直处于逆差状态，这是我国“少油缺气”的资源禀赋决定的；合成树脂、合成橡胶、专用化学品等高端领域的长期存在的大规模逆差必须引起我们的高度重视。合成树脂的逆差高于155.5亿美元，其中聚乙烯就超过84.2亿美元，聚碳酸酯和ABS树脂上半年的逆差分别是15.3亿美元和17.3亿美元；合成橡胶的逆差超过42.6亿美元；乙二醇高于27.2亿美元；专用化学品逆差超过 23.7 亿美元。从进口量较大的种类来看，合成树脂上半年进口 1594.9 万吨，其中聚乙烯进口 762.0 万吨，聚丙烯进口 158.3 万吨，ABS 树脂进口 88.6 万吨，聚碳酸酯进口 70.0 万吨；合成橡胶进口 296.1 万吨；另外高端膜材料、专用化学品、高纯试剂、高端电子化学品等产品的对外依存度也一直都居高不下。所以，我们还应当继续在深化供给侧结构性改革上狠下功夫，石化全行业应在产业布局结构和产业结构上，认真研究并贯彻落实好《石化产业规划布局方案（修订版）》的部署和要求，从“十四五”开局之年就认真研究并推进石化产业向着“规划科学、布局合理、产业协同、集群发展”的目标努力。广大石化企业及其科技创新人员，应围绕国家重点工程和战略性新兴产业配套以及产业链和供应链，突出关键核心技术和“卡脖子”技术，把组织实施创新工程作为提升石化产业供给能力的第一动力。通过创新加快补短板，通过创新强化产业链供应链配套能力，通过创新加快石化产品结构调整与优化的进程，大大提升石化材料和石化产品的高端供给能力。

2. 在强化管理和降本增效上再下功夫

2021 年上半年石化全行业收入利润率 9.1%，创历史新高，这是在特殊的年份取得的特殊业绩。在这份特殊业绩面前，我们还不能沾沾自喜，尤其是近两个月来利润增速放缓，加上市场和价格的变化，我们要未雨绸缪。再从长期维度以及与发达国家和跨国公司的对比情况来看，我们在管理上、效益上都差距明显，因此为争取全年经济运行的历史好成绩，下半年各石化企业一定要在强化管理和降本增效上狠下功夫。年初我们曾经分析了 2020 年石化行业应收与库存方面存在的问题，并特别强调各石化企业在认真分析的基础上，研究制定“压库存、减应收、提效益”的具体方案和措施。然而，从 2021 年上半年的石化行业经济运行数据的分析来看，所反映出的问题更加突出，与 2020 年相比有增无减：反映出的问题之一是上半年管理费用大幅提升，油气板块管理费用同比上升 15.9%，炼油板块管理费用同比上升 19%，化工板块管理费用同比上升 12.6%，三大板块管理费用同比上升幅度都远高于 10%，这是多年来少有的。反映出的问题之二是上半年应收和产成品存货资金增速过快，全行业上半年应收账款及票据同比增加 14.7%，是两年来最大增幅：其中，油气板块增长 17.5%，炼油板块增长 4.2%，化工板块增速达到 17.9%。可见应收账款和库存上升加快，如果管理不好将给生产经营带来损失和风险，同时也反映出强化管理和降本增效的空间和潜力都很大，希望各企业高度重视，针对企业的实际状况，在研究制定的“压库存、减应收、提效益”方案和措施的基础上，加大执行力度，降低经营风险、提升企业效益。

3. 在培育世界一流企业和现代石化产业集群上再下功夫

企业尤其是实体企业，是创造财富的主要来源，是经济的基础和主要支撑。一个国家企业健康可持续发展其经济基础就稳固，一个国家企业强其经济及其竞争力就强。世界一流企业是一个国家经济及其竞争力的标志，美国、德国、日本等发达国家是这样，任何工业化国家所走过的路都是如此。我们熟悉的石化产业就是明显的例证，美国有埃克森美孚、杜邦、陶氏等，德国有巴斯夫、拜耳及科思创、朗盛、赢创等，日本有三菱化学、三井化学、旭化成，今天的韩国有 LG、SK 等。培育具有全球竞争力的世界一流企业是党的十九大作出的战略部署。中国石油凭借其较好的基础条件、突出的主营业务和明显的竞争优势，已被列入央企培育世界一流企业示范，并在国资委召开的“中央企业创建世界一流企业工作推进会”上作了交流发言。培育世界一流企业是为全面建设社会主义现代化国家打造坚实的基础和重要支撑。如何培育世界一流企业呢?

我们认为：**一是不能简单地以企业的经济规模作为主要标准。**世界一流企业的重要标志应当是企业的竞争力、管理水平和国际化经营能力，企业的经济规模仅仅是条件之一。以我们熟悉的世界石化企业为例，埃克森美孚、BP、壳牌等这些年营收几千亿美元的大型石化公司，是无可争议的世界一流企业，而全球化工 50 强中的巴斯夫、杜邦这些年营收几百亿美元，以及赢创、帝斯曼、索尔维等营收只有 100 亿美元左右的化工公司，谁又能说这些公司不是世界一流企业呢? 因此，我们选择培育世界一流企业的目标公司时，既要考虑中国石油、中国石化这样的特大型综合企业集团，也要考虑像烟台万华、浙江新和成、山东东岳等这样主业突出、创新能力强、核心竞争力强、管理团队优秀的专业化公司。

二是明确培育世界一流企业的标准。石化企业可以认真研究国资委概括提出的“三个领军、三个领先、三个典范”。“三个领军”即成为在国际资源配置中占主导地位的领军企业，引领全球行业技术发展的领军企业，在全球产业发展中具有话语权和影响力的领军企业；“三个领先”是指效率领先、效益领先和品质领先；“三个典范”是要成为践行绿色发展理念的典范、履行社会责任的典范、全球知名品牌形象的典范。逐步改变我们很多企业大而不强、主业不突出、创新能力不强、管理理念和方式落后的现状。

三是企业要培育自身尽快成长为世界一流企业。企业首先选取主业和规模与自己相近的国际化标杆企业，围绕主导产业、产品结构、自主创新、管理理念与水平、国际化经营水平与能力，以及核心竞争力、品牌影响力和可持续发展能力等核心维度全方位开展对标，以找差距、补短板、强创新、壮实力为核心目标；在深入对标的基础上，企业针对自身实际找准关键要素，重点在增强企业核心竞争力、增强企业自主创新能力、增强企业的国际化管理与经营能力上下功夫。

四是培育现代石化产业集群。以现有石化基地和化工园区为依托，以国务院规划布局的七大石化基地、四大现代煤化工示范区为重点，以《化工园区“十四五”发展规划》确定的70家沿海与内陆石化基地和专业化工园区为参考，从今年开始组织实施产业提升创新、绿色化、智慧化、标准化和高质量示范“五项重点工程”，重点培育杭州湾、环渤海湾、海西湄洲湾、泛大亚湾及能源金三角“五大石化和现代煤化工产业集群”，力争“十四五”末这“五大石化产业集群”初具轮廓。

4. 在发展思路上应避免盲目性

“十三五”以来，世界石化产业呈现出北美、海湾、亚洲“三极竞发”的格局。北美地区以美国为代表得益于页岩气革命的成功，利用大量的轻烃资源新建和扩建烯烃、聚烯烃装置和产能；海湾地区以沙特阿拉伯为代表，充分发挥丰富油气资源的优势，叠加经济转型战略，加快推进炼化一体化装置的建设；亚洲以中国为代表，立足巨大的市场需求和潜力，深化市场体制改革，“十三五”期间，石化领域出现了民营企业、国有企业、跨国公司“三箭齐发”的局面，炼化一体化、丙烷脱氢、芳烃扩能同步发力，主要石化产品的产能产量、规模集中度、整体竞争力以及为国家重点工程配套的能力，都得到明显提升。

当前的问题，**一是受2020年受政策和2021年上半年石化产品价格大幅上涨双重影响，一段时期以来新建和扩建新的石化产能的冲动很强烈。**受禁塑和限塑令的影响，生物降解材料PLA、PBAT、PBS等产品的拟建和新建扩建产能巨大，PLA拟规划新建的产能达几千万吨/年，PBAT拟新建产能也到了880万吨/年之巨，这一趋势甚至带动了1，4-丁二醇多套百万吨/年的装置也在论证规划中。此类产能扩张不仅需要对工艺技术的先进性、可行性和市场需求进行论证，原料保障也同样亟待重视。

二是我国主要石化产品“十三五”增量显著。炼油能力增加 14.1%，原油加工量增加 29.1%，聚乙烯产能增加 59.1%、产量增加 37.7%，乙二醇产能增加 128%、产量增加 93.5%，聚丙烯产能增加 66.9%、产量增加 66.3%，PX 产能增加 89%、产量增加 118.6%。如此之增量在我国石化产业历史上是没有的，在世界石化产业发展史上也是极其少见的。我们预测“十四五”末大宗基础化学品、柴汽油以及有机硅单体、通用型聚碳酸酯、聚甲醛、己内酰胺等继续呈过剩状态；除了乙烯、丙烯还有一定的当量缺口外，PX、乙二醇等进口量大的产品将供过于求；另一类进口量大的高端聚烯烃随着埃克森美孚在大亚湾项目落地、利安德巴赛尔在辽东湾的扩产以及国内自主研发的加快，对外依存度将大幅降低。如果从总产能和每年的总消费量来看，全球主要石化产品的总产能都是大于市场总需求的，据《中国石化市场预警报告（2021）》统计，2020 年世界炼油产能 51.1 亿吨 / 年，原油加工量 37.35 亿吨；2020 年中国炼油产能 8.73 亿吨 / 年，原油加工量 6.57 亿吨，2020 年中国成品油产量 3.31 亿吨，国内消费量 2.89 亿吨（2019 年成品油产量约 3.6 亿吨，消费量 3.3 亿吨），国内成品油尤其是柴油已经处于产大于销的状态。对于世界成品油市场，随着新能源汽车的发展以及各国禁售燃油车的推进，汽油柴油也将呈现过剩状态。乙烯，2020 年全球产能 1.96 亿吨 / 年，产量 1.66 亿吨，2020 年消费量 1.66 亿吨；预计“十四五”末全球产能 2.32 亿吨 / 年，总的消费量 1.95 亿吨。丙烯，2020 年全球产能 1.4 亿吨 / 年，产量 1.1 亿吨，2020 年消费量 1.1 亿吨；预计“十四五”末全球产能 1.7 亿吨 / 年，总的消费量 1.35 亿吨。纯苯，2020 年全球产能 6930 万吨 / 年，产量 5017 万吨，2020 年消费量 5017 吨；预计“十四五”末全球产能 8000 万吨 / 年，总的消费量约 6100 万吨。苯酚，2020 年全球产能 1349 万吨 / 年，产量 1082 万吨，2020 年消费量 1082 万吨；预计“十四五”末全球产能约 1550 万吨 / 年，总的消费量 1255 万吨。丙酮，2020 年全球产能 865 万吨 / 年，产量 675 万吨，2020 年消费量 675 万吨；预计“十四五”末全球产能 1115 万吨 / 年，总的消费量约 800 万吨。双酚 A，2020 年全球产能 771 万吨 / 年，产量 616 万吨，2020 年消费量 616 万吨；预计“十四五”末全球产能约 920 万吨 / 年，总的消费量约 730 万吨。甲醇，2020 年全球产能 1.6 亿吨 / 年，产量 1.1 亿吨，2020 年消费量 1.1 亿吨；预计“十四五”末全球产能 1.74 亿吨 / 年，总的消费量约 1.2 亿吨。正丁醇，2020 年全球产能 723 万吨 / 年，产量 490 万吨，2020 年消费量 490 万吨；预计“十四五”末全球产能约 763 万吨 / 年，总的消费量约 557 万吨。异辛醇，2020 年全球产能 582 万吨 / 年，产量 458 万吨，2020 年消费量 458 万吨；预计“十四五”末全球产能约 612 万吨 / 年，总的消费量约 512 万吨。环氧乙烷，2020 年全球产能 1350 万吨 / 年，产量 925 万吨，2020 年消费量 925 万吨；预计“十四五”末全球产能约 1550 万吨 / 年，总的消费量约 1130 万吨。丙烯酸，2020 年全球产能 885 万吨 / 年，产量 636 万吨，2020 年消费量 636 万吨；预计“十四五”末全球产能约 1000 万吨 / 年，总的消费量约 740 万吨。聚乙烯，2020 年全球产能 1.28 亿吨 / 年，产量约 1.1 亿吨，2020 年消费量 1.1 亿吨；预计“十四五”末全球产能 1.55 亿吨 / 年，总的需求量约 1.32 亿吨。聚丙烯，2020 年全球产能 9158 万吨 / 年，产量 7848 万吨，2020 年消费量 7848 亿吨；预计“十四五”末全球产能 1.1 亿吨 / 年，总的需求量约 9634 万吨。ABS，2020 年全球产能 1163 万吨 / 年，产量 887 万吨，2020 年消费量 887 万吨；预计“十四五”末全球产能 1530 万吨 / 年，总的需求量约 1146 万吨。PC，2020 年全球产能 615 万吨 / 年，产量 412 万吨，2020 年消费量 412 万吨；预计“十四五”末全球产能约 730 万吨 / 年，总的需求量约 515 万吨。

PX，2020 年全球产能 6548 万吨 / 年，产量 4932 万吨，2020 年消费量 4858 万吨；预计“十四五”末全球产能约 9027 万吨 / 年，总的需求量约 5727 万吨。PX，2020 年中国产能 2450 万吨 / 年，产量 2045.5 万吨，2020 年消费量 3431.6 万吨；预计“十四五”末中国产能将达到 4349 万吨 / 年，需求量约 4179 万吨。乙二醇，2020 年全球产能 4099 万吨 / 年，产量 3090 万吨，2020 年消费量 3054 万吨；预计“十四五”末全球产能约 4800 万吨 / 年，总的需求量约 3670 万吨。乙二醇，2020 年中国产能 1568 万吨 / 年，产量 884 万吨，2020 年消费量 1932 万吨；预计“十四五”末中国产能将达到 2300 万吨 / 年，需求量约 2350 万吨。己内酰胺，2020 年全球产能 791 万吨 / 年，产量 579 万吨，2020 年消费量 579 万吨；预计“十四五”末全球产能约 950 万吨 / 年，总的需求量约 700 万吨。这也告诉我们：今后规划新建或扩建石化产品装置，不仅要考虑国内市场需求，也要立足全球生产能力、市场消费量、产能利用率等状况。

5. 在“双碳”目标上应避免盲动性

“双碳”即碳达峰与碳中和，是全球关注的共同话题。自习近平总书记在联合国大会上承诺中国“力争2030年前碳达峰，努力争取2060年前碳中和”以来，“双碳”在中国也成为提及度和关注度最高的词。2021年7月份我国碳交易市场已经上线，我们应如何贯彻党中央部署，做好碳达峰碳中和工作呢?

一是正确认识碳达峰与碳中和的重要性。中国虽然是最大的发展中国家，发展的任务和挑战都很艰巨，但是中国积极履行《巴黎协定》，与各国一道采取具体行动保护人类唯一的地球家园，彰显了大国的责任与担当。

二是正确认识石化产业的作用。石化产业是国民经济的重要支柱产业，也是资源型和能源型产业，目前生产石化产品的主要原料是石油、天然气、煤炭等化石资源，其石化产品的生产过程必然伴有二氧化碳的排放，这样的属性也决定了石化产业的碳排放量居工业领域的前列，因此石化产业认真贯彻党中央的部署、科学制定碳达峰碳中和的实施方案及其路线图、时间表十分重要。去年的疫情让很多人看到了石化材料和石化产品在防疫抗疫中极其重要的作用，如果没有聚丙烯熔喷布，就不会有高性能的防疫口罩；如果没有化工材料和乳胶制品，就不会有医务人员身上的防护服和防护手套，甚至医生和救护人员戴的护目镜，其原材料也是聚碳酸酯或PMMA等工程塑料；如果没有化工合成材料和化工原料产品，就不可能有救治的药品、消毒和杀菌产品，疫情就不可能那么快被控制住；如果没有化学合成技术、提纯技术的创新和进步，也不可能有全球数十亿人正在注射和期盼的新冠疫苗。今天我们在谈论碳达峰碳中和工作时，还要认识到，石化产业的创新与发展，尤其是化学合成材料及其复合材料、功能化学品的大量使用，为全社会和人类节约资源、节省能源、减少社会总排放发挥着极其重要的作用。摆在我们面前事实的：正是化学合成材料及其改性材料的大量应用，实现了汽车的轻量化，节省了大量的汽油柴油等化石燃料，减少了大量的二氧化碳排放；正是化工新材料及其复合材料在航空领域的大量应用，实现了飞机的轻量化、大型化，节省了大量的航空煤油，减少了大量的二氧化碳排放；正是化学发泡材料以及新型聚氨酯保温材料、密封材料的大量应用，冷藏、建筑等领域能耗大大降低，节省了大量的燃煤或燃气，减少了大量的二氧化碳排放。要是离开了化学工业的发展及其支撑，没有化学合成材料及其改性材料、高性能复合材料的发展和广泛使用，人类生产和社会生活排放的二氧化碳量会更大，大气中二氧化碳的含量将远高于今天的水平。今天当我们谈论碳达峰碳中和时，既应当看到石化产业生产过程排放二氧化碳的问题，又要充分肯定石化产品和石化材料在节能减排中发挥的重要作用。进一步而言，脱离开了化学反应和化工技术的创新与进步突破，“2030 年前实现碳达峰”以及未来“碳中和”目标的实现都将缺乏核心技术支撑，因为只有化学反应和化工技术的进步，才能实现传统能源向新能源的转换；只有化学反应和化工技术的进步，才能节约资源减少排放；只有化学反应和化工技术的进步，才能实现绿氢的制备提纯与应用、才能实现二氧化碳的捕集封存与利用、才能实现以二氧化碳为原料生产有机化学品及聚合物材料。

三是要辩证处理好“双碳”与经济发展的关系。我们不能只是片面地强调碳达峰碳中和，而忽视了我国还处在社会主义初级阶段，我们应当牢记习近平总书记在十九届五中全会作关于《中共中央关于制定国民经济和社会发展第十四个五年规划和二〇三五年远景目标的建议》的说明时，在“关于以推动高质量发展为主题”部分特别强调的“我国仍处于并将长期处于社会主义初级阶段，我国仍然是世界上最大的发展中国家，发展仍然是我们党执政兴国的第一要务。”目前我国还有 6 亿人的月收入 1000 元人民币、人均 GDP 只有发达国家的约 1/3、美国的 1/6，只有通过发展才能解决发展不平衡不充分的主要矛盾，所以我们在贯彻党中央碳达峰碳中和战略部署时，一定要辩证地、全面地看问题和分析问题，我们不能未经科学测算、主观主义地拍脑袋“提前达峰”，这种现象不可取，这存在着片面性和激进性，也缺乏科学依据。做好碳达峰碳中和的工作，一定要胸有“第二个百年奋斗目标”的大局，统筹高质量发展的主题，辩证处理好“双碳”与经济发展的关系。

四是要正确把握阶段性。我们承诺“力争 2030 年前实现碳达峰、2060 年前实现碳中和”，这是总遵循和总要求。首要任务是科学制定 2030 年前碳达峰的时间表，在此基础上再研究 30 年实现碳中和的措施与路线图，避免未理清达峰方案就盲目谈中和。各地区各行业在研究制定行动方案时，还要兼顾当地的经济发展水平、能耗水平以及能耗量和排放量，一定要实事求是、有所区别，决不能一刀切、齐步走，更不能脱离实际、盲目攀比。

五是妥善处理好存量与增量的关系。目前，有的地区在强调碳达峰碳中和工作中出现了一些不该发生的现象，最近有的地区原来已经批准、有的已经开工的项目大量停建；也有的地区片面强调能耗控制和碳排放量控制，所有新项目一律不批；甚至有的地区发生了已经评审过的项目被撤销。鉴于目前国内成品油市场趋于饱和，而化工新材料、高端专用化学品长期依赖进口的结构性矛盾，应加快炼油型石化装置向“少油多化”升级，延伸产业链，多生产目前国内缺口大、进口量大的高端聚烯烃和专用化学品，这类项目是石化产业结构调整的需要、应属鼓励类项目。最近也有的地区提出到 2025 年关停全部煤电机组，目前全国煤电占比 60% 以上。我国天然气进口 2020 年高达 43%。保民用是第一位，若用天然气替代，如此的能源结构现状，如果全国都跟风关停煤电机组，电网稳定性怎么办？国家能源安全怎么办？经济发展怎么办？一些原来经过论证、已开工的项目停建，个别的已建成也不能开车，这不仅影响经济发展，而且会造成人力物力的极大损失。我们做好碳达峰碳中和工作，一定要科学、严谨、实事求是。

一方面按照石化产品的属性和类别做好科学划分，合成氨、烧碱、电石、甲醇等煤化工产品，这些属于以化石资源为原料、高耗能、高碳排放的产品，当前也都属产大于求的产品，应严格控制新建和扩建新的产能，并科学制定严格的消耗与排放标准，加快升级改造、加大节能减排；而对于技术含量高、能耗低、排放低的化工新材料、精细化学品项目，尤其是新材料及其高性能复合材料、精细与专用化学品、电子化学品等，这些都是我国高端制造业、航空航天、国防军工等不可或缺的重要配套材料，也是把我国建成经济强国、科技强国和国防强国不可或缺的重要保障材料，这类产品应当在科学论证的基础上，加快自主创新、加快建设，实现自主化、国产化，不再受制于人。另一方面，我们做好碳达峰碳中和应区别“存量”与“增量”，习近平总书记在十九届五中全会上指出：到“十四五”末达到现行的高收入国家标准、到 2035 年实现经济总量或人均收入翻一番，是完全有可能的。“经济总量或人均收入翻一番”就需要各地区、各行业、各企业都要有新的增量来支撑、来保障，如果像有的地区只强调能耗控制、碳排放控制，新项目一律不批、不建，何来增量？如何翻一番？这就要求我们既要做好碳达峰碳中和，更要加快经济的高质量发展！区别“存量”与“增量”就是：对已开工建设的项目、尤其是已经建成中交或即将建成的，为避免浪费和损失予以尽快投产；对已经审批完成、尚未开工的项目，再重点评估其能耗水平和能耗量，尤其是重点评估其碳排放量后，视具体情况再确定是否开工；对正在正常运行的“存量”装置以“减排”为主，即在研究制定科学、先进标准的基础上，推动已建成的企业或装置加大升级改造和节能减排的力度，逐步实现物耗、能耗和排放达到世界先进水平，即排放最小化；对“增量”科学核定，即新上项目除过去论证其技术可行性、市场可行性等传统内容外，要突出原料消耗量、能耗总量、废弃物及碳排放量，不仅重点论证原料消耗、能耗和废弃物排放量的最小化，还要重点论证碳排放量如何捕集、提纯、利用，最大可能地向“中和”目标努力。立足实际、面向未来科学核定增量，统筹经济的增量，并控制在达峰的峰值内。

上半年已经过去，世界人民联手抗疫，不断取得抗击新冠病毒出现新变异和疫情在全球持续肆虐的新成果，全球经济正在恢复，中国经济超出预期，中国石化行业上半年喜人，实现利润创造了新的历史纪录，在这特殊的年份，取得这样一份特殊的业绩，既值得肯定，也实属不易！这种势头、这样的好成绩，下半年能否继续呢？总体上看存在不确定性，也有新的挑战，更有新的机遇。在此用今天报告的“四个小标题”作为今天的结束语：开局风光无限，特点更加突出，挑战不可忽视，全年仍需努力。

加快构建新发展格局 全力推进高质量发展*

2021 年是中国共产党建党百年华诞，是中华民族第二个百年奋斗目标和“十四五”规划的开启之年，在这重要的时刻和历史交汇点的特殊年份，重点谈谈“加快构建新发展格局，全力推进高质量发展”：

一、发展新阶段须构建发展新格局

当今世界正经历百年未有之大变局，2020 年新冠疫情的突发和全球持续大流行，使得这个大变局在加速。新世纪以来，新一轮科技革命和产业变革加速发展，世界贸易和产业分工格局也在发生重大调整，因华尔街引发的金融危机造成的全球市场收缩、经济持续低迷还没完全恢复，主要霸权大国高喊“本国优先”，致使民粹主义盛行、贸易保护主义抬头，经济全球化遭遇逆流。在这样的国际大变局和大背景下，我国发展的外部环境日趋复杂，发展不平衡不充分的主要矛盾日益凸显，因此党的十九届五中全会指出：全面建成小康社会、实现第一个百年奋斗目标之后，我们将开启全面建设社会主义现代化国家的新征程、向第二个百年奋斗目标进军，这标志着我国进入了一个新发展阶段。并要求我们立足这一新发展阶段，贯彻新发展理念，加快构建新发展格局。

1. 构建新发展格局是立足新阶段作出的新部署

新发展阶段是我国经过几十年积累、站到了新的历史起点上的一个阶段，是我国社会主义发展进程中的一个重要阶段。在这新的发展阶段，我们既遇到了很多中长期、甚至是以前从未遇到的挑战，也肩负着全面建设社会主义现代化国家、推动经济高质量发展、确保安全发展的历史重任，这就要求我们加快构建“以国内大循环为主体，国内国际双促进”的新发展格局。这一新的发展

* 这是 2021 年 10 月 28 日，傅向升同志在 2021 中国国际石化大会上的讲话。

格局是经济大国迈向经济强国的重要阶段，也是重要途径。小的国家因为地域有限、人口有限、市场有限，很难做到国内大循环，大多依靠国际分工、尤其是产业分工，实现产品的互补、市场的互补，在外向型国际循环中实现发展；再加上小的国家世界影响力和地位有限，对霸主国家难以形成挑战之势，在发展的过程中少有打压或遏制。而大国就不同了，大国因地域广、人口多、市场大，具备国内大循环为主体的基础和条件，又加上大国的世界影响力不同，从历史经验来看在实现强国的征途上必将遭遇霸主国的打压和遏制，过去的西班牙、荷兰、德国、法国、英国、美国是这样，二十世纪的苏联和日本也是这样，今天的中国坚持和平发展的道路，通过出口导向型的经济模式，依靠长期做“世界工厂”实现了经济腾飞和资本积累，在由大到强的过程中，也遭遇到无情的打压和遏制。所以，经济大国在迈向经济强国的征途上，必须首先做好国内大循环，这是重要基础、是基本盘，也是大国经济的重要特征！做好国内大循环的基础，面对外部环境变化带来的新矛盾新挑战，努力打通国际循环，提升经济发展的自主性和可持续性，保持我国经济平稳健康发展，就可以不惧任何世界风云变幻，在发展的过程中就可以确保产业链供应链的安全；就不会因外部因素造成经济的大起大落；就不会在关键领域受制于人。所以说，构建新发展格局是党中央立足新的发展阶段做出的新部署，也是关系我国发展全局的重大战略任务。我国石化产业正处于高质量发展的新阶段，正处于由石化大国向石化强国跨越的关键期，尤其是基础化学品产大于求严重、高端新材料和功能化学品结构性矛盾突出，这也要求我们贯彻落实党中央的部署，加快构建内外“双循环”畅通的新发展格局。

2. 构建新发展格局是立足综合国力作出的新调整

一方面，经过新中国成立以来特别是改革开放 40 多年的不懈奋斗，我国已成为世界第二大经济体、第一大工业国、第一大货物贸易国、第一大外汇储备国，经济总量超过 100 万亿元，人均 GDP 超过 1 万美元，城镇化率高于 60%，中等收入群体超过 4 亿人，有 1.7 亿多受过高等教育或拥有各种专业技能的人才，有着大国经济纵深广阔的优势，具备实现国内大循环为主体、促进内外双循环的雄厚物质基础和诸多有利条件。另一方面，我国拥有最完备的工业体系和最完整的产业链，被认为是“全世界唯一拥有联合国产业分类中全部工业门类的国家”，拥有 39 个工业大类，191 个中类，525 个小类，这完整的工业体系是国民经济强有力的支撑，也对构建双循环新发展格局意义重大。我国石化产业也是如此，自 2010 年我国发展成为世界第二石化大国、第一化工大国以来，从布局看已形成沿海以“七大石化基地”的石化产业链为主、西北以“四大现代煤化工示范区”为主以及沿江和内陆众多专业化工园区的结构，从产业链看石油、天然气勘探开采、炼油、基础化学品、合成材料到精细化学品，已形成完整的、全产业链的石化产业体系，目前原油天然气和部分化工新材料和高端专用化学品的对外依存度高一些，从经济支撑和保障能力来看，无论是为保障农业丰产丰收的化肥、农药，还是为人们生活添彩的染料、涂料，以及支撑汽车、新能源、电子信息、航空航天等的重要新材料和功能材料，都有着很强的供应和配套能力，尤其是去年新冠疫情的突发，化工材料和化学品为防疫抗疫、杀菌消毒、疫苗研发都做出了极其重要的贡献。很多跨国公司也都感受到了我国石化产业链供应链的稳定性和保障能力，正因为如此，巴斯夫、埃克森美孚、利安德巴赛尔、沙特阿美等跨国公司都在中国布局新的基地，朗盛、赢创、科莱恩、罗姆等都在中国建设新的研发中心。这样的工业体系和产业链供应链为构建“以国内大循环为主体，内外双循环相互促进”的新发展格局奠定了坚实的基础、创造了良好的条件。

3. 构建新发展格局是统筹安全发展作出的新布局

“十四五”规划强调要把安全发展贯穿国家发展各领域和全过程，并特别强调“必须增强忧患意识、坚持底线思维，随时准备应对更加复杂困难的局面”。最重要的是防止宏观经济的大起大落，还要确保粮食、能源、重要资源的供给安全，确保产业链供应链稳定安全。近年来经济全球化遭遇逆流，国际经济循环格局发生深度调整，尤其是新冠疫情的全球流行不仅加剧了逆全球化趋势，而且严重冲击了全球产业链供应链的安全稳定，导致了产业链受损、供应链局部断裂，一些依靠国外产业链供应链的企业和跨国公司受到严重影响。这些情况警醒我们：大进大出的环境条件已经发生变化，过去两头在外的发展思路和模式已不可持续，应当尽快建立以国内大循环为主体、国内国际双循环相互促进的新发展格局，这是把握未来发展主动权的战略性布局，是新阶段确保安全发展的重大历史任务。

二、发展新格局的构建面临新的挑战

构建新发展格局面临着国际国内的多重挑战，国际看有大国关系、地区动荡的影响，当前更深受新冠疫情持续变异与扩散的冲击；国内看既受市场环境的影响，也受产业政策的影响，既有供给侧结构不合理的影响，也有需求端未充分释放的制约。就石化产业来看，构建双循环新发展格局既存在“难点、断点”，也存在“堵点、痛点”。

一是疫情防控是当前畅通双循环最大的难点。当前除了中国疫情防控取得重要战略成果、生产生活和社会活动基本正常外，其他地区都还处在疫情的肆虐之中。新冠肺炎全球累计感染人数已超 2.4 亿，累计死亡人数超过 490 万，尤其是病毒不断出现新的变异，美国、欧洲、日本等发达经济体新增确诊人数不断增加，东南亚等区域变异病毒快速传播，国际航班尚未畅通、国际往来尚未畅通。9 月份经合组织、高盛、摩根士丹利以及美联储等机构，都分别下调世界及除中国以外的主要经济体今年的经济增长预期，主要原因都是疫情延缓了经济的复苏和国际贸易往来，克服这一难点目前尚无明确的时间表。

二是结构性矛盾突出对国内大循环造成断点。大宗基础化学品过剩、高端材料和化学品短缺的结构性矛盾长期制约中国石化产业的整体竞争力，也成为制约中国高端制造业由大到强的瓶颈之一。石化行业的贸易逆差一直居高不下，“十三五”期间逆差最高的年份超过 2800 亿美元，2021 年上半年的逆差高达 1255.2 亿美元，比上年同期大增 21.8%。这些逆差主要集中在高端合成材料、高端膜材料、高性能纤维及其复合材料以及高纯试剂、高端电子化学品等，高端制造业、战略性新兴产业面对这类需求就会出现断点。

三是少数“卡脖子”瓶颈造成堵点。“十三五”实施创新驱动发展战略以来，石化领域创新能力持续提升，一批长期难以攻克的重大技术相继取得突破。但是，在新材料领域，一些关键单体、新能源和医用高端膜材料、高强高模碳纤维及其复合材料、电子信息产业 7 纳米以及 14 纳米芯片用高纯化学品，甚至茂金属聚烯烃及其弹性体这类需求量大的新产品，还存在着一些堵点，还受制于个别国家“卡脖子”的问题。

四是政策监管缺乏科学性造成痛点。监督检查简单粗暴“一刀切”的现象有所改观，政策制定过程缺乏广泛征求意见、可操作性不强的情况也有所改善，但各地区标准不一、有的地区层层加码的情况还时有发生。2021 年以来企业和园区几乎都遇到了新的痛点。上半年各地坚决贯彻碳达峰碳中和的战略部署无可厚非，但一定要全面、准确、完整地理解、把握和贯彻，不能像有的地区在未经科学严谨核算、底数不清、措施不明的情况下，就高喊着“提前达峰、提前中和”。进入 9 月份以来因“能源双控”又出现了限电的痛点，很多企业和园区相继限产、停产，9 月下旬有的园区内 80 多家企业停了 70 多家，有的跨国公司也接到了“可能实施远程断电和全厂紧急停车等管控措施”的通知，化工装置与一般的加工车间不同，化工生产是一个连续的过程，有些物料，如烯烃在反应釜内容易自聚，若不是有序停车，处置不当是会导致泄漏、火灾、爆炸、中毒等事故灾难的！并且企业停产若造成上游原材料“长协”违约、下游产品客户断供，都会给企业造成无可挽回的损失。限电、限产进一步加剧了石化产品供求紧张，更助推石化产品价格的大幅上涨。进入 10 月份以来拉闸停产的情况有所改变，但很多企业限电、限产尚未完全恢复。

我们既要正视难点和断点，也要正视堵点和痛点。最迫切的是做好防疫抗疫，使生产经营、社会活动和国际贸易与交流尽快恢复正常；最关键的是创新，通过创新加快化工新材料和专用化学品的高端化，通过创新“补链、强链、延链”，通过创新连通断点、打通堵点；最重要的是全面准确完整地贯彻中央的决策部署，纠正运动式减碳，处理好发展与减碳、整体与局部、短期与中长期的关系，以经济社会发展全面绿色转型为引领，以能源绿色低碳发展为关键，坚定不移走生态优先、绿色低碳的高质量发展道路。

三、构建新发展格局，全力推进石化产业高质量发展

当前，世界石化产业呈现出“三个热极”和“三个强极”的新格局。面对这样的全球石化格局和发展态势，中国石化产业构建“双循环”的新发展格局，应着力以下几点：

1. 抓主要矛盾，加快石化产品供给侧高端化

构建“以国内大循环为主体，国内国际双循环相互促进”的新发展格局，当前主要的矛盾也是主要的任务是供给侧的有效畅通，有效供给能力强就可以穿透循环的堵点、消除瓶颈制约；反之，国内大循环就不可能畅通，国内国际双循环则难以循环起来。当前石化领域的现状是：改革开放以来，尤其是新世纪以来，中国石化产业产能快速增加、规模持续扩大，当前大多石化产品呈现出产大于求、供大于求的状况，但这是大宗基础化学品的现状。按照产品的种类和功能细分就会发现，有的高端产品受技术制约长期依赖进口，有的产品受产业化规模的限制，质量稳定性难以满足下游客户连续稳定的要求，而

不得不寻求进口。这种现状就严重制约着石化领域国内大循环新发展格局的构建。每年大量的贸易逆差就是最好的例证：“十三五”期间 2016 年逆差 1360.8 亿美元，2017 年 1974.2 亿美元，2018 年 2812.4 亿美元，2019 年 2683.2 亿美元，2020 年 2107.7 亿美元。今年上半年进出口贸易总额 4010.3 亿美元，逆差 1255.2 亿美元，比去年上半年增长 21.8%，逆差主要集中在合成树脂、合成橡胶、专用化学品等高端领域。有的产品长期年进口量大、对外依存度高，如聚乙烯：2016 年进口量 995 万吨、对外依存度 40.2%，2017 年进口量 1179 万吨、对外依存度 43.9%，2018 年进口量 1402 万吨、对外依存度 46.3%，2019 年进口量 1666 万吨、对外依存度 48.1%，2020 年进口量 1853 万吨、对外依存度 47.7%。2021 年上半年聚乙烯进口量 762 万吨、对外依存度 42%。因此，要抓住主要矛盾，也就是当前畅通经济循环最主要的任务，加快石化产品供给侧的高端化、精细化，加快石化产业结构的优化升级，提升高端石化产品的供给能力，增强石化产品供给体系的韧性。

2. 抓关键要素，强化创新补链强链

科技自立自强是畅通国内大循环、塑造在国际大循环中主动地位的关键。国家“十四五”规划明确科技创新列为十二个重点领域之首，也是重大举措之首。为构建新发展格局，我们更要突出科技自立自强、充分发挥科技创新的关键作用，一是强化创新加快传统产业的技术升级和结构优化，加快传统产业新旧动能转换和产品的高端化、差异化和精细化发展。近年来的事实告诉我们：科技自立自强正在成为决定我国生存和发展的基础能力，如果科技不能自立自强，存在很多“卡脖子”的问题，我们就会处处受制于人，一旦遇有风吹草动我们就可能陷于被动，在国际竞争中我们就没有底气；我们就很难确保产业链供应链和价值链的安全，我们就只能乖乖地在产业链的低端，长期牺牲宝贵的资源和廉价的劳动力，做世界的“廉价工厂”。现实警醒我们：要畅通国内大循环和国内国际双循环，就要首先做到科技自立自强，充分发挥科技创新的关键作用。二是强化创新进一步拓展和延展消费端，即拓展石化产品新的应用市场和应用领域。一方面是面向国家重大项目和重点工程，增强石化产业为高端制造业和战略性新兴产业配套的能力和保障作用，如新能源汽车用新材料、光伏风电等用的膜材料、风电大型客机等用的高性能复合材料以及医疗用材料和高纯试剂等等，在这些高端领域我们的很多产品还难以满足要求，这都有待于我们去创新，通过创新提升质量、补链、强链去满足市场所需。另一方面是与人们日常生活密切相关的下游产品。国务院第七次人口普查结果显示，2020 年我国新出生人口为 1200 万人，65 岁及以上超过 1.9 亿人。新出生人口相当于半个澳大利亚、比比利时全国人口还要多 50 多万，65 岁及以上人口是德国人口总数的 2.3 倍、相当于英国或法国的 2.88 倍。面对这样的消费群体，每年仅消费高吸水性树脂的量是何等之巨啊！很多产品都需要我们去创新，等待我们提高产品质量，提升应用舒适性和拓展新的市场与应用领域。三是突出重点做好创新，立足国内大循环为主，面向国内国际双循环的畅通，以提升石化产品的供给能力和拓展新的应用市场为目标，以补链强链延链为主要措施，重点组织开展“卡脖子”技术和“补短板”技术的科技攻关，围绕新型催化技术、高性能膜材料技术、高性能阻燃材料等组织重点研发项目的同时，做好石化产业相关产业链供应链重点关键材料的能力储备，并通过创新平台建设、技术创新示范企业认定等工作，大力提升企业技术创新的能力和水平，把创新在构建新发展格局中的关键作用和潜力发挥出来。

3. 市场与潜力，是实现国内大循环的基础和底气

中国的消费市场潜力巨大，超大规模的国内市场，不仅可以养活完整的产业链，而且在爆发国际冲突时还具备高度的经济安全性。中国的消费市场仅次于美国，2020 年中国社会消费品零售总额是 39.2 万亿元人民币（2021 年前三季度高于 31.8 万亿元，同比增长 16.4%），按平均汇率计算是 5.68 万亿美元，美国 2020 年的消费总规模是 6.25 万亿美元。但中国是全球经济增长最快的主要经济体，尤其是新经济的增速更快。又加上不断增加的中产阶层、共同富裕和扩大内需、拉动消费的一系列政策，2021 年中国消费市场总规模超过美国几成定局。全球最大的消费市场，就为构建以国内大循环为主的新格局奠定了更加坚实的基础。14 多亿人口的巨大潜力释放，未来 5 年新增进口商品总额将超过 10 万亿美元。波音公司曾预测中国未来 20 年需要客机 7700 架，市场总价值 1.2 万亿美元，预期宽体客机就需要 1620 架，再加上中国正在试飞的 C919 和正在研发的 CR929，量产以后将对化工新材料市场形成巨大的需求动力。中国石化产业的市场规模年营业收入约 12 万亿元人民币，产业规模、进出口贸易额和进口额都很高。主要石化产品的市场消费量更加惊人，2020 年乙烯消费量占全球总消费量的 20.4%；丙烯消费量占全球总消费量的 35.9%；聚乙烯消费量全球总消费量的 35.3%；聚丙烯消费量占全球总消费量的 40.7%；PX 消费量占全球总消费量的 70.6%；PTA 消费量占全球总消费量的 61%；乙二醇消费量占全球总消费量的 62.5%，甲醇消费量占全球总消费量的 73.5%；己内酰胺消费量占全球总消费量的 65.6%。这样的消费市场在世界其他地方是找不到的。预测“十四五”期间石化产品进口的总规模将远高于 2 万亿美元。这样的市场规模和强劲的需求潜力，为今天在座的众多石化企业提供了未来发展的许多机遇和广阔空间，尤其是为跨国公司提供了更加美好的未来。因为中国本土企业与跨国公司相比，产业结构上还有较大的差距。跨国公司都已完成了转型升级，都以技术含量高的化工新材料和专用化学品为主导，而且创新能力和核心竞争力强。本土企业大都以基础原材料和基础化学品为主，基础配套能力和原材料供应链较好，但缺乏直接面向下游客户高端化、差异化的产品。因此跨国公司不论是在国内布局的生产基地，还是在中国区以外生产的产品，都在中国市场有着许多新的发展机遇。

4. 深化合作，以开放促进新发展格局的形成

构建新发展格局是开放的国内国际双循环，不是封闭的国内单循环。以国内大循环为主体，绝不是关起门来封闭运行，而是通过发挥内需潜力，使国内市场和国际市场更好联通，我国开放的大门不会关闭，只会越开越大。可见我们要构建的新发展格局不是自我封闭、自给自足，更不可能什么都自己做，放弃国际分工与合作。我们要构建的是坚持开放合作的双循环，通过强化开放合作，更加紧密地同世界经济畅通互动的新发展格局，也就是推动双循环必须坚持实施更大范围、更宽领域、更深层次的对外开放。实际上中国改革开放的商务环境在持续改善，根据世界银行的评估，2017 年中国现代商务环境位于第 78 位，2018 年提升到第 46 位，2019 年和 2020 年都位于第 31 位，中国的目标是“十四五”末争取进入世界前 20 位。因此我们要深化合作，以更加开放促进新发展格局的形成。一是以开放促改革，主要是通过深化改革与开放扫除阻碍国内大循环和国内国际双循环畅通的制度、观念和利益羁绊，破除妨碍国内大循环和国内国际双循环畅通的体制机制障碍，形成高效规范、公平竞争、更加开放的国内大市场，形成市场化、法治化和国际化的营商环境。二是以开放促互鉴，深化合作、相互借鉴、互利互惠，这是改革开放很重要的内容。过去在这些方面取得了显著的效果，今天我们已开启了二十一世纪的二十年代，我们正在为全面建设社会主义现代化国家而奋斗，通过改革开放学习借鉴发达国家工业现代化的成功经验以及管理现代工业和经济的成功经验，这是改革开放四十年取得显著成就、并已建立完整工业体以后的重要内容。譬如能耗控制、传统能源转型、控煤减碳等的做法和路径，当前针对碳达峰碳中和，发达国家和跨国公司是如何科学核算、确定目标、制定路线图和时间表的？再譬如如何提高监管的科学性？监管、科学监管和依法监管是必要的，但监管方式的科学性值得商榷。通常的做法是组织检查，我们到企业和园区调研，有的企业反映有时一个月企业要接待十几次、甚至是数十次不同级别、不同规模、不同内容的检查，个别时候一天就迎接几波，企业有时心力交瘁。但检查组织了不少，事故仍然时有发生，同样的原因造成的事故有的还在重复发生。我们可以借鉴发达国家在制定科学性强、可操作性强法规制度的基础上，严格按照制度和标准，减少人为因素的“拍脑袋”和“一刀切”，让法治化、科学化、市场化的方式和手段监督执法和惩戒违法违规，通过互学互鉴，促进我们的监管方式更科学、更规范。上周，五部委联合发布《推动重点领域节能减碳的若干意见》，监管正在向标准化、规范化迈进。

5. 面向未来，加快构建新的发展格局

构建双循环新发展格局，是党中央根据我国发展阶段、环境、条件的变化，特别是基于我国的比较优势，审时度势做出的重大决策，这也是适应我国发展新阶段要求、塑造国际合作和竞争新优势的必然选择。石化产业构建新发展格局一定要贯彻中央的决策部署、立足国家和石化行业的实际、面向全方位开放的视野，做实一个基础、强化一个区域、联通一个辐射带、畅通全方位。

一是首先做实国内大循环这个基础。大国经济是可以做到内部循环的，依托国内大市场的优势，充分挖掘内需潜力，有利于化解外部冲击和外需下降带来的影响，也有利于在极端情况下保证我国经济基本正常运行和社会大局的总体稳定，这次新冠疫情让我们体会至深。石化产业做实国内大循环首先是做好东部与西部、沿海与内陆石化基地、化工园区以及产业链供应链的布局，在此基础上加快产业结构、产品结构以及人才结构的优化与升级，在差异化中高端发展，在市场互补中实现循环。另外，为已进入中国的跨国公司做好服务，尤其是认真听取在中国布局生产基地、研发中心的跨国公司在发展过程中遇到的问题、政策瓶颈、诉求和建议，及时帮助解决或向有关部门反映解决。这既是落实中央“稳外资”的要求，也是为畅通国内大循环、服务国家整体经济发展战略做贡献。

二是构建新发展格局须强化与 RCEP 协议的对接。《区域全面经济伙伴关系协定（RCEP）》15 国是区域循环的关键，该协定将于 2022 年正式生效，协定区域是迄今世界上人口数量最多、成员结构多元、发展潜力最大的自贸区，人口（22 亿）占世界总人口的 30%、经济总量（25 万亿美元）占世界总量的近 30%、区域内贸易额（超过 10 万亿美元）占世界贸易总量的近 30%。受贸易保护主义抬头和疫情的影响，RCEP15 国是贸易量增长最快的区域，据预测 2022 年协议生效以后，“十四五”末将带动成员国出口增长 10.4%。石化产业在区域内有着良好的合作与经贸往来，中国和日本间每年都共同召开石化产业发展论坛和政策对话会，中韩石化产业合作论坛也已共同商定重启方案，中国和东盟在炼油、轮胎、钾肥、氯碱等方面有的已建工厂、有的共建园区，已经为构建区域循环共同发展格局奠定了良好的基础。下一步中国、日本和韩国在原料互共、高端新材料和专用化学品市场互补方面，有着更广阔的空间；中国和东盟及澳大利亚、新西兰在资源互补、中国企业走出去促进当地就业、共振经济等方面，有着更广阔的合作空间。各企业要认真研究协议的内容，充分用好各项互惠政策，在 RCEP 框架下做好区域循环、共同造福于各国人民。

三是构建新发展格局须与“一带一路”平台联通。“一带一路”倡议的提出是顺应当今世界正在发生复杂深刻的变化，并顺应世界多极化、经济全球化的潮流，开展更大范围、更高水平、更深层次的区域合作。8 年来，秉承“共商、共享、共建”的原则，已有 172 个国家和国际组织与中国签署了 200 多份共建“一带一路”的合作文件，推动建立了 90 多个双边合作机制，累计开行中欧班列 4 万多列、通达欧洲 23 个国家的 170 多个城市，累计货物贸易额超过 9.2 万亿美元，2021 年上半年中国与“一带一路”共建国家货物贸易额高达 8245.5 亿美元、同比增长 37.9%，并且基础设施联通不断深化，国际互联互通水平持续提升，在促进投资和消费、创造需求和就业、增进交流与互信等方面都取得了积极的成效。我们构建新的发展格局应当充分与“一带一路”平台联通。第一立足于沿线各国资源禀赋各异、经济互补性强、彼此合作潜力和空间大的基础条件，充分考虑我国油气资源对外依存度高，充分发挥我国炼油、基础化工、聚酯等领域规模效益突出、整体技术水平高、工程勘探设计施工及其装备制造能力强的优势，与共建国家深入合作、互惠共赢。第二立足于石化产业的特点和自身优势，既开展煤炭、油气、金属矿产等与传统能源相关的合作开发，又积极推动在风电、太阳能等新能源以及海水淡化、环保产业等新兴领域的深入合作。第三积极探索在新材料、生物技术、新一代信息技术等战略性新兴领域的合作与创新，可以探索共建联合实验室、国际技术转移中心等创新组织，以此促进科技人员的交流、开展共性技术的合作创新和联合技术攻关。国内企业和已布局中国的跨国公司，也可以借助“一带一路”平台实施“西进战略”，不仅有利于东部受限的产品加快产业转移，而且可以凭借东部的技术优势、管埋优势和产品的市场互补，拓展西部、中亚和东中欧这广大腹地内新的市场空间。最终共创“一带一路”沿线石化产业务实合作、产业协同、市场互补的新发展格局。

四是畅通全方位合作共赢是构建新发展格局的必然选择。构建新发展格局做实国内大循环是基础，对接 RCEP 区域循环很重要，联通“一带一路”很关键，全方位合作、内外相互促进、塑造国际合作和竞争的新优势既是战略抉择，也是必然选择。中国石化产业、很多石化企业“走出去”和“引进来”、全方位交流与合作都取得了良好的成效，中国石化联合会与世界和很多国家的行业组织、主要跨国公司都建立了良好的交流、合作与互动机制，很多行业组织的主席、跨国公司的 CEO 都是李寿生会长和中国石化联合会的老朋友和好朋友。在新的阶段构建新发展格局的过程中，一要继续深化与国际化工协会联合会、世界塑料理事会、联合国环境规划署、国际化学品制造商协会、终止塑料垃圾联盟等国际组织以及欧洲、日本、美国、德国、韩国等各国化工理事会、化工协会的交流与合作，并随着新发展格局的建立，不断拓展合作的广度和深度；二要进一步深化合作的内容，由过去的项目合作、经贸合作、技术交流、经验分享等，向共同的理念、共同的行动升华，在应对气候变化、终止塑料废弃物污染、责任关怀、可持续发展等方面，达成共识，并形成一致行动，在构建新发展格局中深化全方位合作，在务实合作中为共创人类美好的未来做出石化产业新的贡献。

世界正经历百年未有之大变局，正在深刻地调整与变革，国际环境多变且日益复杂，世界经济因疫情的影响面临的不确定性日益增多。在构建新发展格局过程中，既不能只讲前半句，大幅收缩对外开放，也不能只讲后半句，仍固守两头在外、大进大出的旧思路，一定要完整准确全面地贯彻中央部署，既要畅通国内大循环，也要畅通内外相互促进的双循环，构建起这样的发展新格局，不论大国关系如何调整，不管地区动荡何时发生，我们都能确保产业链供应链的安全，确保经济和企业的稳定可持续发展，就能任凭风雨起、稳坐钓鱼台。

保供稳价背景下石化产业结构的谋与变*

上海期货交易所多年来一直与石化联合会有着良好的业务合作，尤其是通过期货产品和价格的交易情况预判市场走势、分析经济运行态势，发挥了很好的作用。大会秘书处希望我谈谈“保供稳价背景下石化产业链的谋与变”，“保供稳价”是四季度以来各部门各行业各地区的首要任务，原油天然气煤炭等大宗原材料价格上涨也是欧美等全球性的挑战，国内不仅受到国际市场价格联动的影响，还受到 9 月份以来“能耗双控”和限电限产调控政策的影响。下面我从宏观上谈谈石化行业之“变”，然后结合“十四五”规划谈谈石化产业未来发展之“谋”:

第一个变：我国石化大国今年超预期运行。我国自 2010 年跃升为世界第一化工大国以来，石化产业近十年来发展规模不断增加，世界占比不断提升，占全球总量的 40.6%，远高于美欧日总和。2021 年以来我国石化行业经济运行业绩大大超出预期，前三季度全行业实现营业收入 10.36 万亿元，同比增长 31.5%，较 2019 年同期增长 14.6%；利润总额 9178 亿元，同比增长 2 倍，较 2019 年同期增长 73.6%，已超过“十三五”最好的年份；进出口总额 6175.4 亿美元，同比增长 33.7%。2021 年还有一个明显的变化，就是利润占全国规上工业利润总额的 14.5%，高于往年的占比。从目前运行总体态势看，2021 年全行业利润总额将创造新的历史纪录。

第二个变：我国石化产业链拥有完整的产业体系。我国石化产业尤其是“十三五”以来，国有、民营、外资企业在竞争中合作，新项目、新基地集中建设、集中投产，从产业链看已形成完整的、全产业链的石化产业体系；从保障能力来看，无论是为保障农业丰产丰收的化肥、农药，还是重要新材料和功

* 这是 2021 年 11 月 23 日，傅向升同志在 2021 年第 17 届中国（深圳）国际期货大会能源化工分论坛的讲话。

能材料，都有着很强的供应和配套能力。

第三个变：骨干企业的竞争力持续提升。近年来，中国石化、中国石油等一批大型骨干企业，以及恒力、浙石化、盛虹、恒逸等一批新进入石化领域的企业，其产业规模、发展质量、管理水平都在不断提升，大型骨干企业在《财富》世界 500 强榜单都有明显的变化。

第四个变：石化园区的规范管理和集聚效应逐步显现。“十三五”以来我国石化园区的装置规模、发展质量，以及产业链协同、管理水平等都变化很大并取得了明显的进步。已形成上海、大亚湾、宁波、南京、宁东、东营港、齐鲁等一批大型先进园区，已形成泰兴、上虞、大榭岛、常熟、鲁西、常州、辽东湾等一批精细化工和化工新材料的专业化园区，还有舟山、长兴岛、连云港、古雷、湛江、钦州等一批新基地正在快速建设、快速崛起；目前 20 家智慧化工园区正在试点示范、另有 49 家正在开展智慧园区创建工作，已有 15 家绿色石化园区正在试点示范，还有 12 家都在开展绿色园区创建工作。20 多个省市开展了对石化园区的认定与规范化管理整治提升，石化园区管理的规范化水平明显提升。

第五个变：价格大幅上涨是今年最大的变数。2021 年以来主要石化产品的价格，虽然有的短时出现波动，但总体看呈现的是直线上升，而且是大幅上涨。尤其是进入 9 月份以来由于各地“能耗双控”和减碳的要求，一些石化大省限产停产严重，更助推了主要石化产品的价格上涨，许多大宗产品的价格都创历史新高。9 月份，石油、天然气开采业出厂价格同比上涨 43.6%、高于前三季度的平均涨幅 32.6%，化学品制造业出厂价格同比上涨 25.5%、也高于前三季度平均涨幅 16%。9 月份，重点监测的 46 种无机化工产品中，同比上涨的占 84.3%，环比上涨的占 78.3%；重点监测的 87 种有机化工产品中，同比上涨的占 90.8%，环比上涨的占 65.5%。布伦特原油期货均价也是一路冲高，从 1 月份的 50.23 美元 / 桶升高到 10 月份的 78.6 美元 / 桶；燃料油、甲醇、乙二醇、PTA、尿素、聚氯乙烯等已上市期货产品的价格今年也是一路走高，累计均价同比增幅在 13.5% ～ 54.1% 不等，2021 年主要石化产品的价格一直牵动着业内人士的神经。可以预计的是：石化产品价格会有波动、有的也会出现回调，但在 2021 年剩下的时间里仍将高位运行的总体态势将保持。这是 2021 年石化行业最突出的变，2021 年全行业效益将创新的纪录，全年主要石化产品产量、消费量都增势良好，当然价格高位是 2021 年效益大幅增长的主要因素。

以上谈了石化全行业的变化，有些主要是“十三五”以来的变化，有的是2021年突出的变化，当前按照党中央、国务院的决策部署和国家发展改革委、工业和信息化部的工作安排，石化联合会和氮肥协会、磷复肥协会、无机盐钾肥分会，以及中国石油、中国石化、中国海油和华鲁恒升、心连心、灵谷、泸天化、贵州磷化、云天化、青海盐湖等企业，都在全力以赴保供稳价。虽然受到上游煤炭、天然气原料供应和价格大幅上涨的影响，受到电价上调、“能源双控”限电限产以及用肥“淡储”、肥料出口政策等多种因素的影响，但总体看今冬明春的保供、尤其是春耕用肥的保供稳价是有保障的。

接下来谈谈石化产业未来高质量发展之“谋”:

一是加大创新迈向石化强国之“谋”。这是最重要的方向，也是长期努力目标，这一方向和目标统领石化产业发展的全局。由石化大国向石化强国跨越是“十三五”规划提出的长期奋斗目标，要实现这一目标创新是关键，当今世界百年未有之大变局加速演进，国际环境错综复杂，新冠疫情持续肆虐，世界经济陷入低迷期，全球产业链供应链面临重塑，不稳定性不确定性明显增加，新一轮科技革命和产业变革突飞猛进，科技创新成为国际战略博弈的主要战场。“十四五”期间，我们必须把创新摆在更加突出的位置。

二是加快数字化转型推动高质量发展之“谋”。发展数字经济是把握新一轮科技革命和产业变革新机遇的战略选择。我国石化产业已迈入高质量发展和向石化强国跨越的关键时期，实施数字化转型战略、加快智能化是当今世界石化产业的一大趋势和重要举措。《石油和化学工业“十四五”发展规划指南》把“数字化智能化转型”作为发展战略之一，《全国化工园区“十四五”规划》将“智慧化工程”列为“五项重点工程”之一。全行业将围绕重点领域，在生产经营、设备管理、安全环保、供应链协同等核心业务环节，突破10～15项智能制造重大关键技术，制修订20项以上智能制造标准，再开展100家智能工厂、50家智慧园区试点示范，形成一批行业智能制造优秀解决方案。

三是贯彻碳达峰碳中和决策部署之“谋”。“力争2030年前碳达峰，2060年前碳中和”，这充分展现了大国的责任与担当。我国正处于社会主义初级阶段，中国发展的任务很重，能源结构、产业结构偏重，由碳达峰到碳中和的时间短，我们面临的挑战更加艰巨。我国石化产业的产业结构也是以基础化学品为主，精细化工、化工新材料等高端产品短缺，基础化工产品占比高，石化产业能耗总量居工业领域前列，目前生产过程主要以石油、天然气和煤炭等化石资源为原料，这样的属性决定了石化产业的碳排放量也居工业领域前列。但我们谈论碳达峰碳中和时，既要看到石化产业生产过程排放二氧化碳的问题，也要充分肯定石化产品、石化材料为人类和全社会节能减排发挥的重要作用。当然，未来石化产业还要为实现“双碳”目标做出新的贡献，主要是通过化工技术的创新与进步，加快传统能源向新能源的转换、实现绿氢的制备提纯与应用、实现二氧化碳的捕集提纯和以二氧化碳为原料生产有机化学品及聚合物材料的创新与产业化。

四是培育世界一流企业之“谋”。经济强国告诉我们，世界一流企业是一个国家经济及其竞争力的标志，培育具有全球竞争力的世界一流企业是党的十九大作出的战略部署，“十三五”以来，中国石化、中国石油以及万华化学、新和成、东岳和恒力、浙石化等企业，积极与世界一流跨国公司对标，加快打造具有全球竞争力的世界一流企业；在做强主业、创新能力、核心竞争力以及管理水平和国际化经营能力等方面，都为培育世界一流企业奠定了较好的基础。“十四五”期间，我们一定要进一步加大培育世界一流企业的力度，认真研究世界一流企业的标准，以企业的竞争力、管理水平和国际化经营能力为重要标准，既要考虑企业的经济规模，更要选取主业突出、创新能力强、核心竞争力强、管理团队优秀的专业化公司。引导企业通过对标找差距、补短板、强创新，找准关键要素，增强企业的核心竞争力、增强企业的自主创新能力、增强企业的国际化管理与经营能力。

五是打造世界级石化产业集群之“谋”。（略）

以上谈了几个“谋”与“变”，这是面临百年未有之大变局之变，也是当今产业变革和科技革命加快调整之变，更是全球石化产业格局调整、快速发展之变，我们一定要把握大势、研究规律，探索创新、顺势而为，立足新的发展阶段，应对国际国内环境的复杂多变，贯彻新的发展理念，加快构建新的发展格局，谋划好并全力推动石化产业高质量发展，早日实现石化强国的奋斗目标！

新时代高质量发展呼唤管理创新*

一、管理学是工业化和现代化过程的一门重要科学

管理学起步于十九世纪和二十世纪之交、西方工业化进程的加快，成熟于发达国家的工业化和现代化。

1. 古典管理理论开启了管理科学的大门

工业革命迈入二十世纪的时候，资本主义的工业化进入大型化的快速发展时期，管理学伴随着资本主义工业的大型化进程的加快而诞生，以1911年泰勒的《科学管理原理》出版为标志，管理成为一门科学，泰勒也被公认为“科学管理之父”。管理理论在这110多年的历史进程中，按照历史阶段划分为古典管理理论和现代管理理论，按照管理理论和思想发展的进程通常划分为三个阶段，即：科学管理理论、行为科学理论、现代管理理论，这三个阶段没有截然的分界线、是交叉演绎递进的。行为科学理论可以看作是古典管理理论和现代管理理论的过渡阶段，一般称作新古典管理理论，属于古典管理理论的范畴。这三个阶段研究的重点内容和对象都各有不同，但解决的问题主要聚焦在提高劳动生产率和企业竞争力，与工业化发展的进程和社会的进步密切相关。科学管理理论阶段以泰勒和泰罗制为代表，以经济人为假设，通过工作方法、劳动工具、工作环境的标准化和激励措施，解决的是劳动生产效率的问题；行为科学理论是以社会人为假设，以马斯洛的人类需求层次论为典型代表，综合运用心理学、社会学、政治学、经济学等理论和方法，通过改善人的行为、调动人的积极性来提高劳动生产率。可见古典管理理论的起始阶段是以劳动工具

---

* 这是傅向升同志为原定于2021年12月21日第十四届全国石油和化工企业管理创新大会准备的主旨报告，因为疫情的影响会议延期，后应媒体之约刊出。

和工作方法、即以物为研究对象，而新古典管理理论转变为以人为中心，即把人作为研究和管理的主要对象。

2. 现代管理理论为经济腾飞和工业现代化作出了重要贡献

现代管埋埋论起步于二战以后，于二十世纪八十年代逐步成熟，是伴随着工业生产的机械化、自动化和大型化、集中化逐步成熟，以目标管理、战略管理、创新与学习型组织等为主要内容，以有效的管理者群体为主要研究对象，以被誉为现代管理大师和现代管理学之父的德鲁克为典型代表，把现代管理理论推向了巅峰，并造就了一批现代化企业的管理大师，杰克·韦尔奇、比尔·盖茨等都是德鲁克现代管理理论的受益者和实践者，都对德鲁克崇拜有加、也都创造了现代企业管理的奇迹和神话。

西方企业管理理论（无论是古典管理理论、还是现代管理理论），伴随着资本主义工业化和现代化而诞生和成熟，还充分吸纳和融合了西方的哲学、社会学、经济学、心理学等各方面知识和思想内容，尤其是行为科学理论的研究者和创立者很多都是心理学家，可见管理学是一门综合性的科学，很多现代工业的管理大师如杰克·韦尔奇、比尔·盖茨、乔布斯以及稻盛和夫、松下幸之助等，也都集中在现代化的国家。

与发达国家相比，我国工业化起步晚、工业现代化时间短，自改革开放 40 多年来我们创办了很多经管学院、开办了很多管理课程和培训班，大多以学习借鉴西方管理理论和发达国家工业化和现代化的有益经验和成功实践。不可否认我们在管理理论、管理理念、管理方法上与发达国家都存在明显的差距，我们的管理理论还有待创新、管理体系还有待完善。新世纪以来我们的工业发展速度与规模、企业现代化与管理创新、管理水平与优秀管理人员都取得了明显的进步，但与发达国家相比也存在差距，最明显的差距体现在国际竞争的舞台上，国际化管理和经营的能力、水平以及理念和人才奇缺。

二、石化产业过去重视管理，未来更需要管理创新

石化产业是国民经济的重要基础产业和支柱产业，从行业经济规模看是仅次于轻工、机械的第三大行业，在工业经济总量的占比一直高居 12% 左右，今年的利润总额更是超过了 14%。实际上不仅经济贡献大、带动力强，而且涉及面广、配套性强。因此，石化产业的高质量发展十分重要，石化产业和广大石

化企业的管理创新十分重要。

1. 我国石化行业有着重视管理的优良传统

熟悉我国石化产业的同志们都清楚，我国石化行业和广大企业有着重视管理和重视管理创新的优良传统，我们记忆最深刻的是当年化工部党组决定并组织的“全国学吉化”活动，1989 年顾秀莲由江苏省省长调任化工部部长，顾部长上任之后带领化工部党组主抓了“三件大事”，即学吉化、科技兴化和外向型经济，第一件大事就是“全国学吉化”。由时任生产综合司司长的李士忠带队，到吉化公司现场总结了“四种革命精神”“五条基本经验”的“吉化经验”，由老副部长贾庆礼挂帅组成“全国学吉化报告团”，以 1989 年 9 月“全国学吉化现场会”启动，到 1991 年 4 月京西宾馆的“全国学吉化总结表彰大会”，历时一年半时间，行程 26 个省区市的 120 个城市、报告 370 场、听众 44 万多人次，检查诊断企业 160 家，举办企业管理讲座近百场，一边宣讲“吉化经验”，一边深入现场诊断企业管理，从车间当班记录的“楷体字”到企业现场的“沟见底、轴见光、设备见本色”，全国石化化工系统的各级干部和广大员工精神飒爽、企业面貌焕然一新、管理水平整体跃上一个大的台阶。

2. 新的时代石化大国向强国跨越呼唤管理创新

今天的中国，经济总量已超过 100 万亿元人民币、约 15 万亿美元，已拥有完备的工业体系，工业企业已成为国民经济和中华民族伟大复兴的财富创造者。我国石化产业的总规模、产业集中度和整体竞争力都明显提升。国经济已迈向高质量发展的新阶段，我国石化产业也正在以高质量发展为主题，加快推进由石化大国向石化强国的跨越，这样的背景、这样的阶段，都对管理创新提出了新的更高的要求。

三、新时代石化行业和石化企业管理创新的思考

石化产业作为国民经济的重要支柱产业，过去重视管理和管理创新，今天我国经济正迈向高质量发展的新阶段，我国石化产业也正在推动由石化大国向石化强国的跨越，又加上产业规模、企业规模不断扩大，产业变革和科技革命日益加速，国际国内市场竞争越来越激烈，智能化数字化转型日新月异，在这样的背景和新的时代，石化行业和企业的管理创新如何开展呢?

1. 战略目标统领新时代高质量发展的管理创新

当前石化行业的战略目标是由石化大国向石化强国的跨越，石化企业的战略目标是打造世界一流企业。

一是石化强国的战略目标统领石化行业的管理创新。由石化大国向石化强国跨越是“十三五”规划提出的长期奋斗目标，也是统领石化产业发展全局的战略目标。纵贯美国、日本以及欧洲国家等发达国家石化产业的发展水平和竞争力，我们认为达到石化强国的基本条件应当是：产业的整体水平和创新能力居世界前列，运营的质量和效益居世界前列，拥有一批具有全球竞争力的世界一流企业，拥有一批具有国际视野的企业家和自立自强的创新人才队伍。尤其是世界经济正处于深度调整期，又加上新冠疫情的影响，全球产业链供应链面临重塑，不稳定性不确定性明显增加，我国石化产业大而不强、创新能力不强以及“低端产品过剩、高端产品短缺”的结构性矛盾突出，这都要求我们管理创新一定要以石化强国的战略目标为统领，既要面向石化强国的战略目标，又要服务于石化强国战略目标的实现。围绕着产业结构的高端化和石化产业链延伸、产业链供应链安全开展管理创新，围绕着自主创新和科技自立自强和关键核心技术、“卡脖子”技术的突破开展管理创新，围绕着国家重点工程和战略性新兴产业配套，加快补短板、提升高端供给能力开展管理创新。

二是培育世界一流企业的战略目标统领石化企业的管理创新。党的十九大对培育具有全球竞争力的世界一流企业作出了部署，目前看中国石化、中国石油、万华化学、新和成、东岳以及恒力、浙石化等一批企业，在国际市场有着较强的竞争力。“十四五”期间，我们一定要认真研究世界一流企业的标准，以企业的竞争力、创新能力、管理水平和国际化经营能力为重要指标，引导企业按照国务院国资委提出的“三个领军、三个领先、三个典范”的标准与跨国公司对标。管理创新是打造世界一流企业很重要的要素和举措，通过管理创新找差距、补短板，转变管理理念，增强企业的核心竞争力；通过管理创新增强企业的国际化管理与经营能力。

2. 战略管理是管理创新的重点

战略管理是一个行业、一个区域、一个企业全局性的、纲领性的，企业管理创新的内容很多，既有宏观层面的、也有细节性的，兰德公司曾有过统计：“失败的企业 85% 是由决策失误造成的，即战略错误导致的”。“纲举目张”的道理也告诉我们首先应抓好战略管理。正确的战略管理是一个企业长期可持续发展的重要保证，包括战略目标、发展思路、发展重点、战略措施等。企业战略管理的一个重要内容是中长期发展规划。有时我们一谈到规划就会有人摇头，因为有些单位、有的地区做的规划，不是立足于自己的主导产业和已有基础、没有深入分析自己的优劣势，也没有认真而广泛征求和听取熟悉情况的内外专业人士的意见和建议；只是宣传的噱头、讲给别人听的故事，或者是挂在墙上的摆设，那样的规划确实起不到战略管理的作用。也有一种现象就是一个单位、一个地区换一任领导就提出一套新思路、制定一个新规划，这样翻来覆去的规划也不会起到战略管理的作用。国际国内公认的，我们国家一直坚持的国民经济五年规划和确立中长期战略目标的做法是成功的，改革开放初期，邓小平同志立足国情，提出的“三步走”的战略目标，经过一代代人的持续努力，2000 年基本实现了小康，共产党成立 100 周年实现全面小康、全面脱贫。实践证明我们国家这种中长期战略规划管理的做法，对国民经济发展、工业化和现代化建设是成功的，起到了重要的引领作用。还有一个浦东的案例，如果某一个夜晚你恰好漫步在上海外滩，当你望去黄浦江对岸的浦东新区时，呈现在你眼前的是多么辉煌、气派和现代化的都市景象。我们在座的很多人可以说是见证了浦东崛起的全过程，30 年走过来陆家嘴标志性的建筑先是东方明珠，再是金茂大厦，再是环球金融中心，最后落成的是目前最高的上海中心大厦，我们很多人会不会认为这是随机建的？真正了解后才知道这是二十世纪九十年代初决定浦东开发初期就规划好的！时任上海市市长的朱镕基组织的浦东开发办公室首先做的第一件事，就是向国际设计大师公开招标。浦东开发的功能定位和方案设计，今天我们眼前的陆家嘴的布局、街道、公园以及每一栋建筑、每一条道路，都是二十世纪九十年代初的规划方案就定好的，只是用了 20 多年的时间一一建成、变为现实，才有了今天繁华而有序、国际顶尖的浦东，这就是规划引领的作用。再看一个沙特阿拉伯朱拜勒工业城的案例，其位于阿拉伯海岸边，总规划 1016 平方公里、一期规划 600 平方公里，陶氏和阿美的炼化一体化装置、SABIC 的主要基地都在这里，是在沙漠上崛起的一座产城一体化的现代化工业城。当时的规划对生产区、生活区、商务区作了科学布局，生产区在生活区和商务区的下风口。从建设顺序上也是先建工业装置和生产区、生活区，最后建设商务区，这就以免商务区建成以后闲置。生产区域内道路、管廊、水电气等公用工程配套以及走向、接口朝向都预留好，新入园企业或新建生产装置，只要选好位置原料管线、水电气以及废弃物排放等所有配套设施接上就齐备。再看看裕廊工业园，距离新加坡市区10公里，以石化、修造船、工程机械、制造业、港口物流为主导产业，是新加坡最大的现代化工基地、世界第三大石化炼油中心，形成了炼油、化工新材料、有机化学品等的石化产业集群，也是港城一体化的综合性产业新城。当年为建设裕廊工业园做的规划，对港口、生产、生活、学校、休闲等功能区作了科学划分和定位，保留了10%的土地作为公园和风景区，按照规划后来建成包括世界著名的飞禽公园、森林公园等十几个公园，裕廊河两岸规划的是住宅区和各种生活设施，今天的裕廊工业园是一个生产和生活环境优美的综合体，被称为“花园工业镇”。我们国内上海化工区也是按照1995年设立园区时的规划一张蓝图绘到底，经过几代化工区领导和管理团队、20多年的坚守和执着，建成了国内第一、国际公认的、跨国公司落户最多、管理水平最高、发展质量最好的化工园区。泰兴精细化工园区、常熟氟化工园区等也都是按照当初的规划、20多年坚守专业化特色不动摇，发展成为今天主业清晰、特色鲜明、产业链协同性强、经济效益显著的专业化园区。这些国内外的案例都证明了战略管理及规划引领的重要性。

3. 科学决策规范决策是管理创新的关键

一个地区、一个企业在正确的战略统领之下，还需要做正确的决策，这是日常管理工作的重要内容。要做正确的决策就需要决策程序和决策团队，因为决策是由人作出的，一个区域的领导或一个企业的董事长是最终决策者、也是重要而关键的决策者，而好的决策应当由决策团队经多方咨询、科学论证后作出，凡是拍脑袋的决策大多不尽人意，凡是个别人或少数人做出的决策大多不够完美，因为“拍脑袋”的随意性必然缺乏科学和严谨性，个别人或少数人做出的决策一般会受到决策人的阅历视野、经验等因素的局限性，造成不尽人意得多、不够完美得多。纵观国内外企业的发展史，国内健康可持续发展良好、市场竞争力强的公司，都能够按照科学、完善的决策程序来决策，也许按照完整的决策程序会烦琐一些、耗时会长一些，但决策错误和失误一定会少一些。我们很多公司都讲要打造百年企业，只有在正确的战略引领下，科学地决策、正确地决策，才能一步一个脚印向着百年基业的目标扎实迈进。看看我们熟悉的跨国公司，杜邦是1802年成立、2022年是220周年，巴斯夫是1865年成立、2021年是156年，索尔维是1863年成立，赢创虽然是2007年出现的新面孔，但是其前身德固赛是1873年成立、2007年更名的，BP是1909年成立，壳牌是1890年成立，这些都是百年以上的公司。看一个1902年成立的帝斯曼的决策程序。这几年我们与帝斯曼交流比较多，中国区原来的总裁蒋惟明和现在的总裁周涛两位先生都是我的好朋友。在交流中我了解到：帝斯曼是119年前荷兰政府专门成立的一家煤炭开采公司，从煤和煤化工起家，逐渐发展焦炉煤气、化肥、橡胶塑料、精细化学品和高性能材料，今天已转型为主营营养化学品、医药和专用化学品的跨国公司。其在119年的历程中十分注重创新，对于创新项目有着科学而严谨的决策程序，第一道程序是由创新战略委员会研究提出创新战略和方向；第二道程序是由创新科学委员会根据战略委员会确定的创新战略和方向，提出创新的项目；第三道程序由创新资源委员会对科学委员会提出的项目进行公司内部资源和社会资源，包括原料供应、配套条件、人才资源等进行深化研究和论证；第四道程序是由创新咨询委员会进一步进行技术可行性、市场竞争力、创新的目标、进度等论证；最后是圆桌会议、也就是决策会议，在四个专门委员会各司其职地研究、分析、论证的基础上，由圆桌会议最终作出决策。这就是百年企业决策及其决策程序的一个案例，正是因为这样的决策和决策程序才奠定了今天的百年基业，而且今天仍然是主导产业清晰、创新能力、可持续发展能力和全球竞争力都很强的跨国公司！

4. 风险管控是管理创新的重要内容

风险管控听起来不陌生，但是怎么做好风险管控却也教训不少。风险管理通常理解为金融风险，实际上企业经营风险无处不在、无时不在，风险管理贯穿于企业管理的全过程，尤其是近年来大国竞争、国际环境复杂多变，又加上疫情的冲击，不仅加剧了产业链供应链的安全风险，也因国内市场体系不断健全、监管不断完善，过去的一些不规范经营、不规范竞争，今天都可能给企业可持续发展带来风险。近几年有的企业已经带给我们很深刻的教训。一是资金风险，有的企业因相互担保造成了资金损失或陷入经营困境；有的企业在资金链风险方面，银行续贷不能继续，而造成债券或债务违约。管控财务风险还要控制负债率，还要控制应收账款和库存。今年前三季度化工板块的资产负债率约54%，而应收账款上升16.6%、产成品资金上升21%，我们的企业又是多少呢？应当对标、做好管控。二是投资风险，有的企业片面追求规模和速度，也有的迫于当地政府的压力而投资了超出主业范围和自身经营优势的新项目，给资金链带来风险。三是合规经营的风险，有的企业存在未依法纳税、财务造假等现象，不仅给企业的正常生产经营造成风险，也给企业家本人造成负面影响、甚至负法律责任。以上风险不仅发生在个体企业、小企业，有的也发生在大企业集团，有的还发生在平时管理不错、社会形象不错、发展前景也不错的企业，教训是深刻的，可见风险控制在企业经营、尤其是打造百年企业中是极其重要的。

企业管理风险管控还有一个十分重要的内容就是安全生产的风险管控，这方面的案例就更多、更深刻了，安全生产的风险一旦发生就是严重风险，甚至伤亡惨重、损失巨大。我在昊华工作时曾带队到现场处理过一家氮肥厂检修过程硫化氢中毒事故，那次事故导致那家氮肥厂长期停产。我们都知道的张家口 2018 年“11・28”重大爆燃事故，导致 23 人死亡、22 人受伤，初步统计的直接经济损失 4148 万元。2019 年响水“3・21”特别重大爆炸事故，不仅把自己的企业和财产炸得荡然无存，波及园区和周边 16 家企业，有的都全部炸平、园区永久关闭，造成 78 人死亡、76 人重伤、640 人住院，直接经济损失 19.86 亿元。还有前几年天津港仓储码头和青岛大炼油两起爆炸事故，所造成的人财物重大损失和社会负面影响，至今尚未远去。所以确保生产安全是企业管理风险控制中第一位的、也是最最重要的，一刻也不能放松。石化化工企业的安全风险控制尤其重要，因为石化化工生产过程一般都存在高温高压，石化化工的原料和产品都存在易燃易爆、有毒有害等特性，一旦操作不慎发生事故其损失、危害和影响都是严重的，有的甚至是无可估量的。一是全员安全意识和健全的规章制度，全员安全意识和健全的规章制度是控制安全风险的基础，这不是一句空话，不是形式上开了多少次安全会议，也不是装订成册看起来很漂亮的规章制度《汇编》，而是从领导到员工自觉的行动，今天的企业安全意识比以前大有提升，但与跨国公司比还是有差距，在参观工厂的过程中体会至深；更不是发生了事故连夜开会、组织大范围检查，而是针对自己企业的生产工艺、设备以及物料、产品的不同和特殊性，找准原因、总结教训、制定措施，杜绝类似事故再次发生。二是规范操作是关键，规范操作就会避免很多事故。我们身边就经常有这样的叹息：如果他系了安全带，这次事故就不会发生了！登高作业不按规范系安全带发生的事故屡见不鲜；上面说到的氮肥厂硫化氢中毒 2 人致死的事故，有多少企业都是因为没有按规范置换到位造成的，今年年初完全一模一样地再次发生，如果反应釜内空气置换到位、按操作规程检测有毒气体含量，符合要求了再下去检修，事故就不会发生了；再如果一人下到釜里中毒了，其他人戴好防护面具再下去施救，也不至于造成 3 人死亡的更大悲剧。三是安全预案和应有的科学知识十分必要，科学的安全预案和必备的知识，让我们一旦发生事故不会惊慌失措、会从容应对，首先分清事故点、物料特性，然后从容地、以对的方式展开救援，这样就会避免次生事故造成更多损失和二次伤害。四是智能工厂和智慧园区的建设，对避免事故发生和控制安全风险方面都会发挥重要作用，智能工厂和智慧化工园区都能通过在线监测和高空瞭望，实现对重大危险源、重大风险点，如易燃易爆危险物品存放点、运输路线以及高温高压装置、危险废物排放口等实时监控，一旦发生险情第一时间就会报警、预警，及时采取措施就可以及时排除险情、避免事故的发生。例如响水园区如果是已经建成的智慧化工园区的话，危险废弃物仓库一定是重点监控和预警点，一旦危废物料冒烟就会预警、及时采取措施，事故就不会发生。所以，加快智能化和数字化转型，也是跨国公司和国内先进企业，管理创新方面的重要选择和正在实施的一项重要举措。

管理创新的内容和要素很多，以上重点谈了相对宏观的几点内容，还有成本管理、人才管理以及当前最热门的“双碳”目标的管理、数字化转型，还有与国际接轨的可持续发展等，不可能一一展开。希望今天的抛砖引玉，启迪大家进一步认识到管理和管理创新的重要性，尤其是作为管理人员与其他专业人员有着更高的标准和要求，要成为优秀的管理者、尤其是被称为企业家，不仅应具有工作岗位相应的专业知识，还要了解经济学、社会学，甚至是哲学、心理学等方面的知识；不仅要研究西方管理学，更要结合国情、立足企业和时代的实际，来思考管理创新；不仅要学习研究理论知识，还有一条相对捷径就是研究和思考先进企业和优秀企业家成功的案例和经验。新时代高质量发展呼唤新时代国际视野的企业家和新时代的管理创新。

2021年石化行业运行情况与发展趋势*

今天既然是“畅享会”，我就应邀与各位首先分享一下2021年的运行情况，然后再“畅享”一下石化行业当前的几个关注度较高的问题：

一、石化行业“十四五”开局业绩超预期

2021年虽然新冠疫情还在肆虐，尤其是不断出现新的变异病毒，但相比中国，全球受到的影响更严重。世界经济2021年的增长远低于年初的预期。最近国际货币基金组织、世界银行等机构都在下调2021年世界经济的增速。中国疫情虽然有多点零星散发，但总体防疫抗疫是全球最好的。中国2021年经济增速8%甚至更高，继2020年成为全球唯一正增长的主要经济体以后，2021年也将是经济恢复最好、增速最好的主要经济体。有人已经预测2021年我国经济总量将达到110万亿元。石化行业经济运行将创造新的历史纪录。2022年经济最大不确定因素还是新冠疫情，因为还在不断出现新的变异病毒，全球累计感染人数已超2.7亿，累计死亡超过530多万，奥密克戎新的变异病毒导致美国、欧洲、日本等发达经济体新增确诊人数不断增加，现在预测2022年还将是与新冠病毒继续抗争的一年，希望下半年会好转，也有专家已经预测“这个冬天是人类与病毒抗争的最后一个寒冬”，希望如此。2022年石化行业经济运行的增速将低于2021年，尤其是利润，这是因为2021年销售收入接近14万亿元、利润总额约1.15万亿元，都是历史新高，如此高的基数告诉我们2022年的增速不会更高。另外2022年原油、煤炭等大宗原材料价格不会有2021年这么大的增幅，石化产品的价格更不会是2021年如此高的价位。随着发达经济体疫情的好转，石化装置生产逐步恢复正常，产品和贸易出口也会受到一定

* 这是2021年12月28日，傅向升同志在2021山东高端促进会化工畅享会（视频）上的报告。

的影响，2022 年也不可能再有 2021 年年初美国墨西哥湾区域的极寒天气、7 月份的“艾达飓风”，全球石化产品的供应链将会相对稳定。国内中央经济工作会议再次重申经济建设为中心，随着中央调控政策的精准化，2022 年也不会出现 2021 年 9 月下旬出现的拉闸限电，国内石化装置的产能基本稳定、产品的供应基本稳定，这些都会直接影响到 2022 年石化产品的价格以及全年运行的结果。我们一定要贯彻中央经济工作会议的精神，“稳字当头、稳中求进”，在 2021 年“十四五”良好开局的基础上，力争稳增长，关键是“质”的增长，力争高质量发展“质”的新进步！

二、谈谈石化化工企业转型的趋势

世界化学工业自十九世纪下半叶起步以来，一直伴随着技术的进步和创新在转型中发展、在转型中升级。分析世界 500 强的石化化工公司和全球化工 50 强的公司，每一家的发展历程都是在不断创新与转型中实现做强做大的。杜邦公司的创新与转型是最具有代表性的。在杜邦公司接近 220 年的发展历程中，十九世纪的第一个百年，杜邦主要是火药公司；二十世纪的第二个百年，杜邦转型为材料为主的公司；跨进二十一世纪即进入第三个百年时，杜邦公司定位未来发展是生命科学公司；今天看陶氏杜邦合并拆分后的新杜邦主导是特种化学品公司。其他的像大家熟悉的索尔维是由一家纯碱公司、帝斯曼是由一家煤炭公司起家，都转型为今天的化工新材料和功能化学品为主的公司。当前跨国公司又在加快数字化转型，前几天我看到：日本老牌化工巨头三菱化学要退出石油化工和煤化工业务，这主要是考虑应对当前碳减排和碳中和，今后的战略重点将定位在电子、健康、生命科学，主业将聚焦于与这些领域相关的化学品、聚合物、薄膜和成型材料等功能材料领域。

我国工业领域从“九五”开始就强调结构调整，中国石化产业近十年来一边加大结构调整的力度，一边加大淘汰落后产能的力度。目前全行业看仍然是“大宗基础产品过剩，高端化学品短缺”的状况，进一步细分是“成品油过剩，新材料和专用化学品短缺”，再深化一步细分则是“柴油消费趋于饱和，汽油市场小幅增长，航空煤油和高品质船燃空间较大”。一段时期以来，我国石化产业结构调整和转型升级主要体现在两个方面：一是新建炼化一体化装置的技术方案必须是少产成品油、多产化学品，即“少油多化”方案，最典型的就是恒力长兴岛、浙石化舟山的新建装置；二是正常运行中的炼油装置尽量降低柴汽比（2019 年生产柴汽比 1.18、消费柴汽比 1.17，2020 年生产柴汽比和消费柴汽比都是 1.2，2021 年前 10 个月生产柴汽比 1.02、消费柴汽比 0.99）。国内这种转型趋势“十四五”期间仍将继续。

三、谈谈与能源转型相关的创新

能源转型和新能源发展，尤其是为应对气候变化的全球碳达峰碳中和行动达成一致以来，各个国家更加关注和重视能源的转型和新能源的发展。以天然气等清洁能源代替煤炭等传统化石能源，欧洲尤其是德国做得最好，当前全球能源转型的热点是可再生能源代替化石能源；中国的能源结构仍然是以煤炭为主，虽然新能源的发展增速很快，但我国能源转型面临的挑战很艰巨，尤其是碳达峰碳中和战略目标确定以后，能源转型就更为迫切。而新能源的创新与发展离不开化工新材料和功能化学品，它们是未来能源转型和新能源创新与发展的关键。今天重点跟各位探讨一下与新能源和“双碳”话题关联度高、也是一段时期以来热度最高的氢能话题，氢能自 2020 年以来成为了一个热度极高的词，被认为是清洁、高效、可持续的绿色能源，一时间全国几十个大中城市都发布了氢能发展规划。氢能能不能成为主能源呢？目前还不可能，因为目前获得氢的主要方法还是以煤、天然气、石油等化石资源为原料，在获得氢的同时要排出大量二氧化碳，这样的氢不是绿氢。另一个获得氢的成熟方法是电解水，电解水制氢的过程不排放二氧化碳，但全产业链看取决于电的获得方式，我国当前的电力结构 70% 是煤电为主，以这样的电力结构来电解水制氢，全产业链看所获得的氢也不是绿氢，氢再作为二次能源使用就不是清洁能源，还有一个关键是现在的工业电价来电解水制氢，成本高得难以接受。当然，随着技术的进步、绿电成本的降低，尤其是太阳光分解水以及可控核聚变等这样的颠覆性技术的成熟，都将为氢的工业化制造和大规模应用创造条件、提供技术支撑。太阳光分解水制氢，三菱化学实验室研发已十多年，我带队访问三菱化学时曾进行过交流。欧洲化工理事会发布的 2050 年愿景中，预计人工光合成技术的大规模示范会在 2040 年以后推开。

四、谈谈石化领域当前的技术创新

石化化工产业既是技术密集型的产业，也是创新活跃的领域，因为不仅自身的发展需要不断创新，而且化学反应技术的进步、化学合成材料的创新涉及的领域很广，对推动人类文明和社会进步作用重大，石化化工的技术水平也是一个国家整体技术水平的重要体现，石化产业的创新、石化企业的创新、化学合成与化学工程的创新是一个国家创新战略的重要组成部分。

目前石化领域还有很多正在研发、尚未工业化的新技术，甲烷直接制烯烃，总部在旧金山的一家美国公司已开展了第二代模试、中国也已有实验室成果；巴斯夫、沙比克和林德公司为适应“双碳”目标正在共同研发电热炉裂解代替传统的蒸汽裂解制乙烯；2019 年 3 月我带队到美国西南研究院访问时了解到，该院正在研发的碳氢化合物经薄膜反应器制聚合物、煤炭经循环流化床反应器直接制化学品、二氧化碳合成燃料、天然气制油示范工程等。最近我又看到美国一家 Twelve 公司利用一种金属催化剂可以将二氧化碳转化为 16 种分子，已经实现了二氧化碳和水制得聚丙烯，其聚丙烯的功效和性能与石脑油聚丙烯一样，已与奔驰合作生产出世界上第一个以二氧化碳为原料的汽车零件，并且已与汽车、家居、服装等多个品牌以及宝洁和美国航空航天局达成合作。

五、谈谈碳达峰碳中和的话题

今年以来，各级政府部门、各地区、各行业以及众多企业，都在认真研究和思考如何做好碳达峰碳中和的工作。大半年的时间里碳达峰碳中和成了全社会和各行业关注度最高的词汇，逢会必谈“双碳”、研讨必议“双碳”。但是，有些人冷静、有的人冲动，有些人理智、有的人莽撞，有些人科学严谨、有的人似是而非。9 月下旬以来，中共中央、国务院统筹国内国际两个大局，着力解决资源环境约束的突出问题，为实现中华民族永续发展，发出了《关于完整准确全面贯彻新发展理念做好碳达峰碳中和工作的意见》，国务院印发《2030 年前碳达峰行动方案》，随后国家发展改革委、工业和信息化部等部门相继印发《关于严格能效约束推动重点领域节能降碳的若干意见》和《高耗能行业重点领域能效标杆水平和基准水平（2021 年版）》的通知，为我国尤其是重点工业领域做好碳达峰碳中和工作指明了方向、制定了标准、明确了要求，也澄清了很多人对“双碳”工作的茫然和模糊认识。石化产业是国民经济的基础产业和重要支柱产业，也是资源型和能源型的产业，石化产业做好碳达峰碳中和工作尤为重要。我们应当深刻领会 7 月 30 日中央政治局会议的要求，统筹有序做好碳达峰碳中和工作，坚持全国一盘棋，纠正运动式“减碳”。既要坚决遏制“两高”项目盲目发展，又要统筹存量与增量做好“先立后破”。贯彻落实国务院《2030 年前碳达峰行动方案》明确的重点任务和重点实施的“碳达峰十大行动”，尤其是重点组织实施好“工业领域碳达峰行动”，优化石化化工行业产能规模和布局，加大落后产能淘汰力度，有效化解结构性过剩矛盾。调整原料结构，控制新增原料用煤，拓展富氢原料进口来源，推动石化原料轻质化。到 2025 年国内原油一次加工能力控制在 10 亿吨以内，主要石化产品产能利用率提升到 80% 以上。严格控制化石能源消费，石油消费“十五五”时期进入峰值平台期；加快推进页岩气、煤层气、致密油气等非常规油气资源规模化开发，确保能源安全稳定供应和平稳过渡。加大石化产业结构调整和优化升级力度，以节能降碳为导向，修订产业结构调整指导目录，加快推进石化产业低碳工艺革新和数字化转型，坚决遏制高耗能高排放项目的盲目发展，未纳入国家产业规划布局的炼油和新建乙烯、对二甲苯、煤制烯烃项目，一律不得新建和改扩建；合理控制煤制油气产能规模，并提升高耗能高排放项目能耗准入标准。

看看最新的要求：国家发展改革委等印发《关于严格能效约束推动重点领域节能降碳的若干意见》，突出标准引领作用，深挖节能降碳技术改造潜力，稳妥有序推动重点领域、重点企业和重点产品节能降碳，避免“一刀切”管理和“运动式”减碳，确保产业链供应链安全和经济社会平稳运行；贯彻落实好《高耗能行业重点领域能效标杆水平和基准水平（2021 年版）》的通知，炼油、煤制焦炭、煤制甲醇、煤制烯烃、煤制乙二醇、烧碱、纯碱、乙烯、对二甲苯、黄磷、合成氨、磷铵等重点高耗能产品，一定要对标通知确定的能效标杆水平和基准水平，根据企业和产品的实际情况、发展预期、生产装置整体能效水平等，统筹考虑如期实现碳达峰目标、保持生产供给平稳、便于企业操作实施等因素，做好节能降碳工作，这是当前我们做好节能降碳工作的标准和指导性文件。

我们还将选择规模集聚度高、产业链协同好、管理方式和水平先进的石化园区，开展碳达峰碳中和实施方案的试点示范，重点是做好石化园区的循环化改造，推动石化园区内企业的产业链协同和循环式生产，组织企业实施清洁生产改造，促进园区内企业间废物综合利用、能量梯级利用、水资源循环利用和工业余压余热、废气废液废渣的资源化利用，力争2025年所有省级及以上认定的石化园区，全部实施循环化改造。

山东省多年来一直是全国石化第一大省，“十三五”以来率先开展化工园区的规范认定工作，率先推动石化产业的新旧动能转换。不仅园区的管理水平上了一个大台阶，智慧园区、绿色园区建设和试点示范取得明显成效，而且石化基地和化工园区布局进一步优化、结构调整和转型升级成效明显。不仅打造了东营港、齐鲁、烟台、董家口等一批先进示范园区，而且还涌现出万华化学、东岳、东明石化、海湾集团、鲁西、鲁北、华鲁恒升、玲珑、赛轮、默锐科技等一批竞争力强的知名企业，还有一大批视野开阔、开拓创新、勤奋敬业、懂管理、善经营的企业家队伍，这些都是山东省石化产业高质量发展稳步推进的坚实基础和宝贵财富。山东省石化产业“十四五”规划的发展战略已经提出，目标已经明确，“十四五”末产值达到2.65万亿元，继续保持第一石化大省的地位。紧随其后的是广东2万亿元、浙江1.8万亿元、江苏1.4万亿元、福建1万亿元。当然也面临着广东大亚湾、湛江、揭阳，浙江舟山，辽宁大连长兴岛，江苏连云港，福建古雷和泉州等一批集中建设和快速发展的大型石化基地的竞争。山东省石化产业与全国石化产业一样面临着新的发展机遇。刚刚闭幕的中央经济工作会议进一步深化和明确了中共中央、国务院关于《完整准确全面贯彻新发展理念做好碳达峰碳中和工作的意见》，特别明确：新增可再生能源和原料用能不纳入能源消费总量控制，创造条件尽早实现能耗“双控”向碳排放总量和强度“双控”转变。这是多年我们一直在呼吁的，这就为以化石资源为原料的石化产业这个国民经济的重要支柱产业科学界定了新的发展空间。业界人士很振奋，但我们一定要客观、要保持冷静。把原料用能从能耗总量中移除以后，按照过去传统的“能耗双控”的考核办法确实腾出了能耗的空间，但是“碳排放双控”的新的考核制度，对石化产业高端化、低碳化发展却提出了更高的要求。因为石化产业资源型和能源型的属性，决定了石化产品的生产过程必然伴随有二氧化碳的排放。这就要求我们一定要认真研究国务院《2030碳达峰实施方案》、认真研究国家发展改革委等部门《关于严格能效约束推动重点领域节能降碳的若干意见》和《高耗能行业重点领域能效标杆水平和基准水平（2021年版）》的要求和标准，一定要把新的发展空间留给新材料和精细化学品等高端产品和先进的企业，决不能让低端过剩产品和不达标企业浪费了这宝贵的发展空间。我们要通过实际行动深挖节能降碳技术改造潜力，稳妥有序推动重点领域、重点企业和重点产品节能降碳，确保石化产业链供应链的安全和高质量发展。

业绩超预期　稳中再求进*

一、非凡的去年取得非凡业绩

刚刚过去的 2021 年是极不平凡的一年。第一个极不平凡：综观全球、透视全年，年初，全球主要大国完成权力更迭，新领导层上任后，国际社会曾期待其政策导向能更趋理性务实。然而，过去一年的实践表明，某些国家仍延续着单边优先的决策模式。与此同时，英国正式启动脱欧程序，欧盟一体化进程虽遇挑战，但仍在调整中持续推进。至年末，欧洲某大国迎来新一届政府领导，“三驾马车”执政联盟的稳定性与政策协调性，仍需观察其后续治理成效。在安全领域，持续二十年的阿富汗战争于下半年画上句号。这场冲突不仅造成巨额经济损失，更留下深重的社会创伤。随着国际部队撤离，该国安全局势出现新的变化。此外，年末国际局势再起波澜，东欧和中亚地区相继出现政局变动。在阿拉木图发生的街头事件中，该国新政府展现出有效治理能力，在区域合作机制支持下迅速恢复社会秩序，新年伊始即实现局势稳定。第二个极不平凡：全球政治看，在区域合作层面，中国与俄罗斯的双边关系持续深化，双方在多个领域的战略协作呈现积极发展态势。中国与欧洲国家的关系保持总体稳定，双方在共同关切领域保持着建设性对话。中美关系在既有框架下继续推进交流，同时双方在经贸、科技等领域的竞争态势有所显现。东北亚地区的中国、日本、韩国三国合作机制取得新进展，中国与东盟国家的一体化进程稳步推进。中国提出的国际发展合作倡议得到持续推进，中非合作论坛框架下的合作不断深化。中国与印度通过外交渠道保持了必要沟通，双边关系度过了相对平静的调整期。在国际关系方面，俄罗斯与西方国家因地区安全问题产生的分歧有所加剧，双方在政治、经济等领域的互动受到一定影响。与此同时，伊

* 这是 2022 年 2 月 17 日，傅向升同志在 2021 年度石化行业经济运行新闻发布会的报告。

朗核问题相关谈判取得阶段性进展，为美伊关系改善创造了条件，双方在岁末之际展现出通过对话解决分歧的意愿。第三个极不平凡：全球经济看，2021 年是一个经济复苏强劲、经济高速增长的年份，2022 年 1 月初国际货币基金组织测算 2021 年全球经济增速 5.9%，世界银行 1 月 11 日《全球经济展望》预计 2021 年全球经济增速 5.5%，虽然世界经济总量尚未恢复到疫情前的水平，但世界银行说这实现了 80 年来最强劲的复苏。第四个极不平凡：新冠疫情持续肆虐，2021 年初人们预测随着疫苗注射率的提升，从下半年开始疫情会得到控制或根本好转，可事实是病毒在上半年出现了德尔塔变异，造成发达经济体和印度、南亚新的大暴发；下半年又出现了传播速度更快的奥密克戎新变异毒株，造成欧美以及全球性“海啸式”大暴发，多国日增新确诊人数连创新高，每一次的毒株变异、每一轮新的疫情大暴发，都对各国社会活动和日常生活及世界经济造成新的停滞和严重冲击，可以说 2021 年是人类历史经历又一次疫情劫难的一年。

2021 年的中国最不平凡：中国是全球大国和主要经济体中疫情防控做得最好的国家，虽然不时有南京、西安、宁波、河南、天津等多地零星散发，但做到了总体可控。中国共产党成立百年，总结了百年奋斗的重要成就和历史经验，实现了全面小康，开启了第二个百年奋斗目标的新征程；经济发展跃上新的平台，成为继疫情大暴发以来全球唯一正增长的主要经济体之后，再次增长 8.1%、经济总量达到 114.37 万亿元，人均接近 8.1 万元、按年均汇率计人均达到了 1.255 万美元，虽未达到高收入国家人均水平，但已超出 2021 年世界人均 1.21 万美元的水平。中国石化行业“十四五”开局之年的经济业绩也是大大超出预期，全行业实现营业收入 14.45 万亿元，同比增长 30%；实现利润总额 1.16 万亿元，同比增长 126.8%；进出口总额 8600.8 亿美元，同比增长 38.7%，据国家统计局和海关总署的这组数据远超年初的预期，尤其是营业收入和利润都创造了新的历史纪录。下面，从“4 个历史新高”“4 个数量增加”“3 个首次下降”和“用汇额上升”来分析 2021 年行业经济运行的特点：

1. 4 个历史新高

一是营业收入创历史新高，全行业实现营业收入 14.45 万亿元，比历史上最好的年份超出 4000 亿元，创了历史新高。二是利润总额创历史新高，实现利润总额 1.16 万亿元，石化行业历史上首次突破万亿利润，创造了历史新高。三是化工板块利润总额创历史新高，化工板块规上企业利润总额 7932.2 亿元，超出化工板块“十三五”最好的年份31%，创历史新高。四是化工板块收入利润率创历史新高，化工板块收入利润率首次达到9.16%，高于化工板块“十三五”最好年份2.27个点，创历史新高。这几个历史新高，各业务板块、各子专业都感同身受，外资和内资企业更是盆满钵满。

2. 4个数量增加

一是原油天然气产量增加。全年油气总的当量产量增长5.1%，其中原油产量1.99亿吨，同比增长2.4%，这是连续3年增长。2021年天然气产量2053亿立方米，同比增长8.2%，这是连续5年增产超过100亿立方米。原油天然气的增产为保障我国能源安全和低碳能源转型作出了重要贡献。二是原油加工量及其主要石化产品的产量增加。原油加工量突破7亿吨，同比增加4.3%。主要化学品总产量增加5.7%。成品油产量增加7.9%（其中汽油增加17.3%、柴油增加2.7%），燃料油产量增加22.1%，石脑油产量增加12.6%，乙烯产量增加18.3%，合成树脂产量增加5.8%（其中聚乙烯增加9.7%、聚丙烯增加10.5%、聚氯乙烯增加2.1%、聚酯产量增加9.3%），合成橡胶产量增加2.6%。三是主要石化产品的进口量和消费量增加。成品油表观消费量增加10.3%（其中汽油增加20.8%、柴油增加4.6%），燃料油进口量增加10.3%、表观消费量增加16.6%，液化石油气进口量增加24.6%、表观消费量增加11.7%，乙烯进口量增加4.5%、表观消费量增加16.9%，纯苯进口量增加41.1%、表观消费量增加12.3%，涂料进口量增加19.5%、表观消费量增加19.7%。多种无机化工品如烧碱、纯碱、硫酸、盐酸等的表观消费量也都增加。以上主要石化产品的产量和表观消费量都大幅增加，证明疫情的影响正在消退，生产继续向好、市场继续恢复。四是规上企业数量在增加。到2021年底规上企业的数量26947家，比上年底增加908家，数字虽然不大，但这是连续5年减少的情况下首次增加，据统计“十二五”末的2015年石化规上企业的数量29765家，此后连续下降，最明显的是2018年比2017年大幅减少1494家，到“十三五”末的2020年减少到26039家，即“十三五”规上企业累计减少3726家。“十四五”开局之年企业数量的增加，说明过去几年我们加大淘汰落后产能、关停并转散乱污企业取得明显成效，也说明布局合理、技术含量高、竞争力强和管理水平高的企业获得了更好的发展空间，这是支撑石化产业高质量发展的基础和支柱。

3. 3个首次下降

一是原油进口量下降。2021年原油进口5.13亿吨，同比下降5.3%，这是我国原油进口量连续 20 年增加的情况下，首次出现的下降。我们分析认为油价高位是重要因素，2021 年全年布伦特原油均价 70.72 美元 / 桶，比上年度均价上涨 69.4%，通过国家储备，视国际市场油价的走势，宏观调控原油进口量，不仅可以为国家节省外汇，而且还可以抑制投机资本牟利。当然，原油进口量的下降，也是中国石油、中国石化、中国海油贯彻中央部署、实施“油气增产七年行动计划”取得成效的体现；也许还与我国实施“双碳”战略，逐步减少对化石资源的依赖有关。二是原油对外依存度首次由升转降。因原油进口量的减少，原油对外依存度也由上年度的 73.6% 下降为 72%。首次出现的原油进口量和对外依存度的“双下降”，千万不能简单地理解甚至误解为原油消费量和进口量的峰值已现，这只是我国消费市场对国际原油供求和价格的一次正常反映，再说中华民族第二个百年奋斗目标的实现离不开国民经济支柱产业的石化材料和石化产品的支撑，也就离不开原油这一主要原料的安全保障。三是主要合成材料进口量下降。据统计合成树脂进口量同比下降 16.5%，其中聚乙烯进口量下降 21.3%、聚丙烯进口量下降 29.4%、聚氯乙烯进口量下降 52.7%、聚苯乙烯进口量下降 11.8%、ABS 树脂进口量下降 13%，合成橡胶进口量下降 16.8%，合成纤维单体进口量下降 25%，这些产品都是在连续多年进口量持续增加的情况下出现的下降，尤其像聚乙烯自“十三五”起每年进口量超千万吨，连年大幅增长，2020 年进口量高达 1853.4 万吨。冷静分析：合成材料产品进口量的下降，一个体现是我国新增产能补了原来的供应不足，另一个体现是我国技术创新补了部分高端产品的短板，这是可喜的一面；而可忧的是疫情对市场的影响尚未完全修复，又加上房地产不景气、汽车产销低谷，都对石化材料市场造成影响。

4. 用汇额上升

我们作深化分析发现，2021 年很多石化产品进口量下降，而进口额却大幅上升，如原油进口量下降 5.3%，而进口额却大幅上升 42.9%；有机化学品进口量下降 13.7%，而进口额却上升 27.6%；合成树脂进口量下降 16.5%，而进口额却上升 17%（其中：聚乙烯进口量大幅下降 21.3%，而进口额却上升 4.6%；ABS 进口量下降 13%，而进口额却上升 22.7%；环氧树脂进口量下降 22%，而进口额却上升 16.5%；PC 进口量下降 7.9%，而进口额却上升 32.3%）；乙二醇进口量下降 20.1%，而进口额却上升 16.4%；丙烯腈进口量下降 33.5%，而进口额却上升 25.6%。用汇额上升体现的是“一降一升”，这说明 2021 年国际原油价格和石化产品价格都是高位，所以造成量减价增，由此也造成 2021 年石化行业的贸易逆差再次扩大 32.3%、高达 2689.9 亿美元。

二、开局之年实现良好开局

2021 年是“十四五”开局之年，石化全行业、广大石化企业和干部职工，以习近平新时代中国特色社会主义思想为指导，深入贯彻新发展理念，努力构建新发展格局，全力做好石化产业“十四五”和中长期发展部署，深入实施创新驱动和绿色发展战略，不仅全行业经济运行业绩超预期，实现了“十四五”的良好开局，而且石化产业高质量发展又取得许多新的进步。

1.“十四五”高质量发展新部署

一是行业规划重点突出。由李寿生会长任组长的石化产业“十四五”规划领导小组，从 2019 年四季度小组领导分别带队开启全行业、各省区市、各石化企业调研，历时一年半时间，深入学习领会党的十九届五中全会精神，贯彻党中央、国务院决策部署，几经讨论、广泛征求意见、几经修改，编制完成《石化产业“十四五”发展指南及 2035 远景目标》，确立“四大战略”“五个重点子行业”“五大共性领域”的重点任务，连同科技创新、绿色发展、石油化工、化工新材料、现代煤化工、园区发展等 6 个专项规划，于去年初进行了视频发布，5 月份又在钦州石化产业大会期间进行了重点宣贯。二是宏观规划指导性强、专业规划细化具体。国家发展改革委、工业和信息化部等部委编制能源、原材料、化工新材料等与石油和化学工业密切相关的“十四五”产业发展规划和指导意见；各专业协会分别组织编写了油气行业、氮肥、磷肥、甲醇、农药、氯碱、纯碱和氟化工、有机硅、聚氨酯、涂料、染料、橡胶工业等各专业领域的“十四五”发展规划。三是各省区市规划思路清晰。各省区市、重点石化园区根据国家总体部署和产业政策，参照行业发展规划，也都认真研究、高质量编制完成了本省、本地区石化产业的“十四五”发展规划。石化第一大省山东省，明确提出“十四五”末化工行业规模继续保持全国首位、达到 2.65 万亿元，以建设石化强省为目标，围绕炼化一体化、海洋化工、煤化工和精细化工，优化产业布局、培育石化基地，重点打造世界级绿色化工产业集群。现在的石化第二大省广东省，提出“十四五”末石化产业规模超过 2 万亿元，以工程塑料、电子化学品、功能性膜材料、高性能纤维等为重点，打造国内领先、世界一流的绿色石化产业集群。浙江省明确提出“十四五”末石化产业总规模1.8万亿元，将宁波（含舟山拓展区）绿色石化基地打造成为全国最大、世界级万亿产业集群，培育千亿绿色石化园区6个，全省炼油能力超亿吨、烯烃产能1500万吨/年、芳烃产能1400万吨/年。江苏省提出总规模达到1.4万亿元以上，将重点发展沿江/沿湖产业区、沿海产业区、苏北产业区“三大布局”，“十四五”末形成以连云港石化产业基地和28个化工园区为主体的发展格局。其他还有河南、辽宁、福建、海南、四川、宁夏等省份，也都相继发布了石化产业“十四五”发展规划。到去年年底，国家宏观规划、行业发展指南、各地都明确了石化产业“十四五”的发展目标、发展思路和发展重点，石化产业未来高质量发展的布局、重点和目标任务都已明确。

2. 创新引领成果丰硕

石化行业和广大企业始终把创新摆在发展与全局工作的重要位置，坚持实施创新驱动发展战略，既配合相关部委组织好重点创新工程和技术攻关，又引导企业实施知识产权攻略、开展创新示范、主攻补短板技术。创新平台建设、科技鉴定与奖励等都取得丰硕成果，一批陆上、深海和超深海油气勘探技术、页岩气开采技术和一批长期制约行业发展的核心关键技术获得重大突破。

3. 绿色发展方面成效明显

年初发布《石化产业“十四五”绿色发展指南》，石化全行业和广大石化企业深入实施绿色可持续发展战略，组织实施责任关怀，聚焦突出问题不断提升安全环保的管理水平，重视安全环保政策研究，推动废盐、废酸、废催化剂、废包装物的减量化、无害化和资源化，强化标准化支撑，石化行业和企业的规范管理和本质安全水平、绿色发展水平都进一步提升，资源利用效率不断改善，废弃物排放量大幅降低，为保障石化产业高质量发展做出了重要贡献。

4. 贯彻“双碳”战略扎实推进

石化全行业和广大石化企业，积极行动、扎实推进，认真做好行业研究、政策制定、统计核算、人员培训、碳交易市场建设等各项准备工作。年初17家石化企业和园区共同发布《石化工业碳达峰与碳中和宣言》，认真研究制定《石化行业碳达峰碳中和行动方案》，组织开展石化化工行业碳排放统计核算工作，先后对科学界定碳排放因子、重点产品固碳率标定、碳排放检测方法完善、提升统计核算标准可操作性等研究，扎实做好行业“双碳”的基础性工作。同时开展炼油、乙烯、甲醇、合成氨和尿素等重点产品配额分配技术规范及碳排放基准值设定的研究，加快行业低碳节能标准体系的建设，不仅为党中央、国务院和相关部委的宏观决策和政策制定发挥了重要作用，还与山东、内蒙古、新疆、江苏、陕西、宁夏、辽宁等多个省和地区，为做好“双碳”工作一起研究一起推进做了充分的准备。

5. 园区管理规范提升

各园区践行“六个一体化”发展理念，按照“规划科学、布局合理、管理高效、产业协同、集群化发展”的原则，专门研究编写了《全国化工园区“十四五”发展规划和2035中长期发展展望》，确立“十四五”期间石化园区将重点组织“五项重点工程”，依托70家重点石化基地和化工园区，重点培育环渤海湾、杭州湾、海西湄洲湾、泛大亚湾“四个沿海世界级石化产业集群”和“能源金三角现代煤化工产业集群”；智慧化工园区和绿色化工园区创建和试点示范取得新进展和新成效，加速推进园区建设和管理的标准化。

行业国际合作与交流也都克服疫情的影响做了大量卓有成效的工作，不仅得到在华跨国公司的大力支持，也得到他们的肯定和赞誉！对行业重大问题的研究，不仅及时反映了企业的诉求、提出解决困惑的工作建议，也为各级政府决策提供了有益的参考。我们还出版了《中国工业史·石油工业卷》和《中国工业史·化学工业卷》《中国化学工业百年发展史》，为党的百岁生日献上了一份厚礼。在“十四五”开局之年，能取得以上非凡的业绩、实现良好开局实属不易！这都是以习近平同志为核心的党中央的坚强领导，是石化战线广大干部职工贯彻党中央决策部署，团结进取、埋头苦干的结果。过去一年我们到各地调研，走进企业、走进园区、走进车间，无论走到哪里都会看到“铁人”的身影，正是大家这种不畏艰难、勇于拼搏、务实创新的精神，才在过去非凡的一年拼出了非凡的业绩、实现了良好开局。在此向石化战线的企业家们、科技工作者和奋战在一线的广大职工致以崇高的敬意！向石化战线时时处处充分发挥战斗堡垒作用和先锋模范作用的各级党组织和广大共产党员致以崇高的敬意！向关心支持石化产业改革、创新、发展的各级领导和社会各界的朋友们致以崇高的敬意！

三、新一年的新形势新机遇

我们已迈入2022年。2022年是“十四五”的关键之年，蓝图铺展、部署已就，应该是甩开膀子大干的一年。当然，也将是国际国内环境极其复杂的一年。世纪疫情的冲击还在持续，百年未有之大变局加速演进。美国进入中期选举，法国进入选举年，美俄因乌克兰危机能否握手言和？伊朗核危机在曙光初现的情况下能否“八方化解”？中国将喜迎党的二十大。这些国际国内的重大事件汇聚到一年，2022 年的世界舞台从第一季度的帷幕开启到第四季度落幕的时候，呈现给我们的是波澜起伏，还是精彩纷呈呢？这都将直接影响到全球经济、中国经济和我们石化行业的经济运行。当前看，石化行业新一年面临着新的形势和新的挑战：

1. 疫情影响是最大的不确定性

疫情暴发的第一年就有人基于世纪之初的 SARS 预测：到夏天就过去了，就像当年的 SARS 一样“冬来夏去”；可是不仅夏天未去，而且第二年春季出现了新的德尔塔变异毒株，造成新一轮大暴发，当时又有人乐观地预测：随着疫苗注射率的提高，疫情就会被控制住；可到了冬天又出现了扩散速度更快的奥密克戎，目前全球确诊人数累计已超过 4 亿，死亡人数已经接近 580 万，现在每天的新增确诊数量还在增加，当前看疫情短时间内还难以结束。奥密克戎新变异毒株在全球的大规模传播，不仅阻碍了发达经济体的经济复苏，而且对欠发达经济体因疫苗严重缺乏影响更加严重。因此，1 月份国际货币基金组织表示：奥密克戎变异毒株的迅速传播，给经济活动造成了冲击，世界经济的前景乌云密布；世界银行 1 月份也警告说：由于新冠疫情的冲击持续影响经济增长，全球经济面临“严峻前景”，全球经济增速恐放缓；世卫组织更是忧心忡忡，所以说疫情是影响全球经济继续复苏的最大不确定性。

2. 经济下行压力加大

无论是世界经济、还是中国经济，都面临着下行压力加大的挑战，受疫情的影响、供应链不畅以及美国等一些国家因通胀而紧缩政策的影响，1 月份国际货币基金组织下调了全球经济增长的预期，预计 2022 年全球经济将增长 4.4%，低于上年度的 5.9%，比之前的预测下调了 0.5 个点，同时还下调了美国、欧元区等主要经济体 2022 年的增速。世界银行预测 2022 年全球经济增速将从 2021 年的 5.5% 下降到 4.1%，同时预测美国将从 2021 年的 5.6% 降为 3.7%、欧元区将从 2021 年的 5.2% 降为 4.2%。中国经济下行压力也在加大，2021 年全年增速 8.1% 是主要经济体中最好的，但增速前高后低明显，增速逐季下行，尤其是下半年：第三季度增速 4.9%、第四季度增速 4.0%。1 月份国际货币基金组织也对我国2022年经济增速的预测值作了下调：比之前的预测下调了0.8个点至4.8%，世界银行预测我国2022年的经济增速将是5.1%，低于2021年的8.1%。石化产业经济运行的下行压力也将是明显的，2021年营业收入增长30%、利润总额增长126.8%，这样的高增速主要得益于原油及主要化学品价格的大幅增长，这样的高增速是在特殊的年份获得的一份特殊的业绩；也正是这样的高增速"双双"创造了收入和利润的历史新高，这样高的基数，保增长的压力很大！我们必须冷静对待2021年这份成绩单，理性分析新一年的新挑战，更好地贯彻落实好中央经济工作会议"稳字当头、稳中求进"的总体部署！

3. 产品价格存在不确定性

2021年，大宗原材料和主要石化产品的价格不仅上涨幅度大，而且价格高得让人不敢直视；到9、10月份很多产品价格高峰的时候，很多下游企业、尤其是中小企业难以承受，只能采取停车检修等措施来规避。布伦特油价1月份50.23美元/桶，一路走高到11月份达83.71美元/桶，12月回调到80.79美元/桶，全年均价同比增幅69.4%；46种重点监测的无机化学品中全年均价同比上涨的有39种、占比高达84.8%，87种重点监测的有机化学品中全年同比上涨的80种、占比更是高达92%；有的个别产品价格高点高得离谱：碳酸锂12月份的高点23.26万元/吨、全年均价上涨157.3%，多晶硅11月份的高点18.5万元/吨、全年均价上涨111.6%，双酚A 10月份的高点2.24万元/吨、全年均价上涨102.2%，PVC 10月份的高点1.48万元/吨、全年均价上涨48.8%，高压聚乙烯10月份的高点1.33万元/吨、全年均价上涨28.5%，ABS 10月份的高点1.79万元/吨、全年均价上涨25.2%，环氧树脂10月份的高点3.7万元/吨、全年均价上涨58.3%，己内酰胺10月份的高点1.61万元/吨、全年均价上涨38.7%，丙烯腈12月份的高点1.55万元/吨、全年均价上涨63.4%。看着这组数据怎不令人咋舌？新的一年无论是大宗基础原料，还是主要石化产品价格的上涨幅度不会如此之大。从供求关系和地缘政治局势判断，原油价格与上年基本持平或略高，布伦特原油均价在75美元/桶左右；主要石化产品的价格将略低于上年，实际上从2021年11月份石化产品的价格已经在回调，12月份更加明显：油气开采业出厂价格环比下降6.9%、化学品出厂价格环比下降2.1%，重点监测的46种无机化学品环比上涨的有21种、比11月份再降21.7个点，重点监测的87种有机化学品环比上涨的有25种、比11月份再降4.6个点。

4. 供应链保障面临挑战

石化和化工的生产过程与一般的加工业不同，设备和装置的连续稳定很重要，因为石化和化工生产过程一般都需要高温高压且石化化工产品的自身特殊性大多都易燃易爆、有毒有害，所以生产过程的连续稳定、产品链供应链的安全稳定十分重要。疫情对全球供应链造成显著冲击，主要表现为两方面：一是部分企业因疫情管控措施无法正常生产；二是物流运输受阻，导致供应链效率下降。以芯片产业为例，2022 年全球芯片供应出现阶段性短缺，进而引发电子产品制造和汽车生产等多个行业受到连锁影响。此外，供应链紧张还体现在物流领域，出现集装箱短缺和船舶运力不足的“一柜难求”“一船难求”现象，这主要源于疫情导致的劳动力短缺（包括卡车司机等运输从业人员不足）以及港口作业效率降低，进而造成大量货轮在港口滞留。从目前疫情的情况看这种状况 2022 年可能短时间还难以缓解。而对我国石化产业链的供应问题，我们还增加了一份担忧，就是 2021 年 9 月下旬开始部分地区在执行“能耗双控”政策时“一刀切”，导致部分园区和企业遭遇强制限产停产、甚至事先不通知就断电，这不仅威胁到石化产品供应链的稳定安全，而且直接威胁到石化装置、化工企业和园区的生产安全，如果突然断电造成烯烃、有机化合物在反应釜或容器内自聚，轻者造成设备损失，重者就是温度失控造成爆炸，损失更是不可估量。我们希望新的一年简单粗暴“一刀切”式的执行方式不再发生，我们也相信如果完整准确地贯彻落实中央经济工作会议的精神和要求，2022 年和今后这样的事情不会发生。

以上分析了新的一年，石化行业经济运行面临的形势和挑战，把形势分析得透彻一点、把挑战看得严峻一点，为的是未雨绸缪、为的是把准备做得更充分一些；有些事情可以不发生，但千万不能临危受挫、甚至惊慌失措。当然，在严峻的形势和挑战面前，我们不应该畏难，更不应当气馁，在分析形势、看到挑战的同时，我们还应当辩证地看到“危”与“机”并存，新的一年无论是国际环境、还是国内环境还有很多有利的因素，还有许多新的机遇：

一是世界经济仍然是正增长。当前的共识是世界经济今年增速放缓、存在下行压力，但仍是正增长，国际货币基金组织预测 2022 年世界经济将增长 4.4%，美国将增长 4%、中国将增长 4.8%、欧元区将增长 3.9%；世界银行预测全球经济 2022 年将增长 4.1%，美国将增长 3.7%、中国将增长 5.1%、欧元区将增长 4.2%。包括联合国的预测，数值不完全一致，但趋势是一致的：都是正增长，而且全球 4.0% 以上的增长还是不低的增速。据国际货币基金组织对“十三五”世界经济增速的统计：2016 年是 3.2%、2017 年 3.8%、2018 年 3.6%、2019 年 3.0%，2020 年受疫情影响是 −3.5%。可见，全球经济 4% 的增速是不低的。

二是中国经济将继续是世界经济增长的火车头。去年中国经济增速是世界主要经济体中最好的、总量达到 114.37 万亿元，按年均汇率算是 17.7 万亿美元、占世界经济总量接近 20%，2022 年的增量约 13 万亿元，按年均汇率算高于 2 万亿美元，占世界经济增量的约 30%，中国已连续多年对世界经济增长的贡献在 30% 左右。按照中央经济工作会议“增速在合理区间”的精神预测：我国 2022 年经济增速在 5.5% 左右是大概率；再加上中央明确的宏观政策、微观政策、结构政策、科技政策、改革开放政策、区域政策和社会政策七个方面的政策措施以及我们所拥有的宏观调控的空间和潜力，中国经济将继续发挥世界经济的稳定器和火车头作用。

三是石化产业的市场空间大。石化产业是国民经济的支柱产业，不仅 14 亿人的衣食住行离不开化工材料和石化产品，中国作为制造业大国，汽车、家电、电子信息、轨道交通以及建筑等都需要大量的化工材料及高性能复合材料，需要大量的纤维材料、膜材料和保温材料，需要大量的防腐材料、密封材料和胶黏材料以及大量的精细化学品、功能化学品。2021 年进口有机化学品 6312.4 万吨、合成树脂 3124.3 万吨、合成橡胶 591.6 万吨、乙二醇 842.6 万吨，这都充分证明了中国市场对石化产品和化工材料的旺盛需求。据美国化学理事会的预测，2022 年全球化工行业将增长 3.8%，欧洲化工业委员会、德国化工协会等也都对 2022 年全球化工市场表示乐观；中央经济工作会议明确：新增可再生能源和原料用能不计入能耗总量。可见，无论是国际市场还是国内需求、政策利好都为 2022 年石化行业提供了更多新的机遇。

四、新的一年稳中再求进

在 2021 年实现“十四五”良好开局的基础上，新的一年石化行业经济运行的总体思路是：以习近平新时代中国特色社会主义思想为指导，以伟大建党精神激励着我们，深刻领会并把握“稳字当头、稳中求进”的总基调，贯彻落实新发展理念，突出高质量发展的主题，深入实施创新驱动和绿色可持续发展战略，加大传统产业升级和新兴产业培育的力度，加大重点石化基地和现代产业集群培育的力度，加快智能化和数字化转型，加快重大项目和重点工程的开工和建设，不断拓展国际交流与合作的深度与广度，全力打好“稳增长六大攻坚战”，以优异的成绩迎接党的二十大胜利召开！

新的一年石化全行业应准确把握“稳字当头、稳中求进”的总基调，首先是“稳字当头”、要全力保“稳”,“进”重在高质量发展的再提升、再进步。“全力保稳”主要指的是经济数据，去年增速看：营业收入增长 30%、利润增长 126.8%，增速历史罕见；经济总量看，营业收入 14.45 万亿元、利润 1.16 万亿元，数量创历史新高，因此，“全力保稳”是基本目标！但我们一定要深刻领会全面贯彻“稳中求进”，这是一个石化大国的基础决定的，也是迈向石化强国的目标所要求的。所以，新的一年我们要努力争取石化产业高质量发展的新进步，为全面贯彻“稳字当头、稳中求进”的总基调，新的一年我们应全力打好“稳中求进的六大攻坚战”：

1. 稳中求进攻坚战之一：保供稳价

保障化肥、农药等农化物资的供应和价格稳定，是石化产业和广大石化人保障老百姓饭碗的重大责任；保障石油、天然气等基础能源的供应，是保障国家能源安全的重要职责；保障石化产品供应链的安全，是石化产业作为国民经济支柱产业和基础产业保障国民经济稳定运行的重要任务。

一是化肥农药等农化产品的保供稳价。“老百姓的饭碗任何时候都要牢牢端在中国人自己手里”，所以粮食安全是党中央和总书记最关心的头等大事，化肥农药等农化产品为我国粮食产量连续 7 年保持在 1.3 万亿斤以上做出了重要贡献。疫情的影响造成全球粮食供应短缺，当前粮食安全问题更加凸显。离开了化肥和农药，农业的丰产丰收几乎不可能，而化肥和农药的稳定供应和价格高低直接关系到农民的切身利益，所以农化产品的价格就不能像其他工业产品一样完全由市场决定。2021 年下半年以来国际肥料价格远高于国内市场，12 月份国际市场尿素、磷酸铵都在 800 美元 / 吨以上，而国内市场基本没有超过 3000 元 / 吨，四季度以来国内化肥企业贯彻国家总要求，首先保国内供应和价格稳定、不出口或少出口，为此做出了不少牺牲，氮肥协会、磷肥协会、钾肥分会等也都做了大量组织和协调工作。马上就要迎来春耕和春季用肥旺季，化肥农药等农化产品生产企业第一位的是全力保障春季用肥用药，这是我们农化企业的第一责任。国家发展改革委正多措并举确保春耕用肥，河南省等也在倾力纾解化肥运输难题，石化联合会也正在研究保春耕用肥的方案，广大化肥农药生产企业也都放弃假日、正在为春耕备肥备药。当然，广大化肥企业也希望，参照电煤的做法落实好肥煤长协；为缓解淡季资金占用、确保生产的连续稳定，淡储制度应更好、更科学地发挥作用；鉴于氮肥、磷肥都是国内产大于求的品种，用肥淡季在确保一定量储备、确保国内供应的前提下，允许一定量肥料出口，这不仅缓解企业资金占用，也充分发挥生产装置的产能利用率。

二是石油、天然气保供。这是国家能源安全的重要组成部分。2021 年中国石油、中国石化、中国海油为油气增产加大实施“七年行动计划”和“增储上产攻坚工程”，取得了油气产量双增长的不易成绩，尤其是天然气产量连续 5 年增产 100 亿立方米以上，并加大储备量，为油气保供作出了重要贡献；国家管网公司不断提升输送能力，持续缓解用气高峰的输送瓶颈，不仅为天然气保供做出了贡献，也为加快国家清洁能源转型做出了贡献。新一年油气保供作为国家能源安全的组成部分，要贯彻落实好总书记视察胜利油田时的重要指示：石油能源建设对我们国家意义重大，能源的饭碗必须端在自己手里；贯彻好总书记在中央政治局第三十六次集体学习时的讲话：推动能源革命要立足我国能源资源禀赋，坚持先立后破、通盘谋划，传统能源逐步退出必须建立在新能源安全可靠的替代基础上。要夯实国内能源生产基础，保持原油、天然气产能稳定增长，加强煤气油储备能力建设。这是我们做好油气能源保供的总遵循，我们一定要加大油气资源的勘探力度，加大并加快油气勘探和开采的技术创新和新技术的应用，加大页岩气等非常规油气资源的技术创新和开采力度，加快煤层气等资源的研究和利用。当然，企业希望国家加大对上游勘探开采的资金或税收政策的支持，天然气储备完全由企业承担资金压力大，进口天然气价格倒挂矛盾突出、适当的时间气价放开也值得研究。

三是石化产品供应链安全。石化产品涉及面广、带动性强，不仅涉及老百姓的饭碗，还涉及国家能源安全和医疗健康；不仅涉及高端制造业，还涉及航空航天、国防军工，所以石化产业链的安全稳定直接关系到社会稳定、经济稳定和强国目标的实现。因为疫情的影响造成装置停产属不可抗力，像 2021 年年初美国南部极寒天气、8 月份“艾达”飓风造成墨西哥湾区域十几套石化装置停产属不可抗力；可是，人为的、主观的限电限产、拉闸限电都是不应该发生的，又加上石化产品生产过程存在高温高压、大多石化产品易燃易爆，如果不是有序地、做好充分准备地停车、开车，容易造成事故的发生，如果有些化学品在反应器内没有得到科学的处置，有可能后果不堪设想。新的一年希望不再发生人为因素导致的产品链断供，各企业要努力确保生产稳定、安全有序、产品链供应链稳定，不仅保障石化行业内上下游企业间协同稳定，而且保障轻工、纺织以及电子信息、轨道交通和航空航天等所需石化产品和化学材料的稳定供应。

2. 稳中求进攻坚战之二：传统产业升级改造

传统产业是国民经济的基础和基本盘，是稳增长的压舱石。我国工业结构是以传统产业为主，虽然是多年的制造业大国，但高端制造的很多核心部件和关键材料还存在不少瓶颈和被“卡脖子”之处；我国石化产业也是一样，产业结构细分以炼油、烧碱、纯碱、合成氨、化肥、聚氯乙烯等这类大宗基础化学品为主，与美欧日等发达国家和地区相比，我们的产业结构高端化、精细化、专用化方面差距明显。

一是传统产业的重要性不容忽视。谈到传统产业，一段时期以来人们有一种误解：认为美国的产业已经空心化，已经转型为服务业为主，所以有的人在高喊：我们应当向美国学习加快转型，去重向轻、去实向虚。我们偏重的工业结构确实需要加快转型升级，确实需要向高端化、精细化升级改造，但千万不能片面讲美国产业已经高度空心化。美国通用、福特的产品和品牌我们每天都能看到，美国的苹果、特斯拉我们很多人都在使用，美国的波音、强生、辉瑞也都是全球化的跨国公司，石化人最熟悉的埃克森美孚、陶氏、杜邦、亨斯迈、塞拉尼斯、霍尼韦尔哪一家不是知名跨国公司？美国的洛克希德·马丁、SpaceX 公司都很强大。德国也一样：有大众、宝马、奔驰、博世、西门子以及巴斯夫、拜耳、赢创、科思创公司。日本也有丰田、日产、松下、三菱重工、三菱化学、住友、三井、东丽等公司。离开了基础工业、实体产业和制造业，建设经济强国、科技强国和国防强国是不可能的。当然，美国、德国、日本等发达国家传统产业、基础工业的高端化远远领先于我们，所以，我国经济要健康可持续发展、要建设经济强国、科技强国，绝不能忽视传统产业，若丢弃了传统产业，国家经济的大厦就失去了稳固的基础。事实证明高端产业、战略性新兴产业的发展都离不开基础化学品的支持和保障，例如纯碱是索尔维公司 100 多年前发明并开始生产的，国内最早是民族企业家范旭东成立永利公司后生产出纯碱产品，距今也有 96 年的历史了。就是这样一个有着百年岁月的普通的、基础无机化工品，今天光伏发电的玻璃板生产离不开它，手机、液晶显示屏的玻璃生产也离不开它。再如硝酸钠、硝酸钾这类基础无机化工品，今天多个国家很多科学家都在研究将它们二元复合、或者再与硝酸锂三元复合，用于新能源的化学储能。聚氯乙烯这个诞生最早的塑料品种，其高端产品今天在高铁、信息领域都有应用。所以，石化产业要保增长、要稳增长，一定不能忽视了传统产业的升级改造，要深刻领会中央经济工作会议提出的“要正确认识和把握初级产品供给保障”的要求，结合石化产业的产业结构、产品结构的现状，加大传统产业升级改造的力度，加快绿色低碳先进适用技术的推广应用，进一步降低原料消耗和能耗，实现生产过程的绿色化和低碳化，进一步提升产品的质量水平，实现产品的高端化、并不断研发新的应用领域。

二是传统产业升级改造要借力智能化数字化转型。数字化的趋势不可逆转，数字化的未来就是企业的竞争力，“十三五”以来一批石化、化肥、烧碱、轮胎等企业通过智能工厂试点示范，其生产效率、管理水平大幅提升，物耗能耗和废弃物排放水平都大幅降低，成效明显。2021 年年底，我们到中煤榆林能化调研，这是一家现代煤化工企业，主要产品链是煤制烯烃，通过智能工厂建设和数字化技术的应用，他们不仅实现了产能最大化（设计能力 60 万吨 / 年，2021 年生产 76.6 万吨）、产品可根据市场供求最优组合，而且实现了四年一大修、双烯收率提高、单耗降低、用工减少、效益最大化。

三是传统产业升级改造一定要高度重视中小企业这个重要群体。中小企业是国民经济稳增长的一支重要力量，据工业和信息化部统计中小企业数量占 90% 以上，中小企业对经济的贡献：GDP 占 60% 以上、税收占 50% 以上、城镇就业占 80% 以上。另外中小企业在产品链的协同上，与大型骨干企业是上下游的重要补充、有益的合作伙伴，可以说在经济发展过程中大型骨干企业与中小企业是“互补为主，竞争为辅”的共存共赢关系。这方面德国的经济结构、企业组织结构、企业间协作互补等，都为我们提供了有益的借鉴。中小企业一定要认识到：自己的竞争力在于专与精，规模不是中小企业追求的主要目标，中小企业追求的是差异化、效益和竞争力，中小企业追求的是在经济循环、产品链上缺一不可的作用和重要性。新的一年中小企业一定要抓住新的机遇：工业和信息化部今年将重点培育 3000 家左右专精特新“小巨人”企业，国家财政还将选取 500 家以上这样的“小巨人”企业重点支持，工业和信息化部也在研究推动中小企业融通发展新的政策措施，石化联合会正在研究《石油和化工专精特新中小企业三年培育计划》。中小企业一定要认真研究并努力争取国家政策支持，因中小企业众多，一时没有入选不要泄气，只要认真研究“专精特新”

的要求和“小巨人”的条件，只要立足自己的特点、突出自己的优势，把自己做强做精做优了，不仅自己立于不败之地，也就把自己打造成了国民经济中不可或缺的重要一环。

3. 稳中求进攻坚战之三：战略性新兴产业培育

节能环保、信息、生物、高端装备制造、新能源、新材料、新能源汽车等是现阶段重点发展的战略性新兴产业，每一项战略性新兴产业的发展都离不开化工新材料及其高性能复合材料和高性能化学品的配套与保障。而这些要求恰恰是目前石化产业的短板和弱项，也是制约战略性新兴产业发展的瓶颈和卡点，希望相关企业认真研究《化工新材料“十四五”发展规划指南》，尤其是花些精力重点研究确立的“八大系列新材料”“六大重点任务”和“五项重点工程”，即：一是重点围绕“高端聚烯烃塑料、工程塑料、聚氨酯材料、氟硅材料、特种橡胶及弹性体、高性能纤维及复合材料、功能性膜材料、电子化学品”八大系列化工新材料在高端化上再有新突破；二是重点围绕“攻克一批重大需求的‘卡脖子’技术、优化一批产业化项目、突破一批关键配套原料、抢占一批高科技制高点、建设一批高水平创新平台、培育一批领军企业和特色产业聚集区”这六大重点任务再上新台阶，自主创新、自立自强取得新跨越；三是重点围绕“汽车及轨道交通轻量化、高性能膜、电子化学品、生物基及可降解塑料、配套专用装备提升”五项重点工程的配套能力再有新提升，为重点领域、重点项目配套的支撑作用进一步增强。2022 年是实施“十四五”规划的关键之年，规划已经发布、指南已经明确、重点已经确定，2022 年是实施年！除了国家围绕重点工程组织实施国家级重大项目配套外，相关企业一定要结合自己的主业，突出自己的优势，重点瞄准为新能源、电子信息、轨道交通和大飞机等配套的高端膜材料、电子化学品、高性能复合材料和专用化学品等方面，强链补链，疏通堵点、突破卡点，为制造强国做出石化新领域的新贡献。

4. 稳中求进攻坚战之四：关键核心技术

“十三五”以来石化领域实施创新驱动发展战略，攻克了百万吨乙烯成套技术、聚碳酸酯、聚乳酸、超高分子量聚乙烯、蛋氨酸以及硅氟新材料等一系列重大关键技术；2021 年聚烯烃弹性体、己二腈等一批核心技术又获重大突破，成效是明显的。冷静分析我们的创新与进步，专利很多、成果不少，但工程化、产业化方面的差距也很明显。“十三五”以来国内石化产业又迎来一个新的发展周期，大项目大量建设、新装置接续投产、新基地快速发展，但是新投产装置的聚烯烃技术几乎全部是引进跨国公司的，十多套丙烷脱氢工艺包也都是UOP或鲁姆斯的，甚至新建的多套双酚A工艺包也不是自己开发的，还有就是高纯电子化学品、一些关键催化剂、很多试剂、医用高端膜材料、高端制造用高性能纤维及其复合材料、碳纤维生产线的碳化炉等，一些大型成套技术、高端产品、核心设备等还存在“卡脖子”和受制于人等。因此，攻克“卡脖子”技术攻坚战还很艰巨，也是保增长和稳增长的要害所在，应当以确保产业链和供应链安全为重点，围绕国家重点工程和战略性新兴产业配套，突出关键核心技术和共性技术，把组织实施创新工程作为提升石化产业供给能力的第一动力，通过创新加快补短板，通过创新强化产业链供应链配套能力，通过创新加快石化产品结构调整与优化，大大提升石化材料和石化产品的高端供给能力。2022年开始各相关单位要根据国家“十四五”重点研发计划专项，重点瞄准生物基材料、高性能工程塑料、乙烯“三机”重大装备以及二氧化碳资源化利用等前瞻性技术攻关，实施重点突破，逐步攻克关键核心技术和关键材料的“卡脖子”问题，努力向科技自立自强迈进。

5. 稳中求进攻坚战之五：绿色低碳发展

“十三五”以来全行业实施“绿色发展战略”，绿色可持续发展理念日益深入，绿色发展取得明显成效，通过推进清洁生产，做好源头预防、过程控制、综合治理，加大绿色清洁工艺和新技术的创新和推广应用，全行业绿色发展的水平持续提升。进入“十四五”石化产业绿色发展面临新的课题，即碳达峰碳中和战略的实施。去年一年扎实有效地准备，从上到下对“双碳”工作的思路越来越清晰、目标越来越明确、要求越来越具体，可操作性越来越强了。打好绿色低碳攻坚战:

一是认真研究深刻领会党中央的决策部署。实现“双碳”目标是一场广泛而深刻的变革，我们一定要提高战略思维能力，准确贯彻党中央部署、辩证处理好发展与减碳的关系。减碳不是减生产力，也不是不排放，而是要走生态优先、绿色低碳发展道路，在经济发展中促进绿色转型、在绿色转型中实现更大发展；要克服急功近利、急于求成的思想，把握好降碳的节奏和力度，不搞齐步走、“一刀切”。

二是准确把握党中央部署的重点内容。依据党中央《关于完整准确全面贯彻新发展理念做好碳达峰碳中和工作的意见》和国务院《2030年前碳达峰行动方案》等要求合理设置政策实施过渡期，按照“整体推进、一企一策”的要求，分别制定省级节能降碳技术改造总体实施方案和企业具体工作方案，明确推进步骤、改造期限、技术路线和工作节点、预期目标等，确保政策实施稳妥有序，不断提升能源资源利用效率，确保产业链供应链安全和经济社会平稳运行，逐步实现物耗、能耗和排放达到世界先进水平。对于在规定期限内不能按期改造完毕、排放仍处于基准水平以下的项目坚决淘汰。更要把握中央经济工作会议进一步明确的：正确认识和把握碳达峰碳中和，要坚定不移推进，但不可毕其功于一役，传统能源退出要建立在新能源安全可靠的替代基础上，要立足以煤为主的基本国情，抓好煤炭清洁高效利用，狠抓绿色低碳技术攻关，创新人才培养模式，要科学考核，新增可再生能源和原料用能不纳入能源消费总量控制，健全“双碳”标准，构建统一规范的碳排放统计核算体系，推动能源“双控”向碳排放总量和强度“双控”转变。

三是科学严谨做好自己的功课。建议各地区、各企业认真对标《高耗能行业重点领域能效标杆水平和基准水平（2021 年版）通知》确定的能效标准，严谨认真地测算正在生产的产品其能效水平是达到了基准水平，还是标杆水平?

如果没有达到基准水平抓紧改造提升，并向着标杆水平应提尽提，否则将面临被淘汰的风险。正在新建的项目和装置，也再次严格测算，如果达不到基准水平、建成中交后也许面临着能不能投产的问题? 如果在基准水平以上、没有达到标杆水平，应当抓紧研究并努力寻求新的技术、新的工艺和新的设备使其尽量达到标杆水平；新批尚未开工的项目或装置抓紧对标能效水平，未达到标杆水平的未开工项目一定要慎重开工、向标杆水平努力。各企业还要按照最新发布的《高耗能行业重点领域节能降碳改造升级实施指南（2022 年版）》的要求，加快重点产品和重点企业节能降碳的改造升级，并关注正在研究制定的“石化化工行业碳排放统计核算办法”，根据统一规范的统计核算体系严谨地测算碳排放量，科学地制定碳达峰的行动方案和时间表。在此基础上，关注碳捕获、固碳以及二氧化碳资源化利用新技术的进展，再认真研究、科学制定碳中和的技术方案、路线图和时间表。

6. 稳中求进攻坚战之六：现代石化产业集群培育

培育现代产业集群是党的十九大作出的战略部署，培育现代石化产业集群是石化产业高质量发展的关键。我国石化产业已形成以上海、宁波、大亚湾等一批大型石化基地，已形成南京、东营港、宁东、泰兴等一批以新材料为主专业化工园区，还有长兴岛、古雷、连云港等一批快速成长中的石化基地，依托大型石化基地和化工园区培育现代石化产业集群已具备坚实的基础和条件。新的一年按照《全国化工园区“十四五”发展规划和2035中长期发展展望》的思路和部署，在组织实施产业升级创新、绿色化、智慧化、标准化和高质量示范“五项重点工程”的同时，继续加大绿色化工园区和智慧化工园区的创建与试点示范，强化国家新型工业化示范基地联盟的工作，按照工业和信息化部等六部委最新颁布的《化工园区建设标准和认定管理办法（试行）》的要求和条件，在20多个省区市已开展园区认定的基础上，统一标准开展全国化工园区的统一认定；根据国家发展改革委、工业和信息化部《关于做好“十四五”园区循环化改造工作有关事项的通知》，按照“横向耦合、纵向延伸、循环链接”的原则，借鉴路德维希港巴斯夫基地的成功实践，加大石化基地和化工园区的循环化改造，推动石化基地和化工园区尽快实现产业循环式组合、企业循环式生产，促进项目间、企业间、产业间物料闭路循环、物尽其用，通过合理延伸产业链，切实提高资源产出率。在标准先行的基础上，今年适当的时间我们将开启“高质量发展化工园区示范工程试点”和“化工园区碳达峰碳中和实施方案示范”工作。通过各石化基地和化工园区的共同努力，新的一年为培育“五大世界级石化产业集群”争取新突破和新进步。

新的一年保稳定、促增长任务艰巨，有许多挑战等待我们去攻坚，有许多新的课题有待我们去破解，只要我们坚定信心、不懈努力，石化强国的目标就一定能够实现！不论国际环境风云变幻，也不论大国博弈和竞争尖锐复杂，只要我们临危不惧、处变不惊，踏踏实实做好自己的事情，只要国家富强了、人民富裕了，一切都将有利于中华民族伟大复兴！美好的明天正在向我们招手，让我们携手共奋进，一起向未来！

试论有效投资与高质量发展*

两会圆满闭幕了。2022年经济工作面临的国际环境更趋复杂严峻，新冠病毒不断出现新的变异毒株，地缘政治动荡突然加剧，百年大变局加速演进，经济下行压力进一步加大，经济发展面临的挑战和任务更加艰巨。因此，2022年经济工作的总基调与往年有所不同，确定为“稳字当头、稳中求进”，中央经济工作会议和2022年的《政府工作报告》都提出：2022年的经济增速保持在合理区间，在5.5%左右。为保经济增长在合理区间，有的地区甚至争取更好一些，中央经济工作会议以后全国多地呈现出一派景象：大项目集中开工！加大投资力度确实是保增长的措施之一，也是见效快的直接措施，但我们千万不能忘记“高质量发展”这个主题！经济增长与发展不能等同，仅仅是经济量的增长，而不是高质量发展，带来的后果可能是：数字的量当年保住了、上去了，可造成的浪费、甚至是损失将是不可估量的！这样单纯的、数字的、量的增长，对在发展中解决不充分不平衡的主要矛盾又有什么实际意义和现实意义呢？这样单纯的、数字的、量的增长，对我们实现经济强国和第二个百年奋斗目标又有什么深远的重要意义呢？因此当前的景象需要我们去思考，当前的热度需要我们去冷静。那么，大项目还要不要开工呢？开工什么样的项目才能既做到了稳增长、保增长，又实现了经济的高质量发展呢？答案是肯定的！大项目一定要开工，尤其是涉及国计民生的大项目、涉及国家安全的重大项目和重点工程、涉及中华民族千秋伟业的重大项目和重点工程，事关企业、行业和国民经济转型升级、结构调整和高质量发展的项目，不仅要开工，而且要重点部署、重点支持、重点开工。那么，如何把握呢？

1. 牢记大的战略定位，不能简单套用传统发展思路和模式

大的战略定位就是：我国经济已经迈入高质量发展的新阶段，这是党中央经过深入研究、深刻分析、深思熟虑以后做出的基本判断，这一基本判断是符

* 这是2022年两会后，傅向升同志发表的署名文章。

合中国经济的发展现状和发展趋势的，尤其是针对这新的发展阶段明确的发展任务、发展思路和发展目标。为了做好当前的工作，我们一定要立足这新的发展阶段，全面准确完整地贯彻好新的发展理念，努力构建“内外双循环”新的发展格局；我们一定要努力改变、甚至要摒弃过去以速度论英雄、单纯追求规模、过度依赖资源的传统发展思路和发展模式。这新的发展阶段也要求我们要加快新旧动能转换，转变到依靠创新驱动的高质量发展的轨道上来，这是引领我国由大国迈向经济强国、科技强国和国防强国的重要判断，这一点一定要保持清醒、不能含糊，更不能动摇！绝不能因为“稳字当头”就忘记了我们已经迈入高质量发展的新阶段，决不能因为“保增长”就以为我们又回到了单纯追求数量和规模的过去，更不能在工作部署时只强调增速和数量，而忽视了今天的“稳字当头、稳中求进”是在新的发展阶段、高质量的“稳和进”，这是我们从事经济工作应有的政治站位和做好经济工作的辩证法与全局观。符合高质量发展的项目、促进传统产业转型升级的项目、加快推进结构调整与优化和补链延链强链的项目以及为国家重点工程配套的项目、有利于加快构建双循环新发展格局的项目，一定要科学论证、加快开工，否则，坚决不能开工。为贯彻好“扩大有效投资”的工作要求，下面谈“三个不开工”和“三个抓紧开工”。

2. 高质量发展要求我们一定要把握住“三个不开工”

2021 年是“十四五”开局之年，按照一般的规律，2021 年本应是新项目集中开工、基建规模集中铺开的年份，但是 2021 年、尤其是上半年各地都在忙能耗“双控”，有的地区在不知所措地碳达峰甚至碳中和，很多地区都因“能耗指标”甚至“提前达峰”问题，不仅是新项目一律不批，而且有的出现正在施工的项目大量停建，甚至有的已经建成的项目不能投产。党中央、国务院及时发现了“双碳”工作中，有的地方存在着顾此失彼和冲动现象，甚至个别地区、个别单位存在急功近利和急于求成的思想。2021 年 7 月 30 日，中央政治局会议特别提出纠正“运动式”减碳，及时纠正了“双碳”工作中当时存在的片面性和盲目性。去年 9 月下旬不少省区市又出现了“拉闸限电”、停产限产现象，党中央、国务院统筹国内国际两个大局，于 9 月 22 日又及时印发了《关于完整准确全面贯彻新发展理念做好碳达峰碳中和工作的意见》。尤其是中央经济工作会议和 1 月下旬中央政治局就“双碳”工作集体学习时，习近平总书记特别强调：减排不是减生产力，也不是不排放，而是要走生态优先、绿色低碳发展道路，在经济发展中促进绿色转型、在绿色转型中实现更大发展；要进一步完善能耗“双控”制度，新增可再生资源和原料用能不纳入能源消费总量控制，构建统一规范的碳排放统计核算体系，推动能源“双控”向碳排放总量和强度“双控”转变。中央工作会上习近平总书记特别强调：绝不允许再次发生大面积“拉闸限电”这类重大事件！这一系列精准施策、尤其是“新增可再生能源和原料用能不纳入能源消费总量控制”考核措施的科学性，再加上刚刚闭幕的两会工作报告中积极扩大有效投资、加快在建工程量、抓紧新开工一批成熟的项目的要求，近一个月来新项目集中开工的景象此起彼伏。但是，我们一定要完整准确全面地理解和把握党中央、国务院的部署，在贯彻落实、积极行动上，还要避免头脑过热，不失理智、科学，既着眼当前的保增长、稳增长，又着眼中华民族伟大复兴的千秋大业！不符合开工条件的、不能开工的项目坚决不能凑数！什么样的项目不能开工、凑数呢？

第一个“不开工”：不符合产业布局的项目不能开工。一定要严格把住不符合产业政策的限制类或淘汰类项目不能开工，这是基本要求，也是新开工项目的底线和红线；还要把住不符合产业布局的项目不能开工，如不符合国家宏观规划布局，或远离原料产地、或远离市场群体、不符合经济规律的项目不予开工；还有一个很具体的要求要把住：不在规范的石化基地和认定的化工园区内规划新建危化品装置或项目，禁止开工，这些在国务院和国家发展改革委、工业和信息化部等规划布局方案和相关文件中都有明确的规定和要求，决不能含糊。

第二个“不开工”：产大于求的新增产能项目不能开工。大规模和快速推进的工业化，使得很多大宗基础产品产大于求，已建成装置的产能利用率不高，以石化产业为例：烧碱、纯碱、氮肥、磷肥等大宗基础化学品产能都处于过剩状态，这类的新增产能项目不应开工。有人可能会讲“基础产品去年价格很高，生产基础产品的企业去年赚得盆满钵满，几十年以来第一次在睡梦中乐醒了”，这就是我们更加担心之处！ 2021 年由于疫情对全球供应链的影响，生产这类大宗基础产品的企业，只要正常开车运行就可以天天数钞票，这就使有些人产生了错觉：认为这些产大于求的大宗基础产品也很赚钱！这就使有些人产生了新的投资冲动。可以客观地讲：2021 年每一种产品的价格几乎都是不正常的价格！ 2021 年每一家企业创造的惊人盈利，客观地分析来看是难以持续的！所以说 2021 年的业绩是在特殊的年份取得的特殊业绩，不能作为参照系。疫情过后待产品链供应链恢复正常，这些产大于求的产品中：管理经营好的就会再次回到微利状态，管理经营差的就会再次跌入度日如年的窘境。所以，产能已经过剩的大宗基础产品，一定要抑制新增产能的冲动，已经产大于求的新增产能项目一定要禁止开工！当然，大宗基础产品也是国民经济的基础和重要配套原料，例如对于纯碱，液晶显示玻璃和光伏发电玻璃的生产都离不开，烧碱造纸和环保产业都离不开。只是在产大于求的情况下新增产能的项目不能开工，而产能置换项目、升级改造项目还是在科学论证的基础上予以开工的。

第三个“不开工”：高耗能高排放的项目不能开工。尤其是采用落后工艺、落后技术的项目不开工。我国的资源禀赋是“多煤少油缺气”，原油对外依存度70% 以上、天然气对外依存度 40% 以上，又加上我国天然气的供应状况以保民用为主，工业用天然气价格大大高于海湾地区和欧美，造成我国生产石化产品的主要路径是以石油和煤炭为原料，天然气化工占比很少。最典型的是国际上甲醇、合成氨等通过合成气获得的产品都是以天然气为原料，而我国 80% 左右是以煤炭为原料；另一个明显的案例是聚氯乙烯，发达国家都是以乙烯为原料的乙烯氧氯化工艺，而我国 80% 左右是以电石为原料的乙炔工艺，这主要是由我国的资源禀赋决定的。如果我国的合成氨、甲醇都改成天然气为原料，我国的聚氯乙烯都改成乙烯氧氯化工艺，我国的原油和天然气的对外依存度将更高，所以不现实。我们只能立足国情，通过不断的技术进步与升级降低能耗、物耗和排放水平，以最低的代价最大可能满足国民经济的需求。这就是为什么我国很多大宗基础石化产品虽然被划入“两高（高耗能高排放）”产品，但在经济建设和人们的生活当中又不可或缺。今天讲的高耗能高排放项目是指生产过程中能耗水平和排放水平达不到“基准水平”以上的，对于已建成、正在正常生产的装置或企业，也就是“存量”产品和装置，要抓紧升级改造使其能耗和排放水平达到“基准水平”以上，这个过渡期最晚也就是 2025 年底前；而对于新建项目即使是产能置换项目也要向能效“标杆水平”看齐，高于“基准水平”、低于“标杆水平”的慎重开工，低于“基准水平”的则不能开工。这就是石化产业贯彻碳达峰碳中和新课题需要做到和做好的，这也是国务院《2030 年前碳达峰行动方案》对我们提出的明确要求，这更是 2021 年年底以来国家发展改革委、工业和信息化部印发《高耗能行业重点领域能效基准水平和标杆水平（2021 年版）》以及《高耗能行业重点领域升级改造实施指南（2022 年版）》对我们提出的具体要求，新项目能不能开工，标准已明确、条件已公开。

3. 高质量发展要求我们要突出“三个抓紧开工”

上面谈了“三个不开工”，那什么样的项目可以开工呢？经济要发展、社会要进步、人们的生活质量要改善，这就要求经济要增长、要有新的增量，也就是总书记在中央经济工作会议上重申的：坚持以经济建设为中心是党的基本路线的要求，全党都要聚精会神贯彻执行，大国博弈、化解风险、促进共同富裕都要靠发展。发展是解决我国一切问题的基础和关键，无论是稳就业保民生防风险，还是全面建设社会主义现代化国家，都需要一定的经济增速做支撑，经济工作是党治国理政的中心工作。这就要求我们要发展，更要求国民经济重要支柱产业的石化产业要高质量发展，我们要发展就要建设新项目，当前情况下什么样的石化项目能开工呢？在此谈“三个科学论证抓紧开工”：

一是烯烃及其补链强链项目科学论证抓紧开工。从近几年石化产品的市场需求来看，烯烃仍然是我国石化产品供应链的短板，也是制约我国化工新材料和精细化学品发展的瓶颈。尤其是乙烯，由于从乙烯出发可以衍生出一系列有机化学品、精细化学品以及合成材料及其复合材料，所以乙烯成为了石化产业一个重要的基本原料产品，乙烯的产能、产量也就成为了世界石化产业发展水平的衡量标准。从我国近几年的市场需求和消费看，丙烯自给率提升较快，尤其是近几年丙烷脱氢装置的陆续投产，2020 年丙烯的当量自给率接近 80%；而乙烯的当量自给率只有约 50%，还有近一半的当量需求靠进口满足。当前拟建和新上的乙烯装置规划的较多，在贯彻“未纳入国家产业规划布局的炼油和新建乙烯、对二甲苯、煤制烯烃项目，一律不得新建和改扩建”的总体部署和大前提下，有些烯烃项目还是应科学论证、加快核准、加快开工。第一是已有炼油装置的补链强链项目。炼化一体化、基地化、集群化是石化工业产业协同、增强竞争力的成功实践和发展趋势。我国过去在成品油短缺的年代，规划建成了一部分炼油装置只产成品油、不产乙烯，在过去每年都闹“油荒”的年代，确实是投资省、见效快，满足了市场急需。但今天我国成品油已现过剩态势，而产品链下游的乙烯及其衍生产品自给率始终很低。面对今天的这种新情况和新矛盾，我们在原有炼油装置的基础上充分用好石脑油及其副产的轻组分，建设乙烯装置是基础好、投资省、见效快的一种补链延链方式，这样的项目应当抓紧论证、抓紧开工。第二是以轻烃为原料增产乙烯的项目。一个因素是以轻烃为原料增产烯烃是当今世界主流，与传统工艺相比流程短、投资省、成本低。近年来北美和海湾地区新增乙烯主要是乙烷裂解工艺、新增丙烯主要是丙烷脱氢路线。在国内市场成品油已现平台期或过剩状态的情况下，对于规划建设以轻烃为原料增产烯烃的项目，既规避了成品油过剩的矛盾，又补了国内市场烯烃短缺的短板，应属鼓励范畴。另一个因素是有的专业化工园区，精细化学品、合成材料及其高性能复合材料产业基础好、管理水平高，企业效益也好，每年都需要通过外购大量乙烯等烯烃满足生产需求。如有的企业把原来在市中心的电石法聚氯乙烯厂搬迁到了规范认定的化工园区，在搬迁过程中淘汰了原来的能耗高、污染重的电石法工艺，升级为国际先进水平的乙烯氧氯化法。不仅消除了电石渣、汞催化剂等污染源，而且规模和效益已具备“双循环”格局的竞争力。每年几十万吨的乙烯单体全部依赖外购，像这样的现状是否可以考虑配套轻烃和该区域内适合做乙烯的原料集中延伸烯烃的项目呢？应值得商榷。

二是建在重点基地和园区的项目科学论证抓紧开工。“十三五”期间，国务院在沿海以石化产业链为重点布局了“七大石化基地”，在西北能源富集区域布局了“四大现代煤化工示范区”，到“十三五”末都已形成较好的基础。无论是产业集聚度、产业链协同效果，还是经济产出、管理水平等方面，都具备了基地化、园区化和规范化的良好基础。有的基地或园区已具备与世界一流石化基地比肩的水平。朗盛的CEO在2019年组织朗盛高层在上海化工区管委会办公楼召开了年度理事会，回到德国以后讲“我在中国看到了全球最好的化工园区”，这些高水平的基地和园区是石化产业高质量发展的基础、主战场和底气！这些基地和园区的新项目只要符合国家宏观布局、符合产业链补链强链，就应予加快论证、加快开工。譬如产业集聚度问题，按照国务院最新要求，“十四五”末炼油总规模要控制在10亿吨/年之内，据最新统计增量还有1亿吨/年左右的潜力。我们以“七大石化基地”为坐标测算：目前已形成炼油和已开工建设炼油装置的重点基地有7个，参照裕廊岛这个世界一流石化基地的面积、规模和产出，我们假设每个基地的炼油规模拟5000万～6000万吨/年（裕廊岛石化基地是6720万吨/年，安特卫普石化基地接近5000万吨/年，鹿特丹港石化基地5000万吨/年）。作为国家布局的“重点石化基地”，目标又是世界一流，如果没有这样的基础规模是难以支撑世界一流石化基地的！因为石化产业是通过化学反应产生新产品，但遵从的是物质守恒，没有上游的原料就不可能有下游的产品，没有这样的基本规模，世界一流石化基地就没有扎实的基础、就没有稳固的支撑。在这样的基础之上，每个重点石化基地的集聚度、产业规模及整体水平和竞争力都将进一步增强。若 7 个“重点基地”总的炼油规模约占全国总量的 35% ～ 40%，其占比的合理性，正体现了国家布局的重点基地的地位和重要作用！能不能基于这样的大原则，再把握产能置换的具体要求，依照“填平补齐”的操作思路，来掌握“重点石化基地”新项目的论证和审批，再通过 5 ～ 10 年的努力和不断创新，让“重点石化基地”名副其实，也让“重点石化基地”在国民经济高质量发展中发挥更加突出的作用！当然，重点石化基地和园区产业链协同很重要，“重点石化基地”尤其要注意做好“油头化尾”和“少油多化”的产品链设计，采用新的技术和工艺，成品油产出率控制在 30 % 左右，更多地产出烯烃、芳烃以及下游有机化学品、合成高分子材料，每个重点石化基地多生产国内市场需要的化学品和高性能材料，以替代每年的大量进口产品。

三是促进产业集群化发展的项目科学论证抓紧开工。培育现代产业集群是党的十九大作出的战略部署。在 20 多个省区市规范化园区认定的基础上，全国现有石化园区 616 家，其中产出 500 亿元以上的有 52 家，并有 69 家正在开展智慧化工园区试点示范和创建工作。石化园区的管理水平、产业集聚度和产业协同效应进一步增强，已形成一批以泰兴精细化工园区、常熟氟化工园区、上虞染料和新材料产业园、东岳氟硅材料产业园等主业突出、竞争力强的专业化工园区；也已形成以上海、南京、大亚湾、宁波等为代表的综合性园区。因此，《全国化工园区“十四五”发展规划指南》提出：突出 70 家重点基地和园区，组织实施产业提升创新工程、高质量发展示范工程等“5 项重点工程”，以现有炼化和化工装置为基础，突出补链强链、重点以产品链协同和延伸为着力点，控制新增炼油、支持原料多元化增产烯烃，鼓励补短板产品和下游产品的差异化、高端化，重点培育环渤海湾、杭州湾、海西湄洲湾、泛大亚湾“4 大世界级石化产业集群”和“能源金三角现代煤化工产业集群”。渤海湾区是以长兴岛、辽东湾、天津南港、黄骅沧州、山东滨海、东营、潍坊和烟台为重点的产业集群，杭州湾区是以上海、宁波（含舟山拓展区）和上虞 、嘉兴为重点的产业集群，海西湄洲湾是以古雷半岛、泉州、泉惠、莆田和福州江阴园区为重点的产业集群，泛大亚湾区是以惠州大亚湾、揭阳、茂湛、钦州、洋浦为重点的产业集群。能源金三角是主要以宁东、榆林、鄂尔多斯为重点的现代煤化工产业集群，从产业链、产品链、产业集群和石化产业发展的角度看，沿海石化产业集群和现代煤化工示范产业园的项目只要符合产业布局、产业政策的要求，尤其是延伸产业链、有利于形成集群化发展的化工新材料、专用化学品为主的“补短板”项目和符合总书记视察榆林时指示“现代煤化工高端化、差异化、低碳化”要求的项目，应当予以支持，在科学论证的前提下尽快开工。

以上是一个行业工作者的个人思考，只是由现象谈个人思虑，希望不是杞人忧天。新时代、新阶段，石化产业高质量发展的新课题对我们提出了新要求，我们应完整准确全面贯彻党中央决策部署和新发展理念，立足国情、面向未来，互启互鉴、开拓创新，务实推进石化产业高质量发展，并向着石化强国的目标扎实迈进!

工业稳增长　专家谈提纲 *

1. 请您介绍一下 2022 年以来石化工业的总体运行情况？呈现出怎样的特点和趋势？是否达到了预期目标，对于全年目标的实现有哪些影响？应该怎样正确看待一季度的石化工业发展情况？

总体运行情况：2022 年以来石化工业虽然受到新冠疫情多地散发的影响，但广大石化企业和干部职工克服许多困难、坚守岗位，在做好疫情防控的前提下，有序组织、尽最大努力保持生产稳定、供应链安全，一批重点行业、重点企业和重点园区，在保稳定、保增长方面主动作为，创造了一些可供借鉴的好做法和经验；行业总体运行做到了稳中有增、稳中有进，实现了开门红；尤其是石化联合会与氮肥协会、磷肥协会、钾肥分会、农药协会和众多化肥、农药企业共克时艰，配合国家发展改革委、工业和信息化部等有关部委全力保春耕、取得全面胜利，为全年粮食丰产丰收奠定了坚实的基础。

呈现出的特点，可以归纳为“三个超出预期”。第一个是“经济增速超出预期”：一季度石化全行业实现营业收入同比增长 24.2%，利润总额同比增长 29.1%，进出口总额增长 25.8%，这“三大经济指标”同步增速远高于 20% 以上，这确实超出了我们年初的预期。因为大家知道 2021 年石化行业这“三大经济指标”均创了历史新高，在这样高的基数之上、年初我们预判 2022 年稳增长的压力很大，所以 2022 年一季度经济指标增速都在 20% 以上超出我们的预期。第二个是重点产品产量增长和产能利用率超出预期：一季度原油产量同比增长 4.4%、天然气产量同比增长 6.6%，这是中国石油、中国石化、中国海油、延长集团等骨干石油、天然气公司，贯彻党中央能源安全部署、克服疫情影响、加大“油气增产计划”执行力度，取得的不易成绩；一季度石油、天然气开采业的产能利用率达 92.4%、同比提高了 2.4 个点，主要化学品产量同比增长 2.3%，产能利用率 77.9%、同比提升 1 个点、高于全国工业 2.1 个点，主

* 这是 2022 年一季度过后，傅向升同志就全年经济预判接受访谈的谈话内容。

要石化产品产量的稳定增长是全行业营业收入和利润增长超出预期的坚实基础。第三个是国际贸易和投资增速都超出预期：一季度石化行业进出口总额及进口额和出口额同步大幅增长 20% 以上，进出口总额同比增长 25.8%、出口额同比增长 23.7%、进口额同比增长 26.9%，可见，全球经济深受疫情肆虐的情况下，中国作为全球重要供应链和世界经济恢复的火车头和压舱石作用再次得到证明。一季度石化行业投资，无论是上游油气勘探开采还是下游化学品制造都超出预期，上游石油、天然气勘探开采的投资增速 11.3%、比 2021 年全年加快 7.1 个点，下游的化学品制造投资增速 16%、比 2021 年全年加快 0.3 个点。上游投资力度加大说明中国石油、中国石化、中国海油等骨干能源公司在保障国家能源安全上重后劲儿、舍得花本钱，下游投资力度加大说明国内一批促进石化产业转型升级的重点项目和重点石化基地、化工园区的建设在加速。

根据以上谈到的国家统计局和海关总署的数据可以看出：一季度石化行业经济运行不是是否达到了预期目标，而是超出了年初的预期，一季度的开门红为全年稳中求进总体目标的实现奠定了较好的基础！

2. 结合一季度的运行数据分析，请您谈谈我国石化化工工业面临怎样的挑战和机遇？机遇有哪些？挑战又有哪些？面向第二季度及展望全年，我国石化工业应从哪些方面发力，积极应对挑战并抓住有利机遇，实现稳中向好发展？

上面谈了 2022 年一季度石化行业经济运行的数据超出年初的预期和几个明显的特点，实际上一季度行业经济运行过程中也有不少不尽人意的地方，透过一季度、面向第二季度以及展望全年，确实既存在着比较严峻的挑战，也存在着许多新的机遇。先谈“三点挑战”：第一点是“疫情散发何时结束”。国外、尤其是欧美防控的败笔有目共睹，在此不占时间。中国是疫情防控全球最成功的，可春节后这波疫情的散发持续三四个月了，“五一”假期后北京又多区散发。这波疫情对物流运输的影响、对产品链供应链的影响，各省各地、各化工园区和石化企业都身在其中，原料不能进厂、供应紧张，产品运不出去、库存积压，大型企业集团时间稍长一点可以统筹调度，但是众多中小石化企业供应链、产品链、资金链所面临的挑战更加严峻。很多企业建议：在坚持“动态清零”不动摇的前提下，应避免简单“一刀切”防控和过度防控，尽快探索一套防疫生产协调有序、代价最小的科学之法。第二点是“市场需求不足和下行压力加大”。一个表现是国内多地多点疫情散发时间长了，一头是供应链出现问题，另一头是产品运不出去、库存涨库以及资金链出现问题，都会造成企业难以稳定运行。时间长了难免有些企业就要减产、甚至停产，直接后果就是市场需求下降。另一个表现是国外生产恢复后，我们人工缺乏以及一柜难求、一船难求的状况得不到及时改善，国外厂家另寻供货方，难免对我们海外市场也会造成冲击、外贸受影响，希望这不是“杞人忧天”。第三点是“产品价格的大幅波动”。2021 年布伦特原油价格上涨 69.4%，年初预判 2022 年的油价比去年上涨 10% 左右或与 2021 年持平，可 2 月底以来乌克兰危机把油价直接推升了约 50%，3 月份布伦特原油均价 118.8 美元 / 桶、同比上涨 83%，油价的上涨直接影响着其他大宗原材料、粮食及有色金属的价格大幅上涨，不仅国内炼油企业的效益大幅下滑，而且直接影响到下游精细化学品、合成材料、橡胶制品等利润空间大幅收缩。据最新跟踪数据: 4 月份近 65% 的石化产品价格环比下降，上游原材料价格在上涨、下游终端产品的价格环比在下降，我们的担心也随着市场的价格在跳动。

当然，国民经济长期向好、工业经济平稳发展的总态势没有改变，国家出台了很多稳增长的政策措施，因此石化产业 2022 年也有许多新的机遇。一是油气保供的新机遇。2022 年以来的形势、尤其是地域政治冲突，石油、天然气等价格大幅上涨，我国石油和天然气进口量多年来一直是世界第一，能源安全的形势越来越严峻，因此石油、天然气保供既对石化行业提出了新的要求、也为石化产业提供了新的发展机遇。二是化肥需求量全球上涨的新机遇。受疫情的影响，2021 年四季度以来全球化肥供应趋紧、价格高企，2022 年又面临粮食缺口增加的新问题。全球化肥供需紧张状况可能进一步加剧，价格将持续坚挺。我国氮肥磷肥都是世界生产大国，肥料产业将迎来新的机遇。三是现代煤化工的发展新机遇。我国“多煤缺油少气”的资源禀赋，促进我国开展现代煤化工产业的创新与示范，已形成独具中国特色、技术水平世界领先的示范基地和产业化装置。在 2022 年石油、天然气价格高涨的挑战面前，具备技术成熟、产品高端、绿色低碳的现代煤化工产品，尤其是为国家能源安全发挥重要保障作用的现代煤化工产品迎来新的机遇。四是化工新材料补短板的新机遇。我国石化产业“低端过剩，高端短缺”的结构性矛盾仍然突出，尤其是为高端制造业、电子信息、新能源等战略性新兴产业配套的化工新材料、高性能纤维和高端膜材料、电子化学品等高端领域，还存在一些短板或“卡点”“堵点”，疫情的影响以及国际环境的复杂多变，更加剧了受制于人的痛楚，因此化工新材料补短板的迫切性为石化产业的转型升级提供了许多新机遇。

石化联合会为应对挑战、抓住新机遇，贯彻落实中央稳增长的总体部署，逐项研究2022年科技创新的重点项目、2022年建成投产或开工的重点石化项目以及产业链协同好、投资集中度高、发展质量和管理水平高的重点石化园区、国际合作及“一带一路”和RCEP新机遇等，重点研究创新、重点建设项目、重点园区和国际合作对今年稳增长的促进和保障作用。

3. 稳定工业增长是当前一项重要的工作，确保工业经济平稳运行和提质升级，将为稳定宏观经济大盘、保持经济运行在合理区间发挥压舱石作用。石化工业是我国重要的基础原材料工业，在工业经济运行中发挥着重要作用。请您谈谈在当前形势下，石化行业应采取哪些措施保持产业链供应链安全稳定？在促进工业经济的平稳增长中应发挥怎样的作用？

在当前形势面前，作为国民经济重要基础原材料工业、也是重要支柱产业的石化产业，首先是贯彻好党中央“稳字当头、稳中求进”的总基调，全面准确完整地理解并把握新发展理念，扭住高质量发展的主题不动摇，以培育现代石化产业集群为目标，深入实施创新驱动和绿色可持续发展战略，加快智能化和数字化转型，加快重大项目和重点工程的开工和建设。具体措施体现在“加大三个力度”。一是加大传统产业转型升级力度。我国石化产业的产品结构以大宗基础化学品和基础材料为主，这又是国民经济建设的重要配套产品和材料，也是“加强初级产品保障能力”的重要组成部分。加大传统产业转型升级力度是石化产业增强配套能力、迈向高端化的重要举措，重点是加快传统产业和重点石化企业的智能化和数字化转型，深入推进“智能工厂”和“智慧化工园区”的建设和试点示范，加快产品的精细化、高端化，提升管理和本质安全水平。二是加大攻克关键核心技术和补短板的力度。瞄准重大共性技术、关键核心技术以及少数“卡脖子”技术，组织行业创新力量集中攻关，尤其是瞄准国内短缺的化工新材料及其复合材料、高性能纤维材料、高端膜材料以及电子化学品等高端材料和精细化学品、功能化学品组织技术攻关，攻克我国高端制造业、战略性新兴产业以及航空航天、国防军工等重要领域的瓶颈制约，畅通供应链的“卡点”和“堵点”，保障关系我国国家战略的产业链和供应链安全稳定。三是加大培育“专精特新”石化“小巨人”企业力度。中小石化企业是石化行业和国民经济的重要构成，与大型骨干企业互为补充，尤其在产业链上是高度协同、利益共赢的上下游关系，德国的企业组织结构为我们提供了有益的借鉴。石化联合会研究制定了《石油和化工专精特新中小企业三年培育计划》，我们希望成为工业和信息化部重点培育专精特新“小巨人”企业的重要基础和补充，通过重点培育“小巨人”企业做强做优，打造一批专业化、精细化、高端化和差异化的分工协作、优势互补、市场竞争力强的石化企业群体，奠定石化强国的坚实基础。

当然，石化行业和石化企业做好自己的工作很重要，符合国家的产业布局、产业政策，得到国家政策层面的支持也很重要，我们希望按照中央经济工作会议“新增可再生能源和原料用能，不计入能耗总量”的要求，尽快出台具体的考核措施。中央经济工作会议闭幕 5 个多月了，石化企业都在期盼这呼吁了多年的、科学的精神和要求尽快落地，为促进石化产业高质量发展科学界定新的空间。以石油、天然气为主业的能源公司也希望，国家能加大油气勘探开采的支持力度，加大支持老油气田增产新技术的创新、加大页岩气等非常规油气田的开采新技术创新以及传统能源向新能源转型等方面的支持力度，面对地域政治冲突风险加大的情况下，增强国家能源安全的保障能力。化肥农药等农化产品生产企业，对煤炭长协保供、电价运价优惠、能耗科学考核、淡季适量出口等方面也寄予厚望，为保供稳价和农业急需做好坚强后盾。通过一季度运行数据的分析，我们石化行业对完成全年任务目标还是充满信心的。以上石化产业稳增长和保障产业链供应链安全的一些工作思考和工作建议，仅供交流和当前形势下参考。

稳中求进超出预期
防范风险再创佳绩 *

一、石化行业上半年经济运行的基本情况和特点

综观全球，2022 年上半年世界政治经济环境更趋复杂。横向观察：北美地区冷战思维回潮，霸权主义与逆全球化趋势相互交织，军事威慑行为频发，导致美国通胀压力持续高企、经济衰退风险加剧；欧洲方面，英国首相更迭、法国总统连任，北约东扩进程受阻后转向北扩战略，特别是乌克兰危机突发，造成欧盟能源供应体系承压、经济循环受阻。当前虽社会不满情绪有所上升，但各国政局总体保持稳定。若入冬后能源紧张态势未能有效缓解、价格持续攀升，欧盟局势或将面临更多变数。纵向观察：俄罗斯在乌克兰危机中持续面临战略困境，印度则通过务实外交实现经济稳步发展。周边地区方面，东北亚与澳大利亚周边局势的复杂性日益凸显，韩国与澳大利亚完成领导人更替，日本前首相遇袭事件引发关注，地区安全不确定性有所增加，斯里兰卡国内局势持续动荡。当前面临的主要挑战包括：伊朗核问题谈判进展缓慢，OPEC+ 成员国在石油增产问题上存在分歧，新冠病毒又出现新的变异毒株。这种世界局势的复杂演变，叠加突发的超出预期的地缘政治冲突，致使世界经济的不确定性和下行压力陡增。

国内经济虽然受到疫情多地散发、大宗原材料价格大幅上涨、物流不畅等超预期因素的影响，但中国政府有效统筹疫情防控和经济社会发展，有效应对各种风险挑战，积极化解困难、疏解瓶颈和堵点，在 4 月份主要经济指标深度下跌的极其艰难情况下，实现了 5 月份跌幅收窄、6 月份企稳回升的不易局面，上半年经济总量 56.3 万亿元、同比增长 2.5%，交出了一份来之不易的成绩单。

---

* 这是 2022 年 8 月 10 日，傅向升同志在 2022 全国石油和化工行业经济形势分析会的报告。

中国石化行业和广大企业上半年全力贯彻落实党中央、国务院的部署，全面贯彻新发展理念，高效统筹疫情防控和稳生产、稳供应、稳增长，按照“十四五”规划确定的发展思路和重点任务，加大创新驱动和绿色可持续发展战略的实施，加快推进产业转型升级，集中力量加快重点项目和重点基地的建设和投产。上半年，石化行业经济运行大大超出了年初的预期，全行业规模以上（简称“规上”）企业实现营业收入 8.13 万亿元、同比增长 20.9%，实现利润总额 7521.2 亿元、同比增长 24.0%；全行业进出口总额 5157.2 亿美元、同比增长 28.6%。具体分析上半年经济运行有 6 个鲜明的特点：

1. 上半年的成绩单大大超出年初的预期

因为 2021 年石化全行业的营业收入（14.45 万亿元）、利润总额（1.16 万亿元）、进出口总额（8600 亿美元）都创了历史新纪录。年初在研究 2022 年“稳字当头、稳中求进”总目标时，我们认为 2022 年稳增长的压力很大。一是 2021 年主要经济指标都是历史新高，如此高的基数之上再增长，难度系数大；二是 2021 年主要经济指标创历史新高的一个重要因素是产品价格高位运行，今年的产品价格难以继续不正常的高位，回调的概率很高；三是随着疫情的好转，国际市场的供需将逐步恢复正常化，出口不会继续大幅增长。基于以上三点，我们谨慎地认为，2022 年的主要经济指标与 2021 年持平就是保住了历史新高，就是做到了稳字当头！而上半年实际交出的成绩单：营业收入增长 20.9%、利润总额增长 24.0%、进出口总额增长 28.6%，这都大大超出了年初的预期！当然主要因素还是产品价格保持了高位，尤其是 2 月下旬俄乌冲突发生以来原油、天然气、煤炭等大宗原材料价格始终高位运行，支撑了石化产品价格的坚挺。通过 7 月 20 日召开的中国石油、中国石化、中国海油、中化和延长石油五大骨干企业座谈会和氮肥、磷肥、农药、氯碱、纯碱、橡胶、涂料、染料 8 家专业协会上半年经济运行分析座谈会，以及近期到南京江北新材料产业园、常州滨江开发区、宁东能源化工基地、平顶山尼龙城调研和召开部分企业座谈会，还有宁波化工区、大亚湾石化区、常熟新材料产业园等部分基地和园区了解的情况，明确行业上半年取得了超出预期的好成绩，中国石油、中国海油、常熟新材料产业园上半年的业绩更加突出。

2. 规上企业的数量大幅增加

截至 6 月底，石化全行业规上企业的数量为 28500 家，与上年同期的 26677 家相比增加 1823 家；2021 年年底规上企业的数量为 26947 家，比 2020

年底的26039家增加908家，2021年是规上企业数量连续5年减少的情况下首次由负转正。2022年上半年与2021年同期比，规上企业的数量增幅更大。我们认为，与“十三五”以来全行业加大淘汰落后产能、关停技术水平不高、排放不达标、竞争力不强的企业或装置有一定的关系，也就是说石化全行业和广大石化企业贯彻落实国务院《关于石化产业调结构促转型增效益的指导意见》取得了明显的成效，石化行业的高质量发展以及装置的规模化、大型化和集聚度进一步提升。当然，我们认为还有一个因素是这两年骨干企业的发展和作用日益凸现的同时，也有一批中小企业的创新能力、管理水平、发展水平和发展质量都在不断提高，又叠加价格高企、营业额增加，随着规模的提升跨入规模以上企业序列。

3. 主要石化产品的产量保持增长

上半年，全国原油产量增长4.0%，天然气产量增长4.9%，成品油产量增长1.7%（其中汽油增长0.2%、柴油增长15.6%），石脑油产量增长11.5%，乙烯产量增长1.4%，纯苯产量增长13.7%，甲醇产量增长0.9%，合成树脂产量增长1.0%（其中聚乙烯增长9.9%、聚苯乙烯增长5.7%、ABS树脂增长3.1%），化肥总产量增长3.3%（其中氮肥增长2.6%、磷肥增长2.9%、钾肥增长9.4%）。尤其是原油、天然气、化肥产量的稳定增长为保障我国的能源安全和夏粮的增产丰收作出了重要贡献。这要感谢中国石油、中国石化、中国海油、中化、延长石油以及氮肥协会、磷肥协会、农药协会、钾肥分会和众多化肥、农药等农化产品生产企业的共同努力和所做的奉献!

4. 石化产业作为支柱产业的重要性日益凸显

上半年，石化行业营业收入8.13万亿元，占全国规上工业总收入的12.4%，比上年同期（11.4%）提高1.0个百分点；利润总额7521.2万亿元，占全国规上工业利润总额的17.6%，比上年同期（14.5%）提高3.1个百分点；进出口总额5157.2亿美元，占全国进出口总额的16.7%，比上年同期（14.4%）提高2.3个百分点。由这组数据看出石化行业占全国工业总量的比例都有较大提升，一是说明石化行业作为国民经济重要支柱产业的地位日益凸现，稳经济、稳增长、稳就业的作用更加突出；二是说明石化行业2022年上半年的主要经济指标好于其他工业领域。

5. 三大板块的占比在发生变化

从石化行业内部细分业务来看，三大板块的效益情况及其占比都在发生着变化。油气板块，营业收入同比增长 42.5%，占行业总收入的 8.8%；利润总额同比增长 126.3%，占行业总利润的 28.9%；营业收入利润率 30.3%。炼油板块，营业收入同比增长 20.2%，占行业总收入的 30.6%；利润总额同比下降 25.3%，占行业总利润的 11.9%；营业收入利润率 3.6%。化工板块，营业收入同比增长 19%，占行业总收入的 58.8%；利润同比增长 14.1%，占行业总利润的 58.3%；营业收入利润率 9.17%。

再与上年同期作一比较变化更加明显。油气板块，2021 年上半年营业收入占行业总量 7.4%、2022 年 8.8%，利润占行业总量 15.7%、2022 年 28.9%，营业收入利润率 19.32%、2022 年 30.3%；炼油板块，2021 年上半年营业收入占行业总量 31%、2022 年 30.6%，利润占行业总量 20.2%、2022 年 11.9%，营业收入利润率 5.92%、2022 年 3.6%；化工板块，2021 年上半年营业收入占行业总量 59.6%、2022 年 58.8%，利润占行业总量 63%、2022 年 58.3%，营业收入利润率 9.61%、2022 年 9.17%。

分业务板块这组数据告诉我们，上半年的原油价格高位，推动油气板块效益增幅加大，营业收入和利润的行业总量占比都是上升的，而炼油和化工两个板块的占比都是下降的，尤其是对炼油板块影响更加严重（利润同比下降 25.3%）；高油价进一步传导到更下游的化工板块时，化学品价格也处于相对高位，影响要小一些。这也再次告诉我们，延伸产业链，产品结构向着精细化、高端化、功能化发展的方向，是转型升级的正确选择。

6. 外贸进出口均呈现量减价增

上半年，石化行业进出口总额 5157.2 亿美元、同比增长 28.6%，其中出口额 1716.4 亿美元、同比增长 24.6%，进口额 3440.8 亿美元、同比增长 30.7%，上半年贸易逆差 1724.5 亿美元、同比大增 37.4%。出口方面，变化最明显的是成品油和化肥，为了国内市场保供稳价，上半年成品油和化肥出口是量价齐减，成品油出口量同比减少 54.7%、出口额同比减少 15.3%，化肥出口量同比减少 42.5%、出口额同比减少 16.0%。进口方面，量减价增更加明显，变化比较大的是：上半年原油进口量减少 3.1%、而进口额却大幅上升 57.0%，天然气进口量同比减少 10.7%、进口额同比增长 50.4%；还有钾肥进口量同比减少 11%、进口额同比增长 80.3%，化学矿进口量同比减少 6.7%、进口额同比增长 99.1%，可见价格因素对进出口额的影响明显。

二、下半年石化行业经济运行面临的挑战

上半年石化行业主要经济指标远超年初的预期，有了上半年的成绩单，对全年稳中求进的总目标倒是有了几分底气和信心。但是，我们还要看到进入 5 月份以来，石化行业的经济运行、主要石化产品的价格、市场需求等都在发生着新的变化，我们应当透过这些新的变化，预判下半年国际国内的新形势和将会遇到哪些新的挑战？当前看主要有“两大不确定性”“两个压力加大”“两个政策性因素”。

1. 两大不确定性，即疫情的持续和俄乌冲突

一是疫情的持续影响。新冠病毒又出现了新的变异毒株，疫情在欧美等发达经济体又出现新一轮暴发，目前全球累计新冠病毒感染人数已超过 5.7 亿，累计死亡人数超 639 万，全球的疫情肆虐还在持续。中国统筹疫情防控与经济发展是最成功的。但是，2022 年 3 月份以来疫情陆续在深圳、上海、吉林、北京等地散发，对物流运输、产品链供应链造成影响，很多省市、园区和石化企业都身在其中，原料不能进厂造成供应紧张，产品运不出去造成库存积压，时间短企业生产还可以周转，而时间长了生产企业将难以承受，尤其是石化产品的特殊性、要求生产的连续稳定，又增加了安全风险。大型企业集团时间稍长一点可以统筹调度，但是众多中小石化企业供应链、产品链、资金链所面临的挑战更加严峻。从国家统计局公布的经济数据看，4 月份影响最严重、5 月份明显好转、6 月份继续向好，但 7 月份以来安徽、无锡、连云港等地疫情散发的情况告诉我们，疫情的不确定性一直是存在的，我们必须统筹好疫情防控和经济发展之间的关系。

二是俄乌冲突的影响。2 月底突发俄乌冲突，当时很多人预测会是一场短暂的、局部的、速战速决的小规模冲突，3 月底将协议停战，可是到今天整整 5 个半月了，不仅俄乌冲突还在胶着中，还牵动了欧美。同时，俄乌冲突还对全球经济造成了严重冲击和影响。因为俄罗斯和乌克兰都是全球重要的大宗商品资源国，俄罗斯石油、天然气出口量占全球的约 25%，乌克兰的粮食出口占全球的 1/3，俄罗斯和白俄罗斯还是钾肥出口的主要国家，俄罗斯的镍、钯出口占比高于 40%，乌克兰是全球稀有气体的主要供应国，提供了全球 70% 的氖气、40% 的氪气和氙气。

2 月底以来原油、天然气、粮食、化肥、有色金属等价格都大幅上涨。俄

乌冲突对欧洲的影响很严重，欧洲跟着美国制裁俄罗斯就像朝自己的胸口开枪，不仅导致欧元与美元 20 年来汇率首次平价，而且导致欧洲能源危机愈演愈烈。美国制裁俄罗斯不仅可以多出口石油、天然气，而且可以从高价中获利。而欧洲 30% 的石油、33% 的天然气、50% 的煤炭都依赖俄罗斯进口，有的国家比例甚至更高，如德国 55% 的天然气和 1/3 的石油从俄罗斯进口。在欧洲，40% 的天然气是作为化学品生产的原料，巴斯夫路德维希港的化工基地，所使用的天然气中 60% 作为能源使用，也就是生产蒸汽和发电，而 40% 的天然气是生产基础化学品的原料。在中国，生产合成氨和甲醇的合成气以及石化产品加氢用的氢气，主要是以煤为原料，即煤制合成气和煤制氢，而欧洲及德国等发达地区和国家的合成气和氢气主要是以天然气为原料。所以巴斯夫已多次警告，如果天然气供应量减少一半，其全球最大的生产基地路德维希港的生产只能停产。北溪 -1 号维修恢复供气后，又有一台涡轮机需要维修停运，北溪 -1 号输气管线的输气量目前只有设计量的 20%。如果巴斯夫路德维希港的化工装置真的停产了，全球将会有多少重要的化工产品和化学材料将断供？各位可不能忽视俄乌冲突对全球化工产品链和供应链带来的影响和断供风险。

2. 两个压力加大，即经济下行压力和产品价格波动的压力

一是经济下行压力加大。2022 年尤其是下半年经济下行压力持续加大，多家国际机构连续几次下调 2022 年世界经济增速的预测值。国际货币基金组织 7 月 26 日的最新一期《世界经济展望报告》中，再次下调 2022 年全球经济的增速，将 2022 年全球经济增速下调为 3.2%，这不仅远低于去年 6.1% 的增速，而且是在 4 月份较年初的预期下调 0.8 个点后，再次下调了 0.4 个点。调降的主要原因是疫情影响、全球通胀、俄乌冲突。这次又同时下调了美国、欧元区等主要经济体 2022 年的增速，美国下调为 2.3%、比上次下调 1.4 个点，欧元区下调为 2.6%、比上次下调 0.2 个点（其中德国下调为 1.2%、法国下调为 2.3%、意大利下调为 3%、西班牙下调为 4%），英国下调为 3.2%，日本下调为 1.7%，也将中国 2022 年的增速下调为 3.3%，俄罗斯将下滑 6%，巴西增速为 1.7%、南非增速为 2.3%。联合国 6 月底也发布了最新的《2022 年中世界经济形势与展望》，预计 2022 年全球经济增速只有 3.1%，比 2022 年 1 月份的预测值下调了 0.9 个点，并警告说，因受疫情影响正在恢复的全球经济可能到了一场危机的边缘，主要因素是疫情扰乱了全球供应链、通胀高企、叠加俄乌冲突；特别提醒俄乌冲突对欧洲经济体影响巨大，能源价格的急剧上涨对欧盟造成严重冲击，欧洲经济已经“实际停滞”。世界银行、欧洲中央银行、美联储、高盛等都相继对 2022 年全球经济表示担忧。中国经济年初定的预期目标是 5.5%，上半年的增速是 2.5%，若确保全年 5.5% 的目标，下半年的增速须在 6.8% 左右，可见今年中国经济增速的压力之大。中央政治局 7 月 28 日会议强调，巩固经济回升向好趋势，保持经济运行在合理区间，力争实现最好结果。

二是产品价格波动的压力加大。2021 年大宗原材料和主要石化产品的价格大幅上涨，个别产品的价格更是高得离谱，2021 年 12 月和 2022 年一二月份部分产品价格稍有回调。2 月底突发俄乌冲突，把油价直接推升了约 50%，3 月上旬布伦特原油价格曾短暂突破 139 美元 / 桶，之后布伦特原油价格一直在 110 美元 / 桶以上，上半年布伦特原油均价 107.6 美元 / 桶、同比上涨 66%，最近一直在 100 美元 / 桶以下波动；油价的波动直接影响着其他大宗原材料、基础化学品和粮食等价格震荡。进入 5 月份以来，原油及其主要石化产品的价格开始下跌，6 月份价格下跌更加明显。据统计，6 月份价格环比、同比双下跌的多、上涨的少，双下跌的产品就有：电石、金红石型钛白粉、甲醛、二氯甲烷和二氯乙烷、丁辛醇、乙二醇、间苯二酚、环氧丙烷、双酚 A、醋酸和醋酐、醋酸酯、三聚氰胺、丙烯酸甲酯和丁酯、邻苯二甲酸二丁酯和二辛酯、有机硅单体、聚氯乙烯 5 型树脂、ABS 树脂、环氧树脂、纯 MDI、聚碳酸酯、尼龙 66 等；波动大的有 1，4- 丁二醇、双酚 A、有机硅单体、环氧树脂、纯 MDI、聚碳酸酯以及新能源电池用材料金属锂、电池级碳酸锂、电池级氢氧化锂、磷酸铁锂、磷酸铁、六氟磷酸锂和电解液等。可见，下半年原油及主要石化产品价格波动的压力将加大。

3. 两个政策性因素，即能耗控制和出口政策

一是能耗“双控”政策。首先，笼统地将石化产业列为“两高”是不科学的。我们参加很多座谈或到多地调研，很多企业都在反映一个共同的问题，石化产业被笼统地列为“两高”受到各种限制。要从重要性和现状来看，石化产业首先是国民经济的重要支柱产业，收入占规上工业总量的 12.4%、利润占规上工业总量的 17.6%，不仅农业增产丰收、人们衣食住行离不开石化产品，疫情防控、病患救治离不开石化材料和产品，高端制造业、战略性新兴产业和航空航天、国防军工更离不开高性能化工新材料及其复合材料，离不开高性能密封材料和特种耐高低温材料。当然，当前石化产品的生产主要以石油、天然气和煤炭为原料，以化石资源为原料，其二氧化碳和废弃物排放量自然就高于第三产

业，而今天世界的石化产业、美欧日等发达国家和地区的石化产业都是如此。

正因为美国、日本及欧洲的一些国家等是石化强国才奠定了他们经济强国、制造业强国，甚至军事强国的坚实基础和强力支撑。众多企业强烈呼吁：不能笼统地将石化产业列为“两高”，这不仅不科学，而且会直接影响到我国强国目标的实现。如果将电石、烧碱、纯碱、硫酸、合成氨、甲醇、电石法聚氯乙烯等这类产品列为“两高”，我们赞同；但是，把化工新材料、精细化学品、电子化学品、高端膜和高性能纤维材料等也列入“两高”是不科学的，甚至是错误的。

其次，能效评审时间长严重影响着新项目的开工与进度。我们在调研中内外资企业都有诉求，能效评审时间长影响的不仅仅是项目的开工，耽误的是工期，错过的是机遇。有的企业建设项目因能耗指标停建 8 个月，本来是 2021 年投产的项目延期到 2022 年 9 月，投产之时即错过了产品价格的黄金时期；一家跨国公司诉求，他们拟利用现有厂区、增资 3.1 亿元扩建产能，但这一为电子行业配套的高纯气体被视为“两高”项目，无法获得能耗指标；另一个项目是增资 1.6 亿元建设为半导体配套的高纯度液氮，同样被视作“两高”项目，能耗指标无法获得，致使项目自 2021 年 11 月份被要求停工，至 2022 年 7 月 14 日座谈会时尚在无望的等待中。能耗控制、节能降碳的工作我们坚决支持！但我们一定要真正地、完整准确全面地贯彻新的发展理念，真正地完整准确全面地贯彻党中央、国务院的部署和要求，要切实把党中央、国务院“不能层层加码、不能一刀切、不能运动式”的要求落到实处，应科学监管与决策；要切实把国家发展改革委等有关部委已经印发的《高耗能行业重点领域能效标杆水平和基准水平（2021 年版）》的明确要求落到实处，在新项目的能耗控制和能效评审中科学执行；要切实把中央经济工作会议“新增可再生能源和原料用能不计入能耗总量”的新精神和科学要求落到实处，在新项目的能耗控制和能效评审中尽快落地。

二是出口政策。有些出口政策已经约束了现有产能的充分发挥，矛盾突出的是成品油和化肥的出口。关于成品油出口政策，一方面，我国炼油产能相对于国内成品油市场是过剩的，而国内化工新材料和有机化学品每年都有大量进口，所以我国石化产业是一个结构性过剩的状态。近年来，我国成品油的生产、消费与出口情况是：2018 年产量 3.6 亿吨、消费量 3.19 亿吨、出口 4608.1 万吨，2019 年产量 3.6 亿吨、消费量 3.1 亿吨、出口 5537.6 万吨，2020 年产量 3.3 亿吨、消费量 2.9 亿吨、出口 4574.3 万吨，2021 年产量 3.57 亿吨、消费量 3.19 亿吨、出口 4033.2 万吨。2022 年上半年成品油产量 1.77 亿吨、消费量 1.66 亿吨、出口 1190.7 万吨，出口量同比下降 54.7%，与往年相比下降幅度更大。如此一来大量已建成的炼油产能不能充分发挥效能，2022 年上半年炼油装置的产能利用率只有 71%，与世界 90% 的平均水平差距进一步拉大。从上到下都在强调“稳增长、保增长”，已建成的生产装置产能充分释放、效能充分发挥是最直接、最有效的稳增长，已建成的生产装置限产是最大的资金浪费和资源浪费。

另一方面，国际市场因受疫情和突发地缘政治冲突的影响，成品油价格居高不下。美国、印度等国家的炼油装置是开足了马力、到国际市场上赚取外汇，而我们却要控制出口、把高价的国际市场拱手让与别人，造成国内现成的产能大量闲置，而且完美错过缩小大量逆差的大好时机，很多企业家不理解，很多经济学家也不理解。企业呼吁，在确保合理库存、确保国内市场供应的前提下，应该支持技术水平高、能效水平高和排放低的先进装置和优质产能开足马力、到国际市场获得利润，不仅改善企业运营质量，而且是最有效的稳增长!

关于化肥出口政策，2022 年上半年的化肥出口因为执行新的“法检”政策，出口量也是大幅下降。在国际市场化肥价格居高不下时，上半年尿素只出口 33.3 万吨（折纯）、同比下降 70.1%，磷酸一铵实物量出口 87.6 万吨、同比下降 53.8%，磷酸二铵实物量出口 129.8 万吨、同比下降 59.7%。上半年，磷酸一铵出口均价 805.1 美元 / 吨、同比上涨 74.4%，磷酸二铵出口均价 771.8 美元 / 吨、同比上涨 56%。为了保春耕用肥，广大化肥企业克服原料煤涨价、电价上调、物流不畅等各种困难，开足马力，甚至牺牲国际市场高价的利润，全力以赴保春耕、做好国内保供稳价，为今年夏粮增产丰收作出了重要贡献。可是企业希望，在国内用肥淡季应该允许企业在合理库存、确保国内供应的前提下，技术先进、单耗低、排放低、能效高的企业和装置做一些淡季出口，不仅充分释放企业生产装置的产能，减少库存、资金占用，改善企业运营质量和企业效益，而且也是为工业经济和国民经济稳增长作贡献。

以上分析了石化行业经济运行将面临的主要挑战，可见下半年不确定性因素和国际环境更趋复杂，石化行业下半年的下行压力将更大。但是下半年也有许多新的机遇，我们把挑战和困难考虑得更严峻一些、分析得更透彻一些，为的是未雨绸缪、准备得更充分一些。我国下半年宏观经济增长将好于上半年是可以肯定的，疫情精准防控的经验也日益丰富，宏观政策着力扩大内需积极作为，产业链供应链稳定性将进一步提高，经济回升向好的态势将进一步巩固。我国经济韧性强、潜力大、活力足，长期向好的基本面没有变、也不会变，这都是我们做好下半年经济工作的底气和信心所在。

三、下半年稳字当头再创新佳绩

时间已经过半，有了上半年的成绩单在手，确实对实现全年任务目标多了一份信心。但面对疫情还在持续、俄乌冲突还在胶着、下游成本持续增加、市场萎缩难以提振等一系列新挑战和新矛盾，我们预判石化行业下半年主要经济指标的增速可能会低于上半年，但实现全年稳中求进的总目标是有底数的，对全年再创新佳绩是有底气的。做好下半年经济运行稳字当头、稳中求进，就要求我们以习近平新时代中国特色社会主义思想为指导，准确理解和把握中央政治局对经济形势的科学预判和下半年经济工作的总体部署，全面贯彻新发展理念，全力做到“疫情要防住，经济要稳住，发展要安全”，继续深入实施创新驱动和绿色可持续发展战略，继续深入推进转型升级和产业结构、布局结构、产品结构的调整与优化，加大世界一流企业和世界一流石化园区的培育力度，加大国际视野企业家队伍和高素质创新人才队伍培育力度，突出重点，抓主要矛盾，向着石化强国的目标扎实迈进。面对新的形势和新的挑战，下半年稳字当头须重点在“五防”上下功夫：

1. 防供应保障不力

中央政治局再次强调，要强化粮食安全保障，提升能源资源供应保障能力。新冠疫情发生以来，保供应链安全成为全球和企业更加关注的重点，去年的“一船难求”“一柜难求”更加剧了对供应链安全的担忧。今年突发的俄乌冲突，全球粮食供应以及化肥、有色金属和特种气体供应都受到影响；尤其是欧洲跟着美国一起制裁俄罗斯，使欧洲更是深受原油供应紧张、天然气短缺之苦，因为供应链、尤其是全球供应链建立之后，不仅再重构的过程是复杂的、且重构的时间还很长。俄乌冲突发生以后，欧洲是在千方百计地寻找俄罗斯能源替代方案的前提下，最后才将能源列入制裁清单达成一致，即使这样，估计真正摆脱对俄罗斯石油、天然气的依赖也是两年以后的事了，即将来临的这个冬天欧洲将是十分寒冷的。

中国供应链的安全尤为重要，一个是能源安全，因为中国还是最大的发展中国家，在相当长的时期内发展是第一要务，而能源是经济发展的重要基础，能源安全具体到我们行业就是原油、天然气、成品油的供应安全；另一个是农业安全，因为中国目前仍是全球第一人口大国，老百姓的饭碗能不能端稳、端牢是头等大事，农业安全具体到我们行业就是化肥、农药等农用化学品的供应安全，直接关系到农业的丰产丰收和“菜篮子工程”。2022 年上半年，中国石油、中国石化、中国海油、延长石油等能源化工公司共同努力，在全力保老油田、老气田稳产的基础上，加大陆上和海上石油、天然气的勘探开采力度，储量和产量都不断增加，上半年原油产量再次同比增长 4%、天然气产量连续 5 年增产 100 亿立方米的基础上同比增长 4.9%，成品油产量同比增加 1.7%。6 月份，原油对外依存度下降到 71%、天然气对外依存度下降到 39.7%，为我国能源安全作出了重要贡献。为保粮食安全、尤其是俄乌冲突发生以后，为保春耕用肥用药、保供稳价，企业及氮肥协会、磷肥协会、农药协会和钾肥分会齐心协力，尤其是化肥农药生产企业，按照工业和信息化部、国家发展改革委的要求，克服重重困难保生产，承受上游原料高价，牺牲国际市场高价，全力做好国内市场的保供稳价，为春耕和夏收夏种作出了很多牺牲和重要贡献！

下半年保供的任务还十分艰巨，冬季天然气的保供不容忽视，成品油保供是经济命脉的重要保障；再过两个月就是秋收秋种的季节，农用化学品的保供一刻都不能放松。能源化工公司和化肥、农药等农化产品生产企业，都要以国家能源安全和粮食安全的大局为重，视保生产稳定、市场供应稳定和价格稳定为己任，全力以赴保障国民经济所需和农业生产所需。当然，能源保供方面，我们在做好老油气田稳产、新油气田建设的同时，应继续坚持“常规”“非常规”并举、陆相和海相并重，加大增储上产力度，加快创新与新技术应用，确保今年原油产量 2 亿吨以上、天然气产量突破 2200 亿立方米。能源化工企业希望国家在财税政策方面加大对石油、天然气勘探开采的支持力度，尤其是对非常规油气勘探开采新技术研发创新和新技术新设备应用以及二氧化碳驱油工业示范的支持力度，加大储气能力和设施建设，理顺成品油出口、消费税征收和进口气价格倒挂问题。粮食安全方面，化肥等农化企业开足马力为秋收秋种保供稳价，同时希望国家协调化肥用煤长协及其用气、用电和物流及钾肥企业走出去等价格和政策的支持，并且在确保国内供应和稳价的前提下，支持化肥企业季节性出口，以调节库存、减少企业的资金占用。

2. 防产品链供应链风险

由于我国“多煤缺油少气”的自然禀赋，长期以来我国原油和天然气的对外依存度都较高，自 2018 年以来原油对外依存度一直高于 70%，且高端聚烯烃、高端膜材料、高纯电子化学品、高纯试剂等对外依存度也较高。“十三五”以来我们把握世界石化产业的发展趋势，也是为了提升我国化工新材料和精细化学品的市场竞争力，加快建设以轻烃为原料的烯烃及其聚合物和有机化学品产业链，最典型的就是乙烷裂解制乙烯和丙烷脱氢制丙烯。但是与北美页岩气革命成功以后乙烷资源丰富、海湾地区石油伴生气资源丰富不同，我国的乙烷资源和丙烷资源都严重缺乏。“十三五”期间本想开展乙烷裂解制乙烯项目示范，而所需乙烷原料只能依赖美国进口，鉴于中美贸易摩擦不断升级，最终从 20 多个申报项目中只选取了中国石油巴州和长庆的两套原料自主的装置列入示范，这是基于供应链安全的长远战略考量。我 2018 年带队参加世界石化大会期间，曾与路易斯安那州经济发展部专门探讨过从美国进口乙烷在国内建烯烃装置，国际商务执行主任柯林斯先生告诉我们，当时的美国可供出口量很少，因为美国自己新建的烯烃都是乙烷裂解工艺，自己还不够用；此外，乙烷出口需要专用管道、码头和专用运输船，建设周期很长，所以依赖美国原料供应的风险大。

丙烷脱氢制丙烯所需的丙烷不仅美国可供应，海湾地区出口量也较大，供应的渠道还不算单一、受限。但我国资源禀赋决定了所需丙烷几乎完全依赖进口，存在国际市场或供应方价格高低的制约，近几年我们已经体会到价格的被动了。丙烷脱氢制丙烯生产装置我国已投产二十几套，已形成的产能约占我国丙烯总产能的 20%，目前看原料丙烷的供应和价格问题已开始显现。近年来随着装置的接续投产，丙烷的进口量逐年增加，已由 2018 年的 1345.8 万吨增加到 2021 年的 1914.6 万吨。近几年进口价格: 2020 年全年均价 434.2 美元 / 吨; 2021 年全年均价 656.1 美元 / 吨，同比上涨 51.1%; 2022 年上半年均价上升到 850.0 美元 / 吨，同比再上涨 48.1%; 2022 年 3 月沙特阿美出口丙烷价格上调 120 美元 / 吨，达到 895 美元 / 吨，折合成人民币到岸价约 6500 元 / 吨，对应的丙烯成本和售价已经陷亏损状态，今天丙烷脱氢制丙烯装置的效益已大不如前。2021 年丙烷脱氢制丙烯装置新投产 6 套，合计产能 327 万吨 / 年，2022 年还有 600 多万吨 / 年的新增产能将投产。据统计拟建和规划建设的丙烷脱氢制丙烯产能还有 1300 万吨 / 年，预计到 2023 年我国丙烷脱氢制丙烯的总产能将超过 2000 万吨 / 年，下一步丙烷的供应紧张局面将会进一步加剧。所以原料的稳定供应及其经济性、安全性不容忽视。目前看还有锂资源，随着新能源汽车锂电池用碳酸锂、磷酸铁锂、六氟磷酸锂等电极材料产能的不断扩大，以及三元电池材料用钴和镍、锰等有色金属资源，其供应链安全问题也不容忽视。

3. 防投资扩产冲动

“十三五”以来世界石化产业迎来了一个新的景气周期，去年受疫情散发、物流不畅等多重因素影响石化产品价格持续高位，尤其是基础化学品的价格几乎都创出了历史新高，2021 年的石化企业可以说“躺着就在数钱”，这就让很多企业产生了新的投资冲动。石化联合会产业发展部做了一个统计，不包括上游的油气勘探项目，石油化工、化工新材料、现代煤化工以及基础化学品和精细化学品等在建项目有 387 个，总投资超过 1.9 万亿元；将于 2022 年年底投产的就有 157 个项目，涉及投资 8641 亿元。这些在建的项目建成以后将新增 PX 产能 1239 万吨 / 年、PTA 产能 3060 万吨 / 年、纯碱 960 万吨 / 年、尿素 256 万吨 / 年、聚氯乙烯 180 万吨 / 年、煤制乙二醇 440 万吨 / 年、煤（甲醇）制烯烃 220 万吨 / 年、1，4- 丁二醇 1085 万吨 / 年、PBAT+PBS+PGA 可降解材料产能 265 万吨/年、磷酸铁锂 200 万吨/年。这里还没有把石脑油和乙烷裂解制乙烯、丙烷脱氢制丙烯、合成氨、烧碱、合成树脂、工程塑料、涂料、轮胎等项目全部列出来，这已经够惊人的了吧!

如果我们再看看中国主要石化产品的产能占世界总产能比例这张表，会不会更惊讶？乙烯产能 4204 万吨 / 年、占世界总产能的 20.4%，聚乙烯产能 2836 万吨 / 年、占世界总产能的 21.3%，丙烯产能 5094 万吨 / 年、占世界总产能的 33.5%，聚丙烯产能 3216 万吨 / 年、占世界总产能的 33.6%，聚氯乙烯产能 2587 万吨 / 年、占世界总产能的 18.5%，PX 产能 3159 万吨 / 年、占世界总产能的 47.1%，醋酸产能 950 万吨 / 年、占世界总产能的 46.1%，乙二醇产能 2081 万吨 / 年、占世界总产能的 42.6%，1，4- 丁二醇产能 225.4 万吨 / 年、占世界总产能的 66%，己内酰胺产能 539 万吨 / 年、占世界总产能的 61.6%，尼龙 6 产能 573 万吨 / 年、占世界总产能的 53.5%，甲醇产能 9674 万吨 / 年、占世界总产能的 71.1%；还有如聚碳酸酯产能 248.8 万吨 / 年、占世界总产能的 38.5%，钛白粉产能 460.8 万吨 / 年、占世界总产能的 54.8%。新的投资项目一定要布局在石化基地或规范的化工园区内，2022 年开始新建项目还要贯彻执行国家发展改革委等部委研究制定的能效标准，已明确要求："十四五"末基准水平以下的产能基本清零，所以能效基准水平以下的项目就不要开工了，努力做到能效标杆水平及以上，否则将面临建成投产之时即列入被淘汰之列。

4. 防资金占用过高

"十四五"开局之年的年初，我们针对上一年度经济运行存在库存高、应收高、利润低的"两高一低"现象，在与行业同仁研究新一年重点工作时，专门强调了"压库存、减应收、增效益"的问题，经过广大企业的共同努力，去年取得了一定的效果，库存和应收账款状况得到一定的改善，全行业运营质量和效益也有所提升。但是，深入分析 2022 年上半年的运行情况，尤其是 3 月份以来新冠疫情多地散发、物流严重受阻，造成 2022 年上半年库存和应收账款都再次上升。

上半年，全行业亏损面 23.6%、与 2021 年同期比扩大了 3 个点，全行业亏损企业（下同）亏损额 734.8 亿元、比 2021 年同期增长 70.3%；上半年全行业存货资金同比增长 30.1%（全国规上工业总库存增长 16.1%），应收账款增长 13.4%（全国规上企业总应收增长 13.6%）；存货与应收账款相加占全行业营业收入的 38%、是全行业利润总额的 4.1 倍。油气板块因高油价的利好上半年亏损面同比缩减 2.3 个点、亏损额下降 48.2%，但存货资金增长 4.3%、应收账款增长 17.6%，库存与应收账款相加占油气板块营业收入的 19.6%、占油气板块利润额的 64.8%。炼油板块每百元营业成本上升 2.25 元，上半年亏损面同比扩大 5.3 个百分点、亏损额增加 191.7%，存货资金增长 44.1%、应收账款虽下降 1.2%，但库存与应收账款相加占炼油板块营业收入的 29.4%、是炼油板块利润额的 8.2 倍。化工板块每百元营业成本上升 1.49 元，上半年亏损面同比扩大 3.3 个点、亏损额同比增长 84.3%，存货资金增长 26.6%、应收账款增长 16.5%，库存与应收账款相加占化工板块营业收入的 42.7%、是化工板块利润额的 4.7 倍。

从三大板块的情况看，库存和应收账款都有不同程度的增加，尤其是全行业存货资金增幅比全国规上工业存货总额的增速高出 14 个点，炼油板块的库存资金增幅更大、占比也更高，说明全行业、尤其是 2022 年炼油板块防范库存和应收账款风险的任务更加艰巨。下半年各企业要组织专人进行分析，既要分析库存和产成品资金的构成，也要分析应收账款的账龄，然后研究制定"压库存、降应收、提效益"的具体方案，严控库存和产成品资金占用过大、尤其是应收账期过长的风险，把库存和产成品量控制在合理区间，把应收账款风险降到最低，持续改善资金占用、不断提升资金的周转和效率，不断改善企业的运营质量和效益。

5. 防安全生产隐患

自全行业开展“安全提升行动”以来，尤其是 2018 年“11·28”张家口盛华和 2019 年“3·21”响水两起特别严重的爆炸事故发生以后，全行业和广大石化企业更加重视安全生产，通过安全隐患排查和整改，全行业和各企业的本质安全及绿色发展水平得到不断提升。2020 年和 2021 年石化企业没有发生重特大事故，安全生产形势相对稳定。但是，2022 年上半年安全生产的形势又严峻起来，6 月份就发生了 3 起社会影响较大的安全生产事故，最严重的是 6 月 16 日兰州新区秦川精细化工园区一家生产农药中间体企业的污泥干燥车间发生爆炸，造成 6 人失联、8 人受伤；另两起是 6 月 18 日上海石化乙二醇装置发生火灾，造成 1 死 1 伤，6 月 8 日茂名石化一动力泵泄漏引发爆炸，造成 2 人失联、1 人重伤。这些事故的发生，暴露出的共性问题除了安全意识需要增强、安全管理需要强化外，还有就是老旧设备长期运行存在的安全隐患风险辨识不足、排除不及时，也暴露出有的企业员工安全预案不掌握、安全操作不熟练，一旦遇到泄漏事故的发生，不能及时排除险情、阻断事故的进一步扩大。

科学和技术的进步，石化企业和化工生产过程实现本质安全是可能的。首先是全员安全意识的提高，企业内真正形成人人重视安全、人人为安全负责的浓厚氛围和责任意识，每一位员工要发自内心地“我要安全”、而不是“要我安全”，只要每一位员工都做到了安全工作“时时不松懈、处处不麻痹”就会避免很多事故的发生。其次是规范操作非常重要，美国著名安全工程师海因里希的统计法则告诉我们，每 300 次不规范操作，就可能造成 29 次轻伤事故、1 次重伤或死亡事故，可见严格按操作规程的规范性操作是避免事故发生非常重要的措施。我们再细细地想一想，在我们周围有多少事故是因为不戴安全帽、不系安全带、不放警示牌、有毒气体置换不检测、不戴防护面具等等不规范操作造成的？再次就是熟练掌握应急预案和熟练操作，科学地认识和客观地看待石化生产过程，有时事故是难免的，一旦发生事故我们一定要掌握科学救援的预案和方法；一旦物料泄漏或者发生火灾，我们首先应及时辨识是什么物料？准确判定是哪条管道、哪个阀门？在及时、准确判断的前提下，及时采取措施，该关闭的阀门及时关闭、该灭火的用对灭火剂和正确的方法。如此一来小事故就不会引发大事故，就不会造成大的损失和严重的影响。

还有一点也很重要，就是智能工厂和智慧园区的建设，对重大危险源和重点监控的危险工艺、危险产品，通过高空瞭望、视频或温度、压力的异常变化实施 24 小时实时监测，遇有异常情况及时预警、及时排除，很多事故就可以避免。如果响水化工区当时建成了智慧园区的话，“3·21”特别重大爆炸事故就可能避免，如果张家口盛华氯乙烯气柜的压力显示快速下降能及时排除的话，“11·28”重大燃爆事故也就不会发生。所以说本质安全是可以实现的。

在异常复杂的国际环境和不确定性因素陡增的挑战面前，石化行业上半年取得了远超年初预期的不易成绩，为实现全年稳中求进的总目标奠定了坚实的基础。下半年还会出现新的情况和新的矛盾，但回升向好的趋势将继续巩固，只要我们把困难估计得更多一些、应对措施更充分一些，只要我们勇于面对挑战、不惧困难、共克时艰，只要我们沉着冷静、保持战略定力、坚定地做好自己的事，相信今年的石化行业经济运行将创造新的业绩，石化行业高质量发展将书写新的历史篇章！

石化产业碳达峰碳中和战略与思考*

2020 年 9 月，习近平主席在第七十五届联合国大会上向世界郑重承诺：力争二氧化碳排放于 2030 年前达到峰值，努力争取 2060 年前实现碳中和。这是以习近平同志为核心的党中央统筹国内国际两个大局作出的重大战略决策，是着力解决资源环境约束突出问题、实现中华民族永续发展的必然选择，是构建人类命运共同体的庄严承诺。由此在中国开启了碳达峰碳中和战略的序幕，也开启了碳达峰碳中和的全社会和全民行动。

一、碳达峰碳中和概念的提出

碳达峰碳中和的提出，主要是人们发现近 50 年的时间里，全球冰川融化的速度在加快、北极南极的冰盖在减少、海平面在提升，洪灾、干旱、高温、极寒等极端天气频发，气候变化、全球变暖、生态恶化等日益严重。

1. 气温升高与温室气体浓度相关

人们把近千年，甚至推演 12000 年前距今气温升高了 2.5 ℃，二氧化碳百分比浓度升高了 1.60×10^{-4}；进一步分析发现，气温的快速升高几乎与工业化同步或趋势一致，工业革命前以农业为主的约千年时间里，大气中二氧化碳的浓度基本恒定，气温变化也是规律在一定区间内；而工业革命以来化石资源的大量消耗、温室气体排放快速增加，气温升高和气候变化也加快。在《京都议定书》规定控制的六种温室气体中（二氧化碳、甲烷、氧化亚氮、氢氟碳化物、全氟碳化物、六氟化硫），二氧化碳的占比最高、其温室效应约占一半。随着研究的深入和分析，人们发现工业革命以前二氧化碳的质量分数为 2.75×10^{-4}，而 1860 年以来由于化石燃料的消耗，二氧化碳的排放量年均增长 4.22%，照此

* 这是 2022 年 10 月，傅向升同志发表的署名文章。

下去、若不加控制，到本世纪30年代，二氧化碳等温室气体增加的总效应将相当于工业化前二氧化碳浓度加倍的水平；据世界气象组织研究结果，2021年二氧化碳的浓度 4.157×10^{-7}、为工业革命前的149%，甲烷的浓度是 1.908×10^{-6}、是工业革命前的262%，一氧化二氮的浓度 3.345×10^{-7}、是工业革命前的124%，三种温室气体在大气中的浓度都创历史新高；温室气体导致全球气候变暖的效应2021年比1990年上升了50%，其中二氧化碳占增长的80%。据联合国政府间气候变化专门委员会（IPCC）预测，到2100年全球平均气温将比工业革命前升高1.5～4.8℃，将造成海平面升高20～140 cm，对很多海岸城市将造成直接影响或严重影响。

2. 碳达峰碳中和概念的形成

基于对这一问题的研究和认识，碳达峰碳中和的概念呼之欲出，早于1992年就全面控制温室气体排放、达成了《联合国气候变化框架公约》，并于1994年3月21日生效。随着政府间合作以及共识的深化，1997年再次达成以国际法规的形式限制温室气体排放的全球性公约《京都议定书》，这次对一些国家六种温室气体的减排目标作出了具体规定，以实现全球排放总量比1990年减少5%的总目标；其中欧盟消减8%、日本和加拿大各消减6%、美国消减7%。

2015年12月，为应对气候变化的国际机制《巴黎协定》达成，从此全球应对气候变化开启了新阶段，我们以及世界各主要国家今天正在开展的一切应对气候变暖、努力控制温室气体排放的行动都是基于《巴黎协定》。《巴黎协定》提出的长期目标是：控制全球气温升高2℃，努力实现1.5℃的目标。提出的具体路径是：到2030年全球温室气体排放总量限制在300亿～500亿吨二氧化碳当量，这相当于2010年水平的60%～100%；到本世纪中叶，全球温室气体排放量需减少到2010年水平的40%～70%；到本世纪末减至近零。并提出每五年全球进行一次定期盘点，2023年将进行首次盘点。

3. 中国加入应对气候变化行动

我国于2015年5月向联合国提交了中国应对气候变化的承诺和战略，提出中国为应对全球气候变暖将采取自主行动，明确的目标是：在2030年左右二氧化碳排放达到峰值并争取尽早达峰；单位GDP二氧化碳排放量比2005年下降60%～65%；非化石能源占一次能源消费占比20%左右，森林蓄积量比2005年增加45亿立方米左右。并且还发布了《国家应对气候变化规划（2014—2020）》，研究提出了“十三五”末的减排指标、非化石能源占比、森林蓄积量阶段指标，以及产业结构、能源结构调整和优化、重点领域节能和降碳、有效控制温室气体排放等具体措施。可见中国为应对全球气温变化和碳达峰碳中和的态度是严谨认真的、行动是实实在在的。

二、中国的发展与碳减排

1. 中国发展的任务还很艰巨

我国经济总量已连续 12 年位居世界第二，已连续两年超过百万亿元，去年 114.4 万亿元、17.73 万亿美元，可人均值只有 1.25 万美元，世界人均排名第 60 位，（美国人均 6.93 万美元、第 6 位，日本 3.93 万美元、第 26 位，德国 5.08 万美元、第 18 位，英国 4.73 万美元、第 21 位、法国 4.35 万美元、第 22 位），党的十九届五中全会研究制定国民经济“十四五”发展规划时特别强调：“我国仍处于并将长期处于社会主义初级阶段，我国仍然是世界上最大的发展中国家，发展仍然是我们党执政兴国的第一要务。”并提出到 2035 年我国经济总量和人均值再翻一番的目标。从目前看我国人均 GDP 只有美国人均值的 18%、日本人均值的 31.8%、德国的 24.6%、英国的 26.4%、法国的 28.7%，可见我国离实现中等发达水平还有一定的差距，与发达国家相比差距就更大，因此我们面临的发展任务还十分艰巨，尤其是我国还有约 6 亿人月均可支配收入还不到 1000 元，通过发展解决发展不平衡不充分主要矛盾的任务更加艰巨。

2. 控制碳排放发达国家和发展中国家应有区别

有人说碳排放权实际上是发展权是有道理的，纵观工业经济发展史和工业化进程，就会发现能耗总量与经济总量关系密切。以英国为代表的欧洲是第一次工业革命的发源地，美国是第二次工业革命的“火车头”，自第一次工业革命以来先期工业化的都是今天的发达国家，错失第一次工业革命和第二次工业革命先机的国家，尤其是二战结束以后实现独立、开启工业化进程的国家大都是今天的发展中国家；日本和德国也都是把握住了工业革命的机遇、实现了经济腾飞、奠定了二战前的霸权实力，又因战后世界格局的两大阵营和复杂多变，获取战后大国博弈的机遇实现了快速重建。今天谈碳达峰碳中和话题的时候，听到最多的是“中国是第一排放大国”，很多人再进一步延伸、甚至借题发挥，甚至是指责：大谈自己已经达峰，正在向碳中和的目标努力，中国为什么还在大量排放？可是他们闭口不谈今天大气中温室气体累计排放的量主要是他们过去100多年排放的；今天全球气候变暖、生态恶化，他们闭口不谈是先期工业化的国家过去200年化石资源的无节制消耗、不受约束的排放造成的；他们只看到了、也只指责是今天正在工业化的国家排放量高造成的，甚至要想尽一切办法限制发展中国家实现工业化，设置一切限制条件制约后工业化国家迈向现代化国家。

3. 谈温室气体排放既要现实地看也要历史地看

今天摆在我们面前的事实就是：先工业化国家在先期工业化的过程中，比后工业化国家累计排放二氧化碳的量要多得多。以美国和欧盟为例，根据世界银行等机构的数据，到2019年美国的累计排放量是4102亿吨，欧盟的累积排放量是2870亿吨。我国当前的年排放量确实是世界第一，每年二氧化碳的排放量约占世界年排放总量330多亿吨的约30%，但我国是新中国成立以后才开始工业化的，我国大规模工业化不过70年，自改革开放开启快速工业化进程也不过四十几年，据世界银行数据，同样到2019年中国累计碳排放量约2200亿吨，是美国累计排放量的53.6%、是欧盟累计排放量的76.6%；如果按照年人均排放量看中国不是最高的，同样是世界银行的数据，2019年美国的人均碳排放量是16.1吨/(人·年)、欧盟是6.6吨/(人·年)、中国是7.1吨/(人·年)。可见，美国碳排放量才是世界上累积量最大、人均值最高的国家，美国才是为应对全球气候变暖应当承担最大责任者。我们这么讲不是推卸责任，只是尊重事实、尊重历史，因为只有一个地球，地球是人类共同的家园，今天人类生存面临着共同的挑战，应对气温升高、保护人类共同的家园已经成为大多数人的共识，中国和广大发展中国家也正在积极行动起来，为保护人类共同的家园而不断创新和贡献着中华民族的智慧。

4. 我国能源结构决定了碳排放量居高不下

我国经济总量仅次于美国、连续12年位居世界第二，约占世界总量的18.5%，一次能源消费和碳排放量都是世界第一，由于我国资源禀赋“多煤缺油少气”的特点，决定了我国一次能源消费中煤炭虽连年下降、但占比仍高约56%（2021年我国能源消费结构煤炭占比56%、石油18.5%、天然气8.9%），美国的能源消费结构石油占比43.4%、天然气23.8%、煤炭11.9%，欧盟石油33.5%、天然气25%、煤炭12.2%。如此的能源结构，我国碳排放量自2006年超过美国以来，年排放量一直世界第一，2019年过百亿吨。从地区看：经济大省、能源大省、产业结构偏重的省份居全国前列，从工业领域看：电力、钢铁、有色金属、建材、石化化工、交通运输等行业居工业领域前列，这几大行业都是国民经济的能源和基础原材料工业，有的是国民经济的重要支柱产业，经济的发展、现代化的进程、人民生活水平的提高都离不开这几大产业的高质量发展，既要发展、又要减碳的挑战需要我们不断创新解决。

三、中国政府已经做出的部署和采取的行动

中国政府作出承诺以后，全社会都在积极行动起来。

1. 党中央、国务院作出重要部署

2021 年 9 月，党中央、国务院发布《关于完整准确全面贯彻新发展理念做好碳达峰碳中和工作的意见》，明确了指导思想、工作原则和主要目标。

2. 国务院行动方案更加明确具体

国务院于 10 月印发《2030 年前碳达峰行动方案》，进一步明确："十五五"期间，产业结构调整取得重大进展，清洁低碳安全高效的能源体系初步建立，重点领域低碳发展模式基本形成，重点耗能行业能源利用效率达到国际先进水平，煤炭消费逐步减少，绿色低碳技术取得关键突破，绿色低碳循环发展政策体系基本健全。将重点实施能源绿色低碳转型行动、节能降碳增效行动、工业领域碳达峰行动、城乡建设碳达峰行动、交通运输绿色低碳行动、循环经济助力降碳行动、绿色低碳科技创新行动、碳汇能力巩固提升行动等"碳达峰十大行动"，这"十大行动"都与石化化工密切相关。

"能源绿色低碳转型行动"中提出：合理调控油气消费，保持石油消费处于合理区间，逐步调整汽油消费规模，大力推进先进生物液体燃料、可持续航空燃料等替代传统燃油，提升终端燃油产品能效。加快推进页岩气、煤层气、致密油（气）等非常规油气资源规模化开发。有序引导天然气消费，优化利用结构，优先保障民生用气，大力推动天然气与多种能源融合发展，因地制宜建设天然气调峰电站，合理引导工业用气和化工原料用气。支持车船使用液化天然气作为燃料。

"节能降碳增效行动"中提出：实施节能降碳重点工程。实施园区节能降碳工程，以高耗能高排放项目（以下称"两高"项目）集聚度高的园区为重点，推动能源系统优化和梯级利用，打造一批达到国际先进水平的节能低碳园区。实施重点行业节能降碳工程，推动电力、钢铁、石化化工等行业开展节能降碳

改造，提升能源资源利用效率。实施重大节能降碳技术示范工程，支持已取得突破的绿色低碳关键技术开展产业化示范应用。

尤其是“工业领域碳达峰行动”中强调：工业是产生碳排放的主要领域之一，工业领域要加快绿色低碳转型和高质量发展，力争率先实现碳达峰。指出：推动工业领域绿色低碳发展。优化产业结构，加快退出落后产能，大力发展战略性新兴产业，加快传统产业绿色低碳改造。促进工业能源消费低碳化，推动化石能源清洁高效利用，提高可再生能源应用比重，加强电力需求侧管理，提升工业电气化水平。深入实施绿色制造工程，大力推行绿色设计，完善绿色制造体系，建设绿色工厂和绿色工业园区。推进工业领域数字化智能化绿色化融合发展，加强重点行业和领域技术改造。

为“推动石化化工行业碳达峰”特别指出：优化产能规模和布局，加大落后产能淘汰力度，有效化解结构性过剩矛盾。严格项目准入，合理安排建设时序，严控新增炼油和传统煤化工生产能力，稳妥有序发展现代煤化工。引导企业转变用能方式，鼓励以电力、天然气等替代煤炭。优化产品结构，促进石化化工与煤炭开采、冶金、建材、化纤等产业协同发展，加强炼厂干气、液化气等副产气体高效利用。鼓励企业节能升级改造，推动能量梯级利用、物料循环利用。

对工业领域碳达峰行动特别指出：坚决遏制“两高”项目盲目发展，采取强有力措施，对“两高”项目实行清单管理、分类处置、动态监控。全面排查在建项目，对能效水平低于本行业能耗限额准入值的，按有关规定停工整改，推动能效水平应提尽提，力争全面达到国内乃至国际先进水平。科学评估拟建项目，对产能已饱和的行业，按照“减量替代”原则压减产能；对产能尚未饱和的行业，按照国家布局和审批备案等要求，对标国际先进水平提高准入门槛；对能耗量较大的新兴产业，支持引导企业应用绿色低碳技术，提高能效水平。深入挖潜存量项目，加快淘汰落后产能，通过改造升级挖掘节能减排潜力。强化常态化监管，坚决拿下不符合要求的“两高”项目。

3. 党中央的战略决策与科学引领

2020 年 9 月，中国政府就碳达峰碳中和作出承诺，2021 年碳达峰碳中和正式写入政府工作报告，社会各界高度重视，碳达峰碳中和成为热搜热议频率最高的词组，各地、各单位纷纷表态要“提前达峰”、甚至有的要“提前中和”，但这是在没有弄清碳排放底数、能源消费基数，没深入调研产业和产品结构，没有认真研究和科学制定路线图、也没有统筹谋划经济社会发展目标和要求的情况下，盲目喊出的“提前达峰”和“提前中和”，党中央及时发现了这一问题，于 2021 年 7 月 30 日召开中央政治局会议，强调指出：要统筹有序做好碳达峰碳中和工作，尽快出台 2030 年前碳达峰行动方案，坚持全国一盘棋，纠正运动式“减碳”，先立后破，坚决遏制“两高”项目盲目发展。党中央及时纠偏，及时纠正运动式“减碳”和盲目“提前”的过热行为。

又过了 2 个月，从 9 月下旬开始，有的主要经济省份为了执行“能耗双控”政策，出现了“拉闸限电”现象，后来波及多个省份，一时间限电限产、拉闸限电，甚至不通知就断电的情况成为社会关注的焦点，尤其是石化化工企业和园区、更有的跨国公司都焦急万分，担心化工反应的连续性、如果不是有序停车，可能因反应热急剧增加而爆炸的安全风险，有的物料因自聚、在反应釜或管道内难以清除而造成损失。又是党中央、国务院责令有关部门及时纠偏，情况才得以缓解，2021 年 12 月 8 日召开的中央经济工作会议指出：要正确认识和把握碳达峰碳中和，实现碳达峰碳中和是推动高质量发展的内在要求，要坚定不移推进，但不可能毕其功于一役。要科学考核，新增可再生能源和原料用能不纳入能源消费总量控制，创造条件尽早实现能耗“双控”向碳排放总量和强度“双控”转变，要确保能源供应，大企业特别是国有企业要带头保供稳价。并特别强调不能再出现“拉闸限电”情况的发生。

今年 1 月下旬，中央政治局第三十六次集体学习中，习近平总书记强调：实现“双碳”目标是一场广泛而深刻的变革，我们要提高战略思维能力，把系统观念贯穿“双碳”工作全过程，注重处理好四对关系。一是发展和减排的关系。要坚持统筹谋划，在降碳的同时确保能源安全、产业链供应链安全、粮食安全，确保群众正常生活。二是整体和局部的关系。既要增强全国一盘棋意识，又要充分考虑区域资源分布和产业分工的客观现实，研究确定各地产业结构调整方向和“双碳”行动方案，不搞齐步走、“一刀切”。三是长远目标和短期目标的关系。既要立足当下，一步一个脚印解决具体问题；又要放眼长远，克服急功近利、急于求成的思想，把握好降碳的节奏和力度，实事求是、循序渐进、持续发力。四是政府和市场的关系。

在集体学习谈到能源革命和能源安全时强调：要立足我国能源资源禀赋，坚持先立后破、通盘谋划，传统能源逐步退出必须建立在新能源安全可靠的替代基础上。要坚决控制化石能源消费，尤其是严格合理控制煤炭消费增长，有序减量替代，要夯实国内能源生产基础，保障煤炭供应安全，保持原油、天然气产能稳定增长，加强煤气油储备能力建设，推进先进储能技术规模化应用。刚刚召开的二十大，习近平总书记在报告中谈到“积极稳妥推进碳达峰碳中和”时强调：立足我国能源资源禀赋，坚持先立后破，有计划分步骤实施碳达峰行动。完善能源消耗总量和强度调控，重点控制化石能源消费，逐步转向碳排放总量和强度“双控”制度。完善碳排放统计核算制度，健全碳排放权市场交易制度。

4. 国家发展改革委、工业和信息化部等研究制定具体标准

为贯彻党中央、国务院的战略部署，国家发展改革委等五部委于 2021 年 11 月印发《高耗能行业重点领域能效标杆水平和基准水平（2021 年版）》，明确要求：为有效遏制“两高”项目盲目发展，对标国内外生产企业先进能效水平，确定高耗能行业能效标杆水平，对拟建、在建项目，应对照能效标杆水平建设实施，推动能效水平应提尽提，力争全面达到标杆水平；对能效低于本行业基准水平的存量项目，合理设置政策实施过渡期，引导企业有序开展节能降碳技术改造，提高生产运行能效，坚决依法依规淘汰落后产能、落后工艺、落后产品，加强绿色低碳工艺技术装备推广应用，促进形成强大国内市场；依据能效标杆水平和基准水平，限期分批实施改造升级和淘汰，对需开展技术改造的项目，各地要明确改造升级和淘汰时限（一般不超过 3 年）以及年度改造淘汰计划，在规定时限内将能效改造升级到基准水平以上，力争达到能效标杆水平，对于不能按期改造完成的项目进行淘汰。坚决遏制高耗能项目不合理用能，对于能效低于本行业基准水平且未能按期改造升级的项目限制用能。对煤制合成氨、煤制甲醇、煤制烯烃、煤制乙二醇、烧碱、乙烯、对二甲苯、磷酸一铵、磷酸二铵、电石、焦炭、黄磷等产品都明确了能效标杆水平和基准水平。

2022 年 2 月发布的《高耗能行业重点领域节能降碳改造升级实施指南（2022 年版）》，对引导改造升级、加强技术攻关、促进集聚发展、加快淘汰落后都进一步细化了要求；并通过附件的形式，对炼油、乙烯、对二甲苯、现代煤化工、合成氨、电石、烧碱、纯碱、磷铵、黄磷、焦化等产品，从基本情况、工作方向、工作目标等方面提出了更加明确的要求。

2022 年 8 月 1 日，工业和信息化部等三部委印发《工业领域碳达峰实施方案》，在“重点任务”部分，有关石化化工产业的内容有：落实石化产业规划布局方案，科学确定东中西部产业定位，合理安排建设时序；尤其是“坚决遏制高耗能高排放低水平项目盲目发展”中强调：采取强有力措施，对高耗能高排放低水平项目实行清单管理、分类处置、动态监控。严把高耗能高排放低水平项目准入关，加强固定资产投资项目节能审查、环境影响评价，对项目用能和碳排放情况进行综合评价，严格项目审批、备案和核准。全面排查在建项目，对不符合要求的高耗能高排放低水平项目按有关规定停工整改；科学评估拟建项目，对产能已饱和的行业要按照“减量替代”原则压减产能，对产能尚未饱和的行业要按照国家布局和审批备案等要求对标国内领先、国际先进水平提高准入标准。

在“重点行业达峰行动”部分，对石化化工要求：增强天然气、乙烷、丙烷等原料供应能力，提高低碳原料比重；合理控制煤制油气产能规模；推广应用原油直接裂解制乙烯、新一代离子膜电解槽等技术装备；开发可再生能源制取高值化学品技术。到 2025 年，“减油增化”取得积极进展，新建炼化一体化项目成品油产量占原油加工量比例降至 40% 以下，加快部署大规模碳捕集利用封存产业化示范项目；到 2030 年，合成气一步法制烯烃、乙醇等短流程合成技术实现规模化应用。

四、中国石化产业碳达峰碳中和面临的挑战

1. 中国的能源结构偏重

能源结构来看：我国不仅是能源生产和消费第一大国；而我国的资源禀赋又决定了我国多年来一直以煤炭为主，加大能源结构的调整与优化、有序减煤减碳是关键。以八大行业中碳排放量最大的电力行业为例，北美、独联体、中东以及非洲的发电都是以天然气为主，中东地区天然气发电占比高达 71.2%，亚太地区煤炭发电占比 57%，欧洲的发电占比核能 21.9%、天然气 19.8%、煤炭 15.7%、水电 16.1%；南美和中美洲水电占一半，中国去年的煤电占比高达 71%，由此决定了我国碳排放量居高不下。

2. 中国的工业结构偏重

我国工业结构重工业、基础工业、高耗能工业为主，就我们熟悉的工业结构来说：炼油目前是世界第二，但很快就会超过美国成为世界第一。另几个主要工业门类：我国发电量高于 8.5 万亿度（美国为 4.4 万亿度）、占世界发电总量的 30%，是钢铁第一生产大国、煤炭生产消费第一大国、汽车产销以及拥有量第一大国、水泥玻璃等建材产品生产消费第一大国、塑料人造纤维生产消费

第一大国，等等；按照国民经济的工业门类划分就是：电力、钢铁、建材、交通运输、石化化工、有色、造纸等，这都是国民经济的基础和重要构成，这七大行业都是属于资源型或能源型产业，属碳排放量高的行业，据近 20 年的统计这七大行业的碳排放量相加占全国碳排放总量的 80% 以上，高的年份约 88%，电力（因为我国以煤电为主）碳排放约占这七大行业排放量的一半；由此可见，与发达国家相比，我国工业结构偏重的现状也是碳达峰碳中和必须面对的。正因为我国的这种能源结构和工业结构现状，又加上技术水平的差距，我国目前的碳排放强度比欧美要高得多，据测算是欧盟的 5 倍、美国的 3 倍。

3. 中国碳达峰碳中和的时间紧迫

我国承诺 2030 年达峰、2060 年中和，从达峰到中和只有 30 年时间，而欧盟是于 1979 年实现了达峰，当年的峰值是 41 亿吨，当时的人均排放是 9.9 吨；美国是于 2005 年达峰，当年的峰值是 61 亿吨，当时的人均值 19.6 吨。现在欧盟和美国都是宣布于 2050 年实现中和，也就是说欧盟从达峰到中和有 71 年的时间，美国从达峰到中和也有 45 年，而中国从达峰到中和只有 30 年时间；可谓“时间紧、任务重”，面临的挑战和任务将是艰巨的，但我们也要充满信心：再过十年后的未来 30 年技术进步和创新将更加快速、有些也许是我们难以想象的；还有一个是我们熟悉的：就是化工材料及其复合材料、特种功能化学品（保温、密封、结构等新型材料，以及催化、提纯、净化等功能化学品）都将有着无限可能、有些将发挥无可替代的作用。

4. 我国石化工业挑战同样严峻

中国石化化工产业的能源消费总量 2020 年是 6.9 亿吨标煤，碳排放总量约 13.84 亿吨二氧化碳当量，约占工业领域总排放量的 13%。发达国家自二战结束到二十世纪八十年代都基本完成了以石油化工和天然气化工为主的转型，而中国的煤化工占比不可忽视。

煤化工的原料是煤炭，以煤炭为原料合成油品或制取化学品的过程中，碳排放量远高于天然气和石油为原料。可见以煤为原料生产化学品其碳排放量高于以天然气或石油为原料，煤化工在贯彻“双碳”战略的过程中面临的压力和挑战更严峻一些。

石化产业另一个挑战是产品结构偏重。与发达国家相比我们的产业结构主要以酸碱肥等传统基础产业和大宗基础化学品、初级材料为主体，我国石油化工以基础有机化学品、通用合成材料为主，化工新材料、高性能材料、专用化学品缺乏。

五、碳达峰碳中和行动与措施

发达国家基本明确2050年碳中和的目标。欧盟将这一目标纳入《欧洲气候法》，并发布《欧洲气候公约》通过绿色城区、绿色出行、绿色建筑、绿色技术等倡导个人和社会各界都积极参与和推动欧洲的绿色发展；英国作为立法通过了“减排议案”，并经修改致力于2050年实现碳中和；加拿大承诺2050年碳中和并每五年制定一个阶段性目标；日本、韩国、新西兰等国都已宣布2050年前碳中和；美国虽未明确碳中和的时间表，但已制定了减排计划，多个州已设定碳中和的目标，如加州宣布于2045年碳中和。

很多跨国公司也都制定了明确的计划，并积极研究和采取措施加快减排，陶氏、杜邦、伊士曼、三菱化学、巴斯夫、法液空、帝斯曼等都宣布将于2050年碳中和，有的像默克、朗盛等公司宣布2040年碳中和的目标；跨国公司都在可再生能源、技术创新、工艺改进、低碳新产品研发等方面开展大量工作，目前最直接也是做得最多的是通过购电协议购买绿电，离我们最近的就是巴斯夫湛江新材料基地一期项目100%用绿电；埃克森美孚大亚湾一体化基地也是购买绿电。杜邦在丹麦的一家工厂用木屑代替燃煤，余热再供应社区，年可减排二氧化碳4.6万吨。科莱恩通过酶法工艺将农业废弃物的纤维素和半纤维素转化为生物质乙醇，可减少95%的温室气体排放。巴斯夫与SABIC、林德正在共同研发电加热蒸汽裂解炉与传统的乙烯裂解炉相比可减少碳排放90%。SABIC在乙烯尾气中加入氢气，尾气燃烧时可减少二氧化碳排放。石化产业碳达峰碳中和的路径选择有：

1. 原料轻质化

这是实现碳达峰碳中和很重要的、也是基础措施，如：在可能的情况下逐步减少煤电和燃煤锅炉、相应的增加天然气发电量和蒸汽锅炉，逐步减少煤头合成氨和甲醇、增加天然气为原料的合成氨和甲醇的占比，电力、蒸汽锅炉等和煤化工行业的碳排放量就会大幅下降，以合成氨和甲醇为例，若由煤头改为气头其碳排放强度分别下降1/3和62%。这正是《2030碳达峰行动方案》特别强调的：引导企业转变用能方式，鼓励以电力、天然气等替代煤炭。调整原料结构，控制新增原料用煤，推动石化化工原料轻质化；依据《工业领域碳达峰行动方案》，增强天然气、乙烷、丙烷等原料供应能力，提高低碳原料比重；合理控制煤制油气产能规模；推广应用原油直接裂解制乙烯、新一代离子膜电解槽等技术装备；开发可再生能源制取高值化学品技术。石化产品原料轻质化最具代表性的产品是当前的轻烃裂解制烯烃，最具代表性的国家或区域要数北美和海湾地区，北美以美国为代表，近 10 年来乙烯增量明显高于以往，而新增乙烯主要采用乙烷裂解工艺；海湾地区以沙特阿拉伯为代表，新增烯烃主要以凝析液的轻烃组分为原料。美国是因为页岩气革命成功乙烷和天然气资源丰富，海湾是石油伴生气中轻烃资源丰富，关键是以轻烃为原料（乙烷裂解制乙烯、丙烷脱氢制丙烯）制取烯烃，其工艺流程短、投资省、产品纯度高，与石脑油裂解或其他途径所获得烯烃相比、其生产成本最低。

2. 过程低碳化

过程低碳化的第一条举措就是节能，我国目前总的能耗强度是世界平均水平的 1.5 倍、是美国的 3 倍、欧盟国家平均值的 3.8 倍、是日本的 7.2 倍，可见节能减排的潜力巨大；曾有人测算过：如果我们的能耗水平达到今天日本的水平，我国当前能耗总量不变的情况下、经济总量可再增加 2 倍。这就是党中央、国务院强调：强化能源消费强度和总量双控，坚持节能优先的能源发展战略的考量。过程低碳化的另一条路径是生产过程的电气化，即用绿电代替煤电和气电，或者用绿电裂解代替传统的蒸汽裂解、绿电驱动代替蒸汽透平等，这都是生产过程低碳化的有效措施，这也是目前国内外都在示范和探索的路径。石化产品生产过程如果实现了短流程工艺也是低碳化的有效措施，最具代表性的是原油直接制化学品，大家熟悉的传统工艺是原油首先经常压或减压蒸馏获得各种组分（油品），其中石脑油经裂解获得乙烯、丙烯等多种烯烃，烯烃再经化学合成（氧化、水合、羰基化、加氢等）制得各种有机化学品、经聚合反应就获得聚乙烯、聚丙烯等高分子化合物。今天讲的原油直接制化学品属于近年来大家都在集中精力研发和创新的短流程工艺，可以由原油直接获得乙烯、省去了传统工艺的第一步蒸馏过程，从而节省能耗、降低乙烯的成本。实际上，国内外都在聚焦创新的天然气直接制烯烃（不经合成气）、合成气直接制烯烃（不经甲醇）、自然光直接分解水制氢（不经光伏发电），以及 2019 年，我带队访问美国西南研究院交流过程中了解到，他们正在开展的碳氢化合物经薄膜反应器直接制取聚合物、煤炭经循环流化床反应器直接获得化学品，等等，这些已取得实验室成果、尚未工业化的研发创新，都属于短流程创新的范畴，在不久的将来有些一定会实现工业化，为经济社会发展和碳达峰碳中和起到强大的推动作用。

微通道连续流反应器也已成为流程简捷化的重要方式，已经在很多精细化学品、医药化学品的硝化、重氮化等反应过程中工业化应用，贵阳磷化集团的精磷酸生产装置用的就是微反应器，康宁公司的高通量连续流微反应技术，已在浙江巍华新材、浙江医药、江苏长青农化、山东益丰新材等企业实现了万吨级工业化应用，至今已有 100 多套微反应器工业化落地，与传统反应器相比，微反应的传值效率提升 100 倍、换热能力提升 1000 倍、反应时间缩短为秒级、反应持液量只是原来的千分之一，而且整个工艺流程全自动、全连续，反应效率和收率大幅提升、排放大幅降低，本质安全水平大幅提升。麻省理工学院在一种抗癫痫药的两个关键中间体的合成过程中很成功地用了微通道反应器，一个中间体是 2,6- 二氟苄基叠氮，因为这种叠氮化合物非常不稳定、不能长时间储存，最高效的是原位制取、原位参与下步反应，应用微通道反应器，室温条件下只需 1 分钟，原料可 100% 转化；另一个关键中间体是丙炔酰胺，因为也是极不稳定的中间体、容易发生聚合反应，传统的间歇釜式反应需在 −78℃条件下，而微通道连续流反应器在 0℃，丙炔酸甲酯和 28% ～ 29% 浓度的氨水反应，停留时间 5 分钟，获得 95% 以上的转化率；康宁公司进行优化以后，目的产物的总收率大幅提升，物耗、能耗大幅降低，制取过程的安全性大幅提升。未来微通道反应技术在精细化学品、药品及其中间体的制取和反应过程中将有更加广阔的应用。

3. 废弃物资源化

有道是“废弃物是放错了地方的资源”，过去令人头疼的废弃物，有些今天已成为宝贵的原料，过去焦炉气、电石炉尾气放空，污染环境和生态，今天多用来制甲醇、进而制烯烃及其材料或化学品，既保护了大气环境，又为企业带来了效益；磷铵生产过程的磷石膏也是如此，1 吨磷铵产生 6 ～ 7 吨磷石膏，过去都是露天堆放，既占用土地、又因含氟造成地下水污染，鲁北化工解决了这一难题，磷石膏的主要成分是硫酸钙，以磷石膏为原料经煅烧得到硫酸和水泥，硫酸又用于磷铵生产酸解磷矿石工序，真正实现了循环经济，不仅消除了制约磷肥工业的瓶颈问题，还获得好的经济效益；后来鲁北化工进一步扩展了钛白废酸、烷基化废酸的循环再利用，不仅解决了环境问题，而且资源化价值也得到体现。国内乙炔化工的电石渣问题也是一样，过去聚氯乙烯厂很头疼，现在大都通过电石渣制水泥实现了资源化再利用。

今天想跟大家重点谈废弃塑料的资源化利用问题，人类自发明塑料的近百年来，共生产了约 83 亿吨，其中 60 多亿吨被填埋或废弃，塑料污染已造成土壤、海洋和生态的严重危害，联合国环境规划署、世界塑料理事会以及新成立的 AEPW（终止废弃塑料污染联盟）都把解决塑料污染作为重要议题，国际国内也都高度关注并高度重视解决塑料污染的问题。目前大家关注度最高的是生物可降解材料的研发、工业化及其应用，尤其是我国颁布“禁（限）塑令”以后，生物可降解材料呈现出十分火爆的场景。生物可降解材料的确可以在一次性购物（包装）袋、地膜、快递、医用等领域替代原来的不可降解塑料，但因使用和加工性能所限、不可能在所有的塑料应用场景全部替代原来的不可降解塑料。这几年生物可降解材料的火爆也是全球为解决塑料污染问题而更加重视，我们还应客观地评价塑料诞生百年来为人类社会和文明进步所做出的重要贡献，尤其是在代钢代木、节能减排等方面发挥的重要作用。对于塑料污染问题，不可降解材料的合理回收和资源化再利用是解决塑料污染的重要途径之一！资源化循环利用又分物理循环和化学法循环，不可降解材料的物理梯级循环利用是目前相对实用的路径，物理循环资源化利用瞿金平院士、陈学庚院士等多位院士和研发机构都做了大量研发与创新，尤其是瞿金平院士混合废弃塑料的物理循环利用，省去了分拣这艰难的环节，通过设备创新和工艺技术创新，实现了废弃塑料的资源化利用；陈学庚院士在地膜回收以及再利用方面也做了大量创新工作。

化学法循环再利用是实现不可降解材料高值循环利用的重要方法，也是化学反应技术发挥重要而不可替代作用的领域之一。化学反应的基本原理是聚合反应得到的高分子化合物、就一定能够通过解聚（或裂解）反应使之分解，技术上没有障碍，只是成本和代价问题，即经济性能否过关？全球聚合材料领先的杜邦公司 20 世纪 90 年代就开始研发废物减量化，那时杜邦就已经认识到“废弃物是未充分利用的资源”，自杜邦公司不断创新新聚合物、引领高分子材料高歌猛进的时候，杜邦就已经开始投入大量人力物力开发废塑料的回收利用技术；1991 年杜邦就回收利用了 12.7 万吨工艺废料，上世纪末和本世纪初，杜邦共运营着 11 个塑料再生利用装置，每年加工废塑料的量 45.4 万吨。今天的巴斯夫也在研发热裂解工艺，把废塑料热裂解为合成气或油品，用这种原料在路德维希港一体化基地再生产各种化学品或聚合物，其品质达到食品级。伊士曼通过聚酯再生技术实现一系列聚酯塑料废弃物的化学回收，与传统工艺相比可减少 20% ～ 30% 的温室气体排放。日本神钢环境利用流化床气化炉，把低纯度、不易循环利用的废旧塑料气化，获得的合成气制甲醇，该项目计划 2023 年 9 月开始运营，这种方法每处理 6 万吨废塑料，可综合减少 10 万吨二氧化碳排放。哪有人会问“为什么没有推广开呢？”前面讲了“技术不成问题，关键是运营成本和回收后的塑料、价格是高于还是低于新塑料的价格？即经济竞争力问题”。今天的巴斯夫、陶氏、科思创、亨斯迈、埃克森美孚、壳牌等跨国公司以及中国石化、中国石油、万华化学和石科院、北化院、金发科技等众多企业和科学家、企业家，都为了节省资源、减少碳排放，大力推动废弃塑料回收与循环资源化利用的创新与探索。

4. 产业集群化

产业的集群化发展是党中央提出培育现代产业集群的战略部署，建设现代化产业集群是推动高质量发展、全面提高经济整体竞争力的必然要求，是推动我国经济发展焕发新活力、迈上新台阶的必然选择。石化产业的布局基地化、园区化、装置大型化、炼化一体化和产业集群化，也是发达国家成功的实践。新加坡裕廊岛、巴斯夫路德维希港基地、比利时安特卫普石化基地、沙特阿拉伯朱拜勒工业城以及东京湾、墨西哥湾石化产业集群等，已经成为原料互供、产业链协同、能源和公用工程共享的世界级标杆。我国已认定的石化园区有 600 多家，尤其是国家重点布局了“七大石化基地”和“四大现代煤化工示范区”，依托这样的基础和布局，立足石化产业的现有规模和未来高质量发展，《全国石化园区“十四五”发展规划和 2035 远景展望》提出：组织实施“五项重点工程”，重点培育“五大世界级石化产业集群”，到“十四五”末环渤海湾、杭州湾、海西湄洲湾、泛大亚湾沿海“四大世界级石化产业集群”和“能源金三角现代煤化工产业集群”初具轮廓，力争 2035 年形成国际水平的“五大世界级石化产业集群”，成为石化强国的重要基础和强力支撑。长兴岛、上海、宁波、古雷、大亚湾以及连云港、南京等沿海沿江石化基地和园区，推进产业集群化发展，不仅原料上下游互供、产品链协同延伸、能用集中供应、“三废”集中处理，实际效果就是减少了原料和能源消耗、缩短了运输距离，直接或间接地大幅减少碳排放，形成产业集群以后在规模化上就有了集聚效应和规模化效应。以焦炭规模化的案例作一分析，因为焦炭有两大副产品综合利用的问题，一个是焦炉气做甲醇，另一个是煤焦油的深加工，焦炉气做甲醇、进一步制烯烃、聚烯烃以宝丰能源为代表做得很成功；煤焦油的主要成分是苯、萘、蒽、醌，苯是重要的基础化学品之一，以苯为原料可以经硝化、加氢获得苯胺，苯胺就是 MDI、TDI 的基础原料，也是染料的重要原料，150 多年前拜耳、巴斯夫的诞生就是因为以煤焦油为原料经苯胺合成了苯胺紫人工合成染料而起家；以苯为原料经氯化得氯化苯、经氧化可获得顺酐，由顺酐出发的产业链就更广了，其中一个现在最火的：顺酐加氢可以获得 1,4- 丁二醇，进一步四氢呋喃、丁内酯、氨纶、PBT 工程塑料、PBAT、PBS 可降解塑料等；其他的组分萘、蒽、醌不仅是医药、农药等精细化学品和特种树脂的原料，萘氧化可以做苯酐，苯酐又是涂料、塑料添加剂等的重要原料。我们来看看规模集约化和产业集群化的效果：100 万吨 / 焦炭，据测算可副产焦炉气 3.5 万立方米 / 小时，折合 2.52 亿立方米 / 年；按 1 吨甲醇消耗约 2000 立方米焦炉气计，100 万吨焦炭可配套 12.6 万吨甲醇，产业链进一步延伸，12.6 万吨甲醇也就制 4 万多吨烯烃，就会觉得不值得把这点焦炉气高质化利用。如果做到了规模集约化，焦炭扩大为 1000 万吨 / 年，则焦炉气副产甲醇的量就到了 126 万吨 / 年，126 万吨甲醇 / 年若采用第三代 MTO 技术则可以生产约 50 万吨 / 年烯烃，大家可以设想：我们当年引进的第一批世界最先进的大型乙烯装置都是 30 万吨 / 年，有了 50 万吨的烯烃将进一步延伸为多大的产业链和产业集群啊?

另一个副产品煤焦油也是一样，据测算 100 万吨 / 年焦炭可副产 5 万吨左右煤焦油，煤焦油加氢可以获得燃料油，也可以分离出 1.5 万～ 2 万吨精苯，这点精苯的利用价值也不大，同样的规模集约化扩大为 1000 万吨 / 年，副产煤焦油就有 50 万吨 / 年、精苯的量就到了 15 万～ 20 万吨 / 年，规模集聚度开始显现了、产品链也丰富多了、产业集群化效果自然就出来了。这时候再不考虑副产物的综合利用自己就觉得过不去、就觉得浪费了可惜啦，最终的结果就是既增加了效益、又节约了资源，还减少了碳排放、保护了生态。按照国家的战略布局和经济发展的总体部署，贯彻“规划科学、布局合理、管理高效、产业协同、集群发展”的原则，认真研究并做好“规模集约化和产业集群化”的发展思路、目标和具体措施。如果做到了“规模集约化和产业集群化”，每一个基地、每一个园区，甚至每一套生产装置、每一条产品链，都会发挥出最充分的效果，不仅节省资源、降低成本，而且会产出最大化、效益最大化。这就是《工业领域碳达峰实施方案》中提出的：打造绿色低碳工业园区，通过“横向耦合、纵向延伸”，构建园区内绿色低碳产业链条，促进园区内企业采用能源资源综合利用生产模式。到 2025 年，通过已创建的绿色工业园区实践形成一批可复制、可推广的碳达峰优秀典型经验和案例。未来“规模集约化、产业集群化”是石化产业发展基地化、园区化的重要路径选择，也是打造具有国际竞争力的现代石化产业集群和石化产业高质量发展的必然选择。

5. 绿氢工业化

绿氢的工业化不仅是技术方面实现工业化和规模化，而是经济上也具有竞争力。炼化一体化装置、煤化工装置都需要氢气，目前所需的氢国内多用煤制氢、发达国家主要采用天然气制氢，不论是煤制氢还是天然气制氢都有二氧化碳排放，而绿氢就不存在碳排放问题，这就是巴斯夫、SABIC 等跨国公司加快研发绿电裂解替代传统的蒸汽裂解和巴斯夫湛江基地、埃克森美孚大亚湾基地一直在签订绿电供应合同的主要考量。与氢的耦合，如果有条件的园区和化工基地与轻烃裂解的副产氢耦合是不错的选择，一套 60 万吨 / 年的丙烷脱氢装置副产氢的量约 2 万～ 3 万吨 / 年，目前很多副产氢用作锅炉燃料既是无奈之举、也是浪费。

今天还是重点谈煤化工产业与绿氢的耦合，因为前面谈到了煤化工产业碳达峰碳中和的挑战和任务尤为艰巨，如果与绿氢耦合二氧化碳排放量就会大幅降低，因为煤化工的主导产品有合成氨、甲醇等，煤制烯烃目前也是先合成甲醇、再制烯烃，具体到每个工艺过程、目前碳排放量占比很高的集中在合成气变换和甲醇洗两个环节，合成气变换的目的是为下一步合成工段调碳氢比，在这一环节把碳多、氢少多出的一氧化碳变换成二氧化碳，甲醇洗环节不仅是合成气净化、更是把变换环节的二氧化碳去除；如果绿电的经济性过了关，为了解决气化炉刚出来的合成气碳多氢少的矛盾，不采用传统的蒸汽变换，不是采取把一氧化碳变换成二氧化碳的方法、而是采用补充绿氢的方法来调碳氢比，就大大降低了二氧化碳的排放量，煤化工面临的“双碳”压力将降低不少；若绿氢的价格和所需量都适宜的话，据测算可降低碳排放 70%。这就是《工业领域碳达峰实施方案》提出的：鼓励有条件的地区利用可再生能源制氢，优化煤化工、合成氨、甲醇等原料结构。

绿氢的工业化关键在创新。目前的化石资源制氢、电解水制氢、甲醇分解制氢等方法，从碳排放和经济角度看都难以满足新能源大量使用的要求，工业副产氢可以做局部区域示范性应用。真正实现绿氢的工业化关键就在创新，巴斯夫自 2010 年起一直在研究甲烷直接裂解制绿氢，与目前的天然气经合成气制氢不同，根据甲烷的分子结构、采取直接裂解技术，制取氢气和固体碳，不排放任何温室气体。另一个完全不排放温室气体获取氢的方法是阳光分解水制氢，科学家预测阳光分解水制氢的最终成功，才是氢作为清洁能源实现的一天，阳光分解水制氢国际国内都在研发与创新过程中，三菱化学、东京大学以及中国科技大学等都取得了较好的阶段性成果。三菱化学我曾带队访问并做交流，当时能效转化率只有 5%，三菱首席技术官濑户山先生告诉我们：能效转化率达到 10% 就可以有经济性；东京大学是媒体曾有报道，由 1600 个反应器单元排列组成、规模为 100 平方米太阳光催化分解水制氢的试验，连续稳定运行数月，考核了催化剂性能、膜分离技术以及装置安全性等，氢的制取、气体分离以及安全性都是成功的，只是当前存在效率低、成本高的问题。可见光分解水制氢的关键在高效催化剂、氢氧分离的高性能分离膜以及氢的储运材料等方面的创新与突破。

6. 关键是创新

抓创新就是抓发展，谋创新就是谋未来，国际竞争新优势越来越体现在创新能力上。《石化化工高质量发展指导意见》中，特别强调“坚持创新驱动”原则，着眼科技自立自强，推进关键核心技术攻关，促进产业链供应链安全稳定，提高全要素生产率，提升发展质量和效益。“十三五”石化行业创新在重大关键技术、核心设备和工程化、产业化等方面，都取得了一系列重大突破，未来解决少数“卡脖子”的痛点和堵点、加快绿色低碳转型和产业高端化，关键也是依靠创新。新的节能技术、新型高效催化剂和节能设备、绿色工艺和绿色产品等等围绕“双碳”创新的内容很多，今天重点谈一个国际国内都在聚焦的二氧化碳资源化利用绿色化学的创新，离开了创新碳达峰难以实现、碳中和更无“技”可施，通过创新采用化学反应新技术、新工艺或新设备，提高物料转化率和目标产物的收率，即通过提高反应效率减少物料消耗，即可减少碳排放量。国内何鸣元院士、韩布兴院士、丁奎岭院士、李灿院士以及上海高研院、中国科学院化学所等众多机构都积累了很多阶段性成果和宝贵的经验，但是离产业化还有不小的距离，这方面的创新是化学家和科技工作者需要聚焦的新命题。二氧化碳为原料人工合成淀粉已在中国科学院天津工业生物所实验室实现；二氧化碳合成汽油技术，中国科学院大连化学物理研究所已取得突破，首套千吨级中试装置已顺利生产出符合国六标准汽油；二氧化碳与环氧乙烷制碳酸二甲酯奥克化学与张锁江院士合作已取得阶段性工业化成果。巴斯夫与林德共同开展的二氧化碳与甲烷干重整制合成气也取得阶段性成果，因干重整过程需添加更多的二氧化碳，该技术成功以后有可能形成负排放工艺；同时巴斯夫正在研发二氧化碳与乙烯为原料合成丙烯酸，进而生产高吸水性树脂用于婴儿和老年用品。日本制铁利用炼铁高炉或电炉排放的二氧化碳与二元醇反应合成了聚碳酸酯二醇，作为下游聚氨酯的原料，这一创新不仅减少了二氧化碳排放，而且代替了以一氧化碳和光气为原料先制得碳酸二甲酯、再与二元醇反应制取聚碳酸酯二醇的传统工艺，消除了危险性极高的光气法传统工艺，预计2030 年实用化。日本制铁还与澳大利亚的企业和昆士兰大学合作，以二氧化碳为原料利用微生物催化法合成了 $C_6 \sim C_8$ 的链式脂肪酸，微生物催化反应可以在常温常压下进行，克服了原来传统催化的高温高压工艺，$C_6 \sim C_8$ 链式脂肪酸可以做燃料用，也是饲料添加剂和医药化学品的重要原料，已取得实验室阶段性成果，正在优化反应条件和验证，为下一步实用化深入研发。以二氧化碳为原料与生物质来源的丙酮酸反应、经生物催化制取丁二酸，获得了生物可降解材料 PBS 的原料，已取得实验室研究成果。二氧化碳资源化利用绿色化学的突破正在稳步取得进展和突破，再过 15 年左右必将为碳中和做出重要贡献。为实现碳达峰碳中和，我们应加强绿色低碳重大科技攻关和推广应用，开展绿色低碳共性技术、前沿引领技术、颠覆性技术和相关设施装备的技术攻关，培育一批节能降碳和新能源技术产品研发重点实验室、创新中心、重大科技创新平台。

中国社会各界、全国各地、各行各业都在为“2030 年碳达峰和 2060 年碳中和”，而加大创新、节能减碳、多措并举，为保护人类唯一的地球家园而积极行动！就全球来看，今年及今后数年碳达峰碳中和又遭遇新的挑战，疫情的不确定性难料、大国博弈在加剧，尤其是今年爆发的俄乌冲突，美国和欧洲联手对俄制裁，导致能源价格暴涨，特别是欧洲能源危机日益加重，天然气短缺、甚至断供，欧盟各国纷纷重启煤电，这必将导致碳排放量的增加，所以全球刚刚达成和正在采取的减排共识和行动，又遇到了新的挑战。我们相信，和平与发展仍将是当今世界的主流，动荡终会过去，随着百年未有之大变局的递进和产业变革、技术革命的加快，人类命运共同体将迎来美好的明天。

直面新挑战　迎接新机遇 *

今年与往年相比，情况更加复杂，一个是病毒的持续变异和疫情的多地散发，从上半年的上海、吉林、天津、北京，到下半年的郑州、广州以及当前的北京，年底了回看今年，疫情的影响比 2020 年还要严峻；另一个是大国博弈与地域动荡导致突发的俄乌冲突，本以为是短暂的冲突，可快 10 个月了尚未看到停火的曙光，本以为是局部地域冲突，可牵动了美国和欧洲等整个北约的国力和各大国的关注；又加上美国和欧洲通胀加剧，货币政策转向、财政政策收紧，对经济尤其是新兴经济体将产生影响，并且俄乌冲突、美国和欧洲对俄制裁，导致能源危机、欧洲天然气短供，更进一步加剧了全球经济下行，今年的全球经济可谓是“雪上加霜”！

一、今年的中国石化行业有喜有忧

从前三季度的经济数据看，今年石化行业的经济运行表现出“一喜三忧”：

“一喜”是中国石化行业今年还将是一个收获不错的年景。因为今年前 9 个月的经济指标超出了年初的预期，今年前 9 个月石化全行业实现营业收入 12.25 万亿元，同比增长 18.5%；实现利润总额 9794.3 亿元，同比增长 7.6%；进出口总额 7870.4 亿美元，同比增长 27.4%。因为去年三大经营指标（营业收入 14.45 万亿元、利润总额 1.16 万亿元、进出口总额 8600 亿美元），都创造了石化行业历史上的新纪录，年初我们在预测今年经营任务和重点目标时都认为：在去年如此高的基数之上再大幅增长的难度很大，只要保持不下降就是保住了历史纪录、就是实现了稳增长。前三季度的数据（营业收入增长 18.5%、利润总额增长 7.6%、进出口总额增长 27.4%），已大大超出了年初的预期，这

* 这是 2022 年 12 月 14 日，傅向升同志在中国石油和化学工业联合会国际交流与外企委员会年会的视频讲话。

种增速是我们年初没有预想到的，这是喜。

再作一个比较就更清楚了：今年前 9 个月石化全行业的经济运行已经好于 2019 年全年！营业收入 12.3 万亿元、与 2019 年全年相等，利润总额 9794.3 亿元、已经高出 2019 年全年 6683.7 亿元 46.5%，进出口总额 7870.4 亿美元、已经高于 2019 年全年的 7222 亿美元。

第一最担忧的是炼油板块。要是分板块看，上游好于下游，最令人担忧的是炼油。三大板块中，油气板块今年前 9 个月营业收入同比增长 38.5%、利润同比增长 1.12 倍；化工板块今年前 9 个月营业收入同比增长 14.7%、利润同比增长 0.3%；而炼油板块今年前 9 个月营业收入同比增长 21.7%、利润同比是下降 65.6%。三大板块经营指标的分化主要因素是原油价格，今年前 9 个月布伦特原油均价达到 105.3 美元 / 桶，同比上涨了 55.5%，原油价格的高位对油气板块自然是利好，尤其是石油开采的业绩更好（营业收入增长 52%、利润增长 1.54 倍），但是对下游的炼油和化工板块，因原料价格高企，盈利影响严重，尤其是炼油利润同比大幅下降。

第二是业绩的可持续性令人担忧。主要表现在利润水平的下滑，进入下半年以后，收入增速变化不大：上半年全行业营业收入同比增长 20.9%，1—7 月增速 20.0%、1—8 月增速 19.0%、1—9 月增速 18.5%、1—10 月增速 17.1%，变化不大；而利润的增速急速下滑：上半年全行业实现利润同比增长 24.0%，1—7 月增速 16.5%、1—8 月增速 10.9%、1—9 月增速 7.6%、1—10 月变成 3.2%，4 个月利润的增速下滑幅度 20.8%；尤其是化工板块由上半年的增长 14.1%，到前 9 个月的同比增长 0.3%，下滑为前 10 个月的同比下降 4.4%、本年度内首次由正转负！今年全年的盈利是我们最大的担忧。

当然，从前 10 个月经营情况总的看：今年仍将是一个不错的年景！具体的：营业收入前 10 个月 13.63 万亿元、离去年历史纪录 14.45 万亿元相差不到 1 万亿元，今年营业收入再创新高、高于 15 万亿元已成定局！利润总额前 10 个月已达 1.07 万亿元、离去年的历史纪录 1.16 万亿元相差不到 1000 亿元，全年利润接近去年水平是有希望的！进出口总额前 10 个月 8694.6 亿美元、已高出去年 8600 亿美元这一历史纪录近百亿美元，今年进出口总额再创历史新高已经实现！所以，今年仍将是一个收获不错的年份。在全球经济下行、世界石化遭遇严峻挑战、欧洲面临的困境更加艰难的情况下，今年的中国石化产业能取得这样的经营业绩，再次体现出中国是世界石化产业可持续运营的稳定器和增长的火车头！虽然大家对中国今年的防疫措施有很多不同的看法，但如果没有中国石化市场和中国石化产业链供应链稳定性的支撑和托底，今年的全球石化产业可能会更惨淡一些。

第三是化工型公司更加担忧。因为今年的特殊经济背景，尤其是原油、天然气等能源产品价格高企，我们身边的能源化工公司也呈现出业绩分化：化工为主的公司盈利变差，而能源为主的公司盈利大增。先看看化工为主的公司：中国石化 2021 年营业收入 2.74 万亿元、同比增长 30.2%，归属母公司利润 712 亿元、同比增长 1 倍多，今年前三季度营业收入 2.45 万亿元、同比增长 22.6%，归属母公司利润 566.6 亿元、同比减少 5.6%；恒力 2021 年营业收入 1979.7 亿元、同比增长 29.9%，归属母公司利润 155.3 亿元、同比增长 15.4%，今年前三季度营业收入 1703.6 亿元、同比增长 12.5%，归属母公司利润 60.87 亿元、同比减少 52.1%；万华化学 2021 年营业收入 1455.4 亿元、同比增长 98.2%，归属母公司利润 246.5 亿元、同比增长 1.45 倍，今年前三季度营业收入 1304.2 亿元、同比增长 21.5%，利润 136.1 亿元、同比减少 30.36%；巴斯夫 2021 年营业收入 786 亿欧元、同比增长 33%，息税前利润 78 亿欧元、同比增长 1 倍，今年第三季度营业收入 219 亿欧元、同比增长 12%，息税前利润 13 亿欧元、同比减少 28.5%；赢创 2021 年营业收入 150 亿欧元、同比增长 23%，息税前利润 23.8 亿欧元、同比增长 25%，今年第三季度营业收入 48.8 亿欧元、同比增长 26%，息税前利润 6.15 亿欧元、同比减少 5%；科思创 2021 年营业收入 159 亿欧元、同比增长 48.5%，息税前利润 31 亿欧元、同比增长 1 倍，今年第三季度营业收入 46 亿欧元、同比增长 7.3%，息税前利润 3.02 亿欧元、同比减少 65%；陶氏 2021 年营业收入 550 亿美元、同比增长 42.6%，归属母公司利润 63 亿美元、同比增长 4.15 倍，今年第三季度营业收入 141 亿美元、同比下降 5%，息税前利润 12 亿美元、同比减少 58.6%；杜邦 2021 年营业收入 167 亿美元、同比增长 16%，息税前利润 42 亿美元、同比增长 21%，今年第三季度营业收入 33.2 亿美元、同比下降 22.34%，息税前利润 8.56 亿美元、同比增长 5%。

再看能源为主的公司：中国石油 2021 年营业收入 2.6 万亿元、同比增长 35.2%，归属母公司利润 921.7 亿元、同比增长 3.85 倍，今年前三季度营业收入 2.46 万亿元，归属母公司利润 1202.7 亿元，现金流净额同比增长 38.3%；中国海油 2021 年营业收入 2221 亿元、同比增长 59.1%，归属母公司利润 703 亿元、同比增长 1.82 倍，今年前三季度营业收入 3111 亿元、同比增长 79%，归属母公司利润 1087.7 亿元、同比增长 1.06 倍；埃克森美孚的盈利同比增长 2.9 倍、雪佛龙同比增长 1.9 倍、道达尔同比增长 2.1 倍、壳牌同比增长 2.3 倍、BP 同比增长 2.5 倍、沙特阿美同比增长 39.5%。可见受高油价的影响，国内企业和跨国公司呈现出基本一致的态势：化工为主的公司盈利下降，能源为主的公司今年的盈利大增。

二、当前和明年经济面临的“三大挑战”

当前，世界百年未有之大变局加速演进，新一轮科技革命和产业变革深入发展，国际力量对比正在深刻调整，尤其是疫情的持续、叠加今年突发的俄乌冲突，更加速了世界石化产业的重构，全球经济和石化市场面临新的挑战。

一是全球经济下行日益严峻。受发达经济体通胀、大国博弈和地域冲突以及疫情的不确定性等多重因素影响，今年全球经济增速约为去年 6.1% 的一半，明年全球经济更加扑朔迷离。从最近经济合作与发展组织（OECD）、国际货币基金组织（IMF）、世界银行以及国际机构、经济部门和经济顾问等对世界经济的最新预测来看，对明年的预测更加悲观，全球经济有新兴经济体的带动，不会陷入衰退，但有的发达国家陷入衰退的概率是存在的，个别新兴经济体受美元大幅升值的牵连陷入危机的风险也在增加，这对我们来说是明年回避不了的。IMF 对明年的预测：全球经济增长 2.7%；发达经济体增长只有 1.1%，美国增长 1%，日本增长 1.6%，英国增长 1.2%，加拿大增长 1.5%；新兴市场和发展中国家增长 3.7%，中国增长 4.4%，印度增长 6.1%，东盟 5 国增长 4.9%，伊朗增长 2%，沙特阿拉伯增长 3.7%。

俄乌冲突双方遭受巨大经济损失。IMF 预测俄罗斯今年经济将下降 3.4%、明年下降 2.3%。而 OECD 预测：俄罗斯今年 GDP 将下降 5.5%、明年将下降 4.5%，两年损失约 10% 的经济总量；乌克兰更严重，今年 GDP 将大幅下降 35%。2021 年乌克兰 GDP 总量只有 2000 亿美元、人均只有 4800 美元，这一年下来惨状可想而知。

俄乌冲突的溢出效应对世界经济造成严重冲击，而对欧盟影响更甚。俄乌冲突爆发以来，欧盟联手美国制裁俄罗斯，但美国成了俄乌冲突的最大受益者，而欧盟成了俄乌冲突的最大受害者。据欧洲统计，因能源危机造成的损失高达 5000 亿欧元，德国就高达 1000 多亿欧元。IMF 已多次下调欧元区的经济预测值，最近预测明年欧元区的增速只有 0.5%。欧盟委员会最新报告：欧元区大多数国家经济今年第四季度陷入衰退，并预测明年欧元区经济增速只有 0.3%。昔日欧盟经济的火车头——德国最惨，今年的增速 1.4%、明年或将下降 0.6%。近三年将是德国自二十世纪七十年代石油危机以来损失最严重的三年。可见，明年世界经济的大环境将更加严峻复杂，尤其是发达经济体、欧元区因能源危机、通胀加剧等叠加因素的影响，明年陷入衰退的概率在加大。

二是愈合俄乌冲突对产业链供应链造成的冲击需要时间。大国博弈不仅加剧贸易保护主义和单边制裁，而且造成地域冲突和突发事件。今年 2 月下旬突发的俄乌冲突造成能源危机和欧盟天然气断供，不仅对欧元区经济造成直接影响，而且石化化工产业链供应链面临断供的风险。天然气对欧洲化学工业十分重要，生产过程所需的蒸汽、电力等能源约 33% 依赖天然气，40% 的天然气是用于生产化学品的原料，尤其是合成氨、甲醇等几乎全部依赖天然气为原料，天然气供应量的减少将直接影响到化肥等产业的稳定生产。欧盟现在天然气和电价与之前相比涨了 10 倍，受高昂的能源价格影响，欧洲许多工业部门正在减产，欧洲的电解铝产量下降了 50%。10 月份德国《商报》报道：为节省天然气和电力，能源密集型行业钢铁减产约 5%、化工行业减产 8%、化肥行业甚至关闭了德国 70% 的产能。我们熟悉的巴斯夫的欧洲工厂今年前 9 个月因高价天然气增加支出 22 亿欧元。科思创也预测今年总的能源成本将高达 22 亿欧元，将显著高于 2020 年的 6 亿欧元和 2021 年的 10 亿欧元。英力士烯烃及聚合物的首席执行官表示了对缺乏优势原料的担忧。陶氏化学公司首席执行官表示在欧洲的工厂已经减少了天然气用量。多家欧洲的化工公司都表示“尽量缩减欧洲的生产规模”。欧洲是全球化学工业的重要“一极”，尤其是化工新材料和精细化学品的占比和竞争力更强，欧洲化学工业因天然气短缺造成的生产不稳定和规模缩减，必将对全球石化产业链供应链稳定性和可持续造成重大影响。更令人担忧的是，还看不到明年好转的曙光。

三是主要石化产品价格在波动中下行压力加大。原油价格不仅是一个大宗商品的价格，更重要的是其具有金融属性，甚至是经济的“晴雨表”，当然与石化行业的关系最为密切。2019 年布伦特原油均价 64.26 美元 / 桶、同比下跌 9.9%，当年中国石化行业营业收入同比增长 1.3%、利润总额同比下降 14.9%；2020 年布伦特原油均价 41.74 美元 / 桶、同比下跌 35.05%，当年中国石化行业营业收入同比下降 8.7%、利润总额同比下降 13.5%；2021 年布伦特原油均价 70.72 美元 / 桶、同比上涨 69.4%，当年中国石化行业营业收入同比增长 30%、利润总额同比增长 126.8%。今年的原油价格是先升后降，受突发俄乌冲突的影响，3 月上旬布伦特油价曾短暂突破 139 美元 / 桶，其后连续几个月在 110 美元 / 桶高位波动，自 9 月份跌到 100 美元 / 桶下方，10 月份布伦特原油均价 93.4 美元 / 桶，12 月 5 日布伦特原油收盘价 83 美元 / 桶，这个“晴雨表”已经呈连续下跌态势。化学品价格也已呈现下跌态势，10 月份重点监测的 46 种无机化学品均价同比下降的有 22 种、比 9 月份增加 10 种，重点监测的 87 种有机化学品均价同比下降的有 54 种、比 9 月份增加 6 种；尤其是合成材料品种下降幅度更明显一些。产品价格波动中下行的趋势恐怕明年会延续，明年石化产品面临的价格挑战将是最直接、最严峻的，当然中国石化产品还面临着出口收缩的压力。

三、明年中国经济和石化产业的“四大机遇”

明年是全面贯彻党的二十大精神的开局之年，是“十四五”规划落地实施的关键之年，是新一届政府开启新征程之年，下半年还将召开历届全会中最重要的三中全会。明年中国的国际环境也会明显改善，今年 RCEP 生效第一年的成效明显，明年及其未来其深度和广度必定会进一步拓展。明年中欧关系将更加向好，因为中国作为全球最强劲的大市场、最完整最稳定的产业链供应链，欧盟要走出当前的困境需要与中国深化合作，德国作为欧盟经济的火车头，其总理来访就说明了这一点。中美关系明年也将以探讨合作与缓和为主基调，两国元首一个月前的巴厘岛会晤就是积极的开始，美国加息抑制通胀能否取得预期效果也需要与中国更多的合作。这国内国际多重因素的叠加都将给中国经济发展带来新的机遇，都将产生强力的推动作用。今年中国经济前三季度增长 3%，全年增长 3.5% 左右、更好一点可能会接近 4%，今年的增速虽然没有达到年初的 5.5%，历史上看不算快，但全年经济总量差不多能接近 120 万亿元，增量约 5 万亿元、折合 7000 多亿美元，这个增量相当于土耳其去年的经济总量、也不算小。看明年：中央政治局已经明确：明年继续坚持稳字当头、稳中求进，继续实施积极的财政政策和稳健的货币政策，突出做好稳增长、稳就业、稳物价工作，推动经济运行整体好转。从政策和机遇综合预测，明年中国经济增速肯定比今年高，能达到 5%、甚至更高一些，所以明年中国经济总体将继续向好、持续增长。下面简要谈一下明年面临的“四大机遇”：

一是全面贯彻党的二十大精神开局之年的新机遇。习近平总书记在政治局会议上讲“明年是全面贯彻党的二十大精神的开局之年。”党的二十大再次重申：发展是党执政兴国的第一要务，并强调“没有坚实的物质技术基础，就不可能全面建成社会主义现代化强国”。这充分证明党中央对发展的高度重视和定位，与党的十九届五中全会“发展是解决我国一切问题的基础和关键”的认识是一致的。这也证明党中央正视我国发展方面存在的差距，我国经济总量已连续 12 年位居世界第二，连续两年超过百万亿元，去年 114.4 万亿元、17.73 万亿美元，可人均值只有 1.25 万美元，世界人均排名第 60 位；我国人均 GDP 只有美国的约 1/6，日本的约 1/3，德国、英国和法国的约 1/4。只有发展、只有高质量发展，才能为全面建成社会主义现代化强国奠定坚实的物质和技术基础。国家要发展、经济要发展靠什么？工业经济、实体经济是关键，这也就是二十大报告特别强调的：建设现代化产业体系，坚持把发展经济的着力点放在实体经济上的核心要义。归根结底，企业是关键，因为企业强则国家强，企业兴则国家兴，这对我们中外企业来说就是新的重要机遇。尤其是党的二十大最新强调“高质量发展是全面建设社会主义现代化国家的首要任务”，外资企业和国内一部分创新型企业因产品结构高端、技术水平高、创新能力强，是经济高质量发展的重要构成和推动者、贡献者，机会要多于传统产业和大宗基础产品。党的二十大还特别强调“中国式现代化是走和平发展道路的现代化”。推进高水平对外开放，合理缩减外资准入负面清单，依法保护外商投资权益，营造市场化、法治化、国际化一流营商环境。让中国市场成为世界的市场、共享的市场、大家的市场，为国际社会注入更多正能量，这都为外资企业提供了深耕中国发展的新机遇。

二是科学化精准化优化疫情防控新变化的新机遇。11 月 10 日，中央政治局常务委员会听取新冠疫情防控工作汇报，并研究部署进一步优化防控工作的二十条措施。12 月 7 日，国务院应对新冠疫情联防联控机制综合组又发出了进一步优化疫情防控的“新十条”，进一步优化的核心内容有：第一优化风险区政策，“按楼栋、单元、楼层、住户划定高风险区，不得随意扩大到小区、社区和街道（乡镇）；不得采取各种形式的临时封控；对于高风险区要快封快解，连续 5 天没有新增感染者的高风险区，要及时解封”。第二优化核酸检测：“不按行政区域开展全员核酸检测，缩小检测范围、减少频次；除特定场所外不要求提供核酸检测阴性证明，不查验健康码；不得对跨区域流动人员查验核酸阴性证明和健康吗，不再开展落地检”。第三优化隔离政策，“具备居家隔离条件的无症状感染者和轻型病症一般采取居家隔离，病情加重的及时转定点医院治疗；具备居家隔离条件的密接者采取 5 天居家隔离，第 5 天核酸检测阴性后解除隔离”。在前期疫情防控取得重要成果和经验的基础上，现在的“新十条”做出的优化措施更加科学化、精准化，相信春节过后各项措施会更科学，人们的应对会更从容，思想认识会更成熟，心理准备会更充分，明年开春伊始将开始进入一个生产经营正常化、社会活动正常化、日常生活正常化的新阶段。从今往后社区封控、街道封控，甚至浦东、浦西轮流封控和整个城市静默的情况再也不会发生了，我们企业的生产运营再也不受物流受阻、供应链断供的影响了，这都为企业生产经营稳定运行、产业链供应链安全可持续提供了最大保障。

三是落实“十四五”规划关键之年的新机遇。明年是落实“十四五”规划的中间年份，是承上启下的关键一年，明年的工作做得好与坏直接关系到“十四五”规划的任务能否落实、目标能否实现？因此，12 月 6 日，中央政治局分析研究明年经济工作部署时要求：“做好明后年的经济工作，要以习近平新时代中国特色社会主义思想为指导，全面贯彻落实党的二十大精神，扎实推进中国式现代化，坚持稳中求进工作总基调，完整准确全面贯彻新发展理念，加快构建新发展格局，着力推动高质量发展，更好统筹疫情防控和经济社会发展，特别强调突出做好稳增长、稳就业、稳物价工作，有效防范化解重大风险，推动经济运行整体好转，实现质的有效提升和量的合理增长，为全面建设社会主义现代化国家开好局起好步。”中央政治局已经为明年的经济工作定了调，明确了重点和政策取向，再加上明年“十四五”规划的多项重大项目和重点工程进入落地实施的关键一年，叠加二十大提出的聚焦未来发展的先进制造业、新能源、电子信息、生物技术等战略性新兴产业以及新一轮国际竞争的数字经济、航空航天等重点领域，石化产业作为国民经济的重要支柱产业必将迎来许多新的机遇。

四是中国强大市场需求和潜力的新机遇。中国拥有 14 多亿人口，有着巨大的现实市场和未来巨大的需求潜力，对粮食的巨大需求必将对化肥、农药、农膜等农用化学品产生巨大需求；汽车和新能源汽车的产量和保有量多年世界第一，必将是合成材料及其复合材料、密封和黏结材料、涂料、轮胎等世界第一消费市场；手机产量世界第一，必将是膜材料、显示材料、电子化学品的巨大市场。国产商用大型飞机 C919 今年首架已交付投运，已签订单 800 多架，国内外相关机构都做过预测：2019—2039 年的 20 年间，中国航空市场需要新增客机 7576 架，通常宽窄客机的比例是 1∶2，也就是说 737、C919 这种窄体客机需要约 5000 架，按空客和波音占 70%、C919 只占 30% 的市场份额，C919 也要 1500 架，如果再加上正在研发的 929 宽体机型，对化工新材料及其复合材料、航空有机玻璃、航空涂料及内饰材料，又是一巨大的市场。特别是党的二十大提出"加快建设制造强国、质量强国、航天强国、交通强国、网络强国、数字强国""六大强国"目标，这每一项强国目标的实现都离不开化工新材料及其复合材料和高端石化产品的配套与支撑，也都是我们石化产业和众多中外石化企业的新机遇。近几年中国市场每年合成树脂的消费量都超 1.2 亿吨，去年和前年即使受疫情影响，消费量也超 1.3 亿吨。

今年前 9 个月合成树脂的消费量已接近 9600 万吨，其中进口量超过 2000 万吨；前 9 个月消费成品油 2.46 亿吨，消费甲醇 5200 多万吨（去年 6600 多万吨、前年 6700 多万吨），还有有机化学品、专用化学品和多种无机化工产品的市场消费量也都是世界第一。预期明年随着疫情防控的科学化和精准化，社会活动和日常生活回归正常状态，生产经营做到稳定运行，明年中国消费市场又将是一个底气十足的局面。预计明年原油消费量将高于 7.2 亿吨，成品油消费量将高于 3.2 亿吨，合成树脂的消费量约 1.3 亿吨。又加上明年房地产回暖将是大概率，如此一来建筑材料、家电材料、汽车材料以及纺织材料等都将产生新的市场需求。中国拥有广阔的内需市场和稳定的增长预期，必将继续是世界石化产业可持续运营的稳定器和增长的火车头。

让我们携起手来，为构建国内大循环为主体、国内国际双循环相互促进的新发展格局而共同努力，以中国新发展为世界提供新机遇，共同培育全球发展新动能。

深入贯彻党的二十大精神
开创石化高质量发展新局面*

一、2022年石化行业经济运行再创佳绩

回望我们刚刚走过的2022年，很多场景历历在目。2022年，我们走过一个世界动荡加剧的一年。2022年的春节刚过、冬奥会的火炬刚刚熄灭，俄乌冲突突发，这一突发的地域政治冲突加剧了世界动荡，持续一年之久还看不到和平的曙光超出很多人的预料，这一冲突还加剧了世界粮食危机、能源危机，尤其是给欧洲造成的动荡和影响更加深重。2022年，我们走过疫情更加复杂的一年。今天看疫情基本过去，人们正在回归工作、生活的正常化，而2022年是三年疫情中更加复杂的一年，病毒的新变异和疫情的多点散发贯穿了全年，直到进入12月份防控“新十条”优化措施的出台，绝大多数人经历了一轮奥密克戎“洗礼”，疫情正在淡出人们的语境。2022年，我们走过一个经济明显下滑的一年。2021年世界经济增速6.1%，2022年IMF最新预测：世界经济增速3.4%，尤其是美国和欧洲等发达经济体货币政策转向叠加俄乌冲突影响更是明显放缓，美国由2021年度的5.7%明显下滑至2022年的2.0%，德国由2021年的2.8%下滑至2022年的1.9%，中国因疫情的影响经济增速由2021年的8.4%下滑至2022年的3%。

2022年中国取得世人瞩目的不凡成就。2022年中国虽然受疫情多地散发的持续影响，但我们探索优化防控措施、不断积累防控经验，统筹疫情防控和经济发展，胜利召开了具有重要历史意义的党的二十大，经济总量首次突破120万亿、超过121万亿元，粮食产量实现“十九连丰”、超过1.37万亿斤，货物进出口额首次突破40万亿元、高于42万亿元人民币，2022年的成绩极不

* 这是2023年2月16日，傅向升同志在2022年度石化行业经济运行新闻发布会的报告（视频）。

平凡、也极其不易。2022 年我国石化行业经济运行也超出很多人预期，重点分析如下：

1. 经营业绩“两增一减”，即营业收入增、外贸进出口额增、利润减少

根据国家统计局数据，2022 年度石化全行业实现营业收入 16.56 万亿元，同比增长 14.4%；进出口总额 1.05 万亿美元，同比增长 21.7%；利润总额 1.13 万亿元，同比下降 2.8%。利润总额虽然比上年度减少 300 多亿元，但这是连续第二年保持在万亿元以上，占全国规模以上工业利润总额的 13.4%。同时，营业收入和外贸进出口总额均连创新高，并且营业收入占全国规模以上工业总收入的 12%、石化进出口额占全国进出口总额的 16.6%，这都证明石化产业作为国民经济的重要支柱产业，为国民经济稳增长、稳外贸和经济发展作出了重要贡献。

2. 能源产销“两增两减”，即原油产量增、天然气产量增，进口量减少、原油加工量和天然气消费量减少

去年原油产量 2.05 亿吨，同比增长 2.9%；天然气产量 2177.9 亿立方米，同比增长 6.4%；原油产量实现“四连增”，这是 6 年来重上 2 亿吨平台，天然气产量连续 6 年年增量超过 100 亿立方米、去年增量 131 亿立方米，为端稳能源的“饭碗”和保障国家能源安全、市场保供稳价都作出了重要贡献。但我国原油和天然气进口出现新的变化，即原油进口量在上年度首次下降 5.3% 的基础上，再次下降 1.0%；而天然气进口量首次出现下降 10.4%。这说明：新世纪以来我国石化产业的发展迈上快速通道，原油和天然气进口量多年来一直逐年增加，对外依存度不断攀升的情况发生了变化。2022 年我国原油进口量 5.08 亿吨、同比下降 1.0%，对外依存度降至 71.2%；天然气进口量在多年连续大幅增长的情况下，2022 年进口量 1509.8 亿立方米、首次下降 10.4%，对外依存度降为 40.2%。2022 年我国原油加工量 6.76 亿吨、首次同比下降 3.4%，天然气表观消费量首次同比下降 1.3%。这种同步齐降的局面是我国石化产业快速发展以来首次出现，这与国际市场原油和天然气价格居于高位、绿色低碳转型以及国内宏观政策的调整有关，也与我国原油产量“四连增”和天然气连续 6 年年增量超 100 亿立方米有关，中国石油、中国石化、中国海油以及延长集团等能源公司“增储上产七年行动计划”成效明显。

3. 全年运行呈现“两个好于”

一是全年经济指标好于预期。2021 年石化全行业营业收入、利润总额、进出口总额都创了历史新高，面对如此高的基数，2022 年初我们研究全年工作时感到保增长的压力很大。根据国家统计局全年数据看：2022 年石化全行业营业收入同比增长 14.4%、进出口总额同比增长 21.7%，营业收入和进出口总额均再创新的历史纪录；利润总额虽然同比下降 2.8%，但总量仍保持在 1.1 万亿元以上，面对如此复杂的国际国内环境，取得这样的经营业绩实属不易，远超出了我们很多人的预期。

二是外贸额好于外贸量。总的看，2022 年石化行业进出口总额超过 1 万亿美元，比上年度的历史新高 8600 亿美元大幅增长 21.7%。其中，进口额和出口额也都同步大幅增长，即出口额同比增长 20.6%；进口额同比增长 22.2%。贸易逆差更是高达 3336.5 亿美元，大幅增长 24%，贸易逆差主要集中在原油、天然气、合成树脂、合成橡胶及钾肥等进口量大的产品，而无机化学品、有机化学品和有机颜料、农药以及橡胶制品、合成纤维等都是顺差。细分看，原油进口量同比减少 1.0%，而进口额却大幅上升 42.6%；天然气进口量同比减少 10.4%，而进口额却大幅上升 24.8%；化学矿的进口量同比减少 11.2%，而进口额却大幅上升 33%；钾肥进口量同比增加 4.3%，而进口额却大幅上升 113.7%，以上这几个产品逆差大。出口情况看，成品油出口量同比减少 14.6%，而创汇额却大幅上升 50.3%；有机化学品出口量增长 11.3%，而创汇额上升幅度达到 16.6%；氮肥实物出口量同比下降 11%，而创汇额上升 8.5%；农药出口量同比增长 1.9%，而创汇额大幅增长 38.7%；PTA 出口量同比增长 33.8%，而创汇额大幅增长 74.1%，这些出口产品都是顺差。造成这种情况的主要因素是大宗原材料和主要化学品价格处于高位。

4. 全年运行的“两个担忧”，即分化在加剧和市场需求下滑

第一个担忧是“分化在加剧”，主要表现在三大板块。国家统计局数据，石化全行业的营业收入 16.56 万亿元、同比增长 14.4%，利润总额 1.13 万亿元、同比下降 2.8%，全行业亏损面 19.4%、亏损企业亏损额同比增加 71.8%，全行业收入利润率 6.8%。

分板块看：油气板块，营业收入同比增长 32.9%，利润额同比增长 114.7%，亏损面 20%、亏损企业亏损额同比下降 30.4%，收入利润率 23.8%。炼油板块，营业收入同比增长 18.6%，利润额同比下降 87.6%，亏损面 28.3%、亏损企业亏损额同比增加 280.8%，收入利润率 0.4%。化工板块，营业收入同比增长 10.1%，利润额同比下降 8.1%，亏损面 19.2%、亏损企业亏损额同比增

加 56%，收入利润率 7.6%。这组数据对比很明显：受原油天然气价格高位的影响，三大板块的盈利情况分化明显加剧，上游油气板块的利润同比增长 1.15 倍，而下游的炼油和化工两大板块的利润都是负增长；炼油板块从下半年开始都是当月亏损，化工板块则是从四季度当月亏损。

第二个担忧是市场需求出现下滑，这主要表现在大多数石化产品的产量和消费量出现下降。新世纪以来，国内主要石化产品的产能产量以及消费量与世界趋势一致都是快速增长的，即使有疫情的影响国内石化产品的产量和表观消费量大多也是增加的。而 2022 年绝大多数石化产品的产量和表观消费量出现同步下降，这不得不引起我们的高度关注。全年主要化学品总产量下降 0.4%，无机化学品消费量下降 1.5%，汽油以及大多无机和有机化学品、合成树脂、合成纤维单体及聚合物的产量和表观消费量都出现不同程度的下降，国内市场消费不振，石化产业面临“需求收缩、供给冲击、预期转弱”的“三重压力”已经显现，说明产大于求、结构性矛盾突出的今天，开拓市场、提振信心、深化供给侧结构性改革已迫在眉睫。

5. 石化产业高质量发展又实现新跨越

2022 年度，石化全行业和广大石化企业贯彻党中央、国务院的决策部署，不仅做好天然气、化肥、成品油等重点产品保供稳价的工作，克服上游原材料和能源价格上涨幅度大、疫情导致的物流受阻和成本高企等多重困难，为我国粮食产量“十九连丰”和能源安全作出了重要贡献。而且突出石化产业高质量发展，在产业布局优化和结构调整、实施创新驱动发展战略和绿色低碳发展、深化并拓展国际合作与交流、培育现代石化产业集群等方面都取得了明显的进步。尤其是随着恒力长兴岛、浙石化舟山、盛虹连云港等炼化一体化装置和 2022 年中国石化古雷、洋浦海南炼化、镇海炼化二期以及中国石油揭阳广东石化等炼化和烯烃装置的相继建成投产，我国石化产业的规模集中度、石化基地的集群化程度、行业整体技术水平和核心竞争力都实现了新的跨越。近几年我国不断有新的炼化一体化装置建成投产，以 2022 年 10 月 26 日中国石油揭阳广东石化投产为标志，我国炼油总产能已达 9.2 亿吨 / 年，其中千万吨及以上炼厂增加到 32 家。根据国际能源署的数据，自疫情以来美国炼油产能减少了超过 100 万桶 / 天，当前总的炼油能力约 9 亿吨 / 年，由炼油产能可见，我国已超过美国成为世界第一炼油大国。据烯烃专委会统计，我国乙烯产能因炼化一体化、煤制烯烃、乙烷裂解等装置齐头并进，总产能已达 4675 万吨 / 年，超过美国的 4482 万吨 / 年总产能，我国也是世界第一大乙烯产能国。但还不应因此而骄傲，因为实际加工量我国跟美国还有差距，美国炼油装置的开工率 2022 年要高于 90%，比我国炼油装置的开工率高出 20 个百分点，据此计算美国的原油加工量要超过 8 亿吨，而我国的原油加工量不到 7 亿吨。所以，看到进步、正视差距，在高质量发展上狠下功夫。

6. 骨干企业和重要区域的发展作用更加凸显

重要骨干企业的压舱石作用愈益明显，中国石油、中国石化、中国海油和中国中化这 4 家骨干企业的营业收入之和高于 8.3 万亿元、利润之和高于 5300 亿元，都占到全行业总量的半壁江山。据了解山东 2022 年石化产业营业收入 2.76 万亿元、广东超过 2 万亿元、浙江 1.61 万亿元、江苏 1.38 万亿元，这 4 大石化大省（也都是东部沿海省份）石化产业的收入之和约 7.8 万亿元、占全行业营业收入总量的 47%。可见，石化骨干企业和石化大省、东部沿海石化基地，这些重要企业、重要省份和重要基地的作用和贡献正在显现。这 4 大石化大省也是经济总量排名前 4 的经济大省，这是否也从一个侧面证明了石化产业作为重要支柱产业，在区域经济发展中的带动作用和重要贡献？这个课题留待我们一起去研究。

刚过去的 2022 年，我们在极度艰难的情况下取得了极其不易的经营业绩，石化全行业高质量发展也取得新的进步和新的突破。这些成绩的取得得益于党中央、国务院的正确决策部署，得益于各有关部委和各级政府对石化产业创新发展的高度重视和大力支持，得益于社会各界人士和朋友对石化产业健康可持续发展的关心和帮助，得益于石化全行业和广大石化企业奋战在一线的干部职工、创新工作者的勤奋、拼搏以及默默奉献的家人们的理解与支持，在此一并向各级领导、各界朋友、各位企业家和同志们致以崇高的敬意！

二、当前石化产业面临的形势与机遇

走过 2022 年，我们再次开启了新征程，时代的发展与变迁，让我们不得不认真分析当前面临的形势和需要把握的机遇。**一是高速增长时代已过。**21 世纪的第一个十年内，世界遭遇了由美国引发的国际金融危机，世界经济遭遇了一次强烈地震；从 21 世纪的第二个十年开始，世界经济开启了新的景气周期，步入了全面和快速增长；21 世纪的第三个十年开启的时候，世纪疫情开始肆虐，叠加美国为首的发达经济体货币政策大放水，又突发俄乌冲突，导致世界经济明显下滑，从今年开始世界经济将步入低速增长时期，甚至个别经济体将出现短时期的衰退。因此今年的世界经济论坛 80% 的受访者对未来两年持负面看法，54% 的受访专家对未来 10 年持悲观态度。国际货币基金组织、世界银行、经合组织等国际组织和高盛、摩根士丹利、惠誉等机构都相继下调今明两年全球和主要经济体的经济增速。IMF 的最新预测：今年世界经济增速 2.9%、发达经济体增速 1.2%，其中美国 1.4%、欧元区 0.7%、德国 0.1%、法国 0.7%、日本 1.8%、英国 −0.6%。美联储预测 2023 年美国经济或仅增长 0.5%，欧洲央行预测 2023 年欧元区增速只有 0.5%，可见世界经济的景气周期已过。中国经济也是一样，十八大以来的 10 年，我国经济增速年均 6.6%，今后 10 年我国经济增速的努力目标是保持在 5% 左右。由此可见，中国经济已经告别高速增长时代，步入高质量发展的新阶段。石化行业 2021 年和 2022 年经营业绩连创历史新高，主要因素是产品价格的高位运行，如此一来石化行业的这种高速增长也将被写入历史，保持住这样的业绩存在诸多挑战。高速增长时代已过也告诉我们：短缺经济时代已过，靠规模和数量取胜的时代已一去不复返，只要生产出产品就能销售一空、获得丰厚利润的时代已一去不复返。当前石化行业除了乙烯、聚乙烯以及某些高性能新材料和高端专用化学品尚有一定短缺外，其余主要石化产品都是呈现产大于求状态。今天我们在论证新建装置、新上项目、扩大产能规模时，一定不能忘记高速增长时代已过、过剩时代已来的大背景和大环境，一定要转变过去拼规模、拼投资、拼资源的传统观念，把高质量发展摆在首位，把绿色低碳转型和产业链供应链安全摆在更加突出的位置。

二是大基建时代已过。大基建、大投资一直是拉动经济增长的重要引擎。经过近 20 年的集中投资、集中建设，今天的中国高速公路总里程已接近 12 万公里、高速铁路总里程已接近 4 万公里，其数量都是世界第一。北京、上海都拥有两大世界级国际机场，我们旅行到任何一个大型城市都有新建成的国际机场，中国已通车的跨海大桥、跨江大桥以及地铁、隧道、桥梁的数量和规模都是世界第一，中国已建成和正在建设的摩天大楼的数量和工程量世界第一。这样的大基建时代还能持续多少年？土地的容量、环境的容量还能承载多少这样的大基建？大基建时代已过的另一个标志是：房地产业的快速发展时期已过，又加上人口老龄化和低出生率、叠加近几年房地产政策的调整，房地产业快速发展的时期将成为过去时。鉴于这样的背景和时代，石化产业为基建领域配套的建筑材料、密封材料、保温材料以及涂料等产品一定要尽早研究转型，石化企业面对这种下游市场需求的变化，特别是需求收缩的压力，首先应当突出创新，通过创新加快产品结构的高端化、差异化和功能化，通过创新开拓新的应用领域和新的市场。

三是后疫情时代已来临。疫情持续了整整三年，新冠病毒在不断变异中给人类社会带来了一次劫难，给很多人都留下了不堪回首的记忆。今天看，疫情肆虐的状况已过，后疫情时代已来临。实际上从去年 12 月 7 日国务院发出进一步优化疫情防控的“新十条”以后，我们每一个人都感受到了变化，绝大多数人也都经历了与新冠病毒抗争的痛苦与磨难，但现在一切都在恢复正常，刚刚过去的春节到处都是人山人海就是最好的例证。相信今天呈现在我们面前的是全国各地、各条战线已开启生产经营正常化、社会活动正常化、日常生活正常化的新阶段。因疫情影响的物流受阻、供应链断供等状况都已过去，后疫情时代已经来临，可是我们准备好了吗？疫情过后世界各地的市场在恢复、生产在恢复，我们这三年的出口市场能巩固得住吗？后疫情时代北美、欧洲以及海湾和东南亚地区的石化产能都在充分释放的时候，产品的市场供应量就会极大地丰富起来，又叠加世界市场的需求收缩和预期转弱，产品价格就会在波动中下行，我们在国际市场的竞争力能应对自如吗？这都是后疫情时代我们不能回避、必须面对和思考的。

共同走过高速增长时代、一起跨越大基建时代、携手面对后疫情时代，我们也迎来了新的机遇：

一是全面贯彻党的二十大精神开局之年的新机遇。今年是全面贯彻党的二十大精神的开局之年，党的二十大强调“没有坚实的物质技术基础，就不可能全面建成社会主义现代化强国”，重申“发展是党执政兴国的第一要务”，这与党的十九届五中全会“发展是解决我国一切问题的基础和关键”是一致的，这也证明党中央高度重视发展，并正视我国发展方面存在的差距。石化产业作为国民经济的重要支柱产业，不仅高质量发展的任务还很艰巨，而且为制造强国、航天强国、交通强国等强国目标的实现提供重要配套和支撑。在由石化大国迈向强国的征途上，我们一定要深刻领会二十大的精神和战略部署，把握二十大的新机遇，在推动石化产业高质量发展和建设现代石化产业体系上狠下功夫，在科技自立自强和坚决打赢关键核心技术攻坚战上狠下功夫，在加快发展方式绿色转型和积极稳妥推进碳达峰碳中和上狠下功夫。

二是中国式现代化提供的新机遇。习近平总书记在学习贯彻党的二十大精神研讨班开班式的重要讲话中强调，概括提出并深入阐述中国式现代化理论，是党的二十大的一个重大理论创新，是科学社会主义的最新重大成果。党的二十大报告指出，中国式现代化经济建设的本质要求是实现高质量发展，这就对我国石化产业加大创新力度、实现科技创新的自立自强、加快解决“低端过剩，高端短缺”的结构性矛盾以及加大培育世界一流石化企业和专精特新“小巨人”企业、加快培育世界级石化产业集群等都指明了方向、提供了新的机遇；党的二十大报告指出，中国式现代化是人与自然和谐共生的现代化，这也为石化产业作为资源型、能源型产业和国民经济的重要支柱产业，把握好发展与保护的关系和减污降碳协同增效，加快产业结构、能源结构调整，为石化产业绿色化、低碳化和实施碳达峰碳中和战略指明了方向，提供了新机遇。推进中国式现代化必须抓好开局之年的工作，这对石化行业新一年坚持稳字当头、稳中求进，做好今年开好局起好步的工作，推动石化产业高质量发展，努力实现石化全行业经济运行整体好转，确保“十四五”规划目标的落实都明确了方向和工作重点，提供了新的机遇。

三是加快构建新发展格局的新机遇。习近平总书记在主持中央政治局第二次集体学习时指出，加快构建新发展格局是立足实现第二个百年奋斗目标、统筹发展和安全做出的战略决策，是把握未来发展主动权的战略部署。只有加快构建新发展格局，才能夯实我国经济发展的根基、增强发展的安全性稳定性。总书记要求我们：加快构建新发展格局要搞好统筹扩大内需和深化供给侧结构性改革，形成需求牵引供给、供给创造需求的更高水平的动态平衡，实现国民经济良性循环；还要求我们既要稳固和扩大国内循环的基本盘，又要加快科技自立自强步伐，解决外国“卡脖子”问题，增强产业链供应链的竞争力和安全性，要顺应产业发展大势，推动短板产业补链、优势产业延链、传统产业升链、新兴产业建链，增强产业发展的接续性和竞争力。这就要求我们石化产业要扩内需与深化供给侧结构性改革双向发力，不断提升产业链供应链的安全性和韧性，不断提升石化新材料和高端专用化学品的配套能力；而且也要求我们：通过构建新发展格局提高国内大循环的覆盖面，防止各地搞自我小循环，打消区域壁垒，真正形成全国统一的大市场，增强国内国际双循环的动力和活力。

四是最新产业政策带给我们的新机遇。去年下半年以来国务院及相关部委相继出台一揽子经济稳增长政策。2022 年国家发展改革委、工业和信息化部等有关部委先后颁布了多项与石化产业密切相关的产业政策，如：去年 2 月的《高耗能行业重点领域节能降碳改造升级实施指南（2022 年版）》、3 月份的《关于“十四五”推动石化化工行业高质量发展指导意见》、8 月的《工业领域碳达峰实施方案》以及《化工园区开发建设导则》《产业结构调整指导目录》《国家清洁生产先进技术目录》等最新的产业政策。特别是 11 月份最新发布的《关于进一步做好原料用能不计入能源消费总量控制有关工作的通知》，这项政策是众多石化企业、石化园区多年来的诉求，因为原料用能（煤、石油、天然气等）是生产化学品的原料，与燃料用能不同，原料用能的碳转化为合成材料和化学品，几乎不排放温室气体二氧化碳。2021 年年底中央经济工作会议上明确“原料用能不计入能耗总量控制”，经过近一年的研究和论证，国家发展改革委和国家统计局明确了科学的界定，“用于生产非能源用途的烯烃、芳烃、炔烃、醇类、合成氨等产品的煤炭、石油、天然气及其制品，属于原料用能范畴”。这一政策将更加科学精准地为石化产业高质量发展腾挪出一定的空间和潜力，尤其是为化工新材料、高端精细化学品、医用化学品、高纯试剂等这些为高端制造业和战略性新兴产业配套、有的甚至是为被“卡脖子”的高性能材料和专用化学品腾出了发展空间、提供了新的机遇。这些产业政策都是我们推动石化产业高质量发展政策性、导向性、甚至是约束性的发展方向和要求，我们的行业管理者、政策制定者和广大石化企业都要认真研读新产业政策，在行业高质量发展和企业转型升级中做好贯彻落实。

三、新一年新挑战高质量发展稳中再求进

今年是全面贯彻党的二十大精神的开局之年，是“十四五”规划承上启下的关键之年。今年国际政治环境、经济环境都将日趋严峻复杂，竞争将进一步加剧，尤其是全球通胀加剧、经济增速下滑、资金风险加大等不确定性因素日益严峻，世界经济环境不容乐观。而中国经济增长今年将明显好于去年，从当前的形势和政策层面判断：今年中国经济增速将达到 5%，甚至更高一些，即中国经济总体将继续向好、持续增长，将继续带动世界经济增长发挥火车头的作用。做好 2023 年石化行业经济运行工作总的思路是：以习近平新时代中国特色社会主义思想为指导，全面贯彻落实党的二十大和中央经济工作会议精神，扎实推进中国式现代化，坚持稳字当头、稳中求进，完整准确全面贯彻新

发展理念，紧扣高质量发展这一主题，持续实施创新驱动和绿色可持续发展战略，油气能源安全与农化产品保供稳价并重，开拓市场与深化供给侧结构性改革并重，经济运行质的有效提升与量的合理增长并重，加大世界一流企业和现代石化产业集群的培育力度，努力争取迈向石化强国的征途上再取得新突破，为中国式现代化作出石油和化学工业的新贡献!

1. 开拓市场是新一年稳中求进的头等大事

国际市场看，后疫情时代已来临，疫情的影响正在消退，世界石化装置的开工率都将恢复到正常状态，世界石化市场的产品供应将比疫情期间大幅增加，市场竞争将更加激烈；国内市场看，大宗基础化学品和通用材料产大于求的状况愈加严重，虽然“十三五”以来去产能和关闭、淘汰落后装置做了大量工作，但大宗基础化学品和通用材料产大于求的状况改观不明显，高性能材料和高端化学品短缺的结构性矛盾仍比较突出。去年还有一个特殊因素，受俄乌冲突影响，因能源危机、天然气短供和价格高等原因，欧洲石化装置的产能负荷出现不同程度的下降，我国作为石化大国和产品链供应链的稳定能力而填补了部分市场，去年多种石化产品出口量增加，今年当疫情消退、全球石化产品供应量增加的时候，我们原来的出口市场必然受到冲击。这多重因素的叠加和影响，今年开拓市场就尤为重要、就成为今年稳中求进的头等大事。一是与下游用户对接，了解用户需求和要求，按用户所需做到生产稳定、产品质量稳定，确保供应链稳定，这是市场竞争的基本要素。二是通过创新实现产品的高端化、差异化和专用化，提升供给端质量和水平，进一步提升石化材料和石化产品为高端制造业、战略性新兴产业配套的能力和水平，这是开拓市场的重要领域。三是瞄准石化产品供应链的堵点和被“卡脖子”的痛点，加快关键核心技术攻关，解决补短板技术、短缺产品和关键设备，突破供给约束堵点、卡点和脆弱点，实现为电子信息、航空航天和国防军工配套材料和特殊产品的自主可控和自立自强，这是开拓市场的制高点。当然，开拓市场还有一个瞄准高技术产业和战略性新兴产业，瞄准制造强国的战略目标，加大个性化、功能化、定制化以及新能源、生物医学材料、3D 打印材料、生物可降解材料等新材料、新产品的创新，实现在未来高端领域的创新突破，增强在国际尖端领域的话语权。

2. 保供稳价仍是新一年稳中求进的重要任务

过去一年中国石油、中国石化、中国海油、延长集团等能源型公司，以及多家化肥农药等农用化学品生产企业，贯彻党中央、国务院的决策部署和国家发展改革委、工业和信息化部等政府部门的工作安排和要求，面对突发俄乌冲突造成的能源危机，以及国际市场天然气供应紧张、成品油价格和化肥价格高企等复杂形势，克服煤炭和电力等原料和能源价格上涨、疫情散发、物流受阻等诸多困难，牺牲国际市场成品油、化肥价格高位可以获得丰厚利润这多年难遇的机会，一边开足马力稳定生产、一边做好春耕备肥秋种用肥等市场供应。全年原油产量实现了“四连增”，天然气产量连续六年年增量超过100亿立方米；成品油产量3.66亿吨、同比增长3.2%，其中柴油同比增加17.9%；化肥折纯产量5471.9万吨、同比增长1.2%，其中氮肥同比增长1.4%、尿素同比增长3%、钾肥同比增长7.8%。这不仅保障了我国石油、天然气、成品油等重要能源产品的安全稳定供应，而且为我国粮食产量“十九连丰”作出了重要贡献。新的一年石化全行业和相关企业继续将保供稳价作为首要任务，石油、天然气等能源企业继续贯彻“稳定老油气田，开拓新油气资源”“陆相、海相并重”“常规、非常规并重”等思路和方针，加大稳油控水、稠油热采、低渗压裂等措施，深化“增储上产七年行动计划”，以深海和页岩油气为创新和勘探重点，加大创新和勘探开采新技术的应用，确保原油年产量稳定在2亿吨以上、天然气产量力争突破2300亿立方米；石化领域以化肥农药等农化产品为主的企业在充分做好生产稳定、市场供应稳定的前提下，不断加大创新力度，通过创新和技术进步不仅持续提质增效，而且不断开发品质高、效果好的专用肥和农药新剂型，满足高品质农产品和绿色低碳农业的新需求。当然，希望国家对石油、天然气等能源企业技术创新和新技术应用给予更多的政策支持，通过市场化改革进一步理顺天然气价格，并继续规范化成品油市场、适度增加成品油出口配额。对化肥农药等农用化学品生产企业，应确保煤炭、天然气等原料供应，改进和科学规范地执行化肥出口的法检程序和制度，并予以农化品生产企业电价、物流运输等绿色通道。

3. 降本增效是经济运行永恒的话题

这两年石化全行业和部分骨干企业效益连创新高，这当然与全行业和广大石化企业加大技术创新、加快转型升级、强化管理有关，深入分析发现产品价格高也是重要因素之一。有些运营数据值得我们认真研究和思考：截至2022年年底，石化全行业的应收款同比增加11.7%，存货同比增加13.7%，营业成本增加16.9%。分三大板块细分看：油气板块的应收款同比增加11.2%，存货同比增加4.7%，营业成本增加10.5%；炼油板块的应收款同比增加33.1%，存货同比增加23.7%，营业成本增加26.3%；化工板块的应收款同比增加8.7%，存货同比增加9.3%，营业成本增加13.5%。不论是全行业还是三大板块，其应收款和存货不仅数额大，而且其同比的增幅都不小。另外，炼油板块的财务费用同比增加14.7%，化工板块的管理费用同比增加1.1%。可见，无论是石化全行业还是三大板块，降本增效的空间和潜力还是比较大的，这也说明石化行业经济运行质量提升和效益改善的空间和潜力还较大。希望广大石化企业认真分析自己的应收款、库存以及财务费用、管理费用的构成和形成的原因、增加的主要因素等，制定并采取具体措施把应收款和库存压缩到合理区间，把财务费用和管理费用降下来，使企业的资金充分流动起来、运营效率和效益都得到改善和提升，尤其是在今年的经济环境下企业的现金流更显重要。建议各专业协会也对本行业做更深入、更具体的分析，指导和帮助骨干企业和重点会员单位做好降本增效的工作。

4. 提升竞争力是企业永恒的目标

去年我国石化产业再次取得重要跨越，我国作为世界石化大国的地位日益巩固，可我们在迈向石化强国的征途上还面临着诸多挑战，甚至有些方面还需要我们爬坡过坎，尤其是自立自强的原始创新和重大关键技术、核心技术以及高性能材料、高端专用化学品方面面临的挑战更艰巨一些，“卡脖子”的问题、爬坡过坎的问题更突出一些。实际上我们在培育世界一流企业方面的任务和目标也不轻松，新世纪以来、尤其是最近十年，中国企业的发展和进步成就是显著的，主业更加突出、战略更加清晰、目标也更加明确，企业竞争力逐步增强，但我们在成绩面前还要保持清醒、还要正视短板和差距。以《财富》世界500强榜单为例做个简单比较: 2020年中国企业实现了新的历史性跨越，入榜数量124家，历史上第一次超过美国的121家; 2021年中国上榜企业增加到135家; 2022年又实现了新的历史性跨越，入榜数量136家、超过美国的124家，数量继续领跑榜单。从资产规模、营业收入看中国上榜企业的平均值与世界500强的平均值处于同等水平，但是效益的差距很明显。上榜中国企业的平均利润41.2亿美元，而世界500强企业平均利润是62亿美元，比中国上榜企业高50%。与美国上榜企业相比，美国上榜企业平均利润100.5亿美元，是中国上榜企业的2.4倍。中国上榜非银行类企业的平均利润26亿美元，而美国非银行类上榜企业平均利润接近92亿美元，是中国企业的3.5倍，差距更大。

上榜的德国企业平均利润44亿美元、英国企业69.6亿美元、加拿大企业47.5亿美元、法国企业48.5亿美元，均高于中国公司。盈利能力看：销售收益率、总资产收益率、净资产收益率这三项重要指标，上榜中国企业分别为5.1%、1.15%、9.5%，而世界500强企业平均值为8.2%、1.94%、14.8%，美国上榜企业分别是11%、3.21%和21.9%。世界500强企业平均值是中国上榜企业的1.5倍以上，美国上榜企业是中国上榜企业的2倍以上。对比与分析就让我们看到了差距，做强对石化企业来说需要下更多功夫，所以我们一定要贯彻落实《关于加快建设世界一流企业的指导意见》，按照总书记强调的加快建设一批“产品卓越、品牌卓著、创新领先、治理现代”的世界一流企业，以创新能力和水平一流为关键要素，对标国际先进公司，找准差距、补齐短板，不仅把企业的规模化做大做强，更要把企业的主导产业、创新能力、管理水平和国际化经营能力做强做优，增强企业的核心竞争力和可持续发展能力，真正打造一批具有全球竞争力的世界一流企业，夯实石化产业高质量发展的企业基础，从根本上提升石化产业的发展质量和水平。

5. 扩大开放和深化国际合作是行业发展不变的方向

习近平总书记在学习贯彻党的二十大精神研讨班开班式上的重要讲话强调，要不断扩大高水平对外开放，深度参与全球产业分工和合作，用好国内国际两种资源，拓展中国式现代化的发展空间。虽然近年来全球化、经济一体化遭遇逆流，百年变局叠加三年世纪疫情，全球产业链供应链的安全和可持续性遭遇了更加严峻的挑战。但我们相信和平与发展仍是未来世界的主流，中国始终是与正义与和平站在一起的。党的二十大特别指出：中国式现代化是走和平发展道路的现代化。我们高举和平、发展、合作、共赢旗帜，在坚定维护世界和平与发展中谋求自身发展，又以自身发展更好地维护世界和平与发展确定的开放目标。中国石化行业自改革开放以来，始终走在开放与合作的最前沿，石化领域各大跨国公司今天在中国的发展和年年取得不凡的业绩就是最好的证明。十八大以来的这十年，中国石化行业与世界石化产业的发展融合、供应链协同以及理念共识和往来交流都更加深入、更加广泛，成效也更加明显。下一步我们将贯彻落实党的二十大精神，一是配合相关部委认真研究石化行业的合理缩减外资准入负面清单，及时传递中国改革开放的相关政策和石化跨国公司在中国发展过程中合理的政策诉求，全力帮助跨国公司纾解在中国生产经营中遇到的困难和瓶颈，努力营造市场化、法治化、国际化的一流营商环境。二是进一步深化并加强与 RCEP、“一带一路”以及欧洲、日本、韩国等区域合作，深入探讨产业链协同、供应链互供、优势互补的合作重点和机制，进一步深化与 ICCA、世界塑料理事会、联合国环境规划署、AEPW 等国际组织以及欧洲化工理事会、美国化工协会、日本韩国石化组织的交流与合作，共同探讨责任关怀、可持续发展、绿色低碳等方面的合作重点和推进机制。三是尽快重启面对面交流与合作，三年疫情已过，三年来从未走进对方企业现场、不能面对面交流的状况即将成为历史，接下来我们应尽快研究制定交流预案和内容，及时将二十大的最新精神、这几年的发展情况、最新产业政策面对面传递给跨国公司的管理者、决策者和朋友们，也及时听取和沟通跨国公司在中国未来发展的设想和期盼。尤其是与欧洲跨国公司共同探讨在当前能源危机、天然气紧张、装置减产的艰难情况下，如何做好产业链供应链互补、共渡难关。总之，新一年要把深化国际交流与合作作为重要工作，通过深化交流与合作，不仅要让中国市场成为世界的市场、共享的市场、大家的市场，更好地带动世界石化产业的发展，而且要为中国式现代化作出石油和化学工业更大的贡献，推动石化产业的高质量发展，加快迈向石化强国的步伐！

2022 年在极其复杂、极度艰难的情况下，我们取得了极不平凡和极其不易的经营业绩！回望过去的一年，我们每一个人有泪水、有汗水，更有喜悦！我们战胜了诸多难以想象的困难、度过了一些前所未遇的沟坎，我们每个人都留下了难以抹去的记忆，我们每个人都更加强大了！新的一年新的开始，新的一年也许新的情况更加复杂、新的挑战更为艰巨，但我们期待新的一年一切美好将接踵而至！一年之计在于春，就从这个新春开始开好局、起好步，让我们共同携手，去迎接新的挑战，把握新的机遇，在求真务实中不断创新，在团结协作中真抓实干，努力实现开门红，向着石化强国的目标扎实迈进！

重视并加强知识产权工作
助力石化强国不断取得新跨越 *

党的二十大报告指出，必须坚持创新是第一动力，深入实施创新驱动发展战略。特别强调：坚持创新在我国现代化建设全局中的核心地位，深化科技体制改革，加强知识产权法治保障，形成支持全面创新的基础制度。习近平总书记曾强调，全面建设社会主义现代化国家，必须从国家战略高度和进入新发展阶段要求出发，全面加强知识产权保护工作，促进建设现代化经济体系，激发全社会创新活力，推动构建新发展格局。“2023 年石油和化工行业知识产权宣传周活动”，必将为推动石油和化学工业强化知识产权保护、激发创新活力、推动高质量发展发挥重要作用、产生深远影响。

一、中国对知识产权工作一直高度重视

我们深刻地认识到：唯改革者进，唯创新者强，唯改革创新者胜。知识产权制度是一种国际通行规则，只有建立起完善的知识产权保护制度、做好知识产权工作，才能营造出“尊重劳动、尊重知识、尊重人才、尊重创造”的良好法治环境和激发创新的激励机制。

一是建国初期我们就同步开展知识产权工作。新中国成立的第二年，国家就颁布了《保障发明权与专利权暂行条例》，迈开了我国专利制度法治化、规范化的脚步，我们石化人熟悉的“侯氏制碱法”，就是在那个时期、也就是二十世纪五十年代获得了新中国第 1 号发明证书；后来，与石油和化学工业密切相关的人工合成牛胰岛素于二十世纪六十年代获得了重大科技成果奖，屠呦呦获得诺贝尔奖的“新型抗疟药青蒿素”也于二十世纪七十年代初提取成功。

* 这是 2023 年 4 月 26 日，傅向升同志在 2023 年石油和化工行业知识产权宣传周主题论坛的致辞。

二是改革开放加快知识产权工作的步伐。随着改革开放的不断深化，为适应扩大开放的需要和与国际知识产权制度接轨，我国的知识产权制度逐步完善和发展起来，上世纪八十年代相继颁布实施了《中华人民共和国商标法》和《中华人民共和国专利法》，上世纪九十年代我们为适应扩大开放和加入世贸组织的需要，我们对《中华人民共和国专利法》进行了第一次修订，新修订的《中华人民共和国专利法》不仅延长了保护年限，而且扩大了保护范围，当时化学工业、尤其是农药、精细化学品等行业感受最严峻的挑战就是扩大到对化学物质的保护；再后来就是分别于 2000 年、2008 年和 2020 年对《中华人民共和国专利法》进行了三次修订。

三是新时代开启知识产权工作新征程。进入新时代，以习近平同志为核心的党中央，着眼于世界百年未有之大变局，统揽全面建设社会主义现代化国家的新征程和中华民族伟大复兴战略全局，始终把知识产权工作摆在更加突出的位置，不仅重新组建了国家知识产权局，而且习近平总书记多次主持会议研究部署知识产权重大问题，使得“尊重知识、崇尚创新、诚实守法”的知识产权文化理念日益深入人心，有力地推动了知识产权工作向高质量创造、高效益运用、高标准保护、高水平治理方向转变。因此，习近平总书记在建党百年的讲话中指出，“总的看，我国知识产权事业不断发展，走出了一条中国特色知识产权发展之路，知识产权保护工作取得了历史性突破，知识产权法规制度体系和保护体系不断健全、保护力度不断加强，全社会尊重和保护知识产权意识明显提升，对激励创新、打造品牌、规范市场秩序、扩大对外开放发挥了重要作用。”这是对我国知识产权工作的总体判断和肯定。

二、石油化工行业知识产权工作取得明显成效

石化产业是国民经济的重要支柱产业，也是技术密集型和知识密集型产业，自第一次工业革命以来，化学工业一直是先工业化国家和发达国家创新最集中、最活跃的一个重要领域，因此知识产权工作对石化产业尤其重要。我国石化产业始终高度重视知识产权工作，立足石化产业的现状、实际情况和发展要求，不断探索通过知识产权工作保护创新、激励创新，石化行业的知识产权工作不断取得进步和明显的成效。

一是专利申请数量和授权数量快速增长。据不完全统计，“十三五”期间石

油化工行业专利申请量、授权量均约占全国专利申请总量的 14% 左右，授权专利数量接近 100 万件。其中，发明专利申请量约占行业总申请量的 67% 以上，且国内、国际申请量均逐年增加，增速高于全行业专利总申请量。

二是知识产权战略意识不断提高。石化行业和广大企业普遍认识到知识产权与企业的技术实力、创新能力、市场竞争力、经营安全息息相关。许多企业把知识产权管理作为科技发展战略的一项重要内容，很多企业专设了知识产权管理机构，配备了专职人员，开展专利检索、分析、布局、导航、挖掘、培训、许可以及知识产权保护等工作，逐步建立起一支涵盖专利申请维护、商业秘密保护、风险防范和纠纷应对的知识产权人才队伍。

三是知识产权管理体系建设成效明显。过去调研中了解到，许多企业已建立起比较完善的知识产权创造、转化、运用、保护体系，形成了管理先进、运营高效的市场化体制机制。比如，中国石化不仅制定了知识产权方面的管理规定、实施细则，还研究探索专利作价入股、转让许可、侵权“零容忍”、专利预警应急等制度和机制，有力地保护了知识产权，促进了科技进步，取得了巨大的经济效益和社会效益。当然，在看到我国和石化行业知识产权工作取得成绩的同时，还要辩证地看到在知识产权工作中也还存在某些短板和瓶颈制约，比如，科技成果与专利技术转化率低的问题从根本上改变不明显；从拥有专利总量看我国已跻身于专利发明大国，但每万人口发明专利拥有量与发达国家差距较大；另一方面，我国专利转化为现实生产力的能力和成效与发达国家相比差距更大，我国专利密集型产业增加值仅占 GDP 的 11.6%，远低于美国的 35% 和欧盟的 39%。这都要求我们在新时代新征程上，在知识产权工作上下更大的功夫。

三、重视并加强知识产权工作，推动石化自主创新和科技自立自强

知识产权作为创新的基本保障，日益成为国家发展的战略性资源和国际竞争力的核心要素。“十四五”规划和 2035 年远景目标纲要指出，把科技自立自强作为国家发展的战略支撑，响应国家坚持创新驱动发展的号召，激发创新潜力与活力，加大科技成果的转移转化，为区域经济、行业发展、国家创新提供技术支持。下一步：

一是加强专利信息分析和利用工作，服务产业高质量发展。专利导航，以专利信息资源利用和专利分析为基础，把专利运用嵌入产业技术创新之中，是通过专利信息和专利视角引导和支撑产业、科学发展的一项探索性工作。近年来，石化联合会积极参与国家专利导航工程建设，2013 年获得了“国家专利协同运用试点单位”称号。在国家知识产权局的大力支持下，联合会每年选定 2 ～ 3 项重点行业领域，列入国家知识产权局专利分析普及推广项目，并组织行业重点企业及科研单位与国家知识产权局进行对接，取得了良好的反响和效果。

二是健全知识产权运营人才体系，推进行业可持续发展。科技成果的转化具有明显的系统性和复杂性，需要提升知识产权运营人才的综合能力和专业化能力。由于科技成果转化的全过程涉及法律法规的保障，需要培育复合型的高素质专业人才，打造专业性强的知识产权运营人才体系，提升综合能力，提升我国科技成果的转化率。按照在全党大兴调查研究的部署和安排，将进一步深入开展知识产权的调查研究，并及时发现和培养一批专业的行业知识产权专家队伍，更好地为行业企业提供更专业、更精准的服务。同时，我们还会通过一系列的专题培训和行业知识产权交流，提升石化行业企业和科研单位的知识产权战略意识，主动培养各层次知识产权专业人才，提高知识产权工作水平和运营力，推进行业整体知识产权高质量发展，推动行业知识产权工作进入良性循环和高质量发展的新阶段。

三是强化行业知识产权服务平台建设，不断提升知识产权服务能力和水平。2021 年 4 月石化联合会成立了行业知识产权工作委员会，为行业开展知识产权工作建立了良好的工作基础。这个平台首先要落实好国家关于知识产权保护和运用工作一系列改革部署，做到系统集成、协同推进、确保实效。其次，扎实开展行业调查研究，深入了解行业企业和科研单位的知识产权发展状况和真实需求，定期发布行业年度知识产权发展报告，做好行业知识产权服务顶层设计。然后，促进行业知识产权服务标准化、精准化、智能化，降低成本、提升效率、延伸服务链条，力争为行业提供优质高效的良好服务。全方位地建设和优化产业生态体系的结构及运行机制，以保障高价值专利技术成果的顺利转化，实现行业服务能力的新提升。也要深化国际交流、互鉴与合作，关键是通过这个平台推动石化行业加强知识产权工作的同时，鼓励自主创新和原始创新，激发创新活力和激情，为加快实现高水平科技自立自强和石化产业高质量发展发挥更重要的作用、做出新的更大的贡献！

新时代新征程，高质量发展和高水平科技自立自强，对作为国民经济重要支柱产业的石化产业提出了新的要求、新的任务和新的目标，我们既面临着严峻复杂的挑战，也面临着难得的新发展机遇。让我们准确把握新发展阶段，全面贯彻新发展理念，努力构建新发展格局，不断开创石油和化学工业知识产权事业发展的新局面，为石化产业高质量发展和实现石化强国的跨越提供强力支撑，全面开启知识产权强国建设新征程。

聊百年企业
锻世界一流*

党的二十大报告指出，完善中国特色现代企业制度，弘扬企业家精神，加快建设世界一流企业。企业强则国家强，企业兴则国家兴，我国经济要实现高质量发展，需要培育和锻造一批世界一流企业。

一、发达国家与百年企业的典型代表

发达国家百岁以上的企业很多，我们熟悉的世界石化领域的百岁企业如：美国杜邦是最知名的年长者，是 1802 年成立、去年整整 220 年；德国的拜耳成立距今 160 年；巴斯夫成立距今 158 年。

下面我们来看看最具代表性的百年以上的企业杜邦。杜邦 1802 年 7 月在特拉华州创办一家火药生产企业，从第二年开始生产和销售黑色火药，到 19 世纪末杜邦成为美国最大的炸药帝国。进入 20 世纪以后，新的杜邦掌门人看到化学工业将是世界的未来，于是杜邦开始由火药公司向化工公司的转型；再加上通过收购兼并方式很快拥有了涂料、醋酸、橡胶、塑料等产品的生产能力，到二战前杜邦相继投产了氯丁橡胶、尼龙、丙烯酸树脂、氟塑料等重要化工产品。二战结束以后，杜邦开始聚焦于化学品和化学合成高分子材料业务，我们耳熟能详的杜邦世界领先的产品有尼龙、聚酯、高密度聚乙烯、聚甲醛工程塑料、特种纤维莱卡、芳纶纤维凯夫拉、氟树脂特氟龙以及氯化法钛白、农药、医药和先锋种子等，即到 20 世纪末，杜邦公司已成为专用化学品、合成树脂、合成纤维以及高性能纤维、特种树脂、高端膜材料和农药、种子等全球领先的化工与材料公司。

---

* 这是 2023 年 4 月 27 日，傅向升同志在中海石油气电集团创新管理经验推广现场交流会的讲话（节选）。

另一家百岁企业是巴斯夫，巴斯夫成立于 1865 年 4 月，成立时主要以煤焦油为原料合成苯胺染料，在跨入 20 世纪大门的时候，巴斯夫已经成长为世界上最大的化工厂之一，并且是世界上最大的染料生产企业。在 20 世纪初期巴斯夫的前身巴登苯胺公司的染料工业具有世界压倒性优势，合成氨和化肥工业开始起步。经历第一次和第二次世界大战以后，于 1973 年正式更名为 BASF，到上世纪 90 年代巴斯夫开始退出煤炭业务，正式转型为石油化工为主、拥有有机化学品、医药农药等精细化学品、丙烯酸及甲基丙烯酸甲酯和有机玻璃、聚氨酯新材料、合成纤维等综合优势世界领先，并走出路德维希港，布局美国、比利时、中国、西班牙、韩国等多个国家。今天的巴斯夫主要是化工新材料、特种功能材料、精细与专用化学品、营养化学品全球领先的公司，2021 年营业收入 786 亿欧元、息税折旧前利润 78 亿欧元，稳居全球化工 50 强榜首。

其他的百年企业还有拜耳、陶氏、埃克森美孚、BP、壳牌、索尔维、帝斯曼等等。

二、中国有没有百年企业?

近代历史原因和工业化起步晚鲜有百岁企业。20 世纪初期，范旭东、吴蕴初等民族先贤们立志通过“实业救国”而发展民族工业的时候，正值军阀混战、民不聊生，没有一方净土容得下研发创新，不具备工业化建设与发展的环境和条件。中国真正开启工业化进程是取得抗战胜利、人民解放以后，新中国的成立、在中国共产党的领导下，才为国家工业化奠定了基础、创造了国内和国际的有利环境和条件，才开启了社会主义改造和建设新时期，中国的工业化才开始大步向前。所以国内百年以上的企业很少。今天大家最熟悉和最知名的还是范旭东的永利和吴蕴初的天原，今天石化系统与吴蕴初 1929 年创办的天原有关的企业是上海氯碱旗下的“天原化工厂”和抗战时期吴蕴初西迁的“重庆天原”和“宜宾天原”，另一个与范旭东 1917 年创办的“永利”相关的、今天是天津渤化的“永利化工公司”；上海氯碱的天原、重庆天原和宜宾天原，虽然规模比当年大了许多、技术水平、管理水平都高了很多，但主导产品中没有丢掉起家的氯碱；天津渤化的永利也是规模大了、业务扩展了，但仍没有丢掉起家的纯碱。

今天中国石化领域的一些骨干企业虽然成立时间不到百年，但都在为打造百年企业而努力。从成立顺序看：中国石油如果从 1955 年 7 月成立的石油工业部说起今年 68 岁，今天拥有的主导产业是上游石油、天然气勘探开采、中游石油炼制以及下游的化学品和高分子化合物等全产业链。去年营业收入 3.24 万亿元，同比增长 23.9%；归属母公司净利润 1493.8 亿元，同比增长 62.1%。

中国海油于 1982 年 2 月成立，当时的背景主要是为对外合作开采海洋石油资源，全面负责合作海区内石油勘探、开采、生产和销售的专营权，后来随着改革开放的深化，也实现“登陆”，分别在海南建设了以天然气化工生产尿素和甲醇的大型基地、在惠州大亚湾与壳牌合资建设了大型炼化一体化基地。去年营业收入 4222.3 亿元，同比增长 72%；归属母公司净利润 1417 亿元，同比增长 102%。

中国石化是 1983 年 2 月中共中央、国务院决定成立，由当时原化工部、石油部、纺织部管理的 39 家石化企业划归中国石化，当时的主营业务是炼油及其下游化学品和三大合成材料（合成树脂、合成纤维、合成橡胶），而今天也已形成上游油气勘探、开采和下游炼化业务的一体化集团。去年营业收入 3.32 万亿元，同比增长 21.06%；归属母公司净利润 663 亿元，同比减少 6.89%。

另外，还有一批主业突出、创新能力和核心竞争力强、管理水平高、发展潜力足的像上海华谊、陕西延长、浙江巨化、天津渤化以及烟台万华、浙江新和成、山东东岳、海湾集团等企业，都在做强主业和核心竞争力、强化创新和国际化经营等方面，向着百年愿景奋斗进取、扎实迈进。

三、百年企业带给我们的主要启示

综观和分析企业的成长发展史，我们会发现能够成长百年的企业，是百年历程中，不论在哪个历史时期都具有很强的竞争力，一直都是所经营领域的领航者。下面重点谈谈梳理上面几个代表性百年企业过程中，带给我们的几点共性启示：

1. 创新是百年企业国际竞争力的核心要素

党的二十大报告强调，坚持创新是第一动力和在我国现代化建设全局中的核心地位。人们也常说创新是推动人类社会进步的不竭动力，对一个企业来说也是基业长青、核心竞争力的动力之源，而自主创新能力不强是我国企业与世界一流企业间的最大短板。创新包括管理创新、理念创新、商业模式创新以及技术创新，今天只谈技术创新，实际上技术创新也涉及战略创新、理念创新、管理创新和思路创新。上面谈了几个具有代表性的石化人熟悉的百年企业，每一位读者也都有自己熟悉的其他领域的百年企业，像杜邦（220 年）、巴斯夫（168 年）、拜耳（170 年）、帝斯曼（121 年）、陶氏（126 年）、住友化学（108 年）等这些一直都是世界化学工业领航者的百岁企业，自成立那天起就是靠创新起家，在以后的每一个阶段都是依靠创新而进步，每一个时期都把创新置于发展战略和举措的首要位置。还是重点谈谈杜邦，杜邦的诞生是因为 E.I. 杜邦在法国拉瓦锡实验室学徒掌握了火药生产的技术，然后移民到新生的美国，在特拉华州的威尔明顿市建了一座火药厂；100 年后的 1902 年杜邦的新掌门人决定向化工公司转型，当时收购兼并加快了杜邦向化工公司的战略转型，但关键要素还是创新！因为在决定转型的同时，就建立了美国最早的工业实验室：杜邦东部实验室。第二年即 1903 年又建立了自己的研究中心：杜邦中央实验站。我 2019 年曾带队访问了杜邦威尔明顿市的总部和中央实验站，这里由 43 栋建筑构成，100 多年来一直是杜邦全球研发总部，杜邦人自己把这里称作“杜邦公司的心脏”！杜邦的研发费用长期占销售收入的 5% 以上，不同的发展阶段确立研发和投入的重点，20 世纪末、面向 21 世纪，杜邦的创新突出聚合物科学、保健科学和农业科学三大重点领域，电子材料和专用化学品次之。正因为杜邦具有强大创新力，才在全球首先发明了尼龙、开启了合成纤维新的革命。正是创新保证了杜邦 220 多年来一直处于世界化学工业的领导者地位。大家熟悉的拜耳以及我曾带队访问过的三菱化学、LG 化学、SK、SABIC 等的创新方面也给我留下深刻印象，有几家公司虽然尚不到百年，但只是时间问题，在历史的长河中一定都将是百年基业。

2. 转型升级是百年企业迈向世界一流最重要的战略举措

伴随着社会的进步和经济发展，适应时代的进步和市场的变化，与时俱进地在创新中及时转型升级是打造百年企业的重要战略举措。这里重点谈谈巴斯夫，158 年前成立时是一家以煤焦油为原料生产苯胺染料的企业，经过最初 30 多年的创新，到 20 世纪初发展成为当时世界最大的染料生产企业；进入 20 世纪以后伴随着创新加快，转型升级也不断加快，1913 年合成氨成功工业化，1922 年合成了尿素，1923 年开发成功甲醇，随后聚苯乙烯、聚丙烯腈、聚丙烯酸酯、聚氯乙烯、聚异丁烯、丁基橡胶等相继开发成功，巴斯夫也及时由染料生产企业向无机化工品、合成材料、合成橡胶等新兴领域转型和产品升级。二战结束以后，石油化工进入快速发展时期，20 世纪 50 年代巴斯夫开始进入石油化工领域，一边加快煤化工向石油化工的转型、一边加快精细化学品和新聚合物的开发力度，今天的巴斯夫是一家专注于化工新材料、专用化学品、营养与护理、农业解决方案等的跨国公司，看看巴斯夫在中国布局的南京扬巴、广东湛江 2 个一体化基地和重庆工厂、上海工厂及科创中心，就对巴斯夫发展到今天的主业结构有了一个近乎全貌的了解。

其他的还有杜邦、帝斯曼、索尔维等大家熟悉的公司，因时间关系不再赘述。

3. 国际化是企业走向世界一流的重要途径

国际化是一个公司经营水平、管理水平和竞争力的重要体现。国际化不只是某些产品的进出口业务，主要是企业的全球布局、全球化经营，企业的国际化就要求我们经营管理与跨国公司坐在同一个会场交流、同一间会议室商谈业务合作，与跨国公司地处同样的原料成本、劳动力成本和同样的游戏规则下同台竞技。综观百年企业都是在发展到一定阶段，就立足自己的主导产业、突出自身的竞争优势、适时走向国际舞台、开启国际化经营之路。

杜邦、陶氏、三菱化学都是适应业务发展的需要适时开启了国际化之路，逐步发展成为全球竞争力的跨国公司。当然，今天国际环境和规则与 50 年前有着很多不同、甚至是很大不同，尤其是近年来贸易保护主义和逆全球化抬头、国际产业分工与协作面临新的挑战，这三年疫情的扩散和影响又严重冲击了全球供应链和产业链的有序运行，去年的俄乌冲突更加剧了供应链产业链的断供风险。这一切因素影响的叠加，全球产业链和供应链或主动或被动地加快调整和重构，越是在这样新的形势、新的挑战日益严峻复杂的时候，越需要我们认真思考、科学布局和加快推进国际化业务。企业今天的国际化不仅要学习借鉴跨国公司过去积累的经验，还要立足时代新的背景、新的挑战，面向未来、布局未来，在国际化经营与管理中做强企业的核心竞争力。我们确实也有一部分企业国际化业务已开展多年，也积累了一些经验，有的也正在布局海外业务或国际化探索，与跨国公司在中国投资发展相比，我们的企业到欧美等发达国家或原料产地投资建厂、国际化经营的要少很多。看看我们周围，杜邦、巴斯夫、三菱、索尔维以及 BP、埃克森美孚等上面提到的这些国际一流的公司就在我们身边，还有很多没提到的，如国际化经验丰富的霍尼韦尔 UOP、托普索、KBR、日辉等工程化能力非常强的公司，也都已融入国内大市场和经济发展的洪流当中，有的跨国公司在中国的收益已超过在本土的业绩；更有不少跨国公司疫情期间在中国的业务成为了全球最闪亮的部分，成为全球抗击疫情风险的压舱石，真正做到了“西方不亮东方亮”！建设世界一流企业的标准应认真研究《关于加快建设世界一流企业的指导意见》中强调的，加快建设一批产品卓越、品牌卓著、创新领先、治理现代的世界一流企业，在全面建设社会主义现代化国家、实现第二个百年奋斗目标进程中实现更大发展、发挥更大作用。按照习近平总书记强调的在“产品卓越、品牌卓著、创新领先、治理现代”上狠下功夫。关键就是做强企业的核心竞争力，“核心竞争力”的概念是美国学者在上世纪九十年代提出的，主要是指企业所特有的、能够经得起时间考验的、具有延展性，并且是竞争对手难以模仿的技术或能力。今天谈“核心竞争力”的时候，更加强调持续创新能力和价值创造能力，其主要影响因素有科技、效率、人才、品牌这“四要素”。我们今天培育和锻造世界一流企业，不仅要深刻领会党的二十大对“提升企业核心竞争力”的要求，还要选取一家主业和规模与自己相近或相当的跨国公司开展全方位对标，在主导产业、产品结构、自主创新、管理理念与水平、国际化经营水平与能力以及核心竞争力、品牌影响力和可持续发展能力等，通过全方位对标，找差距、补短板、强创新、壮实力，重点在增强企业的核心竞争力、增强企业的自主创新能力、增强企业的国际化管理与经营能力上下功夫。

打造百年企业既要有愿景、更要有行动，国内不少企业聚焦竞争力、创新力、控制力、影响力和抗风险能力，已探索和积累了有益的经验。今天国内的百岁企业确实少了一些，但很多正值青壮年的企业正在向着世界一流的目标、向着自己的第一个百年迈进，并为下一个百年谋划着更加灿烂的未来！让我们共同携手，全面贯彻落实党的二十大精神，不断强化创新、加快转型、深化国际化，实现高质量发展，迈向世界一流。

石化产业高质量发展与转型升级*

党的二十大报告指出：加快构建新发展格局，着力推动高质量发展。并特别强调，高质量发展是全面建设社会主义现代化国家的首要任务。

当今世界百年未有之大变局加速演进，新一轮科技革命和产业变革深入发展，国际力量对比深刻调整，我国发展面临新的战略机遇期。但是，我们也承载着世纪疫情的深远影响，以及逆全球化思潮抬头，单边主义、保护主义明显上升，世界经济下滑趋势加剧，局部冲突和动荡频发，世界进入新的动荡变革期。这诸多确定性与不确定的因素，也都深刻地影响着世界石油和化学工业布局、供求及贸易格局的深度调整，尤其是去年突发的俄乌冲突，更是加速了世界能源格局和产业链供应链的重构。中国作为世界石化大国的地位日益巩固，石化产品的产能产量、尤其是增量不仅为世界石化产业的发展发挥了火车头和世界石化产业供应链安全起到了稳定器的作用，而且多年来一直影响着世界石化产业的格局、加速着世界石化产业的重构。

一、石化产业高质量发展已奠定坚实的基础

“十三五”以来，我国石化产业抓住全球经济和石化产业迎来新的景气周期的新机遇，一边是加快淘汰和有序退出落后产能，另一边是国有、民营、跨国公司“三箭竞发”，老装置改造加速、新建炼化一体化装置和新的基地集中建设、集中投产，石化产业的总体规模、产业集中度、整体技术水平和布局结构、产业结构、产品结构都得到持续提升和优化，石化大国的地位进一步巩固，作为国民经济重要支柱产业的地位和作用更加凸显。主要表现在：

一是经营业绩再创新高。石化产业和企业突出高质量发展，在产业布局优

* 这是 2023 年 6 月 6 日，傅向升同志在 2023 亚洲炼油和石化科技大会的报告。

化和结构调整、实施创新驱动发展战略和绿色低碳发展、深化并拓展国际合作与交流、培育现代石化产业集群等方面都取得了明显的进步。去年虽然受到复杂国际环境和疫情的影响，在全球经济增速明显下滑的情况下，中国石化行业经济运行再创佳绩。石化全行业实现营业收入 16.56 万亿元，同比增长 14.4%；进出口总额 1.05 万亿美元，同比增长 21.7%；这是继 2021 年创造历史新高的基础上再创新的历史纪录。去年利润总额 1.13 万亿元，同比虽然略降 2.8%，但这是连续第二年保持在万亿元以上，保持了历史的高位。在去年面临诸多挑战、化解许多不确定性因素，在极度艰难的情况下取得这样的经营业绩实属不易。

二是规模总量全面跨越。（略）

三是国际影响力进一步增强。世界石化产业以及美欧日等发达国家石化同行们都十分关注中国石化产业的发展，也非常重视与中国石化同行们的交流、倾听中国石化产业界的声音，中国石化产业在全球石化舞台上的影响力和话语权都在不断提升。尤其是主要石化产品的增量成为亚太和世界石化产业的主要贡献者，多年来占世界化工市场份额稳定在 40% 以上。

四是企业竞争力日益增强。企业兴则国家兴，企业强则国家强，企业尤其是作为国民经济重要支柱产业的石化产业，是财富的创造者。看看杜邦、陶氏、埃克森美孚、巴斯夫、BP、壳牌、道达尔、三菱化学等发达国家这些全球竞争力的跨国公司，都是经济强国、科技强国、军事强国的重要支撑。近几年我国的中国石油、中国石化、中国海油、中国中化等一批骨干石化企业，在《财富》世界 500 强榜单上年年都有新的进步；还有恒力、浙石化、盛虹等一批新进入石化领域的市场打拼力很强的公司，以及一批主业突出、创新能力和核心竞争力强、管理水平高、发展潜力足的烟台万华、浙江新和成、山东东岳等企业，都在做强主业和核心竞争力、强化创新和国际化经营等方面成效显著。

五是基地化园区化和产业集群化效果显现。据园区委最新统计，全国共有石化基地和化工园区 643 家，其中经各省区市认定过的有 593 家，产值在 500 亿元以上的有 53 家，入园企业实现收入占石化全行业总收入的 50% 以上，石化园区在产业集聚和产业链协同、土地集约利用、资源循环和能源互供、集中管理和公用工程共享等方面，都发挥着越来越重要的作用，智慧化工园区、绿色化工园区创建成效明显，化工园区已成为石化产业高质量发展的重要平台。东部沿海已形成以国家布局的“七大石化基地”和炼化一体化产业链为主的石化基地和化工园区，西北煤炭资源富集区域已形成国家布局的“四大现代煤化工示范基地”为主的现代煤化工产业园区；连同沿江、沿海和内陆地区的一批专业化工园区，其规模集中度、产业链协同以及整体管理水平都明显提升。

二、石化产业高质量发展面临的挑战

我国石化产业作为大国的地位进一步巩固，但我们只是规模上的大国，就技术水平和竞争力来看还不是强国。当前，世界百年未有之大变局和新一轮科技革命和产业变革的加速，正在推动着国际力量对比的深刻调整和世界石化产业的重构，我们在由石化大国向石化强国跨越的征途上，还存在着与发达国家和跨国公司明显的差距和不容忽视的挑战。

1. 资源约束的瓶颈趋紧

原油是石化工业的原料，我国属“多煤缺油少气”的资源禀赋，去年我国原油产量 6 年来重回 2 亿吨平台，进口量高于 5 亿吨。“十三五”期间原油、天然气的进口量逐年增加，原油对外依存度持续攀升，2020 年进口高于 5.4 亿吨，对外依存度连创新高达到 73.5%，去年回调到 71.2%；去年天然气对外依存度由高点的 44.4% 回调为 40.2%。尤其是高于 70% 的原油对外依存度仍然很高，资源约束的瓶颈仍然存在。

2. 创新能力不强的短板越发显现（略）

3. 结构性矛盾难以根本改变

一是原料结构偏重，发达国家自二战结束到上世纪八十年代都基本完成了以石油化工和天然气化工为主的转型，而我国至今还有相当比重的化工产品是以煤炭为原料的煤化工路线，合成氨、甲醇及聚氯乙烯中国 70% 以上的产能是以煤为原料；我国的乙二醇目前 43% 的产能是现代煤化工路线，原料结构偏重的问题长期与资源禀赋有关。

二是产品结构性矛盾更突出，以大宗基础化学品为主，高耗能产品占比高，纯碱、烧碱、电石、焦炭、合成氨、尿素以及聚氯乙烯、聚丙烯等通用合成材料和有机硅单体等很多以化石资源为原料、物耗高、排放高的大宗基础产品都是世界产能产量第一位；高端产品少的结构性矛盾仍然十分突出，我国 20 多种大宗基础化工产品产能产量多年高居世界第一位，而专用化学品和功能化学品、化工新材料及其高端复合材料、高性能纤维、高端膜材料等多年来一直依赖进口。

4.“双碳”目标任务挑战严峻

中国石化化工产业的能源消费总量 2020 年是 6.85 亿吨标煤，碳排放总量约 13.84 亿吨二氧化碳当量，约占工业领域总排放量的 13%。我国石化产业煤化工占比高，以煤炭为原料合成油品或制取化学品的过程中，碳排放量远高于天然气和石油为原料，可见以煤为原料生产化学品其碳排放量高于以天然气或石油为原料，煤化工在贯彻“双碳”战略的过程中面临的压力和挑战更严峻一些。

此外，今年全球经济增速明显下滑也对石化产业造成冲击，去年美国为抑制通胀持续加息，美国货币政策的转向叠加突发俄乌冲突和能源危机、天然气短供，致使世界经济增速明显下滑。今年年初国际货币基金组织、世界银行以及高盛、摩根士丹利等国际组织和机构，都纷纷下调世界经济和美国、欧盟、英国、日本等发达经济体的增速。今年前 4 个月的经济运行情况看，世界经济复苏乏力，尤其是美国今年一季度环比增速只有 1.1%，明显低于去年第四季度的 2.6%，当前看美联储继续加息、银行危机接连发生、债务违约风险暂缓，但美国经济衰退的风险在上升。从最近的调研看，不少企业反映市场恢复不如预期，受美元持续加息、全球美元供应量减少，全球市场消费受到抑制，美元升值、大宗原材料和产品价格就会下跌，企业效益遭遇严重冲击。

三、石化产业高质量发展与转型升级

今天中国的石化产业已经告别了产品短缺的时代，2013 年是我国炼油行业重要转折的一年，其重要标志就是成品油首次出现净出口，从此炼油产能结构性过剩趋势开始显现，我国炼油行业随之开启了转型升级之路。今天大宗基础化学品和通用合成材料过剩、结构性矛盾突出、东西部发展水平和管理水平不平衡差距明显，石化行业正处于一个国际国内市场竞争同步加剧的时期。这样的时期就要求我们一定要突出高质量发展为主题，这样的时期就要求我们一定要摒弃过去拼规模、拼投资、拼资源的传统发展思路，这样的时期就要求我们一定要加快转型升级：

1. 石化产业高质量发展与传统产业转型升级

今天谈石化产业的转型升级，首先不能忽视了传统产业，因为传统产业是国民经济的基础和基本盘，我国工业结构以传统产业为主，石化产业也是如此；综观世界石化产业已成为一个国家整体技术水平的代表，也已成为支撑高端制造业和战略性新兴产业发展重要而关键的领域。**一是传统产业高端化转型与升级。**因为高端制造业、战略性新兴产业以及航空航天和国防军工，都离不开化工新材料及其复合材料和功能化学品的支持和保障，高性能材料和功能化学品大多都得益于传统产品的转型升级，例如液晶显示屏和光伏发电用玻璃板的生产过程就离不开纯碱，新能源电池生产过程就离不开磷酸盐、碳酸锂等，很多高纯钠盐、磷酸盐都是医用、食品级、电子级不可或缺的，很多电子化学品、医用的高纯和超纯气体如高纯氨、氟化氢、氮气以及新能源汽车电池用化学品磷酸铁锂、六氟磷酸锂等都是基础化学品超纯、超净实现或者磷肥企业延伸产业链和产品结构调整都可以实现。很多跨国公司的成功实践，也都是由生产传统化学品转型为今天的高性能材料和特种化学品制造商，杜邦是由一家火药公司转型为今天的新材料和特种化学品公司；帝斯曼是由皇家成立的一家煤炭企业，转型为今天的营养化学品和功能化学品的专业化公司；索尔维是由当时垄断全球市场的一家纯碱生产企业，转型为今天的高性能材料和功能化学品的专业化公司。这些大家熟悉的由传统产业和基础化学品生产企业转型而来的具有全球竞争力的跨国公司，今天为世界电子信息产业、新能源等战略性新兴产业以及航天航空、国防军工等领域提供了重要的配套材料和产品。习近平总书记在 5 月 5 日召开的第二十届中央财经委员会第一次会议上特别强调：坚持推动传统产业转型升级，不能当成“低端产业”简单退出。

二是传统产业的数字化智慧化转型。数字经济发展速度之快、辐射范围之广、影响程度之深前所未有，正在成为重组全球要素资源、重塑全球经济结构、改变全球竞争格局的关键力量。数字经济已经成为各国抢占发展制高点、打造国际竞争新优势的重要抓手。石化产业高质量发展、尤其是传统基础石化产品、传统石化基地、老旧石化企业和装置，加快数字化智慧化转型的迫切性和现实性都更为关键，通过数字化智慧化转型和智能工厂、智慧化工园区的试点示范，探索并把握数字化、网络化、智能化方向，促进数字技术与实体经济深度融合，赋能传统产业转型升级，催生新产业新业态新模式，充分发挥数字经济具有高创新性、强渗透性、广覆盖性的特点，明显提高生产效率、降低物耗能耗和废弃物排放，不仅降本增效和提升竞争力，而且可大幅提升管理水平和生产过程的本质安全水平，让数字化转型不仅成为改造提升传统石化产业的重要支点，而且成为助推石化产业高质量发展的重要引擎。

三是石化传统原料与产品的生物化转型。也就是生产石化产品和材料由石油、天然气、煤炭等化石资源为原料向生物质资源为原料转型，生产石化产品和材料的工艺过程向生物技术转型。大家熟悉的燃料乙醇，以及生物质乙醇脱水制乙烯，进而获得有机化学品和聚乙烯等聚合物。为应对禁（限）塑令近几年大热的生物可降解材料聚乳酸、聚烷基脂肪酸酯等，还有生物法丁二酸、丙二醇、丁二醇、戊二胺以及生物基尼龙、生物基聚酯、生物基聚碳酸酯等等。最典型、最具代表性、也是技术工艺最成熟、市场竞争力最好的要数杜邦的生物法丙二醇。生物法聚丙烯酰胺也是少有的生物法工艺优于化学合成法的一个代表性产品；当前生物法获得医药和农药产品更多一些。因此传统石化领域的生物化转型，将是未来一个重要方向。

2. 原料结构向轻质化转型

石化企业消耗的资源分原料用能和燃料用能，原料用能就是生产石化产品的原料。燃料用能方面，在可能的情况下逐步减少煤电和燃煤锅炉、相应的增加天然气发电量和蒸汽锅炉，石化领域的碳排放量就会大幅降低。原料用能方面，上面分析的我国石化产业原料结构主要以原油、煤炭为主的现状，逐步减少煤头合成氨和甲醇、增加天然气为原料的合成氨和甲醇的占比，其碳排放强度分别下降 1/3 和 62%。这正是《2030 碳达峰行动方案》特别强调的：引导企业转变用能方式，鼓励以电力、天然气等替代煤炭。调整原料结构，控制新增原料用煤，推动石化化工原料轻质化；《工业领域碳达峰行动方案》提出：增强天然气、乙烷、丙烷等原料供应能力，提高低碳原料比重；合理控制煤制油气产能规模；推广应用原油直接裂解制乙烯；开发可再生能源制取高值化学品技术。**一是制氢原料的轻质化，**当前炼化装置、煤化工装置都需要氢气，国内多用煤制氢，而发达国家主要采用天然气制氢，如果将煤制氢都改造为天然气制氢，今天人们关注的碳排放问题也会大为改善，如果随着技术的进步再进一步改为绿氢，碳排放问题就可以从根本改善。

二是炼油装置的原料轻质化，当前炼油装置轻质化转型的主要代表，是炼油过程以轻质原油为原料的原油直接制化学品新工艺，最早实现工业化的跨国公司是埃克森美孚，其裕廊岛的一套 100 万吨 / 年装置已工业化运营 7 年多，也是目前世界上唯一的一套百万吨级工业化装置，其乙烯成本比传统石脑油工艺低 100 ～ 200 美元 / 吨。目前，沙特阿美、中国石化、中国石油以及中国海油也都相继宣布研发成功这一新技术，并都取得了中试和工业性试验的成果，其中沙特阿美与沙比克正在建设工业化装置。

三是烯烃原料的轻质化，也就是以轻烃为原料制烯烃，即“十三五”以来发展迅猛的丙烷脱氢制丙烯和乙烷裂解制乙烯，其代表区域就是北美、海湾和东北亚的中国，北美是得益于页岩气革命的成功，页岩气富含轻烃中的乙烷，乙烷分离以后经裂解制乙烯，与传统的石脑油裂解工艺相比，流程短、成本低，也是更清洁的工艺；海湾地区得益于石油伴生气资源丰富，大量的乙烷和丙烷经分离以后，分别经裂解和脱氢制取乙烯和丙烯，与传统的石脑油裂解相比其竞争力更胜一筹。所以全球烯烃原料的轻质化转型近 10 年来呈现加速态势，到 2020 年世界以轻烃为原料的乙烯占总产能的 53.5%，其中乙烷裂解占 40.3%；中国也及时跟进这一转型趋势和步伐，乙烷裂解制乙烯也被众多国内企业关注，并列入拟建和扩建范畴，但后来因资源禀赋的制约，只有中国石油巴州和长庆 2 套装置列入试点示范，目前已建成投产的只有中国石油、新浦化学、万华化学、卫星石化等 7 套装置，以乙烷或混合轻烃为原料制乙烯、产能 618 万吨 / 年，产能约占我国乙烯总产能的 13.2%；丙烷等轻烃为原料脱氢制丙烯装置快速建设，已建成投产装置二十几套，已形成产能 1534.1 万吨 / 年、占我国丙烯总产能的 27.1%，其中 2022 年投产的 17 套丙烯装置中就有 8 套，占了去年新增产能 601 万吨 / 年的 62% 以上；从今年起的未来 5 年拟新建丙烯装置 57 套、合计新增产能 3604 万吨 / 年，其中丙烷或轻烃为原料占新增套数的 59.6%、占合计产能的 65.4%，总体看国内烯烃原料轻质化转型已得到业界同仁的高度关注。

3. 产品结构在“减油增化”中转型

中国的炼油总产能已达 9.2 亿吨 / 年，年原油加工量约 7 亿吨，成品油产量约 3.6 亿吨，成品油年消费量约 3.3 亿吨，总体看成品油已现过剩状态，细分看柴油消费已趋饱和、汽油消费略增、航空煤油仍处上升期。但是，我国消费市场合成树脂去年进口量高于 2760 万吨、进口量占表观消费量的 21.2%，尤其是聚乙烯去年进口量 1346.6 万吨、进口量占表观消费量的 36.9%，聚碳酸酯工程塑料去年进口 138.6 万吨，进口量占表观消费量的 48.3%；另外，有机化学品、专用化学品、特种纤维、高端膜材料、高纯试剂等高端产品每年都有大量进口。当前石化产业这种“大宗基础产品过剩，高性能材料和专用化学品短缺”的现状，**一是“减油增化”需要把握的大原则**。即炼油装置在技术路线选择和设计方案时，产品方案一定要“少产成品油，多产化工新材料和精细化学品”。按照当前成品油消费市场的现状，“减油”也要既立足统一大市场、又立足区域消费市场，汽煤柴合理调控，总量看应尽量少出柴油、适度产出汽油、合理多产航煤和低硫船燃，因此《工业领域碳达峰实施方案》已经明确，到 2025 年“减油增化”取得积极进展，新建炼化一体化项目成品油产量占原油加工量比例降至 40% 以下。**二是实现“减油增化”目标的重要路径**，即炼化装置首先就要多产烯烃，因为烯烃是合成化工材料和一系列有机化学品的基本原料，从最新投产的恒力长兴岛、浙石化舟山、盛虹连云港的炼化一体化装置来看，成品油产出率均可控在 30% 以下，正在建设的裕龙岛一期项目的产品方案其成品油产出率更低一些，看来新建炼化一体化装置“减油增化”相对容易实现。**三是已投产的炼化装置和老石化基地如何能够“减油增化”?** 东部沿海石化基地以及部分拥有千万吨级以上炼油、规模集中度高、管理水平高的老石化基地，要立足已有的炼化一体化规模和产业链水平，充分用足用好已建成和即将建成的炼化一体化装置副产的轻烃原料，认真研究和论证好“减油增化”的路径和措施，增强天然气、乙烷、丙烷等原料供应能力，提高低碳原料比重，可以考虑补充少量石脑油或轻烃资源多产烯烃，有条件的炼化装置和石化基地也可以论证采用“轻质原油直接制化学品新技术”增产烯烃，突出并强化下游产业链的延链、补链、强链。镇海炼化、吉林石化、钦州石化、洋浦炼化、洛阳石化、天津石化等炼化装置和石化基地，新核准的年产百万吨级烯烃的项目为我们提供了可供借鉴的思路。

4. 生产过程在绿色低碳中转型

一是过程绿色低碳化的首要举措是节能。实践证明“节能是第一能源，降耗是第一资源”。石化企业一定要大力推进清洁生产技术改造和循环化改造，推广先进适用的节能、低碳、节水技术以及废弃物综合利用技术，高度重视各类资源的节约集约利用。过去我们谈到余热利用关注更多的是高温的热源，有些企业认为低品位热能综合利用的空间不大。但是，3 月底我在一次峰会上遇到了一家专门做低品位热能利用的技术公司。该公司可以将 100℃左右的低品位热源直接一步法转化利用，已在多家氯碱厂、纯碱厂及煤化工企业应用并取得了显著的效果。根据企业规模不同，年节电量可达 880 万～ 1640 万千瓦时。

二是过程绿色低碳化的现实路径是电气化。即用绿电代替煤电和气电，或者用绿电裂解代替传统的蒸汽裂解（巴斯夫、林德和 SABIC 正在合作攻关）、绿电驱动代替蒸汽透平等，这都是生产过程绿色低碳化的有效措施，这也是目前国内外都在示范和探索的路径。

三是过程绿色低碳化的重要路径是短流程化。炼油短流程化的一个典型代表就是上面提到的原油直接制化学品新工艺，与传统的工艺相比省去了蒸馏过程，以轻质原油为原料直接获得乙烯，从而流程缩短了，节省了能耗，降低了目的产物的成本。

近年来，行业同仁关注度最高、创新聚焦，并已取得重要成果的短流程化技术是：微通道连续流反应器及其技术，已经在很多精细化学品、医药化学品的硝化、重氮化、加氢、氯化等反应过程中工业化应用。与传统反应器相比，微反应的传值效率提升 100 倍、换热能力提升 1000 倍、反应时间缩短为秒级、反应持液量只是原来的千分之一，而且整个工艺流程全自动、全连续，反应效率和收率大幅提升、排放大幅降低，本质安全水平大幅提升。未来微通道反应技术在精细化学品、药品及其中间体的制取和反应过程中将有更加广阔的应用。

5. 高质量发展在创新驱动中转型

党的二十大报告指出，坚持创新在我国现代化建设全局中的核心地位。深入实施创新驱动发展战略，开辟发展新领域新赛道，不断塑造发展新动能新优势。创新驱动发展是石化产业和企业实现高质量发展的核心要素、是第一驱动力。**一是为科技自立自强而创新。**按照《石油和化学工业“十四五”科技发展指南》的总体部署，面向世界科技前沿、面向经济主战场、面向国家重大需求、面向人民生命健康，深入实施创新驱动发展战略，围绕“产业链”部署“创新链”，围绕“创新链”布局“产业链”，构建较为完善的行业创新体系。强化科技战略支撑，以自立自强为核心，突破一批制约行业发展的“补短板”技术和“卡脖子”技术，抢占一批科技制高点，大力推动跨领域跨行业协同创新，通过组织实施创新工程和组建创新平台，突出关键共性技术研发，突破一批关键技术，研制一批高端产品，推动由石化大国向石化强国迈出关键性步伐。要充分发挥骨干企业的引领支撑作用，不仅重视面向行业、企业和产业发展的现实需求，更要把握世界科技进步的前沿、国家重大项目和重点工程的需求，集聚力量组织和开展原创性引领性科技攻关，坚决打赢关键核心技术攻坚战。骨干企业和创新型企业还要努力争取承担具有战略性全局性前瞻性的国家重大科技项目，不仅增强自主创新能力，而且为国家实现高水平科技自立自强多作贡献，充分发挥创新在高质量发展中的核心作用。

二是为碳达峰碳中和而创新。为碳达峰碳中和战略目标，当前国际国内聚焦度最高的，莫过于二氧化碳资源化利用的创新，通过创新实现工业排放二氧化碳的捕集、利用和封存（CCUS），以及以二氧化碳为原料合成甲醇及其有机化学品、高分子化合物等。国内外多位科学家和不少研发机构都积累了很多阶段性成果和宝贵的经验。

三是为未来而创新。绿氢的创新也是当前国际国内聚焦的重点。真正实现绿氢的工业化、并具有经济性关键就在创新，创新的焦点是阳光分解水制氢，三菱化学、东京大学以及中国科技大学等都取得了阶段性成果。这些创新必将为未来石化产业的高质量发展和转型升级发挥关键作用。

高质量发展与转型升级，既是一个老话题，又是一个新课题，也是一个长期探索和持续推进的课题。世界一流的跨国公司通过自身的实践积累了经验，也为我们提供了借鉴；国内一批优秀企业在坚持创新和持续转型升级中，不断推动企业的高质量发展。未来，转型升级将是石化产业高质量发展的重要举措，让我们在创新中深化转型升级，在创新中实现高质量发展，在创新中迈向石化强国的宏伟目标。

绿色低碳
创新提质
推动石化产业高质量发展实现新跨越 *

百年未有之大变局加速演进，大国博弈和区域动荡进一步加剧，世界经济下行压力持续加大，全球石化产业链、供应链重构挑战与机遇并存，在这后疫情时代、不确定性因素不断增多的情况下，我们齐聚石油城盘锦，以“绿色低碳，创新提质”为主题，共同分析当前石化行业面临的新情况和新问题，共同研究新形势下的新机遇，一起思考并探索我国炼油行业转型升级和高质量发展的新路径、新举措。

我国石化产业去年又实现了新的跨越。去年虽然受到复杂国际环境和疫情的影响，但石化全行业收入和进出口总额都再创历史新高，利润总额保持了万亿元以上的历史高位，为国民经济稳增长、稳外贸和健康稳定发展都做出了重要贡献。但石化产业高质量发展还面临诸多挑战，规模上我们已经是名副其实的石化大国，可就技术水平和竞争力来看还不是强国，还存在明显的差距和短板。如原油对外依存度高我们连续多年高于 70%，创新能力不强的短板也越发显现，结构性矛盾突出尚未根本改变，尤其是受我国多煤缺油少气资源禀赋的限制，石化产业“双碳”目标任务面临的挑战更加严峻。因为我国石化产业煤化工占比高，以煤炭为原料制取化学品或合成油品的过程中，碳排放量远高于天然气和石油为原料，在贯彻“双碳”战略的过程中压力和挑战更严峻一些。

把握石化产业发展趋势，开创高质量发展新未来。今天中国的石化产业已经告别了产品短缺的时代，10 年前我国成品油首次出现净出口的时候，就标志着炼油产能结构性过剩趋势开始显现，也标志着我国炼油行业开启了转型升级之路。近 10 年来的发展是前所未有的，今天石化产业的现状以及新时代新征程，更对石化产业转型升级提出了更高的要求。**一是加快传统产业的转型升级，**

---

* 这是 2023 年 7 月 20 日，傅向升同志在 2023 中国石油化工产业高质量发展大会的致辞。

按照习近平总书记强调：坚持推动传统产业转型升级，不能当成“低端产业”简单退出的重要精神，面向高端制造、战略性新兴产业以及航空航天和国防军工所需，加快传统产业的产品高端化、精细化和差异化；同时要加快传统产业的数字化转型，通过智能工厂、智慧化工园区的试点示范，赋能传统产业转型升级，提高生产效率、企业竞争力和管理水平及本质安全水平。

二是把握炼油行业原料轻质化的趋势，如炼油过程以轻质原油为原料的原油直接制化学品新技术，以及烯烃原料轻质化的丙烷脱氢制丙烯和乙烷裂解制乙烯，与传统的石脑油裂解工艺相比，流程短、成本低，也是更清洁的工艺，竞争优势明显，到 2020 年世界以轻烃为原料的乙烯占总产能的 53.5%，其中乙烷裂解占总产能的 40.3%。炼化装置还要做好“减油增化”，“减油”要合理调控汽煤柴，尽量少出柴油、适度产出汽油、合理多产航煤和低硫船燃。“增化”则要求炼化装置尽量多产烯烃，国家产业政策要求到 2025 年新建炼化一体化装置成品油产出率控制在 40% 以下。对于已投产的炼化一体化装置，充分用足用好副产的轻烃原料，也可以考虑补充少量石脑油或轻烃资源多产烯烃，强化下游延链、补链、强链。

三是高度重视集群化发展。产业集群化是推动我国经济发展焕发新活力、迈上新台阶的必然选择。石化产业要学习借鉴裕廊岛、路德维希港、安特卫普、朱拜勒工业城等世界一流石化基地的做法和经验，在基地化、装置大型化、炼化一体化和产业集群化上集中发力，按照重点培育“五大世界级石化产业集群”的总体目标，瞄准世界一流石化基地的先进水平，在做好智慧园区、绿色园区的基础上，强化创新，突出产业链协同和产业集群培育，还要对标低碳园区、甚至“零碳园区”的标准和要求，全力创建高质量发展示范园区。

盘锦辽东湾是渤海湾区北岸重要的石化园区，与长兴岛石化基地、锦州、辽阳、抚顺、沈阳、葫芦岛、鞍山等新老石化基地，为支撑辽宁省成为全国前 5 的石化大省作出了重要贡献。同时盘锦辽东湾与曹妃甸、天津、黄骅、滨州、东营港、潍坊和烟台，串起了环渤海湾区石化产业高质量发展的一颗颗璀璨的明珠，辽东湾的未来希望是“环渤海湾区世界级石化产业集群”中最突出、最闪亮的一颗。石化联合会将一如既往地支持和服务于盘锦辽东湾和辽宁省石化产业的创新与发展，让我们携手努力，借这次“高质量发展大会”各位嘉宾和代表的智慧再出发，在创新与绿色低碳中加快转型升级，为石化产业高质量发展和石化强国目标的实现再创新业绩，实现新跨越！

新形势新挑战复杂严峻、开好局起好步稳中求进 *

在全面贯彻落实党的二十大精神的开局之年和“十四五”规划承上启下的关键之年，今年行业经济形势分析会的主要任务是：全面贯彻落实党的二十大精神，突出石化产业的高质量发展，分析上半年石化行业经济运行的新情况和新特点，研究今年经济运行的新形势，预判全年任务目标面临的新挑战，坚持创新在我国现代化建设全局中的核心地位，加快石化产业的绿色低碳转型，推动石化行业经济运行整体好转，努力实现质的有效提升和量的合理增长，为开启全面建设社会主义现代化国家新征程作出新贡献。

回望刚刚走过的上半年，百年未有之大变局加速演变，印证了我们年初的预判：国际政治环境、经济环境日趋复杂，竞争进一步加剧，不确定性因素日益增加。上半年世界局势被“三条线”牵动着：

“第一条线”是美联储为抑制高通胀持续加息给全球经济造成冲击。美欧等发达经济体为应对 3 年疫情持续实施大规模财政刺激政策，导致了今天美欧达到了近 40 年以来的历史通胀高点。为应对高通胀美联储从去年 3 月开启加息，到今年上半年已加息 10 次，欧洲央行自去年 7 月开始至今年上半年已连续加息 8 次，美欧利息都已达到 2008 年金融危机前的水平，这条线是世界经济界人士高度关注的警戒线。因为历史事实证明：美联储每一次加息都会引起国际金融市场的波动，我们记忆深刻的 1998 年亚洲金融危机和 2008 年华尔街次贷危机都是美联储加息引爆的。今年以来，硅谷银行、签名银行倒闭，第一共和银行爆流动性风险，瑞信银行被收购，德意志银行危情频现，现在看美国和欧洲的通胀指数离 2% 的预期还相差甚远。如果美联储及欧洲央行再继续加息、美元继续升值和回流，哪一个新兴经济体将首先被洗劫？或是否会导致美欧自身经济衰退？这些风险都在同步上升。

---

* 这是 2023 年 8 月 3 日，傅向升同志在 2023 全国石油和化工行业经济形势分析会的主报告。

“第二条线”是俄乌冲突仍在继续。这条线不仅牵动着俄乌双方，而且牵动着整个北约；这条线展现的惊心动魄的、具有戏剧性的“一日政变”和“一夜转寰”，更牵动着整个世界；这条线影响世界能源危机、化肥危机和粮食危机的深度发酵，尤其是目前还看不到冲突结束的迹象，让世人揪心。

“第三条线”是大国博弈的加剧。大国博弈把俄罗斯逼进了墙角，导致俄乌直接冲突。近期，中欧关系在改善与向好，中美最近高层频访，在向着“巴厘岛会晤”的共识努力。希望某些大国摒弃“零和博弈”的旧识和“丛林法则”，在合作共赢中共建美好的人类命运共同体。

刚刚走过的上半年，中国经济呈现回升向好态势，一季度实现良好开局，一季度过后国际货币基金组织、世界银行等国际组织和机构都纷纷上调中国全年经济的预测值；二季度延续恢复态势，将超额完成全年 5% 的预期目标。但我们也要看到，国内需求不足，一些企业经营困难，下半年压力较大。

为筹备召开这次全国石化行业经济形势分析会，从 6 月底开始到 7 月上旬，李寿生会长和各位会领导带队，划片区分别召开了华北、华东、华南、西南、西北、东北“六大片区重点企业座谈会”；7 月 13 日又在北京召开了中国石油、中国石化、中国海油、中国中化、延长石油等重要骨干企业和重点专业协会座谈会。从调研、“六大片区”和重要骨干企业以及重点专业协会座谈会了解的情况看，上半年石化行业经济运行呈现出许多不同于往年的特点。

一、上半年石化行业经济运行的基本情况和特点分析

年初，我们认真分析了时代的发展与变迁，尤其是高速增长时代已过、大基建时代已过和后疫情时代已来临，加之国际环境的复杂多变和世界石化产业的布局结构与产业链重构的加速，石化产业高质量发展面临许多新的挑战与机遇。

上半年石化全行业与广大石化企业按照年初确立的总体思路和重点工作，全面贯彻落实党的二十大和中央经济工作会议精神，完整准确全面贯彻新发展理念，紧扣高质量发展这一主题，探索并扎实推进石化产业中国式现代化的发展路径；上半年也遭遇了原料和产品价格同步下滑、疫后恢复不及预期、国际和国内市场需求不振等新的困难，石化全行业和广大石化企业技术创新与管理创新同向发力，去库存与降本增效同下功夫，上半年的经营状况可谓多年未遇。

1. 石化行业经济运行的基本情况

据国家统计局数据，上半年石化全行业实现营业收入7.6万亿元，同比下降4.4%；其中三大板块：油气开采6749.6亿元、同比下降6.2%，炼油板块2.5万亿元、同比略增1.3%，化工板块4.27万亿元、同比下降7.7%。全行业实现利润总额4310.9亿元，同比下降41.3%；其中三大板块：油气开采1906.9亿元、同比下降12.6%，炼油板块274亿元、同比下降70.2%，化工板块2050.8亿元、同比下降51.1%。全行业进出口总额4763.6亿美元，同比下降7.6%；其中出口额1620.6亿美元、同比下降5.6%，进口额3143亿美元、同比下降8.7%，贸易逆差1522.3亿美元、同比下降11.7%。

深入分析发现，上半年石化行业经济运行呈现如下特点：

2. 石化行业运行的“三个双下降”

第一是收入、利润“双下降”。上半年全行业实现营业收入7.6万亿元、同比下降4.4%（去年上半年是同比增长20.9%），实现利润总额4310.9亿元、同比下降41.3%（去年上半年是同比增长24%）。石化全行业收入、利润“一升、一降”的年份居多；尤其是三大板块分属于产业链的上、下游，上游原料和下游产品的效益是互为因果，一般情况升降是反向的。今年上半年石化全行业及油气和化工板块的营业收入和利润均同步“双下降”，而且下降幅度都较大，实属罕见。

第二是进口额、出口额“双下降”。根据海关数据，上半年石化行业出口额1620.6亿美元、同比下降5.6%（去年上半年是同比增长24.6%）；进口额3143亿美元、同比下降8.7%（去年上半年同比增长30.7%）。石化行业进口额和出口额同比均下降，致使全行业进出口总额同比下降7.6%，贸易逆差同比下降11.7%。我们分析这种同步下降的主要原因是，原油及主要石化产品的市场价格今年上半年同比下降幅度较大。

第三是产品价格同比、环比“双下降”。产品价格下降是今年上半年行业经济运行中最明显的变化，也是在调研和座谈中企业家感受最强的。6月份布伦特原油均价74.7美元/桶，当月同比下降39.6%、环比下降1.2%；上半年石油和天然气出厂价格同比下降13.5%，化学品出厂价格同比下降9.4%；6月份重点监测的48种无机化学品的市场均价同比下降的有44种、占比91.7%，环比下降有39种、占比81.3%；重点监测的72种主要有机化学品的市场均价同比下降有68种、占比94.4%，环比下降有66种、占比91.7%。

3. 石化行业运行的“三个双增长”

深入分析石化行业上半年经济数据还会发现，在存在“三个双下降”等诸多不利因素的同时，上半年也存在一些总体向好的积极因素。这些因素对正处于经济恢复和产业升级的关键期，受结构性问题、周期性矛盾交织叠加影响的石化行业和众多企业，也许将成为下半年石化行业经济运行持续整体好转和推动高质量发展取得新突破的重要因素。

第一是多数产品的产量、消费量“双增长”。原油产量 1.05 亿吨、同比增长 2.1%，表观消费量 3.87 亿吨、同比增长 9%；天然气产量 1155 亿立方米、同比增长 5.4%，表观消费量 1916.7 亿立方米、同比增长 5.5%；成品油产量 2.07 亿吨、同比增长 17.9%，表观消费量 1.87 亿吨、同比增长 13.5%（其中汽油产量同比增长 5%、消费量同比增长 4.5%，柴油产量同比增长 21.7%、消费量同比增长 15.6%，煤油产量同比增长 64.4%、消费量同比增长 57.1%）；石脑油产量同比增长 25.7%、消费量同比增长 30.3%，硫酸（折纯）产量同比增长 0.9%、消费量同比增长 1.3%，烧碱产量同比增长 2.5%、消费量同比增长 2.6%，纯碱产量同比增长 6.4%、消费量同比增长 6.3%，乙烯产量同比增长 3.8%、消费量同比增长 2.2%，合成树脂产量同比增长 3.7%、消费量同比增长 1.9%（其中聚乙烯产量增长 5.3%、消费量增长 1.5%，聚丙烯产量增长 2.3%、消费量增长 4.0%）、聚酯产量同比增长 3.8%、消费量同比增长 4.9%，尿素（折纯）产量同比增长 5.6%、消费量同比增长 5.6%，子午线轮胎产量同比增长 13.4% 等。

第二是原油产量、加工量“双增长”。上半年原油产量 1.05 亿吨、同比增长 2.1%，这是继去年原油产量 6 年来重回 2 亿吨平台的基础上实现的增长，这为今年原油产量巩固在 2 亿吨以上做实了基础。上半年原油加工量 3.6 亿吨、同比增长 9.9%，这是在去年上半年原油加工量下降 6%、去年全年原油加工量下降 3.4% 的情况下出现的增长。这也从一个侧面反映市场在恢复、交通运输在恢复、经济正在回归。再进一步分析，今年上半年原油进口量再次增长 11.8%，这是继 2021 年原油进口量首次下降 5.3%、2022 年再次下降 1% 的情况下出现的增长。这种增长与疫后经济恢复有关，与国际市场原油价格下跌也有关（去年同期布伦特原油均价 107.6 美元 / 桶，今年上半年 80.9 美元 / 桶，同比下降 24.8%）。据此推算，今年原油进口量将高于历史最高年份的 2020 年。

第三是规上企业数量、投资“双增长”。据国家统计局数据，截至今年 6 月底石化行业规模以上企业 30239 家，比去年同期的 28500 家多 1739 家，这是自 2011 年国家统计局调整规模以上企业销售收入 2000 万元的新标准以来，12 年后首次回到 3 万家以上。

上半年石化领域投资继续大幅增长。根据国家统计局数据，化学品制造领域投资增长 13.9% 、石油和天然气开采领域增长 22.4%，均明显高于全国工业和制造业投资增幅。投资的大幅增长对稳增长、调结构和可持续发展都有可喜之处，但也存在着担忧。“一喜”是石油、天然气领域投资的大幅增加，为保障国家能源安全增力；“二喜”是化学品制造领域投资大幅增加，为加快结构升级、延链补链和产业链安全增力；“担忧”的是在大宗基础化学品和通用材料产大于求日益严重的今天，大量投资是否存在重复性建设？会不会进一步加剧大宗基础化学品和通用型材料的产大于求?

二、石化行业经济运行面临的形势分析

党的二十大报告指出，当前，世界百年未有之大变局加速演进，新一轮科技革命和产业变革深入发展，国际力量对比深刻调整，我国发展面临新的战略机遇期。今年大国博弈竞争加剧，地域不安全风险在上升，发达经济体通胀高企，世界经济复苏不及预期。石化行业经济运行面临着更加严峻的挑战：

一是全球经济下行压力持续加大。联合国最新一期《世界经济形势与展望》报告显示，在通胀居高不下、利率上升和不确定性加剧的情况下，全球经济强劲复苏的前景仍然黯淡，世界经济仍面临长期低增长的风险。国际货币基金组织 7 月 25 日发布最新《世界经济展望报告》，预计今年世界经济增速 3.0%，虽然比 4 月份预测值上调 0.2 个百分点，但仍低于去年 4.4% 的增速；预计发达经济体今年增速 1.5%（去年 3.9%）、新兴市场与发展中经济体今年增速 4.0%（去年 4.8%），特别强调世界经济面临多重下行风险。几乎一致的共识是高于预期的通胀、为遏止通胀而持续加息以及疫情过后市场恢复不及预期等不利因素，全球经济“正危险地逼近衰退”。

二是供给冲击进一步加剧。上一个十年世界石化产业迎来了一个新的景气周期，中国把握新一轮景气周期的发展机遇，特别是“十三五”以来，国有骨干石化企业、善抓机遇的民营企业以及在华跨国公司，都把发展的聚焦点瞄准了炼化一体化装置和化工新材料基地，中海壳牌二期、中化泉州、大南海中国石油揭阳、长兴岛恒力、舟山浙石化、连云港盛虹等一批大型炼化一体化装置和

石化基地集中建设、集中投产，炼油和乙烯总产能又双双实现新的跨越，均跃居世界第一。这不仅大大提升了国内石化产品和合成材料的供应能力，而且也必将进一步加剧大宗基础化学品和通用材料的产大于求之现状。另一个不容忽视的供给冲击现实是，原料优势突出、成本更低、竞争力更强的进口产品的冲击，例如北美和海湾地区得益于页岩气和伴生气资源、以轻烃为原料经脱氢或裂解获得的烯烃、聚烯烃及其有机化学品，与国内传统原料、传统工艺获得的烯烃，尤其是国内独有的煤制乙二醇、煤制烯烃及其聚烯烃和下游产品，对国内石化产品和合成材料市场的供给冲击进一步加剧。

三是需求收缩正在显现。石化产业既是国民经济的重要支柱产业，也是配套性的能源原材料基础产业，人们的衣食住行离不开石化产品和材料，航空航天、国防军工也离不开石化产品和高性能材料；汽车离不开橡胶轮胎，电子信息等高端制造业以及新能源等战略性新兴产业也离不开专用精细化学品和高性能复合材料。当中国进入工业化和城市化中后期阶段的时候，建筑及房地产业繁荣不再，与石化产业密切相关的建筑材料、装饰装修材料、家电家居及床上用品都呈现收缩状态。当人们更加关注碳减排、传统燃油车禁产禁售呼声日高、新能源汽车备受青睐、汽车拥有量呈现平台期的时候，与汽车工业密切相关的轮胎、涂料、保险杠、密封条及其内饰材料都呈收缩之态。需求收缩是石化产业近期和未来都不容回避的挑战。

四是不确定性因素增多导致经济运行的难度加大。一方面人们预期疫情过后市场会强劲反弹的场景没有出现，市场恢复不如预期，这一点大家感受至深。另一方面，美元持续加息、货币回流，导致世界货币市场美元供应量减少、流动性下降，很多国家和地区、尤其是新兴经济体受到的影响更为严重，大宗商品价格和世界市场同步低迷，这一点是在调研和座谈过程中企业家谈论最多的。此外，有些国家和区域产业链供应链“去风险”，甚至“脱钩断链”声调渐高，逆国际化和贸易保护主义抬头，全球贸易往日的兴隆之势在减弱，联合国预计今年全球商品和服务贸易额将增长 2.3%，远低于疫情前的增长水平。诸多不确定因素的增加，都直接或间接地影响着人们对世界经济的信心，这些因素也难免会弥漫在世界石化领域、甚至扩散，难免会影响世界石化产业的合作共赢与可持续发展。

以上分析了石化行业当前面临的挑战，那我们如何看待今年的经济形势呢?

一是中国经济长期向好的基本面没有变。国际社会对中国经济继续看好，国际货币基金组织最新预测中国今年经济增速 5.2%，联合国发布的最新一期《世界经济形势与展望》，将中国 2023 年经济增长预测值上调为 5.3%，联合国经社部全球经济监测处负责人拉希德还表示，中国的通胀率低于其他很多主要经济体，这意味着中国的货币政策和财政政策都有很大的空间对经济增长提供支持。世界银行公布的数据：2021 年中国经济对世界经济增长的平均贡献率高达 38.6%，这一数值超过 G7 国家贡献率的总和。今年在天津召开的夏季达沃斯论坛上，世界经济论坛总裁博尔格·布伦德预计：今年全球增长的 36% 可能来自中国的贡献，这些国际组织和经济人士都对中国经济的发展前景投出“信任票”。国家统计局数据，一季度增长 4.5%、二季度增长 6.3%，环比增长 0.8%，上半年经济总量同比增长 5.5%。可见上半年中国经济整体恢复向好，主要指标总体改善，发展质量稳步提升，为实现全年目标奠定了坚实的基础。

二是经济增长有其周期性。世界经济总量是持续增加的，但每年的增速却是不同的，也就是大家熟知的世界经济增长是有周期性的。在经济学意义上通常总结为“繁荣、衰退、萧条、复苏”，以这样“四个阶段”周期性的循环。今天的人们了解到对世界经济影响最为严重的恐怕就是 1929—1933 年的“世界经济大萧条”，4 年间西方世界工业生产下降超过 1/3，贸易额减少了 2/3。当时美国和德国受到的影响和对经济的破坏最为严重。到 1933 年初美国有一半的银行倒闭，美国的出口额下降了 70%，英国、法国、德国、日本等国家的贸易额也都减少了一大半。正因为工业化及其资本主义制度造成的经济危机，特别是 1929—1933 年的世界经济大萧条，经济学界的“凯恩斯主义”开始盛行，并由当时的美国总统罗斯福用于国家治理，“政府干预”成为发达经济体和世界大多数国家宏观调控经济政策的重要措施和手段。

近百年来全球再没有发生过像 1929—1933 年影响那么严重的世界经济大危机，但 20 世纪 70 年代的石油危机、90 年代的亚洲金融危机和离我们最近的 2008 年华尔街次贷危机，有些是我们亲身经历过的，也都记忆深刻。剖析 20 世纪 70 年代以来的每一次经济危机，我们就会发现每一次危机的根源都在美元，因为 20 世纪 70 年代初美国总统尼克松宣布“美元与黄金脱钩”以后，“布雷顿森林体系”被打破，美元开启了“升值与贬值”，即“加息与降息”的周期循环，深入研究就会发现美元的加息周期与世界经济衰退的周期高度相关，虽不会完全重合、存在滞后现象，但规律性是一致的。

简单说就是，美元降息、美元成本降低，大量美元流向世界市场，世界市场通用的美元货币资金充足，购买力强劲，大宗原材料及其商品价格高企；货币资金充足、购买力强、消费市场强，经济一片繁荣，此时往往伴随着价格指数升高、通货膨胀升高。为了抑制通货膨胀继续升高，美元就会开启加息周期（去年 3 月份以来的情况就是如此），美元加息伴随美元升值，低息时贷款的美元资金成本增加，世界市场美元的使用量开始收缩、大量的美元开始回流美国，世界市场就出现了美元流通量减少甚至短缺的现象，世界市场的购买力下降、消费力收缩，随即大宗原材料和商品价格下降。

这就是今年上半年呈现在我们面前的局面：大宗商品和产品价格同比、环比同步下降，国内外市场消费不振，导致企业收入、利润大幅下降。了解了经济发展的周期性，我们面对今天的经营困境时就冷静了许多，更不会惊慌失措，就会判断我们今天所处的历史阶段和经济周期的方位与时点，尤其是面对产品价格大幅下降的时候，我们就会认识到这是市场规律使然，正在由前两年的不正常价格状态回归到常态。

三是今年不会是石化行业历史上最差的一年。今年上半年我们遇到了与往年相比特殊的困难和许多新的挑战，很多人都在说“今年将是极其艰难的一年”。今年确实有许多困难需要我们去克服、许多新的挑战需要我们去破解。但我们也要看到，今年也许是石化行业历史上最艰难的一年，但不会是石化行业历史上最差的一年！

如果与刚刚过去的两年相比，很多企业肯定说很惨，但大家一定要客观地看待 2021 年和 2022 年所取得的经营业绩，连续两年全行业营业收入和进出口总额连创历史新高，利润总额连续两年保持在高于 1.1 万亿元的历史高位，这是石化行业在特殊的历史年份所取得的历史成就。连续两年创造了历史！这样的年份是罕见的！正常的年份与刚刚过去的两年可比性不强。

如果把今年放到石化行业历史的长河中一对比，就会发现今年不会是石化历史上最差的一年。不用太久的历史背景，因为 20 世纪也不具有客观的可比性。把镜头稍稍拉长到 7 年前，看看“十三五”的石化行业：2016 年营业收入 13.29 万亿元，利润总额 6444 亿元，收入利润率 4.85%；2017 年营业收入 13.78 万亿元，利润总额 8462 亿元，收入利润率 6.14%；2018 年营业收入 12.4 万亿元，利润总额 8394 亿元，收入利润率 6.77%；2019 年营业收入 12.3 万亿元，利润总额 6684 亿元，收入利润率 5.45%；2020 年营业收入 11.08 万亿元，利润总额 5155.5 亿元，收入利润率 4.65%。

看了“十三五”的 5 年，再来看看今年：上半年全行业营业收入 7.6 万亿元，利润 4310.9 亿元，收入利润率 5.67%；照此谨慎推算：今年全年石化行业营业收入将高于 14 万亿元，利润总额高于 8000 亿元，收入利润率 5.71%，照此谨慎推算的结果看，营业收入将高于“十三五”的 5 年，利润总额和收入利润率保守地看都高于“十三五”中的 3 个年份，所以说“今年不会是石化行业历史上最差的一年”。

四是预判下半年将好于上半年。从六大片区重点企业、五大骨干企业、重点专业协会座谈以及企业调研的情况看，绝大多数企业上半年的营业收入下降不多，实现利润同比下降幅度较大。上半年亏损的企业是少数，大多数企业的现状是利润同比大幅下降、但不亏损。

经过认真分析，从宏观上预判：下半年将好于上半年。

一是总体上看，一方面原油价格的涨跌直接影响石化行业经济运行，今年上半年布伦特原油均价 80.9 美元 / 桶，同比下降 24.8%，原油价格的下跌使得行业收入、利润、进出口总额都受影响。另一方面，调研和座谈中不少企业谈到 6 月份产品价格出现回调，二季度的经营情况也在逐月改善，只是改善的力度还不大，全行业前六个月的经济数据也基本如此。

二是从“三大板块”具体看：原油价格下跌对油气板块产生直接影响，即同步下跌；而 70 ～ 80 美元 / 桶的油价，对炼油板块和下游化工板块较有利，尤其对炼油板块影响更大，去年炼油板块从下半年开始每个月都是当月亏损，去年上半年炼油板块实现利润 896.2 亿元，而到年底炼油板块的利润只有 229.2 亿元（全年收入利润率只有 0.44%），下半年亏掉了 667 亿元、平均月亏 110 多亿元；今年上半年炼油板块实现利润虽同比下降 70.2%。但与去年全年相比：今年上半年的利润 274 亿元，已高出去年全年 229.2 亿元的 19.6%。由此判断炼油板块下半年会明显好于上半年，也会明显好于去年全年。去年化工板块从下半年效益逐月下降，上半年月均实现利润 731.1 亿元；第三季度月均利润 505.4 亿元，是上半年月均利润的 69%；第四季度月均利润 462.1 亿元，是上半年月均利润的 63%。我们预判今年这种情况不会再次发生。7 月下旬以来布伦特油价重回 80 美元 / 桶上方，所以说，今年下半年将会好于上半年。

三、下半年稳中再求进，确保全年开好局起好步

上半年，石化行业经济运行遇到了新的困难，也透射出一些新的特点，为确保今年石化行业经济运行实现稳中求进的总目标，下半年行业经济运行工作的总体思路是：以习近平新时代中国特色社会主义思想为指导，坚持党中央“稳字当头，稳中求进”的总基调，坚持石化产业高质量发展为主题，坚持贯彻新发展理念为统领，坚持创新在我国现代化建设全局中的核心地位，深入实施创新驱动发展战略，推动石化行业和企业的绿色低碳转型与数字化升级，加大培育世界一流企业和现代石化产业集群的力度，全力推动石化行业经济运行整体好转，努力实现石化行业质的有效提升和量的合理增长，确保全年石化高质量运营开好局起好步。下半年应聚焦以下五项重点：

1. 安全生产一刻都不能放松

党的二十大报告指出，加强重点领域安全能力建设，确保粮食、能源资源、重要产业链供应链安全，推进安全生产风险专项整治，加强重点行业、重点领域安全监管。化工生产过程存在着反应高温高压、物料易燃易爆、易挥发、有毒有害等属性，这种物料、原料以及产品的特殊性，决定了石化行业安全生产的极端重要性。当前正值盛夏，高温、高湿、多雷雨、自然灾害频发，这样的天气、这样的季节对安全生产提出新的挑战。

近年来，随着石化行业和广大石化企业安全意识和管理水平不断提升以及技术的不断进步，安全生产的形势明显改善，据应急管理部危化品监管一司的统计，去年全国共发生化工事故 127 起、死亡 143 人，同比分别下降 2.3%、8.9%；即去年化工事故总起数、死亡总人数、较大及以上事故起数均同比下降，未发生重特大事故，较大事故起数连续两年下降至个位数并创新低，创有统计记录以来连续 41 个多月无重特大事故的最长间隔期。

但今年以来安全形势突然变得严峻起来。今年年初盘锦浩业烷基化装置在维修过程中发生泄漏爆炸事故，造成 13 人死亡、35 人受伤；5 月初鲁西化工双氧水生产区发生爆炸着火事故，造成 9 人死亡、1 人受伤、1 人失联。这两起事故造成的伤亡、损失以及影响都较大。事故的时有发生，就警醒、也时时提醒我们安全生产一刻也不能放松！

一是规范操作是关键。美国安全理事会统计 90%、日本厚生劳动省统计 94% 的事故与不安全行为有关；我国研究结果表明 85% 的事故由于人的不安全

行为引起。数字虽有差异，但都告诉我们一个基本事实：规范操作就会避免很多事故。盘锦烷基化装置爆炸前几天，一共进行了4次堵漏作业，且爆炸时堵漏现场聚集了大量作业人员。去年上海的一起物料泄漏起火爆炸事故，事发前管线已经出现漏点，因为已临近计划检修日期，就打上卡子“带病”运行，离计划检修日期2天便发生爆炸。

我们身边是否也发生过一些不规范操作造成事故的情况？如：登高作业不按规定系安全带；维修带电作业；维修人员虽然拉了电闸、但未放警示牌，有人路过误操作合上了电闸，导致电击或发生误伤事故；维修或催化剂更换、装填，有毒气体置换不完全，未按规程检测就进入设备抢修或操作而发生中毒事件，等等。这都是不按操作规程规范操作造成的。

二是科学施救很重要。化工生产和反应过程中物料原料以及反应条件具有特殊性，有时事故是难免的，但一旦发生事故，科学施救很重要。要熟知安全预案和具备本企业、本岗位所涉及物料和产品应有的知识，一旦发生事故不会惊慌失措，首先冷静分析事故点、物料特性，然后从容地、以对的方式展开救援，这样就会避免次生事故造成更多损失和二次伤害。例如过去多次发生的中毒窒息事故，检修过程中一人中毒，多人施救再中毒。2020年10月，陕西一家企业检修人员进入罐内作业，既没有按规范进行气体分析，又未戴防护面具，进入罐内发生窒息；施救人员虽然戴了防护面具，但不合格，结果造成3人死亡、1人受伤的窒息事故。2021年4月，黑龙江一家企业的2名人员在没有采取任何防护措施的情况下，进入釜底作业，中毒窒息，另2名救援人员进入施救，因防护措施不当也中毒窒息，结果造成4人死亡、9人中毒。今年5月，安徽一家企业的班组长带领1名员工进入裂解炉检修，晕倒在炉内，车间主任进入炉内施救，结果也窒息昏迷，最后3人经抢救无效死亡。这样的事故屡屡发生，如果严格按操作规程、吹扫置换到位、检测到位，是可以避免的。一旦有人中毒，其他人采取必要的防护措施科学施救，就避免了更多人中毒。

三是过程安全须重视。“化工过程安全”从字面上可以理解为：化工生产过程的安全、工艺过程安全、操作过程安全、反应过程安全、开车与停车过程的安全等，实际上就是旨在预防和控制石化化工等领域危险及不安全事故的发生。化工过程安全英文是chemical process safety，化工过程安全在西方发达国家已有20多年的探索、实践与发展，已经形成较为完善的体系，在实际生产中起到了非常显著的作用。近十几年来，中国化学品安全协会、中国石油大学（华东）与美国化学工程师协会共同合作，正在推动过程安全在石油、化工、制药及相关行业的普及与发展。这是化工行业和企业本质安全的重要理念和实践理论，今天我们专门请到了应急管理部原总工程师王浩水同志为大家作“化工过程安全”的专题演讲。

2.“现金为王”是应对困境的“生命线”

企业调研和座谈会时大家谈到最多的就是今年的经营困难大，特别是效益的大幅下滑是大家最担心的。国家统计局数据显示，石化行业上半年利润总额同比下降 41.3%，其中油气开采同比下降 12.6%，炼油板块同比下降 70.2%，化工板块同比下降 51.1%。“六大片区”重点企业座谈会时了解到，有的企业下降幅度更大。在经济下行时期，市场需求不旺，企业效益下滑，更艰难的甚至出现经营亏损，这时期最重要的就是管理好现金流，现金流是企业战胜危机、度过困难时期的“生命线”。

一是要捂好钱袋子。这是保证现金流最直接的做法，在“压库存、减应收”的同时，重点是“两个管好、一个审慎”。“两个管好”是管好应收款、管好银行贷款，“一个审慎”是审慎决策扩张性投资。“管好应收款”是因为在经济下行时期，有的企业由于各种因素会遇到不同的困难，企业经营风险会陡然增加，万一发生关联企业关闭或破产等极端情况，导致应收款收不回来，企业现金流直接受损；“管好银行贷款”是因为在经济下行时期，银行为了控制自身的风险，有些情况下也会收紧贷款余额，银行的收放款都直接影响企业的现金流；“慎重决策扩张性投资”是因为在经济下行时期，企业的首要问题是生存下来，重点应在把企业做精做优上下功夫，同时做好内部管理、练好“内功”为，下一个景气周期的到来养精蓄锐，这个时期单纯扩大规模的扩张性投资一定要慎重。

二是做好挖潜、降本增效。上半年石化全行业百元营业成本比去年同期增加 3.2 元，亏损面 30%、比去年同期扩大 6.4 个点，亏损企业亏损额增加 66.6%；资产负债率比去年同期增加 0.3 个点，全行业应收账款同比增加 3%，管理费用同比增长 0.6%；全行业营业收入利润率 5.67%，比去年同期下降 3.56 个点。进一步细化分析可以看出，石化全行业、各业务板块以及广大石化企业降本增效方面既有共同之处，又有不同的侧重点，而且潜力较大。

三是节省一切不必要的开支。很多跨国公司每遇危机首先就是全球大裁员的做法，我们学不来；但是，当经济下行时跨国公司全员节约开支、共度紧日子的做法是值得我们学习和借鉴的。疫情以来很多跨国公司都在节省管理费用、办公费用以及差旅费用，严格审批跨国、跨时区公务开支，甚至取消了原来出行坐商务舱的待遇。可见跨国公司，尤其是很多百年以上的跨国公司应对危机有着具体的措施和丰富的经验。

3. 产大于求的警钟已经敲响

大宗基础产品产大于求的问题已预警多年，今年是世纪疫情过后的第一年，经济的重启和复苏是今年重中之重的中心任务。各地都设定了今年更为积极的增长指标。新年伊始，不仅各地包机海外抢订单占据了“头条”，而且投资驱动这驾“马车”再次全面加速，各地重大项目“集中开工”高潮迭起，工业领域集中签约、集中开工的项目少则十几个、多则几十个，总投资几千亿、甚至上万亿、几万亿。如此大量的投资、如此集中的开工，我们千万不能忘记党中央提出“我国经济已由高速增长阶段转向高质量发展阶段”的重大判断，一定要深刻领会习近平总书记强调的“实现高质量发展，是保持经济社会持续健康发展的必然要求，是适应我国社会主要矛盾变化和全面建设社会主义现代化国家的必然要求”。一定要认识到贯彻新发展理念是关系我国发展全局的一场深刻变革，不能再回到“片面追求速度规模、发展方式粗放、简单以生产总值增长率论英雄”的老路上来，不能再回到“重速度、不重质量、拼投资、拼资源”的传统思路和模式上来，一定要充分发挥创新是第一动力，推动经济发展质量变革、效率变革、动力变革，把质的有效提升和量的合理增长有机统一起来。

务必将高质量发展置于一切工作的首位，避免低水平重复建设，不能让今天的“集中开工”导致矛盾越积越多、产大于求的矛盾更加尖锐、内卷更加严重、发展的不平衡不协调不可持续问题更加突出；要让今天的“集中开工”真正质量优先、效益优先、“开”出可持续发展的未来。各地集中开工的石化项目也不少，在今天大宗基础化学品和通用材料产能产量长期稳居世界第一、去年炼油和乙烯产能又实现新的跨越的情况下，我们必须面对石化产品已经告别了产品短缺时代的现实，必须面对大宗基础产品和通用材料产大于求的现状。当前的集中开工、集中建设、集中投资是在延链补链强链呢？还是在进一步加剧基础产能和通用材料的产大于求？当前大量投资的新建项目是为石化产业补短板和增强核心竞争力呢？还是进一步加剧了市场的无序竞争和企业间的内卷？这些问题都值得我们深思和论证。

从重点专业协会座谈会了解到，纯碱、烧碱、聚氯乙烯、甲醇以及苯酚丙酮、环氧乙烷、乙二醇等，这些已经产大于求的基础化工产品新建和新增产能都在增加。“十三五”期间国内大量进口的 PX 和乙烯今天的情况也发生了变化。据《中国石化市场预警报告（2023）》，2018 年 PX 的产量是 1125 万吨，进口量 1591 万吨，消费量 2678 万吨。为解决 PX 大量进口问题，按照“减油增化”的思路、以多产芳烃为重点，相继建成投产了恒力、浙石化、盛虹等新的炼化一体化装置，也利用原有炼化装置改造设计为芳烃产业链投产了几套装置。2018 年以来的 5 年间 PX 产能年均增长 26.2%，到去年年底 PX 产能已达到 3494 万吨 / 年，产量 2475 万吨，照去年消费量 3515 万吨来看，产能和消费量已经接近。据不完全统计，目前在建的、“十四五”末将建成投产的 PX 产能还有 1270 万吨 / 年。在短短几年内就建成世界产能最大、技术水平最高的 PX 供应能力和供应体系，如此之快的进步和成就只有在中国，放在任何国家或地区都难以办到。但发展到今天，产大于求之态已显，到了该敲警钟的时刻了。

另一个重要产品是乙烯，乙烯是石化产业的重要基础化学品，甚至已成为衡量一个国家石化产业发展水平的一个重要代表。乙烯是我国长期大量依赖进口的少数几个产品之一，“十三五”期间我国市场当量消费量的 50% 以上依赖进口，正因如此乙烯成为我国几十年以来重点发展的少数几个重点石化产品之一。“十三五”期间新建炼化一体化装置“减油增化”的重点产品就有乙烯，近 5 年来我国乙烯产能的复合增长率达到了 16.4%，我国乙烯产能实现了“三级跳”，2019 年我国乙烯产能超过欧洲，2021 年超过海湾地区，2022 年我国超越美国跃居世界乙烯产能第一大国。

2022 年我国乙烯产能达到 4675 万吨 / 年，产量 4168 万吨，消费量 4359 万吨。从去年国内乙烯的产能和消费量来看，产能已经多于消费量 316 万吨。据统计目前国内已公布的、在建和拟建的、计划于“十四五”末要投产的乙烯产能还有 3475 万吨 / 年，其中今、明两年投产的就有 1370 万吨 / 年，另 2105 万吨 / 年计划于 2025 年底前投产。

代表石化产业水平的重要产品乙烯，从“十三五”开始加大创新、加快建设，短短 4 年内实现“三级跳”，连续对重要产区和发达国家实现跨越，与 PX 一样，这样的成就只有在中国能够实现。但时至今日产大于求之日为时不远了，为防止产大于求，到了该“踩刹车”的时候了。因为我们都有一条基本经验：从制动到停住需要一个过程，尤其在高速状态，所需的距离还会更长一些。还有不少产品，这里不再一一赘述。

表 1　几种基础化学品 2018 年、2022 年及 2025 年预计产业数据

项目		苯酚	丙酮	双酚 A	甲醇	乙二醇	己内酰胺
2018 年	产量 / 万吨	180	118	122	6091	680.9	303
	消费量 / 万吨	210.7	176.2	166	6306	1615.8	319
2022 年	产能 /（万吨 / 年）	421	259	382.5	1 亿	2503.7	569
	产量 / 万吨	345	212	241	8122	1324.8	437.7
	消费量 / 万吨	373.5	273.7	280.6	8629.6	2020.3	434.8
2025 年年底新增产能 /（万吨 / 年）		330	206	408	543.5	670	318
“十四五”末总产能 /（万吨 / 年）		751	465	790	大于 1 亿	3173.7	887
预计 2025 年消费量 / 万吨		631	417.3	448.2	9760	2230	548

数据来源：《中国石化市场预警报告（2023）》。

4. 转型升级是应对困境的重要举措

对于传统产业转型升级，要深刻领会和贯彻好二十届中央财经委员会第一次会议上强调的：坚持推动传统产业转型升级，不能当成“低端产业”简单退出。传统产业的转型升级在做好产品的高端化、精细化以及超纯、纯净与专用化的同时，还应该注意以下四个方面：

一是传统产业向数字化转型。尤其是传统基础产品、传统石化基地、老旧石化企业和装置，通过数字化智慧化转型和智能工厂、智慧化工园区的试点示范，促进数字技术与实体经济深度融合，赋能传统产业转型升级，明显提高生产效率、降低物耗能耗和废弃物排放，不仅降本增效、提升竞争力，而且可大幅提升管理水平和生产过程的本质安全水平。

二是传统产业向绿色低碳转型。石化产业当前主要以石油、天然气、煤炭等化石资源为原料生产一系列有机化学品和高分子合成材料，石化产业的原料结构和生产过程的自身属性必然伴随二氧化碳的排放，同时石化产品和材料的生产过程中也会排出废气废渣和废水。为贯彻落实党的二十大“推动经济社会发展绿色化、低碳化是实现高质量发展的关键环节”的精神，为实现碳达峰碳中和战略目标，促进人与自然和谐共生，都要求石化产业加大创新、加快绿色低

碳化转型，发展绿色低碳产业，加快节能降碳先进技术研发和推广应用，并坚持先立后破，有计划分步骤实施碳达峰行动，有效控制化石能源消费，逐步实现能源消耗总量和强度调控转向碳排放总量和强度“双控”。

三是传统产业向原料与产品的生物化转型。就是生产石化产品和材料由化石资源为原料向生物质资源为原料转型，生产石化产品和材料的工艺过程向生物技术转型。大家最熟悉的可能是生物质乙醇脱水制乙烯，进而获得有机化学品和聚乙烯等聚合物。最近有报道，美国、韩国、巴西都正在开发生物质乙醇脱水制丙烯和全生物基聚丙烯技术，美国还提出了拟建设 150 万吨 / 年规模的目标；再有就是近几年大热的生物可降解材料聚乳酸，生物法丁二酸、丙二醇、丁二醇、戊二胺以及生物基尼龙、生物基聚酯、生物基聚碳酸酯等等。

四是炼油企业向原料轻质化和“减油增化”转型。原料轻质化的典型代表一个是以轻质原油为原料直接制化学品，另一个是烯烃原料轻质化的乙烷裂解制乙烯、丙烷脱氢制丙烯和混合轻烃制烯烃。这样的转型，一个方面是工艺流程短、收率和纯度高、产品成本低、过程最清洁，另一个方面是在成品油市场已饱和或显现过剩的状态下，多产烯烃，进而多产有机化学品、高性能材料和高端专用化学品，使炼化企业在转型中加快延链补链和强链。

5. 善抓机遇是应对困境的关键

危机来临的时候更需要保持镇定，需要客观、冷静地分析形势，既看到困难与挑战，更要看到机遇并善于把握机遇。对“危机”一词简单的理解就是危与机同在，中国古代思想家老子在 2500 多年前就告诉世人：“祸兮福之所倚，福兮祸之所伏”，“有无相生，难易相成，长短相形，高下相倾，音声相和，前后相随。恒也”。其道理历经 2500 多年而至深。

当国际国内环境复杂多变、形势日益严峻的时候，习近平总书记强调，在新的时代条件下，我们有条件实现更好发展，关键是要善于发现和抓住机遇，珍惜和用好机遇。当前世界经济复苏乏力、下行压力持续加大，又加上美欧等发达经济体为抑制通胀持续加息造成的全球大宗商品价格下跌，企业利润大幅下滑，经济陷入艰难之境地，国际组织和很多经济学家都预判全球经济面临衰退的危险，甚至有更悲观的经济学家称“未来十年世界经济都将陷入低迷”。

这种时候企业有没有新的机遇呢？一定是有的！企业家是在被动中等待？还是在做精做强的同时，主动分析当前的形势，善于发现机遇、捕捉机遇、把握机遇呢？真正有远见的企业家一定是把功夫用在了后一种情况！

那机遇又在哪里呢？看看今天很多跨国公司，帝斯曼、赢创、科莱恩、朗盛、索尔维等都在剥离非主营业务，甚至忍痛剥离新世纪以来重点培育的高性能材料业务，聚焦于营养与健康等专用化学品、专注于核心竞争力强的业务，这对有些企业就是机遇。

还有的企业因过去的过度膨胀当前陷入资金链困境，正在进行资产重组或者破产拍卖，有的企业评估资产几十亿元，但挂牌价不到 10 亿元，这对有些企业就是机遇。再看看欧洲因天然气等原料和能源价格高企，生产成本居高不下，导致欧洲产区的生产装置开工率下降甚至关停，这对其他区域的企业就是市场的机遇。

去年国际市场成品油价格、化肥价格创造了历史新高，美国、印度等都开足马力到国际市场上大赚外汇，就充分抓住了这一机遇。国内炼油企业因政策调控、化肥企业因新的法检程序耗时，错失了去年这难得的机遇。目前国际市场成品油价格和化肥价格与去年相比已大幅下跌，今年出口利润的机遇已不再，机遇真的是稍纵即逝。

目前，被称为“新三样”的电动载人汽车、锂电池、光伏和风能发电，对于电动汽车轻量化材料、新型轮胎以及锂电新材料及其化学品、光伏和风能发电的膜材料、高性能复合材料、粘接材料等领域的企业，都有着新的市场机遇。这都是“危中有机”的最好诠释，所以说，“危中有机”、新的机遇永远不会错过坚定而执着和有准备的人。

就经济规律来讲，当前的困难和挑战是暂时的；就中国经济长期向好的基本面没有变来讲，新的机遇在向我们招手。

在今年这样的时刻，让我们用毛泽东同志《星星之火，可以燎原》中的一段话作为今天报告的结尾：“我所说的中国革命高潮快要到来，绝不是如有些人所谓‘有到来之可能’那样完全没有行动意义的、可望而不可即的一种空的东西。他是站在海岸遥望海中已经看得见桅杆肩头的一只航船，它是立于高山之巅远看东方已见光芒四射喷薄欲出的一轮朝日，它是躁动于母腹中的快要成熟的一个婴儿”。

当中国革命处于低潮，有些人对中国革命的前途产生怀疑，甚至“一部分同志又有‘红旗到底打得多久’的疑问”的时候，我们年轻的领袖还能以如此浪漫的语言和坚定的信念，为中国革命指向光明！想想当时中国革命所处的困境，想想当时我们年轻的领袖所处的环境之恶劣、面临的挑战之艰巨，再看看今天的我们各方面条件比那时不知好了十几倍、甚至几十倍。我们还有什么畏难，而不对未来充满信心呢？让我们全面贯彻落实党的二十大精神，直面挑战、把握机遇，做好当下、稳中求进，在石化强国的新征程上争取新的跨越！

百年企业传承与合规*

很多企业都提出打造百年企业，有着远大的目标和发展愿景当然好，可不是所有的企业都会成为百年企业。无论是发达经济体，还是欠发达经济体，每天都会成立许多新的公司，有的就是昙花一现；每天又会有为数不少的公司关闭或被兼并，甚至有些还是曾经称得上辉煌的公司。那什么样的企业会成长为百年企业呢？看看欧美等发达国家可知一二。过去曾经谈到过创新、管理、人才等多种要素的重要性，确实如此、不可否认！可今天要谈的是另一个侧面，有关企业领导力和管理模式，有关企业的诚实守信和合规经营。实践证明这不仅是一个至关重要的话题，也是一个越来越重要的话题，企业需要认真对待。

一是一把手是关键。企业主要领导通俗地称为“一把手”，国内外大量案例证明企业“一把手”关乎企业生与死。看看国内外成功的企业，没有乔布斯就没有苹果，没有杰克·韦尔奇就没有美国通用，其他的还有福特、稻盛和夫，等等；同样的没有任正非就没有华为、没有张瑞敏就没有海尔，这都是典型案例。要做好一个企业、领导好一个企业，一把手不仅需要知识、管理、决策、创新与识人用人等，更需要做实做细，有的时候更需要毅力和坚守。一把手对事业的那份执着，对追求的那份坚定；无论遇到什么样的困难，在员工面前的那份镇定与从容，尤其是在极其艰难的情况下，对企业和未来的那份自信，才让其成为企业的灯塔与旗帜。这正是一名主要领导、一位一把手应具备的素质和能力，也就是领导力。

二是稳定性很重要。要打造百年企业，一个企业要做大做强，领导班子的稳定是重要基础和前提，一个频繁更换领导层、特别是频繁更换主要领导的企业，是很难做大做强的！一个企业的主要领导总是两三年一调，如此频繁地更换主要领导，就没给他时间去考虑企业的长远发展，两到三年时间他对企业刚

* 这是 2023 年 10 月，傅向升同志发表的署名文章。

刚熟悉，班子成员之间的配合刚刚建立起一点工作默契，如果是大的企业可能领导对中层还没有都认识，车间主任、一线员工就更没有认全。企业是一个生产组织，也是一个文化组织，感情纽带更重要，只有全厂上下都把自己看成是这个大家庭里不可或缺的一员的时候，企业的凝聚力、向心力，领导的号召力和大家患难与共的氛围才是焕发之时。领导在任两三年刚刚要扎下头去干点事的时候就调走了，企业又更换一任新的领导，这样的企业，很难形成“同甘苦、共患难”的文化氛围，领导与员工没有亲近感、员工也找不到归属感，这样的企业不可能做大做强，更不可能发展成为百年企业。如果这种做法被认为是一种惯常做法，时间稍微久一点就会形成一种浮躁，就很少有领导到一家企业会为十年、二十年以后的长远目标去谋划，更不用说百年企业了！所以企业领导层的稳定性直接决定和影响着百年企业的成败。

三是传承很重要。这是一个主要涉及民营企业的话题，因国有企业领导的更替与民营企业完全不同，国有企业是选拔任命制，在实践过程中已经形成了自身特点的条件和程序；而民营企业是交接班制和代际传承。我国改革开放以后发展起来一大批民营企业，已成为国民经济领域的重要组成部分，为国家经济发展和建设、为实现第一个百年奋斗目标做出了重要贡献，今后还将为中国式现代化做出更加重要的贡献！为什么要谈这个话题呢？因为我们大部分民营企业从创办发展到今天，时间长一些的有三四十年，时间短一点的也有二三十年，很多企业都在向百年企业奋斗。关键是当年创业的第一代企业家都已迈入“耳顺之年”，还有不少已迈入“古稀之年”，但这些第一代企业家绝大多数仍然都奔波在一线，今天的话题“平稳交接和代际传承”到了一个关键时刻，对于有的企业已成为关乎百年企业目标至关重要的时刻。我们不可能像杰克·韦尔奇接通用 CEO 那么复杂，国有企业中万华的主要领导更替与三代之间的传承是成功的，也是可以借鉴的，三代更替既没有水土不服，也没有新官不理旧账、规划变更、推倒重来的情况发生；企业的发展目标一代接着一代干，企业文化、运行机制没有中断，关键是员工没有观望、停留和片刻等待。有些民营企业像红宝丽，创始人是 1944 年出生，与 1970 年出生的第二代之间的工作交接和代际传承也是可以借鉴的；华泰科技的创始人王传华老先生与儿子王文博的董事长、总经理的交接和代际传承是成功、也是可以借鉴的；华峰集团董事长的交接与传承、佳化化学的交接与传承，都是值得借鉴的。但我们还有很多 60 多岁、甚至是 70 多岁的第一代创业的企业家，还在忙碌着、奔波着，为企业操劳着、为社会奉献着。

四是管理模式很重要。接着交接与传承的话题，今天再延伸一个管理模式的问题，似乎这个问题也很值得探讨。这个问题既与“交接与传承”相关，又与今天民营企业所处的时代不同、要求不同有关。我们很多民营企业创业初期的规模、市场环境、竞争环境到今天也都发生了很大的变化，自身的可持续发展也要求探索和思考管理的模式与思路。在这里想以大家熟悉的杜邦公司为例，简单谈谈杜邦在 200 多年历程中管理模式的探索与变迁，看看能不能带给我们某些思考与启发。杜邦是 1802 年创立，第一个百年主要就是生产炸药，第一个百年的管理模式就是“个人决策”，在特拉华州威尔明顿市创立杜邦的是 E.I. 杜邦，因为在拉瓦锡实验室掌握了火药生产技术，创立火药公司初期，公司规模小、产品单一，自然是一个人说了算。第二代领导人是亨利，由于他是军人出身，崇尚铁腕统治公司，在他任期的 40 年时间里被人称为“凯撒型经营管理”，决策效率确实高，又加上亨利精力充沛，杜邦生产的火药质量绝对领先，在美国几乎占领 90% 的市场。到了第三代，继承人叫尤金，是亨利的侄子，也是继承了他的伯父亨利的管理风格，但是因为管理方式不适应时代的变迁和要求而陷入崩溃。恰恰在杜邦成立 100 周年的 1902 年尤金去世，新的继承人目睹了原来的两位副董事长和秘书兼财务长因过去的管理模式过于劳累、都相继累死了，然后开启了集团式经营，即抛弃了个人决策方式、开启集体决策时代。就是今天我们经常讲的“决策层与执行层分开”，最高决策机构是董事会，在董事会之下设立“执行委员会”，也是最高管理机构，在董事会闭会期间，执行委员会代行其职责，董事长兼任执行委员会主席。

在这样的管理体制下，权力高度集中，实行统一指挥、垂直领导和专业分工的原则，新的管理体制秩序井然，职责清楚，效率显著提高，极大地促进了杜邦的发展。这种管理体制执行约 20 年。杜邦为适应市场的新变化，不断扩大经营范围，又开始了事业部制的探索，事业部制实行约 30 年。为了改变各事业部各自为战的状况和强化统一性，又提出了大事业部制。杜邦自第二个百年起，管理模式、决策体制、管理组织等不断地创新与探索，走过 70 年后在不断调整和完善事业部制的基础上，彻底改变了传统的家族式管理的模式，于上世纪 70 年代初引入了首位非杜邦家族的人出任董事长，开启了新的集体领导体制。杜邦的这套管理模式、组织架构和决策体制始终影响着也引领着跨国公司管理模式、管理理念和管理体制的创新，一直是各跨国公司竞相学习和模仿的标杆。今天的新杜邦，是与陶氏合并后于 2019 年 6 月 1 日再拆分而成，以特种化学品为主业，2021 年营业收入 166.5 亿美元，归属母公司的净利润 17.56 亿美元。

五是合规经营很重要。这是一个目前我们尚未重视，而跨国公司已经高度重视、被列入企业可持续发展关键要素的风险防范的重点，跨国公司的高管层都设有专门负责合规经营的领导，确保企业的运营符合法律法规以及国际公约的要求，确保不发生法律法规和履行国际公约方面的风险。合规经营最基本的是严格执行国内法规，明确禁产禁售的产品，产业政策要求淘汰的工艺和装置，如 200 万吨 / 年以下炼油装置等，环保要求达标排放等。这几年有些企业甚至是上市公司在合规经营方面吃过一些苦头，教训值得总结，也是深刻的，美国的安然、日本的东芝这样的公司，因为财务造假丑闻曝光以后，导致被破产兼并。前几年我们有的企业互保出过问题的有之，避税出过问题的有之，在诚信经营方面前两年油价波动大的时候到岸不收货、不卸油的有之，产品价格涨了、对有些客户不按原定价格供货的有之，或者推迟供货的更是不乏其人。作为企业经营如果不能严守诚信、守信，一次失约、一次失信，再想赢回原来的信誉和影响力就难了，眼前看着赚了，但失去的是企业的未来！因此，广大石化企业和企业家们一定要高度重视风险防范和企业的可持续发展，从身边的案例和经验教训中，不断强化风险意识，既要守住合法合规经营的红线，也要守住诚实守信的底线，确保企业生产经营和管理过程中不发生系统性风险，确保企业的可持续发展。

乔致庸合规经营的典故：

乔致庸，商业巨族，一直秉承“诚信经营”，89 岁（1818—1907）高龄安然仙逝。他自幼父母双亡，由兄长抚育长大，少年时期因兄长病故，他弃学从商掌管了乔家生意，他执掌家务时期，乔家发展成为山西富甲一方的商户。当资本愈见盈厚，他不沾沾自喜，反而急流勇退，将商务全权委任长子长孙，自己闲居在家，闭门课子。他告诫儿孙，经商处事要以“信”为重，其次是“义”，不哄人不骗人，第三才是“利”，不能把利放在首位。

历史与现实、国际与国内案例都告诉我们，诚实守信、合规经营极其重要，事关百年企业的兴衰与命运。

以上五点，事关百年企业多面体的一个侧面，因理解和阅历受限不尽全面，只是希望带给打造百年企业者以启迪，只是希望在推进新型工业化过程中，发展成长起更多的世界一流企业和百年企业，为实现中国式现代化奠定坚实的物质和技术基础。

2023 回顾与 2024 展望 *

2023 回顾

即将走过的 2023，是复杂多变的一年，是不确定性急剧增加的一年。“这是一个最好的时代，也是一个最坏的时代；这是一个智慧的年代，也是一个愚蠢的年代；这是一个信任的时期，也是一个怀疑的时期。”借用狄更斯这段话来表述即将走过的 2023，似乎也觉得恰当。2023 新的注释就是：“最好的时代”就是人类共同应对气候危机、共建人类命运共同体，“最坏的时代”则是博弈与对抗加剧、区域动荡加剧；“智慧的年代”就是科技革命和产业变革飞速递进，“愚蠢的年代”则是霸权思维、零和博弈、丛林法则始终禁锢着某些人的认知；“信任的时期”就是善良的人们总是从善良的愿望行事，“怀疑的时期”则是某些新老霸权国家总是令善良的人们失望。当然，即将走过的 2023 也是值得回顾的。

1. 国际大背景看

百年未有之大变局加速演进，新一轮科技革命和产业变革加快递进，全球产业链供应链重构呈加速之势，又叠加不确定性因素增多，区域动荡不断加剧。国际大背景之变主要体现在，从 1991 年苏联解体、形成美国单极称霸世界的局面（单极世界），逐步演绎到 2022 年前美中俄欧“四极互动”的格局。当时的场景，美国综合实力最为强大，欧洲因历史、理念、文化等因素，多以追随美国并行动一致为主流，只要中俄不对峙，美国也很难欺凌其中一方，而欧洲始终是美中俄三极天平上很重要的砝码。2022 年，因美国从单极利益出发，导致了俄乌冲突的爆发，原来的“四极平衡”被打破，更是导致原来的以“竞争与合作”为主基调的“四极平衡”，转向以“对抗与博弈”为主，尤其

---

* 这是 2023 年底，傅向升同志应《中国化工信息》编辑部之邀，为其准备的署名文章。

是导致欧洲与俄罗斯的对抗，致使欧盟 2023 年继续深陷能源危机、物价高涨、经济受挫的被动境地。美国拱火的俄乌冲突，不仅逼迫俄罗斯更加依赖金砖国家，也再次让欧洲认识到自主与合作的极端重要性。2023 年另有两大全球关注的事件发生在中东，一是巴以战火重燃，不仅扰动世界能源市场，而且增加了人们对中东持久和平的担忧；另是沙特阿拉伯和伊朗和解，主导中东地区的两大宗教国家断交 17 年以后实现和解，又使人们对中东实现和平稳定充满期待。

2. 全球经济环境看

疫后市场恢复不及预期，俄乌冲突的外溢效应深度影响，发达经济体通胀高企，美元持续加息，能源及大宗商品和主要产品价格持续下跌。这诸多因素的叠加效应，致使世界经济难提振，2023 仍是增速下滑的一年，国际货币基金组织预测: 2023 年世界经济增速 3%，低于去年的 3.5%、也低于疫情前的水平。经合组织也同样做出 2023 年世界经济增速低于上年度的预测。

3. 中国经济看

今年前三季度的成绩单在各大经济体中，用 2023 年度“十大流行语”之一表述是全球经济的“显眼包”，今年前三季度的增速分别是 4.5%、6.3%、4.9%，前三季度 GDP 总量达到 91.3 万亿元，按不变价计算同比增长 5.2%。第三季度经济恢复向好和总体回升的态势更趋明显，多个领域、多项指标都出现了一些积极变化。前三季度我国经济持续恢复向好，高质量发展扎实推进，为实现全年 5% 左右的预期目标奠定了坚实的基础。基于我国前三季度经济运行的情况，进入四季度国际货币基金组织、经合组织、世界银行以及高盛、摩根大通等国际组织和机构，都调高我国全年经济增长的预测值在 5.2% 及以上。如果一定要预测今年我国经济总量的话，GDP 将达到 128 万亿元左右，增量按美元计接近 1 万亿美元，我国今年按美元计的增量相当于去年荷兰或土耳其一国的经济总量。

4. 2023 年的石化产业

受国际环境和世界经济低迷的影响，石化产业也即将走过一个效益全面下滑的一年，下滑最严重的地区要数欧洲。其他区域主要是因为美元回流、世界市场疫后恢复不及预期、能源及大宗产品价格下跌的影响；而欧洲因深受俄乌冲突的持续影响，石油、天然气、供电供热等能源及原材料价格高位、通货膨胀高企、成本急剧增加，欧洲区域的石化装置和石化产品开工负荷大幅下调，原来竞争力很强的欧洲化工公司也因受政治原因之拖累，而正在失去以前的竞争优势。

中国石化行业的前三季度，规模以上石化企业实现营业收入 11.7 万亿元，实现利润总额 6924.9 亿元，虽然同比还都是下降，但是第三季度石化全行业的经营数据比上半年明显改善，尤其是效益的改善更加明显。因为下半年以来月均实现利润比上半年明显增加，上半年月均利润 718.5 亿元，而 8 月份当月实现利润 873.7 亿元，9 月份当月实现利润 1051.4 亿元。到三季度末，全行业营业收入同比降幅由上半年的 −4.4% 收窄为 −2.6%，全行业实现利润总额的同比降幅由上半年的 −41.3% 收窄到 −28.3%，收入利润率也由上半年的 5.71% 提升到前三季度末的 5.93%。基于前三季度的运行结果，如果也对今年中国石化行业经济运行作个预测的话，今年石化全行业营业收入将高于 15 万亿元，利润总额约 9000 亿元，这样的业绩虽然没有再创历史新高，但仍然高于“十三五”的 5 个年份（“十三五”年营业收入最高值 13.78 万亿元，年度利润总额最高值 8462 亿元），所以说今年石化行业虽然遇到了比往年更多的困难和挑战，但全年业绩仍然是值得期待。

2024 展望

即将迎来的 2024 年，尽管形势和挑战更趋复杂，但从大的趋势，如果用一句话来概括和预判近三年的话，能概括为：2023 是“筑底年”，2024 是“企稳年”，2025 是“回升年”。2024 年世界经济将是“底部盘整、筑底企稳”的一年，为 2025 年世界经济转入回升、开启新的上升周期做好准备。之所以如此概括和预判：

1. 2024 年是国际局势趋缓的一年

2024 年美国、印度、英国等将迎来大选年，尤其是美国将把注意力由外向内转移，民主、共和两党将把主要精力用于竞选，一切以选情优先，暂时无暇到处拱火或插手别国事务，从最近中美首脑旧金山会晤传递的信息来看，大国博弈将趋缓。大国关系决定并引领着世界关系，大国以合作为主，世界就以和平与发展为主旋律；大国以博弈甚至对抗为主，往往就导致世界对抗甚至动荡加剧。就近期中美首脑旧金山会晤来看，保持沟通、管控分歧、避免摩擦、避免冲突几成共识。伴随着大国关系趋缓，区域不稳定和区域动荡也将随之趋缓。最近中欧领导人会晤，中欧作为推动多极化的两大力量、支持全球化的两大市场，正在巩固发展的良好势头。较明显的应该是中美对抗的缓解，中日、中韩等都会有不同程度的转圜、走向以合作为主。2024 年，俄乌冲突签署和平协议、巴以战火停息的概率大幅提升。

2. 世界经济环境企稳的一年

美元这一轮收割告一段落，2024 年美元将停止加息，由加息年向降息年转变，多家国际机构预测美元下半年将开启加息旅程，各发达经济体伴随美元启动加息周期，货币政策由收紧转向宽松，各发达经济体的高通胀指数将继续回落，世界经济增速的下滑趋势也止跌企稳，跨国公司由上年度效益下降转为本年度的效益增长。唯有欧洲的经济环境尚继续承压，主要是俄乌冲突的延迟效应，巴以战火的持续影响，因为供应链重构尚处进行时，能源价格高位一时难消，不仅影响到居民市场消费，还将继续影响化肥、成品油以及石化化工产品和合成材料等世界市场的供需。影响最为深重的还是德国，德国作为欧洲经济火车头的作用继续受到抑制，而法国大有取而代之之势，2024 年德国经济将继续在困境中突围，也许 2026 年德国经济将现曙光。

3. 2024 年是中国经济继续向好的一年

将延续 2023 年的总体向好态势，全国上下深入贯彻党的二十大“高质量发展是全面建设社会主义现代化国家的首要任务”的精神，坚持以推动高质量发展为主题，坚持稳中求进工作总基调，以中国式现代化为目标，完整准确全面贯彻新发展理念，加快推进新型工业化，推动高水平科技自立自强，以传统产业转型升级为基础和振兴实体经济为重点，以绿色低碳转型和数字化升级为抓手，持续在结构调整和优化、自主创新和自立自强上下功夫，加快构建“以国内大循环为主体，国内国际双循环相互促进的新发展格局”，加以稳健的货币政策和积极的财政政策，中国经济 2024 年的增速继续巩固在 5% 左右，甚至可以争取更高一点。我们期待即将召开的中央经济工作会议目标将更加明确，措施将更加具体。

4. 2024 年是我国石化产业新型工业化新突破的一年

全行业和广大石化企业将继续深刻领会和深入贯彻党的二十大和中央经济工作会议的精神，紧密结合石化行业和石化企业的现状和实际，突出高质量发展，突出创新驱动、自立自强和自主可控，突出传统产业和中小企业的绿色低碳转型和数字化升级，新一年的一切重点工作都将紧紧围绕石化产业的新型工业化展开。新型工业化是实现中国高质量发展的重要引擎，石化产业是国民经济的重要支柱产业，也是基础配套和资源型能源型产业，石化产业新型工业化的主要特征应该是：科技水平高、资源消耗少、“三废”排放低、经济效益好。概括一句话就是：高质量发展！

第一、石化产业新型工业化的核心是高质量发展。党的二十大指出，高质量发展是全面建设社会主义现代化国家的首要任务。没有坚实的物质技术基础，就不可能全面建成社会主义现代化强国。高质量发展可以有多个指标为表征，但最重要的应当是做强，也就是企业的核心竞争力，最直观的应当是效益水平。新世纪以来，特别是党的十八大以来，我国石化产业总体规模、产业布局、产业结构、管理水平等全方位突破，产业集中度持续提升，主要产品产能产量不断新跨越，上榜《财富》世界 500 强榜单的石化企业不断有新进步。但是，与发达国家和跨国公司相比，我们的行业和企业高质量发展在路上，我国石化行业整体水平和企业竞争力做强在路上，我们与世界先进水平的高质量发展还有一定的差距，我们与世界一流企业的国际竞争力还有一定的差距。以 2023 年最新发布的《财富》世界 500 强榜单为例，从发展速度上看中国的成绩是值得称赞的，从 1995 年只有 3 家企业上榜，到今年新榜单的 142 家，上榜数量连续 4 年位居榜首，让世界各国侧目。而从发展质量和竞争力上看，我们的差距是明显的，中国上榜企业的平均销售收入 833 亿美元，全部 500 强上榜企业是 819 亿美元，美国上榜企业是 959 亿美元，销售收入看中国上榜企业平均值略高于榜单平均值，而低于美国上榜企业平均值。效益的差距就更大了，中国上榜企业的平均利润是 39 亿美元，全部 500 强上榜企业是 58 亿美元，美国上榜企业是 80 亿美元，我们是全部榜单的 67%，是美国上榜企业的 48.7%，也就是说全部榜单的平均利润是我们的 1.5 倍，美国上榜企业的平均利润是我们的 2 倍多。平均销售利润率看，中国上榜企业的销售利润率是 4.7%，全部 500 强上榜企业的平均销售利润率是 7.1%，美国上榜企业的销售利润率是 8.3%，差距也是明显的。所以说，石化产业新型工业化的核心是高质量发展，以高质量发展为主题推动石化行业和企业做强，摒弃过去拼规模、拼资源、拼投资的传统发展模式和思路，聚焦主业和创新，培育更多的“产品卓越、品牌卓著、创新领先、治理现代”世界一流企业。

第二、石化产业新型工业化的关键是创新驱动发展。（略）

第三、石化产业新型工业化的要求是绿色低碳发展。石化产业结构性矛盾突出，主要表现是原料结构偏重和产品结构偏重。原料结构偏重是因为与发达国家和海湾地区相比，我国石化领域不论是原料用能还是燃料用能，以煤炭为原料和煤化工路线比重过高，其基础产品中煤头合成氨和煤头甲醇都占总产能的70% 以上，聚氯乙烯电石乙炔路线占比也在 70% 以上，而发达国家和海湾地区这些产品都是以天然气为原料或乙烯氧氯化工艺；以煤炭为原料合成油品或制取化学品的过程中，碳排放量远高于天然气和石油为原料。

产品结构性偏重主要是大宗基础化学品过剩、高端产品和高性能材料短缺的结构性矛盾十分突出。我国石化产业的产品结构以纯碱、烧碱、合成氨、氮肥、硫酸、磷肥以及基本有机化学品和通用合成材料为主，其产能产量、吨位规模都是世界第一，这些产品的生产过程中物耗、能耗、排放都远高于精细化学品和高性能材料。就石化全行业和生产基础化学品、通用合成材料的企业来说，与发达国家以高端产品和高性能材料为主的产业结构和生产企业相比，其绿色化、低碳化方面就面临着更为严苛的挑战。这就要求我们立足国情和资源禀赋，立足石化产业的现状和实际，既要通过产业和企业的高质量发展为国民经济各行业和国计民生以及高端制造、战略性新兴产业提供重要保障和配套支撑，又要加快石化产业和企业的绿色化、低碳化转型。石化行业近年来在创新与不断总结提升中，深入开展“能效领跑者”和“水效领跑者”活动，在不同专业领域打造了一批标杆企业，推动全行业和石化企业能效水平和水效水平持续提升，有进步和明显的成效，与国际领先水平相比也还存在一定的差距，节能和减排的潜力都空间巨大。石化行业和企业要高度重视各类资源的节约集约利用。还要重视生产过程的电气化，如用绿电代替煤电和气电，还有高度重视新技术的研发、创新和应用，如绿电裂解代替传统的蒸汽裂解、原油直接制化学品、以二氧化碳为原料合成化学品和高分子材料、微通道反应器等新工艺和高效反应设备及其新技术。

第四、石化产业新型工业化的现实路径是数字化发展。习近平总书记指出，当今时代，数字技术、数字经济是世界科技革命和产业变革的先机，是新一轮国际竞争重点领域，我们一定要抓住先机、抢占未来发展制高点。可见，发展数字经济成为世界各国把握新一轮科技革命和产业变革新机遇的战略选择，更是推动我国高质量发展的重要举措。“十三五”以来，石化行业和企业以智能化和数字化转型为抓手，开启并加快探索智能工厂建设和数字化转型发展之路，在两化融合和数字化转型方面不断取得新突破、实现新跨越，催生出一大批数字化转型典型应用示范。截至今年三季度末共有 100 家石化基地和化工园区开展智慧园区创建，其中有 40 家列入“智慧化工园区名录”，重点企业和园区先行先试，带动全行业加快数字化转型，推动行业和企业管理水平、营运水平和本质安全水平不断提升。中国石油、中国石化、中国海油、中化集团、国家管网以及一大批石化企业，不断探索并加大 5G、人工智能、大数据、云计算等新一代信息技术的应用，加快建设先进适用的数字化智能化平台，推动实现以数据和知识驱动的管理创新、治理体系和治理能力现代化，在智能油气田、智能炼化、智慧管网、智慧销售、智能工程等多领域都取得显著成效。延长石油数字采油法的应用，实现了业务数据在线化、动态分析智能化、业务协同闭环化，将数字化深度融合采油业务，实现了成本、用工、工作强度“三降低”，效率、效益、管控水平“三提升”；用工总量下降 35%，原油采收率提高 3% ～ 5%，工作效率提高 45% 以上。通过智慧化工园区建设，不仅实现了智能控制、风险识别、实时预警，而且在整合信息化资源以及园区内资源配置、能效优化、安全生产管控、环境生态监测等方面取得了明显的效果，特别是实现了重大风险源监控、园区封闭管理、可视化操作、现场人员行为识别、应急处置、有毒有害气体泄漏、特殊作业和危化品运输车辆的实时监控与预警，工厂与园区的本质安全水平都大幅提升。

当前数字化、智慧化发展迅猛，新一轮科技革命和产业变革加速演进，数字技术正在成为第四次技术革命的重要驱动力；信息技术也成为全球研发投入最集中、创新最活跃、应用最广泛、辐射带动作用最大的技术创新领域，是全球技术创新的竞争高地。大力推动数字技术与实体经济深度融合，通过数字技术赋能传统产业转型升级，石化产业、尤其是传统基础石化产品、传统石化基地、老旧石化企业和装置，加快数字化智慧化转型的迫切性和现实性都更为关键，通过数字化智慧化转型和智能工厂、智慧化工园区的试点示范，让数字化转型不仅成为改造提升传统石化产业的重要支点，而且成为助推石化产业高质量发展的重要引擎。新的一年，加快 5G、大数据、人工智能等新一代信息技术与石化化工行业融合，不断增强化工过程数据获取能力，丰富企业生产管理、工艺控制、产品流向等方面的数据，畅联生产运行信息数据“孤岛”，构建生产经营、市场和供应链等分析模型，强化全过程一体化管控，推进数字孪生创新应用，加快数字化转型。打造企业数据集中共享平台、数字化和智能制造服务平台，引导企业实施数字化、智能化改造，提升运营效率。加强核心技术攻关和标准体系建设，建设并遴选一批数字化车间、智能工厂、智慧园区标杆。在化工园区的管理与创新发展方面，组织实施好“智慧化工程”，加快园区信息系统和公共数据互联互通、开放共享，建设“可共享”“可追溯”的智慧监管系统，实现危险化学品全生命周期监管，打造响应快速、决策高效的应急救援体系，切实提高园区管理水平和管理效率。通过数字化转型助推世界一流企业的建设，加快现代石化产业集群的培育，推动石化产业的高质量可持续发展。

第五、石化产业新型工业化的方式是合作中发展。8 月 22 日，习近平主席在金砖国家工商论坛闭幕式上致辞时指出：中国将始终是世界发展的重要机遇。我们敞开大门，谁来同我们合作都欢迎。作为一个超大规模经济体，中国将坚定推进高水平开放，扩大市场准入，缩减外资准入负面清单，提升现代服务业开放水平。只有开放的中国，才会成为现代化的中国，不断扩大高水平对外开放是推进中国式现代化的必然要求。打造开放层次更高、营商环境更优、辐射作用更强的对外开放新高地，推动形成更高水平开放型经济新体制。近年来，中国石化行业不断深化国际交流与合作，深入贯彻“构建国内大循环为主体，国内国际双循环相互促进的新发展格局”的战略部署，中国石化联合会与国际化工协会联合会（ICCA）、世界塑料理事会（WPC）、联合国环境规划署（UNEP）、国际化学品制造商协会（AICM）、终结塑料废弃物联盟（AEPW）以及美国化工理事会、欧洲化学工业理事会、日本石化协会和化工协会等国际组织和专业组织有着密切的联系和深入的交流与互动，在可持续发展、责任关怀等发展理念以及创新协同、产业链协同等多方面有着深入而良好的合作。

新的一年，在推进新型工业化的过程中，石化产业应重点在“两线、一屏、一面”上发力。“两线”即“一带一路”、“一屏”即“孔雀开屏式的 RCEP”、“一面”即全方位开放与国际合作。共建“一带一路”倡议的提出已有 10 年，已经从亚欧大陆延伸到非洲和拉美地区，150 多个国家、30 多个国际组织签署共建“一带一路”合作文书，成立了 20 多个专业领域多边合作平台，互联互通、多边贸易与繁荣、多边合作都取得了积极的成果和显著的成效。10 月份，习近平总书记在第三届“一带一路”国际合作高峰论坛强调，中方愿同各方深化“一带一路”合作伙伴关系，推动共建“一带一路”进入高质量发展新阶段，为实现世界各国的现代化做出不懈努力。“一带一路”是破解海权国家传统思维的战略创新，西方列强海上霸权的传统思维是控制海洋、控制商路、原料和市场，而“一带一路”则是海陆并进，特别是“西部陆海大通道”对新欧亚大陆桥、中巴、中亚、中蒙俄等经济走廊都起到了强力的支撑作用。“一带一路”对于石化产业深化国际合作也是意义重大，“一带（丝绸之路经济带）”是国家贸易大通道，也是石化产业共建产业园区、产业向中亚梯级转移和深化与欧洲交流与合作的重要通道；“一路（21世纪海上丝绸之路）”是国家重要能源通道，也是石化产业原料供应链的重要通道；“一带一路”也是石化领域在构建新发展格局中“往复式循环”的重要通道。

“一屏”即似“孔雀开屏式”的《区域全面经济伙伴关系协定》（RCEP），共有东盟10国和中国、日本、韩国、澳大利亚、新西兰共15国签署，2022年1月1日正式生效，到今年6月2日全面生效。仅生效第一年外贸总额就超过了42万亿元，增长了7.7%，其中出口增长了15%。这是亚太地区规模最大、最重要的自由贸易协定，覆盖世界接近50%的人口和近1/3经济总量和贸易量，是世界上涵盖人口最多、最具发展活力的自由贸易区，将为区域经济一体化和全球贸易、经济复苏与繁荣发展作出重要贡献。中国石化产业与RCEP各国在产品互补、市场互补、产业链互补以及优势协同、创新协同、共促发展等多方面有着很强的互补性。中日、中韩在基础化学品、中高端产品以及高性能材料和高端纤维、高端膜材料等领域互补性强，中澳在能源和原料领域市场互补性强，中国与东盟10国和新西兰不仅在化肥、农药等农用化学品以及农副产品产品互供、市场互补方面各有优势，而且在油气资源、天然橡胶、投资建厂等方面已有深度合作。中国与RCEP各国在构建新发展格局中是走出去与引进来并重、“双循环”的重要区域。

“一面”即全方位开放和全方位国际合作，以中国为坐标向西是中欧产业链互补、中高端产品互补、协同创新为重点，中非（含海湾地区）是资源合作、投资兴业、共促发展为重点；向东与北美是能源、资源、产业链、协同创新等全方位交流与合作，与南美是资源、产品与市场等合作为重点，特别是中国的农化产品与南美的农业和生态环境有着广阔的合作空间；向北中俄合作越来越密切，中俄能源大通道越来越畅通，中俄除了油气领域资源方面的广阔合作外，还有炼化、化肥、材料等全产业链的合作空间；向南中印在农化产品、染料等精细化学品等方面都有着较大的合作空间。

中国改革开放的大门只会越开越大，改革开放的环境也会越来越好，中国的未来将更好地拥抱世界，也希望世界更好地拥抱中国，更希望更多的中国石化企业在构建新发展格局中不断学习借鉴发达国家和先进跨国公司的成功经验和做法，使自己尽快成长为具有国际竞争力的世界一流企业，也更希望石化化工领域更多的跨国公司在中国发展得越来越好。

增强信心　加快转型
奋力开创稳中求进、以进促稳新局面 *

根据中央经济工作会议“稳中求进、以进促稳、先立后破”的部署，今年报告的主题是：以进促稳，稳与进是相辅相成、互为条件、相互促进的；稳是主基调、是大局，进是方向、是动力，不稳无法进，不进难以稳。因此，新的一年石化行业要“以进促稳”，在稳的前提下努力进取，推动各项重点工作再上新台阶。

一、2023 年石化行业经济运行基本情况及分析

2023 年，百年变局加速演进，全球经济复苏乏力，产业链供应链重构加速，大国博弈、区域动荡加剧，外部环境的复杂性、严峻性、不确定性上升。就国际政治环境来看，2023 年是复杂多变的一年，也是不确定因素增加的一年。世界经济更是艰难前行，疫后恢复不及预期，昔日最稳健的经济体欧盟因受俄乌冲突的深度影响，能源价格居高位，通胀高企，再加上美元持续加息，大宗商品和主要产品价格持续下跌，世界经济增速又走过了下滑的一年。

2023 年的中国，是全面贯彻党的二十大精神的开局之年，是 3 年新冠疫情防控转段后经济恢复发展的一年，经济总量超过 126 万亿元，增量以美元计为 7932 亿美元，仅增量就相当于世界 GDP 排名第 20 位的国家。中国仍然是世界经济增长最大的引擎，并且高质量发展扎实推进，现代化产业体系建设取得重要进展，科技创新实现新的突破，改革开放向纵深推进，安全发展基础巩固夯实，全面建设社会主义现代化国家迈出坚实步伐。

1. 2023 年石化行业经济运行的基本情况

根据国家统计局数据，2023 年石化行业实现营业收入 15.95 万亿元，同比下

* 这是 2024 年 2 月 1 日，傅向升同志在 2023 年度石油和化工行业经济运行新闻发布会的报告。

降 1.1%；利润总额 8733.6 亿元，同比下降 20.7%；进出口总额 9522.7 亿美元，同比下降 9.0%。三大板块的情况为：油气板块实现营业收入 1.44 万亿元，同比下降 3.9%；实现利润 3010.3 亿元，同比下降 15.5%。炼油板块实现营业收入 4.96 万亿元，同比增长 2.1%；实现利润 656 亿元，同比增长 192.3%。化工板块实现营业收入 9.27 万亿元，同比下降 2.7%；实现利润 4862.6 亿元，同比下降 31.2%。

2. 2023 年经济数据同步下降原因分析

从以上数据看出，2023 年度的经营业绩不甚理想，全行业营业收入、利润、进出口额同步下降，三大板块中炼油板块因 2022 年度基数低，其营业收入、利润双增长，而油气和化工两大板块的营业收入和利润均是双下降，这与 2022 年度油气和化工两大板块基数高有关，其主要原因还是原油、天然气及绝大多数化工产品的价格下降幅度较大。

一是价格下降情况。2023 年石油和天然气开采业出厂价格同比下降 10.2%，化工原料和产品出厂价格同比下降 9%。

表 2　重点监测的 49 种无机化学品月价格情况

月份	环比下降	环比下降占比 /%	同比下降	同比下降占比 /%
1	31 种	63.3	25 种	51.0
2	26 种	53.1	29 种	59.2
3	22 种	44.9	35 种	71.4
4	32 种	65.3	38 种	77.6
5	27 种	55.1	42 种	85.7
6	31 种	63.3	43 种	87.8
7	29 种	59.2	43 种	87.8
8	11 种	22.4	41 种	83.7
9	8 种	16.3	29 种	59.2
10	25 种	51.0	31 种	63.3
11	31 种	63.3	35 种	71.4
12	34 种	69.4	34 种	69.4

表 3　重点监测的 72 种有机化学品月价格情况

月份	环比下降	环比下降占比 /%	同比下降	同比下降占比 /%
1	31 种	43.1	51 种	70.8
2	19 种	26.4	53 种	73.6
3	38 种	52.8	61 种	84.7
4	47 种	65.3	59 种	81.9
5	55 种	76.4	65 种	90.3
6	66 种	91.7	68 种	94.4
7	19 种	26.4	61 种	84.7
8	6 种	8.3	44 种	61.1
9	9 种	12.5	40 种	55.6
10	51 种	70.8	50 种	69.4
11	57 种	79.2	47 种	65.3
12	42 种	58.3	37 种	51.4

表 4　布伦特原油月价格情况

月份	价格 /（美元 / 桶）	同比 /%	环比 /%
1	82.78	−5.10	2.00
2	82.49	−15.99	−0.35
3	78.56	−33.88	−4.76
4	84.94	−18.63	8.12
5	75.57	−33.27	−11.03
6	74.70	−39.61	−1.15
7	80.07	−28.66	7.19
8	86.39	−13.61	7.89
9	94.00	4.60	8.81
10	91.05	−2.51	−3.14
11	83.22	−9.22	−8.60
12	77.90	−3.90	−6.30

重点监测的无机化学品和有机化学品全年价格的同比和环比全部双下降，并且绝大多数月份的下降幅度都在 50% 以上！

二是因价格下降导致产销量增加而效益下降。正是因为原油、天然气及其绝大多数石化产品的价格出现了大幅下跌，造成 2023 年石化全行业“增产增消不增利”的情况。2023 年，原油加工量 7.35 亿吨、同比增加 9.3%，表观消费量 7.7 亿吨、同比增加 8.5%，原油加工量和表观消费量均创历史新高。

表 5　重点产品产量和表观消费量增长情况

产品	产量同比增长 /%	表观消费量同比增长 /%
原油加工量	9.3	8.5
成品油	16.5	15.5
石脑油	24.8	26.0
乙烯	6.0	5.8
合成树脂	6.3	3.7
聚乙烯	6.9	4.1
聚丙烯	6.9	5.7
甲醇	5.5	8.0
合成氨	5.0	6.4
尿素	7.8	5.7
烧碱	3.5	6.0
纯碱	10.1	14.9
单晶硅	62.7	
多晶硅	85.1	
子午线轮胎	16.1	

以上只列出了主要产品和增幅较大的品种，要是看国家统计局统计列表中石化产品的种类，其产量和表观消费量几乎全是正增长。可是再看各板块和细分行业的效益情况恰恰相反，除炼油、涂料、油墨、工业颜料、合成橡胶、橡胶制品和专用设备制造，这少数几个板块和细分行业效益正增长外，其他板块

和细分行业的效益同比均是下降的。石化全行业利润总额下降 20.7%，油气开采板块下降 15.5%，化工板块下降 31.2%。其中，基础化学品行业下降 50.6%，化肥行业下降 29.2%，农药行业下降 62.2%，合成材料行业下降 21.7%，专用化学品行业下降 14%。可见“增产增消不增利”的状况之严峻。

三是因价格下降导致进出口量增加而进出口额下降。当看到 2023 年石化行业进出口总额下降 9%、进口额下降 7.9%、出口额下降 11.2% 的情况时，人们第一反应就是国际环境严峻，大国博弈和市场竞争加剧，区域动荡和不确定性因素不断增加，叠加产业链供应链正在区域化、碎片化，这些都是当前的现状和不争的事实。但是 2023 年石化行业进出口总额、进口额、出口额同步下降的主要原因还是产品价格下降。数据告诉我们：不是因为国际环境严峻产品出不去了，也不是因为产业链供应链重构我们出口量少了，而是在主要石化产品出口量、进口量都在增加的情况下，出现了“量增价减”的状况。

表 6　从进口端看进口量和进口额变化情况

产品	进口量同比 /%	进口额同比 /%
原油	11.0	−7.5
天然气	10.1	−7.9
石油气	21.5	−3.1
有机化学品	3.5	−17.0
合成树脂	−3.1	−19.3
合成橡胶	6.0	−11.1
化学矿	34.4	−37.2

表 7　从出口端看出口量和出口额变化情况

产品	出口量同比 /%	出口额同比 /%
燃料油	6.7	−15.0
有机化学品	2.0	−24.3
化肥（实物量）	27.2	−14.0

续表

产品	出口量同比 /%	出口额同比 /%
氮肥	23.6	−15.2
磷肥	39.4	−13.7
农药	9.7	−27.2
合成树脂	13.7	−13.2
合成纤维单体	3.5	−7.1
橡胶制品	9.8	−6.0
涂料、油墨、颜料类	10.5	−9.7
化学矿	9.3	−23.8

以上数据表明，在进口量和出口量都呈现增加的情况下，进口额、出口额以及外贸进出口总额出现了同步下降。美国化学理事会预计，美国 2023 年度化工品出口额下降 7.5%，进口额下降 10.5%。可见外贸进出口额的下降，其主要因素是产品价格，而不是别的什么原因。

3. 为保障国家能源安全作出新贡献

中国石油、中国石化、中国海油以及延长石油等能源石化企业，贯彻党中央“能源革命”的部署，坚定不移实施资源战略，持续加大“增储上产七年行动计划”的力度，突出油气资源勘探开发，在持续创新稳定老油田的同时，海陆并重、常规非常规并重，加大深海、西部和页岩油气资源勘探开发的力度，不断在新增探明地质储量上取得新突破，为保障国家能源安全打牢基础。2023 年原油产量 2.09 亿吨，同比增幅 2%，这是继 2022 年时隔 6 年重回 2 亿吨平台以后实现的新跨越。

天然气产量 2297.1 亿立方米、再创新高，取得了连续 7 年增量超 100 亿立方米的不易业绩。石化领域的能源骨干企业发挥主力军作用，广大干部职工努力克服国际油价宽幅振荡、俄乌冲突和巴以战火外溢风险、全球市场恢复不及预期和不确定因素日益增多等诸多不利因素，为保障国家能源安全作出了新的贡献。

4. 为保供稳价作出新贡献

石化全行业及农化企业，按照国家发展改革委、工业和信息化部“保供稳价”的部署和要求，一边做好“安稳长满优”生产供应，一边不断加大创新力度，研发并及时投产高效复合肥、缓释肥、液体肥料等新型肥料品种和系列高效绿色环保新农药品种、新剂型，满足不同地域、不同植物的营养需要及病虫草害的预防和防治。2023 年化肥总产量（折纯）同比增加 5%，总产量超出国内表观消费量 360 万吨。其中，氮肥产量（折纯）同比增加 7%，产量超出国内表观消费量 644 万吨；磷肥产量（折纯）同比增加 6%，产量是国内表观消费量的 1.6 倍。农药原药产量（折纯）同比增加 2.8%，世界第一农药生产大国的地位更加稳固，多年来出口占产量 70% 以上，近两年甚至高达 85%。钾肥产量（折纯）同比虽然减少了 6.2%，但生产量占国内表观消费量的 53%，克服了钾资源匮乏的困难，稳定了国内市场。总之，石化领域的化肥、农药等农化产品生产企业，为我国粮食安全和瓜果蔬菜丰富市场供应作出了重要贡献，为我国粮食生产连续 9 年超 1.3 万亿斤和“二十连丰”作出了重要贡献。

同时，2023 年石化行业在科技创新、绿色低碳转型和数字化升级、深化国际合作、培育世界一流企业和现代化产业集群、产业政策及重大问题研究等方面都取得了新的突破和新的进步。石化产业在推动自身高质量发展的同时，作为国民经济的重要支柱产业，为纺织、建筑、汽车等国民经济各领域提供了重要配套材料，为电子信息、轨道交通等高端制造业，为新能源、新一代信息技术等战略性新兴产业以及 C919 实现商飞、神舟家族太空接力、“奋斗者”号极限深潜等国防军工、航空航天领域都提供了重要保障，作出了重要贡献！刚刚过去的 2023 年，是困难与挑战并存、新旧矛盾交织的一年，从经营数据看石化行业营业收入、利润总额、进出口总额都出现了不同程度的下降，这一方面反映出新困难和新挑战不断增加，另一方面也反映出经济发展的规律性和波浪式前进的挑战性。我们要客观地、理性地看待这样的运行结果，从数据看虽然不及“十四五”的前两年，但辩证地看还是高出了“十三五”的五年，这样的结果和诸多成绩、进步的取得实属不易！之所以取得这样的结果和进步，关键是广大石化企业和干部职工甩开膀子攻坚克难、撸起袖子开拓创新的结果，是石化全行业贯彻党中央决策部署、完整准确全面贯彻新发展理念、不断开创新发展格局的结果，也是各有关部委大力支持和社会各界关心帮助的结果。在此对广大石化企业和干部职工以及默默为石化创新发展作出重要贡献的职工家属，致以崇高的敬意！向各有关部委、各级领导和关心支持石化产业高质量发展的社会各界朋友表示衷心的感谢！

二、石化行业高质量运行存在的挑战及分析

肯定 2023 年石化行业取得成绩的同时，还要看到石化产业离高质量发展这一“首要任务”还有差距，这都需要我们全行业以及各石化企业协同发力，在不断创新中逐一破解。

一是效益的改善还有空间。石化大国的地位日益巩固，但与发达国家和跨国公司相比，核心竞争力不强、效益差距明显始终是我们的痛点。2023 年全行业营业收入利润率 5.47%，不仅横向与美欧日等发达国家和地区比有差距，而且纵向与自身的历史好年景比也有差距，更是低于“十四五”以来的前两年（2022 年 6.8%，2021 年 8%）。而从与效益密切相关的经营数据看，每百元营业成本较 2022 年增加 0.7 元，全行业亏损面比 2022 年扩大 2.8 个百分点，亏损企业亏损额占到行业利润总额的 25.2%，存货 1.7 万亿元、占行业营业总收入的 10.6%。油气和化工两大板块的应收款都有较大幅度的增加，油气和炼油两大板块的管理费用增幅较大，炼油和化工两大板块的财务费用大幅增长。这都证明降本增效和效益提升都有较大的潜力和空间。

二是产大于求的严重性必须重视。为缓解“低端过剩、高端短缺”的矛盾，“十三五”以来石化产业不断创新和快速发展，高端产品和高性能材料短缺的矛盾有所缓解，但基础产品和通用材料过剩状况不仅没有改观，而且呈日益严重之势，特别是长期以来以规模论英雄、“过分重量的增加、而忽视质的提升”这种传统思路和发展理念作祟，又叠加原始创新能力不强和技术瓶颈的制约，导致大量投资主要投向了扩大规模和量的增加，而投向结构优化和高端化、差异化的占比较少。这就造成了今天鲜有一个基础产品和通用材料其产能产量不是世界第一，而高端聚烯烃及其弹性体、高档电子化学品和高纯超纯试剂、高性能纤维复合材料和高性能膜材料长期依赖进口，或有的关键单体和关键原料长期难以攻克、甚至存在“卡脖子”问题。如果这种“低端过剩、高端短缺”的现状不改变，我国石化产业就只能长期处于产业链的中低端徘徊，就只能长期在产大于求的漩涡里内卷，就只能在石化大国的平台上遥望“石化强国那盏闪耀的灯塔”。

三是资源约束的瓶颈再次凸显。我国发展石化产业“多煤缺油少气”的资源瓶颈难以突破，与日韩和欧洲相比我们似乎多了一些资源方面的优势，但与美俄和海湾地区相比资源优势的差距十分明显。综合来看，我国除了盐矿资源

相对丰富以外，不仅“缺油少气”，而且发展化学工业所需的磷矿、钾矿资源，以及今天的锂矿、硼矿资源，氟化工的萤石资源，钡锶盐的重晶石和天青石资源等等都相对缺乏。最典型的就是今天发展石化产业的主要能源和原材料石油和天然气，2023 年原油进口量 5.64 亿吨、加工量 7.35 亿吨都创历史新高，原油进口量是时隔两年，即连续两年下降的情况下再度增加，加工量是在 2022 年下降 3.4% 的情况下重回正增长。2023 年我国原油对外依存度由 2022 年的 71.2% 再次升高到 72.9%。此外，资源方面的明显瓶颈还有，乙烷裂解制乙烯和丙烷脱氢制丙烯用的轻烃资源，也是主要依赖进口，受供应链安全影响的波动较大，与北美和海湾地区相比其竞争力大打折扣。

四是现代煤化工遭遇新的瓶颈。现代煤化工是我国的独特优势，也是少有的世界领先的一个领域。自国家布局“四大现代煤化工产业升级示范基地”以来，煤制油（直接法和间接法）、煤制气、煤制烯烃、煤制乙二醇以及煤制芳烃等，都取得了重大创新和突破，积累了工程化和产业化的重要经验，并在煤化工与石油化工互补、煤化工与新能源耦合发展等方面开展了深入研究和探索，更为国家能源安全提供了技术储备和战略保障。但是现代煤化工自升级示范以来一直磕磕绊绊，前几年煤制烯烃是效益最好、看起来最成功的一个示范产业链，煤制油一直寄希望于免征消费税的政策支持，煤制气和煤制乙二醇一直处于亏损状态，尤其是煤制乙二醇开工率始终就在 50% 以下。2022 年受俄乌冲突影响世界市场天然气价格高企，又加上煤制气企业解决了多年困扰的管道入网问题，煤制气企业迎来了自升级示范以来难得的又一个好年景。可是 2023 年现代煤化工产业遭遇了新的困境，效益都大幅下降，据煤化工专委会预测：煤制油利润同比下降 52.7%，煤制气利润同比下降 39%，煤制烯烃利润同比下降 82.4%。煤制乙二醇继连年亏损后 2023 年继续亏 18.7 亿元；煤制烯烃往年的业绩不再，营收同比下降 7.8%，在利润大幅下降 82.4% 的惨淡之下，营收利润率只有 0.52%。现代煤化工遇到的新困境，既有原料煤炭价格高位、电价高位的因素，更有产品结构雷同、差异化和高端化不够的问题，煤制乙二醇和煤制烯烃甚至存在与石油化工产品型号同质化竞争，以及与炼化一体化、轻烃制烯烃等不同原料路线的国际化竞争，今天的新困境也许是升级示范装置所要经历的大考之一。

五是本质安全刻不容缓。从最近发布的《2023 年度石化行业舆情报告》看，2023 年安全形势比前几年严峻，1 月 15 日的盘锦浩业、5 月 1 日的鲁西化工、

9 月 7 日的鄂尔多斯亿鼎农业以及 12 月 23 日的齐鲁石化等事故时有发生，安全生产的警钟时时在敲响，本质安全的要求一刻也不能放松，过程安全的这根弦时刻都要绷紧。这就要求广大石化企业认真落实好《关于加强今冬明春石油和化工行业安全生产工作的通知》要求，更要求全体干部职工始终敬畏安全生产、规范操作，严格落实主体责任，下大力气夯实安全生产工作基础，严防严控重点领域重点环节安全风险，确保石化生产的过程安全和本质安全。

三、2024 年石化产业高质量发展面临的形势及分析

2024 年，虽然形势和挑战更趋复杂，但总体来看将是企稳的一年。就世界经济大背景看，2024 年的世界经济将是“底部盘整，筑底企稳”的一年，将为迎接 2025 年开启新的景气周期筑牢底盘。2024 年我们所面临的新形势：

一是世界经济增速放缓将持续。虽然前天国际货币基金组织最新发布相对乐观的预测，但世界经济增速将在 2023 年低于 2022 年的基础上继续放缓，刚刚闭幕的达沃斯论坛上 56% 的首席经济学家预计全球经济 2024 年将走弱。世界银行和经合组织预计将放缓 0.2 个百分点，摩根大通、瑞银等多家机构也都做出同样预测。2024 年，发达经济体的增速将由 2023 年的 1.5% 放缓至 1.2%，其中最大的发达经济体美国的增速将由 2023 年的 2.1% 放缓到 1.5%；而欧洲因逐渐摆脱俄乌冲突的影响，经济增速将由 2023 年的 0.7% 小幅回升到 1.2%。作为新兴经济体的印度、俄罗斯、巴西的经济增速都将保持较快增长，但发展中经济体预计比过去 10 年的平均水平低 1 个百分点，第二大经济体中国的增速将保持 5% 左右。综合看，2024 年世界经济增速将继续放缓，再加上个别国家推动“脱钩”“去风险”，导致分化加剧和世界经济的区域化、碎片化，全球贸易增速大幅下滑，更加迟滞了世界经济的复苏。

二是不确定性因素将增多。大国博弈加剧，区域动荡突发，2024 年世界经济环境面临的第一个不确定性，主要来自俄乌冲突双方能否签署停战协议。巴以战火是停熄还是扩大？红海危机火药味渐浓。除了这些政治因素和区域动荡外，第二个不确定性是美元何时开启降息周期。这也是世界经济不确定性之关键因素。美元为抑制通货膨胀，自 2022 年 3 月启动加息以来，新一轮收割过程告一段落，对大宗商品价格和世界经济造成严重影响。但美国通胀水平尚未达到预期目标，多家国际机构预测美元从下半年开始将会开启降息周期，但这

也要看主要经济体、能源主导国的协同效应，以及区域动荡和局部危机的化解程度。如果能源价格、大宗商品价格和货运价格居高不下，助推美国和发达经济体的通胀指数难以回归正常水平的话，美元开启降息的时间表就会延后，世界经济将继续承压。第三个不确定性是 2024 年将是历史上的“超级选举年”，有 70 多个国家进行首脑或议会选举，首先 3 月份的俄罗斯选举似乎没有悬念，印度的选举莫迪连任的可能性也较大，但 11 月初的美国大选至今难以预料，并时时牵动着世界各国，再加上英国首相和欧盟议会的选举也存在诸多不确定性。这个历史上选举最多的年份给世界经济平添了许多新的挑战。第四个不确定性在南美，这也许是 2024 年世界经济的新爆点，南美第二大经济体阿根廷 2023 年的通胀率高达 114.3%，新一届政府的施政举措令世界高度关注；委内瑞拉的选举以及与圭亚那的区域争端不仅涉及埃克森美孚等跨国公司的利益，“后院”的一举一动也必定牵动着美国的神经，南美的不确定性因素会不会成为 2024 年世界经济的两只“蝴蝶的翅膀”？令人担忧。多重不确定性因素并存，任何一个引爆都将对世界经济造成严重冲击。

三是能源转型将加速。能源转型一直是社会进步的推动力，第一次和第二次工业革命都是由能源转型推动的，以煤炭代替薪柴进入“蒸汽机时代”为代表和以石油代替煤炭进入以内燃机为标志的“电气化时代”，为二战后开启以信息技术为代表的第三次工业革命奠定了坚实的技术基础和丰厚的物质基础。新世纪以来，能源转型开启了加速进程，欧洲 BP、壳牌、道达尔等多家能源公司加快了由传统能源向新能源即清洁能源的转型，如果说过去近 20 年的时间里大家还是在探索、甚至有的还在犹豫的话，今天为适应低碳发展新要求，能源企业向绿色低碳转型都按下了加速键。当欧、亚能源公司向清洁能源转型开启加速进程的时刻，以北美能源公司为代表的企业却大手笔并购化石资源的事件值得关注，2023 年 10 月埃克森美孚宣布以 595 亿美元收购先锋自然资源公司，以确立其在二叠纪盆地的霸主地位，随后雪佛龙宣布以 530 亿美元收购赫斯公司，以确立其在非常规和深水领域的优势地位。

2023 年能源领域的这些新动向是否在告诉我们，传统能源向清洁能源的转型是一个较长的过程，在这个较长的过渡期内需要经历：前期的化石能源为主、清洁能源为辅，中期的化石能源与清洁能源并重，后期的化石能源为辅、清洁能源为主，直至最终过渡到化石能源完全退出能源领域，清洁能源成为人类社会的终极能源。我们可否大胆地设想？在这个较长的过渡期内，世界化石能源消费量在 2030 年达到峰值，达峰以后煤炭消费量较快下降，石油消费量降幅较小，在此后的 20 年时间里石油由能源为主的角色，逐步转变为为化学品和合成材料生产提供原料来源的角色；而天然气将在化石能源达峰后消费量继续保持增长，此后 30 到 40 年时间里，承担起由化石能源向清洁能源转型的重要角色、甚至是主角，直至可控核聚变和氢能等清洁能源成为人类的主体能源，之后天然气也转变为为化学品和合成材料生产提供原料的角色而与石油并存。

四是绿色低碳转型进程加快。2023 年世界各地的热浪、洪水、森林大火等气候灾害急剧增加，损失惨重，据多家机构检测 2023 年成为地球有记录以来最热的一年，这更加使人们认识到：气候变化是人类面临的共同问题，需要国际社会携手应对。为此，2023 年 11 月 30 日至 12 月 13 日，在迪拜召开的第 28 届联合国气候大会上达成了历史性的协议，开启化石燃料转型的加速进程。特别是在这次大会上，首次对《巴黎协定》提出的减排目标进行了盘点，盘点的结果并不乐观，195 个签署《巴黎协定》的国家都没有实现承诺的减排目标，一边是气候灾害频发，另一边是减排不甚理想，又加上气温已经上升了 1.1℃，距离《巴黎协定》确立的 1.5℃温控目标只差 0.4℃了。面对这样的严峻形势，第 28 届联合国气候大会再次重申：为了实现控制升温的目标，温室气体的排放水平必须在 2030 年之前比 2010 年减少 45%，并在本世纪中叶实现净零排放。因此，这次气候大会对新能源提出的目标是：到 2030 年将太阳能和风能等可再生能源的现有产能增加 2 倍；对化石燃料提出的目标是：以公平、有序和公正的方式转变脱离化石燃料，在接下来的关键 10 年中加快行动，以期到 2050 年实现净零排放。这次气候大会上又有不少国家签署了《全球甲烷减排承诺书》，中国也公布了甲烷减排计划。为应对气候变化的这些新的措施和要求，都将对我国石化产业的发展，尤其是油气勘探开采领域、化学肥料领域以及饲料营养领域等产生深远的影响。

四、奋力开创石化行业稳中求进、以进促稳新局面

2024 年，是新中国成立 75 周年，是实现“十四五”规划任务目标的关键一年。新的一年挑战和形势都更趋严峻，新的困难也可能会增多，但只要我们按照中央经济工作会议的部署，坚持稳中求进工作总基调，做好“三个统筹”，

中国经济将进一步巩固和增强回升向好态势，预计中国经济增速将继续稳固在5%及以上水平，为世界经济增长继续贡献30%以上的份额，仍然发挥世界经济增长最大引擎的作用。

2024年，石化行业高质量运行的总体思路是：以习近平新时代中国特色社会主义思想为指导，深刻领会和深入贯彻中央经济工作会议精神，突出高质量发展、创新驱动、自立自强和自主可控，突出传统产业和中小企业绿色低碳转型和数字化升级，贯彻新发展理念，以科技创新引领现代化产业体系建设，加快构建新发展格局，准确把握稳中求进、以进促稳、先立后破“十二字”方针，在“转方式、调结构、提质量、增效益”上狠下功夫，加快推进石化产业迈向新型工业化，为实现石化强国目标再创新业绩，为中国式现代化作出新贡献。新的一年石化产业的高质量发展，应聚焦“以进促稳”扎实做好各项重点工作，“以进促稳”，稳是进的前提，进是稳的目标，以进促稳，以稳固进，就是要把稳大局与开新局结合起来，把传统产业升级与新兴产业培育结合起来，把创新引领与加快新旧动能转换结合起来，把开拓国内市场与深耕国际市场结合起来，主动作为、拼搏进取，实现全行业稳中求进的新跨越。

1. 新型工业化“进”有新思路

新型工业化是实现高质量发展的重要引擎，石化产业作为国民经济的重要支柱产业，也是资源型能源型和基础性重要配套产业，这就决定了石化产业自身应首先实现新型工业化，石化产业的新型工业化应走在国民经济其他领域的前面。一方面，石化产业作为资源型和能源型产业，其新型工业化的重要特征应该是：科技水平高、资源消耗少、“三废”排放低、经济效益好，只有把石化产业建成这样的现代化产业体系，才符合未来产业的要求，才是核心竞争力强、为人类创造美好生活的新型工业化，也才能够彻底改变目前“谈化色变”不符合科学逻辑的现象。另一方面，石化产业作为基础性重要配套产业，新型工业化水平只有走在其他工业领域前面，才能为中国式现代化作出应有的贡献。化学肥料、农药工业的新型工业化是农业现代化的前提和基础；涂料、颜料的新型工业化是建筑、高端涂装制造业能否实现新型工业化的前提和基础；合成纤维单体以及染料、饲料添加剂（维生素、蛋氨酸）等精细化学品直接关系到纺织、轻工、现代饲养业等国民经济重要领域的新型工业化；合成材料、化工新材料、高性能复合材料等的新型工业化水平，直接决定着汽车、轨道交通、大飞机以及国防军工、航空航天等重要领域和国家安全水平的新型工业化；高端膜材料、高性能纤维材料、生物合成等的新型工业化与新能源、电子信息、探月工程、生命健康等领域的新型工业化密切相关。

由此可见，离开了石化产业的新型工业化，一个国家的新型工业化体系将难以形成；如果石化产业的新型工业化落在后面，一个国家的新型工业化进程就会严重受挫。这就是美、德以及法、英、日等发达国家优先发展石化产业，尤其是化工新材料、特种功能材料、专用化学品的关键所在。所以，我国石化产业的新型工业化，一定要通过科技创新和自立自强、加快绿色低碳转型等扎实推进，特别是以数字化转型和智慧化升级为抓手，通过智慧车间、智能工厂、智慧化工园区的建设，加快智能化改造和网络化连接，让石化产业的新型工业化为中国式现代化发挥应有的作用，作出更大的贡献。

2. 创新驱动“进”有新突破

坚持创新在我国现代化建设全局中的核心地位。近年来，油气勘探技术、化工新材料、专用化学品、现代煤化工等重点领域取得了一批重大成果，但创新能力不强一直是我们实现石化强国目标最大的短板和制约。新时代高质量发展要求我们要着眼科技自立自强和自主可控，推进关键核心技术攻关，促进产业链供应链安全稳定，提高全要素生产率，提升发展质量和效益。

对于现代煤化工领域的创新，实施重大技术装备攻关工程，加快产业化技术优化升级，推进原始创新和集成创新，加快高性能复合新型催化剂、合成气一步法制烯烃、一步法制低碳醇醚等技术创新，实现煤制芳烃的产业化突破，聚焦大型高效煤气化、新一代高效甲醇制烯烃等技术装备及关键原材料、零部件，推动关键技术首批（次）材料、首台（套）装备、首版（次）软件产业化应用；优化调整产品结构、加快煤基新型合成材料、先进碳材料、可降解材料等高端产品生产技术的开发应用，推动现代煤化工与可再生能源、绿氢、CCUS等耦合创新发展，推动现代煤化工装备数字化建设，培育一批智慧生产典型场景。

在化工新材料领域，关键是增强自主创新能力，主要聚焦关键核心技术、重大共性技术和材料的高性能化，以及已建成装置的连续稳定生产，加大技术创新重点突破的产品，如高端聚烯烃、聚烯烃弹性体、高端 EVA、EVOH 薄膜、长碳链尼龙和芳香族尼龙，以及一部分关键单体、生物基新材料和性能优异的可降解材料等。

3. 绿色低碳转型“进”有新成效

推动经济社会发展绿色化、低碳化是实现高质量发展的关键环节。石化产业属资源型和能源型产业，在贯彻碳达峰碳中和战略、迈向新型工业化的进程中，面临绿色化和低碳化发展的新要求和新形势，其挑战更为艰巨也更为严峻。我国石化产业的原料结构与发达国家和海湾地区以石油、天然气和轻烃为原料不同，我国石化领域不论是原料用能还是燃料用能，以煤炭为原料和煤化工路线比重过高，以煤炭为原料的碳排放量远高于天然气和石油为原料的碳排放量。与发达国家相比，我国石化产业的产品结构也偏重，大宗基础产品和通用材料过剩，而高端产品和高性能材料短缺；发达国家主要以化工新材料、功能化学品为主。生产基础化学品的过程中，物耗、能耗、排放都远高于精细化学品和高性能材料。这就要求我们立足国情和资源禀赋，立足石化产业的现状和实际，在加快绿色低碳化转型中推动石化产业的高质量发展。

炼化企业要积极采用清洁能源、绿电替代，推进现有燃煤自备电厂（锅炉）清洁能源替代，积极探索研究太阳能供热在炼油过程中的应用，逐步降低煤炭消费比例，提升可再生能源消纳水平。炼化企业还要加大应用短流程、反应过程强化、催化裂化余热发生超高压蒸汽技术等低碳生产工艺，加强甲烷与挥发性有机物的协同管控。炼化企业还要加快 CCUS 示范应用，有效降低碳排放，探索开展制氢尾气及催化裂化烟气二氧化碳直接转化、二氧化碳干重整、二氧化碳加氢制油品和化学品技术示范。炼化企业还要探索与可再生资源融合发展，大力发展可再生资源制氢，开展绿氢炼化示范工程，推进绿氢替代，逐步降低煤制氢用量；研究制定低碳炼油技术评价标准，探索开展炼油企业碳排放计量、监测试点。

现代煤化工企业要加快实施节能、降碳、节水、减污改造升级，提高资源能源利用效率，强化能效、水效、污染物排放标准引领和约束作用，稳步提升现代煤化工绿色低碳发展水平；严格能效和环保约束，拟建、在建项目应全面达到能效标杆水平，新建项目的企业环保应达到绩效 A 级指标要求；坚决落实以水定产要求，推广应用密闭式循环冷却等节水技术，新建项目吨产品新鲜水耗达到行业领先水平；加快挥发性有机物综合治理、高盐废水阶梯式循环利用、资源化深度处理，以及灰、渣等固体废弃物资源化利用。现代煤化工企业还要加快高浓度二氧化碳大规模低能耗捕集利用与封存、制备高附加值化学品技术开发和工业化应用；推动煤电、气电、风光电互补。

肥料、酸、碱等基础化学品生产企业，要把节能减排放在重要位置，大力推进清洁生产技术改造和循环化改造，推广先进适用的节能、低碳、节水技术以及废弃物综合利用技术，高度重视各类资源的节约集约利用。

4. 化解产大于求“进”有新举措

产大于求问题已成为困扰行业和企业健康可持续发展的突出问题。新世纪以来，中国石化产业发展之快，产品不断丰富、规模不断扩大、产业集中度逐步提升，基础化学品呈现过剩状态。2010 年，我国石化产业实现历史性跨越，跃上第一化工大国的平台，石化产业仅次于美国位居世界第二，那时又赶上世界经济正在开启新的景气周期，我国石化产业乘着国家宏观经济的大势和国际环境的大背景，再次迈入了集中建设和快速发展的新阶段，产能进一步扩大、总量进一步增加，以 2013 年我国成为成品油净出口国为标志，大宗基础石化产品呈现全面过剩状态。但 10 年前的过剩，我们客观地定义为“结构性过剩”，因为当时的现状是大宗基础产品和通用材料产大于求，而高端专用化学品和高性能材料主要靠进口。高端专用化学品和高性能材料恰恰是我国高端制造业、战略性新兴产业以及电子信息、航空航天等领域不可或缺的重要配套材料，如果对外依存度过高，我国的产业链供应链安全风险就过高，关键时刻就有可能被“卡脖子”。因此，2016 年 8 月，国务院专门印发了《关于石化产业调结构、促转型、增效益的指导意见》，其指导思想和重点任务就是化解大宗基础产品和通用材料的产大于求问题，同时加快高端专用化学品和化工新材料的创新发展。

“十三五”以来，化工新材料、专用化学品、高性能纤维、高端膜材料等都取得了新的突破和新的进步，可化解大宗基础产品和通用材料产大于求的效果不够显著，甚至有的产品产大于求的状况有增无减。2023 年 12 月份召开的专业协会座谈会上，氮肥协会、氯碱协会、纯碱协会、橡胶协会、涂料协会、合成树脂协会等专业协会都对产大于求表示了高度关注，并对新增产能的持续增加表示了担忧。今天大宗基础产品和通用材料产大于求的问题，不仅是影响石化产业健康可持续发展的突出问题，也是困扰广大石化企业和企业家们的突出问题，更是跨国公司高度关注和高度警觉的突出问题。

可以说化解产大于求已经到了刻不容缓的地步。因为今天产大于求的问题，已经不仅是肥料、酸、碱、涂料、农药、钛白粉、有机硅单体、PTA、PET 等基础化学品和通用材料等领域面临的问题了，而 1,4- 丁二醇、EVA、

POE、己二腈、己内酰胺、尼龙 6、尼龙 66 以及与新能源动力电池相关的碳酸锂、磷酸铁锂、六氟磷酸锂等，诸多产品的在建、拟建产能都令人惊讶。有些产品，如果已经规划的拟建产能都能如期建成投产的话，不仅是满足国内市场需求的问题，有的满足世界市场的消费总量都绰绰有余。有这样一组数据：2022 年中国动力电池装车量占全球总销量 56.9%，储能电池出货量占全球 87%，正 / 负极材料出货量占全球约 90%，电解液出货量占全球 85%，锂电隔膜占全球市场 80%。有预测说，如果任其无序扩能，到 2025 年全球动力和储能电池的规划产能将是全球需求量的 12 倍。

一是化解产大于求首先要转变发展理念。长期以来国内石化企业主要以“做加法”为主，即以投资、扩产、扩大规模把企业做大做强，这是二战结束以后到上世纪九十年代，跨国公司用 40 ～ 50 年时间走过的历程。上世纪九十年代末、特别是进入新世纪以后，跨国公司做大做强的路径是“加减并重，做强为要”，即以结构调整和重组兼并为主，做强核心竞争力为第一要务。陶氏杜邦的合并与再拆分是最典型的案例，原杜邦的调整与优化诞生了科慕和英威达，还有拜耳并购孟山都，BP 的调整与优化。正因为 BP 的持续调整与优化才诞生了英力士，正因为拜耳的持续调整与优化才诞生了科思创和朗盛，而朗盛的再调整和再优化又有了阿朗新科，2023 年朗盛又把高性能材料与帝斯曼的工程塑料重组为一家新的公司 Envalior。赢创的 PMMA 业务重组给了罗姆，以及帝斯曼、索尔维等的持续调整与转型。这些耳熟能详的跨国公司在近 20 年的时间里，在“加减”运作过程中其核心竞争力不断增强!

国内很多企业今天“积木式操作，只加不减”“以大为强”的拼投资、拼规模的发展模式和理念，正是跨国公司六七十年前走过的路。已迈入 21 世纪 20 年代的今天，已经是全球化竞争的时代，尤其是国内市场也已成为国际竞争的大平台，如果还不转变惯性的发展理念和传统的发展模式，企业家们今天被困扰的内卷现象只会越来越严重。有的人本以为可以通过单纯的扩大规模寄望于取胜的愿望，如果不能及时转变到依靠创新驱动、人才制胜和以做强做优为目标，寄望的大厦可能难以屹立。这不是危言耸听，纵观工业化以来的发展史、看看发达国家跨国公司所走过的路程、再看看国内有的企业，我们会得到启示，也一定会让我们深思。

二是化解产大于求的关键是贯彻落实好产业政策。化解产大于求需要我们领会并贯彻好中央经济工作会议精神，需要我们完整准确全面地贯彻新发展理念，需要我们贯彻落实好与时俱进的产业政策。

炼化企业要贯彻好《关于促进炼油行业绿色创新高质量发展的指导意见》，严控新增炼油产能，新增炼油及扩建一次炼油项目应纳入经国家批准的相关规划，实行产能减量置换和污染物总量控制，能效达到标杆水平，推动新建炼油项目有序向石化产业基地集中，实现集约集聚发展，并与乙烯、PX 项目做好配套衔接；未列入《布局方案》的新建及改扩建炼油、新建 PX、新建乙烯项目一律不得建设；严禁以“重油综合利用”“原料预处理”“沥青装置”等名义变相审批新建、改扩建炼油装置。200 万吨 / 年及以下的炼油装置，经国家有关部门认定符合条件允许保留的，如果能效和污染物排放经节能降碳减污等改造升级后，仍达不到基准水平和达标排放的，2025 年以前加快退出。确保“十四五”末炼油总产能控制在 10 亿吨以内，且千万吨级炼油产能占 55% 左右的总体目标。

现代煤化工企业要贯彻好《关于推动现代煤化工产业健康发展的通知》，从严从紧控制现代煤化工产能规模和新增煤炭消耗量，不得通过减少保供煤用于现代煤化工项目建设；新建煤制烯烃、煤制 PX、煤制甲醇、煤制乙二醇、煤制可降解材料等项目，重点向煤水资源相对丰富、环境容量好的地区集中，促进产业集聚化、园区化发展；大气污染防治重点区域严禁新增煤化工产能，避免同质化、低水平重复建设。加快推进污染物不能稳定达标的企业实施改造，对超标排放情节严重的企业依法责令停业、关闭；合理把握煤化工产业发展规模，不断提升发展质量，推动产业健康发展。

三是化解产大于求的重要措施是深化供给侧结构性改革。当前石化产业的产大于求，主要还是大宗基础产品和通用材料过剩严重，而高端专用化学品和高性能材料还有一定的量需要依赖进口满足。这说明大宗基础产品和通用材料供过于求，而电子化学品、高纯超纯试剂等高端专用化学品和高端聚烯烃、POE、长碳链尼龙以及高性能纤维材料、高端膜材料等国内企业供应不上，甚至高端膜加工企业用的原料树脂大部分都依赖跨国公司供应，其中新能源电池隔膜用聚烯烃就是其一。这证明国内企业通过创新和研发，以深化供给侧结构性改革改善供给、拓展市场，进一步增加供应种类和型号、进一步提升产品的质量水平和稳定性，进一步提升企业的供给能力十分必要，也有着较大的市场空间。

5.“专精特新”“进”有新活力

大型企业要在培育世界一流企业和现代化石化产业集群上多下功夫，而以中小企业为主体的民营经济也是国民经济的重要组成部分，是推进中国式现代化的生力军，是经济和制造业高质量发展的重要基础。

长期以来，我国石化行业的民营企业为石化产业的创新与发展都作出了重要贡献。截至 2022 年底，在 377 家石油和化工上市企业中，民营和民营相对控股企业占 70.8%，特别是在农药、涂料、染料、助剂等精细化工领域和塑料加工、橡胶制品领域，民营企业数量和产能都高于 80%。在石化行业已认定的 1523 家专精特新“小巨人”企业中，民营企业占 90%；在已认定的 165 家单项冠军企业中，民营企业占 82%。在石化民营企业中，有恒力、浙石化、盛虹等一批世界 500 强的公司，也有新和成、东岳、福华、华峰、奥克等一批创新力强、主业突出、国际知名度较高的优秀公司。在山东、广东、浙江、江苏等石化大省的石化产业发展中，民营企业功不可没。山东省的炼化行业、轮胎行业民营企业是重要骨干，广东省的塑料加工业民营企业国内外影响力大，江苏省和浙江省的化工新材料、精细化工以及化工专用设备制造领域，民营企业是主力军。

但是，民营企业多年来存在的发展瓶颈始终难突破，最普遍的是融资难、融资贵问题，再有是招投标、购买服务等方面公平竞争问题，还有因企业规模小、创新研发能力弱、技术升级和竞争力提升慢等问题。这都成为民营企业高质量发展和健康可持续发展的困扰和长期难以突破的瓶颈。

一是中小企业健康可持续发展的关键是牢牢把握“专精特新”。民营企业，特别是中小企业一定不能把追求规模作为主要目标。大企业的做大做强都不能单纯依靠追求规模，而是靠做强主导产业、做强核心竞争力；而民营企业，尤其是中小企业更要在“专精特新”即“专业化、精细化、特色化、新颖化”上下功夫。民营企业，尤其是中小企业只要不崇洋、不羡大，要学习德国一家隐形冠军企业的理念“不争 500 强，但活 500 年”，借鉴默锐科技的理念“把一米宽的市场，做到百米深”，坐定“小而美”、瞄准“小而强”，这样的民营企业一定会成长为百年企业。

浙江奥首是一家 300 人左右的公司，是师从于彭孝军院士的侯军博士创办的一家科技型公司，成立只有 10 年，完全依靠自主创新已经在芯片用功能精细化学品领域取得了卓越的成绩。奥首的芯片用封装材料、芯片电镀液、芯片清洗液、硅片研磨液、切割保护液、刻蚀用化学品、光敏聚酰亚胺等多个产品，不仅填补了国内空白，而且打破了美国、日本、德国、韩国等市场垄断，实现了材料的国产化替代，为我国集成电路产业自主发展和安全可控提供了重要配套。

二是中小企业可持续发展的重要举措是协同创新。纵观国内国际，中小企业通常不像大企业有自己的研究院或科创中心，受规模和人员数量的限制大多创新力量较弱，因自身条件的限制也没有必要投巨资建设庞大的研发平台。而众多的民营中小企业要做到高质量可持续发展、实现百年企业目标，创新又是不可缺少的，因为创新是发展的第一动力，也是基业长青的不竭动力。协同创新是民营企业及其众多中小企业克服自身创新条件不足、创新能力弱的重要措施，与产业链上下游企业开展协同创新是其一。委托创新对民营企业及其众多中小企业更显重要，可以委托高校的优秀团队、重点实验室进行创新研发，也可以委托独立的研究院或国家工程研究中心开展工程化创新，这是其二。借助社会创新资源和研发力量，助力民营企业及其众多中小企业实现“专精特新”、保持旺盛的生命力，应当是民营企业及其众多中小企业重要而现实的选择。

三是中小企业健康可持续发展的重要路径是国际化。以中小企业为主体的民营企业认为国际化与大企业有关、与己无关，这种认识是片面的、甚至是错误的。以中小企业为主体的民营企业也是国际化的重要力量，全方位对外开放包括民营企业和中小企业，“一带一路”和“RCEP”更少不了民营企业和中小企业。对民营企业及其中小企业自身发展来说，做好“专精特新”对接世界一流、与世界接轨更是十分重要、也十分必要；对于民营企业和企业家来说，在全球化的时代走出去拓展国际视野、与世界一流企业同台交流、共谋发展、携手为人类命运共同体奉献智慧和力量同等重要。

四是德国支持中小企业发展的做法值得借鉴。德国是世界一流的经济强国和科技强国，其经济结构和工业群体结构是中小企业为主体，大中小型企业定位清晰、协同发展的格局。德国中小企业的竞争力是全球最强的。据欧盟委员会统计，在全球居领导地位的 2000 多家中型企业中，德国占了 47%、近半壁江山。德国国内 350 万家企业群体中，中小企业占比高达 98%，贡献了高于 1/3 的销售额、62% 左右的就业。德国政府一直以来十分重视中小企业的发展，无论是《工业 4.0》《国家工业战略 2030》，还是《工业共同研究计划》《中小企业创新集中计划》，都对中小企业给予高度重视和大力支持。

其一，德国对中小企业分阶段给予政策支持的做法值得借鉴。创业阶段：由政府牵头，商业银行参与成立风险投资公司，以非盈利模式支持中小企业创业创新；发展阶段：成立政策性专属银行，通过间接融资引导担保机构参与，鼓励企业间互助合作；成熟阶段：鼓励市场化融资（发行股票或企业债券）参与中小企业发展。这些政策措施保障了创新型企业不同发展阶段的资金需求。

其二，德国支持中小企业创新的模式值得借鉴。德国政府于1949年成立的弗劳恩霍夫研究所，以应用研究为主，主要为企业提供商业化解决方案并帮助其实现，也就是在基础研究和工业化之间架起了一座桥梁。在德国无论是大公司还是小企业，当遇到技术挑战时，他们会第一时间联系弗劳恩霍夫研究所。弗劳恩霍夫研究所接到技术问题以后，会组建一个专门的团队负责这个项目，这个项目团队不是临时的，一般会持续两年，直到为企业解除技术难题为止。在德国与大企业相比，中小企业得到弗劳恩霍夫研究所的帮助更多，获得的效果也更为显著。因为像巴斯夫这样的大型跨国公司在世界各地的创新中心和研发力量都很强，巴斯夫这样的大公司与弗劳恩霍夫研究所的合作更多的是以委托课题的形式，主要也是前期的创新居多。

其三，德国支持中小企业的服务方式值得借鉴。德国在北京、上海等地设立有代表处、德国中国商会和德国工商中心，这些机构主要为德国企业到中国投资提供服务与帮助，不仅提供专业高效的办公服务，还提供公司托管服务、会计财务服务、商务拓展服务、法务咨询，以及翻译、商务接待、电话传真与网络、信件托管、商务秘书、子女联系学校等事项。这对一家刚刚到陌生环境投资创业的企业来说是最大的帮助，尤其是对中小企业的帮助更大。跟大公司相比，中小企业不仅初来乍到、人地生疏，且人力资源缺乏，通过商务服务中心的服务，对陌生环境、陌生面孔和陌生语言的陌生感大为减弱，对适应新环境和增强发展信心大有好处，也省去了中小企业公共设施和辅助人员等很多负担。

旧年已去，新岁已来。我们正处于一个美好的时代，也处在一个复杂多变的时代，大国博弈和区域动荡加剧，国际环境日趋复杂，世界经济的不确定性日益增多。但新的一年，全球经济将在“筑底企稳”中迎来新景气周期的曙光，中国经济将进一步巩固回升向好的态势，石化产业正处于转变发展理念、加快结构优化、提升发展质量的关键时期，让我们携手向前，协同创新，共创稳中求进、以进促稳的新局面，为实现石化强国目标、为中国式现代化作出我们新的、更大的贡献！

谈百年基业之路径 *

打造百年企业，一直是一个业界关心、也是一个十分重要的话题，而且是一个常谈常新的话题。

一谈百年企业之主导产业

主导产业是一个企业的根本。如果把企业比作一棵大树的话，主导产业就是这棵大树的树干。可以试想一下，如果一棵大树的树干不够粗壮的话，这棵树如何历经风雨成长为参天大树？国内外很多竞争力强的跨国公司、尤其是很多百年企业不论在哪个历史时期，只要主导产业突出、定位明确，其核心竞争力就强，无论遭遇什么样的危机与冲击都会化险为夷，不断发展壮大。

如何做强主导产业呢？最重要的是正确定位。正确选择企业的主业，确立主业以后围绕做大做强，确立企业的发展思路和发展战略。发展的目标是做大做强，发展到一定阶段就要以做强为第一要务，一切思路、理念和战略都要围绕做强主导产业、做强核心竞争力而展开。“大”即企业的规模是强的基础或条件之一，而“大”不代表“强”，因为大国不一定是强国，同理企业的规模大、铺的摊子大不一定是具有国际竞争力的世界一流企业。就像我国化学工业总量十几年来一直稳居世界第一，全球销售占比多年来一直高于 40%、高于美国、欧盟、日本的总和，但与美国、德国、日本等化工强国相比，我国尚属石化和化工大国，而不是强国，这就是“大而不强”的道理之所在。

明确了定位还要确立正确的发展理念。及时转变过去单纯追求规模的传统理念。打造百年企业做强比做大更重要，熟悉石化产业、了解跨国公司的同志都知道，石化和化工领域世界一流的跨国公司有埃克森美孚、壳牌、BP 以及巴斯夫、陶氏、三菱化学、LG 等大型公司，也有像伊士曼、塞拉尼斯、亨斯迈、赢创、索尔维、帝斯曼、阿克苏诺贝尔等主业突出、创新能力和核心竞争力强、国际知名度高的专业性公司，与年销售额过千亿美元的大型跨国公司

---

* 这是 2024 年 2 月，傅向升同志署名文章的节选。

比，这些专业性公司的规模都在百亿美元左右，规模确实不大，但在同行看来世界影响力并不亚于大型跨国公司，有很多也都是百年以上的公司、都是全球化工 50 强榜单上的公司。

在做强主业方面巴斯夫的做法值得借鉴。巴斯夫多年来一直位居全球化工 50 强榜首，2021 年销售额 786 亿欧元、2022 年 873 亿欧元，看看巴斯夫德国路德维希港基地、比利时安特卫普基地、中国南京的扬巴基地以及正在新建的湛江基地，其产业链都是以石脑油为起始原料。巴斯夫这样的跨国公司一直都是从石脑油开始，通过裂解制烯烃进而聚合高性能材料或合成有机化学品和专用化学品，巴斯夫在全球近 40 个国家布局的生产基地，都是聚焦于化工新材料和专用化学品领域，始终就没有从原油裂解开始、独资建设炼油装置，正因为巴斯夫的这种发展理念和战略，使得巴斯夫一直雄踞世界化工公司塔尖的位置。

对于中小企业做强主导产业，就要牢牢把握和突出“专精特新”。纵观工业化以来的发展史和发达国家跨国公司所走过的路程，主导产业是百年基业的基石。

二谈在打造百年企业过程中创新之重要性

创新在培育百年企业、打造百年基业过程中的重要性不言而喻，非常关键。我们熟悉的具有百年历史的跨国公司，像杜邦 1802 年成立、距今 222 年，拜耳 1863 年成立、距今 161 年，巴斯夫 1865 年成立、距今 159 年，陶氏成立距今 127 年、帝斯曼成立距今 122 年、住友化学成立距今 109 年等等，这些世界化学工业的领航者都是百岁以上的企业，自成立那天起就是靠创新起家，在以后的每一个阶段都是依靠创新而进步，每一个时期都把创新置于发展战略和举措的首要位置。

例如，拜耳成立于 1863 年，比德意志帝国的诞生还要早 8 年，也是靠创新起家。拜耳研究室首先由煤焦油中的蒽合成了天然染料的茜素，并且首次应用了发烟硫酸磺化法合成工艺，很快成为合成染料的领导者。1897 年拜耳通过创新又合成了乙酰水杨酸，即从 1899 年开始成为风靡世界、至今还在畅销的镇痛药阿司匹林。拜耳一直十分重视研发和创新，长期以来研发投入占销售额的 7% 以上，个别年份达到 8.5% 或 10% 以上，研发投入长期保持全球化工公司中最高的之一。拜耳始终以创新战略作为未来发展的主导。创新战略始终确保拜耳的世界领先地位，拜耳曾经作过统计：约 40% 的销售收入是投入市场不到 10 年的新产品创造的。我们很多化工同仁都了解很多化学品和合成材料都是拜耳发明或第一个工业化的，1910 年拜耳第一个工业化生产合成橡胶（后来拆分出朗盛、今天再拆分后阿朗新科的主导产品之一），1937 年开发成功聚氨酯系列胶黏剂、涂料、发泡材料和高弹性纤维，1953 年开发成功聚碳酸酯高性能工程塑料（这都是后来拆分出科思创的主导产品），1956 年开发出 ABS 多用途热塑性塑料，以及后来的医药、农药、生物制剂等等。拜耳通过强化创新，成为在材料科学领域、涂料、胶黏剂和密封材料、医药保健和诊断试剂、动物疫苗和兽药以及农业用杀虫剂、除草剂、杀菌剂等这些领域一直处于金字塔顶端的灯塔型公司。

三谈百年企业之识人重要性

用人不仅对企业重要，而且对一把手至关重要。因为用人不仅体现了一把手的能力，更体现了一把手的胸怀，识人的能力、用人的胸怀，善用人和人尽其才关乎百年企业之创造力和生命力。善识人、善用人，善委托、善授权，不仅职责清晰、目标明确，而且各负其责、运转有序，一把手不至于每日忙忙碌碌、陷于琐碎事务，而每一级的主观能动性又能充分发挥。一把手从琐碎事务中解脱出来，将主要精力用于企业战略、重大决策、干部培养和外部环境，既轻松又高效。

“识人用人”的关键是“用人不疑，疑人不用”，有的企业一把手对每一个下级都是时刻在防范，又想用、又不放心，这是很难形成凝聚力的。“识人”要看一把手的阅历和经验，而“用人”就看一把手的胸怀和魄力。企业家的识人用人和培养干部、使用干部，有两个很多人熟悉、又很直观的典型案例供借鉴，一个是成功典范！一个是失败的代表。成功的典范是毛泽东，毛泽东同志在识人用人方面，历来是充分信任、充分授权，让每一个干部的主观能动性发挥到极致，毛泽东与朱德从 1928 年 3 月在井冈山会师以后，从此形影不离，以致社会上传颂着许多“朱毛的故事”，在张国焘不执行党中央北上的决定，分裂红四方面军南下的时候，要朱老总与毛泽东划清界限，朱老总讲“要我和毛泽东划清界限，我和毛泽东在井冈山就在一起，国内外都知道朱毛，朱毛是不可分的。你们可以把我朱德劈成两半，但不能把朱毛分开，更不可能要朱来反毛”。即使张国焘另立中央以后再次要朱德表态，朱老总的回答是：我们这个朱毛在一起好多年了，全中国和全世界都知道。要我这个“朱”去反“毛”，我可做不到！ 可见两位老战友在革命战火年代结下了多么深厚的革命情谊！他们结下的是直至1976年先后去世的终生的信任与情谊。

毛泽东对下级干部也是一样，看看“三大战役”中对东北野战军、华东野战军、中原野战军等各级将领的授权和充分信任，看看“抗美援朝”中对彭德怀总司令的授权和充分信任，均可见一斑！再看看毛泽东对下属信任到什么程度？刘（刘伯承）邓（邓小平）自抗日战争开始搭档、林（林彪）罗（罗荣桓）自瑞金时期1930年8月第一次搭档，东北野战军时期达到炉火纯青的底部；还有粟裕与陈毅的“绝世搭档”，正因为毛泽东对这些优秀下属的充分信任和授权与使用，不仅使他们建立了卓著功勋，而且都成为终生的革命搭档！正因为毛泽东这样的识人用人胸襟和魄力，才在艰苦卓绝的浴血奋战中带领中华民族实现了独立，建立起了一个崭新的新中国！

而蒋介石在识人用人上就不只是略逊一筹的距离了，蒋介石首先考虑的是小圈子，从新民主主义革命时期围剿红军起，蒋介石就想利用中央军打着“剿共”的旗号，分别对广东的李济深、桂系的李宗仁和白崇禧、贵州的王家烈、云南的龙云、四川的刘湘、湖南的何健等各个击破，因此也导致了各个地方军阀始终就防着蒋介石，表面上在执行蒋委员长“剿共”的训令，而实际上是前面追和赶着红军部队，而后面还要防着中央军进入自己的地盘，最后的结果就是中央红军在上有飞机、后有几十倍于己的敌军围追堵截之下，以惊天地、泣鬼神的精神和毅力胜利完成了万里长征的人类历史壮举。蒋介石在国民党军队里始终都有“嫡系”与“非嫡系”的区别，因为他本人曾经任黄埔军校的校长，“黄埔系”就是他的首选，就是同为黄埔系也不是完全信任、放手使用，同为黄埔系也是用着张三防着李四。这一点在“三大战役”的最关键时刻也表现得淋漓尽致，对傅作义将军不放心是因为“非黄埔系”，而对于辽沈战役卫立煌和杜聿明、淮海战役的刘峙和杜聿明，这些同为黄埔系的司令官也是不放心，在辽沈战役和淮海战役最吃紧、最关键的时刻，蒋介石还要越过卫立煌和刘峙这两位司令官而亲自授权副司令官杜聿明指挥，到最后的结局就可想而知了，只能逃到海岛上去了。这些历史我们很多企业家是很熟悉的，在识人用人方面，我们一定要向毛泽东同志学习，我们的干部们就会努力拼搏、勇于担当，为企业的创新发展创造一个个辉煌，我们的企业就一定会无坚不摧、战无不胜！而那些对谁都不信任、对谁都要提防、效仿一代枭雄式的防人、疑人之术的干部们，既无干劲，又使企业前景黯淡、难以辉煌。

四谈百年企业之国际化重要性

国际化是百年基业的必经之路。国际化是一个公司经营水平、管理水平和竞争力的重要体现。国际化不只是某些产品的进出口业务、那只是国际化的基本体现，国际化主要是企业的全球布局、全球化经营。要看企业是否真正做到国际化就如同一个运动员是否真正来到了奥运赛场，一跑才知道自己比博尔特慢几秒？一打才知道比费德勒差几分？如果再善于总结经验就进一步知道了自己比博尔特慢的原因：是起跑有差距、还是冲刺出了问题？也才知道比费德勒差这么多分：是发球有差距、还是回球有问题？是击球力度不够、还是击球速度不够？这样就看到了差距、找准了差距，然后努力改正、反复练习，下一届奥运会才有可能站上领奖台。所以，企业经营管理与跨国公司坐在同一个会场交流、同一间会议室商谈业务合作很重要，与跨国公司地处同样的原料成本、劳动力成本和同样的游戏规则下同台竞技很重要。综观百年企业都是在发展到一定阶段，就立足自己的主导产业、突出自身的竞争优势、适时走向国际舞台、开启国际化经营之路。杜邦进入 20 世纪开始转型，到 60 年代具备了化工和材料领先优势的时候，杜邦首先从欧洲开始开启了并购和投资建厂的国际化战略，到 70 年代末杜邦的海外收入占到总销售额的近 1/3、到上世纪 80 年代末这一比例提高到约 40%，杜邦成为当时世界最大的跨国公司。

陶氏化学 1897 年 5 月成立，开始时立足国内从事漂白剂生产和销售，1906 年开始生产农用化学品，并充分发挥漂白剂生产过程中的一个关键原料——氯的特殊优势，开始产品转型，并逐步发展了含溴化学品以及新型塑料、合成纤维等产品领域。二战结束后，陶氏首先从北美的邻居加拿大迈开了国际化步子，50 年代开始进入欧洲、一边是投资建厂、一边是收购兼并，到 70 年代中期陶氏的海外营业收入已接近半壁江山，陶氏成为一家名副其实的跨国公司。此后也是凭借自身很强的创新能力，逐步产业化并拓展了高吸水性树脂、茂金属聚烯烃及弹性体、完整的丙烯酸产业链和医药、农药、功能化学品等业务领域。

三菱化学的前身三菱化成和三菱油化，刚成立的时候都是日本国内建厂和开展业务，随着公司的发展和业务拓展，都首先从美国开始国际化，到 1994 年正式合并成为三菱化学以后，国内并购重组和国际化经营同步加快，曾与萨索尔合资在南非开展丙烯酸及其酯的生产，在印度和韩国都合资布局 PTA 生产，进入新世纪以后三菱化学发展成为一家在美国、欧洲、亚洲等许多国家和地区拥有生产基地和开展业务的跨国公司，尤其是新世纪以来三菱化学进一步加大全球增长战略计划，海外收入占比进一步提升到 30% 左右。

当然，今天国际环境和规则与 50 年前有着很多不同、甚至是很大的不同，尤其是近年来贸易保护主义和逆全球化抬头，“去风险”“脱钩断链”声音渐增，国际产业分工与协作面临新的挑战，前几年新冠疫情的肆虐又严重冲击了全球供应链和产业链的有序运行，两年前的俄乌冲突、去年的巴以战火，以及目前的红海危机，更加剧了供应链产业链的断供风险。这一切因素影响的叠加，全球产业链和供应链或主动或被动地加快调整和重构，特别强调民营企业国际化。

百年企业，自工业革命以来就是企业家们追求的目标，工业现代化以后快速工业化伴随着竞争加剧，打造百年企业面临的挑战更加严峻复杂，管理得到重视、创新更加突出、做强核心竞争力更为关注，为打造百年企业不断推出新的管理理论、创新理念和发展战略。自工业革命以来，百年企业得到了企业家关注、经济学家关注以及社会的关注，更得到国家战略的高度关注。因为企业、特别是实体企业是创造财富的基本单元，企业强则经济强、科技强、国家强，甚至企业强则国家富足、人民富裕、国防有底气，这已被世界强国所证实，也已经成为国际共识。无论何时，无论发展到什么阶段，企业做大做强、培育更多的百年企业和世界一流企业，都是国家强盛、民族振兴的硬道理，任何时候都不可偏废、不可轻视。今天围绕百年企业谈了一些个人思考，只是从行业角度的一家之言，又加上阅历与水平所限，难免失之偏颇，只想带给阅读此文的朋友们些许思考，共同为新时代中国的新型工业化和中国式现代化、为中华民族伟大复兴，做出我们这一代人的应有贡献。

产需失衡之解*

产需失衡通常也称产能过剩。近段时期以来，企业调研、同仁交流、外企座谈，无不关注产能过剩之话题。大家关注的关键点，几乎都集中在产能是否过剩？如何防止产能过剩？怎样化解产能过剩？实际上产能过剩的判定是有参考依据的，可评估和判定产能是否过剩又是复杂的！就某个产品来说相对容易判定，而对于一个行业来说就难以简单化作出“产能过剩”的结论，尤其是对于一个上万种、甚至包含几万种产品的行业，就更难以简而化之地一言以蔽之“产能过剩”。

一是何谓产能过剩即产需失衡？

“产能”即生产产品的能力，“过剩”即生产产品的能力大于消费产品的能力。如此看来，简单地从字面的理解，“产能过剩”即生产能力也就是产品的供应能力，超过了市场消费该产品的能力。这是从简单的理解和字面释义之解，这种“解”难免显得粗暴而简单，也不完全符合当今经济发展之状况，这种“解”也不完全反映当今社会之供给与需求之间的真实关系。

二是如何看待产需失衡？

首先从大的背景看，市场经济就是过剩经济。只有过剩经济，市场的调节功能才能充分发挥；只有过剩经济，才有竞争之土壤；只有过剩经济，才有优胜劣汰的条件和空间。如此看来合理的过剩是为高质量发展创造了条件和优化的空间。可见，发展市场经济，其产品和市场供应有一定的过剩是正常现象，不必大惊小怪。其次从发展的角度看，过剩经济是发展的结果，简而言之“没有发展，哪有过剩？”我们很多人都对过去的短缺经济记忆犹新，短缺经济年代买啥都要凭票，做身衣服要布票，买油买肉都要凭油票、肉票，年轻人结婚想买辆自行车，如果没有票也只能傻瞪眼，有可能新娘就告吹了。所以说那样的年代不存在产能过剩，因为那是没有发展起来的年代，那是一个缺吃少穿的

* 这是 2024 年 3 月，傅向升同志发表的署名文章，当时的题目是“产能过剩之解”。

年代，那是一个在一穷二白底子上走向富强的一个历史的过程。今天的产能过剩是一个发展的过程，也是一个发展的结果，是由不发展走向发展、由发展不平衡迈向高质量发展的一个过程，也许是一个必然要经历的过程。再次，如此短的时间内由短缺经济达到了过剩经济是令世界瞩目的成就，改革开放十几年后，人们的日常生活告别了各种票证，人们的收入为之改善，只凭人民币就可以购买所需要的生活用品、就可以购买所喜爱的消费品，就再也不会发生因为一张自行车票与心爱的新娘含泪而别的悲剧。改革开放四十多年后，社会供应极大丰富，生活用品琳琅满目，人们再也不为想买啥而买不到而发愁的时候，展现在人们面前的是有的产品产能过剩。当每一个人不再为买啥而没有而发愁，而是为买啥而琳琅满目难以抉择而苦恼的时候，我们一定要客观地看待今天有的产品之产能过剩。这是党中央的改革开放政策、以经济建设为中心带给中华民族的福音；这是党中央不断深化改革、在新时代坚持发展是党执政兴国第一要务、推动中国经济高质量发展，带给生活在新时代的我们每一个人的福音；这是我国制度优势和能够集中力量办大事的体现，这要不是在中国，在如此短的时间里，由产品极度匮乏到供应精彩纷呈，放到任何一个国家都是难以做到的！所以，我们在面对有的产品产能过剩的时候，首先要客观、理性地认识到这是发展的结果、发展的成就，是令发展中国家和发达国家都瞩目的成就，是载入人类发展历史的成就。

所以，我们一定要客观地看待和评价今天的产能过剩，即使有某些产品已经出现“产能过剩”，但目前也尚未成为痛点，企业家关心、行业同仁关心、中外企业和社会关注“产能过剩”的话题，其出发点都是看到了某些产品有产能过剩之苗头和现象，其着眼点都带有预警之性质、都是在思考如何规避或防止出现产能过剩。在今天、在新的时代、在经济高质量发展的新阶段，客观地看待产能过剩、正视产能过剩，积极思考并认真研究如何化解产能过剩，这正是我们这一代人的职责和担负的使命。如果今天忽视它或视而不见的话，再过多则十几年不仅是造成巨大损失和浪费的问题，严重一点将影响工业强国和经济强国目标的实现。

三是如何判断产需失衡？

“产能”是指生产产品的能力，“产能过剩”是指实际生产产品的能力超过了市场需求。判断产能过剩有一个简洁的参考值，即产能利用率。产能利用率可作为分析和判断产能过剩的一个重要指标，特别是对制造业更为重要，因为产能利用率的高低直接关系到企业生产成本的高低。何谓“产能利用率”？即实际产出与生产能力的比率，用计算公式表示则是：实际产出 / 设计产能 ×100%。例如：一套装置设计产能是一次加工原油能力 1000 万吨 / 年，在某年度内这套炼油装置年加工原油 850 万吨，则这套炼油装置的产能利用率就是 850/1000=85%；再如一套设计产能是 50 万辆 / 年的新能源汽车生产线，某年度内这条生产线生产了 45 万辆新能源汽车，则这条生产线的产能利用率就是 45/50=90%；其他产品以此类推。

那产能利用率多少代表着产能过剩呢？国内外企业的运营实践告诉我们，80% 左右是一个参考值，通常情况下产能利用率在 75% ～ 90% 之间是相对合理的；若产能利用率在 90% 以上，则表示若市场波动有可能供不应求；而产能利用率低于 75% 则预示着将出现产能过剩，这是一个相对简洁的参考值和判断方法。还有一个判断方法，就是看看某产品已建成的产能与市场消费量的比较，如果已建成产能连续多年比市场消费量小、即供不应求，这就不存在产能过剩；如果已建成产能远大于连续几年的市场消费量，则预示着产能过剩。另一个开阔一点思路的可供参考的标志是，已建成产能与世界消费量的比较，有的个别产品已建成产能占到世界年消费量的 60% 以上、甚至 80% 以上，可能就不只是国内产能过剩的问题；如果在国际市场竞争中还存在内卷现象的话，也许还要应对更多贸易纠纷的摩擦。

当然，简单地以某一个参考数据或标志就判定某产品产能过剩，难免会产生以偏概全或失之偏颇。产能是否过剩的分析与判断是复杂的，因为产能过剩有局部的、也有全局性的，有短期的、也有长期的，有单一产品的、也有全面过剩的，与经济发展周期相联系又有周期性的，还有的是某个产品不适应下游客户的需求或下游应用领域尚未充分开发而显现的过剩现象。对于某个产是否产能过剩的分析与判定要相对容易一些，而对于一个行业就更加复杂、难度也相应增加，像钢铁、煤炭这类产品集中度很高的行业来说，也相对要容易一些，因为产品集中度很高的行业类似于某种产品；而对于产品结构复杂、特别是种类繁多、主要产品就有上千种、细分种类包含上万种、甚至是几万种的一个复杂行业来讲，要判断这样的行业是否存在统而总之的产能过剩，其难度之大是可想而知的。这就要求我们分析与判断产能过剩一定要实事求是，要依据严谨、综合分析，深入研究、科学研判。

四是产需失衡的影响如何？

市场经济条件下，产能适度过剩有利于竞争和优胜劣汰，有利于经济高质量发展；但严重产能过剩就会对产业或行业以及经济产生影响，严重的时候会产生损失和浪费。严重产能过剩的一个直接影响就是，生产大于市场消费，轻则已建成的生产装置产能不能充分发挥，投资效益下降，投资回报率不及预期；严重一点因为供大于需，造成工厂产品积压、库存增加，企业流动资金占用增多，财务成本增加，效益变差；再严重些企业间相互压价、市场内卷、恶性竞争，不仅有损公平竞争、扰乱市场秩序，而且有可能造成装置停产、工厂倒闭，造成严重损失。在资本主义制度诞生以来，特别是凯恩斯主义未诞生之前的原始资本主义阶段，因无序竞争加上资本和资本家的贪婪，因产能严重过剩而导致的经济危机或世界经济大萧条，所造成的损失、甚至经济的倒退以及对社会和大众造成的伤害和沉重冲击，其教训是极其深刻的。

距今不到 100 年的 1929—1933 年的世界经济大萧条，导致世界经济大崩溃，对世界和社会的破坏力是巨大的、影响是极其深远的，当时农业资本家大量销毁所谓“过剩”的农产品，宁愿把大量的小麦和玉米当燃料烧掉、大量的牛奶倒入密西西比河致使变成“银河”，也不愿用于救济成千上万失业者和无家可归的人。今天看来，当时原始资本主义造成的过剩并不是真正的过剩，是资本家因贪婪而支付给工人们微薄的薪水（每周 3 ～ 4 美元），且大量童工更加悲惨，每天从早上 5 点一直工作到晚上 8 点，薪水且更低，如此微薄的收入和低薪，难以消纳工业化快速发展带来的大量产品增加，可见那时的过剩是市场消费力不够的“所谓过剩”。历史是一面镜子，我们应当汲取历史的深刻教训，尽早预警并研究如何防止产能过剩和如何化解产能过剩。

五是如何化解产需失衡？

当前的情况看，经过快速的发展有的产品出现了过剩问题，有的产品结构复杂、种类繁多的行业存在“结构性过剩”，即“结构性矛盾突出”的问题。我国经济尚处于发展的重要阶段，尚处于由经济大国向经济强国迈进的关键时期，也正处于人均收入中等水平向高收入水平跨越的关键时期。在这样的重要阶段和关键时期，我们如何做到既要实现经济的高质量发展，又能做好防止和化解产能过剩呢？或许处理好“三个关系”是我们需要思考和认真研究的：**第一是处理好“质的有效提升和量的合理增长”的关系。**这是党中央对经济工作高质量发展的要求，为避免在发展过程中产生新的产能过剩，一定要深刻领会并贯彻落实好党中央和中央经济工作会议的这一要求，改变过去“追求量的增长”为主的传统发展思路，转变为把“质的提升”放在发展的首位，不仅要做好存量的优化，而且在新建项目的增量上，也要把握好“量的增长”一定要服从和服务于“质的提升”。在优化存量的过程中，贯彻落实好今年即将展开的“大规模设备更新改造”行动，充分把握这一新的政策机遇，积极采用新技术、新工艺、新设备，特别是绿色低碳技术、数字化智能技术，提升企业的生产经营、现代化管理水平和加快转型升级；还要落实好宏观管理部门研究制订、已印发的有关创新发展、绿色低碳、能效水平等的各项产业政策，降低已投运生产装置的物耗、能耗和排放水平，大幅提升已投运生产装置运营质量和本质安全水平“质的提升”。新建项目一定严格执行已有产业政策“产能置换”或“减量置换”的规定，同时还要把能效水平、水效水平以及碳排放水平、生态环境要求统筹考虑在内，严格和科学规范地执行已有产业政策，严把新建项目的入口关，使“量的合理增长”一定服务于“质的有效提升”。

第二是处理好“开拓国内市场与国外市场”的关系。国内市场与国际市场是相互依存、相互支撑、相互推动的，虽然近几年国际竞争愈加激烈，经济环境日益复杂，贸易保护主义抬头、“脱钩短链”声杂，但国际化的趋势不可改、国际合作仍然是主流。党的二十大重申，中国坚持对外开放的基本国策，坚持奉行互利共赢的开放战略，不断以中国新发展为世界提供新机遇，共同培育全球发展新动能。习近平总书记也多次强调，人类是相互依存的命运共同体，世界好，中国才会好；中国好，世界会更好。在今天、在这新的发展阶段，我们防止和化解产能过剩，一定要立足国内统一大市场，面向世界市场需求，科学合理的研究和部署产业链、产品链和创新链，处理好“开拓国内市场与国外市场”的关系。国内市场主要是深化供给侧结构性改革，通过供给侧结构性改革改善上游产品不适应下游需求的矛盾，特别是通过创新提升已有产品的质量和稳定性，通过创新提升高端产品的市场供给能力，通过创新创造新的市场需求。国际市场的开拓，既要深耕“一带一路”和“RCEP”区域市场，也要面向全方位开放和国际合作，让中国产能、中国制造以及中国创造更好地服务于各族人民和更好地服务于所需要的人们。

第三是处理好“政府与市场”的关系。防止和化解产能过剩，企业应转变过去以“追求规模”、“以大为强”、拼投资、拼规模的传统发展思路，在新的时代、新的阶段，贯彻新发展理念和发展要求，转向做强做优和做强核心竞争力为主要目标；企业要改变过去只做“加法”“只加不减”追求量的扩张的传统做法，在认真研究主业和定位的前提下，在“加减乘除”中加快世界一流企业建设、奠定百年基业。这是防止和化解产能过剩的基础。当然还要处理好“政府与市场”的关系，政府既要通过政绩考核体系引导发展理念的转变，也要通过产业政策限制低效和无效产能扩张、加快落后产能淘汰和退出，既要统筹布局、科学设定规模，又要综合设定能效、水效、碳排放等科学指标，科学控制低水平产能增加。如果说政府宏观调控不可或缺而必要，那市场调节机制的建立就是重要而关键的，发达国家在工业化和经济发展过程中其产能的消长，主要是依靠市场调节的。任何一种全新产品的市场需求都有一个由少到多、由小到大的过程，随着市场需求的增加，其产品的产能也随之逐步增长，产能与市场需求之间会有一种平衡，而产能增长的快慢由产品的价格起决定性因素。产能小了、产品市场供少于需，产品价格就会升高，就会推动企业产生投资的动力、而产能增加；反之，产能大了、产品市场的供就会多于需，产品价格就会下降，企业获得的利润、也就是企业的投资回报率就会降低，企业继续投资的动力就减弱，新的产能不再增加，这时就形成产能（供应量）、产品价格、消费量（需求量）一种新的供求平衡格局。如果产品新的市场需求增加或新的市场用途被创造出来，价格杠杆再次上涨，推动企业再次进入产能扩张、再次达到一种新的平衡。反之亦然，如果产能扩张的速度大于市场消费的增速，就会产生供过于求的局面，产品价格就会下降；再严重一些产能严重过剩了，产品价格就会大幅下降，已建成的生产装置因投产时间不同、技术工艺不同、管理水平差异、甚至是产地原材料和物流运输成本不同，有些投产时间长的老装置或技术水平低、管理粗放、成本不具竞争优势的工厂，就会关停甚至退出，同样的市场价格的杠杆作用再次发挥作用，在产能、产品价格、消费量之间再次达到一种新的平衡。美国在快速工业化的过程中，化解产能过剩主要是依靠市场调节，主体是企业，也就是主要依靠企业间的兼并重组来实现。例如钢铁大王卡耐基并购了一家钢铁厂，派一位得力助手去这家新兼并的钢铁厂任厂长，临行前这位厂长问：您希望我去了以后怎么做？卡耐基认真地告诉他：派你去这家工厂任厂长的主要任务，就是尽快把这家工厂关掉。听起来有些简单甚至粗暴，也许在别的地方做不到，但是在当时的美国化解产能过剩、解决无序竞争过程中，这确实是曾经有效的做法之一。另一个大家熟悉的石油大王洛克菲勒，也是在形成石油帝国和垄断美国炼油产业的过程中，通过大量兼并重组实现的，但是后来洛克菲勒的石油托拉斯被国家《反垄断法案》所拆分，形成了石油“七姊妹”的全球格局。也确实在这样一些过程中，淘汰了大量低效、无效和落后产能。有些历史的经验和教训可以带给我们启发，也有的是我们可以借鉴的。新世纪以来，跨国公司不再以大规模投资新建扩产来做大做强，而主要围绕主导产业、在同业间加大兼并重组力度，以稳固世界市场、获取丰厚收益的做法，也值得我们借鉴。当然，我们不可能照搬照抄，我们一定要立足国情，针对不同的行业、不同的产品，认真研究我国经济在由大到强的过程中、在确保新阶段经济高质量发展的过程中，提出防止和化解产能过剩的新思路和新举措，确保我国新型工业化目标的顺利实现，为中国式现代化提供坚实而强有力的实力支撑！

以上是最近在企业调研和外企交流中的一些启发和思考，简单做了梳理，也不尽全面，也许挂一漏万，只期望与看到此文的朋友们共同交流，共同分享，相互启发，共同思考和探寻防止和化解产能过剩之思路或良策，为中华民族伟大复兴做一点实实在在的贡献！

试论加快发展石化产业新质生产力*

去年9月，习近平总书记在黑龙江考察，听取黑龙江省工作汇报以后发表重要讲话，首次提出“新质生产力”的概念。继今年1月31日习近平总书记主持中央政治局第十一次集体学习时，就新质生产力作系统阐述以后，新质生产力成为今年政府工作报告的重要关键词，并居今年各项重点工作之首位。石化产业和广大石化企业如何深入学习、深刻领会习近平总书记关于“新质生产力”的系列重要讲话精神、加快发展新质生产力呢？结合石化联合会党委理论学习中心组学习的收获与体会，简要谈谈个人不成熟的思考与理解：

一论何谓“生产力”

生产力，按照政治经济学的概念，是指劳动者在特定条件下创造商品和服务的能力。可以理解为人类创造新财富的能力，也就是社会生产力和物质生产力。“生产力”一词诞生于18世纪，经百年的演变和不断研究，是马克思和恩格斯从全新的唯物史观，把“生产力”的概念进行了科学的概括，并系统阐述了生产力与生产关系、经济基础与上层建筑的矛盾运动，成为马克思主义的重要理论基础。

根据我们多年来的学习和理解，生产力是构成社会生产的物质基础，是社会发展的物质根源，是人类社会存在与发展的基础，是推动历史前进的决定性力量。我们学习《政治经济学》的过程中还认识到，马克思关于生产力的“三要素”是劳动者、劳动资料和劳动对象。人类历史的发展过程也告诉我们，经济发展水平与生产力水平密切相关，生产力具有历史性，是一个由低级向高级发展的动态过程，正如马克思通过当时的历史条件观察到而形象地说：手推磨产生的是封建主的社会，蒸汽磨产生的是工业资本家的社会。

---

* 这是2024年4月，傅向升同志发表的署名文章。

二论何谓“新质生产力”

习近平总书记在主持中央政治局第十一次集体学习时讲：概括地说，新质生产力是创新起主导作用，摆脱传统增长方式、生产力发展路径，具有高科技、高效能、高质量特征，符合新发展理念的先进生产力质态。它是由技术革命性突破、生产要素创新性配置、产业深度转型升级而催生，以劳动者、劳动资料、劳动对象及其优化组合的跃升为基本内涵，以全要素生产率大幅提升为核心标志，特点是创新，关键在质优，本质是先进生产力。这段话很精辟地把“新质生产力”由什么主导，具有什么特征，因何而催生，以及其基本内涵、标志、特点和本质，都表述得十分清楚了。习近平总书记同时讲，高质量发展需要新的生产力理论的指导，而新质生产力已经在实践中形成并展示出对高质量发展的强劲推动力、支撑力，需要我们从理论上进行总结、概括，用以指导实践。这也指明了新质生产力的提出主要是为了适应时代发展的要求，不仅是对马克思主义生产力理论的再创新，关键是为了用新的理论指导新的实践，这都是我们深刻理解新质生产力和密切结合行业实际与工作实际，加快发展新质生产力的基本遵循和明确指引。

三论如何加快发展新质生产力

习近平总书记在主持中央政治局第十一次集体学习时强调，加快发展新质生产力，扎实推动高质量发展。我们工作在各行各业的、特别是工作在工业领域的同志们，怎样能够做到加快发展新质生产力呢？重点做好“三个突出”：

一是要突出新质生产力重要性的认识。总书记讲，发展新质生产力是推动高质量发展的内在要求和重要着力点，必须牢记高质量发展是新时代的硬道理。这就是新质生产力的极其重要性之所在！我国经济总量已经连续十几年位居世界第二位，连续多年为世界经济增长贡献 30% 以上的份额我国也是连续多年的制造业第一大国、外汇储备第一大国，是名副其实的经济大国、制造业大国，也是世界产业链供应链稳定与安全的重要贡献者。但我们发展不平衡不充分的矛盾以及东西差距和南北差距还比较突出，大而不强的现状以及人均收入与发达国家的差距还比较明显，关键核心技术还存在卡点甚至“卡脖子”问题，以及部分行业产大于求和结构性矛盾突出的问题不容忽视。在已取得显著进步和成就的基础上，破解诸多瓶颈制约、应对复杂严峻挑战的唯一途径就是实现高质量发展，而实现高质量发展的关键就在于加快新质生产力的发展。按照习近平总书记的要求，全面贯彻新发展理念，加快建设现代化经济体系，推进高水平科技自立自强，加快构建新发展格局，统筹高质量发展和高水平安全，为推动高质量发展打牢基础。通过加快发展新质生产力，推动产业有序梯度转移，逐步解决发展不平衡不充分的矛盾，实现工业经济、区域经济的高质量发展，推动社会实现共同富裕；通过加快发展新质生产力，实现由经济大国向经济强国的跨越；通过加快发展新质生产力，解决卡点和“卡脖子”瓶颈，加快制造业大国迈向产业高端化，保障产业链供应链安全，实现强国目标。

二是要突出科技创新。习近平总书记特别强调，新质生产力是创新起主导作用，由技术革命性突破、生产要素创新性配置、产业深度转型升级而催生，特点是创新；必须继续做好创新这篇大文章，推动新质生产力加快发展。习近平总书记进一步分析，科技创新能够催生新产业、新模式、新动能，是发展新质生产力的核心要素。必须加强科技创新特别是原创性、颠覆性科技创新，加快实现高水平科技自立自强，打好关键核心技术攻坚战，使原创性、颠覆性科技创新成果竞相涌现，培育发展新质生产力的新动能。这里就阐述了一个互动的辩证关系，即要实现高质量发展，就需要加快发展新质生产力，而加快发展新质生产力的新动能在创新。从这样互动的辩证关系中，也再次印证了总书记特别强调的：科技创新是发展新质生产力的核心要素。

从马克思关于“劳动者、劳动资料、劳动对象”这生产力“三要素”的理论，结合马克思深入阐述的“各种经济时代的区别，不在于生产什么，而在于怎样生产，用什么劳动资料生产”来认识，加上人类发展史、工业化历程和经济发展史，都证明了生产力的水平决定着经济发展的水平，都证明创新的重要性十分显要，因为创新可以使劳动资料和劳动工具更先进、更高效，能力更强大，创造财富的产出效率更高。马克思在当时的历史条件下只看到了“蒸汽磨”代替“手推磨”，看到了第一次工业革命中技术进步的巨大推动作用，因为以蒸汽机为标志的第一次工业革命，推动人类社会由农业社会开启了大规模工业化的大工业时代，社会生产力实现了大幅跃升。人类社会的发展史告诉我们后来人，以内燃机为标志的第二次工业革命，人类社会步入了电气化时代；以电子计算机和互联网为标志的第三次工业革命，推动人类社会迎来了信息化时代。工业发展史和人类发展史，都更加印证了创新与技术进步是发展新质生产力的核心要素，也是关键之所在。

三是要突出绿色低碳。习近平总书记指出，绿色发展是高质量发展的底色，新质生产力本身就是绿色生产力。必须加快发展方式绿色转型，助力碳达峰碳中和。牢固树立和践行绿水青山就是金山银山的理念，坚定不移走生态优先、绿色发展之路。加快绿色科技创新和先进绿色技术推广应用，做强绿色制造业，发展绿色服务业，壮大绿色能源产业，发展绿色低碳产业和产业链，构建绿色低碳循环经济体系。同时，在全社会大力倡导绿色健康生活方式。

绿色低碳转型和绿色发展方式转变，对我国工业结构、能源结构、经济结构尤为重要。因为与发达国家相比，我国工业结构以基础工业、重化工业为主，基础工业和重化工业都属于资源型、能源型产业；我国的能源结构又是以煤炭为主，经过持续努力我国煤炭在一次能源消费中的占比连续下降，但去年仍高达 55.3%，这样的工业结构、能源结构以及我们经济结构中“三产”的占比与发达国家差距明显，又加上我国的能耗强度远高于世界平均水平，是发达国家的 2 倍以上，在“双碳”目标面前就必须更加重视绿色低碳转型，并加快绿色发展方式（包括生产方式和生活方式）的转变。因为传统的生产方式和生活方式，过去那种拼投资、拼资源、拼规模的发展思路和模式，已经不再适应绿色低碳时代、高质量发展的新要求，因此加快发展新质生产力必须把绿色低碳转型和绿色发展方式的转变摆在更加突出的位置，作为重中之重的发展内容之一。

四论石化产业如何加快发展新质生产力

石化产业是国民经济的重要支柱产业，是新型工业化和中国式现代化的重要保障。石化产业的新型工业化直接关系到其他工业领域新型工业化的水平，石化产业的高质量发展也决定着其他工业门类发展质量、甚至国家安全水平的高低。很直观的电子化学品的技术水平和质量水平不过关，我国电子信息领域、高端制造业、战略性新兴产业就容易被“卡脖子”；我国化工新材料、高性能纤维及其复合材料不能自主可控，我国高端制造业、战略性新兴产业以及航空航天、国防军工等尖端领域和安全领域就会受制于人。可见石化产业的高质量发展与别的工业领域相比，还有着不一样的重要性和特殊性，这对石化产业加快发展新质生产力更是提出了更高、更急迫的要求。石化产业加快发展新质生产力，一定要立足石化产业的现状，密切结合石化产业的实际，面向国家未来发展的需求，既要突出工业发展的共性和产业属性，又要把握新质生产力的时代特性，应突出以下“五项重点”：

一是突出石化产业的属性，在传统产业转型升级中加快发展新质生产力。石化产业既属于资源型能源型基础产业，又属于国民经济的重要配套产业，配套产业的属性是为轻工、纺织、高端制造、战略性新兴产业以及航空航天、国防军工等提供产品和高性能材料等重要配套；基础产业的属性之一是与欧美日等发达国家或地区相比，我国石化工业的产业结构又是以基础产品和通用材料为主，之二是目前生产石化产品和化工材料主要依靠石油、天然气、煤炭等化石资源为原料，这又决定了石化产业是一个资源消耗量和能源需求量都较大的工业门类。

今天的中国石化产业与我国工业结构极为相似，是以传统产业为基本盘，这也就决定了并要求石化产业加快发展新质生产力，必须在传统产业转型升级上狠下功夫，这也就要求石化产业要深刻领会习近平总书记在参加江苏省代表团审议时强调“要牢牢把握高质量发展这个首要任务，因地制宜发展新质生产力”的深刻内涵，“因地制宜”就要把握好并立足和密切结合区域实际、行业实际和企业实际。还要继续深入领会习近平总书记进一步强调的，发展新质生产力不是忽视、放弃传统产业，要防止一哄而上、泡沫化，也不搞一种模式。各地要坚持从实际出发，根据本地资源禀赋、产业基础、科研条件等，有选择地推动新产业、新模式、新动能发展，用新技术改造提升传统产业，积极促进产业高端化、智能化、绿色化。

这虽然是在江苏省代表团、针对一个地区讲的，但所强调的“因地制宜，从实际出发”的原则，同样适用于一个行业、一个企业；一个行业或企业加快发展新质生产力，也要立足行业或企业的实际，认真分析一个行业甚至是一个国家的资源禀赋、产业基础和科研条件，研究加快发展新质生产力的优势所在以及瓶颈制约，确定突破点和重点任务目标；可以学习借鉴其他行业、别的企业好的做法和经验，但千万不可照搬照抄、一哄而上、搞一种模式。尤其像石化产业这样以传统产业为基本盘的工业体系，一定要突出产业属性、立足行业实际，不断加大利用先进适用技术改造传统产业的力度，不断加大科技创新成果示范转化和产业化应用的力度，持续降低石化产业的物耗能耗和“三废”排放水平。通过持续的改造提升和优化，推动石化产业实现以“科技含量高、资源消耗少、‘三废’排放低、经济效益好”为特征的新型工业化。

二是突出发展新质生产力的共性，在强化创新过程中加快发展新质生产力。习近平总书记再三强调，新质生产力是创新起主导作用，特点是创新，科技创新是发展新质生产力的核心要素。这是抓住了新质生产力的关键，也为我们指明了加快发展新质生产力的重要方向和关键所在。

石化产业自“十三五”以来，科技创新不断实现新的跨越，在油气勘探开采、炼油新技术、百万吨乙烯成套技术、合成与聚合技术、工程优化与先进控制技术以及现代煤化工领域大型气化炉及其成套技术、煤制油（直接法和间接法）工业化技术、甲醇制烯烃产业化技术、煤油共炼技术、煤制可降解材料等都取得了重大创新突破；聚碳酸酯、聚苯硫醚、尼龙新材料等一批工程塑料的重大关键技术、核心技术相继突破并产业化；碳纤维、芳纶、聚酰亚胺、超高分子量聚乙烯等一批高性能纤维材料的关键核心技术相继攻克并产业化；离子膜、有机/无机分离膜、光伏用膜、新能源电池膜以及保鲜膜、医用膜等高端膜材料相继研发成功，有的还破解了市场垄断，满足了市场急需；多种精细化学品、专用化学品、部分电子化学品、高纯试剂等也实现了量产，满足了部分市场需求。在取得明显进步和成绩的同时，我们还要看到我们自主创新能力不强的短板也是明显的，高端聚烯烃、聚烯烃弹性体、超纯超净试剂以及更高性能的纤维材料、透析用膜材料等部分高端产品还长期依赖进口，创新一直是我们由石化大国向石化强国跨越的明显短板，创新能力不强始终是我们的痛点之一。这就要求石化产业加快发展新质生产力，一定要坚持创新在我国现代化建设全局中的核心地位，坚持“四个面向”，以国家战略需求为导向，积聚力量进行原始性引领性科技攻关，坚决打赢关键核心技术攻坚战，积极承担具有战略性全局性前瞻性的国家重大科技项目，增强企业和行业的自主创新能力，加快实现高水平科技自立自强，充分发挥科技是第一生产力、创新是第一动力的作用。

上世纪八十年代邓小平同志讲，“马克思说过，科学技术是生产力，事实证明这话讲得很对。依我看，科学技术是第一生产力”，在马克思提出“科学技术是生产力”的理论以后，邓小平同志纵观世界工业一百多年的发展史，更是鲜明地指出“科学技术是第一生产力”！因为马克思之后的第二次工业革命和第三次工业革命，都充分证明了创新与技术进步对生产力发展和对社会进步的巨大推动作用，特别是上世纪八十年代以来，科学技术日新月异的变化以及产业变革的不断加快，都更加显示出“科学技术是第一生产力”的巨大威力。今天的事实也告诉我们，更高科技含量的劳动资料是新质生产力的动力源泉，新科技革命不断孕育出的新技术、新工艺和新设备等众多科技成果，以及数字技术的快速发展推动生产过程和生产工具的自动化和智能化，都极大地提高了生产效率，显著提升了人类创造财富的能力。从工业发展史到今天的实践，从

“科学技术是第一生产力”到“加快发展新质生产力”，这都更加直观、更加明确地要求石化产业，在石化大国的平台上，要深刻领会并贯彻落实好习近平总书记强调的，科学布局科技创新、产业创新。聚焦国家重大战略需求和重点工程，集中力量在化工新材料、高端精细化学品、高性能纤维及其复合材料、高端膜材料及其专用料、超纯超净试剂（助剂）、现代煤化工新技术等技术攻关；还要重视前瞻性技术的研发，如组分炼油、分子炼油和原油直接制化学品技术、大型电加热炉替代蒸汽裂解技术、合成气直接合成烯烃、二氧化碳捕集提纯固化与转化以及二氧化碳为原料合成化学品或合成新材料、绿氢制备等，加强科技创新特别是原创性、颠覆性科技创新，打好关键核心技术攻坚战，使原创性、颠覆性科技创新成果竞相涌现，并及时将科技创新成果应用到具体产业和产业链上，改造提升传统产业，培育壮大新兴产业，布局建设未来产业，完善现代化产业体系。

三是突出生产力的时代性，在绿色低碳转型和数字化升级中加快发展新质生产力。自马克思 1847 年形成较成熟的、科学的概括“生产力”概念，已经走过了近 180 年；离邓小平同志提出“科学技术是第一生产力”的著名论断，也已走过近 40 年；近 180 年以来特别是近 40 年以来，世界经济的发展大大超过了自人类诞生以来的总和，科学技术的进步更是日新月异、突飞猛进。今天的时代，经济的发展已远超出了马克思和恩格斯以及那同时代人的想象，中国的经济也正在跨越传统的发展模式、正在迈向高质量发展的新阶段。

当今时代特性之一是能源转型。为应对气候危机，人类正在加快绿色化低碳化转型，各国的共识是有效控制温室气体排放，其主要措施就是加快由化石能源向清洁能源的转型。而化石能源向清洁能源转型又是一个比较长的时期，在这个较长的过渡期内要经历：前期的化石能源为主、清洁能源为辅，中期的化石能源与清洁能源并重，后期的化石能源为辅、清洁能源为主，直至最终过渡到化石能源完全退出能源领域，清洁能源成为人类社会的主体能源。石化和化工产业在这个较长的转型期内既面临着严峻的挑战，也有着许多新的发展机遇，如化工新型材料及其高端复合材料、功能化学品、高性能膜材料、光能催化与转换材料、特种密封材料以及可控核聚变、氢能等新能源所需的特种材料，我们一定要紧跟时代的步伐，密切关注并力争抓住许多新时代的新机遇，特别是通过创新、加快发展新质生产力，不仅积极应对能源转型造成的新挑战，而且抓住能源转型的新机遇、乘势而上，推动石化产业的高质量发展，实现石化强国的奋斗目标。

另一新的时代特性是数字化。“十三五”以来，石化领域加快智能化改造和数字化升级，开展智能工厂和智慧化工园区试点示范，通过促进数字技术与实体经济深度融合，赋能传统产业转型升级，催生新产业新业态新模式，石化行业和企业的智能化和智慧化水平进步很快，智能化数字化方面一些共性技术和关键技术不断突破、一批创新型和创新活力很强的企业快速成长，成效明显。

当今时代，数字技术、数字经济是世界科技革命和产业变革的先机，是新一轮国际竞争的重点领域，下一步石化行业要深刻领会习近平总书记强调的：发展数字经济是把握新一轮科技革命和产业变革新机遇的战略选择，数字经济具有高创新性、强渗透性、广覆盖性，不仅是新的经济增长点，而且是改造提升传统产业的重要支点，是构建现代经济体系的重要引擎。加强关键核心技术攻关，提高数字技术基础研发能力，打好关键核心技术攻坚战，突破关键软件、推动软件产业做大做强，提升关键软件技术创新和供给能力。

四是把握石化产业未来发展趋势，在现代石化产业集群培育过程中加快发展新质生产力。习近平总书记强调，改造提升传统产业，培育壮大新兴产业，布局建设未来产业，完善现代化产业体系。中央经济工作会议把“以科技创新引领现代化产业体系建设”摆在9项重点任务首位，今年的政府工作报告中“大力推进现代化产业体系建设，加快发展新质生产力”居10大任务之首，足见党中央对建设现代化产业体系之重要性的布局。石化产业发展的基地化、园区化、炼化一体化和产业集群化，是发达国家实践证明的最佳实践，因为石化产业的集群化发展，不仅实现原料互供、能源共享、产业链上下游协同，而且减少物流运输、能源消耗、节省成本和“三废”集中处置，为石化产业的高质量发展奠定坚实基础。德国巴斯夫、新加坡裕廊岛、比利时安特卫普等世界级一流石化基地，以及国内上海化工区、南京江北新材料科技园、惠州大亚湾石化基地、连云港徐圩新区、宁东现代煤化工示范基地等，都为我们提供了成功的案例和良好的借鉴。世界一流石化基地和现代化石化产业集群，将为石化产业加快发展新质生产力创造良好的条件。因此，已认定的约650家化工园区和石化基地以及广大石化企业，都要认真落实全国《化工园区“十四五”规划指南及中长期发展展望》中提出的，组织实施“五项重点工程”、重点培育“五大世界级石化产业集群”的总体部署和目标要求，在按照新的时代要求、贯彻新发展理念、加快发展新质生产力的同时，认真组织实施好产业提升创新工程、智慧化工程、绿色化工工程、标准化工程和高质量发展示范工程，积极探索低碳或零碳示范园区与创建，国家布局的“七大石化基地”和“四大现代煤化工示范产业园”以及相关化工园区，要全力围绕环渤海湾、杭州湾、海西湄洲湾、泛大亚湾“沿海石化产业集群”以及“能源金三角现代煤化工产业集群”加大培育力度，力争“十四五”末这“五大世界级石化产业集群”初具轮廓，2035年全面建成具有全球竞争力、扬帆海内外的世界级石化产业集群，成为石化产业发展新质生产力的重要基地和载体。

五是突出生产力最活跃的因素，加大人才培养为加快发展新质生产力提供重要保障。按照马克思生产力“三要素”：劳动者、劳动资料、劳动对象的理论，劳动者即人是生产力中最活跃的因素，只有劳动者通过劳动资料、劳动对象的有效劳动，才能创造新的财富；离开了劳动者，劳动资料和劳动对象都不会自己产生新的财富，所以劳动者是生产力中起决定作用的要素，离开了高素质的劳动者队伍，就失去了加快发展新质生产力的重要前提和条件，将无法形成新质生产力。而今天在新的时代、加快发展新质生产力的时代，劳动者与马克思时代的劳动者又有着极大的不同，那个时代、180 年前的时代，由于教育资源的稀缺和知识的有限积累，大多数劳动者都是农民、操作工人等阶层，而今天的劳动者大多是受过良好教育的知识阶层，所掌握的知识量、知识水平和操作水平、觉悟水平、思考能力等等，都是那个时代劳动者的几十倍、甚至是几百倍；又加上现在的劳动工具比那个时代复杂得多，特别是信息时代以来，其机械化程度、自动化程度以及数字化程度都大大提高，今天发展新质生产力对劳动者的要求也高许多。

我国是目前世界上劳动人口最多的国家，每年新毕业的大学生就超过 1200 万，但我国同时又是高素质人才缺乏的国家，高素质人才在劳动人口中的占比与发达国家存在明显差距，在全国人口中的占比就更低；很多新毕业的大学生、甚至是研究生，也不一定适应新的工作岗位，特别是有些还不适应发展新质生产力的新要求。就人才队伍来讲，我国企业家很多，但是具有国际视野和国际管理水平的企业家缺乏；我国创新人员很多，但是从事原始创新、颠覆性创新和重大关键技术自立自强的人才缺乏（以获诺贝尔奖为例，美国是获得诺贝尔科学奖最多的国家，到 2022 年美国共有 384 人获得过诺贝尔奖，英国是 132 人、德国是 111 人；2023 年诺贝尔奖共 6 个奖项、11 人获奖，其中美国 6 人）；我国操作人员队伍庞大，但是高技能人才严重缺乏，等等。今天我们加快发展新的生产力，一定要把人才队伍建设作为重中之重的要素，要更加突出出来。

通过学科教育和继续教育，一是高度重视创新人才队伍的培养，这是加快发展新质生产力的核心队伍，是关键要素，原始创新、颠覆性创新、关键核心技术创新和自主创新队伍强了，对加快发展新质生产力就有了强有力的推动力；二是高度重视高技能人才队伍的培养，这是加快发展新质生产力的主体队伍，是在“劳动者、劳动资料、劳动对象”这“三要素”中起关键作用的队伍，也是能够把这“三要素”实现“优化组合”、大幅提升全要素生产率的重要队伍；三是要高度重视管理人才队伍的建设，特别是新时代的企业家队伍，这是加快发展新质生产力的重要骨干队伍，也是在加快发展新质生产力过程中的领导力和决策力之所在。总之，我们要贯彻落实好习近平总书记强调的，要按照发展新质生产力要求，畅通教育、科技、人才的良性循环，完善人才培养、引进、使用、合理流动的工作机制。要根据科技发展新趋势，优化高等学校学科设置、人才培养模式，为发展新质生产力、推动高质量发展培养急需人才。

以上是应媒体朋友之邀所思，实际上已经有一段时间了，几位朋友也是不厌其烦地催之又催。恰逢清明时节，沐浴在明前茶的清香之中，静下心来作简要梳理。因学识所限，又加上学得不够深、理解不够透，难免有偏颇之处，只望相互交流、相互启发，共同为加快石化产业新质生产力发展贡献一点有益的启示。

加快石化产业绿色化、低碳化转型 *

1. 能源管理与节能降碳确实应当得到重视

有三个新情况需要国际社会关注：一是气候危机更加严峻了，2023 年世界各地的热浪、洪水、森林大火等气候灾害急剧增加，损失惨重，据多家机构检测 2023 年成为地球有记录以来最热的一年。去年底在迪拜召开的第二十八届联合国气候大会特别提醒与会代表和世界各国，气温已经上升了 1.1℃，距离《巴黎协定》确立的 1.5℃温控目标只差 0.4℃了。二是首次盘点的结果并不乐观，去年完成了《巴黎协定》的首次全球盘点，伍德麦肯兹对 195 个签署《巴黎协定》的国家进行了全面评估，其承诺的减排目标无一达标。尤其是受俄乌冲突导致能源价格高位的影响，有的国家为了近期经济与政治等多种因素的考量，已然放弃近年的减排目标，履行《巴黎协定》、减排温室气体的目标遭遇了新的挑战。三是根据国际能源署的数据，2023 年全球二氧化碳排放量创新高，达到 374 亿吨，同比增加 4.1 亿吨。主要原因是极端干旱、水力发电减少，导致化石燃料的使用量大幅增加，这方面占增量的 40%。这些最新的情况告诉我们，应对气候危机不能忽视，做好能源管理和节能降碳十分重要。

2. 中国正在向碳达峰扎实迈进

2020 年 9 月，习近平总书记代表中国政府做出“3060”庄严承诺以来，时间已经过去了三年多，各地和不少行业、很多企业从最初的“碳冲锋”开始，变得更加客观、理性地看待碳达峰碳中和，也更加辩证地处理好经济发展与“双碳”目标的关系。党中央、国务院则从战略部署、方案设计层面，国家发展改革委、工业和信息化部等有关部委则从产业政策方面，推动各企业、各行业以及全社会，特别是工业领域重点耗能产品的节能降碳。国务院颁布实施

---

* 这是 2024 年 6 月 19 日，傅向升同志在 2024（第十二届）亚洲炼油和化工科技大会的能源管理与节能降碳主题论坛的致辞。

《2030 年前碳达峰行动方案》，国家发展改革委、工业和信息化部等部委研究制定《工业领域碳达峰实施方案》《工业重点领域能效标杆水平和基准水平》，去年 11 月份印发了《关于加快建立产品碳足迹管理体系的意见》，今年 2 月工业和信息化部最新印发了《工业领域碳达峰碳中和标准体系建设指南》，通过政策推动和市场引领，坚决遏制“两高”项目盲目发展，支持和引导企业应用绿色低碳新技术，加快淘汰落后产能，加大技术改造升级和节能降碳的力度。上周，工业和信息化部、生态环境部又最新印发了炼油和合成氨两个重点行业《节能降碳专项行动计划》，再次从优化产业布局、节能降碳改造和用能设备更新、能源消费绿色低碳转型、余热余能和资源循环利用、数字化升级等六大方面，对这两个重点行业的节能降碳作出部署和要求。持续发力推动中国经济社会发展加快向绿色化、低碳化转型，推动中国新型工业化加快形成绿色生产方式和全社会的绿色生活方式，力争 2030 年前后碳达峰，到 2060 年实现碳中和。

3. 石化行业“双碳”目标面临的挑战更为艰巨

一是石化产业是国民经济的重要支柱产业，也是资源型和能源型产业，据最新统计 2023 年石化行业能耗总量 8.05 亿吨标煤，占全国能耗总量的 14.1%；碳排放量 16.3 亿吨，约占全国排放总量的 13% 左右，能耗总量和碳排放总量均居工业领域前列；二是我国的石化产业与欧美日等发达国家以及海湾地区不同，受资源禀赋的制约煤化工占比高，以煤为原料生产化学品和合成材料比以石油和天然气为原料其碳排放强度要高许多；三是与美国、欧洲等发达国家和地区相比，中国石化产业的产品结构主要以大宗基础化学品和通用合成材料为主，生产基础产品和通用材料的过程就比生产高性能材料、高端精细化学品的能耗和物耗都要高，因此碳排放量和碳排放强度也就都高许多。所以与发达国家相比，我国石化产业实现碳达峰碳中和目标面临的挑战要更为艰巨。但是，石化全行业和广大石化企业正视面临的挑战和现实困难，正在向着“双碳”目标积极行动、扎实推进，已向全行业发布了《碳达峰倡议书》，也已研究制定了《碳达峰碳中和行动方案》，连续多年组织开展“能效领跑者”和“水效领跑者”活动，每年都组织开展绿色工厂、绿色化工园区和绿色产品、绿色设计等创建活动，不仅为石化行业和石化企业树立标杆、培育典型，而且取得了明显的效果。的新型工业化新赛道。

4. 现实是节能、未来在创新，加快石化产业绿色化、低碳化转型

推动经济社会发展绿色化、低碳化是实现高质量发展的关键环节。我国目前总的能耗强度是世界平均水平的 1.5 倍、是美国的 3 倍、是欧盟国家平均值的 3.8 倍、是日本的 7.2 倍。多年来我国一直是世界耗能第一大户、碳排放第一大户，从能耗强度看，与先进国家和国际领先水平还存在明显的差距，节能减排和降碳的潜力都空间巨大。创新的重点是在加大原始创新、自主创新和关键核心技术攻关，不断提升高水平科技自立自强的同时，不断加大利用先进适用技术改造传统产业的力度，大力推进清洁生产技术改造和循环化改造，推广先进适用的节能、低碳、节水技术以及废弃物综合利用技术，高度重视各类资源的节约集约利用，持续提升石化行业的整体技术水平，不断降低石化产业的物耗能耗和“三废”排放水平。积极引导清洁能源、绿电替代，提升可再生能源的消纳水平，鼓励应用短流程、反应过程强化、催化裂化余热发生超高压蒸汽技术等低碳生产工艺，支持炼油企业加快 CCUS 项目产业化示范，探索开展制氢尾气及催化裂化烟气二氧化碳直接转化、加氢制油品和化学品技术示范，推动炼油行业与可再生能源融合发展，如用绿电代替煤电和气电、绿电裂解代替传统的蒸汽裂解，鼓励企业大力发展可再生能源制氢，支持建设绿氢炼化示范工程，推进绿氢替代，逐步降低行业煤制氢用量。创新还要把握新的趋势，在原料轻质化、过程低碳化、废弃物资源化等方面加大创新力度，探索地热、氢能等清洁能源的补充替代，原油直接制化学品的产业化，推动石化产业实现绿色化、低碳化和高端化。

去年年底召开的第二十八次联合国气候大会达成了“以公平、有序和公正的方式转变脱离化石燃料”的共识，并再次重申：到 2030 年太阳能和风能等可再生能源比的现有产能增加 2 倍，到 2050 年实现净零排放。这些新的共识和要求必将对我国石化产业发展产生深远影响。这就要求我们立足国情和资源禀赋，立足石化产业的现状和实际，加快发展方式绿色转型，加快绿色创新和先进低碳技术推广应用，助力碳达峰碳中和，实现高质量发展。相信今天这个论坛一定会带给各位新的启发和新的思考，也一定会载入石化产业绿色低碳转型和高质量发展的史册。

创新转型 提质增效 为中国式现代化作出石化产业新贡献*

今年经济运行形势分析会的主要任务是：深入贯彻党的二十届三中全会精神，总结和分析上半年石化行业经济运行的情况、特点与挑战，研究下半年经济运行的重点工作与思路。贯彻经济形势专家和企业家座谈会精神：实事求是分析形势，既要看到成绩，也不回避问题，全面准确掌握真实情况，做好科学决策。

一、上半年经济环境与石化行业经济运行特点分析

上半年，世界百年未有之大变局继续深化与演进，国际政治经济环境不确定性因素不断增加，科技革命和产业变革呈加速态势，产业布局与产业链供应链重构更趋复杂，世界经济在艰难中恢复，中国经济继续呈稳中向好态势，石化产业总体好于去年同期，但效益不及预期。

1. 上半年世界经济继续增长乏力

世界银行 6 月份最新一期《全球经济展望》称，增长乏力将继续困扰世界经济，未来三年占世界人口 80% 以上国家的增长率将低于疫情前的十年。特别是欧洲和日本的产出仍然低迷，日本的增速将由去年的 1.9% 放缓到今年的 0.7%；受俄乌冲突的影响，欧元区国家预计今年的增速约 0.7%；今年一季度美国的增速仅为 1.3%，是近两年来最慢的。新兴经济体和发展中国家今年的整体增速约 4%，低于去年的 4.2%，拉丁美洲的增速将由去年的 2.2% 放缓到今年的 1.8%。世界银行副首席经济学家警告说，世界可能会陷入慢车道，特别是较长时间的高利率，导致经济增长放缓，我们需要努力避免经济增长在较长时间内处于较低水平。他同时警告，世界各国采取的众多贸易限制措施以及地缘

* 这是 2024 年 8 月 6 日，傅向升同志在 2024 全国石油和化工行业经济形势分析会的主报告。

政治紧张关系，严重影响和制约世界贸易的发展，贸易疲软也阻碍全球经济的增长。

IMF（国际货币基金组织）7 月 16 日最新一期《世界经济展望报告》把美国今年的经济增速预测值较 4 月份报告下调 0.1 个百分点。美国商务部数据显示，今年一季度美国实际 GDP 增速 1.4%，是 2022 年春季以来最低季度增速。IMF 预测日本今年增速预测值较 4 月份报告下调 0.2 个百分点，欧元区今年经济增速只有 0.9%。

2. 上半年中国经济延续回升向好态势

上半年中国经济面对错综复杂的外部环境、国内有效需求依然不足、不确定因素增加等诸多困难和挑战，各地区各部门认真贯彻落实党中央、国务院决策部署，坚持稳中求进工作总基调，全面贯彻新发展理念，加快构建新发展格局，扎实推动高质量发展，国民经济运行总体平稳。据国家统计局统计，上半年中国经济总量同比增长 5.0%，二季度环比增长 0.7%，环比增速连续 8 个季度正增长，并且生产稳定增长，结构不断优化，转型升级持续推进，经济保持平稳向好态势；增速在各大经济体中保持领先，仍是世界经济增长的重要引擎和稳定力量。IMF 7 月 16 日最新《世界经济展望报告》把中国今年经济增速预测值较 4 月份报告上调 0.4 个百分点，其首席经济学家古兰沙表示：中国等亚洲新兴经济体仍是全球经济主要引擎。世界银行 6 月份最新《全球经济展望》也指出“以中国和印度尼西亚为首的新兴市场将以约 5% 的速度增长”。

3. 上半年石化行业经济运行总体向好

石化行业上半年经济运行继续受到上游原料价格高位、下游市场需求不振、产品价格低位徘徊的影响，营业收入已止跌回升，可效益尚未全面扭转下滑态势。

根据国家统计局数据，石化行业上半年实现营业收入 8 万亿元，同比增长 5.1%；实现利润 4294.7 亿元，同比下降 1.6%；进出口总额 4740.8 亿美元，同比下降 2.5%。同比数据比去年同期明显改善（去年上半年收入同比下降 4.4%、利润同比下降 41.3%、进出口总额同比下降 7.6%）。

上半年经济运行的特点分析：**一是生产继续增长。**上半年石化主要产品的生产继续保持平稳增长。据国家统计局数据，原油天然气总产量同比增长 3.9%，主要化学品总产量增长 8.5%，特别是化学品的增速高出去年同期 4.9 个百分点。具体产品看：原油产量同比增长 1.9%，天然气增长 6.0%；原油加工量下降 0.4%，成品油产量增长 3.4%，石脑油增长 8.4%；纯碱增长 20.3%，烧碱增长 6%，硫酸增长 9.2%，精甲醇增长大于 10%；涂料增长高于 2%，合成树脂增长 5.9%。

二是市场总体平稳。上半年克服下游市场需求不振的影响，主要石化产品的表观消费量保持了平稳增长。具体产品看：天然气表观消费量同比增长 9.6%，成品油同比增长 4%，石脑油同比增长 7%；纯碱同比增长 28.3%，烧碱（折纯）同比增长 6.9%，硫酸（折纯）同比增长 9.1%，精甲醇同比增长大于 7%；涂料同比增长高于 2%，合成树脂同比增长 2.5%。合成氨同比增长高于 3%，氮肥同比增长大于 11%，磷肥同比增长高于 25%，钾肥同比增长大于 17%。

三是分化再次显现。分化主要表现在三大板块的效益，上半年油气板块营业收入实现 7375.6 亿元、同比增长 8.7%，实现利润 2056.7 亿元、同比增长 7.7%，收入利润率 27.9%；炼油板块营业收入同比增长高于 3%，实现利润同比下降幅度大于 90%，收入利润率 1.2‰；化工板块营业收入实现 4.7 万亿元、同比增长 5.7%，实现利润 2154.2 亿元、同比增长 4.4%，收入利润率 4.6%。具体到化工领域的效益情况也是分化明显，现代煤化工、农药、合成材料利润同比下降幅度大，基础化学品、化肥、涂料、染料、专用化学品和橡胶制品利润同比正增长。

四是波动明显加剧。上半年不确定性因素增加，叠加区域动荡和大国博弈，主要石化产品价格波动加剧，导致企业和行业效益的波动进一步加剧。原油价格以国际市场布伦特油价为代表，1—4 月份油价逐月上涨，而 5 月份突然由上个月 90.2 美元 / 桶下跌到 82.1 美元 / 桶，即环比下跌 9%；效益的波动更加明显，每月的同比数值是增长和下降交替出现；其他还有主要产品价格、景气指数也都是波动明显。

五是能源与粮食安全保障有力。石化产业和石化产品主要保障国家的能源安全和粮食安全，在保障能源安全方面，中国石油、中国石化、中国海油、延长石油等骨干能源企业，继续深化“油气增储上产七年行动计划”，一边加大勘探开发力度增加油气储量，一边稳定老油田开发新区块持续增产，确保上半年原油产量同比增长 1.9%、天然气产量同比增长 6%，为保障国家能源安全作出了重要贡献。在保障粮食安全方面，广大化肥、农药、农膜等农用化学品和农资生产企业，以国内市场保供稳价为第一要务，确保了上半年合成氨产量同比增长高于 3%，氮肥（折纯）产量、磷肥（折纯）产量、钾肥产量、农药产量和农用薄膜产量同比都同步增长，为春耕、夏种用肥提供了坚强保障，为夏粮增产 72.5 亿斤、总产达到 2996 亿斤作出了重要贡献。目前正在全力为秋收秋种备肥备药，为保障国家粮食安全全力以赴。

二、石化行业经济运行面临的挑战

据国家统计局、海关总署数据，今年上半年石化行业经济运行已扭转了去年收入、利润、进出口总额全面下滑的局面，正在呈现年初我们预判“底部盘整，筑底企稳”的态势，但我们在成绩面前还要保持冷静，还不能盲目乐观。特别是要顺应当前技术迭代更快、颠覆性创新更多、跨领域融合更深等时代特点，坚持底线思维，充分估计发展中的困难、挑战和不确定性，把困难估计得更充分一些，做好应对更复杂环境、更严峻局面、更艰巨挑战的思想准备和应对之策。上半年行业经济运行反映出的挑战有:

1. 利润继续下降是今年行业运行最大的挑战

因受外部环境变化带来的不利因素增多和国内有效需求不足的影响，叠加产品价格回升不及预期，上半年全行业实现利润总额同比下降 1.6%，与往年效益基本稳定不同，上半年每个月同比增长和下降交替出现，这种波动告诉我们效益全面止跌是今年高质量运行的最大挑战。

一是亏损面过高是提升运营质量、改善效益的一个挑战。上半年全行业亏损面高达 29.8%，亏损企业的亏损额高达 1250.1 亿元。从 7 月 5 日召开的重点骨干企业和专业协会经济分析座谈会上获悉，农药行业亏损面约 30%、氯碱行业亏损面约 40%，有的骨干企业化工业务板块亏损、炼油业务板块 5 月份也出现亏损。

二是成本持续增加是提升运营质量、改善效益面临的另一个挑战。原料成本以国际市场原油价格为代表，上半年布伦特原油均价 84.1 美元 / 桶，同比上涨 5.4%，红海危机造成物流成本大幅增加，三大板块和各企业的成本压力都很大。

三是炼油板块的压力尤为突出。上半年油气板块和化工板块收入、利润实现“双增长”；炼油板块收入占全行业 30%，而利润只占 0.07%，利润下降幅度高于 90%。油气板块上半年营业成本增长 8.9%，亏损企业亏损额增长 19.1%，应收账款增加 6%，存货增长 5.5%，财务费用增长 5.9%，管理费用增长 3.5%。化工板块上半年营业成本增长 5.5%，应收账款增加 10.5%，存货增长 3.4%，财务费用增长 4.4%，管理费用增长 0.9%。炼油板块、合成材料也是如此。

可见，上半年成本项几乎都是增加的，又叠加亏损企业的亏损额增加，直接影响了今年企业和石化全行业的经济效益。上半年全行业营业收入利润率比去年同期下降 0.4 个百分点，与 2021 年（8.03%）和 2022 年（6.82%）相比差距更大。在上半年我们开展的多个省区市的企业调研中，很多石化企业和企业家谈得最多、关注度最高的话题就是效益。很多企业都表示，面临今年经济大环境“筑底盘整”的艰难时期，在贯彻中央经济工作会议“稳中求进，以进促稳”精神的前提下，“保生产稳定，保市场、渡难关，强内功、求生存”是今年企业生产经营的基本目标。

2. 投资增速放缓对行业可持续发展带来影响

进入新世纪以来，特别是党的十八大以来，我国石化行业紧紧抓住世界经济和全球石化产业发展景气周期的新机遇，新的炼化一体化装置、新的石化基地加大布局、集中建设，推动我国石化产业规模集中度和整体竞争力不断迈上新的台阶、实现新的跨越，连续多年石化行业的投资都以两位数增长。而今年上半年石化行业的投资增速趋缓，化工原料和化学品制造领域投资同比增长 8.4%，比去年同期低 5.5 个百分点；上游油气勘探开采领域的投资增速只有 0.9%，增速比去年同期低 21.5 个百分点。在绝大多数化工原料和基础化学品市场供应充足的情况下，下游化工领域投资增速放缓到个位数，倒不必太过担忧；但上游油气勘探开采领域的投资增速大幅下降，会不会对油气稳产保供带来影响值得关注。

石化行业骨干能源企业按照“能源的饭碗必须牢牢端在自己手里”的战略要求和贯彻党中央能源安全的战略部署，在“增储上产”上持续发力，2019 年我国原油产量止跌回升，扭转了连续 3 年产量下降的被动局面，并于 2022 年实现原油产量重回 2 亿吨平台，在原油产量连续 5 年正增长、今年继续增长的不易业绩面前，对未来油气稳产和国家能源安全需要持续发力。

3. 结构性矛盾加剧成为行业高质量发展的瓶颈

多年来，我国石化产业基础化学品供给过量、高性能材料和高端专用化学品供给不足的结构性矛盾一直存在，并与自主创新能力不强并列为制约我国由石化大国迈向石化强国的瓶颈和短板。近十几年来，我们持续加大结构调整与优化的力度，但“基础产品供给多，高端专用产品供给少”的结构性矛盾尚未根本性改变。据最新一期产能预警报告，去年新增供给能力同比高于 10% 的主要产品有：乙烯新增 10.16%，丙烯新增 12.75%，PX 新增 21.88%，PTA 新增 14.84%，乙二醇新增 11.96%，1,4- 丁二醇新增 27.1%，己内酰胺新增 14.76%，聚丙烯新增 13.73%，环氧树脂新增 12.42%，环氧丙烷新增 24.85%，环氧氯丙烷新增 24.97%，磷酸铁锂新增 84.28%；此外，纯碱新增 11.38%，烧碱新增 2.56%，甲醇新增 1.85%，醋酸新增 14.22%，合成氨新增 8.73%，电石新增 5.13%。

从 7 月 5 日重点专业协会经济分析座谈会获悉，纯碱协会预计，今年将新增纯碱产能 400 多万吨，上半年已投产 130 万吨；氯碱协会预计，氯碱行业将新增产能 170 万吨，上半年已投产 90 万吨；农药协会统计，2023 年农药行业新建原药项目 116 个涉及原药品种 173 个、全部建成投产将新增供给能力 100 万吨，新建制剂加工项目 32 个、全部建成投产将新增供给能力 65 万吨；氮肥协会预计，今年合成氨新增供给能力 280 万吨、尿素新增供给能力 469 万吨；氟硅协会统计，在建和扩建的有机硅单体供给能力约 110 万吨，拟建的还有约 755 万吨。从多方统计数据分析看，“大宗基础产品供给多，高端专用产品供给少”的结构性矛盾将进一步加剧。

三、石化产业高质量发展正处于创新转型的关键时期

世界银行最新一期《世界经济展望》，不仅把今年全球经济增速比前期的预测值调高了 0.2 个百分点，而且预判“全球经济增长似乎正在企稳”。中国经济上半年成绩超出多家国际机构的预期，正如中央政治局的最新判断：总体平稳、稳中有进，总体态势继续向好，发展质量进一步提升，工业转型升级进一步加快，农业丰产丰收和粮食安全得到巩固。世界经济正在企稳，中国经济正以“质的有效提升和量的合理增长”同步推进，下半年政策效应将持续显现，市场积极因素将集聚增多，都将为我国石化产业高质量发展创造有利的环境和条件。我国石化产业今年下半年、乃至今后一段时期，正处于这样的关键阶段和重要时期：

1. 深化结构调整的关键阶段

石油和化学工业自“九五”计划就进行了部署，并提出结构调整这一跨世

纪的要求，那时宏观管理部委和行业领袖们已经看到：基础化学品已基本满足当时国民经济发展的需要，而代表技术水平的化工新材料和精细化学品、特别是高端产品严重短缺，为应对迈入新世纪以后我国石化产业更加开放的市场和更加激烈的国际竞争，“九五”计划把结构调整作为重点任务提了出来，并就科技创新、化工新材料、精细化工等重点领域做了专项规划，作出重点部署。当 2010 年我国迈上第二石化大国和第一化工大国这一新的平台之后，面临的结构调整的任务进一步艰巨起来，特别是成品油消费市场增速趋缓、柴油市场呈现饱和状态的时候，行业结构调整、产品“减油增化”的进程加速。但是，受多重因素影响，特别是受技术的制约，尤其是原始创新能力不强、关键核心技术缺乏等，结构调整、特别是高端化、差异化的效果不够突出。与欧美日等发达国家和地区相比，我国石化产业的结构性矛盾仍然十分突出，且仍然是制约石化产业整体竞争力的短板。近两年来又出现新的情况，即化工品市场价格处于低位，生产成品油比生产化工品和合成材料效益要好一些，此情此景看似“减油增化”并非正确选择，但从长期看“减油增化”“减油增特”，少产油品、多产化学品和高性能材料仍是趋势，还应坚持并深化。特别是新能源汽车渗透率已接近 40%，在原来柴油消费已现平台期的情况下，汽油消费市场也在收缩。这都告诉我们石化产业到了深化结构调整的关键阶段，一定要通过创新加快结构调整，改变过去“重量不重质”的传统发展思路和发展模式。

2. 产业化突破的关键阶段

一段时期以来、特别是“十三五”以来，石化全行业组织实施创新驱动发展战略，广大石化企业把创新与做强摆在高质量发展的突出位置，从全行业到各企业围绕“四个面向”，以配套国家战略需求和重大工程为重点，以保障高端制造和战略性新兴产业发展为目标，强化自主创新和高水平科技自立自强，加大创新平台建设和关键共性技术攻关力度，并探索协同创新和联合攻关新的组织形式和新的体制、机制，取得了一系列重大技术突破。在异氰酸酯系列技术国际领先，聚碳酸酯、芳纶、碳纤维、聚苯硫醚、离子膜、蛋氨酸等工程塑料、高性能纤维和功能化学品攻克难关、实现产业化的同时，茂金属聚合技术及高端聚烯烃、聚烯烃弹性体、尼龙 66 关键单体己二腈、聚酰亚胺、超高分子量聚乙烯、HPPO 以及一批高性能电子化学品和高纯超净试剂等多项受制约的关键技术相继被攻克。这些多年来制约我国石化产业向高端转型的尖端技术和制约我国高端制造领域的高性能材料和产品，到了产业化突破的前夜，到了实现大规模工业化连续稳定生产满足市场需求的关键突破期。只要广大石化企业和创新工作者不懈努力，突破技术封锁、满足市场需求，实现供应链稳定就在眼前。

3. 能源转型过渡的关键阶段

为应对气候危机、控制温室气体排放实施的碳达峰碳中和战略，对化石能源向清洁能源转型提出新要求。去年全球能源结构中化石能源仍占 81%，其中煤炭占 32%、天然气占 26%、石油占 23%。去年年底在迪拜召开的第二十八届联合国气候大会上，国际社会首次达成了“以公平、有序和公正的方式转变脱离化石燃料”的共识，重申到 2050 年实现净零排放，这必将加快能源转型的步伐和进程。

我国石化产业既是国民经济的重要支柱产业，也属于资源型和能源型产业，能耗和碳排放量均居工业领域前列，据最新统计，2023 年我国石化产业的能耗总量达到 8.05 亿吨标煤。实现党中央碳达峰碳中和战略目标，力争石化行业 2030 年前实现碳达峰，必须加快能源转型和向绿色低碳生产方式转变。多家炼化一体化企业、煤化工企业都在探索石化和煤化工与绿电、绿氢的耦合发展，炼化企业也在加快烯烃原料的轻质化和多元化、原油直接制化学品技术的产业化、组分炼油和分子炼油、绿电裂解代替传统的蒸汽裂解新工艺、生产过程电气化，多家石化、化工企业也在加大生物基化学品、生物基材料和生物可降解材料的创新力度。加快能源转型正在成为石化行业和众多石化企业的共识，石化产业为实现“双碳”目标正处在能源转型的过渡阶段，正在加快向源头控碳、过程减碳的绿色低碳转型。

4. 创新领先超越的关键阶段

石化全行业和广大石化企业按照“坚持创新在我国现代化建设全局中的核心地位”的战略要求，深刻认识到“科技是第一生产力、创新是第一动力”对推动石化产业高质量发展的极其重要性，多年来一直面向世界石化科技创新前沿，集聚力量组织开展原创性引领性科技攻关，在加快实施具有战略性全局性前瞻性国家重大科技项目、增强自主创新能力的同时，以坚决打赢关键核心技术攻坚战为主攻方向，深化和扩大国际科技合作与交流，取得了一批国际领先的自主创新成果和重大突破。现代煤化工行业的煤制油（直接法与间接法）、煤制烯烃、煤制乙二醇、煤制芳烃等，生物可降解材料聚乳酸、PBAT、聚乙醇酸等，以二氧化碳为原料合成汽油以及与绿氢合成绿醇、绿氨等，甲烷制烯烃以及废弃塑料化学循环新技术等一批国际领先的自主创新成果的工程化与产业化，必将推动我国石化领域由跟随型创新向引领型创新跨越。在现阶段我们一定要实现由投资驱动向创新驱动的转变，这是高质量发展的新要求。第一次工业革命的英国、第二次工业革命的欧洲和二战以后的美国，以及世界经济史和工业发展史都告诉我们，只有跨越了“中等技术陷阱”才能成功跨越“中等收入陷阱”，那些深陷“中等收入陷阱”难以自拔的国家，都是缺乏自主创新能力，通用技术依靠引进、核心技术受制于人的“中等技术水平”国家。所以，我们要把握住这次新的科技革命和产业变革的机遇，加快由投资驱动型向创新驱动型的转变，为迈入石化强国和推进中国式现代化而实现超越。

对石化产业所处阶段的认识，不仅是对石化产业发展阶段正确定位的需要，也是推动石化产业高质量发展和迈向石化强国之所需。在总结成绩和经验教训的同时，我们还要实事求是地分析所处的阶段和方位，正确地分析和认识当前所处的阶段，是确立未来发展正确方位的基础和前提，也才能研究和确立推动行业和企业高质量发展的新思路和新措施。当然，对所处阶段的判断，需要我们共同思考和研究，更需要行业同仁的共同智慧，特别是对于某个企业所处的发展阶段，不能简单套用行业的，而是需要企业家既凭借自己的经验和智慧，又认真与自己主业相近、规模相似的国际一流企业对标，作出判断。总之，这是一个值得思考、值得研究，更值得深入探讨的话题，也许是一个涉及未来竞争力的重要课题。

四、聚焦高质量发展，全力做好下半年行业经济运行的各项重点工作

党的二十届三中全会通过的《中共中央关于进一步全面深化改革、推进中国式现代化的决定》（下称《决定》）指出，高质量发展是全面建设社会主义现代化国家的首要任务。世界石化产业正在“筑底企稳”。从世界石化产业的发展格局来看，今年及今后一段时期，北美以美国为代表和海湾地区以沙特阿拉伯、阿联酋为代表的国家和地区将立足原料优势，规模扩张和高端化同步发力；欧洲和日本将突出效益和竞争力，聚焦创新和结构优化，以严控产能新增和调控现有产量为主基调。中国经济发展面临的有利条件强于不利条件，将以巨大的市场需求为牵引，以改革为动力促增长，突出延链补链强链、增强供应

链韧性，加大结构调整和创新图强的力度，瞄准石化强国的目标，持续推动石化产业高质量发展。

做好下半年石化产业高质量运行工作的总体思路是：以习近平新时代中国特色社会主义思想为指导，深入学习贯彻党的二十届三中全会精神，贯彻新发展理念，锚定高质量发展首要任务不动摇，突出创新驱动和绿色低碳转型，巩固上半年稳中求进取得的业绩，重点在降本增效、挖掘内需潜力、本质安全和加快发展新质生产力上下功夫，培育壮大新兴产业和未来产业，推动石化产业动能转换、结构升级和质效提升再上新台阶，为中国式现代化作出石化产业的新贡献。为圆满完成全年生产经营的任务目标，下半年应全力以赴做好以下重点工作：

1. 降本增效是下半年高质量运行的重中之重

上半年石化行业营业收入同比增长 5.1%，而实现利润同比下降 1.6%，一增一降告诉我们，今年行业经济运行的重中之重是效益，各石化企业新年伊始都把效益摆在今年各项工作的首位。除了前面分析的营业成本增加、财务费用和管理费用增加等因素外，根据国家统计局上半年数据，石化行业降本增效的空间很大，一是减亏的潜力大，上半年亏损企业的亏损额高达 1250.1 亿元，占实现利润总额的 29.1%，如果把亏损额占比降低 10%，行业总体效益状况将大为改善。二是降应收的空间大，上半年全行业应收账款高达 1.6 万亿元，占营业收入总额的 19.6%，是实现利润总额的 3.7 倍。如此高的应收账款是企业现金流和生产经营很大的隐形风险，必须想方设法降低应收账款、降低经营风险。三是降存货资金占用空间更大，上半年全行业的存货高达 1.7 万亿元，占营业收入总额的 21.1%，是实现利润总额的 3.9 倍。大量的存货占用资金，不仅造成资金周转不畅、财务费用增加，而且也带来流动资金紧缺，严重影响生产运营和效益。这就要求广大石化企业针对生产经营中存在的突出问题，进一步拓市场、扩内需，在加大降本增效力度的同时，研究制定降应收、降库存的措施和目标，特别是亏损企业一定要全力以赴减亏、扭亏，为全行业提质增效和改善运营质量奠定基础。

2. 贯彻落实产业政策是石化产业高质量发展的重要举措

党的二十届三中全会要求，要按照党中央关于经济工作的决策部署，落实好宏观政策。产业政策既是指导行业高质量发展的重要导向，也是推动行业高质量发展需要遵循的规定。去年，国家发展改革委、工业和信息化部等相关部委相继研究制定了多项与石油和化学工业创新发展、绿色低碳转型、节能降碳等密切相关的重要文件和产业政策，如《工业重点领域能效标杆水平和基准水平（2023 年版）》《关于加快传统制造业转型升级的指导意见》《关于促进炼油行业绿色创新高质量发展的指导意见》《关于推动现代煤化工产业健康发展的通知》，今年上半年又相继印发了《关于加快推动制造业绿色化发展的指导意见》《炼油行业节能降碳专项行动计划》《合成氨行业节能降碳专项行动计划》《推动工业领域设备更新实施方案》《精细化工产业创新发展实施方案（2024—2027 年）》等。

一是全行业和广大石化企业要认真研究这些产业政策，并结合行业和企业实际做好贯彻落实。炼油行业作为石化产业的基础和龙头，也是能源消耗和二氧化碳排放的重要行业。要把握好到 2025 年底全国原油一次加工能力控制在 10 亿吨以内的总量控制目标，还要依法依规推动不符合国家产业政策的 200 万吨 / 年及以下常减压装置有序淘汰退出。

二是全行业和各石化企业一定要认真研究并落实好《工业重点领域能效标杆水平和基准水平（2023 年版）》。对拟建、在建项目，应对照能效标杆水平建设实施，力争全面达到标杆水平；对于能效低于基准水平的存量项目，各地要明确改造升级和淘汰时限，制定年度改造和淘汰计划，在规定时限内将能效改造升级到基准水平以上，对于不能按期改造完毕的项目进行淘汰。能效介于标杆水平和基准水平之间的存量项目，鼓励应用绿色低碳工艺技术和设备应改尽改、应提尽提，提升能效水平，促进企业和行业降碳、减污。

三是重点研究并落实好工业领域设备更新的最新政策。今年 3 月底，国家发展改革委、工业和信息化部等七部委印发的《推动工业领域设备更新实施方案》特别强调：推动工业领域大规模设备更新，有利于扩大有效投资，有利于推动先进产能比重持续提升，对加快建设现代化产业体系具有重要意义。对于我国石化产业来说更为重要，总体上看，我国石化行业正在运行的老旧生产装置和老石化基地占有较高比重，就是伴随着改革开放经济快速建设时期建成的工厂和形成的产能，有些设备也进入到疲劳期，个别的生产装置因为物料特性或反应条件的特殊要求，甚至成为安全生产的风险隐患。又加上技术的快速进步和设备的大型化，以及当前绿色低碳对“能效”“水效”的更高要求，这对石化行业，特别是正需要开展技术改造、设备更新、提质升级的企业来说就是机遇。企业应根据自己生产稳定、本质安全的现实状况，以竞争力提升作为核心要素考量，抓住这次大规模设备更新改造的新机遇，以新技术、新工艺、新设备的应用为主要方向，以数字化转型和绿色化升级为重点，加快实现石化产业和企业的高端化、智能化、绿色化目标。通过实施先进设备更新行动，不仅加快淘汰落后低效设备和超期服役的老旧设备、加快落后低效设备的替代，而且根据企业未来发展的实际需要更新升级一批高端先进的反应、分离、输送、检测等设备。对所有石化企业来说通过实施数字化转型行动，加快智能工厂建设，推进生产过程技术突破、工艺创新、精益管理和业务流程再造，围绕生产、管理、服务等全过程加快智能化升级。企业通过实施绿色装备推广行动，在加快生产设备绿色化改造的同时，促进重点用能设备的能效升级，并大幅提升企业的本质安全水平。

当前还要认真学习、深刻领会并贯彻落实好党的二十届三中全会通过的《决定》关于“完善成品油定价机制”“加快建设一批中试验证平台”“推进消费税征收环节后移”等精神和要求。希望各企业组织专门团队，针对自己的主导产业、主导产品和生产技术水平、设备运行状况，认真研究新的产业政策，分析企业存在的短板与瓶颈制约，研究制定具体措施，有序分步实施，加快企业的绿色低碳转型和高质量发展。

3. 加快发展新质生产力是高质量发展的关键

多年来，我国一直稳居世界第二石化大国和第一化工大国，但我们必须清醒地看到：是石化大国还不是石化强国，要实现石化强国的目标，就必须加快发展新质生产力，而加快发展新质生产力又要求我们必须把创新摆在更加突出的位置。党的二十届三中全会通过的《决定》指出，推动技术革命性突破、生产要素创新性配置、产业深度转型升级，发展以高技术、高效能、高质量为特征的生产力。新质生产力代表了生产力的未来方向，是高质量发展的重要驱动力，是未来经济增长的新引擎。

石化产业加快发展新质生产力，**一是做好传统产业转型升级是基础。**石化产业作为国民经济的重要支柱产业，也是基础性配套产业，当前的产业结构是以基础产品和通用材料为主体，这也就决定并要求石化产业加快发展新质生产力，必须在传统产业转型升级上狠下功夫，切实做到发展新质生产力不是忽视、放弃传统产业，要坚持从实际出发，根据本地资源禀赋、产业基础、科研条件等，引导新兴产业健康有序发展，引领传统产业优化升级，支持企业用数智化技术、绿色技术改造提升传统产业，促进产业高端化、智能化、绿色化。

二是紧紧抓住创新这一核心要素。近年来石化产业创新突破的成效是明显的，石化行业整体技术水平的进步也是明显的，但是与美欧日等石化第一梯队的国家和地区相比，我们原创性颠覆性创新能力不强、关键核心技术受制于人的瓶颈也是明显的。加快发展新质生产力，就要求石化行业和企业聚焦国家重大战略需求和重点工程，集中力量在化工新材料、高端精细化学品、高性能纤维及其复合材料、高端膜材料及其专用料、超纯超净试剂（助剂）、现代煤化工新技术等方面进行技术攻关；还要重视前瞻性技术的研发，如组分炼油、分子炼油和原油直接制化学品技术、大型电加热炉替代蒸汽裂解技术、合成气直接合成烯烃、二氧化碳捕集提纯固化与转化以及以二氧化碳为原料合成化学品或合成新材料、绿氢制备等，加强关键共性技术、前沿引领技术、现代工程技术、颠覆性技术创新。当然，石化产业强化创新、加快发展新质生产力的根本目的，还是促进石化产业的绿色低碳转型，推动石化产业迈向高端化、绿色化和数字化的高质量发展新阶段。

4. 本质安全一刻不能放松

党的二十届三中全会要求，要统筹好发展与安全，严格落实安全生产责任。今年上半年，石化全行业和广大石化企业贯彻国务院和应急管理部关于安全生产的工作部署和要求，全面落实安全生产责任制，重视并毫不懈怠地做好石化企业和行业生产、管理、运输等各环节的过程安全工作，努力提升全行业和各企业的本质安全水平，安全形势好于去年同期。

据统计，今年上半年全国化工安全事故发生起数，同比减少 8 起、下降 13.8%，死亡人数同比减少 17 人、下降 20%，未发生重大及以上事故。当前正值盛夏，高温高湿、极端天气频发，安全生产更不容懈怠，做好下半年安全生产工作，确保全年无重特大事故发生，**一是严格操作规程**，在生产、组织、运输等各环节，严格操作规程和规范操作对确保安全生产十分重要。近两年发生的几起物料泄漏、继而起火爆炸的事故，如果及时采取正确的措施，而不是装置“带病”运行、现场带压堵漏的话，事故就可以避免。安全无小事！哪怕是一件看似很简单的操作、很容易处理的事情，如果不严格执行操作规程，就有可能酿成不可挽回的损失或灾难。例如，登高作业不按规定系安全带，造成人员伤亡的有之；维修人员正在抢修未按规定放警示牌，造成电击或误伤的有之；维修反应釜或更换、装填催化剂，有毒气体置换不完全、又不按规程检测，就进入设备抢修或操作导致中毒事件的有之；还有的发现有人中毒窒息、未按规定戴好防护器具就施救，造成多人中毒甚至伤亡的有之；近年来有的企业物料泄漏、带压堵漏、设备带病运行，造成严重人员伤亡的有之；发生事故现场，非救援人员多人聚集，造成人员严重伤亡的也有之。上半年发生的事故中，中毒窒息、火灾和爆炸分列前三位，这三类事故占事故总起数的 60%、占死亡人数的 75%，大多是不按操作规程规范操作造成的，其教训是深刻的。

二是练就安全基本功。石化产品有其自身的特殊性，大多有毒有害、易燃易爆，化工生产过程也与其他加工业不同，大多是在高温高压下实现合成或聚合反应。在石化企业工作不仅需要化学品和化学反应的基本知识，更需要有生产安全、操作安全的基本功底，一个企业的管理人员和所有生产一线的操作人员，都应了解自己企业生产的是什么产品，用的是什么原料，也要了解所有进厂和出厂的原料和产品的属性，特别是其特殊性（自然条件下是气体还是液体或固体？遇火或遇水会发生什么变化？遇到什么样的物料会发生什么样的危险？），还要了解生产过程的反应条件和操作规程的规定，更要重点了解操作过程的特殊要求，进而通过应急预案或事故演练过程，掌握一旦发生事故采取救援的步骤和措施。如果一个企业从干部到职工、上上下下都具备这样的基本功，做到本质安全就有了重要保障，本质安全就不会落空。

三是数字化智能化确保“两重点一重大”可监测可预警。各企业一定要高度重视数字化智能化转型，特别是通过智能工厂和智慧化工园区建设，增强安全生产的感知、监测、预警、处置和评估能力，切实做到重点监管化工工艺、重点监管危险化学品和重大危险源、风险点的可监测、可预警；要通过智能软件和感知系统实现对关键设备运行状况的实时在线监测、在线评估，疲劳、磨损和非正常波动实现及时预警。发挥数字化智能化在生产经营管理过程中的统计、分析与管控优化作用，并通过智能工厂和智慧园区平台保障过程安全，实现企业本质安全。

5. 前瞻布局“十五五”发展规划事关强国目标的如期实现

党的二十届三中全会通过的《决定》指出，健全国家经济社会发展规划制度体系，强化规划衔接落实机制，发挥国家发展规划战略导向作用。今年是实现“十四五”规划任务目标的关键一年，转眼又到了“十四五”末！做好“十四五”收官与“十五五”发展规划布局，是做好规划衔接落实的具体行动，认真研究新的发展阶段石化产业的发展思路、发展目标和发展举措，也关系到十年后能否实现石化强国的目标，甚至直接影响着中国式现代化的进程和目标的实现。

今年上半年，石化联合会产业发展部牵头，会同骨干企业、专业协会和相关业务部室，对“十四五”规划发展指南的实施情况进行了一次全面评估，系统梳理了“十四五”规划实施三年以来主要目标、重点任务的进展情况，也分析了实施过程中存在的主要问题和挑战，并提出了确保“十四五”规划任务目标圆满实现的思路和建议。

一是“十四五”前三年经济指标优异。2021 年石化行业利润总额创历史新高，达到 1.16 万亿元；2022 年全行业营业收入 16.56 万亿元和进出口总额 1.05 万亿美元，均创历史新高，进出口总额首次突破万亿美元，占全国进出口总额高达 16.6%，为“十四五”以来国民经济巩固和开创“稳中求进”的新局面都作出了重要贡献。

二是量化指标完成情况基本符合预期。这次从六大方面对指南实施情况进行了全面评估，涉及 17 项量化指标。从评估结果看，有 3 项指标提前完成，11 项指标完成情况符合预期，而“高附加值产品出口占比提升到 40% 以上”“研发投入占比达到 1.5%”和“万元增加值能耗、二氧化碳排放量、用水量比‘十三五’末降低 10%”，这 3 项指标完成得不理想，不同程度地存在差距。

三是能源保障和行业整体水平稳步提升。油气“增储上产”效果明显，为国家能源安全提供了重要保障；一批重点项目建成投产，提高了部分产品的自给率和供应链韧性；对外合作成效显著，响应“一带一路”倡议，促进国际产能合作、企业走出去，参与国际行业治理的影响力与话语权明显增强；行业和企业创新能力、绿色发展水平和智能制造水平等都在稳步提升。

四是全面启动“十五五”规划调研。对指南实施情况的评估结果表明，结构性矛盾仍然突出、原始创新能力仍然不强、绿色低碳发展压力较大、生产和运营成本高企等挑战不仅存在，而且是严峻的。所以，在做好“十四五”规划实施和目标任务完成情况评估的基础上，今年下半年一方面要凝心聚力为全面完成“十四五”规划目标而努力，另一方面要启动“十五五”发展规划编制工作调研方案的制定。联合会将成立“十五五”发展规划指南编制领导小组及科技创新、化工新材料、现代煤化工、高端精细化学品、化工园区、企业“走出去”与国际产能合作等专项规划编制小组，年内由会领导带队完成对重点省区市的规划调研，深入一线调查了解重点地区石化产业的发展现状、面临的挑战和未来发展的机遇、优势与重点，在充分了解各地石化产业现状、优劣势和发展思路的基础上，开展充分且深入的研讨，为明年全面启动“十五五”发展规划编制工作打好坚实基础。

今年上半年外部环境更趋复杂严峻和不确定，影响经济增长的因素较以往更为复杂，经过全行业和广大石化企业共同努力，与去年同期相比，石化行业经济运行明显好转。但下半年外部环境不稳定性不确定性上升，国内困难挑战依然不少，但这都是发展中、转型中的问题，也是发展过程中外部环境变化带来的困难，只要我们在以习近平同志为核心的党中央的坚强领导下，在中社部、国家发展改革委、工业和信息等部门指导下，深入学习和贯彻党的二十届三中全会精神，突出高质量发展这一首要任务，很多困难经过共同努力是可以克服的，有的通过深化改革是可以解决的。让我们不断强化创新驱动、加快绿色低碳转型，努力实现石化行业“质的有效提升和量的合理增长”，确保全年任务目标的圆满完成，以优异的业绩为新中国 75 华诞献礼!

扎实推进“双碳”战略 *

1. 国际社会和中国政府的共识

早在 1992 年国际社会就控制温室气体排放达成《气候变化框架条约》，1997 年《京都议定书》提出了温室气体减排的具体目标，2015 年达成应对气候变暖、控制温室气体的《巴黎协定》，明确了温室气体减排的具体路径和分阶段减排目标。中国政府 2015 年就向联合国提交了中国应对气候变化的承诺和战略，不仅提出中国将采取自主行动，而且还明确了分阶段的目标。2022 年 11 月诺贝尔可持续发展基金会特别表彰了中国政府在推进碳中和方面做出的特别贡献。

2. 中国政府扎实推进“双碳”战略

中国政府作出承诺之后，从中央到各省市、各行业、广大企业，为贯彻中央部署、实现“双碳”目标都积极行动起来，2021 年 9 月以来，党中央、国务院相继印发《关于完整准确全面贯彻新发展理念做好碳达峰碳中和工作的意见》《2030 年前碳达峰行动方案》，国家发展改革委、工业和信息化部研究制定了《关于严格能效约束推动重点领域节能降碳的若干意见》《工业重点领域能效标杆水平和基准水平（2021 年版）和（2023 年版）》等多项政策，中国各地、各行业、各领域碳达峰碳中和的前期工作和节能降碳工作扎实推进。2021 年 7 月全国碳排放权交易市场正式开市，截至今年上半年已累计成交量 4.65 亿吨，成交额约 270 亿元。其他与“双碳”相关的各方面工作也都在有序推进中，去年 11 月国家发展改革委牵头制定了《关于加快建立产品碳足迹管理体系的意见》，今年 6 月生态环境部等部门又联合印发《关于建立碳足迹管理体系的实施方案》，都提出推动建立符合国情实际的产品碳足迹管理体系，完善重点产品碳足迹核算方法规则和标准体系，建立产品碳足迹背景数据库，推进产品碳标识认证制度建设等。

---

* 这是 2024 年 9 月 11 日，傅向升同志在聚焦碳足迹——2024 能源化工行业低碳座谈会的致辞。

3. 有些工作有待加强

鉴于欧盟已试行“碳边境调节机制（CBAM）”即“碳关税”，并于2026年开始正式征缴，我们也要看到：承诺四年来还有很多工作需要强化和深化，如碳交易市场扩容问题，目前碳交易市场覆盖的重点行业、重点产品以及交易量都需要提升；再如由能耗双控向碳排放双控转变，这一部署是2021年12月份召开的中央经济工作会议做出的，具体要求是要科学考核，新增可再生能源和原料用能不纳入能源消费总量控制，从能耗双控向碳排放双控转变，两年多过去了，各地和很多企业都期盼具体的考核办法和具体措施尽快落地；还有就是我们今天讨论的话题“碳足迹”的核算及其数据库的建立，已经成为今天推进“双碳”战略最紧要的工作内容之一。

4. 突出重点，科学核算，在国际合作中尽快建立符合实际的碳足迹管理体系

接下来，我们的工作要考虑以下几点。**一是抓重点**，突出重点行业，重点行业内也要突出重点产品，譬如石化作为重点行业，实际上石化产品上万种，可能耗和碳排量高的就聚焦在化肥行业、氯碱行业、电石行业、炼油行业等，而重点产品又聚焦在合成氨、甲醇、烧碱、电石、乙烯等，抓住了这几个重点行业、抓住了这几个重点产品，就抓住了石化领域碳排放量的60%～70%，所以抓重点值得研究。

二是抓核算，目前是对全国能耗总量和碳排放总量都有数据，对每一个重点行业的能耗量和碳排放量也有数据，可是具体到一个产品其能耗量是有的，但碳排放量核算工作还比较薄弱，核算标准和具体方法要尽快落地。

三是抓互认，坚持“建立符合国情实际的产品碳足迹管理体系”的原则前提下，既要加快推进产品碳标识国内认证，还要推动国际衔接与互认，因为产品面向的消费群体是国际市场，在国际贸易中碳足迹只有相互被认可，产品在国际市场才有竞争力，如果不能互认产品仍然相互征缴“碳关税”，会不会既增加了企业的营运成本，又多了一道关税壁垒呢？最起码产品的国际市场竞争力会大打折扣。这就要求我们既要完善产品碳足迹计算所覆盖的边界范围，明确产品碳足迹的计算方法，又要推动碳足迹国际衔接与互认，加强国际碳足迹方法学研究，推动与主要贸易伙伴在碳足迹核算规则和认证结果方面衔接互认。

在扩大开放中深化国际产能合作*

国际产能合作是党中央在新发展阶段为构建“双循环”新发展格局做出的重要部署，是推动我国新一轮深化改革、扩大开放、增强国际竞争优势的重要内容；也是为适应经济全球化新形势，着眼全球经济发展新格局，把握国际经济合作新方向，创新对外合作机制，促进产业转型升级，打造经济增长新动力，开创对外开放新局面的重要途径。今天的致辞重点跟各位来宾和朋友交流中国深化改革、扩大开放的话题：

一是中国改革开放的大门将会越开越大。刚刚闭幕的党的二十届三中全会特别强调，开放是中国式现代化的鲜明标识，必须坚持对外开放基本国策，坚持以开放促改革，依托我国超大规模市场优势，在扩大国际合作中提升开放能力，建设更高水平开放型经济新体制。习近平总书记指出，中国坚持对外开放的基本国策，坚定奉行互利共赢的开放战略，不断以中国新发展为世界提供新机遇，推动建设开放型世界经济，更好惠及各国人民。这都是再次向国内外宣示改革开放的决心和信心，改革开放 40 多年来，我国开放水平不断提高，过去 40 多年我国经济发展和现代化建设的显著进步和成就是在改革开放中取得的，未来我们要建成中国式现代化仍然要靠改革开放去实现。实践和事实证明：以开放促改革促发展是我国现代化建设不断取得新成就的重要法宝。按照党的二十届三中全会《中共中央关于进一步全面深化改革、推进中国式现代化的决定》部署，中国将全面对接国际经贸规则，参与、融入世界经济的全面合作与发展，在目前同中国建交的最不发达国家享受 95%～98% 税目产品零关税的基础上，我们将全面深化改革和全方位开放中进一步放宽市场准入，有序扩大我国商品市场、服务市场、资本市场、劳务市场等对外开放，扩大鼓励外商投资产业目录，合理缩减外资准入负面清单；三天前经党中央、国务院同

* 这是 2024 年 9 月 12 日，傅向升同志在 2024 中国石化行业国际产能合作大会的致辞。

意，国家发展改革委和商务部新发布的 2024 年版外商投资准入负面清单，制造业的禁入条款已全部清零。我们将在深化改革、扩大开放中，对内更好发挥以开放促改革促发展的动力作用，对外更好发挥以开放促合作促共赢的引领作用，不仅为推动高质量发展、推进中国式现代化作出重要贡献，也为建设开放型世界经济、构建人类命运共同体积极助力。

二是石化产业国际产能合作成果丰硕。当今的世界是开放的世界，是经济一体化不断深化、相互促进、包容性发展的世界。中国石化联合会和中国石化行业国际产能合作企业联盟积极探索和拓展国际产能合作的方式和内容，不断深化与联合国环境规划署、世界塑料理事会、国际化工协会联合会、终止废弃塑料污染联盟以及美国化学理事会、欧洲化学理事会、日本石化和化工协会、韩国石化协会等国际组织和行业组织交流与合作，持续深化可持续发展、责任关怀、本质安全、应对气候危机、加强危险化学品监管等多方面、多课题的深入合作。同时，为跨国公司了解中国、投资中国和融入中国市场以及中国石化企业“走出去”都提供了政策沟通、引导和服务工作，为培育更多经济合作增长点、推动石化行业国际产能合作走深走实都发挥了良好的作用、取得了积极的效果。巴斯夫、埃克森美孚、壳牌、沙特阿美、沙比克、科思创、赢创、科莱恩等众多跨国公司看好中国、加大投资中国和在中国业绩的持续增长，普遍获业内公认。“一带一路”倡议提出 11 年来，我国石化企业获得 20 多个海外炼化项目，轮胎企业走出去成效最为突出，我国石化行业对外投资覆盖 30 多个国家和地区，不仅油气勘探、投资共建方面成绩斐然，而且随着国际产能合作的深化，工程技术服务和装备制造领域的合作也日益广泛和深化。当前共建“一带一路”绿色发展已成为新的导向和合作重点，下一步我们国际产能合作中将更加重视绿色发展和低碳转型，进一步加大清洁能源、绿色低碳产业的合作，积极推动绿色、高质量、高附加值产品和产能及其节能降碳、循环经济和资源化利用新技术以及智能化、数字化新技术“走出去”，让国际产能在高质量合作中实现互利共赢。

三是中国与东南亚的合作有着更加广阔的前景。今年的论坛是东南亚专场，中国与东南亚的合作有着明显的区位优势，中国稳居世界第二大经济体，多年来一直是世界经济增长的重要引擎，东南亚是当今世界经济发展最有活力和潜力的地区之一，中国与东南亚相加人口超过 20 亿，世界总人口的占比高于四分之一，消费市场和潜力巨大。东南亚是中国的南邻，自古以来就与中国有着密切的经贸和文化交流，在悠久的历史交往中，中国人民和东南亚各国人民都结下了深厚的友情。我们隔海相望、依水相邻，距离近物流不仅有成本优势，而且还不像红海那样易受区域动荡的影响，合作就是稳定和可预期的。实际上，东南亚各国与中国海南自由贸易港以及广东、福建、广西等沿海发达省份互联互通和经贸合作，比中国中西部省份还要便利。所以近邻的区位优势是我们合作的重要基础。

特别是中国与东南亚在石化领域具有很强的互补优势，中国是世界第二石化大国，石化产品稳定供应市场的能力以及产业链供应链的韧性和稳定性都底蕴十足；东南亚的石油、天然气资源相对丰富，天然橡胶、棕榈油等生产居世界首位，再加上东南亚各国地处热带地区，以水稻为主的农业和热带种植园丰富多样，中国的化肥、农药等农用化学品以及随着东南亚加工业的快速发展，中国石化领域的聚酯、专用料等产品，都将为东南亚市场需求提供保障、作出贡献。

今天的中国是更加开放的中国，未来的中国将是世界和平的重要力量。中国石化联合会将深入贯彻“构建以国内大循环为主体、国内国际双循环相互促进的新发展格局”战略部署，在不断加强与东南亚合作、深化“一带一路”倡议的同时，还要进一步深化“RCEP 区域合作”和全方位国际合作，在产业链互补、优势互补和市场互补中，深化国际产能合作和理念共识与创新协同，共同应对气候危机、生态挑战，推动石化产业的可持续发展和高质量发展。东南亚朋友有一个很形象的比喻“水涨荷花高”。展望未来，让我们共同努力，携手推动中国和东南亚各国在国际产能合作中，成为南太平洋海面上一朵朵盛开的、更加绚丽多彩的荷花！

“十五五”应坚定一个目标，贯彻四大部署，突出四项重点*

今年是实现“十四五”规划任务目标的关键一年，党的二十届三中全会指出，要总结评估“十四五”规划落实情况，切实搞好“十五五”规划前期谋划工作。为深入贯彻落实党的二十届三中全会精神，石化联合会已成立“十五五”规划领导小组，已经研究了做好“十五五”规划工作的初步方案，准备四季度全面开展“十五五”规划前期调研，扎实调研各主要省区市和石化企业的发展现状、重点思路和面临的挑战，充分听取企业家和相关管理厅局对“十五五”规划及发展的意见和建议。

今年上半年，石化联合会由产业发展部牵头对“十四五”规划发展指南的实施情况进行了一次全面评估，评估情况看一方面“十四五”前三年经济指标优异，2021 年石化行业利润总额创历史新高，达到 1.16 万亿元；2022 年全行业营业收入 16.56 万亿元和进出口总额 1.05 万亿美元，均创历史新高，进出口总额首次突破万亿美元，占全国进出口总额高达 16.6%，为“十四五”以来国民经济巩固和开创“稳中求进”的新局面都作出了重要贡献。另一方面，量化指标完成情况基本符合预期，主要从六大方面、17 项量化指标进行了全面评估，有 3 项指标提前完成，11 项指标完成情况符合预期，另 3 项研发投入、能耗水耗、碳排放量等指标存在一定的差距。今天的论坛是对石化产业“十五五”规划作前瞻性研讨，前瞻性地谈三点思考：

1. 要坚定一个目标，即石化强国的目标

由石化大国迈向石化强国的目标是“十三五”规划提出的，当时的背景是 2010 年我国石化产业的总体规模跃升为世界第二石化大国、第一化工大国，又经过了“十二五”五年的发展，总体规模进一步扩大、产业集中度进一步提升、国际影响力进一步增强，但我们也深刻地认识到“大而不强”的短板是明显的，

---

* 这是 2024 年 9 月 14 日，傅向升同志在中国石油化工行业“十五五”发展前瞻论坛的讲话。

因此“十三五”发展规划就提出了由石化大国向石化强国跨越的奋斗目标。这一目标一经提出凝聚了行业共识，经过“十三五”和“十四五”两个五年规划、10 年的时间，石化产业的创新发展、绿色低碳转型和数字化升级都取得了长足的进步，一批长期制约行业发展的重大关键技术相继取得突破并实现产业化，产业集中度、骨干企业竞争力以及化工园区的管理水平，都实现了新的跨越。“十五五”到了由石化大国迈向石化强国目标的关键五年，因为“十五五”结束的时候就是 2030 年了，那时离党中央确立的基本实现中国式现代化的战略目标和石化行业实现石化强国的目标只差 5 年时间了，如果“十五五”的机遇期我们错过了，就科技革命和产业变革的进程和趋势来看，我们在实现石化强国目标的征途上将遇到更多新的困难，将面临更加艰巨的挑战。因此，“十五五”期间我们一定要坚定石化强国的目标不动摇，围绕“创新能力一流、产品结构一流、企业竞争力一流、人才队伍一流”，这“四个一流”的石化强国目标，研究“十五五”规划的发展思路、重点任务目标和措施。

2. 贯彻“四大部署”，即高质量发展、新型工业化、中国式现代化、全面深化改革，这是党中央对新时代中国经济发展做出的四大战略部署

第一、高质量发展是全面建设社会主义现代化国家的首要任务。习近平总书记早在党的十九大报告时就指出，我国经济已由高速增长阶段转向高质量发展阶段。高质量发展是体现新发展理念的发展，是创新成为第一动力、协调成为内生特点、绿色成为普遍形态、开放成为必由之路、共享成为根本目的的发展。石化产业也到了高质量发展的新阶段，也到了强化原始创新、实现高水平科技自立自强和创新驱动发展的关键时刻，必须牢牢把握高质量发展这一首要任务，贯彻新发展理念，构建新发展格局，主动适应和引领新一轮科技革命和产业变革，坚持质量第一、效益优先，统筹好质的有效提升和量的合理增长，推动石化产业高质量发展再上新台阶。

第二、新型工业化是新时代新征程建设现代化国家的关键任务。建设工业强国、实现现代化是我们党始终为之奋斗的目标，今天我们已建立起独立的、比较完整的工业体系，可发展不平衡不充分的矛盾突出，关键核心技术受制于人的短板制约，又叠加当前新一轮科技革命和产业变革突飞猛进。到了深入推进新型工业化，推动我国制造业由中低端迈向中高端的重要关口和机遇期，我们必须通过创新引领发展，加快自立自强和提升产业科技创新能力，发展壮大战略性新兴产业，前瞻布局未来产业。石化产业是国民经济的重要支柱产业，也是工业领域配套性、带动力强的产业，其发展质量和水平不仅关系到人们的衣食住行，而且为高端制造业、战略性新兴产业以及航空航天、国防军工等领域提供重要配套，石化产业的新型工业化应走在前列，应成为我国推进新型工业化的先行者，应在增强原始创新能力、突破关键核心技术上下功夫，应在绿色低碳转型和数字化升级上下功夫，应在培育世界一流企业和现代石化产业集群上下功夫。

第三、中国式现代化是新时代新征程的使命任务。党的二十大报告指出，从现在起，中国共产党的中心任务就是团结带领全国各族人民全面建成社会主义现代化强国。习近平总书记指出，中国式现代化既有各国现代化的共同特征，更有基于自己国情的鲜明特色。人口规模巨大是中国式现代化的显著特征，共同富裕是中国式现代化的本质特征，两个文明相协调是中国式现代化的崇高追求，人与自然和谐共生是中国式现代化的鲜明特点，和平发展是中国式现代化的突出特征。我们用几十年走完了西方发达国家几百年走过的工业化历程，不仅创造了经济快速发展和社会长期稳定两大奇迹，而且我们与西方发达国家所走过的“先污染、后治理”及“战争、殖民、掠夺”等老路有着本质的不同。特别是党的二十大和二十届三中全会，对中国式现代化、怎样全面建成社会主义现代化强国、以中国式现代化全面推进中华民族伟大复兴都做了全面、系统的论述和部署，也为石化产业通过高质量发展为中国式现代化做出积极贡献提供了科学指南。

第四、全面深化改革是党中央的重要战略部署。党的二十届三中全会通过《中共中央关于进一步全面深化改革、推进中国式现代化的决定》，不仅是向国内国际释放我们坚定不移高举改革开放旗帜的强烈信号，而且是站在新时代、眺望党和国家事业未来发展全局，谋篇布局的重要决定。从历史的维度看，改革开放和社会主义现代化建设新时期，我国大踏步赶上时代，靠的是改革开放。党的十八大以来，党和国家事业取得历史性成就、发生历史性变革，靠的也是改革开放。新时代新征程上，要开创中国式现代化建设新局面，仍然要靠改革开放。中国式现代化是一项前无古人的开创性事业，艰巨性和复杂性前所未有，前进道路上也必然会遇到各种不确定、难预料的风险挑战，尤其是当前百年未有之大变局加速演进，新一轮科技革命和产业变革深入发展，世界进入新的动荡变革期，我国发展战略机遇和风险挑战并存，发展不平衡的问题以及一些深层次、复杂交织的矛盾，都需要进一步全面深化改革去解决；特别是把党的二十大中国式现代化的蓝图和所做的战略部署落到实处，关键也是要通过全面深化改革不断完善各方面体制机制，尤其是一些重大体制机制问题和深层次的突出矛盾，更需要全面深化改革去解决、去破解，坚决清除一切妨碍中国式现代化顺利推进的体制机制障碍和制约因素，源源不断为中国式现代化激发活力、增添动力。石化产业为适应高质量发展也存在发展不平衡、结构不合理、原始创新动力不足、核心竞争力不强、竞争失序或内卷严峻等问题，这些也都需要通过进一步全面深化改革来破局。

3. 突出“四项重点”，即创新驱动、转型升级、国际合作、集群发展

第一、创新驱动。石化行业和石化企业历来重视创新，也取得了很多重大科技创新的成果，并为推动石化产业的发展和进步做出了重要贡献，但原始创新能力不强始终是制约石化强国目标的最明显的短板。“十五五”期间瞄准石化强国的目标，更加突出创新在我国现代化建设全局中的核心地位，坚持“四个面向”，强化原始创新，以国家战略需求为导向，集聚力量进行原创性引领性科技攻关，坚决打赢关键核心技术攻坚战；加快实施一批具有战略性全局性前瞻性的国家重大科技项目，增强自主创新能力；重点培育和建设好公共创新平台，为科技创新成果的工程化、产业化创造条件，强化企业创新主体的地位，发挥科技型骨干企业的引领支撑作用，培育更多一流科技领军人才和创新团队。聚焦一批国际领先的自主创新成果取得重大突破，推动石化领域科技创新由跟随型向引领型转变，石化产业发展动力由投资驱动型向创新驱动型转变。特别是要把握住这次新的科技革命和产业变革的机遇，通过创新驱动发展，实现高水平科技自立自强，促进我国石化产业成功走出“中等技术陷阱”，早日改变原始创新能力不强、关键技术依靠引进、核心技术受制于人的“中等技术水平”窘境，为实现石化强国目标提供技术保障和创新支撑。

第二、转型升级。对于石化产业来说转型升级是一个永恒的课题，石化行业和广大石化企业过去的实践和未来的发展都是在转型中发展、在升级中做强。**一是传统产业转型升级，**我国石化产业的结构现状是大宗基础产品和通用材料为主，老旧石化装置和石化基地为主，这就要求我们在加快发展战略性新兴产业、布局未来产业的过程中，千万不能忽视了传统产业的升级改造，千万不能简单把传统产业当作落后产能淘汰掉，如果只考虑高精尖、而忽视传统产业升级，不仅仅是顾此失彼的问题，那也会造成高端产业和产品成为空中楼阁。

二是绿色低碳转型，推动经济社会发展绿色化、低碳化是实现高质量发展的关键环节。我国发展化学工业的石油天然气资源严重稀缺，石化产业高质量发展受资源禀赋制约和环境约束，加快绿色低碳转型对石化产业尤为重要。尤其是“双碳”战略的推进，石化产业在持续加大节能减排的同时，要加快原料结构和用能结构的调整，原料向轻质化转型、用能向清洁化转型，还要稳步推进石化行业的重点产品和重点企业的碳减排，落实工业领域重点产品碳达峰实施方案，加大节能降碳技术和产品研发与推广应用，深入实施绿色制造工程，持续打造绿色工厂、绿色设计、绿色化工园区、绿色产品和绿色供应链，大力推动产业链上下游协同发展、循环生产方式、资源节约高效利用和化工园区循环化改造，推动石化全行业和各企业加快绿色低碳转型。

三是数字化转型，发展数字经济成为世界各国把握新一轮科技革命和产业变革新机遇的战略选择，更是推动我国高质量发展的重要举措。当前数字化、智慧化发展迅猛，数字技术正在成为第四次技术革命的重要驱动力，也是全球创新的竞争高地。通过数字化赋能石化产业、特别是传统石化企业和石化基地转型升级，通过智能工厂、智慧车间、智慧园区等试点和示范，促进数字经济和实体经济深度融合，让数字化转型不仅成为改造提升传统石化产业的重要支点，而且成为助推石化产业高质量发展的重要引擎，推动石化产业高端化、智能化、绿色化发展。

第三、国际合作。党的二十届三中全会再次重申，开放是中国式现代化的鲜明标识。必须坚持对外开放基本国策，在扩大国际合作中提升开放能力，建设更高水平开放型经济新体制。习近平总书记也曾经强调，实践证明，过去 40 年中国经济发展是在开放条件下取得的，未来中国经济实现高质量发展也必须在更加开放条件下进行。中国下一步将深度参与全球产业分工与合作，稳步扩大制度型开放，落实外国企业国民待遇，加强知识产权保护，营造市场化、法治化、国际化一流营商环境，依法保护外商投资权益，推动产业链供应链国际合作。5 天前最新发布的外商投资负面清单，制造业禁入条款已全部清零。“十五五”期间，石化产业将深入贯彻“构建以国内大循环为主体、国内国际双循环相互促进的新发展格局”战略部署，在与国际组织、跨国公司可持续发展、责任关怀等发展理念交流互动，以及创新协同、产业链协同、绿色可持续供应链协同深入交流与合作的基础上，深化“一带一路”倡议、“RCEP 区域合作”和全方位国际合作，实现产业链互补、市场互补，增强供应链韧性，并且进一步密切共同应对气候危机、生态环境挑战、废弃物污染等议题的合作与一致行动。

第四、集群发展。党的二十大对建设现代化产业体系，打造具有国际竞争力的产业集群做出了部署，石化产业的园区化、基地化和炼化一体化是高质量发展的重要途径。《化工园区“十四五”发展规划指南与2035中长期发展展望》，在“十三五”化工园区发展“规划科学，布局合理，管理规范，产业协同，集群发展”总方针的基础上，提出“十四五”化工园区组织实施“五项重点工程”、重点培育“五大世界级石化产业集群”的思路和部署。“五大世界级石化产业集群”的基本思路是：沿海以国务院规划布局的“七大石化基地（即长兴岛、曹妃甸、连云港、上海、宁波、古雷、大亚湾）”为主体，重点培育“环渤海湾、杭州湾、海西湄洲湾和泛大亚湾”“沿海四大石化产业集群”；西北煤炭资源富集区域以国家布局的“四大现代煤化工产业示范区（即鄂尔多斯、榆林、宁东、准东）”为主体，重点培育“能源金三角”现代煤化工产业集群。确立的规划目标是：“十四五”末“五大世界级石化产业集群”初具轮廓，到2035年与中国基本实现现代化和石化强国目标同步，建成“五大世界级石化产业集群”。

“十四五”规划发布以后，各省区市相继开展化工园区的规范认定工作，石化联合会按照国家发展改革委、工业和信息化部的工作部署，组织推进智慧化工园区、绿色化工园区等工作，并同步推进化工园区产业提升创新工程、标准化工程和高质量发展示范工程。今天看，在全国已规范认定的695家化工园区中，智慧化工程、绿色化工程、标准化工程都取得了明显的成效，化工园区的管理水平都上了大的台阶，产业提升创新工程、高质量发展示范工程和“五大世界级石化产业集群”都稳步推进，与世界一流石化基地对标的具有综合竞争优势的70家化工园区将呼之欲出。

“十五五”的五年，是实现石化强国目标的关键期，其发展规划一定要把培育具有国际竞争力的世界一流石化产业集群作为重中之重的目标做出重点部署，一批综合实力强、产业规模优势突出、管理水平高的石化基地和园区，要全方位对标德国路德维希港、新加坡裕廊岛、比利时安特卫普、沙特阿拉伯朱拜勒工业城等国际一流的石化基地，打造具有国际竞争力的世界一流石化园区。环渤海湾、杭州湾、海西湄洲湾、泛大亚湾沿海“世界级石化产业集群”以及“能源金三角”现代煤化工产业集群，要对标墨西哥湾、东京湾等湾区经济和产业集群模式，在湾区内基地与基地间、园区与园区间、企业与企业间，加大产业链协同、资源能源共享、平台共建、集群化发展上做深入研究，既统筹湾区内产业的集群化发展，又要立足自己的主导产业和未来竞争力做好差异化，尤其要避免低水平重复性建设，力争“十五五”末“五大世界级石化产业集群”高端化、绿色化、智慧化水平再上新台阶。

以上“一个目标、四大部署、四项重点”，只是个人对“十五五”规划前瞻的思考，因时间仓促，还不够成熟、也不够系统，只是为这次论坛作交流，希望能带给今天参会的各位嘉宾和石化行业、企业更多启发和思考。

强化企业创新主体地位应做好“四个瞄准”*

今年石化行业生产运营总体平稳，但也遇到了新的挑战，特别是下半年以来效益变化起伏较大，无论是应对日益严峻的气候危机、粮食危机、能源危机，还是化解当前的新挑战和新矛盾，创新成为首要的考量要素。“如何强化企业创新主体的地位？”重点从三个维度谈谈个人思考：

1. 党的二十大和二十届三中全会对创新和企业创新主体地位的战略定位与部署

党的二十大明确指出，必须坚持科技是第一生产力、创新是第一动力，深入实施科教兴国战略、创新驱动发展战略。特别强调“坚持创新在我国现代化建设全局中的核心地位”，“强化企业科技创新主体地位，发挥科技型骨干企业引领支撑作用，营造有利于科技型中小微企业成长的良好环境，推动创新链产业链资金链人才链深度融合”。

党的二十届三中全会通过的《中共中央关于进一步全面深化改革、推进中国式现代化的决定》再次强调，必须深入实施科教兴国战略、创新驱动发展战略。优化重大科技创新组织机制，统筹强化关键核心技术攻关，推动科技创新力量、要素配置、人才队伍体系化、建制化、协同化。加强国家战略科技力量建设，优化国家科研机构、高水平研究型大学、科技领军企业定位和布局，推进科技创新央地协同，加强科技资源统筹和力量组织，推动科技创新和产业创新融合发展。改进科技计划管理，强化基础研究领域、交叉前沿领域、重点领域前瞻性、引领性布局。强化企业科技创新主体地位，建立培育壮大科技领军企业机制，加强企业主导的产学研深度融合，建立企业研发准备金制度，支持企业主动牵头或参与国家科技攻关任务。构建促进专精特新中小企业发展壮大机制，鼓励科技型中小企业加大研发投入，提高研发费用加计扣除比例。深化

* 这是 2024 年 11 月 3 日，傅向升同志在企业创新主体沙龙的演讲。

科技成果转化机制改革，加强国家技术转移体系建设，加快布局建设一批概念验证、中试验证平台，完善首台（套）、首批次、首版次应用政策，加大政府采购自主创新产品力度。以上党的二十大报告和三中全会《中共中央关于进一步全面深化改革、推进中国式现代化的决定》有关创新的内容和精神，是我们做好企业创新、产业创新需要把握的战略要求，是创新政策的总遵循和最高解读。

2. 石化行业科技创新的相关政策

一是让我们再次回顾和研究《石油和化学工业“十四五”科技发展指南》(以下简称《指南》) 的相关内容，《指南》在分析科技创新面临的新机遇和新挑战基础上，不仅提出了科技创新的总目标，而且针对石化领域的现状和高质量发展要求，对突破一批关键共性技术（新催化技术、过程强化技术、新分离材料与技术、生物化工技术、先进控制与信息技术）、开发一批补短板强基础促高端的技术和产品（油气勘探技术、石油化工、合成材料、化工新材料、现代煤化工、精细与专用化学品以及重大装备等）作为重点科技创新任务作出了部署，也研究并提出了支持和鼓励石化化工领域科技创新的政策措施和建议。我们又到了“十四五”末，今天再次来回顾和研究这个《指南》及其相关内容，不仅是为了总结评估“十四五”规划的落实情况，更是为了切实搞好“十五五”规划前期谋划工作，更好地研究部署和做好“十五五”石化化工领域的科技创新工作。

二是让我们一起领会最新产业政策与石化产业科技创新的相关内容。去年10 月，国家发展改革委、工业和信息化部等四部委联合印发的《关于促进炼油行业绿色创新高质量发展的指导意见》，在“加强科技创新引领”部分，明确提出了优化创新体制机制、加强软件开发应用、开发新型炼油技术、加快低碳技术研发等重点任务。并在“完善配套政策”部分强调，围绕重点任务，积极落实能源领域首台（套）等配套政策，支持行业节能降碳领域研发中心、创新中心建设，组织重大专项科技攻关等多项政策措施。

去年 6 月，国家发展改革委、工业和信息化部等六部委联合印发的《推动现代煤化工产业健康发展的通知》，在“加大科技创新力度”部分，针对现代煤化工产业升级示范以来取得的进步、积累的经验和反映出的瓶颈制约，也针对现代煤化工产业未来创新发展的要求，明确提出实施重大技术装备攻关工程，加快产业技术优化升级，推进原始创新和集成创新，推进高性能复合新型催化剂、合成气一步法制烯烃、一步法制低碳醇醚等技术创新，以及加快煤基新型合成材料、先进碳材料、可降解材料等高端化工品生产技术开发应用，推动现代煤化工与可再生能源、绿氢、二氧化碳捕集利用与封存等耦合创新发展。

3. 未来企业创新发展的思考

首先是我国石化产业科技创新不断取得新突破、实现新跨越，上游油气勘探开采领域，“深地、深海、非常规”实现多点突破。“深地”方面，近年来我国石油勘探不断向地球深部进军，曾多次刷新深地开发记录，今年 3 月中国石油在新疆塔克拉玛干沙漠实现前所未有的突破，“深地塔科 1 井”钻破万米，成为世界陆上第二、亚洲第一的垂深井，这在超深层油气勘探和深地科学研究领域都具有里程碑意义，不仅为国家能源安全找油找气，而且为探索地球未知领域和拓展人类认识边界都是一次大胆的尝试。

“深海”方面，“深海一号”正式投产 3 年来，实现累计生产天然气 80 多亿立方米的同时，已实现深水 1500 米水下作业，1500 米是国际定义深水与超深水的分界线，这不仅使我国油气勘探开发超深水领域实现历史性跨越，也使我国成为继美国、挪威后全球第三个具备超深水油气资源自主开发能力的国家。

“非常规”方面，我国页岩气勘探开发也掌握了多项新型勘探和开采技术并获得应用，单井产量和开发效率也不断提高，去年我国页岩油产量达 400 万吨，页岩气产量已达到 250 亿立方米。上游这些勘探开采新技术的创新与应用，为确保我国原油产量多年稳定在 2 亿吨以上和天然气产量连续 7 年年增 100 亿立方米发挥了重要保障作用。

当然，我们还要清醒地认识到目前我国是石化大国，与美国、德国、日本相比还不是石化强国，创新能力不够强始终是制约石化强国目标的明显短板，也是我们多年的痛点之一。尼龙 66 的关键单体己二腈等这类“卡脖子”技术、长碳链和高性能芳香族尼龙新材料、茂金属催化剂及聚合技术及其高端聚烯烃、聚烯烃弹性体、超纯超净试剂以及更高性能的纤维材料、透析用膜材料等部分高端产品还长期依赖进口，多套新建的聚合装置、合成装置以及轻烃制烯烃装置，还都是依赖核心技术或工艺包引进。我们在肯定成就与进步的同时，也必须正视当前创新能力、创新水平和考评激励机制等瓶颈制约，坚持“四个面向”，加快实现高水平科技自立自强。

最后，关于企业创新**一是瞄准高端、聚焦升级**，就石化行业来看，当前规模大、“同质化有余，差异化不足”、内卷加剧、效益不高，这就要求我们的企业把创新的主攻方向聚焦在增强企业竞争力、结构调整和产品升级上，既要贯彻落实好相关产业政策优胜劣汰、淘汰落后产能，又要加快产品结构调整和生产技术改造，提高清洁油品、特色油品、化工原料、化工产品的生产灵活性，通过自主创新推动企业实现集约化、高端化和差异化。

二是瞄准国家战略需求，聚集力量进行原始性引领性科技攻关，坚决打赢关键核心技术攻坚战，积极承担具有战略性全局性前瞻性的国家重大科技项目，为我国电子信息领域、高端制造业、战略性新兴产业破解“卡脖子”的堵点和痛点多做贡献；也为我国改变航空航天、国防军工等尖端领域和安全领域受制于人的被动局面，实现化工新型材料、高性能纤维及其复合材料、高端膜材料的自主可控。

三是瞄准“双碳”目标、聚焦绿色低碳新技术的创新与应用，积极研发和探索清洁能源、绿电替代以及短流程工艺、反应过程强化、催化裂化余热发生超高压蒸汽技术等低碳生产工艺，炼油企业、煤化工企业都应加快 CCUS 示范应用，探索开展制氢尾气及催化裂化烟气二氧化碳直接转化、二氧化碳和甲烷干重整工程化开发。开展绿氢炼化、绿氢煤化工等示范工程，加大绿氢制备和可再生能源制氢的创新力度，推进绿氢替代，加快炼油行业、现代煤化工产业与可再生能源融合发展。

四是瞄准国际前沿，强化协同创新，生产型企业强化与研究型大学、中国科学院等科研院所、国家重点实验室、科创中心等研发机构和组织的协同创新，企业还应强化与下游客户和上游供应链的协同创新。炼化企业加快原油直接制化学品技术的产业化示范，加快组分炼油、分子炼油、单原子催化以及甲烷直接制烯烃、合成气一步法制烯烃、生物基化学品和材料及生物可降解材料制造技术、甲烷裂解制氢、光分解水制氢、二氧化碳为原料制油品和化学品等前沿新技术的创新，力争早日实现关键技术和催化剂的重大突破。

邓小平同志讲，“科学技术是第一生产力”。习近平总书记强调，“科技创新是发展新质生产力的核心要素。”过去历次工业革命，都充分证明了创新与技术进步对生产力发展和对社会进步的巨大推动作用，今天我们正经历第四次工业革命的递进过程，智能制造、数字技术、人工智能等迭代更快、赋能作用更强。让我们共同携手，在不断强化企业创新主体地位的过程中，推动石化全行业的创新发展和转型升级，助力石化强国目标早日实现，为中国式现代化做出石化产业的新贡献！

坚定信心　以进促稳
努力再创石化产业稳中求进新局面 *

这次会议的主要任务是：深入学习贯彻党的二十届三中全会和中央经济工作会议精神，总结回顾 2024 年度石化行业经济运行情况，分析研判面临的经济形势，研究部署新一年经济运行的重点工作。

一、2024 年石化行业经济运行的基本情况和特点

2024 年是实现“十四五”规划目标任务的关键一年，也是外部压力加大、内部困难增多、形势复杂严峻的一年。国际政治环境复杂多变，区域动荡持续加剧，全球经济增速继续低迷，国际货币基金组织（IMF）预计，2024 年全球经济有望增长 3.2%，这个增速既低于 2023 年的 3.3%，也低于 21 世纪头 20 年平均水平的 3.7%。

中国经济增长良好。虽然外部环境变化带来的不利影响加深，以及面临国内需求不足、部分企业生产经营困难等挑战，但我国经济基础稳、优势多、韧性强、潜能大，长期向好的支撑条件和基本趋势没有变。2024 年国内生产总值保持了 5% 的增长，经济总量达到 134.9 万亿元，增量相当于一个中等国家一年的经济体量，继续为世界经济增长贡献约 30% 的份额。

石化行业经济运行基本稳定。2024 年，石化全行业克服了下游市场需求不足、产品价格低位徘徊、企业效益明显下滑等不利因素的影响，经济运行保持基本稳定并取得新的突破。主要特点有：

1. 这一年是筑底企稳的一年

2024 年初，不论是与跨国公司交流、经济运行发布会上，还是参加国际会

* 这是 2025 年 2 月 20 日，傅向升同志在 2024 年度中国石油和化学工业经济运行新闻发布会的报告。

议，当谈及对全年经济形势总体判断的时候，我们预判 2024 年将是“底部盘整，筑底企稳”的一年。从全年运行结果来看，全行业实现营业收入 16.28 万亿元、同比增长 2.1%（上年同比下降 1.1%），利润总额 7897.1 亿元、同比下降 8.8%（上年同比下降 20.7%），进出口总额 9488.1 亿美元、同比下降 2.4%（上年同比下降 9.0%）。油气和化工两个板块的情况类似，油气板块营业收入 1.49 万亿元、同比增长 1.5%（上年同比下降 3.9%），实现利润 3360.8 亿元、同比增长 12.4%（上年同比下降 15.5%）；化工板块营业收入 9.76 万亿元、同比增长 4.6%（上年同比下降 2.7%），实现利润 4544.4 亿元、同比下降 6.4%（上年同比下降 31.2%）。从全年数据、特别是同比数据来看，确实呈现出筑底企稳的态势。由此我们推断，2024 年全行业经营业绩、特别是效益将是“十四五”的谷底，新的一年将是再创佳绩的一年。

2. 这一年是稳定增长的一年

主要体现在“三个稳定增长”：**一是行业收入稳定增长。**2024 年石化全行业实现营业收入 16.28 万亿元，这是连续 3 年稳定在 16 万亿元上下，也是继上年同比下降 1.1% 的情况下，经过广大石化企业和全行业的共同努力，由负转正、同比增长 2.1%，占全国规模工业营业收入的比例稳定在 12% 左右，继续为工业经济增长作出重要贡献。

二是企业数量稳定增长。根据国家统计局数据，2024 年底石化行业规模以上企业 32183 家，比上年增加 1676 家。

“十四五”前 4 年石化行业规模以上企业的数量持续增加，2021 年比上年增加 908 家，2022 年比上年增加 1813 家，2023 年比上年增加 1747 家，表明每年都有一批中小企业在健康成长，并跃上规模以上企业这一新的平台，表明“十四五”以来石化行业企业的生产、运营与发展是稳定的。

三是生产消费稳定增长。根据国家统计局主要石化产品的生产数据，2024 年我国油气当量总产量同比增长 4.0%，主要化学品总产量增长 7.2%。其中，原油产量同比增长 1.8%、天然气产量同比增长 6.2%、成品油产量同比增长 0.3%、石脑油产量同比增长 3.6%、烧碱产量同比增长 5.5%、纯碱产量同比增长 16.3%、合成树脂产量同比增长 4.3%、子午线轮胎产量同比增长 8.6%。

主要石化产品的表观消费量同步增长，2024 年我国油气表观消费总量同比增长 1.8%，主要化学品消费总量增长 6.1%。其中，无机化学品表观消费量增长 7.8%，有机化学品表观消费量增长 6.4%。具体看，天然气表观消费量同比增长 8.0%、成品油表观消费量同比增长 1.7%、石脑油表观消费量同比增长 2.6%、精甲醇表观消费量同比增长 7.2%、乙烯表观消费量同比增长 1.1%、纯苯表观消费量同比增长 5.4%、烧碱表观消费量同比增长 4.3%、纯碱表观消费量同比增长 18.5%、合成树脂表观消费量同比增长 0.8%、合成纤维单体表观消费量同比增长 8.7%。

3. 这一年是进出口量增价降的一年

受产品价格低位的影响，在主要产品进出口量增加的情况下，石化行业进出口总额及进口额、出口额出现同步下降。根据中华人民共和国海关总署统计，2024 年石化行业进出口总额 9488.1 亿美元，同比下降 2.4%。其中，进口额 6257.6 亿美元、同比下降 3%，出口额 3230.5 亿美元、同比下降 1.3%，贸易逆差 3027 亿美元、同比下降 4.8%，贸易逆差也出现同步下降。而有些石化产品的进口和出口数量不仅增幅高、而且有的数量还较大。从出口看，烧碱、醋酸、涂料、合成树脂聚丙烯、聚氯乙烯、ABS 树脂以及合成纤维单体、合成纤维聚合物与聚酯等出口量同比都是两位数增长，其中合成树脂出口 1747.2 万吨、聚丙烯出口 216.2 万吨、聚氯乙烯出口 310.8 万吨、合成纤维单体出口 501.7 万吨、合成纤维聚合物出口 802.3 万吨、聚酯出口 698.8 万吨。从进口看，液化石油气进口 3574.5 万吨、同比增长 9.3%，乙烯进口 223.2 万吨、同比增长 5%，纯苯进口 431.3 万吨、同比增长 28.2%，聚乙烯进口 1385.2 万吨、同比增长 3.1%，钾肥进口 745 万吨、同比增长 8.2%。

2024 年化工产品总出口额达 2526.2 亿美元，其中有机化学品 676.9 亿美元、农药 90 亿美元、合成树脂 272 亿美元、合成纤维聚合物 86.8 亿美元、橡胶制品 580.3 亿美元、涂料油墨颜料 104.7 亿美元、专用化学品 278 亿美元。

总体来看，虽然贸易形势比较严峻、挑战比较多，贸易摩擦和不确定性影响因素也较多，且受贸易保护主义抬头、区域动荡加剧以及国际贸易格局和供应链重塑的影响，全球贸易紧张局势进一步加剧，世界贸易增速进一步放缓，但国际市场对中国石化产品的需求潜力还是比较大的，尤其是欧洲原材料、能源价格高企，对中国石化产品开拓国际市场腾挪了一定的空间。鉴于中国石化产品的规模优势和整体竞争力，2024 年石化产品的进出口为国家稳外贸、稳经济增长都作出了积极的贡献。

4. 这一年是稳中有变的一年

主要表现在“四个变化”：**一是原油进口量下降的变化。**2024 年原油进口量

5.53 亿吨，同比下降 1.9%，原油对外依存度下降 0.7 个百分点、至 72.2%。

二是原油加工量下降的变化。2024 年原油加工量 7.08 亿吨，同比下降 1.6%，主要是受到成品油市场收缩和下游需求不旺的影响。截至 2024 年年底，我国原有一次加工能力已达 9.3 亿吨 / 年，可见我国炼油装置的平均开工率下降为 76.1%，比上年度降低 3.8 个百分点。

三是主要石化产品价格继续下降的变化。2024 年原油及主要石化产品价格继续走低，没有出现年初人们期望的价格回升，多数化工产品价格同比环比均以降为主，尤其是下半年产品价格下降尤甚。以布伦特原油价格为例，2023 年布伦特原油均价 82.6 美元 / 桶，同比下降 18.3%；2024 年布伦特原油均价 80.8 美元 / 桶，同比下降 2.3%，下半年布伦特油价环比更是以降为主。

全年石油天然气价格同比下降 0.4%，化学品价格同比下降 4.1%，特别是部分化工产品和合成材料价格降幅较大。在重点监测的 49 种无机化学品中，全年市场均价同比下降的有 34 种、占比 69.4%；在重点监测的 72 种有机化学品中，全年市场均价同比下降的有 44 种、占比 61.1%；在重点监测的 56 种主要合成材料中，全年市场均价同比下降的有 28 种、占比 50.0%；在重点监测的 14 种化肥产品中，全年市场均价同比下跌的有 11 种、占比 78.6%。在 1 月 17 日召开的重点骨干企业和专业协会座谈会上了解到，多种石化产品和化工材料的市场价格都降到了历史低位，其中尿素、聚氯乙烯等产品已降到 20 年前的价格水平。

四是汽油销售量下降的变化。2024 年汽油表观消费量虽然增长 3.5%，但在重点骨干企业座谈会上，成品油销售骨干企业全年汽油销量均出现下降，据统计有的公司销量下降 2.6%，有的公司销量下降 0.8%，虽然下降幅度不同，但趋势已经显现。这也表明，新能源汽车在 2024 年渗透率已超过 45% 的情况下，对传统成品油市场的影响开始显现。来自国家统计局数据，2024 年柴油产量同比下降 4%，表观消费量同比下降 1.4%，柴油前几年已呈饱和状态，叠加 LNG 替代的加速，销量下降属预料之中。原油加工量和汽柴油消费量下降是否预示着我国原油和成品油消费量正处达峰期？甚至有业内人士表示“2023 年国内成品油消费已达峰值”。这都告诉我们炼化企业油转化、油转特已成为主要趋势。

5. 这一年是作出重要贡献的一年

一是为保障能源安全作出重要贡献。2024 年是深入实施“四个革命、一个合作”能源安全新战略十周年，新一轮能源革命持续深化，绿色低碳转型进程加快，又叠加国际环境的变化与不确定性增加，石化行业担负的能源保供和能源安全的使命更加艰巨。中国石油、中国石化、中国海油以及延长石油等骨干油气能源企业，牢记习近平总书记“能源的饭碗必须端在自己手里”的嘱托，全力实施油气增储上产“七年行动计划”，稳定老油田、拓展新区块、创新增储量，“深地、深海、非常规”同步发力，深地突破万米纪录，深海迈向国际领先，非常规油气产量世界第二。2024 年原油产量连续 6 年正增长、连续 3 年稳定在 2 亿吨之上，达到 2.13 亿吨，原油对外依存度降至 72.2%，比上年再降 0.7 个百分点；天然气产量 2463.7 亿立方米，新增产量 143 亿立方米，增量连续 8 年超过 100 亿立方米，天然气对外依存度 42.0%。

二是为保障粮食安全作出重要贡献。有统计数据证明，化肥对全球粮食增产的贡献率平均为 40%，联合国粮农组织测算，农药的使用挽回了世界农作物总产量 30% ～ 40% 的损失。

化肥、农药、农膜等农化企业，贯彻习近平总书记确保国家粮食安全，中国人的饭碗要牢牢端在自己手里的重要指示精神，把涉农产品和物资的保供稳价作为首要任务，2024 年化肥产量（折纯）同比增长 8.5%、农药产量同比增长 22.2%、农膜产量同比增长 5.5%，为我国全年粮食产量首次突破 7 亿吨、比上年增产 1109 万吨提供了重要保障，为保障粮食安全作出了重要贡献。

2024 年石化全行业在保持经济运行基本稳定的前提下，创新驱动新质生产力发展、绿色低碳转型、智慧化数字化升级、国际合作与交流、民营经济与中小企业发展以及园区建设与管理、产业协同与产业集群培育都取得了新的进步和成效。这些成绩的取得是广大石化企业和石化全行业以习近平新时代中国特色社会主义思想为指导、贯彻落实党中央、国务院决策部署的结果，是国家发展改革委、工业和信息化部等各有关部委和社会各界关心支持的结果，是广大石化员工、科技工作者不畏艰难、创新图强和众多石化家属默默奉献的结果。借此机会向各有关部委、社会各界以及广大石化员工及其家属致以崇高的敬意！

二、石化产业高质量发展面临的新形势、新挑战

百年未有之大变局加速演进，地缘政治紧张局势不断加剧，全球能源供需格局与转型深度调整，世界石化产业的布局与调整也呈加速态势。我国石化产

业因总体规模、产业集中度、整体水平和竞争力，已成为世界石化产业的重要一极。我国石化产业的发展水平和发展质量不仅影响着世界，而且也深受世界石化产业布局与调整的深度影响。新一年石化产业面临的新形势与新挑战主要有：

1. 世界经济周期的低迷期

自世纪疫情暴发以来，世界经济受到严重冲击，疫情过后经济增速一直不及预期，2023 年和 2024 年两年增速分别为 3.3% 和 3.2%，世界经济增速连续几年都低于疫情暴发前 30 年的平均水平。据 IMF、世界银行、瑞银、摩根大通等国际组织和机构预测，因受地缘政治、区域动荡以及贸易保护主义、供应链重构等多重因素的影响，世界经济增速将严重受挫，未来 5 年的增速将一直在较低水平徘徊，将经历大约 10 年的低迷期。发达经济体因受日本、欧盟的拖累将持续低迷，尤其是欧盟因俄乌冲突、能源价格高企而动力不再，欧洲第一大经济体德国已连续两年负增长。上月达沃斯世界经济论坛最新发布的《首席经济学家展望》报告显示，2025 年全球经济将面临重大挑战，56% 的受访首席经济学家预计经济形势会走弱；全球经济正承受巨大压力，增长前景处于几十年来最弱水平。新兴经济体中的印度、越南虽然增速较高，但因体量有限对全球经济增速的影响甚微。中国作为第二大经济体正在由高速增长阶段向高质量发展阶段转变，不再过分追求速度和规模的增加，而更加注重发展质量和竞争力的提高。在新的发展阶段，中国经济的增速将保持在 5% 左右，与 20 世纪 90 年代至 21 世纪头 10 年的两位数增长相比确实低了不少，这与经济体量大了、基数高了有关，更与发展阶段和发展要求关系密切。世界经济正在经历低迷期，石化产业的发展举措、管理思路以及创新与转型之路径选择，都要立足国际国内的大环境和发展阶段。

2.“十四五”规划的收官期

党的二十届三中全会要求，全面总结评估“十四五”规划任务目标的执行情况。在“十四五”规划的收官之年有两项并行推进的重点工作，即“十四五”规划的圆满收官与“十五五”规划的研究编制。收官之年对原来规划部署的各项任务目标全面总结评估十分重要，这不仅是检验我们“十四五”工作质量和成效的重要过程，而且是“十五五”规划的重要基础和起点。在收官过程中，广大石化企业和石化全行业都要认真对照“十四五”规划的各项任务目标，逐项总结、评估，不仅要总结取得的成绩和进步，还要分析存在的差距与不足。

石化全行业要总结评估并认真分析提出石化强国目标 10 年来的进展情况如何？各石化企业要总结评估并认真分析培育世界一流企业的进展与差距，与对标企业的差距是缩小了还是扩大了？各石化园区和化工基地要总结评估并认真分析石化园区建设、发展与管理的进步与不足，还要认真总结评估和研究产业链协同、培育世界一流石化产业集群方面的进步与不足，特别是与对标园区的全方位对标与分析。各专项规划中，化工新材料要总结评估自主创新能力的提升、“卡脖子”攻克以及补短板的情况，现代煤化工要总结评估升级示范的得与失以及与石化产业战略互补情况、与新能源耦合发展的经验与教训等。通过收官之年的全面总结与评估，系统分析进步与差距、得与失，为“十五五”规划的编制奠定坚实的基础。

3. 石化产业面临深度调整的阵痛期

结构调整自“九五”计划提出以后取得了明显进展，世界化学工业近百年来始终在创新与调整、转型中升级与发展。与发达国家和跨国公司相比，我们在规模大型化、产业集中度、整体竞争力方面的进步是明显的，但产业结构高端化因受自主创新能力和技术的制约而差距明显。今天石化产业的深度调整，既要统筹好总供给和总需求的关系，又要统筹好做优增量和盘活存量的关系。石化行业就增量和存量看，当前的突出矛盾是供大于需。供给的现状是多年来我国 20 多种大宗基础化学品和通用材料，其产能产量稳居世界首位，特别是“十三五”以来，新建炼化一体化装置集中建设、集中投产和化工园区的发展，产业集中度、行业整体竞争力不断提升，产能产量也快速增加，供给能力大大增强。当面临国际市场低迷、国内有效需求不足的现状时，“内卷”式竞争持续加剧，产品价格自 2024 年以来持续下行，众多企业和全行业效益严重受损，利润大幅下降，2023 年全行业实现利润总额同比下降 20.7%，2024 年再次下降 8.8%。

在供给与需求之间还存在结构性矛盾突出的问题，高端产品短缺的状况长期存在，一些国内市场急需的高端聚烯烃、电子化学品、超纯超净试剂、高性能复合材料、高端膜材料以及己二腈等关键单体，长期依赖进口或依靠跨国公司供应，造成新能源产业、高端装备制造业等战略性新兴产业以及尖端和安全领域，存在“卡脖子”或受制于人的状况。这都表明石化产业到了非深度调整将难以度过当前的低迷期，非经历深度调整的阵痛将难以走出“内卷”困境的时刻。深度调整既要规范市场秩序与行业自律，标准先行，依靠产业政策和科学先进的标准，让达不到能效标准、排放标准的装置和产能关停并转，在公平竞争和充分竞争中，淘汰竞争力不强的落后产能，又要以科技创新推动产业创新，加快新兴产业、未来产业培育的同时，供给侧与需求侧同时发力，供给侧通过创新加快产品的高端化、差异化，需求侧则通过创新持续拓展新的市场需求。为了石化产业的高质量发展和可持续发展，落后产能依法有序退出这种阵痛是必须要经历的。当前有些企业和企业家已经预见到了即将到来的重新“洗牌”，对正在创新图强、以质量和效益为核心提升竞争力的企业将是机遇，而对于还在拼资源、拼投资、拼规模的企业也许是惨烈的，这也是深度调整过程中必将经历的阵痛。

4. 构建双循环发展格局的关键期

加快构建以国内大循环为主体，国内国际双促进的新发展格局，是党中央立足新发展阶段作出的战略部署。近年来，经济全球化遭遇逆流，国际经济环境和格局深度调整，尤其是某些大国搞“脱钩断链”“小院高墙”加剧了逆全球化趋势，严重冲击了全球产业链供应链的安全稳定，导致了产业链受损或供应链不畅。统筹发展和安全，也为把握未来发展的主动权，十分有必要研究并加快构建国内国际双循环相互促进的新发展格局。鉴于当今的国际环境和不确定性增多，出口形势将更为严峻，构建以国内大循环为主体的发展格局尤为重要。要牢牢把握国内大循环这个“主体”，畅通国内大循环、构建内外双循环，化解外部不确定因素造成的经济大起大落，保持我国经济平稳健康发展。我国是超大规模经济体，经济体量、市场容量都很大，拥有最完备的工业体系和最完整的产业链，配套能力强，供给和需求都能够支撑国内大循环，这是构建以国内大循环为主体的基础和依托。依托国内大市场的优势，充分挖掘内需潜力，有利于化解外部冲击和外需下降带来的影响，也有利于破解“脱钩断链”造成的冲击和震动，能够在极端情况下保证我国经济基本正常运行和社会大局的总体稳定。我国消费市场潜力巨大，超大规模的国内市场，是我们建立国内大循环的基础和底气。

我国石化产业也是如此，我国多年位居世界第二石化大国、第一化工大国，从石油天然气勘探开采、炼油、基础化学品、合成材料到精细化学品，已形成完整的、全产业链的石化产业体系，从保障能源安全、粮食安全、国防安全以及支撑高端制造业、战略性新兴产业发展的角度看，保障力、带动力和影响力都是强的。面对今天全球经济形势的复杂性和不确定性，石化骨干企业、石化行业也要在加快国际化布局的同时，在畅通国内大循环上下功夫。一方面做好东部与西部、沿海与内陆石化基地、化工园区以及产业链供应链的布局与协同，在此基础上加快产业结构、产品结构以及人才结构的优化与升级，在差异化中高端发展，在市场互补中实现循环；另一方面以满足国内需求作为经济发展的出发点和落脚点，这就要求我们强化创新加快传统产业的技术升级和结构优化，加快传统产业新旧动能转换和产品的高端化、差异化和精细化。

自特朗普首次执政以来的现实告诉我们：科技自立自强正在成为决定我国生存和发展的基础能力，这就要求我们充分发挥科技创新的关键作用，加快石化产品供给侧的高端化、精细化，加快石化产业结构的优化升级，提升高端石化产品的供给能力，增强石化产品供给体系的韧性。当然，以国内大循环为主体，绝不是关起门来封闭运行，不是封闭的国内单循环，从制造业禁入负面清单全部清零和过境免签国家越来越多等新实施的举措看，是通过释放内需潜力，坚持开放合作的双循环，是实施更大范围、更宽领域、更深层次对外开放前提下，更加紧密同世界经济畅通互动的双循环。

三、努力开创石化产业稳中求进新局面

2025 年是全面完成“十四五”规划的收官之年，也是“十五五”发展规划布局的一年。新的一年，虽然存在诸多不确定性和新的挑战，但许多新的发展机遇同在，IMF 最新一期《世界经济展望》对 2025 年全球经济的增速预测比之前的预测值调高了 0.1 个百分点。美国化学理事会预计，2025 年全球化学品产量将增长 3.1%，美国化学品产量将在前两年连续下降的情况下实现 1.9% 的增长。伴随国际石化产能的调整和国内“两新”“两重”政策的加力扩围、行业结构优化和稳增长方案的实施以及下游房地产的止跌回暖，我国石化产业将回升向好，我们预判，刚刚过去的 2024 年将是“十四五”的低点，新一年的效益将明显改善。

新的一年，石化行业高质量发展和经济运行工作的总体思路是：以习近平新时代中国特色社会主义思想为指导，深入贯彻落实党的二十大和二十届二中、三中全会及中央经济工作会议精神，坚持稳中求进工作总基调，完整准确全面地贯彻新发展理念，加快构建新发展格局，统筹好总供给与总需求的关系、统筹好培育新动能与更新旧动能的关系、统筹好做优增量和盘活存量的关

系、统筹好提升质量和做大总量的关系，正视困难，坚定信心，扎实推动石化产业高质量发展，推动石化行业经济运行稳中求进再上新台阶，确保“十四五”规划任务目标的圆满完成。做好新一年石化行业经济运行的各项工作，须突出以下重点：

1. 聚焦“稳中求进”总基调，努力做到以进促稳有新突破

新的一年，因世界格局变乱交织、全球经济复苏面临挑战和不确定性增加，我们一定要把党中央“稳中求进”工作总基调作为全年行业经济运行的总遵循和总目标，稳中求进就是在保持大局稳定的前提下，奋发有为，推动石化产业高质量发展。习近平总书记强调，稳中求进工作总基调是治国理政的重要原则，也是做好经济工作的方法论。稳是主基调，稳是大局，在稳的前提下要在关键领域有所进取，在把握好度的前提下奋发有为。党的十八大以来，中国经济坚持稳中求进工作总基调实现了稳定增长，发展方式的转变不断取得新进展，发展质量持续提高。2024 年 12 月召开的中央经济工作会议强调“坚持稳中求进、以进促稳，守正创新、先立后破，系统集成、协同配合。”这种最新表述主要是因为当前我国经济形势的复杂性有所上升，经济运行面临的困难和挑战有所增加。这次会议要求在保持大局稳定的前提下，推动高质量发展，是为适应形势和环境变化，应对挑战和矛盾增加，确保高质量完成“十四五”规划目标任务，为“十五五”良好开局打牢基础的新站位和新部署。

当前，石化行业因受外部环境变化带来的不利影响加深，又加上部分产品市场需求不足、产能增速过快、“内卷”式竞争加剧，在调研中了解到，2024 年下半年以来企业经营中的困难和挑战明显增加，尤其是效益持续下降，很多企业反映产品价格降到了近年的低位，企业正在经历寒冬。对于 2025 年很多企业家认为，仍然需要把困难估计得更充分一点，仍然要做好过冬的准备。实际上，2024 年全行业营业收入同比增长 2.1%、进出口总额与上年基本持平，都保持了基本稳定，但利润总额却同比下降 8.8%，大多数石化企业乃至全行业，都存在“增产增收不增利”现象。在这样的背景之下，又加上特朗普再次当选给世界带来的不确定性，做好 2025 年石化行业的经济运行工作，深刻领会并坚持贯彻稳中求进的总基调至关重要，首先，要在“稳”字上下功夫，确保全年石化行业经济运行的平稳。在稳的前提下突出当前的产业政策、结合“十五五”规划的纵深部署，认真研究如何“进”？重点在高水平科技自立自强和加快发展新质生产力上要有进，在绿色低碳转型和数字化升级上要有进，在深化国际合作与拓展国际化经营上要有进，在培育世界一流企业和现代化产业集群上要有进，当然在改善运营质量和效益上更要有进。

其次，要在“以进促稳”上下功夫，今天的石化产业正面临着全球经济增长放缓、国际市场低迷、“脱钩断链”的外部挑战和供过于求、低端过剩、价格“内卷”等内部挑战，高质量发展到了爬坡过坎、深度调整的攻坚阶段。在这样的阶段、这样的时期，要做到高质量发展和可持续发展，必须既要稳中求进、更要以进促稳，稳与进是可持续发展与高质量发展的一体两面，不稳无法进、不进难以稳，两者相辅相成，也是相互促进的，只有进的质量更高，稳的基础才会更加稳固。

再次，实事求是地分析生产经营过程中存在的困难和面临的挑战，结构性矛盾短时间内难以改变，落后产能很难在短时间内全部关停或淘汰，市场需求随着扩内需政策的实施会有改善，但难以陡然升温。特别是关税壁垒对世界贸易的冲击、欧盟经济还有 2 ～ 3 年的低迷期，因此“内卷”还会一定程度地存在，价格难以快速提升。业内人士预判，2025 年经济运行将好于 2024 年，但还将是困难和挑战较多的一年，我们一定要正视困难，坚定信心，努力把各方面积极因素转化为发展实绩，认真研究并优化成品油和化肥淡季出口、天然胶进口关税以及石脑油消费税先征后返、优化供给结构等政策环境，更要在艰难的时期加快新旧动能转换，立足企业实际做优增量、盘活存量，在质的有效提升和量的合理增长中，确保全年经济运行实现稳中求进。

2. 突出效益核心，降本增效稳增长

降本增效是经济运行永恒的话题。2024 年行业利润同比大幅下降的主要原因是产品价格低位，但也存在成本因素、管理因素。具体分析与企业效益有关的数据：从每百元营业收入成本看，全行业和三大板块都是增加的，全行业增加 1.1 元，油气板块增加 2.64 元，炼油板块增加 1.89 元，化工板块增加 0.42 元；从亏损面和亏损额看，全行业及炼油、化工两个板块是增加的，全行业亏损面为 23.5%、亏损企业亏损额大幅增加 19.5%，炼油板块亏损面为 35%、亏损企业亏损额更是大幅增加 119.6%，化工板块亏损面为 23.6%、亏损企业亏损额增加 4.4%；从应收账款和票据看，全行业应收账款和票据余额增加 7.1%，油气板块增加 3.8%，炼油板块增加 1.4%，化工板块增加 8.4%；从存货占用资金量看，全行业库存占用资金量 1.62 万亿元、占营业收入的 10%，炼油和化工两个板块的库存占用资金也都占各自板块营业收入的 10% 左右；从财务费用

和管理费用看，全行业管理费用上升 0.5%，油气板块管理费用增长 4.5%；从营业收入利润率来看，全行业营业收入利润率 4.85%，化工板块营业收入利润率 4.66%，都是历史低点。来自国家统计局数据和从 1 月 17 日重点专业协会座谈会上了解到，除了化学矿采选、有机化学品、涂料、染料、现代煤化工这少数几个行业利润同比增长外，基础化学品、专用化学品、化肥、农药、合成材料、轮胎等行业都是下降的，甚至氯碱行业出现了多年未有的全行业亏损。可见，新的一年降本增效的空间和潜力是有的，亏损企业的扭亏是全行业降本增效重中之重的任务。降本方面，降营业成本、降管理费用、降财务费用是重点；增效方面，降应收、减库存是重点。

我们还要在推进改造升级、加强运行监测、强化产能预警的同时，推动行业自律、提升本质安全、不断开拓市场，稳增长，增效益。

3. 强化战略调整，既做优增量又盘活存量

一是战略转型。为应对世界经济低迷、贸易纠纷增加、国际环境和经济增长的不确定性以及世界石化产业绿色低碳转型、产业链供应链重构等的挑战，世界石化产业、特别是发达国家和跨国公司，都在加快战略调整。在加快数字化升级、不断优化老旧设备运营稳定和提升竞争力的同时，推进向高附加值产品的转换，加快向绿色化工产业的转型，大力发展循环经济。特别是欧洲化学工业调整的速度在加快，炼油装置、乙烯装置在战略评估的基础上进行优化，针对石脑油裂解制乙烯装置与美国乙烷裂解相比不具有成本优势而关停。巴斯夫将核心业务与非核心业务差异化管理，并对路德维希港生产基地进行全面调整。赢创宣布新三大战略主要聚焦生物基、新能源、循环经济，并逐步关停和退出非核心业务。科思创、朗盛、索尔维、杜邦、英威达、霍尼韦尔、塞拉尼斯、奥升德、住友、三洋化成、旭化成等跨国公司相继宣布业务重组、拆分及产品装置关停的决定。

可见，为了应对世界经济增长乏力和行业竞争加剧以及市场的变化，也为了应对近两年盈利下降，跨国公司正在进行较大规模的战略重组和业务调整，通过“瘦身”优化业务结构，剥离非核心业务，减轻债务负担、盘活资金、优化资产结构，进而回归主业或调整主业方向，提升核心竞争力。这给我们做优增量和盘活存量带来深刻启示。从供给与需求两侧来看，大宗基础产品和通用材料的存量已经巨大，而近几年新建或扩建装置还在不断增加，因受技术的制约增量没有做到高端化和差异化，也就是做优增量不够，使得本已严重过剩的

同类产品的存量进一步增加，供给大于需求的失衡状态进一步加剧，“内卷”式竞争愈演愈烈。所以，当前我们应统筹好做优增量和盘活存量的关系，坚持从供需两侧发力，一边是通过技术创新、产品创新和升级改造盘活存量，另一边是强化自主创新实现新建装置和新增产能的高端化、差异化而做优增量，实现质的有效提升和量的合理增长，标本兼治化解重点产业结构性矛盾，促进产业健康发展和提质升级。要优化产业布局、强化标准引领、推进整合重组，推动落后低效产能退出，增加高端产品供给。

二是国际化。国际化是一个企业经营水平、管理水平和竞争力的重要体现，是经济和企业发展到一定阶段和水平的必然选择。为应对全球贸易紧张局势日益加剧，国际产业分工与协作、全球产业链供应链重构与安全面临的新挑战，国际化成为我们今天发展路径的战略选择。特别是在“低端过剩，高端短缺”的结构性矛盾突出、“内卷”式竞争加剧、贸易摩擦持续升级的情况下，通过国际化布局，置身发达市场同台竞争，既在国际环境和市场中把握发展机遇，迈向世界一流，又规避了贸易摩擦和不公平的贸易待遇。

近年来，我国一批轮胎企业、涂料企业以及万华化学、中国石油、中国石化、中国海油等企业国际化方面积累了一些有益的经验。为适应全球变革，在逆势中发掘潜在机遇，应对当前的世界经济环境、应对面临的挑战，到了认真研究国际化经营与竞争和如何打造世界一流企业这一课题的时刻。在继续做好并不断深化与国际组织、各国行业协会在责任关怀、可持续发展、绿色低碳以及协同创新等方面交流与合作的同时，一定要认真研究、科学布局并加快推进国际化业务，主动调整、主动对接，积极探索走出去，或到原料产地建厂，或到“一带一路”国家或 RCEP 区域投资建厂，共创石化产业务实合作、产业协同、市场互补的发展局面。万华化学、玲珑轮胎依托自己的主导产品、技术优势到欧美等发达国家和地区投资建厂，融入国际舞台，通过国际化迈向世界一流的做法值得借鉴。

4. 强化创新驱动，加快新质生产力发展

新质生产力是创新起主导作用，特点是创新，科技创新是发展新质生产力的核心要素。党的十八大以来，我国石化行业科技创新不断取得新突破、实现新跨越，无论是上游油气勘探开采、炼油新技术、百万吨乙烯成套技术，还是下游的合成与聚合技术、工程优化与先进控制技术以及一批化工新材料的重大关键技术、核心技术相继取得突破并实现产业化。但与美国、德国、日本等化工强国相比，创新能力不强始终是制约石化强国目标实现的明显短板。尼龙 66 的关键单体己二腈、长碳链和高性能芳香族尼龙新材料、茂金属催化剂、高端聚烯烃、聚烯烃弹性体、超纯超净试剂以及高性能的纤维材料、透析用膜材料等部分高端产品还长期依赖进口，有些技术制约着我国高端制造业、战略性新兴产业和未来产业的发展，有的关键核心技术还存在堵点或“卡脖子”问题。要破解诸多瓶颈制约、应对复杂严峻的挑战，唯一途径就是实现高质量发展，而实现高质量发展的关键在于加快新质生产力的发展。坚持创新在我国现代化建设全局中的核心地位，重点做好创新这篇大文章，聚焦国家战略和经济社会发展现实需要，以关键共性技术、前沿引领技术、现代工程技术、原创性颠覆性技术创新为突破口，打好关键核心技术攻坚战，使原创性、颠覆性科技创新成果竞相涌现，培育发展新质生产力的新动能，开辟新赛道，促进产品高端化、差异化，加快石化产业结构调整和优化。通过创新加快发展新质生产力，促进石化产业降碳减污，加快绿色低碳转型和绿色发展方式转变，助力碳达峰碳中和；通过创新加快发展新质生产力，加大世界级石化基地和产业集群的培育力度，改造提升传统产业，培育壮大新兴产业，布局建设未来产业，加快实现石化强国目标。

5. 战略引领，高质量做好“十五五”规划的纵深部署

2024 年是“十四五”规划收官之年，实现“十四五”目标任务、为“十五五”良好开局打牢基础的同时，加强战略谋划、研究编制好“十五五”发展规划，是 2025 年最为重要的工作。“十四五”前 4 年虽然新的挑战和不确定性不断增加，行业经济运行的多项指标创了历史新高，2021 年利润总额 1.16 万亿元，2022 年营业收入 16.56 万亿元、进出口总额 1.05 万亿美元，均创造了新的历史纪录；营业收入和实现利润总额占全国规模以上工业总量均稳定在 12% 左右，进出口额占全国进出口总额稳定在 16% 左右，为“十四五”以来国民经济的发展和开创“稳中求进”的新局面作出了重要贡献。

为做好石化行业“十五五”规划的编制工作，2024 年四季度开始组织对 20 个省区市的 160 多家企业、43 家园区进行了调研和座谈，还对 105 家单位开展了问卷调查，深入了解行业、企业、园区发展的成就、面临的挑战和发展中的困难，广泛听取并征求企业家、科学家、行业管理部门以及管理人员对石化产业未来发展的思路、目标和政策性建议和意见。前期调研中不仅了解到各地区因石化产业的带动力、影响力和经济贡献率高而发展意愿强烈，而且还了解到行业结构性矛盾更加突出，聚烯烃、乙二醇、己内酰胺、聚碳酸酯、PTA、BDO、环氧丙烷、磷酸铁锂等多种产品产能的增长与2019年相比都超过50%，其中乙二醇、聚碳酸酯产能增长了1倍多。在前期调研的基础上，2025年将正式进入规划编制阶段，除了广泛听取意见、广泛征求意见、认真编制好全行业总的发展规划外，各专业协会还要同时研究、编制好本行业的“十五五”发展规划，相关业务部门或专业委员会还要研究编制科技创新、绿色发展、化工新材料、现代煤化工、精细化工、化工园区、数字化转型等专项规划，最终形成由全行业、分行业与专项规划构成的完整的“十五五”发展规划，成为迈向石化强国目标的前瞻性、指导性的发展纲要。

在前期调研的基础上，编制“十五五”规划的初步思考是：坚定石化强国目标，贯彻党中央对新时代新阶段高质量发展、新型工业化、中国式现代化、进一步深化改革的“四大部署”，突出创新驱动、绿色低碳、结构优化、国际合作、集群发展“五项重点”。鉴于石化行业当前的现状与高质量发展、可持续发展存在的差距，“十五五”规划的条件和发展目标均与以往的五年规划不同，与以往主要把做增量作为规划发展重点任务的思路不同，而是要把思路转变到“做优增量、盘活存量”上来，要把关键转移到“创新引领发展新质生产力”上来，要把重点转移到“绿色低碳转型和数字化升级”与“打造世界一流企业和现代石化产业集群”上来。

这就要求我们在编制“十五五”发展规划的过程中，要围绕石化强国目标和世界一流企业的战略，重点思考和认真研究“科技创新力强、结构高端化强、整体竞争力强、产业链自主可控强”等石化强国目标以及“创新一流、管理一流、人才一流、效益一流”等世界一流企业标准和要求，同时思考并认真研究事关石化产业高质量发展和未来竞争力的重点课题。即，如何化解行业结构性矛盾？如何通过行业自律避免“内卷”式竞争；如何增强行业创新能力？实现高水平科技自立自强；如何加快发展新兴产业？推动石化产业高端化；如何推动行业降碳减污？加快石化产业绿色低碳转型；如何培育一批领军企业？为石化强国奠定坚实的基础。让规划充分发挥“政策研究先行者，行业发展引领者”的作用，使“十五五”规划成为把握趋势、引领发展的纲领和指南。

寒冬即将远去，春天的脚步正在向我们走来。过去的一年面对复杂严峻的形势，我们攻坚克难、砥砺奋进，取得了稳中有进的不平凡业绩。新的一年，不确定性因素将会增加，新的挑战也许更多，只要我们客观冷静看待当前经济形势，既正视困难、坚定信心，又把握大势、积极作为，贯彻新发展理念，强化创新、奋发有为，稳中求进定能取得新成效，石化强国目标定能取得新突破。让我们满怀希望，迎接新的一年，干字当头，开拓进取，努力开创石化产业高质量发展的新局面！

石化行业反“内卷式”竞争之浅见*

今年上半年国际力量对比深刻调整，大国博弈日趋激烈，地缘政治冲突多发频发，单边主义、保护主义逆流涌动，对国际经贸秩序造成严重冲击。特别是新一轮科技革命和产业变革迅猛发展，世界主要国家都在抢占科技创新制高点，全球创新版图加快重构，国际分工体系和全球价值链面临重塑。为应对全球经济增速放缓，区域动荡加剧，不确定性因素增多，国际环境更为复杂多变，欧美日等发达地区和国家以及巴斯夫、埃克森美孚、壳牌、杜邦、英力士、三井化学等众多跨国公司，都在加快战略定位、全球布局的调整和业务重组。中国作为石化大国，当面对世界经济增速放缓、市场需求乏力、贸易壁垒升级、不确定性因素增多的环境时，与跨国公司相比战略调整和业务重组少了些，而低价销售、以量换效的传统竞争模式多了些，也就是“内卷式”竞争正在冲击着既有的市场秩序，导致近三年来“增产增销、不增利”，即“产量销量不断增加、效益连年下滑（全行业营业收入利润率 2021 年 8.03%、2022 年 6.8%、2023 年 5.5%、2024 年 4.85%，今年上半年利润率继续低位）”的局面，若长期如此行业可持续发展令人担忧。石化行业如何贯彻党中央综合整治“内卷式”竞争的要求？依法依规治理企业低价无序竞争、推动落后产能有序退出、走出“内卷式”竞争加剧的困境呢？在此谈谈个人思考，仅供关心石化产业高质量可持续发展的朋友们参考：

一、何谓“内卷式”竞争及其在石化行业的表现？

“内卷式”竞争，这个词在经济领域第一次出现是去年 7 月政治局会议分析研究经济形势和经济工作的报告中，首次提出要强化行业自律，防止“内卷

* 这是 2025 年 7 月，傅向升同志发表的署名文章。

式”恶性竞争；去年年底中央经济工作会议明确提出：综合整治“内卷式”竞争，规范地方政府和企业行为；今年 3 月的《政府工作报告》强调，打通市场准入退出、要素配置等方面制约经济循环的卡点堵点，综合整治“内卷式”竞争。可见，“内卷式”竞争加剧到了何种程度，影响之严重到了何等地步，已引起党中央、国务院的高度重视，已到了非综合整治难以改善的严峻程度。何为“内卷式”竞争？简要的概括就是指违背经济规律，低质量、同质化的无序竞争。其表现与影响就是，在同一领域内过度竞争，资源消耗大，但效益低下。“内卷式”竞争进一步加剧，不仅造成投资回报不及预期，造成效率低下、资源浪费，而且会形成恶性循环，影响技术创新、质量提升，会出现“劣币效应”，影响经济健康可持续发展。

石化行业近几年的表现，也是令关心石化产业高质量发展的各界人士担忧，2023 年全行业实现利润总额同比下降 20.7%，2024 年同比再降 8.8%，今年前 5 个月同比再降 10.1%，利润总额持续下降的主要原因，就是主要石化产品的价格持续低位（前 5 个月油气开采业出厂价格指数同比下降 9%，化学品制造业同比下降 4.1%），正如前述营业收入利润率也是逐年下降。

二、造成“内卷式”竞争的原因及其石化行业的现状?

“内卷式”竞争是如何造成的呢？总体上看有的企业过度追求规模、过度投资、盲目投资，又加上受技术水平与先进性的制约，新建项目重复性高、产品同质化严重。深入分析也发现有的地方政府为了追求经济增量和所谓的政绩，不顾当地产业基础、资源禀赋、承载能力和发展阶段，不惜财政补贴和政策扶持大量招商引资，盲目上马大项目、新项目，盲目追随新产业，造成大量重复建设，产业结构失衡，产品结构严重同质化。项目建成后为了进入已经饱和的市场领域，“薄利多销”“以量增效”的传统做法，出现大量低价销售，甚至有的企业大打价格战、以次充好，打破了原有的市场平衡，扭曲了市场机制，扰乱了原来公平竞争的市场秩序，其他企业也随之跟进，导致“内卷式”竞争加剧。

还有一种情况就是，新世纪以来全球经济一体化程度不断深化，很多企业国际化的模式不是到发达市场或原料产地建厂、当地生产当地消费，而是采取国内建厂、产品出口的模式，因供过于求企业间产品竞相出口而“卷”，这也是贸易纠纷持续增多的原因之一。当遭遇世界经济增速下滑、世界市场需求不足的时候，又叠加地缘政治因素、区域动荡、大国博弈和贸易战、关税战，这种国际国内经济环境政治环境的双重变化及其形势的严峻复杂性，更助推了“内外双卷”的竞争加剧。近年来的现状就是：企业生产看产品产量增加、销售量增加，经营数据看企业营业收入增加，可效益不仅不增、反而下降。

石化行业近十年来进入快速发展时期，新建炼化一体化装置接续投产，园区规模不断扩大，又加上有些共性关键技术的突破，新的产品、新的材料大量投放市场，有些确实为满足国民经济急需提供了重要保障、作出了重要贡献，但有些领域、特别是大宗基础产品和通用材料“内卷式”竞争也日渐严重。根据《中国石化市场预警报告（2025）》，这五年部分石化产品产能产量的增长情况：乙烯产能累计增幅 59%、产量累计增幅 51.2%，预计今年还将新投产 9 套、新增产能 790 万吨 / 年。丙烯产能累计增幅 55%、产量累计增幅 44.2%，预计今年还将新投产 15 套、新增产能 1057 万吨 / 年。苯酚产能累计增幅 87.9%、产量累计增幅 128.9%，预计今年还将新投产 5 套、新增产能 108 万吨 / 年。双酚 A 产能累计增幅 196.6%、产量累计增幅 194.6%，预计今年还将新投产 3 套，新增产能 66 万吨 / 年。甲醇产能累计增幅 9.8%，增幅不大、但总产能已过亿吨，去年占世界总产能的 57.1%；产量累计增幅 27%，去年产量占世界总产量 64.6%；预计今年还将新投产 19 套、新增产能 1401.7 万吨 / 年。聚乙烯产能累计增幅 51.6%、产量累计增幅 39.4%，预计今年新投产 12 套，新增产能 543 万吨 / 年。聚丙烯产能累计增幅 77.7%、产量累计增幅 33.5%，预计今年新投产 14 套，新增产能 710 万吨 / 年。ABS 产能累计增幅 129%、产量累计增幅 39.6%，预计今年新投产 7 套，新增产能 230 万吨 / 年。聚碳酸酯产能累计增幅 105.9%、产量累计增幅 190.9%，预计今年新投产 1 套，新增产能 18 万吨 / 年。EVA 产能累计增幅 195.9%、产量累计增幅 212.3%，预计今年新投产 8 套，新增产能 144 万吨 / 年。PX 产能累计增幅 74.6%、产量累计增幅 86.2%，今年无新增、预计 2026 年将新投产 3 套，新增产能 650 万吨 / 年。PTA 产能累计增幅 53.6%、产量累计增幅 43.7%，预计今年新投产 3 套，新增产能 870 万吨 / 年。乙二醇产能累计增幅 89.6%、产量累计增幅 111.4%，预计今年新投产 4 套，新增产能 210 万吨 / 年。PET 产能累计增幅 33.8%、产量累计增幅 36.1%，预计今年新增产能 351 万吨 / 年。PA6 产能累计增幅 30.3%、产量累计增幅 53.8%，预计今年新增产能 156 万吨 / 年。PA66 产能累计增幅 130.7%、产量累计增幅

81.1%，预计今年新增产能 30 万吨 / 年。1,4- 丁二醇产能累计增幅 129.5%、产量累计增幅 99.7%，预计今年新投产 6 套、新增产能 136 万吨 / 年。可见，近五年来多种石化产品或材料产能产量的累计增幅都在 50% 以上，有些产品的产能远大于国内市场消费量，如此供需状况、面对当前之市场需求乏力，“内卷”之程度可想而知。

三、石化行业如何反“内卷”，尽快走出“内卷式”竞争加剧之困境呢？

首先是认真学习并深刻领会习近平总书记 7 月 1 日主持中央财经委员会第六次会议时强调：纵深推进全国统一大市场建设，要聚焦重点难点，依法依规治理企业低价无序竞争，引导企业提升产品品质，推动落后产能有序退出。重点做好：

一是加强行业自律，积极发挥行业协会的政策研究、政策引导作用和规划咨询的前瞻引领作用，在做好重点石化产品产能预警的基础上，充分发挥协会组织行业自律的职能，倡议行业企业和会员单位自觉规范企业行为、维护市场秩序，严格遵守公平竞争原则，依法依规开展经营活动。龙头企业和骨干企业带头自律，不垄断市场、不挤压同行企业的生存空间，摒弃不符合现代市场规范的短视行为，不以低于成本的价格倾销商品，不扰乱市场秩序、损害行业、兄弟企业和消费者利益。

二是加大创新差异化，内卷的深层次原因就是创新能力和创新水平不强，不掌握高端产品和高性能材料关键核心技术，新建工业化项目和生产装置受技术制约只能选择技术成熟的基础产品和通用材料，这是容易出现低水平重复建设的深层因素之一。有人会说“可以技术引进呀！”实际上我们都有深刻的体会，可转让的引进技术一般都不会是最先进的，这也就是我们常说的“一流技术是买不来、讨不来的”。现实就是近年来我们新建了多少套聚烯烃装置呀？我们又引进了多少家跨国公司的烯烃聚合技术与催化剂呀？可是到今天为止，所有已建成投产的大型聚烯烃工业化装置，没有一套是引进的茂金属聚合技术和高端聚烯烃，因为跨国公司明确表示不予转让、不予许可！所以，要破解“内卷式”竞争加剧的局面，创新尤为重要，通过持续创新和技术进步，实现产品、特别是高性能材料、高端专用化学品的高端化、差异化，在差异化竞争中走出“内卷式”竞争加剧的困境，改善运营质量和效益，助推石化产业高质量可持续发展。

三是标准先行推动落后产能有序退出，“内卷式”竞争加剧的直接表现就是供大于求的矛盾尖锐、供需严重失衡，破解之道最有效的办法就是淘汰落后产能和加快无效、低效产能的有序退出，这方面“十三五”期间在钢铁、煤炭、基础化学品、建材等领域已积累了经验。石化领域通过产业政策推动200万吨/年以下炼油装置关停和新建炼油、合成氨、尿素、烧碱等基础化工品产能置换的政策措施，都发挥了很好的效果。今天破解“内卷式”竞争加剧的困境，淘汰落后产能也还是重要路径选择和具体的措施之一，但不能笼统地将规模小、布局散、开工率低、经济效益差的生产装置予以淘汰，也不能沿用过去简单以规模为标准关停生产装置。而是严格执行《产业结构调整目录（2024年版）》等产业政策，并以更科学的措施、更规范的标准作为淘汰落后产能的依据，以生产、技术、安全、能耗、环保、质量等国家标准和行业标准为依据，通过生产、技术标准，考核原料消耗水平的先进性和生产技术是鼓励类还是淘汰类；通过能耗、环保标准，考核能耗、能效水平以及废弃物排放、碳排放是否达标？通过安全、质量标准，考核企业生产装置和生产过程安全等级和本质安全水平等。对于石化行业一定要认真研究并贯彻落实好《工业重点领域能效标杆水平和基准水平（2023年版）》的要求，该文件对炼油、煤制焦炭、煤制甲醇、煤制烯烃、煤制乙二醇、烧碱、纯碱、电石、乙烯、对二甲苯、黄磷、合成氨、磷酸一铵、磷酸二铵以及乙二醇、尿素、钛白粉、聚氯乙烯、精对苯二甲酸、子午线轮胎、工业硅等产品，都提出了能效水平、改造升级时间等明确的要求，前15个产品到今年底如果能效水平达不到基准水平将淘汰退出；后7个产品的时间要求是明年年底前达到基准水平，否则也要淘汰退出。

以上是石化行业反内卷的个人思考，目的是为企业效益和行业可持续发展，但由于个人知识和理解能力所限，不尽全面，仅供关心石化产业高质量发展的朋友和行业同仁参考，如果个人浅见带给您深入的思考或某些启发，正是此文所愿，甚慰甚慰！

立足“十四五” 面向“十五五”
推动石化产业高质量发展再上新台阶*

刚刚走过的上半年，外部环境复杂严峻，世界经济增长乏力，关税壁垒大增，不确定性因素增多，对全球经济造成严重冲击。中国经济顶住压力、迎难而上，生产需求稳定增长，经济运行稳中有进，高质量发展取得新成效，上半年经济总量超过 66 万亿元，同比增长 5.3%。今天，“2025 全国石油和化工行业经济形势分析会”的主要任务是：深入贯彻党的二十大、二十届三中全会和中央经济工作会议精神，总结上半年石化行业经济运行的基本情况和特点，分析挑战与趋势，研究下半年“稳中求进”的工作重点和举措，确保“十四五”各项任务目标圆满收官。

一、石化行业经济运行的基本情况和主要特点

石化全行业和广大石化企业深入贯彻落实党中央对经济工作“稳中求进”的部署和要求，完整准确全面贯彻新发展理念，以推动石化产业高质量发展为首要任务，以“十四五”圆满收官为重点目标，按照 4 月下旬中央政治局会议“要强化底线思维，充分备足预案，扎实做好经济工作”的精神，统筹好总供给与总需求的关系、统筹好提升质量和做大总量的关系，克服世界经济增速放缓、贸易纠纷不断升级、市场需求乏力等诸多不利因素，实现主要石化产品生产销售稳中有增，经济运行基本平稳，为国家能源安全、农业丰收以及高端制造业和战略性新兴产业发展提供了重要保障，作出了重要贡献！上半年，石化全行业实现营业收入 7.77 万亿元，同比下降 2.6%；利润总额 3810.3 亿元，同比下降 10.3%；进出口总额 4414.3 亿美元，同比下降 6.9%。

行业运行主要特点分析如下：

---

* 这是 2025 年 8 月 14 日，傅向升同志在 2025 全国石油和化工行业经济形势分析会的报告。

1. 原油产量、进口量、加工量、消费量同步增长

中国石油、中国石化、中国海油及延长石油等能源骨干企业，牢记习近平总书记的殷切嘱托“能源的饭碗必须端在自己手里”，为保障国家能源安全，坚决打赢“增储上产七年行动”攻坚战，继续稳定老油田，持续拓展新区块，不断攻克技术关，上半年原油产量 1.08 亿吨，同比增长 1.3%，为确保原油产量“七连增”奠定了坚实的基础。炼油和石化企业面对市场需求乏力、国际环境复杂多变和不确定性因素不断增多的严峻形势，坚持党中央“稳中求进”总基调，千方百计稳生产、稳市场、稳外贸，上半年原油进口量 2.8 亿吨、同比增长 1.6%，原油加工量 3.62 亿吨、同比增长 1.6%，原油表观消费量 3.85 亿吨、同比增长 0.7%。这是在去年原油进口量、加工量和表观消费量同步下降的基础上，实现的“转降为增”。

2. 主要化学品产量、消费量“双增长”

上半年，主要化学品总产量同比增长 7.3%。主要产品产量同比增长情况：硫酸 6.3%、烧碱 4.8%、乙烯 10.9%、合成树脂 10.3%、合成橡胶 5.4%、化肥 9.2%。基础化学品消费量同比增长 6.1%，其中无机化学品增长 2.9%、有机化学品增长 11.2%。主要产品消费同比增长情况：硫酸 4.2%、烧碱 1.8%、乙烯 12.2%、合成树脂 7%、合成橡胶 5.2%、化肥 7.4%。以上数据表明，不论是产量、还是消费量，多种产品都是正增长，有的产品还是两位数增长，说明市场对石化产品和化学材料的需求是稳定的。

3. 运行面临挑战，板块分化加剧

上半年，石化行业经济运行出现了营业收入、利润总额和进出口总额同时下降，这是继 2020 年和 2023 年出现经营业绩同步下降后的第三次。2020 年是受世纪疫情影响、叠加低油价，2023 年是疫情后的第一年，经济恢复不及预期、叠加去库存影响，而今年主要受产品价格持续低位，叠加贸易摩擦和关税壁垒升级、不确定性因素增多、新能源替代加速的影响。

三大板块分化加剧的主要表现：化工板块好于油气开采和炼油板块，油气开采和炼油板块是“三下降”，而化工板块是“两增一降”。油气开采板块营业收入 6829.6 亿元、同比下降 5.2%，实现利润 1834.2 亿元、同比下降 11.1%，进出口额 1779.5 亿美元、同比下降 11%，是“三下降”。炼油板块也是营业收入、实现利润和进出口额“三下降”。化工板块营业收入 4.75 万亿元、同比增长 1.7%，实现利润 1996 亿元、同比下降 5.5%，进出口额 2080.3 亿美元、同比增长 0.3%，是“两增一降”，即营业收入和进出口额增加、利润下降。此外，化工板块内的分化加剧，农药（化学农药和生物农药）、专用化学品以及涂料、合成橡胶等几个专业领域，同为营业收入、实现利润和进出口额“三增长”，而基础化学品、化肥、合成材料、橡胶制品以及煤化工等专业领域有增有降，分化明显。

4. 进出口延续“量增价减”态势

上半年，石化行业进出口总额 4414.3 亿美元，同比下降 6.9%。其中，进口额 2812.5 亿美元，同比下降 10.6%；出口额 1601.8 亿美元，同比增长 0.4%；贸易逆差 1210.6 亿美元，同比下降 22%。即上半年进出口总额及进口额和贸易逆差同步下降，其主要原因还是产品价格低位，上半年行业进出口再次出现“量增价减”现象。进口量大或增幅较大的产品有：石脑油 759.1 万吨、同比增长 28.4%，液化石油气 1749.2 万吨、同比增长 1.4%，乙烯 131.2 万吨、同比增长 31.6%，丙烯 106.7 万吨、同比增长 11.9%，纯苯 273.1 万吨、同比增长 56.2%，聚乙烯 692.4 万吨、同比增长 5.9%，合成橡胶 319.3 万吨、同比增长 8.9%，合成纤维单体 395.7 万吨、同比增长 18.3% 等。出口量大或增幅较大的产品有：硫酸 219.1 万吨、同比增长 101.2%，烧碱（折纯）203 万吨、同比增长 49.2%，纯碱 99.3 万吨、同比增长 121.4%，合成树脂 1037.3 万吨、同比增长 17.9%（聚丙烯 139 万吨、同比增长 21.4% 和聚氯乙烯 227.7 万吨、同比增长 47.3%），合成纤维聚合物 454.4 万吨、同比增长 19.7%，聚酯 394 万吨、同比增长 20.1% 等。如此多品种的石化产品和化学材料的出口量或进口量，不仅量大，而且增幅也较大，但受原油及主要石化产品价格低位的影响，进出口总额和贸易逆差都出现了下降。

当然，上半年出口额同比增长 0.4%，有些产品的出口量增幅更大，出口量和出口额的增加表明，尽管世界市场需求乏力，尽管贸易壁垒升级、不确定因素增加，尽管“脱钩断链”形势严峻复杂，可世界市场还是离不开中国石化产品和产业链的稳定。

5. 成品油产量、消费量“双下降”

与 2020 年受世纪疫情影响出现的“双下降”有着本质的不同，上半年成品油产量、消费量的“双下降”预示着柴油和汽油消费市场确已达峰。上半年，成品油产量 2 亿吨，同比下降 5.4%（去年同期同比增长 3.4%）。从产量看：汽油产量 7612.2 万吨、同比下降 6.8%，柴油产量 9576 万吨、同比下降 5.6%，煤油产量 2813.9 万吨、同比下降 0.5%。从消费市场看：成品油表观消费量 1.84 亿吨、同比下降 4.1%（去年同期同比增长 4%）。其中，汽油表观消费量 7227.5 万吨、同比下降 5.8%（去年同期增长 8.4%），柴油表观消费量 9306.7 万吨、同比下降 3.2%（去年同期下降 2.1%），煤油表观消费量 1836.1 万吨、同比下降 1.8%（去年同期增长 23.1%）。

今年成品油总量及汽煤柴的产量、消费量首次同步下降，这说明受新能源汽车对汽油市场的影响和 LNG 重卡对柴油替代的影响，在“十三五”末柴油消费达峰的情况下，汽油消费的峰值已于“十四五”中期提前到来。进一步分析发现：上半年在原油加工量同比增长 1.6% 的情况下，成品油产量同比下降 5.4%，成品油产出率 55.3%，低于去年上半年的 59.7%，这证明近年来石化行业加快结构调整、加快转型升级“减油增化”效果正在显现。

6. 原油与主要石化产品价格持续下降

受俄乌冲突持续升级、巴以冲突加剧、伊以突发冲突以及经济增长乏力、不确定因素增加的影响，今年上半年原油与主要石化产品价格继续下跌。据国家统计局数据，上半年石油天然气开采业出厂均价同比下降 9.6%，化学原料和化学品出厂均价同比下降 4.4%。

上半年，布伦特原油均价 71.8 美元 / 桶，同比下降 14.6%。布伦特原油月均价下行为主，1 月均价 79.42 美元 / 桶、同比下跌 1.13%，2 月均价 75.2 美元 / 桶、同比下跌 10.44%，3 月均价 72.69 美元 / 桶、同比下跌 14.97%，4 月均价 67.82 美元 / 桶、同比下跌 24.79%，5 月均价 64.25 美元 / 桶、同比下跌 21.71%，6 月均价 71.5 美元 / 桶、同比下跌 13.5%。

化学原料与化学品价格以及合成材料价格同比均下降，6 月份重点监测的 48 种主要无机化学品中，市场均价同比下降的有 37 种、占比 77.1%；环比下降的有 33 种、占比 68.8%。在 70 种主要有机化学品中，市场均价同比下降的有 61 种、占比 87.1%，环比下降的有 39 种、占比 55.7%。在 55 种主要合成材料中，市场均价同比下降的有 46 种、占比 83.6%，环比下降的有 32 种、占比 58.2%。6 月份重点监测的 13 种化肥产品中，同比下降的有 4 种、占比 30.8%，环比下降的有 7 种、占比 53.8%。

总的看，上半年石化行业原油、天然气、化肥、农药以及主要石化产品产量都实现稳中有增，基础化学品、合成材料等主要石化产品市场消费量和进出口量都稳定增长，为保障国家能源安全和保供稳价作出重要贡献的同时，科技创新和关键核心技术攻关都取得新突破，绿色低碳转型和数字化升级都有新进步和新成效，产业结构正在升级，国际合作正在深化。但是，上半年营业收入、利润总额和进出口总额同步出现下降，主要受“内卷式”竞争加剧导致产品价格低位影响，全行业亏损额同比增加 8.3%，特别是炼油板块面临的挑战更为严峻（比去年同期增亏 90 多亿元），行业应收账款和产成品资金也都同比增加。可见，今年石化行业经济运行、特别是效益面临的困难更多一些，全年能否扭转“三下降”、实现“转降为增”，需要我们再创新、再发力。在当前全球石化产业链布局调整、供应链重构的过程中，在国内集中治理“内卷式”竞争的过程中，石化产业高质量发展面临着新的机遇。

二、关注趋势，在冷静应对中把握机遇

纵观百年未有之大变局，国际秩序和全球经济都面临着划时代的变革，世界之变、时代之变、历史之变的特征更加明显，国际环境更加错综复杂，外部冲击影响加大。特别是自年初美国政府到处挥舞关税大棒，关税战持续升级，关税壁垒大增，外需不确定性增多，世界贸易需求被削弱，全球经济受到严重冲击，经济增速继续放缓。IMF 最新预测今年全球经济增速 3.0%，虽然比 4 月份预测值上调了 0.2 个百分点，但远低于新世纪前 20 年 3.7% 的历史平均水平。联合国和世界银行分别将今年全球经济增速由原来的 2.9% 和 2.7% 下调至 2.4% 和 2.3%，经合组织以及高盛、摩根士丹利等国际组织和机构也都分别下调了今年经济增长的预测值。如何看待当前的形势？如何应对面临的挑战？又如何保持定力、把握新的机遇推动石化产业高质量发展呢？

1. 冷静看待贸易摩擦升级

近年来贸易纠纷增多、摩擦不断升级，特别是自美国 2018 年发起对我国贸易战以来，为应对美国关税战冲击，我国“双向”发力，一边积极开拓国际市场，一边加快构建“双循环”新发展格局，稳外贸稳外资同时发力，发展外向型经济与扩内需同时发力，进出口渠道都做到了多元化，中国经济实现了稳定增长，连续多年对世界经济增长贡献 30% 的份额。今年以来，面对特朗普新一轮关税威胁，中国沉稳应对，在日内瓦共识和伦敦框架的基础上，7 月 30 日结束的中美第 3 轮经贸会谈，双方达成共识，美国暂停 24% 的“对等关税”，中方则暂停相应的反制措施，3 轮会谈的结果都超出了很多国家和国际人士的

预期。

如何看待和应对贸易摩擦不断升级？4月25日召开的中央政治局会议明确指出，统筹国内经济工作和国际经贸斗争，坚定不移办好自己的事，坚定不移扩大高水平对外开放，以高质量发展的确定性应对外部环境急剧变化的不确定性。历史和现实都告诉我们：中华民族的性格是越挫越勇，中国人不怕困难，中国人就是在困难中成长起来的，新中国就是在突破一个个封锁、克服一个个困难中发展壮大的。任何时候在困难面前，只要不胆怯、不畏难，不受干扰、不徘徊，坚定办好自己的事，任何困难都将被克服、被战胜，不断迎来胜利的曙光。

中国作为超大型经济体和人口大国，不仅有着广阔的市场需求，而且产业配套能力强。美国遏制我们发展、想卡我们的脖子，但受到影响的首先是他自己，自宣布“对等关税”以来，美国经济预期明显走弱，市场出现剧烈振荡，商品被抢售一空的场面很是壮观。美国多年以来产业的空心化也存在被“卡脖子”问题，美国打芯片牌卡我们的脖子，而我们除了稀土之外，美国人最常用的抗生素阿莫西林，其中80%的原材料由我国掌控。美中经济与安全审查委员会的委员听证会时不无担心地表示，超过60%的美国药品都含有来自中国和印度的关键原材料，而印度本身也严重依赖中国的化学品。中美因贸易依存而形成的这种平衡关系，实际上是相互依存、相互掣肘的，竞争与合作、“斗而不破”将是主流。

2. 关注并把握产业链重构的机遇

为应对近年来供过于求凸显的结构性矛盾、市场竞争加剧、效益持续下滑，跨国公司都在开展战略评估和重新定位，加快布局调整和战略重组，以效益和可持续发展能力为核心，迎接新一轮经济周期和新的发展机遇的到来。特别是欧洲，作为世界化工产业的“强极”之一，自十九世纪下半叶以来，100多年的时间里一直以创新领先引领着全球石化产业的创新与发展，巴斯夫、拜耳、索尔维、诺贝尔、英国石油、荷兰帝斯曼等耳熟能详的世界一流公司都诞生于欧洲。一直以来，欧盟化学工业的原始创新能力、高端化水平以及核心竞争力都是全球领先的，可是今天受地缘政治和区域动荡影响，欧盟以石油、天然气为代表的能源、原材料价格居高不下，往日的竞争力受到严重冲击。

据欧盟化工理事会统计，欧盟化学品销售额的世界占比已由20年前的27%下降到2023年的约13%，叠加全球市场需求乏力、国际经济环境不确定性增多，以及东北亚、南亚和海湾地区的快速发展与北美综合竞争力的不断提升，欧洲地区的石化化工公司都在加快布局调整和战略重组。巴斯夫核心业务与非核心业务的差异化管理，赢创聚焦新能源、生物基、循环经济“新三大战略”，壳牌对德国、荷兰、英国、新加坡等开展的全球业务重组，陶氏宣布将关停位于德国、英国、阿根廷等地区的多套装置，还有英力士、道达尔、利安德巴赛尔等跨国巨头都已相继宣布业务的重组与现有装置的关停，产品涉及炼油、烯烃、聚烯烃、氯碱、环氧丙烷、苯酚、丙酮、聚醚多元醇、涂料等众多产品。

目前的这种布局调整、业务调整和战略重组，是新世纪以来行业发展、市场竞争的结果，当前看对于规模化生产的大宗基础产品和通用材料腾挪了一定的市场空间，对有些企业也许是机遇。我们要关注这一趋势，在把握机遇的同时也要认识到这是跨国公司适应绿色低碳转型和未来竞争的要求，集聚核心资源主攻高端化、抢占未来竞争制高点的战略转移，应予以关注并积极应对。

3. 关注并把握未来发展的趋势

世界石化产业已进入到转型与创新发展的关键时期，立足自身优势、面向未来，加大创新力度、加快绿色低碳转型成为主要趋势。欧洲未来重要的方向将会以绿色化和高端化为核心加快转型，绿色化以低碳技术、生物制造和循环经济为重点，高端化以高性能材料和功能化学品为重点。高性能材料包括高端聚烯烃及其专用料、特种高分子材料、高性能纤维及其复合材料、高端膜材料等。功能化学品主要是为生命健康、电子信息、新能源等配套的高纯专用化学品。德国、法国、英国、比利时、荷兰等欧洲国家一批具有全球竞争力的世界一流跨国公司，其创新优势突出，技术水平长期位居世界领先，未来通过创新和全球化布局，将继续是世界石化产业绿色化和高端化的引领者。

北美以美国为代表，依托丰富的石油和天然气资源，特别是页岩气富含轻烃资源的优势，依靠埃克森美孚、雪佛龙、陶氏、杜邦等一批龙头企业，协同霍尼韦尔 UOP、鲁姆斯、KBR 等一批工程公司，将充分发挥其资源优势、技术优势和企业规模化优势，进一步巩固化工新材料、有机化学品、电子化学品等领域的竞争优势，进一步提升高端聚烯烃、工程塑料、高性能纤维和膜材料方面的综合竞争力。同时，依托转基因玉米、转基因大豆和丰富的生物质资源，通过加大基础研究、应用创新和数字化，进一步强化生物基化学品、生物基材料和生物基燃料的全球领先地位。鉴于北美的原料优势、技术优势和世界一流企业的优势，叠加北美自由贸易一体化的深化，未来北美石化产业将长期处于世界“强极”的地位。

海湾地区资源优势突出，石油、天然气资源丰富，叠加资金实力雄厚，以沙特阿拉伯、阿联酋为代表，正在改变过去过度依赖资源的经济模式，充分发挥石油、天然气和凝析液轻烃资源丰富的独特优势，加快发展以有机化学品、合成材料为主导的下游石化产业。沙特阿美和沙比克走出了一条合资建设炼化一体化装置和通过并购做强产业链的成功之路。阿布扎比石油公司去年 10 月与科思创达成并购协议、今年上半年完成对加拿大诺瓦化学的收购，前不久又以 187 亿美元要约收购澳大利亚油气生产巨头桑托斯。今天科威特、卡塔尔等海湾国家正在成为跨国公司全球布局的热门选择。未来，海湾地区通过吸引跨国公司落地和加快并购，推动“能源转型计划”的实施和发展模式的转变，合成材料、有机化学品等领域将成为世界石化产业强有力的竞争者。

东北亚以中日韩为代表，日本以三菱化学、三井化学、住友化学、东丽等一批跨国公司为代表，在迈进新世纪之前就已发展成为世界石化强国。韩国以 SK、LG 为代表，石化产业在新世纪第一个十年，也具备了很强的竞争力。但是，日本、韩国缺乏发展石化产业的资源禀赋，面对今天世界石化产业全球大调整、产业链供应链重构加速的局面，日本、韩国石化产业的竞争力严重受损，不仅新世纪以来两国都没有新建和投产大型炼化一体化装置，而且日本已明确表示在大宗基础化学品和通用材料领域不再具有优势，将逐步退出大宗基础化学品和通用材料的生产，未来将聚焦生命健康、电子化学品、新能源、尖端制造领域，主攻化工高性能材料和高端专用化学品。

我国石化产业拥有从石油天然气勘探开采、炼油、合成材料，到精细化学品的全产业链优势，进入新世纪以来，我国石化产业的发展速度、规模集中度明显提升，特别是自主设计建设的千万吨级炼油、百万吨级乙烯以及聚碳酸酯、碳纤维、聚氨酯等新材料关键核心技术的突破，2010 年以来我国世界石化大国的地位日益稳固，近十年来又在加快由石化大国向石化强国的跨越。未来，我国石化产业将进一步优化产业布局、调整产业结构，以高端化、绿色化、智慧化为主要方向，由过去的“规模优先”向“竞争力优先”转变，强化创新驱动、加快转型升级，再用十年时间建成石化强国，培育一批世界一流企业，建成包括环渤海湾、杭州湾、海西湄洲湾、泛大亚湾和“能源金三角”在内的“五大世界级石化产业集群”，与基本建成中国式现代化同步，我国石化产业在产业高端化、生产绿色化、管理数字化、经营国际化等各方面，成为与北美、欧洲等世界石化“强极”并驾齐驱的引领者。

4. 把握国内大循环和国际化的机遇

面对国际环境更加错综复杂，外部冲击影响加大和国际国内形势深刻变化，习近平总书记提出构建以国内大循环为主体、国内国际双循环相互促进的新发展格局。这是应对新发展阶段的机遇和挑战、贯彻新发展理念的内在要求，是应对世界百年未有之大变局、塑造国际合作和竞争新优势的重大举措。国务院常务会议提出，要深刻认识和准确把握当前经济形势，把发展的战略立足点放在做强国内大循环上，以国内大循环的内在稳定性和长期成长性对冲国际循环的不确定性，推动我国经济行稳致远，努力实现高质量发展。国际环境不稳定、不确定、难预料的因素日益增多，在一个不确定不稳定的世界中谋发展，只有加快构建新发展格局，持续增强国内大循环内生动力和可靠性，不断提升国际循环质量和水平，才能夯实我国经济发展的根基。内需为主导、内部可循环是大国经济的独有优势，要把做强国内大循环摆到更加突出的位置，坚定不移办好自己的事，塑造强大的国内经济循环体系，以国内大循环更好牵引国际循环，有效化解外部冲击和外需下降带来的影响，以高质量发展的确定性应对外部环境急剧变化的不确定性。

我国自加入世贸组织以来，积极参与国际大循环，以“世界工厂”的模式开启快速发展进程，随着经济的发展、技术的进步，当要跨越低端、迈向高端制造的时候，又遇上了世界经济的低迷和大国竞争的加剧，遏制、围堵随之而来。为适应新阶段高质量发展的新要求，我们必须转变过去依靠劳动力要素低成本的传统优势，转向依靠人力资源丰富、市场空间广阔、产业体系完整等多重优势，充分发挥人口大国、中等收入群体众多、消费市场潜力巨大的优势和产业基础雄厚、制造业增加值连续 14 年位居世界首位和完整产业链配套优势，通过构建全国统一大市场、加快构建国内大循环体系。特别是在供需矛盾突出、“内卷式”竞争加剧、贸易摩擦不断升级的情况下，在加快构建国内大循环的同时，进一步深化高水平对外开放和国际化，开展市场准入壁垒清理整治行动，加快打造市场化、法治化、国际化的一流营商环境，确保产业链供应链自主可控，加快畅通国内国际双循环，推动国民经济和石化产业高质量发展。

三、以高质量发展确保“十四五”圆满收官

下半年，外部不确定性增多、市场需求乏力、供需矛盾突出等问题仍将存在，特别是贸易战、关税战对经济运行造成的压力和挑战仍将继续承压，尤其是效益方面的压力更为突出。因此，做好下半年石化行业经济运行工作的总体思路是，坚持以习近平新时代中国特色社会主义思想为指导，深刻领会并贯彻落实好党中央“稳中求进”工作总基调，完整准确全面贯彻新发展理念，以提质增效和反“内卷式”竞争为重点，统筹好总供给与总需求的关系，在优化存量和做强增量上下功夫，加快传统产业绿色低碳转型和数字化升级，将创新驱动和本质安全摆在更加突出的位置，努力完成全年行业经济运行的目标任务，研究部署好“十五五”规划重点目标和思路举措，实现“十四五”圆满收官，以高质量发展的确定性应对外部的不确定性，以高质量发展推动石化强国目标实现新跨越。

下半年，随着全球石化产能的调整与重组，特别是欧洲地区跨国公司炼油、烯烃及部分基础化学品产能的关停与退出，预计石化产品价格将走强。因伊以冲突给中东化工产业造成的冲击，伊朗关停了大部分化工装置，以色列关停了多套炼油和石化装置，这将有利于炼油、烯烃、化肥、甲醇、聚合物、芳烃等石化产品价格上行。随着国内治理“内卷式”竞争行动的展开，低价恶性竞争将被遏制，国内市场石化产品价格具有上行的趋势。据统计，6 月份多种主要石化产品价格比 5 月份明显向好。IMF 最新《世界经济展望》报告，将中国经济增长预期比 4 月份也大幅调高了 0.8 个百分点。随着宏观政策持续发力和适时加力以及稳增长方案的实施，寄望于全年将是“前低后高”走势，经济运行指标下半年转好，争取“十四五”各项任务目标圆满收官。

下半年，石化行业经济运行的工作重点是：

1. 继续把提质增效放在首位

效益下滑是上半年经济运行面临的最严峻挑战，提质增效仍然是行业经济运行的首要任务。“十四五”的前 4 年，石化行业经济指标曾创下历史纪录：2021 年行业利润总额 1.16 万亿元、创造了新的历史纪录，2022 年营业收入 16.56 万亿元和进出口总额 1.05 万亿美元，均创行业历史纪录。可今年上半年，行业利润总额同比下降 10.3%，这出乎众多企业和业内人士年初的预料。深入分析发现，除了主要石化产品价格继续下降外，多项经营数据都比去年同期变

差，如全行业上半年亏损面虽然同比下降了 1.5 个百分点，但亏损额同比增加了 8.3%；应收账款同比增加 5.4%，产成品资金同比增加 2%。特别是亏损面达 29.9%，亏损额占实现利润总额的 36.4%，应收账款占行业营业收入的 21.2%，存货占行业营业收入的 21.4%。

分板块看，油气板块营业成本增加，亏损企业数同比增加 3.1%、亏损面高达 44%，亏损额增加 25.3%，应收账款增加 3.6%，存货增加 2.9%，管理费用增加 2.2%，财务费用增加 14.5%。化工板块营业成本同比增加 1.8%，亏损面虽下降 1.6%，但亏损面仍高达 29.1%，亏损额增加 4.8%，应收账款增加 6.2%，存货增加 3.9%，管理费用增加 0.2%，亏损额占实现利润总额的 47.4%，应收账款占板块营业收入的 26.3%，存货占板块营业收入的 23.1%。炼油板块也是亏损额同比增加，应收账款与库存占比高。

可见，全行业及三大板块，降运营成本、降低亏损面（全行业及其三大板块亏损面低的 29.1%、高的 44%）、亏损企业减亏，仍然是下半年提质增效的重中之重。各企业要在降本增效、挖潜增效和优化增效上下功夫，不仅通过工艺优化、技术升级、余热综合利用降低物耗能耗，而且要降财务费用、管理费用、采购成本、物流成本，还要“压库存、降应收”、减少产成品和库存资金占用。

当然，还要多争取国家产业政策的支持，如在做好保供稳价的前提下，多争取成品油出口配额和淡季化肥出口等政策支持。在国内市场供过于求、汽柴油消费提前达峰的情况下，通过成品油出口配额的合理提升，将我国炼油装置开工率由去年的 76.1% 提升到 80% 以上，炼油板块营业收入、进出口额下降和利润亏损的状况将即刻改变，石化全行业的运营质量也随之明显改善，为经济稳增长、稳外贸作出更大贡献。化肥出口也是一样，根据化肥季节性淡旺季的特点，用肥淡季适量出口，不仅可减少企业库存积压、资金占用，还可改善氮肥、磷肥产大于求情况，提升化肥企业的运营质量和效益。在保供稳价的前提下，成品油和化肥出口的合理增加，还将大大改善已建成装置的产能利用率，提升的不仅仅是企业和行业的经济效益，更是提升了企业生产装置的本质安全，可谓是“一招多效”。

2. 加快石化产业高端化、绿色化转型

石化产业作为国民经济重要支柱产业，既属资源型能源型产业，也是传统产业与高技术产业交织共存的产业。从产品种类和用途划分，我国石化领域

70%以上属于传统领域，如果以国际通用标准“精细化工率”来衡量，我国与欧盟、日本等相差约20个百分点。可见，石化产业加快产业升级的任务是艰巨的，也是石化产业高质量发展所要求的。习近平总书记多次指出，要积极运用新技术改造提升传统产业，推动产业高端化、智能化、绿色化。石化产业转型升级应深刻领会并贯彻落实好习近平总书记重要指示精神。

一是高端化转型。我国石化产业当前的结构性矛盾突出，高性能材料、电子化学品等高端精细化学品自给率不高，甚至有的还被“卡脖子”，为满足战略性新兴产业、高端制造领域需求，加快高端化转型是石化产业高质量发展的迫切任务。习近平总书记强调：“以科技创新开辟发展新领域新赛道、塑造发展新动能新优势，是大势所趋，也是高质量发展的迫切要求，必须依靠创新特别是科技创新实现动力变革和动能转换。”高端化离不开创新，针对石化产业“低端过剩，高端短缺”结构性矛盾突出的现状，面向世界科技前沿，以国家战略需求为导向，以实现高水平科技自立自强为目标，聚焦关键共性技术、聚焦战略性全局性前瞻性科技前沿，瞄准原创性引领性技术实施重点突破。石化企业在加快茂金属聚合技术工业化的同时，应瞄准高端聚烯烃及其专用料、聚烯烃弹性体、高性能纤维及其复合材料、高端膜材料以及电子化学品、超净超纯试剂、高端功能化学品等的技术突破与工业化应用，通过创新加快石化产业高端化进程。

二是数字化升级。数字化技术已日益融入经济社会发展的各领域、全过程。“十三五”以来，石化行业加快数字技术的应用，智慧车间、智能工厂、智慧化工园区建设都取得明显成效。我们与跨国公司的交流中了解到，巴斯夫、杜邦、陶氏、霍尼韦尔、汉高、SK等跨国公司通过智能化、数字化，不仅大大提升了生产过程的智慧化水平，大幅提高了生产效率，而且大幅提升了管理水平和管理效率、生产过程的本质安全水平，还大大提升了研发效率、缩短了创新周期。

国内智能工厂的实践证明，生产工具的智能化、数字孪生技术的发展以及人机协作模式的逐步成熟等一系列生产范式的转变，为生产现代化、管理现代化都提供了重要支撑。调研中，很多智能工厂、智慧车间或化工园区智慧平台的一线管理或操作人员经常深有体会地谈道：数字经济具有高创新性、强渗透性、广覆盖性，数字技术作为世界科技革命和产业变革的先导力量，是企业管理现代化和转型升级的重要推动力，将成为构建现代化产业体系的重要力量。

因此，我们必须抓住新一轮科技革命和产业变革的历史机遇，加快智慧车间、智能工厂和智慧化工园区创建，通过数字化升级，助推石化产业转型升级、高质量发展。

三是绿色化发展。绿色是高质量发展的底色，推动经济社会发展绿色化、低碳化是实现高质量发展的关键环节，是解决我国资源环境生态问题的基础之策，是建设人与自然和谐共生现代化的内在要求。石化产业作为资源型能源型产业，绿色低碳发展的任务艰巨且道远。**首先是加快石化产业绿色低碳改造升级。**以生产企业为主体，以物耗能耗较高的合成氨、甲醇、烧碱、电石、炼油、乙烯等产品和煤化工产业园为重点，大力推广节能低碳和清洁生产技术装备，加快工艺流程更新升级，加快老旧设备更新换代，认真做好生产过程余热回收利用。

其次是加大绿色低碳创新。国家或行业层面，组建一批绿色低碳重点实验室和国家（行业）创新平台，重点支持绿色低碳和节能降碳的前沿新技术，重点组织实施一批具有重大工业化前景的重大前沿科技项目；聚焦能源绿色低碳转型、低碳零碳工艺流程再造、二氧化碳捕集利用与封存、与绿氢等清洁能源耦合发展、资源节约集约与循环利用等，加强关键核心技术攻关；在严格标准的前提下，认真开展绿色低碳先进技术工程、绿色低碳工厂（车间）、零碳化工园区等试点示范，以试点带动和示范引领，加快石化全行业和重点企业、重点园区绿色低碳新技术、新设备应用和绿色低碳转型。

再次是循环经济。循环经济是石化产业实现绿色低碳最现实的路径选择，因为化学反应的神奇之处就在于原料的广泛性，电石渣循环利用制水泥，磷石膏联产水泥循环回收硫磺制酸，焦炉气、电石炉尾气代替煤制合成气制甲醇、发展碳一化工产业链以及铝渣和磷石膏中的氟回收制氢氟酸等循环模式都取得了很好的成效。现在最受关注的是大量废弃塑料的循环利用，物理循环可以实现梯级利用、节省新塑料的使用量；化学循环可以通过裂解、解聚、气化等不同方式，再循环合成全新的化学品和新材料，不论哪一种的循环利用都大量减少石油、天然气、煤炭、磷矿石、硫铁矿、萤石矿和碳酸盐的开采。

当前还有一个受到高度关注的循环，就是废弃生物质资源的利用，无论是植物秸秆、还是木质纤维素，都可以经过生物技术获得生物基化学品和生物基材料；废弃生物质资源经气化还可以合成甲醇及其下游产业链的众多产品。所以，石化产业转型升级，一定不能忽视循环经济这一重要课题。通过创新化解结构性矛盾，通过循环经济破解高质量发展的“瓶颈”，助力石化产业高质量发展。

3. 下大力气治理“内卷式”竞争

“内卷式”竞争是指违背经济规律，低质量、同质化无序竞争。去年 7 月召开的中央政治局会议首次提出要强化行业自律，防止“内卷式”恶性竞争；今年 7 月 30 日，中央政治局会议强调：纵深推进全国统一大市场建设，推动市场竞争秩序持续优化；依法依规治理企业无序竞争，推进重点行业产能治理。

石化行业有些领域，特别是大宗基础产品和通用材料“内卷式”竞争日渐严重，造成很多新建项目投资回报不及预期，企业和行业经济效益连年下滑。2023 年全行业实现利润总额同比下降 20.7%，2024 年再降 8.8%，今年上半年再降 10.3%；营业收入利润率持续走低，2021 年 8.03%，2022 年 6.8%，2023 年 5.5%，2024 年 4.85%，2025 年上半年 4.9%，仍处历史低位。主要原因是“内卷式”竞争造成的石化产品价格持续低位，如果这种状况得不到改善，不仅仅是效率低下、资源浪费的问题，还会形成“内卷式”竞争的恶性循环，进而影响技术创新，出现“劣币效应”，影响行业的健康可持续发展。

石化行业综合整治“内卷式”竞争，**一是转变发展观念**，观念决定思路，思路指导行动，改变“以规模论英雄”的传统观念和拼投资、拼资源、盲目投资的发展思路，改变不顾发展阶段、资源禀赋、产业基础与承载能力，盲目上马大项目、新项目，盲目追求新产业，造成大量重复建设，产业结构失衡，产品结构严重同质化的状况；改变薄利多销、以量取胜、低价销售，甚至大打价格战、以次充好，打破原有市场平衡、扭曲市场机制，扰乱原来公平竞争市场秩序的传统模式。立足新的发展阶段，按照高质量发展的要求，贯彻新发展理念，遵循市场规律，反不正当竞争，不扰乱市场秩序，既保障自己企业的合理回报和可持续发展，又不损害同行和消费者的合法利益，诚实守信，维护良好的市场秩序，以企业和行业可持续发展为目标，破解近年来“增产增销不增利”的窘境。

二是加强行业自律。（略）

三是加大创新差异化。（略）

四是标准先行推动落后产能有序退出。（略）

4. 坚定石化强国目标迈向“十五五”

做好“十五五”规划、确立“十五五”发展目标、研究提出新的发展思路和举措，是今年下半年、也是今年全年的重点工作。习近平总书记指出，科学制定和接续实施五年规划，是我们党治国理政一条重要经验，也是中国特色社会主义一个重要政治优势。谋划“十五五”时期经济社会发展，必须准确把握“十五五”时期的阶段性要求。

“十五五”的五年与以往的五年规划有着很大不同，“十五五”将是逆全球化加剧的五年。2008 年由美国次贷危机引发国际金融危机以来，逆全球化趋势回潮，自“美国优先”挑起贸易战开始，贸易保护主义抬头，逆全球化趋势日益明显。今年升级版的关税大战使得全球经济社会形势发生了剧烈变化，我国外部环境的不确定性持续加大。当特朗普第二任期结束的时候，已接近“十五五”的尾声，我们一定要做好中美贸易战长期化的思想准备，因为美国遏制中国崛起的战略已成为两党共识，短期内不可能有转圜。所以，即将迎来的“十五五”，将会是一个逆全球化加剧的五年，我们一定要未雨绸缪，做好应对“当前外部环境变化带来的不利影响加深”的准备。

“十五五”将是实现强国目标的关键五年，中央政治局会议指出，“十五五”时期是基本实现社会主义现代化夯实基础、全面发力的关键时期，我国发展环境面临深刻复杂变化，战略机遇和风险挑战并存、不确定难预料因素增多，同时我国经济基础稳、优势多、韧性强、潜能大，长期向好的支撑条件和基本趋势没有变。“十五五”是石化产业实现强国目标的关键五年，也到了夯实基础、全面发力的关键时期，我们要保持战略定力，努力推动自主创新和高水平科技自立自强再上新台阶，产业结构调整和整体竞争力明显增强，建设世界一流企业和现代石化产业集群取得新突破，为新型工业化和中国式现代化作出新贡献。

“十五五”将是转型升级的关键五年，从产业布局、产业结构以及人才结构、组织结构看，从当前供过于求、供需严重失衡的矛盾尖锐程度看，我国经济结构、工业结构都到了结构调整与优化的关键时期，就石化产业的现状、又叠加当前世界石化产业链供应链重构加快，跨国公司战略定位与业务重组力度加大，“十五五”时期石化产业必须加快前瞻性、引领性重大科技攻关和关键核心技术的突破，推动产业高端化升级；通过数字化、智慧化转型，推动石化产业的新型工业化，五年间取得新旧动能转换的重大突破。

“十五五”将是绿色低碳转型的关键五年，“十五五”结束之年将是我国承诺“碳达峰”的年份，自我国正式向世界承诺“3060”目标以来，研究制定了

《2030年前碳达峰行动方案》，碳核算标准和体系不断完善，能耗强度和碳排放强度“双降”成效明显。但我国每年的能耗总量和碳排放总量仍居第一，这是因为受我国资源禀赋的制约，煤炭在一次能源消费中占比较高。作为资源型和能源型产业，石化产业的能耗总量和碳排放量都居工业领域前列，“十五五”的五年必须正视资源能源现状，正视能耗量和碳排放量高的现实，加快石化行业的绿色低碳转型，助推石化产业绿色化、低碳化发展。

基于以上研判，“十五五”期间石化产业应顺应国际发展的大趋势和环境变化的新挑战，必须把高质量发展作为首要任务，贯彻新发展理念，继续将科技创新置于发展全局的核心位置，供给侧和需求侧改革同步发力，构建国内大循环和深化国际化同步推进，以新型工业化为目标，准确把握新发展阶段的机遇和挑战，在产业结构调整、绿色低碳转型、做强增量优化存量和高水平科技自立自强、产业链供应链安全可控以及发展新兴产业、培育未来产业上狠下功夫。坚定石化强国的目标不动摇，加大创新驱动发展战略、绿色低碳战略和人才强企战略实施力度，培育世界一流企业，建设世界级石化产业集群，推动石化产业高质量发展再上新台阶。

5. 坚持安全底线确保本质安全

2024年，石化行业生产安全形势比上一年明显好转，全年未发生重特大生产安全事故，事故起数和死亡人数同比都明显下降；共发生安全事故113起（其中较大事故10起），造成144人死亡（其中较大事故死亡39人），事故起数同比下降8.1%，死亡人数同比下降12.7%。可是，今年上半年生产安全形势又严峻起来，据国务院安全生产委员会办公室《通报》，5月27日，山东友道化学有限公司发生重大爆炸事故，10死、2失联、19伤。上半年发生的事故还有，3月11日江苏泰州一生物科技公司发生爆炸，造成8死、4伤；3月20日河南项城一生物科技公司反应釜爆炸，造成6死、3伤；5月30日河北武邑一化工厂煮洗釜爆炸，造成5死、2伤。这几起伤亡、损失及影响较大的事故警示我们，今年的安全生产形势不容忽视，现在又正处盛夏时节，高温高湿、雷雨和极端天气增多，生产安全形势更加严峻。

分析所发生事故的共性，一是违章操作是事故多发的主要原因，检修维修或特殊作业易发生事故；二是从事故类型看，中毒窒息、爆炸、火灾等过程安全的事故较多，去年中毒和窒息事故29起，死亡45人；爆炸事故24起，死亡52人，火灾事故18起，死亡8人；另外高处作业坠落事故10起，死亡12

人。中毒窒息、爆炸、火灾这三类事故的起数占比 62.8%，造成的死亡人数占比 72.9%。

原因分析也有共同点，一是安全意识不到位，特别是检修和维修作业，不能严格按照操作规程作业，如动火作业、高处作业等。二是对预案不熟悉，出现异常手忙脚乱。过去出现过多起没有充分置换或置换后未按规程检测，硫化氢等有毒气体中毒或氮气窒息，救援人员未采取防护措施就下到反应釜内、储罐内或管道内施救，造成多人窒息、多人伤亡的事故。去年某企业合成反应出现异常，在没有分析清楚反应异常原因的情况下，就贸然加大催化剂投放量、变更蒸汽加热强制反应，结果因反应釜机封液泄漏，与主反应物料发生剧烈反应引发化学爆炸，造成 3 人死亡。三是季节性因素，如春季检修、夏季高温、多雨等，去年二季度共发生较大事故 5 起，死亡 25 人，占较大事故起数的 50% 和死亡人数的 64.1%。

如何做才能确保安全呢？很多安全事故和案例警示我们：安全意识、日常操作很重要。最基本的要求应做到：一是加强安全培训，提升全员安全意识，特别是要强化案例警示教育。二是加强检修维修管理，严格规范操作，特别是科学制定检修维修方案，并使操作人员尽知，严格按检修方案执行。三是加强危险源识别，提升科学果断处置能力，特别是对于易燃易爆、高毒剧毒介质和岗位，要增强对泄漏风险的识别和控制能力，一旦发生泄漏应立即采取停车、停止进料、卸料泄压、单元隔离等安全措施，及时退守到安全状态。

展望下半年，大国博弈、区域动荡与关税战仍将继续，不稳定、不确定性因素仍将增多，全球经济一体化与贸易自由化挑战严峻，受此影响世界经济下行压力将进一步增大。但区域经济合作将增强，新兴经济体增速将继续高于发达经济体，以金砖国家为代表的“全球南方”对世界经济与稳定的贡献将日益提高。中国作为最大的发展中国家，实现全年 5% 的增长目标几成定局，不仅继续是世界经济增长的主要引擎，而且是世界产业链供应链的重要伙伴和稳定器。中国石化产业在全球战略调整与产业链重构过程中将迎来新的机遇，在加快自身转型升级的同时，更加积极地开展国际合作和拓展国际化，共同携手推动石化领域的责任关怀、可持续发展，圆满完成“十四五”各项任务目标，以石化产业高质量发展的优异业绩为中国式现代化作出新的贡献！

加快转型建设高端智库型行业协会的思考*

习近平总书记指出，要建设一批国家亟需、特色鲜明、制度创新、引领发展的高端智库，重点围绕国家重大战略需求开展前瞻性、针对性、储备性政策研究。行业协会应“突出转型意识，建设智库型行业协会”，将石化高端智库建设作为石化联合会做好“四个服务”的长期战略和近期任务。

一、何为智库

智库，其英文名是“think tank”，直译即是“思想库”，也称“智囊机构”或“智慧库”；是指由专家组成，为决策机构或决策者提供最佳理论、策略、方法、思想等的公共研究机构，是影响政府决策和推动社会发展的一支重要力量。全球知名的智库当属兰德公司，这是美国最重要的以军事为主的综合性战略研究机构，作为美国最重要的智库、“思想库”，影响和左右着美国的政治、经济、军事、外交等一系列重大事务的决策。从其名称就可以直观地了解智库的功能,“兰德”是英文“Rand”的音译，是英文“research and development”（研究与发展）的缩写。

或许很多关心国际事务的朋友们对兰德公司是了解的，它成立于二战后的1948年，主要服务于美国国防部，同时为卫生部、人力资源部、教育部、国家科学基金、统计局等提供咨询服务，其强项是进行战略研究和预测性、长远性研究。也许很多中国人知道兰德公司是从一个故事开始的：朝鲜战争前夕，兰德公司组织大批专家对朝鲜战争进行评估，并对“中国是否出兵朝鲜”进行预测，得出的结论只有一句话：“中国将出兵朝鲜”。这与不可一世的麦克阿瑟将军和美国政府的判断相左，当时没有引起美国军界高层的重视，在美国政府和

* 这是2025年8月21日，傅向升同志发表的署名文章。

麦克阿瑟看来，当时的新中国无论人力财力都不具备出兵的可能性。然而，战争的发展和结局却被兰德公司准确言中。这一事件让美国政界、军界乃至全世界都对兰德公司刮目相看，刚刚成立两年的兰德公司从此名声大噪。此后几大影响全球的事件都被兰德公司准确预测，1957 年，兰德公司在预测报告中详细地推断出苏联发射第一颗人造卫星的时间，结果与实际发射时间仅差两周，这令一直想了解苏联卫星发展状况的五角大楼震惊不已；之后的中美建交、古巴导弹危机、美国经济大萧条和德国统一等重大事件都被兰德公司成功预测；甚至包括 20 世纪 70 年代信息技术，90 年代初的苏联解体、两德合并、后冷战时代战略，乃至中东问题，兰德公司都开展了大量预测性课题，这使得兰德公司的知名度越来越高，成为美国政界、军界的首席智库，美国二战以后的多项国际战略与布局都受到兰德公司的影响。以上内容为的是有些朋友直观地了解什么是智库，关键是引起我们的进一步思考：如何加快石化联合会转型、建设智库型行业协会?

二、建设高端智库的重要性及其意义

十八大以来，习近平总书记多次对智库建设作出重要指示，指出智库是国家软实力的重要组成部分，要高度重视、积极探索中国特色新型智库的组织形式和管理方式等。党的十八届三中全会通过的《中共中央关于全面深化改革若干重大问题的决定》明确提出，加强中国特色新型智库建设，建立健全决策咨询制度。这是在中共中央文件中首次提出“智库”概念。2015 年 1 月，中共中央办公厅、国务院办公厅印发《关于加强中国特色新型智库建设的意见》，明确社会智库是国家智库的重要组成部分，人民团体要发挥密切联系群众的优势，拓展符合自身特点的决策咨询服务方式。

2017 年 5 月，民政部、中宣部、中组部等 9 部门联合出台《关于社会智库健康发展的若干意见》(以下简称《若干意见》)，明确了社会智库在国家治理中的地位，强调了社会智库建设对“推动国家治理体系和治理能力现代化、提升国家软实力”的重要意义。

该《若干意见》列举了社会智库服务政府决策的具体产品：政策研究、决策评估、政策解读及咨询报告、政策方案、规划设计、调研数据、意见建议等，智库产品实际成为社会智库与政府协同的具体载体。

石化行业高端智库是石化领域主要在战略、规划、政策、趋势等方面进行创新性思维和知识性研究，生产知识性、思想性成果，为政府决策、引领石化行业和企业高质量发展的重要咨询机构；其研究成果是为决策机构和决策者提供的决策性意见，也可以是一种或多种可供决策的方案，供决策机构和决策者选择，而不是代替决策机构和决策者做出决策。

当今世界百年未有之大变局加速演进，新一轮科技革命和产业变革深入发展，国际力量对比深刻调整，我国发展面临新的战略机遇。同时，世纪疫情影响深远，逆全球化思潮抬头，单边主义、保护主义明显上升，世界经济复苏乏力，局部冲突和动荡频发，全球性问题加剧，世界进入新的动荡期。在这复杂多变的国际大环境和大背景下，世界石化产业的布局和结构都在加快重构，我国正处在由石化大国向石化强国跨越的关键时期，国内外经济不确定性、不稳定性因素增多，加之地缘政治冲突频发，全球经济增长放缓程度超过预期。面对全球经济复杂多变的局面，为了更好地发挥石化联合会在行业发展中的作用，为了更好地引导行业可持续健康发展，为了石化联合会未来的发展，加快石化联合会转型、建设石化行业高端智库，不仅是石化产业发展之需要、国民经济发展之需要，也是石化联合会自身发展之需要，具有现实而深远的重要意义。

石油和化学工业作为我国重要支柱产业，也是基础性和配套性产业，与其他产业关联度高，在国民经济发展中具有举足轻重的地位，开展和加强石化行业社会智库建设是新时期提升行业治理能力和水平，推动石化产业高质量发展的现实需要，也是必然要求。石化联合会是石油和化工行业具有服务和受政府委托兼有管理职能的全国性、综合性的社会行业组织，在行业社会智库建设上具有得天独厚的优势。建设高端智库、强化重大问题研究，是提升石化联合会发展质量和服务质量非常重要的一项工作，也是石化联合会工作质量、队伍建设和服务水平的长期目标。

三、石化行业高端智库的功能定位

石化行业高端智库要坚持高端定位，凝练主攻方向、突出专业特色、注重成果质量，增强理论和政策创新能力，努力推出原创性研究成果。要聚焦石化行业重点、热点和焦点问题，强化问题导向、应用导向，开展战略性、前瞻性、储备性政策研究。

根据《关于加强中国特色新型智库建设的意见》和《关于社会智库健康发展的若干意见》，石化行业高端智库要深入学习贯彻习近平新时代中国特色社会主义思想和系列重要讲话精神，以“服务国家、服务社会、服务群众、服务行业”为宗旨，重点围绕产业布局与结构调整、发展规划与政策制定、经济运行监测与产业预警、创新驱动与绿色低碳战略、国有企业改革与重大工程项目、国际合作与国际化等开展决策咨询研究。

石化行业高端智库的功能定位是：为各级政府决策服务、为社会和谐发展服务、为行业高质量发展服务、为企业转型升级创新服务。努力发挥好“五个作用”：

一是决策咨询作用。以深入生产、科研、经营一线调查研究，了解和掌握第一手资料，为政府决策做好咨询服务；以宏观研究能力和先进企业的成功案例、以前瞻性的思维和研究成果，为石化行业和企业高质量发展决策做好咨询服务。

二是桥梁纽带作用。真实客观地向政府部门和决策机构反映企业的合理诉求；在深刻领会、准确把握的基础上向石化行业和企业，正确解读党中央、国务院的重大决策和部署及其相关产业政策。

三是前瞻导向作用。研究新领域、把握新趋势，以前瞻性研究成果引导石化行业和企业，实施创新驱动发展战略、绿色低碳可持续发展战略和人才战略，推动石化行业高质量发展。

四是标准规范作用。加强标准化建设，借鉴先进经验，以前瞻性的标准化研究成果，规范石化行业和企业的生产运营，提升石化行业和企业的管理水平。

五是引领疏导作用。既要把正确的、前瞻性的产业政策传导到石化行业和企业，又要以问题为导向，及时发现有些政策在实施过程中，给石化行业和企业造成的不合理制约和瓶颈，疏导企业的不解和疑惑，在及时反馈的同时，引领企业通过正当渠道和方式反映诉求，力争尽快妥善解决，促进行业和企业的可持续发展。

石化行业高端智库应紧扣党和国家中心工作和重大需求，结合自身特点和优势，拓展国际视野，深化国际问题研究，深入推进国际交流与合作。力争经过 3 ～ 5 年时间，把石化联合会真正打造成为石化领域“政府靠得住、行业离不开、企业信得过、国际有影响”的高水平社会智库组织。

四、石化行业高端智库的主要构成

石化行业高端智库以石化联合会为主体，以产业发展、信息市场、科技与装备、安全环保、国际合作等业务部门为骨干，充分发挥石油和化学工业规划院、经济技术发展中心等规划咨询单位、专业协会的优势和专家委员会的作用。

石化联合会作为国内唯一的研究全行业发展的平台，在业内具有较高的知名度和权威性，依托该平台可以组织和吸引各级政府、化工园区、龙头企业以及高校、研究机构和业内知名专家学者参与到高端智库的工作中。多年来，石化联合会立足行业发展，以服务为宗旨，深入开展行业调查研究，针对行业发展重点、难点、热点问题，组织行业企业、科研院所，在政策研究、标准制修订、建言献策等方面开展了大量工作，形成了大量研究报告、决策咨询意见、政策建议、专项材料、内参报告等，研究成果通过多种途径和方式成为决策咨询和行业发展的重要参考。这些成果有的协助政府部门开展行业管理，推动了行业发展；有的形成了规范体系，提升了行业自律水平；有的面向企业，促进了行业企业进行结构调整、技术进步和产业升级；有的对外发布，树立了行业正面形象。这些成果已成为我国石油和化工行业改革发展的重要智力支撑，发挥着重要的、独特的作用。

石油和化学工业规划院作为石化领域的规划咨询事业单位，目前是国家发展改革委、工业和信息化部和国家能源局的技术支撑单位，在行业发展规划、区域发展规划、石化基地和企业发展规划方面具有较高的知名度和权威性。石化联合会还有化工新材料专委会、煤化工专委会、园区工作委员会、油气专委会、氢能专委会、外资工作委员会、智能制造专委会等一批专业性强、人才集聚的专业工作委员会，这是支撑石化行业高端智库和做好“四个服务”的重要专业组织和专业力量。

五、高端智库型行业协会应聚焦的研究重点

石化行业高端智库应成为推进国家治理体系和治理能力现代化、提升国家软实力的重要组成部分，要紧紧围绕服务党和政府决策这一中心任务，着力提升信息采集能力、资源整合能力、综合研判能力、战略谋划能力，着力提高政

策研究的专业性、针对性、储备性，着力增强政策建议的前瞻性、建设性、操作性，形成过硬、切实有效的研究成果。石化行业高端智库在重点研究领域和重点课题的选择上，应突出“四个重点”：

一是突出国家亟需。以国家重点领域、重点方向、重要需求为首选，把握正确方向，以习近平新时代中国特色社会主义思想为指引，坚持党的领导和中国特色社会主义道路，以求实的态度和科学的咨询支撑科学的决策。

二是突出专业特色。紧紧围绕石化行业高质量发展所需，紧扣石化行业产业政策、发展规划、本质安全、绿色低碳、创新驱动、布局优化、标准制修订、产业产能预警等主题选题立项、开展研究，凝练重点方向、突出专业特色。

三是突出制度创新。机构设置、决策组织、基本队伍与联合会实行“一套人马，两块牌子”，但为了激发智库的活力和工作热情，要开门办智库、开放办智库，更要制度创新，在运行机制上可以先行先试，不仅吸引人才、凝聚人才，而且鼓励先进、激励后进，不断探索制度创新和新的运行机制。

四是突出引领发展。“服务决策，引领发展”是智库的基本要求和重要功能，要增强理论和政策的研究能力、理解和把握能力及其创新能力，多出前瞻性、原创性的研究成果，努力争取研究成果走在决策部门和决策者前面、走在石化行业创新发展的前面，引领和推动石化行业高质量发展。

要积极针对石化行业战略性、全局性、基础性问题开展宏观政策研究，提出行业维护国家安全和社会稳定、推进市场化改革的相关思路、路径及建议，为行业改革发展重大部署提供决策咨询服务。即：着力深化重大问题研究，不断提升咨政建言能力。

绿色低碳、循环发展是石化产业高质量发展的未来 *

一、什么是循环经济

循环经济的理念萌芽诞生于 20 世纪 60 年代的美国，因受多起事件和环境危机的影响而诞生。

1. 循环经济理念的萌芽与诞生

一是受《寂静的春天》科普读物的启发。1962 年美国生态学家蕾切尔·卡逊出版了《寂静的春天》，主要是描写因过度使用化学药品和肥料而导致的环境污染、生态破坏，最终给人类带来不堪重负的灾难；指出生物界以及人类所面临的危险，呼吁人们认真思考人类社会的发展问题，唤醒了人们的环境保护主义意识。二是受到一张照片的启发。1972 年 12 月 7 日阿波罗 17 号的宇航员拍摄了一张地球的照片，在太空视角下（当时阿波罗 17 号正背向太阳）地球好像一颗弹珠，就被命名为“蓝色弹珠”，这是人类第一次从太空清晰拍到地球发亮一面的照片，受此启发，人们联想到了地球在太空中就像宇宙飞船，要靠不断消耗自身有限的资源而生存，如果不合理开发资源、破坏环境，就会像宇宙飞船那样走向毁灭。三是受美国西部“黑风暴”影响。1934 年 5 月 11 日凌晨，美国西部草原地区发生了一场前所未有的黑风暴，大风整整刮了三天三夜，风暴所经之处溪水断流、庄稼枯萎、牲畜渴死，成千上万的人流离失所。人们对土地资源的不断开垦，森林的不断砍伐，致使土壤风蚀严重，加大了土地沙化现象。黑风暴的袭击给美国的农牧业生产带来了严重的影响，致使大片小麦枯死，以致引起当时美国谷物市场的波动，冲击经济的发展，这是大自然

* 这是 2025 年 10 月 28 日，傅向升同志在 2025 石油和化工产业循环经济发展会议暨第三届上海化学工业区绿色低碳发展会议的报告。

对人类文明的一次历史性惩罚。四是受日本水俣病事件的影响，1939 年开始，在水俣镇的日本氮肥公司开始生产氯乙烯，使用了含汞的催化剂，使废水中含有大量的汞，这种汞在水体中，被水中的鱼食用，水俣镇的居民食用鱼后，汞在人体内聚集从而产生一种怪病：开始时只是口齿不清，步履蹒跚，继而面部痴呆，全身麻木，耳聋眼瞎，最后变成精神失常，直至躬身狂叫而死。五是受日本四日市烟雾事件的影响，四日市位于日本东部海湾，1955 年这里相继兴建了十多家石油化工厂，化工厂终日排放的含 SO_2 的气体和粉尘，使昔日晴朗的天空变得污浊不堪，1961 年开始，呼吸系统疾病在这一带发生，并迅速蔓延，1964 年这里曾经有 3 天烟雾不散，哮喘病患者中不少人因此死去。原因是四日市每年 SO_2 和粉尘排放量达 13 万吨之多，大气中 SO_2 浓度超过标准 5 ～ 6 倍，形成厚厚的烟雾，其中含有害的气体和金属粉尘，他们相互作用生成硫酸等物质，是造成哮喘病的主要原因。以及 1943 年洛杉矶光化学烟雾事件、1948 年美国多诺拉烟雾事件等影响。

重点谈一下影响最大的“1952 年伦敦烟雾事件”。伦敦素有世界“雾都”之称，每当春秋之交，这里经常被浓雾所笼罩，像是披上一层神秘的面纱。而从 19 世纪末期的工业革命起，烟雾越来越重，因为工业革命之后，英国大城市的燃煤量骤增，城市发电靠煤、火车的动力靠煤、工厂靠烧煤进行生产、居民家庭也靠烧煤来取暖，导致了 1952 年 12 月发生了 20 世纪十大环境公害事件之一的“伦敦烟雾事件”。1952 年 12 月 4 日开始，连续的浓雾将近一周不散，工厂和住户排出的烟尘和气体大量在低空聚积，整个城市为浓雾所笼罩，陷入一片灰暗之中。12 月 5 日白天伦敦烟雾加重，下午烟雾渐渐呈现黄色，当天晚上烟雾逐渐变浓，能见度变得只有几米，美丽的泰晤士河谷被烟雾笼罩，烟雾使泰晤士河船上干活的人泪流不止，还有的居民说自己在走路时看不见自己的脚。除了伦敦地铁，伦敦的交通几乎瘫痪，泰晤士河上的船被迫停驶，双层巴士只能借助于雾灯缓慢在市区行驶，交通引导员手持手电或火炬指引公共汽车缓慢行驶；城内开车的人不仅亮着车前灯，还要把头伸向窗外，仔细观察前方，缓慢行驶。市民健康也受到严重影响，许多市民出现胸闷、窒息等不适感，发病率和死亡率急剧增加，据统计，其间有 4700 多人因呼吸道病而死亡，雾散以后又有 8000 多人死于非命；发生哮喘、咳嗽等呼吸道症状的病人明显增多，因支气管炎死亡人数为正常时期的 9 倍，因冠心病死亡人数为正常时期的 2.4 倍，因肺结核死亡人数为正常时期的 5.8 倍。这就是震惊世界的“雾都劫难”。从那次烟雾事件以后英国开始注重环境保护，1995 年英国通过了《环境法》，要求制定一个治理污染的全国战略，要求工业部门、交通管理部门和地方政府同心协力，减少一氧化碳等 8 种常见污染物的排放量。

受到这些事件的启发、特别是环境危机的影响，不仅让人们看到了传统经济快速发展对资源的过度依赖以及对人类和生态环境造成的影响，也让人们认识到地球的资源并不是取之不尽、用之不竭的，地球的环境更不是无限容量的，既受容纳和修复能力所限，也是很脆弱的。同时人们的环境意识被唤醒，让人们认识到无节制地向大自然索取、无节制地向环境排放，终究人类会自食其果，甚至会自我毁灭，人们开始认识到“循环经济”的重要性。1972 年各国在斯德哥尔摩签署了《人类环境宣言》，达成自然资源保护、污染防治、国际环境协作等共识。20 世纪 80 年代以来，转变传统发展理念、发展循环经济逐渐成为国际社会的重要趋势和共识，发达国家把发展循环经济作为国家战略优势的重要途径，也成为提高世界市场竞争力的重要手段。

2.“循环经济”的概念

美国经济学家 K. 波尔丁于 20 世纪 60 年代首先提出了循环经济概念：在人、自然资源和科学技术的大系统内，在资源投入、企业生产、产品消费及其废弃的全过程中，把传统的依赖资源消耗的线形增长经济，转变为依靠生态型资源循环来发展的经济。我国 2025 年 6 月新颁布的《循环经济促进法》中定义：循环经济是指在生产、流通和消费等过程中进行的减量化、再利用、资源化活动的总称。2021 年国家发展改革委印发的《“十四五”循环经济发展规划》中明确，循环经济是一种以资源的高效利用和循环利用为核心，以“减量化、再利用、资源化”为原则，以低消耗、低排放、高效率为基本特征，符合可持续发展理念的经济增长模式，是对“大量生产、大量消费、大量废弃”的传统增长模式的根本变革。

3. 我国对循环经济的重视

我国改革开放以后，经济高速发展的同时，对经济发展、社会发展以及科技进步和国家资源禀赋、环境制约的认识不断深化，发展观念不断与国际接轨，20 世纪 90 年代起就高度重视循环经济发展。新世纪以来，针对我国经过几十年持续高速发展以后，资源相对短缺而又大量消耗的突出矛盾，为破解我国资源以及环境对经济发展的瓶颈制约，有序推进循环经济发展，2021 年年国家发展改革委印发了《“十四五”循环经济发展规划》，提出了明确的发展目标，到 2025 年，主要资源产出率比 2020 年提高约 20%，单位 GDP 能源消耗、用水量分别降低 13.5%、16% 左右，大宗固废综合利用率达到 60%，资源循环利用产业产值达到 5 万亿元等。同时还规划部署了三大重点任务：一是构建资源循环型产业体系，提高资源利用效率；二是构建废旧物资循环利用体系，建设资源循环型社会；三是深化农业循环经济发展，促进农业农村可持续发展。2024 年 2 月国务院办公厅印发了《关于加快构建废弃物循环利用体系的意见》，进一步细化了废弃物循环利用的目标和路径。特别强调遵循“减量化、再利用、资源化”的循环经济理念，以提高资源利用效率为目标，以废弃物精细管理、有效回收、高效利用为路径，覆盖生产生活各领域，发展资源循环利用产业，健全激励约束机制，为高质量发展厚植绿色低碳根基。2025 年 6 月新颁布了《循环经济促进法》，明确指出发展循环经济是国家经济社会发展的一项重大战略。十八大以来，我国在大力推行循环型生产方式，推广绿色生活方式，强化重点品类资源循环利用，抓好塑料污染全链条治理、商品过度包装治理以及积极开展循环经济国际合作等方面，都取得了明显的成效。

二、循环经济与传统经济模式的区别与发展循环经济的“3R”理念

我们都知道，第一次工业革命推动工业经济进入快速发展时代，第二次工业革命推动工业经济进入规模化时代，第三次工业革命推动工业经济进入现代化时代，目前我们正在经历以人工智能为标志的第四次工业革命。

1. 工业化初期传统经济模式的危害

第一次工业革命带动传统工业快速发展时期，当时的人们认为地球资源是无限的，是取之不尽、用之不竭的，当时传统工业经济的生产观念是最大限度地开发利用自然资源，最大限度地创造社会财富，最大限度地获取利润。那时的人们对自然资源的获取、开采是不受约束的，对资源的消费和产品生产是无节制的，生产过程中产生的废水、废气、废渣大量排放、废弃或堆砌于环境也是不受限制的。结果经过几十年无节制的快速发展以后，给环境、生态和人类造成的危害到了无法忍受的地步，欧美等发达国家频发污染事件。上面谈到的美国西部的黑风暴、伦敦烟雾事件以及日本水俣病事件等，都是典型的案例，类似的环境危害时间以及对人们造成的健康危害，在十九世纪末和二十世纪上

半叶，在欧美等先期工业化的国家和地区频频发生。

2. 传统经济与循环经济的区别

传统经济的生产模式是资源—产品—废物排放，其消费模式是产品—消费—废物排放，都属于物质单向流动的经济模式，这种单向模式把所有的废渣、废水、废气、生活垃圾和其他污染物，不加任何处理，随意排放到环境中。传统工业经济这种只考虑经济效益，不考虑资源的稀缺性和环境容量，对资源的利用常常是粗放的和一次性的，通过把资源持续不断地变成废物来实现经济的数量型增长，导致了许多自然资源的短缺与枯竭，并酿成了灾难性环境污染后果。传统经济模式创造的财富越多，消耗的资源就越多、产生的废弃物也越多，对环境资源的负面影响也就越大，对人类和社会造成的危害也就越严重。

而循环经济是“资源—产品—再生资源—再生产品”的闭环经济，形成合理的封闭循环，以消耗最少的资源、生产更多的产品、最大限度地减少废弃物的产生、减少对环境的影响，从而使经济活动对自然环境的影响控制在尽可能低的程度。也就是通过发展循环经济，走出传统工业经济“拼命生产、拼命消费”的误区。改变传统经济“资源—产品—污染排放”这种物质单向流动的经济，实现物质不断循环利用的经济发展模式，构建“资源—产品—再生资源”的物质循环流动的过程，使得整个经济系统以及生产和消费的过程基本上不产生或者少产生废弃物。

3. 循环经济的“3R”理念

即减量化（reduce）、再使用（reuse）和资源化（recycle）理念。

减量化（reduce）理念，要求在经济增长的过程中为使这种增长具有持续的和环境相容的特性，人们必须从生产的源头就充分考虑节省资源、提高单位产品对资源的利用率、预防废弃物的产生，而不是把眼光放在产生废弃物后的治理上。如何做到减量化？对生产过程而言，企业可以通过技术改造，采用先进的生产工艺，或实施清洁生产减少单位产品生产的原料消耗量和污染物的排放量。减量化的另一种表现是产品的小型化和轻型化，产品包装的简单朴实而不是豪华浪费，都可以做到从经济活动的源头就注意节约资源和减少污染。

再使用（reuse）理念，要求尽可能多次或尽可能多种方式地使用产品和包装材料（容器）。以初始的形式被反复使用，尽量延长产品的使用期，而不是非常快地更新换代，以防止物品过早成为垃圾。像餐具、背包、布袋等反复使用是再使用理念的体现，废催化剂的再生利用、废弃物的拆卸、修理和组装用过的和破碎的物品以及少用或不用一次性用品、抵制一次性用品泛滥，都是再使用理念的体现。

资源化（recycle）理念，要求尽可能多地再生利用或循环利用，通过对“废物”的再加工（再生）处理使其作为资源，制成新的产品再次进入市场或生产过程，以减少废弃物的产生。资源化有两种情况：第一种是原级资源化循环利用，将废弃物循环用来形成与原来相同的新产品，如利用废纸生产再生纸，利用废钢生产钢铁。另一种是次级资源化循环利用，是将废弃物用来生产与其性质不同的其他产品的原料的再循环过程。石化领域发展循环经济，既有原级资源化循环也有次级资源化循环，我们称之为“物理循环和化学循环”。

“3R”理念提倡从源头上减少资源和能源的消耗，生产过程消耗最少的原料和能源来生产既定的产品，在消费和使用环节又提倡多次使用、减少或拒绝一次性用品，即使是废弃物或生产过程的副产物也提倡资源化循环利用，以此来节省资源、保护环境。

三、循环经济与生物基化学品

石化产业发展循环经济有着独特的优势，石化领域很早就认识到循环经济是石化产业实现绿色低碳最现实的路径选择，因为化学反应的神奇之处就在于原料的广泛性。

1. 石化产业循环经济起步早、效果好

伴随着第二次工业革命，合成化学的起步可以说是循环经济的典型案例，当时炼钢需要焦炭，炼焦过程产生了大量的煤焦油，拜耳和巴斯夫的诞生就是以炼钢工业的副产物——煤焦油为原料，人工合成染料，这一发明直接催生了现代化学工业。今天电石渣循环利用制水泥，磷石膏联产水泥循环回收硫磺制酸以及焦炉气、电石炉尾气代替煤制合成气制甲醇、发展碳一化工产业链，铝渣和磷石膏中的氟回收制氢氟酸等循环模式都取得了很好的成效。现在最受关注的是大量废弃塑料的循环利用，物理循环可以重复使用：如包装桶（箱）、托盘等，也可以实现梯级利用、节省新塑料的使用量，如废弃塑料循环利用制造汽车保险杠、公园长廊、长椅、景观栈道等。

化学循环可以通过裂解、解聚、气化等不同方式，再循环合成全新的化

学品和新材料，如回收的PET通过解聚重新回收聚酯单体，循环聚合为新的PET；混合塑料通过裂解得到以石脑油为主要成分的裂解油，经裂解炉获得乙烯、丙烯等新的单体，再合成更多的有机化学品和聚合物材料。化学循环的另一个途径是混合塑料经气化炉气化获得一氧化碳、氢为主要成分的合成气，再进一步合成甲醇、氨等化学品，甲醇经碳一化学［羰基化反应制醋酸、甲酸、碳酸酯、DMF（*N,N*-二甲基甲酰胺）等，甲醇氧化经甲醛到工程塑料聚甲醛，甲醇制烯烃等］获得众多化学品或高分子材料，氨可以用于化肥等生产。不论哪一种的循环利用都可以大量减少石油、天然气、煤炭、磷矿石、硫铁矿、萤石矿和碳酸盐的开采。

2. 生物质资源的利用是循环经济的重要课题

这也是当前国内外高度关注的一个创新与发展的重要方向。以生物质为原料通过生物技术路径，与以石油天然气和煤炭等化石资源为原料、通过化学合成路径一样，可以获得已知的任何化学品和合成材料。

第一、何谓生物基化学品？先看一下石油基化学品，石油基产品是指以石油和天然气或煤炭为原料，经化学反应过程或聚合工艺而获得的化学品或材料。而生物基产品是指以生物质为原料，通过生物制造（合成、加工、炼制）过程，获得的化学品和合成材料；生物基材料，是指以生物质为原料经生物或化学的方法制得的材料，目前有生物基塑料、生物基纤维、生物基橡胶等。其中，生物可降解材料是十分重要的一类，因为具有传统化石基材料不具备的绿色、环境友好、原料可再生以及材料可降解等特性。生物可降解塑料在一次性包装材料、餐具、地膜等领域应用较普遍，生物基纤维（PLA、PTT、PA56、PA11等）已在时装、家居、户外用品以及工业领域应用。生物质能源，以生物质为原料经燃烧发电或生物化学转化为生物燃料（生物基乙醇、生物柴油、生物航煤、生物质甲烷、生物质甲醇等）。因为生物质是可再生、可循环、绿色低碳的原料，通过植物光合作用可以再生、资源丰富、可保证资源的永续供应，又加上生物质可有效减排氧化氮、含硫化合物等温室气体，近年来备受关注。

第二、生物质原料都有哪些？生物质原料一般指粮食、甘蔗、木薯、植物种子和植物秸秆、芦苇、木质纤维素以及微藻、废弃油脂等，以生物质为原料一般需经生物发酵、生物酶转化、生物催化等生物技术，也就是常说的生物制造过程获得化学品或合成材料。如粮食（木薯）经淀粉、葡萄糖经生物发酵或酶转化过程，可获得维生素、生物乙醇、生物基多元醇（1,3-丙二醇、1,4-丁二醇、甘油等）、生物基二元酸（1,4- 丁二酸、己二酸等）、二元胺（尼龙 56 的单体戊二胺）等；粮食经淀粉、葡萄糖或藻类通过生物技术，除获得医药保健与营养品、食品添加剂等高端精细化学品外，还可以获得聚乳酸、PBS 等生物可降解材料以及生物基尼龙 56 等新型材料；粮食（木薯）经淀粉、甘蔗经糖生物发酵法可获得生物基乙醇，生物乙醇经脱水获得生物基乙烯、以此为原料可获得一系列生物基有机化学品和生物基聚乙烯、EVA 等聚合物。上面谈到的杜邦生物法 1,3- 丙二醇是新型聚酯 PTT 的单体、1,4- 丁二醇是工程塑料 PBT、氨纶和生物可降解材料 PBS 的重要单体、1,4- 丁二酸是生物可降解材料 PBS 的重要单体、己二酸是生物基尼龙 66 的重要单体；上面提到的植物种子如蓖麻子，经蓖麻油可以聚合制得尼龙 11、尼龙 1010、尼龙 10T 等长碳链高性能生物基尼龙材料，等等。

第三、生物基材料和生物可降解材料的区别是什么？两者不能画等号，即生物基材料不一定是可降解材料，生物可降解材料不一定是生物基的。也就是说生物基材料有的可降解、有的不能被生物降解，如以粮食淀粉或以植物秸秆为原料经生物法获得的生物基聚乳酸，在堆肥状态下是可降解的材料；而以粮食淀粉或植物秸秆为原料经生物发酵获得生物基乙醇，生物基乙醇再脱水获得生物基乙烯，生物基乙烯聚合与石脑油或轻烃为原料的乙烯聚合工艺条件相同、获得的聚乙烯材料也完全相同，就是不可降解的材料。同样的道理，生物基乙烯经氧化水合获得的生物基乙二醇、再与对苯二甲酸反应获得的 PET 即是生物基聚酯，也是不可降解的。现在的美国、巴西、韩国、日本等已创新实现经生物基乙醇可获得生物基丙烯，经聚合获得的聚丙烯同样也是不可降解的；所以说生物基材料不一定是可降解材料。

如何理解“生物可降解材料不一定是生物基的”呢？我们都知道，以化石资源为原料获得的很多聚合物，如聚烯烃、聚酯、聚氨酯、合成纤维等高分子材料都是不可生物降解的；但也有一些我们熟悉的化石资源的聚合物是生物可降解材料，如 PBS（聚丁二酸丁二醇酯），它的两个单体是 1,4- 丁二醇（我国主要是以电石乙炔路线经炔醛法工艺或碳 4 路线经氧化加氢制取）和 1,4- 丁二酸（目前主要是顺酐加氢法生产），经聚合得到 PBS，化石原料获得的 PBS 是可生物降解的材料；同样的以化石原料制取的 PBAT、PBST，也都是可以生物降解的；所以说生物可降解材料不一定是生物基的。

3. 生物技术是石化产业的重要方向和未来

据 OECD 预测，未来 10 年至少有 20% 的石化产品可由生物基产品替代，欧盟《工业生物技术远景规划》预测: 2030 年生物基原料将替代 6% ～ 12% 的化工原料、30% ～ 60% 的精细化学品将由生物基获得。随着持续创新和技术的不断进步，生物技术将日益成熟、制造过程日益成熟、经济性将逐步提升，生物制造将为传统石化产业带来颠覆性、革命性的成果。总部位于德国的一家独立研究机构最新发布《生物基基础原料与聚合物——2024 至 2029 年全球产能、生产及趋势》，不仅肯定了 2024 年是生物基聚合物“表现不俗”的一年，而且指出未来几年仍将快速增长，预计 2029 年前复合年均增长率将达到 13%。其中生物基可降解聚合物预计年增速会高达 17%，未来产能释放和市场拓展的空间会更大。到 2029 年，亚洲和北美将主导全球生物基聚合物的生产和供应，二者将占全球生物基聚合物供应量的 80% 以上，届时欧洲的份额约 10%。2024 年全球生物基聚合物产量 420 万吨，醋酸纤维素和环氧树脂分别占生物基聚合物的 26% 和 32%，其后还有生物基聚氨酯、聚乳酸、聚酰胺和 PTT，其中全生物基聚乳酸因其良好的生物降解性和力学性能，在包装、医疗等领域应用广泛，占比达 8%。预计到 2029 年前，全球生物基聚丙烯、聚羟基脂肪酸酯、聚呋喃二甲酸乙二醇酯的产能增速将尤为突出，预计年均增长率将高达 65%。其中，聚羟基脂肪酸酯的增长主要在亚洲，聚呋喃二甲酸乙二醇酯的增长主要在亚洲和欧洲，生物基聚丙烯产能增长主要在北美。在绿色低碳、应对气候变化和可持续发展的推动下，生物基聚合物将迎来新的发展机遇，亚洲凭借其产能和技术创新将引领生物基聚合物的强劲增长。当然，生物基聚合物还面临着技术瓶颈、成本控制以及回收和循环等难题，当前还难以与化石基聚合物竞争。

美欧已将生物制造定位为“21 世纪经济主权争夺战”的关键领域，近年来美国先后发布《生物经济行动实施框架》《2020 年生物经济研发法案》《美国生物技术和生物制造发展的明确目标》等多项规划和战略政策，提出振兴美国生物经济，发展生物基材料产业，意图掌控生物技术和生物制造全产业链优势。欧洲积极推进“地平线欧洲”等研究框架计划，系统展开生物制造领域的创新。德国通过了“国家生物经济战略”积极推动合成生物技术在工业领域的应用，巴斯夫、赢创、帝斯曼、索尔维、阿科玛等欧洲跨国公司以及道达尔、壳牌、BP 等能源公司在生物制造、生物燃料等领域的创新与产业化都取得了明显的成果；杜邦、陶氏、三菱化学、帝人、LG 等跨国公司，在生物基丙二醇及其纤维、生物基丙烯酸及其酯、生物基聚碳酸酯、生物基尼龙以及生物可降解聚乳酸等方面加大布局，全球生物制造领域的竞争格局将逐渐形成。

我国一直重视生物技术和生物制造的创新，自上世纪八十年代生物化工与化工新材料、精细化工并列为“三大创新重点”，2023 年在战略性新兴产业领域重点布局生物制造，2025 年提出将生物制造重点培育未来产业，我国将聚焦生物制造组织战略科技力量，为打造现代化产业体系实施重点突破。

4. 生物化工的技术创新

生物化工第一代技术，是以粮食经淀粉、葡萄糖转化为生物基化学品或材料，或以甘蔗、木薯等为原料；第二代技术，是以植物秸秆（含木质纤维素和废弃生物质）为原料；第三代技术则是海藻、二氧化碳等为原料。第一代有成熟的工业化技术和生产装置，如美国、巴西和我国等大量生产的生物质乙醇，我国与欧美等生产的生物可降解材料聚乳酸；我国与欧美等生产的各种维生素、食品与饲料添加剂等。

第二代技术正处在工业化示范阶段，我国和欧美都有以植物秸秆为原料生产生物质乙醇的万吨级示范装置（国投在黑龙江），我国以植物秸秆为原料生产生物可降解材料聚乳酸，也已建成万吨级示范装置（安徽丰原），所以说第二代技术我国处于领先水平。

第三代技术大都处于实验室研发阶段，如果实现了海水养殖微藻、微藻为原料生物合成燃料及化学品，当技术成熟、经济性也过关的话，石化产业摆脱化石原料的制约也就不远了。我国的海藻养殖以及生物合成营养素、合成生物燃料等都取得了良好的进展。

生物质燃料第一代技术，是以淀粉 - 生物乙醇或棕榈油、菜籽油、豆油等为原料合成生物基脂肪酸甲酯。原料的供应半径一般为 100 公里，当前受生物质原料供应稳定性和不同生物质原料的影响和制约。生物质燃料的新一代技术是生物质气化或废弃塑料气化，经费托合成生物燃料，粮食或植物秸秆经生物质乙醇再合成生物燃料，都在研发过程中。

5. 目前两个重要的生物质产品

一是生物质乙醇。生物质乙醇不仅可以作为生物燃料直接添加到汽油中，而且是合成生物质乙烯等生物基化学品和生物基材料的原料。巴西、美国、欧洲是世界上三大生物质乙醇生产区。第一代生物质乙醇的原料是小麦、玉米、甘蔗和甜菜，据德国化学技术与生物工程学会的统计，欧洲 37% 生物质乙醇的原料是玉米、33% 是小麦、20% 是甜菜。因为存在与人争粮问题，第一代生物质乙醇生产受到限制。

第二代生物燃料是以植物秸秆和木质纤维素为原料，正在工业化示范阶段。巴西正在加快发展第二代燃料乙醇，即纤维素乙醇，在巴西是以甘蔗乙醇的残渣或蔗糖生产过程的残渣或废弃物为原料，是一种碳排放量更少的清洁燃料。第二代生物质乙醇的优点是在不增加原料种植面积的情况下将乙醇产量提高 50%，碳足迹比第一代生物质乙醇低 30%、比普通汽油低 80%。

巴西在第二代生物质乙醇的研究及应用上处于世界前列，第二代生物质乙醇符合气候危机背景下全球能源转型的需要。巴西通过“未来燃料”法案加快第二代生物质乙醇生产，旨在促进乙醇等生物燃料的生产，满足可再生能源使用需求。随着技术进步，巴西已投入运营的第二代生物质乙醇工厂产能也在逐渐增加，建设规模不断扩大。巴西赖森能源已宣布建设 9 座第二代生物质乙醇工厂，未来还将再规划建设 11 座，总计年产能可达 160 万吨，除了供应巴西国内市场，未来将向美国、欧洲和亚洲等国家和地区出口第二代生物质乙醇。

生物质乙醇除了直接用于燃料，还可以经乙醇脱水制乙烯，进而获得有机化学品和聚乙烯等聚合物。最近有报道美国的生物技术公司和化学品制造商与鲁姆斯合作，正在开发乙醇脱水制丙烯和全生物基聚丙烯技术，拟议中的建设规模 150 万吨 / 年。韩国 LG 公司和巴西布拉斯科公司也都在研发生物质乙醇脱水制丙烯和聚丙烯的技术，目前看技术基本成熟，只是成本问题有待验证。2025 年 9 月住友化学开展了乙醇直接制丙烯中试，原料就是农业废弃物或纤维素制得的生物质乙醇，住友的目标是 2030 年商业化运营。生物技术产业将成为 21 世纪的重要主导产业，是新一轮科技革命与产业变革和主导全球竞争格局的制高点，尤其是非粮生物基产品将是创新与发展的重点。目前生物质乙醇主要是以蔗糖和淀粉为原料，而未来将主要转向植物秸秆等木质纤维素为原料。就碳排放来看，化石原料乙醇的碳排放量是生物质乙醇的 2 倍，甜菜为原料的碳排量最低，木材的碳排量高于甜菜。其经济性看，生物乙醇的成本主要取决于生物质原料的价格，因为生物质原料价格占乙醇价格的 55% ～ 80%。

二是生物质甲醇。与煤制甲醇工艺相近，即生物质原料预处理，主要是脱除水分再经气化获得合成气，然后经合成反应获得甲醇。2012 年全球第一家生物质甲醇工厂在瑞典建成，原料是森林废渣，可生产 10 万吨 / 年燃料级甲醇，效率为 66% ～ 72%。其木材单耗是 2.6 吨干燥木渣，能耗比天然气甲醇高 10%

以上。以森林残余物为原料生产甲醇的碳排放量是0.56吨/吨甲醇，而天然气甲醇的排放量是0.84吨/吨甲醇。经济性上来看，原料成本约占60%～70%，所以生物质原料的价格是决定因素，生物质甲醇的成本比天然气甲醇至少高1.5倍。生物质甲醇的另一条工艺路线是，生活垃圾或农业废弃物经沼气，即生物甲烷制合成气，再合成甲醇。有了生物质甲醇，前面谈到了经碳一化学工艺可以获得一系列生物基化学品、经甲醇制烯烃又可以获得一系列生物基聚合物材料。

我国在生物质乙醇、生物质甲醇、生物质乙二醇、生物可降解聚乳酸、生物基丁二醇、丁二酸以及生物基烯烃、生物基聚碳酸酯、生物基聚酯、生物基聚氨酯和生物橡胶（蒲公英橡胶、杜仲胶）等方面，都处于世界领先水平。

傅向升：我看石化行业“十四五”*

“十四五”这五年，论环境的确最为复杂，论挑战更是异常严峻。下半年以来，经常会有人问石化行业“十四五”规划目标任务能圆满收官吗？这说明作为“十四五”规划收官之年，人们面对当前的形势和环境，都在关注和关心着石化行业的发展。作为收官之年的这“经典之问”，带给我们的是关切、更是思考！现将个人久久的思考简要地梳理于此，不知是否能解您所关切、您所疑问？

这五年，国际环境复杂多变，起始之年全球陷入世纪疫情肆虐之中，世界经济遭遇严重冲击；接着因大国博弈造成地缘政治冲突和区域动荡频发，致使能源价格高企、全球供应链断链风险加剧；疫情过后经济刚刚呈现回升的曙光，又遭遇到逆全球化暗流和贸易保护主义抬头，以及霸权国家单方面挑起的关税战和贸易战四起，致使全球经济雪上加霜，世界百年未有之大变局不确定、不稳定因素增多。“十四五”的五年是国际环境最为复杂、挑战更为严峻、经济受严重冲击的五年。

这五年，中国发展为世界经济作出了重要贡献。五年来，中国经济始终保持战略定力，以习近平新时代中国特色社会主义思想为指导，坚持高质量发展不动摇，贯彻新发展理念，构建新发展格局，走出了一条与其他主要经济体形成鲜明对比的健康发展之路，在充满不确定性的世界里，展现出强大的韧性与活力，实现了历史性跨越和蝶变。经济总量在 2020 年突破 100 万亿元大关的基础上，先后实现 110 万亿元、120 万亿元和 130 万亿元的新跨越，预计今年将达到 140 万亿元的新平台。年均增速远高于全球平均增速，更在各主要经济体中领先，每年为世界经济增长的贡献份额高达 30% 左右，贡献率比美欧日等发达经济体的总和还要高，始终是世界经济增长的主要引擎和全球供应链的稳

---

* 这是 2025 年 10 月 30 日，傅向升同志发表的署名文章。

定器。

这五年，中国石化产业再创新的辉煌。“十四五”期间石化全行业和广大石化企业，深刻领悟习近平经济思想，始终把高质量发展作为首要任务，始终把创新作为推动行业高质量发展的核心要素，完整准确全面贯彻新发展理念，在保障国家能源安全和粮食安全、配套轻工纺织等民生行业和高端制造、战略性新兴产业以及国防军工、航空航天等重要领域，都作出了重要贡献、提供了重要支撑。石化产业自身在产业布局与结构优化、关键核心技术攻关、绿色低碳转型、智慧化数字化升级，以及国际合作与交流、培育世界一流企业和世界级石化产业集群等方面都取得了显著的成就与进步。

一是为保障能源安全作出了重要贡献。石化产业属能源型产业，石油、天然气以及成品油的汽煤柴，既肩负着保障国家能源安全的责任，又与交通运输等经济和民生领域密切相关。“十四五”期间中国石油、中国石化、中国海油及延长石油等能源骨干企业，牢记习近平总书记“石油能源建设对我们国家意义重大，中国作为制造业大国，要发展实体经济，能源的饭碗必须端在自己手里”重要指示精神，坚决打赢“增储上产七年行动”攻坚战，不断稳定老油田，持续拓展新区块，聚力攻克技术关，深地和深海勘探技术相继取得万米突破，页岩油、页岩气勘探开采技术取得显著进步，页岩油气年产量近年稳居世界第二位；原油产量“十四五”实现“五连增”、保障了“七连增”，其中自2022 年以来一直保持原油产量稳定在 2 亿吨以上；天然气产量实现年增量都在百亿立方米以上，确保了天然气年增量 100 亿立方米以上“九连增”；成品油“十四五”前两年年产量高于 3.5 亿吨、后三年保持在 4 亿吨之上，五年总产量接近 20 亿吨，切实做到了“能源的饭碗”稳稳地端在自己手里。

二是经济运行交出了一份亮丽的成绩单。石化行业冷静分析国际环境的复杂多变，克服区域动荡加剧和不确定性因素增多的不利影响，多措并举应对世界经济增速放缓、市场不旺、供强需弱、“内卷”加剧等诸多挑战，经济运行业绩创造了多个历史新高。两个收官之年相比：行业营业收入 2025 年（预计 15.8 万亿元）将比 2020 年（11.08 万亿元）增加 42.6%，实现利润额（预计 2025 年约 7700 亿元，2020 年是 5155.5 亿元）将增加 49.3%，进出口总额（预计 2025 年约 9200 亿美元，2020 年是 6200.7 亿美元）将增加 48.4%。考虑到 2020 年受疫情影响难以与正常年份相比的话，我们来把两个五年的总量做个对比：预计“十四五”五年全行业营业收入总量将达到 79 万亿元，比“十三五”的 62.8 万亿元增加 25.8%；实现利润总额（“十四五”五年预计 4.72 万亿元，“十三五”是 3.51 万亿元）增加 34.5%，进出口总额（“十四五”五年预计 4.75 万亿美元，“十三五”是 3.15 万亿美元）增幅高达 50.8%。同时，年度运行数据屡创新高，2021 年全行业实现利润 1.16 万亿元、创造新的历史纪录，比“十三五”的最高年份（8462 亿元）高出 37.2%；2022 年全行业实现营业收入 16.56 万亿元、创造新的历史纪录，比“十三五”的最高年份（13.78 万亿元）高出 20%；2022 年全行业实现进出口总额 1.05 万亿美元，首次突破万亿美元大关、创造新的历史纪录，比“十三五”的最高年份（7432.7 亿美元）高出 40.8%。可见，“十四五”期间，石化行业经济运行成绩单是一道亮丽的风景线。

三是自主创新取得多项重大突破。石化行业紧紧围绕高质量发展这一首要任务，加大实施创新驱动发展战略，建设了一批重要公共创新平台，突破了一批如上游万米深井、深海油气勘探及页岩油气勘探开采技术，自主设计建设千万吨级炼油、百万吨级乙烯成套技术与大型工程，自主创新的煤制油、甲醇制烯烃、煤制乙二醇、煤制乙醇、煤制芳烃等现代煤化工大型成套工业化技术，自主开发的碳纤维、芳纶、聚酰亚胺、α- 烯烃及聚烯烃弹性体、尼龙 66 关键单体己二腈、生物可降解材料及生物燃料、生物基化学品和材料、绿氢、绿醇、绿氨等关键核心技术，以及大型煤气化炉、高端纤维碳化炉、百万吨乙烯“三机”、特种合成与聚合反应器等重大关键设备。这些技术与装备有的是长期被“卡脖子”、长期受制于人的瓶颈制约。此外，还取得了一批重要发明专利。

四是布局结构与产业结构进一步优化。这五年，通过深化布局结构调整和产业结构、产品结构调整，不仅布局结构更趋科学合理、产业结构高端化取得明显进步，而且石化产业的集中度、整体竞争力和国际影响力都进一步提升。特别是国家布局的长兴岛、曹妃甸、连云港、上海漕泾、宁波（含舟山）、古雷、大亚湾等沿海七大石化基地，以及西北煤炭资源富集区域内蒙古鄂尔多斯、陕西榆林、宁夏宁东、新疆准东等四大现代煤化工产业示范区的产业集群度、规模效益、管理水平都取得显著进步；环渤海湾的辽东湾、天津南港、东营港、裕龙岛、万华新材料产业园，杭州湾的金山、嘉兴港、上虞，南京江北、常熟、泰兴、南通、常州，海西沿岸的泉港、泉惠、莆田、福州江阴，泛大湾区的揭阳、茂名、湛江、钦州、洋浦等一批正在迈向世界一流的化工园区和石化产业集群，发展质量、产业链协同、智慧化和绿色化水平，都成效显著；大庆、吉化、兰化、齐鲁、岳阳、重庆等一批老石化基地，通过改造升级正在焕发新的生机与活力。这些石化基地和化工园区不仅成为石化产业高质量发展的重要承载和支撑，而且已发展成为国民经济和新型工业化、中国式现代化的重要基地和保障。产业结构高端化、精细化也在稳步向前，千万吨级炼油产能已占到总产能的57.5%，精细化工率已提升到54%。从每年进出口量和进出口额以及进出口石化产品、合成材料的种类来看，出口量不断增加、进口量持续减少，高端产品和材料稳步增加、基础产品和通用材料逐渐减少，化工产品和合成材料的贸易逆差逐年缩小，有些产品是明显的，甚至是跨越式的。

五是绿色低碳转型成效明显。“十四五”期间石化全行业和广大石化企业深入贯彻习近平生态文明思想，深刻领会“绿色发展是高质量发展的底色”的精神，“人与自然和谐共生”是中国式现代化的显著特征。作为资源型和能源型产业的石化产业和企业，正视我国资源能源禀赋，持续推进产业结构、产品结构调整，加快节能降碳先进技术推广应用，加快发展绿色低碳产业，大力发展循环经济，加大石化产业与绿电绿氢等新能源耦合发展、与生物基化学品耦合发展等新课题的探索、创新与示范，加快培育绿色产品、建设绿色工厂和绿色化工园区，协同推进石化行业降碳、减污、扩绿、增长，做到了能耗强度和碳排放强度持续下降，重点石化产品的能耗强度下降2%～6%，挥发性有机物综合去除率提升至90%以上，工业废水回用率超过75%，危险废弃物规范化处置率达100%，行业能源利用更趋高效，节能减排和绿色转型成效明显，做到了“保护生态环境就是保护生产力，改善生态环境就是发展生产力”和高质量发展与高水平保护内在的辩证统一，厚植了石化产业绿色化、低碳化发展的底色。

六是国际合作与交流进一步深化。“十四五”期间石化行业贯彻习近平外交思想，及时分析研判国际环境复杂多变、逆全球化趋势加剧的影响，同时针对不确定性因素增多、不利影响增加，讲好中国石化行业高质量发展、绿色发展、合作共赢的故事。每年组织召开国际石化大会、亚洲炼油和化工科技大会等品牌会议和外资委年会、年终恳谈会等座谈交流，每年加强与石化领域重点跨国公司的交流、信息沟通与互访；强化与联合国环境规划署（UNEP）、世界塑料理事会（WPC）、国际化工协会联合会（ICCA）以及终止废塑料污染联盟（AEPW）、欧洲化工理事会（Cefic）、美日韩化工（石化、炼油）协会的合作、交流与互动；特别是加强与国际机构和行业组织以及跨国公司在责任关怀、可持续发展、应对气候变化、碳减排、循环经济等理念和行动的合作与一致行动，在深化交流与拓展合作中达成共识，共同应对石化领域所面临的共性挑战，在合作共赢中避免“脱钩断链”、突破“小院高墙”，让中国的发展成为世界的机遇，促进了石化大家庭共享机会、共促发展、合作共赢。“十四五”期间，轮胎、炼油等方面“走出去”也都实现了新的突破和新的成效。

半年经济形势分析会后，当有人提出“十四五”石化行业能否圆满收官之问之后，我一直在思考这个问题，但日程一直排得很满、时间也一直没有闲暇。直到近期，在媒体界的朋友再三追问之下，结合正在准备国际石化大会的讲话稿，作了以上梳理。因时间仓促和接触面所限，概括不尽全面，也许还存在某些疏漏，仅供关心石化行业发展和未来的朋友们交流和思考吧！期待着您更加全面、更加丰满地补充与完善。

专业篇

践行责任关怀
推进可持续发展 *

2020 年我们经历了一个特殊而难忘的历史阶段，新冠疫情突发，全球经济急剧恶化，产业链供应链遭受重挫。在党中央的坚强领导下，我们同心协力抗疫情，共克时艰保生产、保供应、保稳定，石化全行业收入、利润以及进出口总额同比虽然出现同步下降，但是石化产业作为国民经济重要支柱产业，尤其是在防疫抗疫中的重要作用进一步凸显、地位进一步巩固，全行业的结构在优化、转型升级在加快，创新驱动、绿色发展、本质安全、国际交流、园区管理等诸多方面都取得了许多新的突破。近期欧美等地区、尤其是印度的疫情让人揪心，但全球总体向好的态势在改善，中国疫情防控和经济开局都明显好于预期。今年一季度中国经济同比增长 18.3%，石化行业一季度更是喜人，收入超 3.1 万亿元、同比增长 39.3%，实现利润 2762 亿元、同比增长 6.38 倍，尤其是利润一季度已超过去年全年的 53.6%，这更进一步坚定了我们石化行业再创新高的信心！石化园区和广大企业在疫情面前用大爱展现了社会责任与担当，全力参与疫情防控、捐款捐物、转产保供，全力克服不利影响、创造条件复工复产，充分做好疫情防控和职工安全健康工作，完善和践行健康生产标准，为疫情防控和行业经济稳定运行作出了突出贡献。这份强烈的社会责任和家国情怀离不开石化行业长期推行责任关怀潜移默化的影响。

“责任关怀”理念于上世纪八十年代提出，通过国际化工协会组织在全球推广的努力，到今天几乎所有跻身《财富》世界 500 强的化工公司都在积极践行这一理念，AICM 更是积极的倡导者，今天参会的卡博特、巴斯夫、埃克森美孚、沙比克、科莱恩、索尔维、赢创等公司都非常重视践行责任关怀的理念，我跟这些公司的多次交流中都感受到、体会到了，大家在履行社会责任、

---

* 这是 2021 年 5 月 7 日，傅向升同志在镇江新区新材料产业园全球公众主题开放日活动上的致辞。

关爱员工、关爱社会、树立自身形象等各方面，尤其是系统性、自律性地持续改进环保、健康和安全绩效的管理体系，大大提升了生产过程的本质安全，提升了物料和能源效率、减少了废弃物排放和对环境的影响，各企业通过践行责任关怀创造了更好的效益，改善了化工在公众心目中的形象，取得公众信任也促进了可持续发展，这些都给我留下了深刻的印象。

中国政府也十分重视责任关怀，石化联合会“十三五”以来，在行业和广大企业中全方位加大责任关怀工作的推进力度，按照责任关怀“六项准则”加强工作机构建设、构建标准体系、加大宣介培训和经验交流，并组织开展责任关怀实施效果的评价。“责任关怀”的理念日益深化，被越来越多的石化企业纳入公司战略管理体系，融入安全环保和职业健康的持续提升和改进中。已超过 700 家企事业单位、专业协会和化工园区签署了《责任关怀宪章和承诺书》，责任关怀取得明显成效。在本质安全和绿色发展不断提升和改善的同时，中国企业家的使命感和责任感正在向全社会、乃至世界展现。今年是“十四五”开局之年，石化联合会将继续把责任关怀摆在重要位置，在全面总结《2018—2020 三年行动计划》实施情况、取得的进步以及存在的差距、面临挑战的基础上，正在认真研究编制《2021—2023 责任关怀新的三年行动计划》，确立责任关怀新的思路、目标、重点任务和保障措施，动员更多的企业和园区加入责任关怀的共同行动中来，更加行之有效地推进行业深入开展责任关怀。

化工园区已成为石化产业高质量发展的重要阵地，推动石化园区践行责任关怀是石化行业重中之重的工作。目前已有 64 家化工园区签署了《责任关怀全球宪章和承诺书》，镇江新区新材料产业园等 8 家园区还成立责任关怀组织，都结合自身实际，与推进清洁生产、循环经济、强化安全等工作紧密结合，开展了各具特色的责任关怀活动，充分发挥引导、帮扶、联合、监督的作用，全面推动园区企业积极有效地践行责任关怀，为园区与周边社区和谐共融的发展奠定了基础。今天我们再次相聚在镇江新区新材料产业园，共同开启“全球公众主题开放日”。两年前我们与 AICM 在镇江新区新材料产业园开启了“化工园区责任关怀行动”以来，镇江新区新材料产业园积极探索以党建引领、政府牵头，带动企业深入实践化工园区责任关怀的共建共享模式，园区与企业都做了大量工作、取得了明显成效。由索尔维、SK 等一批跨国公司联合光大环保、江南化工等中国企业组成的“责任关怀”组织，开展了安全分享沙龙、“苏陕协作对口扶贫”、“责任关怀进校园”、校企共建等一系列活动。为推进责任关怀工作的深化与升级，今天隆重举行“全球公众主题开放日”，主要还是以丰富多彩的形式，充分体现“厚植本质安全·乐享营商沃土”的活动主题，为化工园区践行责任关怀探索新的方式、积累新的经验，也为其他园区提供借鉴和样本。

今年是“十四五”开局之年，石化行业和化工园区的“十四五”发展规划都已编制完成。围绕石化产业高质量发展的主题，我们提出“十四五”期间，将组织实施产业升级创新、绿色化、智慧化、标准化和高质量发展示范园区“五项重点工程”，全力打造 70 家重点石化园区和专业化工园区，重点培育杭州湾区、渤海湾区、大亚湾区、海西湄洲湾区和能源金三角区域“五大世界级石化产业集群”。在实施“十四五”规划思路和目标的过程中，我们将继续与 AICM、ICCA 以及欧美日等发达国家的化工行业组织和化工公司加强合作，结合中国石化行业和企业的具体情况，学习好经验和好做法，交流互鉴、共同携手、相互促进，推动责任关怀在石化产业高质量发展的新征程中不断取得新进步、新成就！共同努力将重点石化基地和化工园区建设成为“天蓝、水清、草绿”生态优美的产业集聚区。

加快数智转型
推动高质量发展 *

石化产业作为重要支柱产业的作用日益凸现。自 2010 年以来从石化产业其规模和产出来看，我国一直居世界第二石化大国和第一化工大国的地位。“十三五”期间贯彻党中央、国务院的一系列重大部署，紧盯石化强国的目标、突出高质量发展、突出结构性改革、突出创新驱动和绿色发展，全行业结构不断优化，转型升级和新旧动能转换都不断加快，有些重大关键技术取得新突破，化工新材料和高端化学品的占比不断提升，创新驱动、绿色发展、本质安全、国际交流、园区管理等诸多方面都取得了显著的进步。“十三五”全行业收入和利润均占我国工业经济总量的 12% 左右，为国民经济的稳增长和国家安全都做出了重要贡献，对世界石化市场的贡献一直稳居 40% 左右，是世界石化产业增长与发展的“火车头”。去年受新冠疫情的冲击和影响，尤其是原油及大宗基础化学品价格大幅下滑，是石化行业有统计记录以来经营数据较差的一年，但是石化材料和产品在防疫抗疫中做出了突出贡献。今年一季度石化全行业实现良好开局，一季度实现营业收入 3.11 万亿、同步增长 29.3%，实现利润总额 2761.5 亿元、同步增长 638%，如果全年保持这种增势，今年有可能创造新高。

数字化智能化转型是高质量发展的重要举措。迎接数字时代，激活数据要素潜能，以数字化智能化转型加快石化产业的转型升级，是石化产业高质量发展的重要举措。“十三五”以来石化行业通过两化融合贯标的企业数量超过 1300 家，在工业和信息化部和石化联合会的推动下，有 27 家企业先后入选国家智能制造试点示范，受工业和信息化部委托先后分五批认定了 15 家化工园区开展“智慧化工园区试点示范”，另有 50 家化工园区被列为智慧化工园区创建单位，完成了《智慧化工园区建设指南》国家标准的编制工作。通过推动数字化

* 这是 2021 年 6 月 2 日，傅向升同志在山东省化工产业智能化改造启动推进会上的致辞。

智能化转型和智能工厂、智慧化工园区的试点示范，进一步激发了企业的创新力、提升了管理水平和运营效率，催生出一批智能制造典型示范企业和园区，推动经营管理由粗放型向精细化转变，安全环保由事后管理向事前预测预警和事中控制转变，运行成本和物耗能耗都大幅降低，劳动生产率明显提升，为推动行业高质量发展探索了新路径、奠定了较好的智能化基础。

山东省石化产业转型升级走在了前面。山东多年来一直是石化第一大省，面对新一轮科技革命和产业变革，山东省委、省政府高度重视推动石化产业的高质量发展，成立了专门机构“化工转型办公室（简称化转办）”，及时出台了《山东省高端化工产业发展规划》，举全省之力加快推动化工产业新旧动能转换和转型升级；智能工厂试点、智慧园区示范都取得良好进展，聊城、东岳、双星、赛轮等一批园区和企业都列入了国家试点示范，全省在优化产业布局、加快淘汰落后产能的同时，高规格部署、高标准推进，率先在全国开展化工园区认定、企业评级评价、安全环保专项治理等一系列行动，不仅省内一批领航型企业国际竞争力进一步增强，一批单项冠军企业快速崛起，一批高附加值产品初显优势，而且为其他省市开展化工园区认定、为国家标准《化工园区认定导则》的编制，都提供了有益的借鉴和比较成熟的做法与经验，目前已有 20 多个省市已经和正在开展化工园区认定工作，这些都有山东省的贡献。

“十四五”的航船已经启航，石化强国跨越的关键期已经开启。山东石化行业明确贯彻新发展理念，以产业基础高级化、产业链现代化为出发点，融入新发展格局，深入实施创新驱动、绿色发展、智慧赋能、生态融合攻坚战，并对培育化工产业集聚地、增强化工园区综合竞争力、做强做大优势产业和特色产品、扎实推进区域协同发展和国际交流合作都进行了深入研究、并做出了部署。我们希望山东石化产业以今天启动实施智能化改造提升工程为契机，不断推动智能化改造取得新突破，不断打造高端化工新优势，加快推动由传统化工大省向现代化工强省的转变。

锂电及其化学品创新思考 *

锂电及其化学品的发展与创新是石化产业转型升级的重要领域和方向，是为新能源汽车、高端制造、战略性新兴产业等配套的重要产品。我们最早接触锂电的概念是通过手机，锂电是第一代手机用电池镍氢电池的换代产品，因为锂电比镍氢电池充放电更便捷，尤其是容量更大、待机时间更长、充放电没有记忆，安全性也更好，因此很快就取代了原来的镍氢电池。今天谈锂电更多是与新能源汽车有关，更是与纯电动车密切相关。新能源汽车是当前和未来一段时期国内外高度关注的焦点和发展的重点，一方面是因为应对大气污染，燃油车行驶过程中会有大量尾气排放，大气中温室气体含量不断增加，导致地球气温上升、气候变化，而新能源汽车不存在大量尾气排放的问题；另一方面是为应对人类对化石资源的依赖和过度消耗，石油天然气煤炭等化石资源的有限论，尤其是石油枯竭论始终伴随着大规模工业化和经济的快速发展，而新能源汽车行驶过程中不消耗传统的汽油或柴油，即新能源汽车行驶过程中不消耗化石燃料及化石资源。因此，发达国家都制定了传统燃油车退出市场和禁售的时间表，在原来德国、法国等成员国已宣布禁售燃油车时间表的基础上，6 月 8 日欧盟议会正式通过欧盟委员会去年 7 月提出“从 2035 年开始在欧盟境内停止销售新的燃油车、包含混合动力汽车”的立法建议，随后大众、奔驰等先后表态支持这一新的法规，奥迪决定 2026 年不再推出燃油车的新车型、2033 年起停止生产传统的燃油车；奔驰表示 2025 年起在欧洲市场只销售电动车，全球市场的燃油车退出不晚于 2039 年；宝马计划 2030 年至少一半销量属于纯电动车；梅赛德斯向媒体表示“公司已准备好 2030 年之前销售 100% 的电动汽车”。因此，今天谈锂电更多的是与电动汽车密切相关。

中国近年来一直是新能源汽车年产量最大、增速最快、行驶数量最多、发

---

* 这是 2022 年 6 月 28 日，傅向升同志在首届中国新材料（锂电化学品）财富论坛的讲话（节选）。

展最快的国家，自 2008 年年底启动“十城千辆”新能源汽车示范工程以来，据中国汽车工程学会统计，2015 年上半年中国新能源汽车总销量已超过 7.27 万辆，比美国同时的销量多 2 万辆，中国已成为全球最大的新能源汽车市场。据中国汽车工业协会统计，2021 年年底我国新能源汽车的保有量约 784 万辆，比上年度增加了约 292 万辆，同比增长约 59.3%；去年我国新能源汽车的产量 367.7 万辆；今年前 5 个月我国新能源汽车的产销量双双超过 200 万辆，产销同比均增长 1.1 倍，其中纯电动汽车的产量 164.2 万辆、销量 158.6 万辆，同比均增长 1 倍。新能源汽车、电动车正在成为我国新的经济增长点、增长极，更是我国转型和产业结构升级的重点领域，今天在座的很多从事锂电化学品的企业未来都应当拥有广阔的发展前景，已经从事锂电化学品及其与锂电化学品产业链相关的生产和研发的企业近几年的效益都不错，这些企业家都是独具慧眼和前瞻性的！当然，希望大家在目前赚大钱的同时，还要看到还存在一些挑战和瓶颈制约，这实际上就是我们未来创新的方向。

1. 锂电的性能还存在明显的短板

跟现有的燃油车相比，电动车的短板主要表现在充电时间长、行驶里程短，充电时间比加一箱油要长很多，这一问题正在通过换电池组来解决；行驶里程短一直是电动汽车最大的制约，低温环境中行驶里程更是大幅缩水，我跟很多开电动车的司机和朋友都做过交流，一次充满电也就是 200 ～ 300 公里，为什么特别讲充电的问题和行驶里程的问题呢？因为我觉得这跟我们的锂电化学品有关，会不会跟化学组分有关？跟我们化学品的纯度也有关？我 2017 年 10 月曾带队到 LG 化学和 SK 创新中心访问和交流，这两家的创新总部都在首尔附近的大田市（称为“韩国的硅谷”）。LG 化学给我最深的两点印象是电动汽车的电池和液晶显示材料，现场向我们展示了电动汽车的电池，是一辆电动汽车底盘上的电池组，还特意播放了一段视频：是这组电池的电动汽车参加新能源汽车拉力赛的视频，这辆车当年获得了冠军。因此对方跟我们访问团讲“LG 化学的新能源电池性能是世界最好的，正负极材料都是自己配套的，现代、沃尔沃、通用、福特、奥迪等都用 LG 的电池，当时全球有 60 万辆车用 LG 的电池”。我估算了一下约占当时世界行驶电动汽车的一半，他们认可。对方还告诉我们：下一年将开始生产第三代锂电池。我问第三代锂电池一次充电行驶里程是多少，他们说将达到 500 公里。我还跟他们探讨：国内都在研究纳米材料用于新能源电池，他们的电池性能这么好，是否使用了纳米材料？他们说：纳米材料的应用也是正在试验，但他们当时的电池组分是用了碳纳米管。当天下午我们又到了隔壁的 SK 创新中心，SK 也向我们介绍了很重视电动汽车用锂离子电池及其材料的研发，SK 是韩国第一家、世界第三家开发成功锂离子电池核心材料——分离膜的企业，2005 年年底第一条生产线投产，我们交流时有 9 条生产线正在生产专用分离膜和电动汽车电池专用的耐热分离膜，SK 还讲他们是首家高能量密度三元系材料锂离子电池制造企业，与现代汽车、北汽、戴姆勒等汽车企业都有合作。

2. 当前锂电化学品产能扩张势头很猛

近年来新能源汽车快速发展，并且去年下半年以来产品价格大幅上涨。看一组与锂电化学品相关的产品价格变化：碳酸锂去年 12 月份的高点 23.26 万元 / 吨、全年均价上涨 157.3%，今年 2、3 月份冲高到 52 万元 / 吨；磷酸铁锂去年 1 月份均价 3.775 万元 / 吨，然后一路走高，12 月份到了 9.26 万元 / 吨，今年 4 月份再次升到了 15.9 万元 / 吨；六氟磷酸锂去年 1 月份均价 11.325 万元 / 吨，也是一路走高，4 月份过 20 万元 / 吨，6 月份高于 33.5 万元 / 吨，8 月份高于 42.3 万元 / 吨，10 月份过 51 万元 / 吨，12 月份达到 56.5 万元 / 吨，今年 2 月份冲高到 59 万元 / 吨，5 月份回落到 27.2 万元 / 吨；跟锂电化学品密切相关的有色金属镍、锂、铜等也是价格一直走高，去年镍的均价是 13.756 万元 / 吨，今年 1 月 16.4 万元 / 吨起步，3 月份过 20 万元 / 吨、4 月份接近 22.5 万元 / 吨，5 月份回调到 20.6 万元 / 吨；锂去年的均价 12 万元 / 吨，今年 1 月份 32 万元 / 吨起步，3 月份达到 49 万元 / 吨，5 和 6 月份都在 47 万元 / 吨。正是这种价格的大幅提升，很多企业似乎看到了新的商机，锂电化学品的新建产能量大、增速快。以磷酸铁锂为例，有一份统计：去年以来已宣布的新建磷酸铁产能就有 500 万吨 / 年、磷酸铁锂新建产能超过 300 万吨 / 年（有的统计更高，为 490 万吨 / 年）。更让人担心的是有的企业属于新进入这一领域。有以锂电正极材料磷酸铁锂为主导产品并主导市场的企业扩产；还有像我们熟悉的原来主导产品是磷酸盐、磷肥的，如云天化、兴发、宜化、新洋丰等磷化工企业，或者像多氟多这样多年做氟化工的企业；或者像鲁北化工这样既是磷肥老企业、又有硫酸法钛白生产，产品链已经延伸到了磷酸铁锂等这样的锂电化学品的企业，既有产品的基础，又可以使钛白粉生产过程的副产品硫酸亚铁增值利用，同时还解决了环保难题，这样的企业做产品链延伸还是有基础、有优势的。在市场和价格的驱动下，有一批原来不是做磷化工、氟化工的企业也要跨界新进入这个产业，甚至有的已经宣布拟建和新建规模很是宏伟，这种新建、产能还如此之大，过几年产能是否过热先不说，存不存在冲动？

建议新建或拟建的企业还是要很好地科学论证，不仅要论证未来的市场，还要论证原料的来源和供应链安全，我们的锂资源、磷资源以及铁矿石资源的保供问题不容回避。不仅要论证现有的技术、产品的品质，还要论证如果电动汽车现在表现出的致命短板不能解决的话，目前大量使用的锂电会不会被性能更加优越的新的电池材料、新的新能源电池用化学品取代？更为致命的是会不会发生颠覆性的取代？比如被更先进的氢能汽车取代？如果绿氢的制备技术和成本都过了关，如果氢燃料电池的技术、膜材料及其电堆技术和成本都过了关。这不是危言耸听！关于光伏和风电等绿电电解水制氢技术，宝丰能源第一套 1 万立方米 / 小时装置已运行了一年多，第二套 2 万立方米 / 小时的装置即将投产。去年我在宁东煤化工基地已经现场看了投用的加氢站，是用一家煤焦油加氢工厂的副产氢气，正在为一辆大客车加氢，价格是 16.8 元 / 公斤，几分钟就加好了。关于自然光催化分解水制氢技术，三菱化学和东京大学不仅实验室结果在不断提升，而且东京大学 100 平方米的模型试验也取得了阶段性成果。三菱化学已经给我们展示了碳纤维复合材料制作的氢能汽车的氢气瓶，国际石化大会期间我们与丰田专门交流了他们已经试运行的氢燃料汽车，商品牌号: Mirai，有迷你款，也有外观和乘用空间与现在的雷克萨斯 L 型车相似的，3 分钟加满一箱氢气，最高续航里程 850 公里。讲这么多，就是想与锂电化学品的朋友们分享一些信息，尤其是与目前集中规划、集中建设和大规划、大建设的企业朋友们交流一些信息，仅供同志们新建和扩建新产能、新项目时参考，尤其是在项目论证时参考。

3. 创新对锂电及其化学品至关重要

上面谈到现在锂电的使用性能还存在致命的短板，只有通过创新来解决！创新也是做强主导产业、做强主导产品、做强企业核心竞争力的关键要素，更是锂电化学品健康发展关键中的关键、核心中的核心。锂电当前存在的致命短板，能不能通过锂电正极、负极材料这些基础材料的纯度、质量的创新、提纯、纯净来实现呢？当然还可以通过组成锂电的多元组分、纳米材料或者稀有元素等的创新和应用来实现。创新是无止境的。6 月 19 日我看到一个最新的消息：美国有一个公司 ONE（Our Next Energy），已经掌握了一种“双化学电池技术（dual-chemistry battery）”，其电池续航里程 600 英里即: 966 公里，为什么叫“双化学电池技术”？是因为这款电池中包含两种类型的电池组，一边是磷酸铁锂电池，一边采用能量密度更高的化学成分，能够储存更多的能量，因此续航里程更长；ONE 还同时宣布已与宝马集团签署协议，将应用于纯电动宝马 iX 车上，这款续航近千公里的纯电动车今年底前将完成测试；ONE 还宣布：这一长续航技术将锂的使用量减少 20%、石墨的使用量减少 60%，并最大限度减少了镍和钴的使用量。颠覆性的技术出现也许并不遥远，22 日又看到一位多年耕耘创新的老先生转发的消息：以色列已经研发成功称为“闪充”的汽车专用蓄电池，每次充电只需 5 分钟，续航可达 460 公里，是一种新型固体复合材料，其重量比锂电池还轻，已经试验成功，并有汽车行驶的图像资料。因此以色列政府宣布：2025 年前停止所有燃油车，全部使用电动汽车。

我们现在很多企业都在新建和扩建新的产能、新的装置，一定不能低水平重复，新投产的装置一定要收率更高、单耗更低、排放更低，新装置生产出来的产品一定要品质更好、纯度更高，电池的性能更好。我们生产锂电化学品的企业创新的思路也要开阔一些，不能局限于我们的工厂或装置生产出了符合标准、符合企业需要的产品就行了，这是基本要求、是最基础的，我们还要研究我们的产品用于锂电以后、组装出的锂电的性能如何？是比别的厂家好还是差？好与差的原因是什么？怎么造成的？是我们的产品质量的原因，还是锂电生产企业组装过程的问题？并且找出解决问题的办法，与锂电企业共同改进提升，这就是全产业链创新，也是协同创新的具体做法，这样的创新要是做好了何愁没有客户？何愁没有稳定的客户？我发现很多跨国公司在与客户携手创新、为客户提供一揽子解决方案的做法值得我们借鉴！当然，锂电化学品领域创新的内容还有很多，尤其是通过创新推动锂电化学品的高端化、差异化、超纯化与低碳化等都还有很多内容等着我们去创新；锂电化学品生产企业的智能化与数字化也需要不断创新；锂电化学品作为高性能化学品的重要部分其新技术、新工艺和新设备的应用与创新也很重要，如微反应器及其技术、超重力和超临界等反应与提纯技术等等，对锂电化学品的反应收率、超纯超净、节能降碳都将是明显的。

锂电化学品是为新能源电池行业配套的重要材料和产品，产品的高端化、差异化和高性能化，不仅对新能源汽车行业重要，对储能领域、高端制造业以及航天航空、甚至是国防军工都是不可或缺的。随着新能源汽车的快速发展及其拥有量的持续增加，锂电报废以后的问题将日益凸现，为了解决生态环境问题，为了解决镍钴锰等贵金属短缺问题，更是为了新能源汽车行业的可持续发展，从事锂电化学品的企业、企业家和创新人员，能不能也把报废锂电的材料回收和贵金属的循环利用作为一个重点研发课题？为了新能源电池行业的绿色可持续发展、为了我国战略性新兴产业的高质量发展做出我们新的、更大的贡献！

胶黏剂专精特新之路关键在创新*

胶黏剂行业和胶黏剂产品很重要，从人们的日常生活、医疗卫生、轻重工业（制鞋、卷烟到汽车、机床、军舰等）、飞机上天、潜艇入海，哪一个领域都离不开胶黏剂；看看今天轨道交通、精密仪器等高端制造领域、光伏和风电等战略性新兴领域、太空舱建设、航母出海更离不开高端胶黏剂。我们通常将胶黏剂与食品添加剂、造纸化学品等一起归类为精细化工领域，我主观地提问今天的胶黏剂行业是否也与我国石化产业一样存在“大而不强”的问题呢？我们的胶黏剂品种日常的饮食领域、轻工领域、医疗领域都是满足需要的，但是高端制造领域、精密加工领域能不能满足要求呢？譬如国内生产的特斯拉、宝马、奔驰以及国内品牌的新能源汽车等高档汽车、代表中国制造的复兴号，以及C919和正在研发的C929大型客机等，用国产胶黏剂的比重占多少呢？没有采用国产品种，用的又是哪个品牌？哪个种类？不采用国产品牌的原因是什么呢？是质量、性能的原因，还是组分不同？我觉得这都需要我们认真地进行分析，分析清楚了就明白了差距、就能找到解决问题的办法，我们就提升了、进步了！

我与跨国公司交流的过程中还有一个体会，凡是与人们日常生活密切相关的精细化学品，跨国公司是非常重视应用舒适性能的。与胶黏剂有关的如创可贴，原来是不是有很多人都有过贴上去容易、取下来难的问题，取下来以后还发现因为不透湿，伤口周围不干爽、更不容易好。瓦克化学有一种新型有机硅产品改性以后，舒适度大大提升，不仅贴上去取下来都容易，而且透气性好、伤口周围很干爽、伤口也容易愈合。舒适度案例还有如方便面的盖子，不仅符合食品级、卫生级、无异味等要求，还需考虑能不能容易撕开，加完了热水还容易再次粘上、不透气、能保温，等等。解决这一切问题的秘诀就是创新！

---

* 这是2022年9月8日，傅向升同志在2022胶黏剂行业年会的讲话（节选）。

胶黏剂与化肥、氯碱、炼油、橡胶等行业相比，确实不是一个大行业，但是胶黏剂品种多、种类多、应用领域广，而且质量要求、性能要求都高，尤其是一些特殊应用领域和特殊应用场景要求就更高，所以对技术水平的要求、对创新的要求比其他石化产品要高。一谈到创新通常都会想到技术创新、设备创新、产品创新、质量和性能的改进型创新，这些创新内容的确很重要，过去谈得也很多。今天我第一点重点谈协同创新问题，这也是跨国公司近十几年以来逐步重视起来的。协同创新分企业内课题组之间的协同创新，更多是指企业与高校与科研院所等研发机构的合作与协同创新，这些我也不谈；我今天要谈的协同创新是企业与上下游客户之间的协同创新，尤其是与下游用户的协同创新。我们已经跨越了产品短缺的时代，在市场饱和甚至是过剩状态的市场竞争中，我们不能仅仅满足于生产出的产品符合国标、企标、一卖了之，也不能满足于有自己实验室里的应用数据；为了我们的产品具有更强的竞争力，除了在自己实验室内做应用实验、测试应用性能、取得一系列应用数据外，我们一定要与下游客户一起共同来测试实际应用的效果，一起在实际应用中改进提升、协同创新。这是很多生产塑料的跨国公司带给我的启发。

第二点谈一下生物基和生物可降解的创新问题。今天谈胶黏剂的创新，生物基原料和产品以及生物可降解性能是不是也很重要？为适应“双碳”战略、减少对化石资源的消耗，生物基化学品是全球共同高度关注和创新的焦点，也是未来重要的方向。我觉得胶黏剂作为精细化学品的重要领域，采用生物基原料、研发生物基胶黏剂新品种也是一个未来很重要的内容，生物可降解性能也应当重视。塑料污染、塑料的海洋污染已成为全球共同关注的焦点，可降解塑料是多年来世界材料领域共同努力的方向，中国自限（禁）塑令颁布实施以来，可降解材料大热。其实医疗卫生领域材料和用品的可生物降解性能也很重要，手术缝合的免拆线就是最典型的生物可降解材料，实际上大量的医疗卫生用品都离不开胶黏剂，如果材料都实现了生物可降解，而我们的胶黏剂却不能降解，这也是一个不容忽视、值得重视的问题。

第三点谈一下新技术应用。对于胶黏剂行业的创新，绿色低碳新技术、新工艺、新设备的应用也很重要，如目前已经比较成熟的单通道微型反应技术和设备，对我们胶黏剂这样的品种多、种类多，单品种产量小、用量少，质量要求高、纯度精度高、性能各异的精细化学品，恐怕是再适宜不过了，不仅提高了反应的效率和收率、提高了产品的纯度和质量，关键是还大大提升了生产装置和反应过程的本质安全水平!

打造专精特新“小巨人”企业：胶黏剂行业属于精细化工领域，胶黏剂企业中小企业居多，中小企业是国民经济的重要构成，与大型骨干企业互为补充、产业链衔接与协同，中小企业的重要性和作用毋庸多言。

石化绿色新材料产业发展趋势与展望*

当今世界百年未有之大变局加速演进，新一轮科技革命和产业变革突飞猛进，世界石化产业的区域布局、产业结构以及产业链供应链都在加速重构，绿色低碳新材料迎来新的发展机遇：

一是二十大做出的重大战略部署为石化产业和绿色低碳新材料的高质量发展提供了新机遇。党的二十大刚刚闭幕，这是在全党全国各族人民迈上全面建设社会主义现代化国家新征程、向第二个百年奋斗目标进军的关键时刻召开的一次十分重要的大会。当前，全国上下、各部门、各行业都在掀起学习贯彻党的二十大精神的热潮，石化行业广大干部职工、石化企业和石化园区也都在深入学习、深刻领会党的二十大精神，大会指出：全面建成社会主义现代化强国，总的战略安排是分两步走，从 2020 年到 2035 年基本实现社会主义现代化；从 2035 年到本世纪中叶把我国建成富强民主文明和谐美丽的社会主义现代化国家。未来五年是全面建设社会主义现代化国家开局起步的关键时期。这就对我国石化产业由石化大国迈向石化强国提出了新要求，明确了新机遇。就产业规模看我国石化产业已连续 12 年位居世界石化产业第二位，就石化产业整体水平看我国也位居世界前列，但就科技创新自立自强的能力、产业结构和产品结构的高端化水平看，与美欧日等石化化工强国相比，我们还存在明显的短板，最明显的就表现在绿色低碳新材料的自主创新能力和结构占比低。这就要求我们应深入学习领会党的二十大精神，把握“中国式现代化”的新机遇，把握“高质量发展是全面建设社会主义现代化国家的首要任务”这一新的重大论断，把握“加快建设制造强国、航天强国、交通强国、网络强国、农业强国、数字强国、科技强军”等重大战略部署带给石化产业的新机遇。二十大提出的每一项

* 这是 2022 年 11 月 10 日，傅向升同志在龙口市重点产业及高端低碳绿色材料产业园招商推介会上的讲话。

奋斗目标的实现，都离不开作为国民经济重要支柱产业的石化产业提供重要保障和支撑；二十大部署的每一项强国目标的实现，都离不开绿色低碳新材料保驾护航，制造强国、交通强国、网络强国离不开，航天强国、科技强军更离不开。所以说，绿色低碳新材料再次迎来新的机遇期。

二是绿色低碳新材料是世界石化产业关注度最高的一个领域。绿色低碳新材料主要是指化工新材料及其复合材料和功能材料，其因性能优异已成为当今关注度最高、需求最旺、发展最快的领域之一，与国家安全、国防安全以及战略性新兴产业关系最为密切，也是一个国家工业和产业发展水平以及一个国家整体技术水平的典型代表。二十大提出的制造强国、航天强国、网络强国等强国目标对化工新材料不仅提出了新的需求、新的机遇，也提出了更高的要求，因为化工新材料的发展和技术水平直接关系到高端制造领域、新一代信息技术、新能源与战略性新兴产业、航空航天、国防军工等领域的水平和竞争力，甚至直接推动并影响着新一轮科技革命和产业变革的速度与进程。很多知名跨国公司都把化工新材料作为发展重点和战略转型的首选，杜邦公司的创新与转型是最具代表性，大家熟悉的巴斯夫、陶氏、埃克森美孚等公司，以及赢创、帝斯曼、索尔维、三菱化学、LG 化学等知名公司，都是以化工新材料和功能化学品为主导，在化工新材料领域有着很强的竞争力。

我们化工新材料领域，近十年来聚焦新能源、新一代信息技术和航空航天、国防军工，加大创新力度，攻克了一批如聚碳酸酯、异氰酸酯、尼龙、碳纤维、有机硅和氟材料、聚苯硫醚等几十年未掌握的关键核心技术，并实现了工程化和产业化，也突破了一批延链、强链以及补短板和制高点技术。以万华化学、东岳、新和成、华峰、泰和新材等为代表的以新材料为主导产业的创新型企业，分别在聚氨酯材料、氟化工、有机硅、膜材料、氨纶、尼龙、碳纤维、芳纶等绿色低碳新材料领域进步和成就都很卓越，不仅已成为推动我国新材料发展的生力军，而且在世界同领域有的已具有很强的话语权，大多已达到国际先进水平，与跨国公司同行可同室研讨，既同台竞争、又合作共赢。

当然，我们也要看到：化工新材料一直是我国石化产业高质量发展的一个短板，有些品种还是我国高端制造和战略性新兴产业一个瓶颈制约，甚至有些关键核心技术还受制于人、个别的还存在“卡脖子”问题，尤其是高端聚烯烃、高端膜材料、高端纤维材料及其复合材料、高端专用化学品、高纯试剂等有的还长期依赖进口。这就要求我们一定要按照二十大“坚持创新在我国现代化建设全局中的核心地位”这一前所未有的定位，以国家战略需求为导向，集聚力量进行原创性引领性科技攻关，坚决打赢关键核心技术攻坚战，加快实施一批具有战略性全局性前瞻性的国家重大科技项目，增强自主创新能力，推动我国绿色低碳新材料领域创新图强。

三是化工新材料发展趋势与未来展望。“十四五”《规划指南》的思路是，未来五年化工新材料产业将围绕国家重点工程和重大项目，突出高端制造配套的领域。到 2025 年，要力争解决 20 个左右上游关键配套原料的供应瓶颈，实现 50 个左右填补国内空白的高端应用领域化工新材料产业化，优化提升 80 个左右高端化工新材料产品质量，提升产品档次，形成化工新材料实施一批、储备一批和谋划一批的可持续发展模式。培育 50 家左右具有较强持续创新能力和市场影响力的化工新材料行业领军企业。

当然，生物基和生物可降解材料也是一个重要的领域。为实现碳达峰碳中和目标，生物基化学品将迎来新的发展机遇，如杜邦公司研发的生物法 1，3- 丙二醇及其 PTT、阿科玛的生物基长碳链尼龙、帝斯曼和赢创等的生物基丁二酸、三菱公司的生物基聚碳酸酯。国内生物可降解材料近几年也进步很快，海正生化和丰原的聚乳酸、国家能源集团在榆林的 PGA、凯赛科技的尼龙 56 以及很多企业都在规划建设的 PBAT、PBS 等，创新与产业化都进步很快。

山东一直是石化产业第一大省，烟台是化工高性能材料创新与生产代表性的聚集地之一，龙口市正在迅速崛起为国内重要的石化基地之一，裕龙岛炼化一体化基地按照规划的目标和核准的方案建成投产之时，渤海湾区将形成北岸长兴岛和南岸裕龙岛南北呼应的两大石化基地。届时的裕龙岛不仅进一步巩固山东第一石化大省的地位，而且将是渤海湾区世界级石化产业集群的重要组成部分，是我国沿海布局的单体规模大、整体水平高、产业协同好的重要石化基地之一。届时也许在世界石化领域只要提到新加坡的裕廊岛，就会想到中国的裕龙岛。预祝裕龙岛的明天将崛起为东方的路德维希！为构建中国现代石化产业集群做出新贡献！为中国式现代化和实现第二个百年奋斗目标做出更大贡献！

女性领导力是影响世界、改变世界和影响时代、改变时代的重要力量*

第一、女性领导力可以成为影响和改变世界的力量。在准备致辞稿的过程中我在思考，我的眼前浮现出了撒切尔夫人，她是英国历史上第一位女首相，上世纪八十年代执掌英国期间形成了“撒切尔主义”，尤其是她的执政理念和经济政策重振了日不落帝国的雄威，她也被世人誉为“铁娘子”，撒切尔夫人以她的女性领导力不仅影响了英国，而且影响了世界。另一位杰出领导力的女性是默克尔，她的形象朴实，很多人都亲切地称她“德国大妈”，她以“勤奋、沉稳、务实”的执政风格，担任德国总理 16 年，在大国博弈中纵横捭阖，不仅进一步提升了德国的强国地位，而且增强了德国在欧盟以及世界的影响力和领导力，她曾连续六年蝉联《福布斯》全球最有影响力 100 名女性榜首，入选“全球十大思想者”。这两位都是以自己的女性领导力影响了世界的杰出人物。去年我们都在学习党史，跟各位讲一个在中国共产党建党过程中发挥过特殊作用的女性，她就是党的一大代表李达的夫人王会悟。党的一大是中国共产党诞生的标志，1921 年在上海召开。最后一次全体会议时，一个巡捕房的密探闯入了会场，为了安全马上休会、需要转移会场，有人提议到杭州接着开，但与会代表未达成一致。王会悟建议到嘉兴南湖租一条船接着开，全体同意，第二天即转移到南湖继续最后一次全体会议。代表们在船舱内开会，王会悟在甲板上放哨。这次会议通过了中国共产党的第一个纲领，选举产生了中央领导机构，中国共产党正式诞生，中国历史从此开启了崭新的篇章。如果不是王会悟的建议，出席党的一大的代表可能面临着危险，党的一大的历史也许会改写，所以是王会悟为党的诞生做出了特殊的贡献，影响了中国历史，实际上也影响了世界历史。

---

* 这是 2022 年 11 月 15 日，傅向升同志在第二届中国石化行业女性领导力论坛的致辞。

第二、中国石化领域不乏杰出领导力的女性。大家熟悉的化工部老部长顾秀莲就是其中之一，她于上世纪八十年代成为共和国第一位女省长，1989 年夏天从江苏省省长调任当时的化工部部长，领导化工行业整整十个年头，领导化学工业实施“科技兴化”战略、全行业“学吉化”和“对外开放”事业，1998 年后历任全国妇联主席、人大常委会副委员长等职务，直到今天她不仅对石化行业有着深厚的感情，而且对石化产业高质量发展还有着很强的影响力。另一位女性可能大家不太熟悉，但是她为国防军工事业和化工新材料发展作出了重要而杰出的贡献，她就是陶涛副部长。她 1954 年到苏联实习，一年后回国任苏联援建的“156 项”之一的吉林染料厂副厂长，1956 年成立化工部时调到部机关历任有机局副局长、技术司司长、二局局长，1975 年任石化部副部长，1978 年起任化工部副部长，一直主管军工配套和化工新材料的研发、生产和管理，我们今天的有机硅、有机氟新材料和特种橡胶密封材料的成就都是她当年打的基础；我国今天核工业用的重水、导弹用推进剂、航天发射的液氢、航母和舰艇用的防腐蚀涂料等，都有陶涛副部长的重要贡献；今天在军工领域的黎明院、晨光院等研究院以及星火、火炬等化工厂，还有乐凯的第一、第二胶片厂等等，每一个单位从“三线”选址、实验研发到试车投产，几乎每一个实验室、每一套新装置旁都留下了陶涛副部长的身影。“三线建设”时期，军工配套企业都要到深山里去选址，我上面提到的每一个单位不论是在青海、四川，还是江西、河南，可以说每一个厂址都是陶涛副部长亲自考察、亲自选定的，要不是当年陶涛副部长领导的军工配套事业，当年的原子弹、氢弹难以试爆成功，东方红人造卫星难以飞上太空。这两位是领导新中国化学工业和对石化产业创新发展、为我国国防军工和航空航天作出重要贡献的杰出女性。

还有一点，我们石化领域也是培育杰出女性领导力和杰出女性领导者的沃土。2013—2018 年任国务院副总理的刘延东是我们石化行业走出来的领导人，1972—1980 年在北京化工实验厂工作，1980 年从北京化工实验厂副书记岗位上调北京市工作；2003—2008 年任国务院副总理的吴仪也是我们石化战线走出来的领导人，1962—1965 年在兰州炼油厂工作，1965 年调石油部生产技术司工作，1967 年调到北京东方红炼油厂（燕山石化的前身），1988 年从燕山石化党委书记调走从政，吴仪在中国也被称为“铁娘子”，在当年燕山石化建设的工地上因泼辣、不怕苦得此称谓，在上世纪九十年代入世谈判时以“坚定、果敢”的性格再次展现。

第三、新时代迈向新征程的女性领导力石化行业是杰出的代表。我们今天奋战在石化领域的广大干部职工，无论是生产、科研一线，还是各级政府管理岗位，都有很多是学化工、干石化的优秀女性，也有很多是从我们石化行业走出去的杰出女性。今天这个分论坛的几位嘉宾：科思创工程塑料事业部全球总裁王丽，陶氏大中华区副总裁褚晓勤，北京零废弃循环利用产业促进会会长刘学颂，悉知智能联合创始人古茜，霍尼韦尔特性材料的鲍海蕾，科慕投资（中国）有限公司董事长兼总经理薄蕾，雅保公司中国区总裁徐旸等，你们都是世界石化领域杰出女性领导力的代表。这当中有我熟悉的薄蕾和徐旸，还有我熟悉但今天没出席论坛的科思创中国区总裁雷焕丽女士、SEI 党委书记董事长孙丽丽院士等杰出代表。值得骄傲的是今天很多跨国化工公司和国内的石化企业的领导人中有不少女性，我最早认识的一位知名化工公司的领导人是杜邦的董事长兼 CEO 柯爱伦，她是杜邦 200 多年历史上第一位女性掌门人，她的学识、气质、创新理念、管理思路我都很欣赏，她于 2015 年陶氏杜邦合并前离任，不久前我看到她又重出江湖：现在是一家 3D 打印独角兽公司 Carbon 的 CEO，这是一家创新性很强、成长性很好、十分引人注目的公司。

石化产业举办“女性领导力论坛”的立意有创意，我今天的致辞也想以人物和故事的形式开一个头，希望女性朋友们看到女性领导力的光芒四射，也希望带给屏幕前的朋友们一些启示。上面三句话概括起来就是一句话：女性领导力是影响世界、改变世界和影响时代、改变时代的重要力量！党的二十大胜利闭幕，这是在全党全国各族人民迈上全面建设社会主义现代化国家新征程、向第二个百年奋斗目标进军的关键时刻召开的一次十分重要的大会，对中国式现代化和全面建设现代化强国做出了全面部署，尤其是贯彻新发展理念，构建新发展格局，建设现代化产业体系，实施科教兴国战略等做出的各项战略部署，对新时代石化行业的女性朋友们提出了新的期望和新的目标，更为奋进在新征程上的广大女性朋友们提供了更广阔的施展才华的空间和更良好的发展机遇！建设现代化国家需要更多更优秀的女性朋友，实现石化强国的奋斗目标更需要更多更优秀的时代女性，让我们共同携手，为创造更加美好的未来而努力奋斗！预祝女性朋友们生活美好、事业成功、闪闪发光！

二十大的新机遇是中国的也是世界的*

与往年相比，今年国际国内环境都发生了很大的变化，给全球经济发展、国际合作以及产业链供应链安全，都造成了严重冲击和新的挑战。如何直面挑战、把握新的机遇呢？

1. 二十大胜利召开为中国开启高质量发展的新征程提供了新机遇

党的二十大刚刚闭幕，不仅总结了过去五年的成就和近十年中国特色社会主义进入新时代以来取得的伟大变革，并且指出：从现在起，中国共产党的中心任务就是团结带领全国各族人民全面建成社会主义现代化强国、实现第二个百年奋斗目标，以中国式现代化全面推进中华民族伟大复兴。并特别强调“中国式现代化是走和平发展道路的现代化”。二十大关于深化改革开放的精神，与总书记十八大以来的系列重要讲话精神一脉相承，构建以国内大循环为主体、国内国际双循环相互促进的新发展格局，这绝不是封闭的国内大循环，而是更加开放的国内国际双循环；中国制造已经成为全球产业链供应链的重要组成部分，并做出了积极贡献，中国广阔的内需市场将继续激发源源不断的创新潜能，让中国市场成为世界的市场、共享的市场、大家的市场，为国际社会注入更多正能量。二十大郑重重申发展是党执政兴国的第一要务，特别强调高质量发展是全面建设社会主义现代化的首要任务、创新在中国现代化建设全局中的核心地位，以及加快建设制造强国、网络强国、质量强国、交通强国等强国目标的战略部署，让我们对中国高水平对外开放的未来更加充满信心，更为石化产品、化工新材料都创造许多新的市场需求，因为各项强国目标的实现离不开石化产品和新材料的配套和支撑，这都为石化领域跨国公司在中国的发展和国内优质企业、先进产能打造世界一流提供了许多新机遇。

* 这是 2022 年 11 月 17 日，傅向升同志在 2022 中国国际石化大会全球能源与化工市场展望分论坛的致辞。

2. 当前全球能源和化工市场遇到了新挑战

当前，世界百年未有之大变局加速演进，新一轮科技革命和产业变革深入发展，国际力量对比正在深刻调整，尤其是疫情的持续、叠加今年突发的俄乌冲突，更加速了世界石化产业的重构，全球能源和化工市场遭遇了新的挑战。

一是全球经济下行的挑战，从 OECD、IMF 等国际组织对世界经济最新的预测来看，今年全球经济增速约 3%、明显低于去年的 6.1%，对明年的预测更加悲观、再次下调明年的预期，明年全球经济和主要经济体都将比今年更差，明年世界经济增速只有约 2.2%，美国的增速只有 0.5%，欧元区增速将大幅放缓至 0.3%，德国将收缩 0.6%，主要原因就是通胀已达到几十年来最高水平，经济政策收紧、乌克兰危机以及疫情的持续，都将严重影响全球经济增长，发达经济体、尤其是欧洲因能源危机、通胀加剧等影响，明年陷入衰退的概率在增加。

二是持续动荡的大国博弈和地缘冲突给产业链供应链造成严重冲击，大国博弈在加剧贸易保护主义和单边制裁，甚至发展到拟议产业链供应链脱钩，尤其是突发地缘冲突造成的能源危机、天然气断供，受高昂的能源价格影响，欧洲许多工业部门正在减产，10 月份德国《商报》报道：为节省天然气和电力，能源密集型行业钢铁减产约 5%、化工行业减产 8%、化肥行业甚至关闭了德国 70% 的产能，造成产业链供应链不稳定、不可持续，甚至断供的风险。

三是全球石化市场深受冲击，全球经济的颓势直接影响着石化产业，全球产业链供应链的稳定、甚至安全都面临挑战，全球石化市场也深受冲击，跨国公司和很多石化企业今年的效益与去年相比落差很大，尤其是世界化学工业的重要区域欧洲的情况更差，天然气的断供对欧洲化学工业产业链供应链的影响严重，因为欧洲消费的天然气 40% 是作为生产化学品的原料，本来以为 2022 年是值得期待的一年，现在看来将成为不堪其苦的一年，从目前的情况看明年也难以好转。

3. 中国石化产业再次展现了持续向好的基本盘

一是经济指标继续向好，中国石化产业前三季度全行业营业收入高于 12.25 万亿元人民币，同比增幅 18.5%；利润总额 9794 亿元人民币，同比增长 7.6%；下半年以来效益的影响更严重一些，同比增速由上半年的 24% 急速下滑到前 9 个月的 7.6%。现在看四季度正在企稳向好，在去年经济指标创造历史新高的基础上，期望今年再迎来一个收获的年份。**二是外贸进出口情况持续向好**，前

9 个月石化全行业的进出口总额 7870.4 亿美元，同比增长 27.4%，其中进口额 5166.7 亿美元，同比增长 27.2%；在全球石化产业因能源危机严重受挫的情况下，中国石化产品的外贸进出口总额以及进口额和出口额同比增幅都在 27% 以上，再次证明中国经济的强劲及其生产经营的稳定性和产业链供应链的可持续性都是较好的。**三是中国市场的潜力进一步显现**，中国目前货物贸易总额、制造业规模、外汇储备都稳居世界第一，14 多亿人口更蕴藏着巨大的、待开发的市场潜力，前 9 个月中国市场消费成品油 2.46 亿吨，乙烯消费量 2250 多万吨，甲醇消费量 5200 多万吨、其中进口量占 17.9%，合成树脂消费量接近 9600 万吨、其中进口量高于 20%，聚乙烯的进口量高达 37%；前 9 个月石化全行业的贸易逆差接近 2500 亿美元，同比增幅高达 26.4%。中国的这种巨大而稳定的消费市场，是世界石化产业可持续运营的稳定器和增长的火车头，如果没有中国巨大石化市场的支撑和托底，以及中国从石油天然气勘探开采到石化产品、合成材料最完整产业链供应链的稳定性，全球石化产业的情况可能会更惨淡一些。

当前，石化全行业和广大石化企业都在认真学习贯彻党的二十大精神，二十大确立的各项战略目标对石化产品和石化材料以及中外石化企业都提出了更广阔的市场新需求和新机遇，希望我们携起手来，为构建国内大循环为主体、国内国际双循环相互促进的新发展格局做出新的努力，以中国新发展为世界提供新机遇，共同培育全球发展新动能。

石化行业数字化转型三点思考*

今天召开的是数字化转型论坛，党中央强调“把握数字经济发展趋势，推动我国数字经济健康发展”，习近平总书记讲：数字经济发展速度之快、辐射范围之广、影响程度之深前所未有，正在成为重组全球要素资源、重塑全球经济结构、改变全球竞争格局的关键力量。促进数字技术与实体经济深度融合，赋能传统产业转型升级，催生新产业新业态新模式，不断做强做优做大我国数字经济。我们今天的论坛是贯彻党的二十大提出加快建设数字强国战略的具体行动，下面我谈三点思考：

第一、智能化数字化转型是当今世界石化产业的重要趋势。新世纪以来，在我国石化产业基本形成完整工业体系的基础上，我们加大布局结构和产业结构的调整，同时也通过技术创新加快石化产业的新旧动能转换，通过智能化和数字化促进石化产业的转型升级。当前看我国石化产业的总规模持续扩大，规模集中度不断提升，单体规模效应进一步显现，就石化行业的整体技术水平看应当居世界前列，但就竞争力、管理水平、尤其是效益水平来看，还存在明显的差距。从“十四五”开始，我国开启了全面建成社会主义现代化强国的新征程，我国石化产业也跨入高质量发展和由石化大国向石化强国跨越的关键时期，我们如何提高石化产业的发展质量、提升石化产业的竞争力呢？加快智能化和数字化转型是当今世界石化产业的一大趋势和重要举措。2019 年，我带队访问杜邦创新总部时了解到：杜邦不仅通过智能化提高生产效率、降低成本和确保本质安全，而且通过数字化大大提升了杜邦的创新效率、缩短了创新周期；日本在加快第四次工业革命的过程中、特别是应对后疫情时代的重要措施主要是数字化，今天发达国家和跨国公司都在加快数字化转型。

---

* 这是 2022 年 12 月 15 日，傅向升同志在 2022 年化工有色金属行业数字化转型论坛上的视频致辞。

第二、我国建设石化强国须加快智能化数字化转型。党的十八大以来，党中央高度重视发展数字经济，实施网络强国战略和国家大数据战略，习近平总书记在中央政治局集体学习时强调：发展数字经济是把握新一轮科技革命和产业变革新机遇的战略选择，数字经济具有高创新性、强渗透性、广覆盖性，不仅是新的经济增长点，而且是改造提升传统产业的重要支点，是构建现代经济体系的重要引擎。并进一步提醒我们：当今时代，数字技术、数字经济是世界科技革命和产业变革的先机，是新一轮国际竞争的重点领域，加强关键核心技术攻关，提高数字技术基础研发能力，打好关键核心技术攻坚战。党的二十大提出“建设现代化产业体系”明确的“六项强国”目标，其中就包括“网络强国、数字中国”，因此，我们要深刻领会习近平总书记的重要讲话、贯彻落实党的二十大精神，重视推动数字经济和实体经济融合发展，把握数字化、网络化、智能化方向，加快石化产业的数字化转型，利用数字化技术对传统企业和石化装置进行改造升级，提高全要素生产率，发挥数字技术对石化产业高质量发展的促进和倍增作用，持续推动石化产业的转型升级，助力石化强国目标的实现。

第三、我国石化产业的智能化数字化未来目标已明确。迎接数字时代，激活数据要素潜能，加快石化产业数字化智能化是石化产业高质量发展的重要举措和有效途径。通过推动数字化智能化转型和智能工厂、智慧化工园区的试点示范，进一步激发企业的创新力、提升企业和全行业管理水平和运营效率，推动经营管理由粗放型向精细化转变，运行成本和物耗能耗都大幅降低，劳动生产率和本质安全水平都明显提升，助推石化产业高质量发展，向着石化强国目标扎实推进。

加快石化产业智能制造水平提升，深入推进石化产业数字化转型和智能化升级，推动石化产业高质量发展，是“十四五”和今后一段时期石化全行业和广大石化企业的重点任务和努力方向。希望与会的各位嘉宾、企业家借此盛会畅所欲言，深入探讨化工有色等重要行业新技术、新应用、新模式、新业态，助力化工有色等国民经济的重要行业数字化转型发展，为现代化工业强国和数字中国作出新贡献。

创新驱动 升级转型 全力开启高质量发展新征程*

滨州是我国石化产业的重镇，有着良好的基础和明显优势。这是选择在滨州举办这次大会的主要考量。滨州已形成以石油化工、盐化工、煤化工为主体，精细化工、医药化工相配套，正在迈向新能源、新材料创新图强的新征程。滨州石化产业有像滨化、鲁北、鑫岳和京博等一批石化领域知名度高、创新能力强、具有重要影响力的骨干企业，滨化由一家氯碱企业起步，发展为今天拥有氯碱、石化、新材料、新能源、特种化学品五大事业部，正在致力于打造千亿级新材料、新能源、精细化工为主导的世界一流产业集团；鲁北化工由一家小磷肥厂起家，通过艰苦创业和持续的创新，发展成为今天主营磷肥、钛白粉、特种化学品、新能源材料以及建筑材料等的大型企业集团，尤其是在磷石膏综合利用和循环经济方面一直是国内自主创新的领先者，今天围绕基础化工、循环经济和资源化利用，正在打造全新的“氟、硫、硅、磷”循环产业链，正在形成“3 基地 +1 中心”产业架构的精细化、高端化、智能化、现代化产业集群；鑫岳和京博都是由小炼油厂起步，当小炼油厂面临生死抉择的时候，京博和鑫岳依靠科技创新加快“油转化”的转型，为很多地炼企业转型升级探索了新路、积累了经验，今天的京博和鑫岳都正在以新材料和高端精细化学品为发展方向，努力把自己打造成为智能化、绿色化、市场竞争力强的高科技绿色工厂。可见，滨州石化产业有着基础扎实、骨干企业带动作用强、创新发展的思路和目标明确等诸多优势。今天的大会又得到了中国电力企业联合会、中国华能集团、中国大唐集团、华润集团等各方力量的重要支持，相信这次大会不仅将成为滨州新能源、新材料未来创新发展的新起点，为滨州石化产业的转型升级注入新动能，而且也必将为石化产业与电力能源产业未来的耦合发展开启新的篇章！

---

* 这是 2023 年 6 月 29 日，傅向升同志在 2023 中国（滨州）新能源与新材料产业发展大会的致辞。

我国是世界石化大国，但高端产品短缺的矛盾还比较突出。我国化工新材料行业聚焦新能源、新一代信息技术和航空航天、国防军工，加大创新力度，攻克了一批重大关键核心技术，涌现出一批以化工新材料为主导产业的创新型企业和化工新材料产业集群。总体上看，我国十几年来一直位居世界石化和化工大国，但与世界石化和化工强国还存在差距，尤其是大宗基础化学品和通用合成材料产大于求状况呈现出日益严重之态势，而为高端制造业、战略性新兴产业和航空航天配套的高性能新材料及其复合材料、高端精细化学品、特种功能材料和产品短缺的结构性矛盾，不仅长期难以从根本上改变，有的还存在“卡脖子”的问题，解决这些问题的关键是创新。

山东第一石化大省的经验值得借鉴，下步应重点在创新图强上发力。滨州地处山东，近三十年来山东一直是我国第一石化大省，从总规模上看：去年石化收入 2.76 万亿元、稳居各省区市首位；从产业结构和产品规模看：有数十种石化产品的产能产量也是稳居全国首位，代表性的如地方炼油企业的数量和炼能均占全国地炼企业总数和加工能力的 40%，另一代表性产品轮胎约占全国总产能的 50%。从化工园区及其管理看：山东省率先在全国开展化工园区的规范认定，认定的 84 家化工园区为其他省区市以及今年在全国开展“化工园区认定回头看”提供了借鉴、积累了经验；从已认定的化工园区布局看，有青岛董家口、烟台化工产业园和正在建设的裕龙岛一体化基地、潍坊滨海、东营港、滨州北海等沿海产业基础好、管理水平高的重要石化园区，也有淄博齐鲁、聊城鲁西、滕州兖矿等一批转型升级走在前列的内地传统化工基地；山东石化领域还涌现了万华化学、东岳、泰和新材、京博、海湾化学、利华益等一批创新能力、核心竞争力强的企业群体。我们提出培育“环渤海湾区世界级石化产业集群”的规划目标以后，环渤海湾南岸正在形成和崛起 5 个具有世界一流水平的化工园区和石化基地，再用 10 年左右的时间，环渤海湾区将形成北有长兴岛、南有裕龙岛，上有辽东湾、南港，下有烟台新材料产业园、东营港等南北呼应、上下协同的世界一流化工园区和石化基地。只要我们坚持把创新驱动放在高质量发展的首位，持续加大新旧动能转换的力度，加快石化产业布局结构、产业结构的优化，加快石化企业的绿色低碳和数字化转型，山东省石化产业不久的将来一定会发展成为环渤海湾区世界级石化产业集群的重要组成部分！就一定能为环渤海湾区世界级石化产业集群的形成做出更加重要的贡献！让我们共同努力，全面贯彻落实党的二十大精神，牢记高质量发展是全面建设社会主义现代化国家的首要任务，坚持创新在我国现代化建设全局中的核心地位，为实现石化强国的奋斗目标、实现中华民族伟大复兴的中国梦作出新的更大贡献！

海洋化工及其未来的三点思考*

夙沙氏，是古代黄帝重臣，产盐部落首领，据古代蒙学《千字文》记载：夙沙煮海，即夙沙氏“煮海为盐”，开创华夏制盐历史之先河。“卤源水韵，经略海洋”，今年的“夙沙论坛”主要是围绕联合国“海洋十年”框架下的中国海洋发展战略、海洋绿色化工等重要议题，进行高层交流和深入探讨，不仅为我国东部沿海省份海洋经济和我国海洋化工的创新发展贡献智慧和方案，更为我国海洋化工产业绿色低碳转型和高质量发展助力。

一是建设海洋强国是党中央做出的重要战略部署。党的二十大报告在“加快构建新发展格局，着力推动高质量发展”部分指出，发展海洋经济，保护海洋生态环境，加快建设海洋强国。因为海洋是生命的摇篮，海洋空间广袤辽阔，资源丰富多样。发展海洋经济、建设海洋强国，不仅有利于我国经济社会的可持续发展，对维护国家主权、安全、发展利益都具有重要战略意义。我们最熟悉的地球就是以海洋为主的，按面积算海洋面积占地球表面积的 71%，按水量算海水占地球上总水量的 97%，我们常说海水“取之不尽、用之不竭”，实际上海水中蕴藏的丰富的化学资源才是真正的“取之不尽，用之不竭”。人类最熟悉的是海水中的食盐，随着海盐的提取与加工技术的进步，人们又发现海洋中还富含溴、碘、镁、钾、钙等 80 多种元素，随着科技的进步人们进一步发现海水中还富含核能的元素铀以及未来能源核聚变的重要原料。我们石化人了解最多的就是海上油气资源，美国的墨西哥湾、北欧的北海都是因丰富的油气资源而世界闻名，新世纪以来我国渤海、南海、北部湾等区域也成为我国油气的主要产区和能源安全的重要保障；我们石化人更加期待的是海底更加丰富的可燃冰开采成功的那一天。正因为人们认识到海洋是未来巨大的“聚宝盆”，海洋也正在成为人类 21 世纪应对陆地资源枯竭、生态恶化的重要战略领域。

---

* 这是 2023 年 8 月 30 日，傅向升同志在第二届夙沙论坛的致辞。

所以，习近平总书记在视察山东时特别强调：发展海洋经济、海洋科研是推动我们强国战略很重要的一个方面，一定要抓好。关键的技术要靠我们自主来研发，海洋经济的发展前途无量。

二是海洋化工是海洋经济的重要组成部分。我们通常讲：石油和化学工业包括石油化工、煤化工、盐化工以及生物化工、海洋化工等，实际上盐化工也可以包含到海洋化工中。我国近代化学工业起步的重要标志就是由盐化工开启的，1917 年爱国实业家范旭东创办永利公司，就是利用塘沽的海盐来生产纯碱；1929 年吴蕴初先生创办的上海天原就是电解食盐生产烧碱和盐酸，正因为上世纪初“南吴北范”以海盐为原料开启了中国近代化学工业的新纪元，才有了今天我国烧碱、纯碱、聚氯乙烯、有机氯产品等众多产品产能产量一直稳居世界首位。正因为有了上世纪初中国近代化学工业的起步，为新中国成立以后化学工业建设和发展奠定的基础，特别是改革开放和新时代以来的创新与发展，才有了今天中国石化产业的世界地位和影响力。

石化产业去年全行业营业收入 16.56 万亿元、占全国规模以上工业企业总收入的 12%，去年实现利润总额 1.13 万亿元、占全国规模以上工业企业总利润的 13.4%，去年进出口总额 1.05 万亿美元、占全国进出口总额的 16.6%，石化产业是名副其实的国民经济的重要支柱产业，并且为稳增长、稳就业、稳外贸都作出了重要贡献。中国石化产业十几年来一直稳居世界第二位，其中化工销售额占世界总量的 40% 以上，特别是发展和增量多年来世界石化产业“火车头”的作用更加凸显。海洋化工涉及众多产品、也是重要的产业链，最早的有机氯杀虫剂是农药的主导产品，曾经为农业的丰产丰收作出了重要贡献，今天有机氯产品及其相关的农药、医药中间体都是精细化工的重要组成；以甲烷氯化物为原料的有机硅产业链和制冷剂，不仅涉及到千家万户，而且为高端制造、航空航天、新能源等战略性新兴产业提供配套；以光气为原料的聚碳酸酯工程塑料以及 MDI、TDI 及其聚氨酯材料等产业链，为汽车、建筑、电子信息等领域提供众多高端新型材料，氯化聚乙烯、氯化聚氯乙烯、氯化橡胶等氯化高分子材料也是当今高性能材料的重要组成。还有海水提溴的溴素及其下游产业链，是阻燃剂、制冷剂、灭火剂、医药、农药、油田化学品等精细化工领域为国民经济配套的重要产品。生物化工方面，甲壳素制壳聚糖已是成熟的技术和工艺，而海水养殖微藻制取生物质燃料是当前应对“双碳”目标的世界性创新课题。单就海洋化工这一领域来看：海洋是一个名副其实的“聚宝盆”。

三是海洋的探索以及与之相关的创新发展刚刚起步。陆地来自海洋，地球94%的生物在海洋，人类对探索海洋始终抱有极大的好奇。500多年前的大航海时代开启了人类征服海洋的历史进程，随着新大陆的不断发现，人类文明也随之传播、进步加快，人们研究海洋、征服海洋的欲望日益增强，但深海对人类始终是未知多于已知，海洋的探索可以说是刚刚起步，许多谜底将伴随着技术的进步而走向深入，并有待我们去揭晓。

但是海洋的保护却已经摆在了我们面前，大航海以来、尤其是工业革命以来，人类活动对海洋的污染日益严重，海洋生态的恶化、海洋生物面临的生存危机日益严峻，温室气体排放造成地球平均气温持续升高，南极、北极的冰盖越来越少，海平面不断升高，这不仅对海洋生物造成威胁，也让人类面临越来越严重的生存危机。废弃塑料对海洋造成的污染已引起国际社会的普遍关注，自上世纪塑料发明以来大量废弃塑料进入了海洋，联合国及一些国际机构和国际组织都在惊呼：如果不采取有效措施，再过20年海洋中废弃塑料的量将增加2倍还要多，将对海洋生态和海洋生物带来灾难。从有的发达国家不顾国际社会的强烈反对，而向海洋排放核废水的行为看，保护海洋真正成为人们的共识和国际社会的共同行动，还需要更多的努力。

在探索海洋、保护海洋的同时，与海洋相关的创新发展也刚刚起步。就海洋化工来说，已知海洋富含众多化学资源，但目前实现开发利用的只是少数，原料方面海盐和溴素都已实现了大规模利用；资源方面实现了海上石油天然气开采，而深海油气开采因技术的进步只是初步和阶段性的，更多的化学元素核能的铀、农业的钾等，虽然总量很大，但尚不能产业化提取和工业化应用；我们关注的海底储量巨大的可燃冰，也只是取得了试采的实验性结果，还不能大规模工业化开采利用；由默锐科技研发和工业化的以海盐为原料生产金属钠的技术和工业化装置，也是攻克了多项世界性难题才得以实现的，并为核工业提供新型传热介质核级钠。据介绍，飞机引擎内的钠冷阀中的传热介质用的也是金属钠，默锐可以好好研究研究，跟飞机发动机公司和商飞都做做深入交流，争取早日为我国的重点工程大飞机项目作出贡献。

作为未来能源核聚变的元素提取以及核聚变实验，通过国际合作已取得了实验室的阶段性成果。最近有媒体报道海水不需净化直接电解制氢也取得了突破。习近平总书记指出，抓创新就是抓发展，谋创新就是谋未来。随着创新的不断突破，人类的未来、尤其是人类摆脱化石资源的制约，无论是“人造小太阳”，还是正在集中攻关的绿氢等未来能源，将紧紧地与海洋相连，也许将高度有赖于海洋。

我国海洋面积和海岸线都极其广阔，但我们是海洋大国还不是海洋强国，山东既是海洋大省也是石化和海洋化工大省，今天相聚在渤海湾南岸举办“第二届夙沙论坛”意义重大，特别是围绕联合国“海洋十年”框架下的中国海洋发展战略、海洋绿色化工等重要议题，进行高层交流和深入探讨，主题之鲜明，议题之聚焦，研讨之深入，不仅对我国东部沿海省份海洋经济的纵深发展产生积极影响，为我国海洋化工的创新发展贡献智慧和方案，更为潍坊和山东以及我国海洋化工产业的绿色低碳转型和高质量发展都将起到强有力的推动作用！这次论坛也必将为我国探索海洋、发展海洋经济、加快建设海洋强国开启新的篇章！

煤化工高质量发展关键在创新重要方向是绿色低碳*

这次大会的主题是：融入新时代，建设世界级绿色能源化工集群。主要目的是深入贯彻落实党的二十大精神，共同回顾现代煤化工产业创新发展取得的成就，一起学习领会国家发展改革委等六部委最新印发的《关于推动现代煤化工产业健康发展的通知》部署和要求，推动煤化工产业全面准确完整地贯彻落实新发展理念，推动煤化工产业紧扣高质量发展这一主题，进一步加强规划引导，优化产业布局，加快结构高端化、差异化和数字化转型，加快煤化工产业绿色低碳转型，为实现质的有效提升和量的合理增长、为实现石化强国跨越和中国式现代化做出煤化工产业的新贡献。

1. 现代煤化工产业是国家战略布局的重要产业

十八大以来，习近平总书记多次视察煤化工基地和煤化工企业，对我们“能源金三角”现代煤化工产业示范区的升级示范和创新发展高度重视，并对煤化工产业的高质量发展和贯彻碳达峰碳中和战略及绿色低碳转型等方面作出重要讲话和重要指示。习近平总书记考察宁东能源化工基地时指出，在我国西部建设这样一个能源化工基地，特别是建设一个目前世界上单体规模最大的煤制油项目，具有战略意义。要再接再厉，精益求精，严把技术关、质量关、安全关、环保关，保质保量按期完成建设任务。并在煤制油装置前对员工们发出号召，社会主义是干出来的。习近平总书记在榆林考察国家能源集团榆林化工有限公司时强调，煤化工产业潜力巨大、大有前途，要提高煤炭作为化工原料的综合利用效能，促进煤化工产业高端化、多元化、低碳化发展，把加强科技创新作为最紧迫任务，加快关键核心技术攻关，积极发展煤基特种燃料、煤基生物可降解材料等。

为推动现代煤化工产业创新发展，拓展石油化工原料来源，加强科学规

---

* 这是 2023 年 9 月 7 日，傅向升同志在 2023 中国“能源金三角”化工园区协同发展大会的致辞。

划，做好产业布局，国家研究制定了《现代煤化工产业创新发展布局方案》，不仅强调了我国现代煤化工产业创新发展布局的必要性和重要性，并且按照“产业园区化、装置大型化、产品多元化”的思路，规划布局了鄂尔多斯、榆林、宁东、准东“4 个现代煤化工产业示范区”。这都充分证明，立足我国“多煤缺油少气”的资源禀赋，适度发展现代煤化工产业，对于保障我国能源安全、经济安全、促进石化原料多元化和石化产业供应链产业链安全都具有十分重要的意义和作用。

2. 现代煤化工产业创新发展取得了显著进步和成效

在创新方面，“十三五”以来现代煤化工产业的核心技术、关键催化剂、重大装备等不断取得新突破。无论是水煤浆气化、粉煤气化等气化技术，还是适应不同的煤种，开发并掌握了多喷嘴对置气化炉、航天炉、晋华炉、神宁炉等自主技术和多种炉型，完全突破了发达国家过去在气化技术方面的封锁。在产业化方面，根据生产的实际需要，日处理煤量 2000 吨、3000 吨和目前最大的 4000 吨气化技术和炉型，实现了完全自主设计、自主制备。在煤制化学品方面，煤制油直接法 100 万吨 / 年和间接法 400 万吨 / 年的工业化示范装置都连续稳定运行。掌握了 100 万吨 / 年级高温流化床费托合成技术，不仅获得了清洁的汽油、柴油，而且还试制成功高密度航空煤油、军用柴油、火箭煤油等特种合成油品。煤制烯烃方面，烯烃选择率达到 83% 以上，尤其是中国科学院大连化学物理研究所的第三代甲醇制烯烃技术，其甲醇转化率、乙烯丙烯选择性、甲醇单耗水平都大幅提升；合成气直接制低碳烯烃的新型催化剂及浆态床等新技术都取得了新的突破。煤制乙二醇的工业化产能已占到乙二醇总产能的 43% 以上，其他还有低阶煤分质利用技术、煤油气共炼技术等都取得了成熟的工业化成果。

总体看，通过产业化升级示范，积累了非常宝贵的工程化、产业化经验和实际运行数据，已掌握关键核心技术、工程化设计、核心设备制造以及智能化控制系统等全产业链的关键，工程化和产业化技术水平国际领先，为我国深化能源革命、强化能源安全战略以及煤化工与石油化工的互补与协同发展都积累了经验。

据煤化工专委会统计，去年现代煤化工产业化示范的煤制油、煤制天然气、煤（甲醇）制烯烃、煤制乙二醇四大产品总产量 2749.1 万吨，年转化煤炭约 1.07 亿吨标准煤，年营业收入 2017.9 亿元，利润 131.9 亿元。实际运行情况看，主要产品煤耗、水耗、综合能耗跟前几年相比都有不同程度的下降。

总体上看，煤制烯烃自产业化示范以来一直是四大产品中最好的一个产业链，尤其是配套自有煤矿的煤头制烯烃装置，开工率一直都高于甲醇制烯烃装置。另三个产品煤制乙二醇、煤制天然气、煤制油，前几年开工率一直都不高，效益也一直亏损。去年因突发俄乌冲突导致油价高企、天然气价更高，煤制油和煤制气的营收和效益都大幅提升，尤其是煤制气不仅价格居高位，而且还解决了多年不能入网的瓶颈，由于这些利好因素的叠加，煤制天然气迎来了自升级示范以来的最好年景。但煤制乙二醇的开工率仍然低于40%。

今年上半年受经济大环境的影响，虽然四大产品的总产量1410.1万吨，同比增长1.7%；总销售量1385.4万吨，同比增长0.2%。可平均产能利用率84.8%，同比下降2个百分点；总营收938.7亿元，同比下降10.7%；利润13.1亿元，同比大幅下降90.2%。可见，今年现代煤化工装置的运行压力加大，煤制油、煤制天然气效益下降，煤制烯烃和煤制乙二醇都比去年同期增亏。现在看今年煤化工行业的运行情况将不及去年。

3. 煤化工未来高质量发展的关键在创新

党的二十大报告指出，坚持创新在我国现代化建设全局中的核心地位。以国家战略需求为导向，聚焦力量进行原始性引领性科技攻关，坚决打赢关键核心技术攻坚战，加快实施一批具有战略性全局限性前瞻性的国家重大科技攻关项目，增强自主创新能力。

前面谈到通过升级示范，现代煤化工产业无论是煤气化、净化合成领域，还是能源利用、废水处理领域，以及二氧化碳捕集和资源化利用等方面，都取得了一系列创新突破。但与新发展阶段对煤化工高质量发展的高标准和新要求相比，与“双碳”战略对煤化工产业提出的新挑战相比，与煤化工产业高端化、多元化、低碳化矛盾突出，面临的水资源制约、环境承载能力受限的现状相比，煤化工领域实施重大技术装备攻关工程、加快产业技术优化升级、推进原始创新和集成创新的任务还很艰巨。

各园区在组织实施“十四五”规划提出的“产业升级创新工程”过程中，按照《关于推动现代煤化工产业健康发展的通知》，下一步现代煤化工产业创新的聚焦点和发力点如下：

一是推进高性能复合新型催化剂、合成气一步法制烯烃、一步法制低碳醇醚等技术创新，推动煤制对二甲苯（PX）实现产业化突破。

二是聚焦大型高效煤气化、新一代高效甲醇制烯烃等技术装备及关键原材料、零部件，推动关键技术首批（次）材料、首台（套）装备、首版（次）软件产业化应用。

三是优化调整产品结构，加快煤基新型合成材料、先进碳材料、可降解材料等高端化工品生产技术开发应用。

另外，还要加快低毒低害绿色化学物质和产品的开发；鼓励探索大型高效“气化岛”，打造平台化原料集中生产、下游产品多头并进的发展模式；加快推动现代煤化工与可再生能源、绿氢、二氧化碳捕集利用与封存等耦合创新发展；推动煤化工领域智能工厂和智慧园区建设、设备数字化改造和企业的数字化转型。

4. 煤化工产业未来高质量发展的重要方向是绿色低碳

当前，新一轮科技和产业革命深入发展，绿色低碳技术是关键领域。煤化工是以煤炭为原料生产化学品或高分子材料的工业领域，既是石油化工的重要补充，又为国民经济提供重要配套和保障，当前贯彻“双碳”战略实现绿色低碳发展的任务十分艰巨。

各园区在组织实施“十四五”规划提出的“绿色化工程”过程中，落实《关于推动现代煤化工产业健康发展的通知》对绿色低碳发展的要求。一是加快绿色低碳技术装备推广应用，引导现有现代煤化工企业实施节能、降碳、节水、减污改造升级，加强全过程精细化管理，提高资源能源利用效率，强化能效、水效、污染物排放标准引领和约束作用，稳步提升现代煤化工绿色低碳发展水平。二是严格能效和环保约束，拟建、在建项目应全面达到能效标杆水平，主要用能设备能效水平达到能效标准先进值以上；能效低于基准水平的已建项目须在 2025 年年底前完成改造升级，主要产品能效须达到行业基准水平以上，届时能效仍在基准水平以下的项目予以淘汰退出；新建项目企业环保应达到绩效分级 A 级指标要求，加快推进污染物不能稳定达标的企业实施改造，对超标排放情节严重的企业依法责令停业、关闭。三是坚决落实以水定产要求，推广应用密闭式循环冷却等节水技术，加快挥发性有机物综合治理、高盐废水阶梯式循环利用、资源化深度处理，以及灰、渣等固体废弃物资源化利用。四是加快高浓度二氧化碳大规模低能耗捕集利用与封存、制备高附加值化学品技术开发和工业应用。

煤化工产业高质量发展，“能源金三角”区域化工园区的协同发展，既要深刻领会党中央对现代煤化工产业的战略定位，也要认真落实好国家对现代煤化工产业健康发展的新部署和新要求。国家发展改革委等部门最新发布的《关于推动现代煤化工产业健康发展的通知》提出，从严从紧控制现代煤化工产能规模和新增煤炭消费量，大气污染防治重点区域严禁新增煤化工产能，避免同质化、低水平重复建设。国家发展改革委等部门最新发布的《工业重点领域能效标杆水平和基准水平（2023 年版）》，对部分重点煤化工产品的能效指标做了适当提高，并对能效低于基准水平的存量项目提出明确要求：《2021 年版》明确的重点产品，应在 2025 年年底完成改造升级；这次《2023 年版》新增的重点产品，应在 2026 年年底前完成改造升级；未在规定时限内改造到能效基准水平以上的，将予以淘汰、关停。

要求已明确，目标已确定。现代煤化工产业高质量发展既挑战与机遇并存，也肩负着新时代的新使命；“四大现代煤化工产业示范区”既与沿海石化基地共同承担培育“世界级石化产业集群”的时代课题，也肩负着保障国家能源安全、经济安全和产业链供应链安全的特殊使命。贯彻“十四五”规划提出的组织实施“五项重点工程”、培育“五大世界级石化产业集群”的目标，让我们协同创新，携手努力，共创现代煤化工产业健康发展的新局面，共创“能源金三角”化工园区协同发展的新局面，为实现石化强国、为建设中国式现代化做出新的更大贡献。

创新与做强是未来橡胶工业高质量发展的首要目标*

1. 今年上半年石化行业经济运行不甚理想，遇到了新的困难

上半年，国际环境复杂多变，世界石化产业的布局结构与产业链重构在加速，石化行业经济运行遭遇了原料和产品价格同步下滑、疫后恢复不及预期、国际和国内市场需求不振等新的困难，尤其是行业和企业效益下降幅度较大。据国家统计局数据，上半年石化全行业营业收入同比下降 4.4%；利润总额同比下降 41.3%；进出口总额同比下降 7.6%，这种同步下降的情况不多见。当然这主要是受大宗原材料和大多数石化产品价格下降的影响，值得欣慰的是下半年以来行业运营情况在转好，同比下降幅度进一步收窄，到 9 月底营业收入降幅收窄到 2.6%，利润总额的降幅收窄到 28.3%，截至前三季度的总体情况来看，今年的业绩仍然是值得期待的一年。

2. 今年的橡胶工业迎来了难得的机遇期

与石化全行业和与基础化学品、化肥、合成材料等几大主要板块相比，橡胶行业今年的经营业绩可以用“耀眼”来形容。因为去年是橡胶行业几十年以来最困难的一年，去年国内 369 家轮胎企业中，有 112 家亏损，去年行业的平均利润低于 3% 的水平（去年石化全行业收入利润率是 6.8%）。而今年橡胶行业明显好于石化全行业和几个主要板块，截止到 9 月底，基础化学品板块的营业收入同比下降 4.7%、利润同比下降 62.7%，化肥板块营业收入同比下降 5.8%、利润同比下降 48.1%，农药板块营业收入同比下降 20.1%、利润同比下降 63.7%，合成材料板块营业收入同比下降 5%、利润同比下降 35.1%。这几大板块都是收入、利润“双下降”，而橡胶制品板块是收入、利润“双增长”，营业收入同比增长 5.5%、实现利润同比增长 76.3%；特别是轮胎行业更加耀眼：营业收入同比增长 13.5%、利润同比增长 215.9%。前 9 个月子午线轮胎的产量

---

* 这是 2023 年 11 月 6 日，傅向升同志在中国橡胶工业创新与转型发展论坛的致辞。

同比增长 13.8%，总体开工率处历史高位，并且多家轮胎企业订单充足，呈现少有的供不应求之局面。11 月 1 日的《中国化工报》报道，前三季度 10 家轮胎上市公司，9 家全线飘红，净利润翻一番的公司有 6 家，其中佳通轮胎增长达 6 倍以上。在石化全行业经营业绩普遍下滑的情况下，橡胶行业迎来了难得的好年景和机遇期，今年会不会是橡胶行业、特别是轮胎遭遇“双反”和贸易壁垒以来最好的一年？当然，这与橡胶行业、特别是轮胎企业发奋图强、加大技术创新和商业模式创新密切相关，这也证明为适应新的格局和新的挑战，轮胎企业发展战略的调整、市场重新定位、产品链供应链重构，成效开始显现。

3. 创新与做强是未来橡胶工业高质量发展的首要目标

因为橡胶工业近年来进步是明显的、成绩是突出的，但我们还要客观地看到差距也是存在的，看到成绩，认识不足，才能让我们保持冷静，不断攀登新的高峰。橡胶工业最明显的差距是做强，以今年 8 月份最新一期“全球轮胎 75 强”为例作一简要分析：上榜企业数量我们绝对第一，全球 75 强中我们含台湾地区的 4 家共上榜 36 家企业，数量占比 48%、接近半壁江山，数量绝对第一。而 36 家企业销售收入总额是 338.8 亿美元，是多年位居榜单第一名米其林（282.6 亿美元）1 家企业的 1.2 倍；如果按中国上榜的 32 家企业计算，收入总额是 283.9 亿美元，比米其林 282.6 亿美元略高。我们上榜 36 家企业的收入总和（338.8 亿美元）是日本 4 家上榜企业收入总和（429.7 亿美元）的 78.8%。如果再按平均规模计算，中国 32 家上榜企业的平均收入是 8.87 亿美元，75 强全榜单如果按 1750.2 亿美元计算，平均收入是 23.3 亿美元，美国 4 家上榜企业的平均收入是 51.1 亿美元，日本 4 家上榜企业的平均收入是 107.4 亿美元；即中国上榜企业的平均规模是全榜单平均值的 38%，是美国上榜企业平均值的 17.2%，是日本上榜企业平均值的 8.3%。对比与分析，这就是对标，这就能找到我们做强和打造世界一流的方向和路径。

当然，我们工业化的时间还短一些，与法国米其林 1889 年成立、日本普利司通 1931 年成立、美国固特异 1898 年成立、德国大陆 1871 年成立、意大利倍耐力 1872 年成立、美国优科豪马 1917 年成立相比，我们确实还年轻。但我们要实现轮胎强国、石化强国的目标，要实现中国式现代化，就必须既肯定成绩、又看到差距，瞄准世界一流，强化创新，高标准推进高质量发展。

橡胶工业未来高质量发展，还不能忽视绿色低碳转型和数字化升级，橡胶加工过程能耗和碳排放也面临着碳达峰碳中和战略目标的新要求；橡胶行业特别是软控、双星、森麒麟、万力等轮胎企业智慧工厂和数字化转型已取得明显的成效，为大幅降低企业能源和原材料消耗、提升管理效率和本质安全水平都发挥了重要作用。希望今天的这次闭门会和今年的国际会议为推动橡胶工业的创新发展和绿色低碳转型贡献新思路和新方案，为推动橡胶工业高质量发展和实现橡胶强国目标做出新贡献！

催化剂及其催化技术创新始终是石化领域创新的核心 *

石化产业转型升级在创新中提速。石化全行业和广大石化企业深刻领会并深入贯彻党的二十大“高质量发展是全面建设社会主义现代化国家的首要任务”的精神，紧紧围绕高质量发展，坚持创新在我国现代化建设全局中的核心地位，深入实施创新驱动发展战略，加快石化产业的绿色化、低碳化和数字化转型。特别是面对炼油和大宗基础产品、通用材料产大于求严重的现状，在做好新建炼油装置“减量置换”、严控新增炼油产能的同时，统筹设计并优化做好“减油增化”的方案，严格执行新建炼化一体化装置成品油产出率不高于 40% 的目标要求，以多产烯烃、芳烃为主，以延链补链强链为主要措施，以多产化工新材料、高端精细化学品、高性能纤维和高端膜材料为主要目标，加快世界一流石化基地、化工园区和石化产业集群建设，在转型与升级中不断增强石化产业为新一代信息技术、人工智能、新能源、高端装备以及航空航天等战略性新兴产业和领域的配套能力，为中国式现代化提供强力支撑和保障。

工业催化剂及其技术是石化领域创新的核心。据统计，90% 以上的化学反应都与催化剂有关，正因为催化剂的创新和不断进步推动着世界石化产业的持续升级与进步。上世纪初是因为德国化学家哈伯发明了合成氨催化剂，才实现了化肥的大规模工业化生产，不仅使人类告别了以鸟粪为肥的时代，也带来了农业的丰产丰收，让人们告别了饥饿；上世纪二十年代因为两位德国科学家发明了费 - 托合成的铁系催化剂，才有了后来的煤制油工业化，也才有今天我国现代煤化工的国际领先水平；也是因为上世纪五十年代德国化学家齐格勒和意大利化学家纳塔发明了齐格勒 - 纳塔催化剂体系，实现了定向聚合，聚烯烃才进入了世界规模快速和大规模工业化时期；后来到上世纪八十年代，茂金属催化

* 这是 2023 年 11 月 25 日，傅向升同志在 2023 第七届工业催化产业技术创新战略联盟年会暨学术交流会的致辞（节选）。

剂的研发成功，又使聚烯烃材料的高性能化跃上了一个新的台阶，使得埃克森美孚、北欧化工、利安德巴赛尔等公司一直位居高端聚烯烃塔尖。

今天催化剂的创新一直都是石化领域的重中之重，是核心中的核心、关键中的关键，因为催化剂及其催化技术的创新成功往往带来技术或工艺革命性或颠覆性的变革；今天的新能源电池以锂电为主，而钠离子电池因其原料成本优势、高低温环境下更好的容量以及优异的倍率性能和卓越的安全性而受到重视，但能量密度较低、循环寿命有待提升等正在通过加快创新而突破，过去改善锂电性能的一个重要措施是添加碳纳米管、石墨烯等，而今天改善钠离子电池的一个重要思路是使用层状过渡金属氧化物，层状结构正是段雪院士的原始创新，有着深厚的理论功底、多年的研发基础和产业化经验。

未来石化产业的转型升级靠催化剂的创新，许多新的化合物和高性能材料的诞生也有赖于催化剂的创新，今天国际国内聚焦研发的自然光分解水制氢这一获得绿氢的重大技术，其创新的关键与核心要素也是催化剂的创新，只有高性能、高能效转化率的催化剂创新取得重大突破，自然光分解水获得绿氢才能实现技术性与经济性的同步成功，绿氢成为人类终极能源的梦想才能实现。还有，当前国际社会高度关注的塑料污染未来的最终解决也有赖于催化剂创新，为应对气候变化的碳达峰碳中和目标的实现以及二氧化碳化学的成功更有赖于催化剂的创新与突破。

工业催化产业技术创新战略联盟肩负着新时代、新征程和新兴工业化与中国式现代化的新使命，衢州资源化工创新研究院今天正式揭牌，也开启了在衢州这个传统化工基地创新发展的新篇章！希望衢州资源化工创新研究院、工业催化产业技术创新战略联盟以及今天出席联盟年会和学术交流会的各位嘉宾和创新工作者，以今天研究院的揭牌为新的起点，不仅为衢州这个有着 65 年发展史的传统化工基地，通过创新与绿色低碳转型焕发新的生机与活力做出新贡献，而且为石化产业的高质量发展和实现石化强国的目标做出更大贡献！

九问合成材料 *

合成树脂即高分子材料是汽车、建筑、轨道交通以及新一代信息技术、生物、高端装备制造、新能源、航空航天等战略性新兴产业发展急需的重要配套材料和重要保障，是科技发展和社会进步的重要支撑。百年未有之大变局加速演进，新一轮科技革命和产业变革持续递进，产业链供应链重构正在加速，高分子材料及其技术越来越成为国际竞争的焦点。我国十几年来一直稳居石化大国的地位，其化工销售额的世界占比高于 40%，市场的全球影响力日益凸显，高分子材料论规模也是稳居世界首位，但高性能树脂和高端材料一直是短板和弱项。具体表现为通用合成材料、通用合成树脂（如五大通用塑料及聚酯）都处于过剩状态；而高性能材料，如五大工程塑料（PC、POM、PA、PBT、PPO）和特种工程塑料（PPS、PI、PSF、PES、PEEK 等）、芳纶碳纤维高档尼龙等高性能纤维以及高性能膜材料等主要依赖进口，个别的高端产品关键时刻还存在“卡脖子”问题。

一问我国合成树脂现状如何?

20 世纪初，美国化学家人工合成了酚醛树脂，开启了合成高分子材料的序幕。后来陆续研发成功合成橡胶、尼龙 66、聚甲基丙烯酸甲酯、聚苯乙烯、聚氯乙烯等多种合成高分子材料；上世纪 50 年代，齐格勒 - 纳塔催化剂的创新和应用，实现了乙烯在常温常压下定向聚合，这种催化剂工艺简单、生产成本低，使得聚烯烃快速工业化和大型化，加速了高分子合成材料工业的发展，高分子材料以通用合成材料为基础。根据世界塑料制造商协会的统计，亚洲塑料的产量占全球总产量的 51%，北美占 19% 、欧盟占 16%，其他地区占 14%；据预测 2015—2025 年全球塑料消费量将增加 50%，就全球来看近十年塑料的生产与消费增速超过任何材料，可见塑料工业的重要性，也可见塑料是一个发展潜力十足的行业。

---

* 这是 2023 年 11 月，傅向升同志发表的署名文章。

中国合成树脂产能产量和消费量多年来一直稳居世界第一位，据国家统计局和最新《产能预警报告》的数据，2022 年，合成树脂产量接近 1.14 亿吨，进口量 2958 万吨，表观消费量 1.3 亿吨。其中聚乙烯产能 2981 万吨 / 年，产量 2631.6 万吨，进口量 1346.7 万吨，表观消费量 3806.1 万吨。聚丙烯产能 3496 万吨 / 年，产量 2965.5 万吨，进口量 451.1 万吨，表观消费量 3280.9 万吨。聚氯乙烯产能 2642 万吨 / 年，产量 2197 万吨，进口量 36.2 万吨，表观消费量 2036.7 万吨。聚苯乙烯产能 525 万吨 / 年，产量 355 万吨，进口量 88.9 万吨，表观消费量 432.1 万吨。ABS 产能 525.5 万吨 / 年，产量 431 万吨，进口量 137 万吨，表观消费量 559.9 万吨。聚碳酸酯产能 320 万吨 / 年，产量 178 万吨，进口量 138.6 万吨，表观消费量 250 万吨。EVA 产能 215 万吨 / 年，产量 173.8 万吨，进口量 120.2 万吨，表观消费量 282.4 万吨。尼龙 66 切片产能 611 万吨 / 年，产量 427.3 万吨，进口量 19.9 万吨，表观消费量 409 万吨。茂金属聚烯烃产能 220 万吨 / 年，产量 30 万吨，进口量 210 万吨，表观消费量 240 万吨。

二问塑料工业走过百年历程以后，当前合成树脂行业呈现出哪些新的趋势？

第一个趋势是上游原料的轻质化。这一趋势由北美和海湾地区发起，“十三五”以来快速向欧、亚等主要经济体推进。其典型代表是以轻烃为原料制烯烃，即丙烷脱氢制丙烯和乙烷裂解制乙烯。中国以丙烷等轻烃为原料脱氢制丙烯装置快速建设，已建成丙烷及 C_3、C_4 混合轻烃制丙烯装置 34 套，共计产能 1602.6 万吨 / 年、占我国丙烯总产能的 34.9%，其中 2022 年投产的 17 套丙烯装置中就有 8 套，占了去年新增产能 601 万吨 / 年的 62% 以上；今年以来又建成投产 4 套丙烷脱氢装置，新增产能 252 万吨 / 年。总体看国内烯烃原料轻质化转型已得到业界同仁的高度关注。下一步在科学论证轻烃来源和供应链安全以及经济竞争力的前提下，还可以慎重决策以轻烃为原料的烯烃装置建设。

第二个趋势是通用材料的高性能化。通用材料与高性能材料之间并不存在截然的分界线，聚乙烯、聚丙烯、聚氯乙烯等这些通用合成材料也可以通过改性和合金化实现高端化和高性能化，这些普通的合成材料通过改性以后其使用性能在某些应用领域可以替代尼龙、聚甲醛等工程塑料；聚氯乙烯经过改性不仅可以制成高端仿实木地板大量出口，而且功能性改性以后还可以应用于高铁等高端制造。有些普通聚烯烃采用新的催化剂和聚合技术，其产品性能和应用领域就可以实现高端化，茂金属聚烯烃就是典型的代表，茂金属聚合的弹性体不仅可以替代聚氨酯新材料，也可以替代某些工程塑料。疫情期间新冠疫苗需要一种特种包装纸叫“特卫强”，是一种化工材料做成的包装膜，当时说这款包装膜只有杜邦公司能生产，有人问我国内能不能找到？后来我请教了北京化工研究院的梁爱民副院长：这是一种高强度、高渗透的高密度聚乙烯材料，首先在高温下喷成极细的纤维，经多层粘接成低粉渣的复合材料，这种材料抗乙二醇、酒精等灭活剂，透水、但不透蛋白质等大分子，确实只有杜邦生产。

第三个趋势是合成材料的功能化。新世纪以来合成材料的功能化是发达国家和跨国公创新与战略转型的重点，如汽车保险杠自修复材料，在现有 PU 材料中加了微胶囊，一旦碰裂微胶囊就自行修复、保险杠恢复如初；瓦克的医用有机硅新材料用于创可贴，透气、不粘连、伤口易愈合，电动汽车显示屏用有机硅改性新材料大大改善强光照射下的显示效果；曾有报道加利福尼亚大学发明了一种具有自愈功能的新型聚合物，是一种可拉伸聚合物与离子盐制成的新材料，可用于智能手机屏幕和电池；还有报道美国科罗拉多大学研究出一种无需制冷剂、无需电力就可以为建筑物降温，冷却效果强、成本低的降温薄膜材料，每平方米约 50 美分，这种透明薄膜的商品名为 TPX，可加工成约 50 微米厚，一栋普通房子的屋顶铺设 20 平方米这种薄膜，当室外温度 37℃时，室内温度可以保持在 20℃。

三问化工新材料既是强国的代表，又是大国竞争的焦点，我国化工新材料现状如何？

化工新材料即高性能材料以工程塑料、特种工程塑料、高性能纤维、高端膜材料为代表，主要包括高端聚烯烃、工程塑料、聚氨酯材料、氟硅材料、特种合成橡胶和热塑性弹性体、高性能纤维及其复合材料、功能性膜材料、电子化学品、生物基材料等。高性能材料和高端树脂一般称化工新材料，与通用材料相比具有技术门槛高、性能优异、功能性强、附加值高等特点，亦成为大国博弈的焦点和区域竞争的热点领域。

首先谈谈近年来化工新材料创新发展取得的明显进步。“十三五”以来，我国化工新材料相继在技术和产业化上取得突破，自主配套能力持续提升。据石化联合会化工新材料专委会统计，2022 年我国化工新材料产能达到 4500 万吨 / 年，产量约 3323 万吨，销售收入高于 1.3 万亿元，消费量约 4136 万吨，自给率达 80.3%。技术突破并实现产业化的代表性产品有，高端聚烯烃中的超高分子量聚乙烯树脂、茂金属聚丙烯、光伏用和高熔指热熔胶 EVA 树脂、双向拉伸和锂电池隔膜用及高流动、高抗冲、低挥发等聚烯烃专用料；工程塑料的聚碳酸酯、PMMA、聚苯醚、尼龙 12 等；特种工程塑料的聚苯硫醚、聚酰亚胺、聚醚醚酮、聚醚砜等技术上长期难以突破的产品；高性能纤维的碳纤维、聚酰亚胺纤维、超高分子量 PE 纤维、聚苯硫醚纤维等几大高性能纤维及其复合材料都相继取得突破和产业化；等等不再一一列举。

其实，我们还要看到我国化工新材料领域还存在明显的差距。化工新材料始终还是我国石化产业的短板，还有不少产品依赖进口，如工程塑料、功能性膜材料和电子化学品的总体自给率接近 80%，而高端聚烯烃、高性能纤维的自给率却不到 60%，液晶显示材料、光刻胶等高端产品的自给率更低只有 5% ～ 6%。特别是聚烯烃通用树脂为主，种类同质化、型号同质化严重，高端化、差异化、专用型和功能性严重不足；特种工程塑料的技术制约更加严重，工程化、产业化差距明显，中低端产品居多，高性能产品短缺。电子化学品中超高超纯光刻胶、高纯磷烷以及高精度抛光垫材料长期依赖进口，其他还有高性能氟树脂、氟橡胶等也是严重依赖进口。另一类就是像茂金属催化剂、高碳 *α*- 烯烃、己二腈等关键单体和材料都长期难以突破，血液透析等医用高端功能性膜材料也是长期难以突破。

四问化工新材料未来创新发展的重点在哪里？

应该是重点突破。“十四五”期间重点在高端化、差异化创新突破，在产业结构上取得重大进展，化工新材料整体自给率超过 75%，产能布局更趋合理，园区化、集约化发展水平进一步提升，形成 10 个左右产值超百亿元的化工新材料产业园；企业结构取得重大进展，培育一批像万华化学、新和成、东岳、泰和新材、华峰、巨化、金发科技等具有引领作用的化工新材料领军企业；创新能力显著增强，自主创新和原始创新能力明显提升，产学研协同创新体系日臻完善，建成一批条件和队伍世界一流的创新平台；重点突破一批“卡脖子”关键核心技术，抢占一批科技创新制高点，化工新材料品种系列化、高端化、差异化取得明显成效。

目前应聚焦在差距更加明显的产品：如茂金属高端聚烯烃、长碳链尼龙和芳香族尼龙、EVA、EVOH、*α*- 烯烃、POE 等。EVOH 薄膜其阻隔性能优异，尤其是阻氧阻湿性能，其阻隔性能比尼龙膜高上百倍，比聚乙烯、聚丙烯膜高上万倍，比常用的 PVDC 包装膜也高数十倍，我访问三菱化学时就了解到他们含 EVOH 膜用于葡萄酒和牛奶的包装。EVA 膜因为其优异的封装性能、良好的耐老化性能和价格低廉，是目前太阳能电池封装用最普遍的胶膜，占了光伏市场的半壁江山，而我国高醋酸乙烯含量的 EVA 受技术限制严重不足。这几个产品都是因为技术瓶颈尚未大规模工业化，而高端产品供应不足，虽然拟建和规划建设的产能很大，但自有技术大规模产业化还需要攻关。电动汽车锂离子电池用隔膜原料受限突出，因为锂电隔膜不仅技术门槛高，而且安全保障要求更高，如果隔膜破损造成电池短路，容易出现重大事故造成难以挽回的损失。目前锂电隔膜的主要材料是聚乙烯、聚丙烯，制膜过程分湿法工艺和干法工艺，干法工艺用原料是均聚聚丙烯占 96%、抗冲共聚聚丙烯占 4%，而湿法工艺用原料是超高分子量聚乙烯占 98%、高密度聚乙烯占 2%。因为我国新能源汽车全球遥遥领先，所以锂电隔膜我国也占世界市场的 40% 以上（韩 28%、日 21%、美 6% 等）；但锂电隔膜用原料以进口料为主，因为国产聚烯烃做的基膜透气性波动大、产品质量不稳定，目前国内隔膜用原料成本较高。目前正在研发的新材料隔膜有聚偏氟乙烯、间位芳纶、PET、聚酰亚胺等。

五问一段时期以来生物基和生物可降解材料受到国际国内的高度关注，甚至自禁（限）塑政策出台以来，生物可降解材料一度出现过热现象，生物基和生物可降解材料现状如何？

生物基和可降解材料是近年来全球重视和研发的重点，美国、德国、日本、英国、荷兰、巴西等发达国家和生物资源丰富的地区，都高度重视并加快生物基材料的研发、产业化和应用。欧洲塑料工业协会最近表示，2022 全球生物基塑料产量达 190 万吨，其中生物基环氧树脂占 27%，生物基聚乙烯和聚乳酸都是 16%，生物基聚酰胺占 9%。欧盟去年生物基塑料产量 40 万吨，产品结构来看：生物聚丙烯占欧盟生物塑料产量的 24%，生物基聚乙烯占 18%，PBAT 占 15%，生物基环氧树脂占 9%。

可见，生物基和可降解材料确实得到国际国内的高度重视，多项技术和多个产品创新突破都在加速。我与跨国公司的互访和交流中，就了解到很多生物基和可降解材料的情况：访问 LG 化学创新中心时，也了解到他们正在研发生物基化学品和新材料。与帝斯曼、阿科玛、赢创等公司交流中也了解到他们研发的生物基丁二酸以及生物基长碳链尼龙等。巴斯夫宣布获得生物基 1,4- 丁二醇技术，下一步将扩大生物基 BDO 及其衍生物（四氢呋喃、聚四氢呋喃等）

供应；美国 Genomatica、意大利 Nonamont、日本三菱化学和东丽、中国辽宁金发生物等都已建立了生物基 1,4- 丁二醇装置。最典型、最具代表性、也是技术工艺最成熟、市场竞争力最好的要数杜邦的生物法丙二醇。我在国内调研过程中也看到了国内很多企业在生物基化学品和可降解材料方面取得的创新成果和产业化装置，我曾调研过海正生化的聚乳酸生产装置，调研过凯赛科技在济宁新材料工业园的尼龙 56 产业化装置，工作中也与丰原集团就创新与产业化作过交流。传统石化领域的生物化转型，将是未来一个重要方向。

六问生物基和生物可降解材料国际国内都在加大创新、加快产业化，很多人也都在大谈生物基和生物可降解有许多优点，以后所有石化产品和化学合成材料都将被生物基取代吗？

不可能。生物基化学品和生物可降解材料确实有很多优点，特别是在贯彻“双碳”战略、减碳低碳和可循环方面，比以化石资源有其独特的优势。但是，我们一定要看到生物基化学品和生物基材料也存在制约瓶颈。第一个瓶颈就是生物基和可降解材料的产业化受技术与创新的制约，生物可降解材料的加工性能、使用性能等都有待提升和改善，再就是关键和新技术受限，如拟上和规划建设聚乳酸生产装置的企业不少，但是掌握关键单体丙交酯产业化技术的单位却很少。第二个瓶颈是，生物基化学品和可降解材料，目前经济上具有竞争力的产品不多，如果没有政策性的补贴和支持，恐怕很难在市场竞争中平稳可持续发展。第三个瓶颈更加凸显，就是生物基化学品和可降解材料原料的制约瓶颈，生物基化学品和可降解材料目前大多以粮食、甘蔗和淀粉为原料，如果实现了以植物废弃秸秆等可再生资源为原料，将是前景无限的，但目前以秸秆等废弃可再生资源为原料，其技术和经济性都不过关；如果全部以粮食和淀粉为原料，大量生产化学品和可降解材料的话，我们与美国大量种植转基因玉米和巴西盛产甘蔗不同，在耕地少、人口多的中国，毕竟我国粮食产量 6.5 亿吨、保粮食安全没有大的问题，若以粮食为原料生产 3000 万吨化学品和可降解材料的话，要消耗掉粮食总产量的 1/6，势必存在与人争粮和与粮争地的现实问题，状况是可想而知的！第四可降解材料只能部分代替化石原料的合成材料，因为可降解材料的加工与使用性能不可能全部代替现有合成材料；也因为汽车、电器及高端制造等领域所用的合成材料及其改性和复合材料，没有必要全部由可降解材料替代。可降解材料在一次性包装、地膜覆盖等领域有着较好的应用前景，但不是适合所有应用合成材料的领域和场景。

七问消除塑料污染和废弃塑料资源化利用是国际国内高度关注和正在实施行动的重要内容吗？

党的二十大指出：中国式现代化是人与自然和谐共生的现代化。并特别强调推动经济社会发展绿色化、低碳化是实现高质量发展的关键环节。实施全面节约战略，推进各类资源节约集约利用，加快构建废弃物循环利用体系。

消除塑料污染确实受到国际社会的普遍关注。实际这也是塑料行业当务之急和塑料工业创新发展面临的严峻挑战。塑料自诞生百年来共生产了约 90 亿吨，由于使用不当和使用后的废弃塑料大量增加，对生态环境造成严重污染，尤其是对海洋生态造成的污染日益严峻，已引起国际社会的普遍关注。据经合组织 2022 年发布的《全球塑料展望：经济驱动、环境影响和政策选择》报告，2000—2019 年的 20 年，全球塑料产量从 2.34 亿吨 / 年增加到 4.6 亿吨 / 年，增幅 96.6%；塑料垃圾则从 1.56 亿吨 / 年增加到 3.53 亿吨 / 年，增幅高达 126.3%; 2019 年全球约 3.5 亿吨废塑料中只有 9% 被再次利用，19% 被焚烧、约 50% 被填埋、22% 被丢弃。所以消除塑料污染的呼声和行动越来越被重视。2022 年 1 月，欧盟更新了《包装和包装废弃物指令》，要求到 2030 年欧盟市场上所有塑料包装中要含有不低于 30% 的回收塑料，到 2040 年提高到 65%。2021 年 11 月，美国环境保护局发布 2030 年废塑料回收利用率达到 50%；澳大利亚《国家塑料计划 2021》中明确，2025 年塑料包装的再生塑料含量应达到 20%；加拿大谋划到 2030 年某些塑料包装中再生塑料的比例要达到 50%。我国于 2020 年初，国家发展改革委和生态环境部发布《关于进一步加强塑料污染治理的意见》，对规范塑料废弃物回收利用以及“十四五”期间分阶段目标和具体措施都提出了明确要求。去年召开的第五届联合国环境大会上，与会国一致同意以“保护环境和人类健康不受塑料污染，最终消除塑料污染”为目标，从全生命周期的角度，促进塑料可持续设计与无害化管理。今年 9 月 4 日联合国出台《塑料条约零号草案》，涵盖了塑料的生产、产品设计、废弃物管理全生命周期，将直接决定塑料污染公约的具体细节和走向，为今年 11 月份在内罗毕举办的第三轮政府间谈判提供了指导和支持，包括中国政府在内的世界各主要国家和社会组织、大型企业等都在认真研究，中国石化联合会也与世界同行一道积极以科学的、客观公正的和实事求是的研究应对之策。当然，近几年来以多家跨国公司为主发起成立的“终结废弃塑料污染联盟（AEPW）”，也为消除废弃塑料污染提出过很多思路、方案和措施，做了大量卓有成效的工作。

八问塑料循环利用有哪些重要途径？对废弃塑料的资源化利用有政策要求吗？

废弃塑料资源化循环利用分物理循环和化学循环。物理循环利用是废弃塑料资源化梯级再利用的现实路径，很多单位、很多科学家和科技创新人员都在加大创新力度，探索和创新废弃塑料物理循环再利用的方法和方案，瞿金平院士就利用创新的专用设备和加工技术，实现了废弃塑料不用分拣、处理干净以后直接加工、实现资源化再利用。巴斯夫研发成功一种塑料添加剂，该添加剂用于回收后物理再循环的塑料中，其力学性能明显提升，使用寿命延长，用于回收的聚乙烯、聚丙烯塑料中，也循环用于汽车、包装、农膜等领域，巴斯夫已将其应用于欧洲、美洲、中东、亚洲等区域。

废弃塑料的化学循环资源化再利用，是当前国内外高度重视的创新内容，因为化学循环可以实现废弃塑料的高价值化再利用，很多跨国公司和国内企业也都取得了重要的阶段性成果，有的是将废弃塑料用解聚或分解的方法，还原为单体、再次聚合实现化学循环。据我了解：最早的杜邦、近年的亨斯迈、中石化石科院等都已掌握“甲醇分解技术”。也有的是将废弃塑料气化为合成气或者热解为油品、再合成化学品及其聚合物。

对塑料循环利用的政策要求，前面谈到了欧盟、美国、加拿大等发达国家对回收塑料的循环利用都提出了添加比例的目标要求，我国《关于进一步加强塑料污染治理的意见》也对规范塑料废弃物回收利用提出了要求。特别是国务院印发的《2030 年前碳达峰行动方案》在“循环经济助力降碳行动”部分，强调“到 2025 年，废钢铁、废纸、废塑料、废橡胶等 9 种主要再生资源循环利用量达到 4.5 亿吨，到 2030 年达到 5.1 亿吨”、“加强塑料污染全链条治理”等明确的目标和要求。加大废弃塑料的循环利用量，就减少了化石资源的消耗量，不仅降低人类对石油天然气煤炭等化石资源的依赖，而且也减少了温室气体二氧化碳的排放。

实际上，我们一定要强化对废弃塑料的资源化利用的认识，这是解决塑料污染现实而重要的途径！塑料的物理梯级循环利用是目前相对实用的路径；化学循环是实现废塑料高价值资源化利用的重要方法，这也是当前化学家和化学工程师们聚焦攻关的重要课题。废弃塑料的化学循环资源化再利用从技术的角度看不是难题，因为化学反应大多是可逆的：能合成就能分解、能聚合就能解聚！化学家自己聚合反应得到的高分子化合物，是一定能够通过解聚（或裂解）

反应使之分解，这就是化学反应的基本原理，也是化学家们的专长，技术上不存在障碍；目前最大的障碍是经济上的，是成本和价格问题，是企业的运营成本和再生后的塑料、价格是高于还是低于原生塑料的价格？即经济竞争力问题。我认为今天看起来日益严峻的废弃塑料污染问题终会被解决的，可仅仅有技术方案是不够的，还需要政策的推动与支持、经济竞争力以及人们的共识和全球的行动。

九问合成材料对碳达峰碳中和有什么贡献吗？

合成材料对人类社会碳达峰碳中和有着重要贡献，自塑料诞生 100 多年来，在众多应用领域实现了以塑代钢、以塑代木等，对节约能耗和保护生态环境都做出了重要贡献，例如合成纤维不仅改善和大大丰富了人们的日常生活，而且为保护耕地做出了重要贡献；再如改性塑料、高性能复合材料在世界汽车工业、航空工业的大量应用，推动汽车和飞机实现轻量化，对全社会节能降耗都有重要贡献，通过合成材料的应用以节能降耗和减碳降碳的案例不胜枚举。对于未来贯彻碳达峰碳中和战略和实现“双碳”目标，以二氧化碳为原料合成高分子材料的创新，这是全球高度重视、都在研发和技术攻关的一个热点，国内多位科学家和不少研发机构都积累了很多阶段性成果和宝贵的经验。一条路线是二氧化碳与氢合成甲醇、经 C_1 化工的路线，甲醇制烯烃到合成材料；另一条路线是以二氧化碳为原料直接合成高分子材料。以二氧化碳为原料合成新的材料和以二氧化碳为原料合成有机化学品的创新都得到同等重视、也在同步加快，这些创新成果大规模工业化推广以后将直接减少二氧化碳排放。二氧化碳资源化利用绿色化学的创新正在稳步取得进展和突破，再过 15 年左右必将为碳中和做出重要贡献。

创新无止境，材料科学的发展无止境，高分子材料自诞生以来为人类文明和社会进步做出了重要贡献，未来将继续为推动技术革命和产业变革做出新的贡献！今天看起来因高分子材料使用过程中造成的问题，一定会随着创新与技术的进步得到妥善解决，人类的未来一定会更加美好！

碳达峰碳中和之新形势新挑战*

2020 年中国政府做出碳达峰碳中和（“双碳”）承诺以来，已整整走过四个年头，很多地区、很多单位、很多人从茫然“达峰”、“中和”狂热，到理性认识、科学分析，再到今天客观对待、冷静研究并制定减碳措施和碳达峰碳中和时间表、路线图，贯彻“双碳”战略步入了理性和面对现实的阶段，步入了统筹发展与“双碳”的务实阶段。即使在“碳狂热”到理性、“碳冲锋”到客观的新阶段，“双碳”话题始终萦绕在我们周边，始终占据着热搜榜单、主导着热门语境。四年来，碳达峰碳中和又遇到新的挑战，2022 年因俄乌冲突导致天然气价格奇高，欧洲有的国家重启煤电，减碳遇到新挑战；2023 年第二十八届联合国气候大会发布首次盘点报告，一端是极端天气增多、灾害频发、生态恶化加剧，另一端是各国承诺的减碳目标无一兑现。笔者在各地调研和交流中，碳达峰碳中和的新要求和新形势经常被引入议题，有时争论颇为激烈。应主编之邀，希望我在过去“碳达峰碳中和之三性论”“七问碳达峰碳中和”等文章的基础上，再次就碳达峰碳中和之新形势新挑战谈几点思考，期望共同交流、共同探讨，为的是促进行业节能降碳、加快绿色低碳转型，实则是加大创新驱动力度、推动石化产业高质量发展。

一、极端天气和灾害频发的祸根

世界气象组织警告：全球变暖将在未来五年内超过 1.5℃的阈值，其实欧洲气候监测中心表示，6 月初全球平均地表气温已经比工业化前的水平高出 1.5℃以上。去年 8 月上旬澎湃新闻报道：据欧盟哥白尼气候变化服务中心的正式报告，2023 年 7 月是全球有记录最热的月份。全球平均气温较 1850 年至

* 这是 2024 年 3 月 15 日，傅向升同志应邀发表的署名文章（节选）。

1990 年 7 月的平均气温升高了 1.5℃，这是全球月均温升首次超过 1.5℃。平均气温升高 1.5℃被科学家们认为是地球温度的一个关键临界点，超过这个阈值，极端高温、洪水、干旱、野火等灾害其危害性将变得更加严重。很多气象专家都在担心：千万不要长时间或长久地超过这一阈值。

去年 11 月中旬，美国政府发布最新一份《国家气候评估报告》（每 4 ～ 5 年发布一次），警告说“美国变暖的速度比全球整体水平快 60% 左右”，自 1970 年以来美国本土 48 个州的气温上升了 1.4℃，阿拉斯加州上升了 2.3℃，带来了更多的热浪、旱灾、山火和暴雨，气候变化正在加速影响美国。气候变化给每年美国经济造成 1500 亿美元损失，现在美国每三周就会发生一次损失超 10 亿美元的极端天气事件，而上世纪 80 年代发生的频率是每四个月才一次，约 40% 的美国人口居住的社区面临海平面上升的风险，到本世纪末数百万房主可能会被迫搬迁。世界气象组织讲：这与全球气候变暖关系密切，刚刚过去的 8 年是有观测记录以来最热的 8 年，温室气体的大量排放导致气候变暖，才是近年极端高温出现的根源。

二、碳排放量的统计与核算

自 2020 年我国做出碳达峰碳中和承诺以来，碳排放量的统计与核算一直是企业与社会关注和研究的重点与热点，因为碳排放量的统计与核算的准确与否，直接关系到碳达峰碳中和目标的实现。而碳排放量的统计与核算不仅要求其科学性、准确性，而且是复杂的，因为不同的产品其碳排放量不同，即使同一产品因生产用原料和工艺路线、技术水平不同，其碳排放量也不同，我们熟悉的很多石化产品就是这样。例如聚氯乙烯，乙烯为原料的氧氯化工艺和电石为原料的乙炔氯化工艺，其碳排放量就大不同；而乙烯为原料的氧氯化工艺，如果是石油炼制、炼化一体化的石脑油为原料获得的乙烯，与乙烷为原料直接裂解获得的乙烯，进一步生产聚氯乙烯，其碳排放量也是大不同；如果是煤化工的煤制乙烯为原料生产聚氯乙烯的话，其碳排放量就会更高一些。其他我们熟悉的产品如合成氨、甲醇等，其原料主要是以天然气或煤炭为原料，以天然气为原料其碳排放量就低得多，而以煤为原料其碳排放量就高得多。所以说碳排放量的统计与核算是复杂的，不仅需要我们认真研究，建立模式和数据库，也需要我们学习借鉴别的国家一些科学的做法和经验。

为贯彻党中央、国务院碳达峰碳中和重大战略决策和部署，国家发展改革委、工业和信息化部等五部委在认真研究的基础上，于 2023 年 11 月印发了《关于加快建立产品碳足迹管理体系的意见》（以下简称《意见》），提出推动建立符合国情实际的产品碳足迹管理体系，完善重点产品碳足迹核算方法规则和标准体系，建立产品碳足迹背景数据库，推进产品碳标识认证制度建设，拓展和丰富应用市场。支持企业按照市场原则自愿开展产品碳足迹认证，促进相关行业绿色低碳转型，积极引导绿色低碳消费，助力实现碳达峰碳中和目标。并明确了四条原则，一是“系统推进，急用先行”的原则，以市场需求迫切、减排贡献突出、供应链带动作用明显的产品为重点，按照成熟一批、推进一批、持续完善的原则，稳步有序推进产品碳足迹管理体系建设。二是“创新驱动，技术融合”的原则，把创新放在提高碳足迹管理水平的关键位置，强化碳足迹核算和数据库构建相关技术方法的原始创新、集成创新和消化吸收再创新。三是“政府引导，市场主导”的原则，建立健全产品碳足迹管理相关法规制度和管理机制，强化基础能力建设，构建公平有序的市场环境，积极引导企业按照自愿原则推进产品碳足迹管理相关工作。四是“以我为主，开放合作”的原则，科学制定有关法规政策标准，以我为主建立产品碳足迹管理体系，积极参与国际碳足迹相关标准制修订和国际计量比对，加强产品碳足迹相关国际交流合作，促进国际互认。该《意见》为我国碳足迹碳排放量的计量、核算、预测与监管提供了依据和支撑，对我国规范有序开展碳足迹管理工作、有效应对欧美涉碳贸易壁垒冲击、加快生产和消费绿色低碳转型、助力实现碳达峰碳中和目标都具有重要的指导意义。

根据国际国内相关机构和企业已开展的研究来看，产品碳足迹的核算范围一般包括三方面，范围 1 是指生产该产品的过程中原料消耗和能源消耗的碳排放量，称作“直接排放量”；范围 2 是指生产该产品的过程中外购电力、蒸汽等能源产品所产生的碳排放量，称作“间接排放量”；范围 3 是指生产该产品所需原料以及该产品销往下游运输过程（甚至含员工通勤、废弃物处理等）产生的碳排放，称作“其他间接排放量”。

三、碳关税之思考与应对

“碳关税（carbon border tax）”是主权国家或地区针对进口产品中碳排放密

集型产品进行关税征收。“碳关税”这一概念是由当时的法国总统希拉克首先提出的，当时提出的目的是希望欧盟国家针对未遵守《京都议定书》的国家征收进口税，为的是本国商品免遭不公平竞争。经一系列协商、提案、立法、修订等过程，2023 年 5 月 17 日正式生效，全球首个“碳关税”即“欧盟碳边境调节机制（CBAM）”于 2023 年 10 月 1 日开始试运行。具体分三个阶段分步实施：第一阶段，2023 年 10 月 1 日到 2025 年为试行期，欧盟外部进口高碳产品进口商需对进口产品数量与碳直接排放总量进行申报，其间无需缴纳费用；第二阶段，2026 年起开始正式征缴，进口商需申报年度进口数量与碳排放总量，并购买 CABM 证书进行清缴；第三阶段，2026 到 2034 年欧盟将逐步降低免费碳配额的发放比例，到 2035 年后欧盟将全面取消进口产品中的碳排放免费配额。目前涉及的行业和品类主要是钢铁、水泥、铝、化肥、电力、氢气，以及特定条件下的间接排放及下游产品，基本包括了当前所有基础重工业品类，按照欧盟进口产品的份额计算约占欧盟进口额的 49.4%，即接近一半。2026 年正式实施以后还将继续扩大品类。欧盟“碳关税”适用于所有国家对欧盟出口的产品，但是对已加入欧盟碳市场的非欧盟国家或与欧盟建立了碳市场挂钩的国家可以豁免。

对欧盟的“碳关税”，大多数国家都认为是一种贸易保护主义的单边措施，在去年第二十八届联合国气候变化大会上，俄罗斯、巴西、印度、沙特阿拉伯以及东盟国家等许多新兴经济体都认为欧盟的“碳关税”缺乏国际共识，呼吁其持谨慎态度。我国也表示欧盟的“碳关税”是一种单边措施，无原则地把气候问题扩大到贸易领域，既违反 WTO 规则，也不符合《联合国气候变化框架公约》及《巴黎协定》的原则和要求。解振华特使也在 2023 年 9 月的国际论坛上表示，有关国家不应诉诸“碳关税”这样的单边措施，而应在《巴黎协定》等多边机制框架下解决气候变化问题。部分发达国家也对欧盟“碳关税”持反对态度。而欧盟针对他国的争议却坚称“碳关税”的唯一目的就是防止碳泄漏（何谓“碳泄漏”？是指一个区域更严格的气候政策会导致高碳产品以及相关碳排放转移到另一个区域），欧盟委员会表示：为实现到 2030 年碳排放减少 55% 的目标，需要施行“碳关税”；欧盟能源委员会也表示：欧盟的本意并不想征收碳关税，目的是希望世界其他国家也能建立起与欧盟相同的碳定价体系。大家争议的焦点还是，“碳关税”的征收导致贸易成本增加和企业收益下降，反应强烈的都是与欧盟高耗能产品贸易密切的国家，还有的是碳市场建设尚不完善、碳标准与欧盟差异大的国家。争议归争议、反对归反对，无论反应多么强烈，实际上各国也都认识到了通过“碳关税”规则来促进能源转型的重要意义，所以很多国家也都在争议与反对中展现出了积极参与的态度，特别是以美国、英国、加拿大为代表的发达国家，也都在加紧构建自己的“碳关税”机制。我国也正在加快推进“碳市场”建设，尽快完善“碳价”政策，积极参与全球碳交易和定价规则的制定。2021 年 7 月 16 日，全国碳市场启动仪式分别与北京、上海、武汉三地同时举办。

欧盟“碳关税”的计算公式是：欧盟碳关税税费 = 税率 × 碳排放量 =（欧盟碳市场碳价 − 出口国碳价）×（产品碳排放量 − 欧盟同类产品企业获得的免费排放额）。这里又提出了一个关键词“碳价”，何谓“碳价”？国际货币基金组织的定义是，碳价是通过对化石燃料的碳含量或者对化石燃料的二氧化碳排放量征税来实现的，是现行燃油税的一种延伸。其目的是抑制人们使用煤、燃油和汽油等化石燃料，减少温室气体在大气中的积聚。推动人们减少能源消费、市场向清洁能源转型，通过“碳价”以激励企业尽可能使用清洁技术，转向清洁能源。

欧盟“碳关税”的计算公式带给我们的启示就是，要想出口欧盟的产品免缴“碳关税”，关键要做好两个层面的工作。一个是企业层面的，即在（产品碳排放量 − 欧盟同类产品企业获得的免费排放额）上下功夫，如果企业做到了“所出口欧盟的产品在生产过程中，与欧盟同类产品生产企业的碳排放量相等”，则可实现“碳关税”为零、即免。这就要求我们的生产企业其技术水平、管理水平、原材料和能源消耗水平以及排放水平，全方位向欧盟水平看齐，就欧盟的工业水平来讲，这是不是无形中就推动了“世界一流企业”的培育和建设呢？答案是肯定的！另一个是政府层面的，即在（欧盟碳市场碳价 − 出口国碳价）上下功夫，政府宏观政策的研究制定，尽快建立起规范的碳交易市场，建立起既与国内生产实际情况相符、又与欧盟碳价基本一致的碳交易价格，也可以实现出口欧盟“碳关税”免缴或少缴。一方面是就目前国内碳交易碳价（约 80 元人民币 / 吨二氧化碳当量）与欧盟的碳价（约 80 欧元 / 吨二氧化碳当量）相比，要实现出口欧盟免“碳关税”差距很大；另一方面就当前国内工业化和企业的水平，特别是我国工业结构、产品结构、原料结构、能源结构以及制造成本、劳动力成本等全要素来看，要实现出口欧盟免“碳关税”差距也不小。这就对我们提出了新的挑战和新的要求。这对石化产业和企业来说，就要在原料轻质化、能源清洁化、结构高端化、生产过程低碳化、产品高性能化以及管控数字化、全生命周期循环化等方面，加大创新力度，加快转型升级，对标世界一流，实现做强做优。

以上是应邀就碳达峰碳中和的新形势和新挑战，做了简要梳理，仅供关心碳达峰碳中和目标实现、标准研究和制定、体系布局和构建的朋友们参阅；石化企业和行业同仁应对“双碳”挑战、制定减碳措施、加快能源转型和技术升级，也可参阅。总之，希望在共同分享、共同启发和探索中，加快石化产业迈向绿色化和低碳化，实现石化产业的高质量发展，为我国新型工业化和中国式现代化做出石化产业的新贡献！

直面挑战　强化创新
推动化肥工业高质量发展 *

中国石化联合会与国际肥料工业协会有着长期良好的合作，国际肥料工业协会每年都在中国召开专门会议，每次会议和国际肥料工业协会发布的每一期研究报告，起到了非常好的信息交流与沟通的作用，对中国化肥工业的持续进步起到了很好的推动作用，也对中国化肥企业的创新发展、绿色低碳转型和数字化升级都有很多新的启发！今天跟各位分享几点化肥形势相关的内容：

一是中国化肥工业的创新发展取得长足进步。统计表明化肥对粮食产量的贡献率在 50% 左右，也就是说如果离开了化肥，粮食产量将减产一半，所以说化肥是国家粮食安全的重要保障。世界化肥工业是从 1913 年德国科学家哈伯实现了氨合成、并与巴斯夫的博施工程师成功工业化以后，进入了快速工业化的阶段。中国化肥工业的发展过程可以简单归纳为三个阶段：第一个阶段约 20 年，是新中国于上世纪五十年代成立化工部以后到上世纪七十年代，这一阶段主要是为满足国内农业生产之急需，在全国大建小化肥厂，当时几乎全中国每一个县都有一家小化肥厂，产品主要是依靠自主开发的技术生产碳酸氢铵。

第二个阶段约 30 年，是以上世纪七十年代引进 13 套大化肥装置为标志，即齐鲁、大庆、辽河、泸天化、云天化、安庆、湖北、洞庭湖等，当时规模最大、技术水平最先进的大型合成氨和尿素装置，基本配置是“30、52”，即年产 30 万吨合成氨、52 万吨尿素，中国从此开启了化肥工业的大型化和现代化之路。在那个阶段还同时开展了另一项意义重大的工作，即上世纪九十年代后期开始的国内化肥厂的改造升级，当时主要是通过化工部组织，在全国展开碳酸氢铵改尿素和节能改造的“两煤改一煤（原料煤、燃料煤去掉锅炉用燃料煤）”、节水改造的“两水闭路循环（冷却水和污水）”新技术、新工艺。

第三个阶段可以是新世纪以来的最近二十年，进入二十世纪以来，一边加

* 这是 2024 年 9 月 11 日，傅向升同志在国际肥料工业协会中国顾问团会议的致辞。

大自主创新、加快新技术推广应用的力度，一边加快企业布局结构调整和企业间重组，化肥工业的规模集中度大幅提升，大部分化肥企业生产规模都跃升到百万吨级以上；单套规模不断升级，在这个阶段新建合成氨、尿素装置由原来引进的“30、52”，不断跃升到“50、80”“60、100”；技术水平和系统化、工程化的成龙配套能力达到国际先进水平，大型煤气化技术实现跨越、关键设备制造能力国际领先、智能化水平持续优化、新建化肥装置的原料单耗、能耗和水耗都世界领先。

中国的基本国情是农业大国、人口大国，化肥工业对于中国来说更为重要。去年，中国的化肥折纯总产量 5713.6 万吨，出口 1088 万吨，进口 726.9 万吨（进口主要是氯化钾）；其中氮肥折纯产量高于 4000 万吨、磷肥折纯产量 900 多万吨，氮肥、磷肥的产量相对于国内市场需求量都保供有余。今年上半年化肥总产量 3040.5 万吨，同比增长 8.8%，其中氮肥产量同比增长 8.9%、磷肥产量同比增长 7.3%、钾肥产量同比增长 9.7%。据统计，中国氮肥产量约占世界产量的 1/4，磷肥产量约占世界产量的 1/3，钾肥产量约占世界产量的 1/9。由此可见，今天中国的化肥工业论产量是世界化肥大国，论整体技术水平也是世界化肥强国。

二是中国化肥工业也面临着新的挑战。中国化肥工业经过 70 年的发展，无论是规模还是技术创新，进步是快的、成就是明显的，但今天高质量发展的新时代和新要求，化肥工业也面临着一些新的挑战。第一个表现是产品结构性矛盾突出，产品结构性矛盾首先表现在氮肥、磷肥、钾肥的结构性比例失调，氮肥和磷肥的产量都是过剩的，而钾肥严重依赖进口，氮肥的产量高于消费量 10% 以上，磷肥的产量高于消费量 60% 以上，而钾肥约 47% 靠进口。产品结构性矛盾还表现在基础肥料品种多，高效专用肥新品种少，虽然近年来在复混肥大量生产的同时，也研发了水溶肥、缓释肥、腐殖酸肥、微量元素肥等不少新型肥料种类，也都开展了推广应用，但适合不同地域科学测土施肥的量远远不够，适合不同植物或作物的专用肥推广应用也不够，适合不同作物、特别是果蔬种植不同生长期的专用肥料品种就更少。

第二个表现是受原料价格的影响，化肥企业的效益波动大。这一点欧洲同行可能感受更加深刻，2022 年 2 月下旬因俄乌冲突导致天然气价格暴涨，欧洲能源、电力价格随之大幅上涨，直接受冲击的就是欧洲的合成氨和化肥生产装置，巴斯夫列入第一批减产和停产的化工品清单就包括合成氨和化肥。中国也是一样，煤炭价格高位的时候，化肥企业的效益就大幅下降，煤炭价格低位的时候，化肥企业的效益就会明显改善。中国化肥工业 2022 年因俄乌冲突、国际市场肥料价格高涨的带动作用，营业收入同比增长 21.45%、实现利润同比增长 52.94%，其中氮肥、磷肥、钾肥、复混肥等收入、利润均大幅增长，化肥行业收获了一个历史罕见的好年景。可 2023 年化肥行业营业收入同比下降 4.53%、实现利润同比大幅下降 29.19%，同样其中的氮肥、磷肥、钾肥、复混肥等收入、利润同步下降，且利润下降幅度均高于收入。今年上半年化肥行业经营指标改善向好，营业收入同比增长 1.28%、实现利润同比增长 12.31%，其中氮肥、磷肥、钾肥、复混肥等收入、利润互有升降。

第三个表现是绿色低碳转型的挑战更为艰巨，这一点中国化肥工业更为突出，因为中国化肥工业的原料结构与世界化肥工业有着很大不同，中国因受“多煤缺油少气”资源禀赋的制约，70% 以上的合成氨是以煤炭为原料，而欧美等发达国家和海湾地区的合成氨都是以天然气为原料，以天然气为原料其二氧化碳排放量比煤炭为原料要低 60%，气头比煤头废渣和废水的排放量也低很多，所以说中国化肥工业绿色低碳转型面临的挑战更为严峻，“双碳”目标的实现更为艰巨。我们既要看到化肥工业的进步与成绩，也必须正视目前新时期面临的挑战，在创新与发展中补短板、强弱项，实现高质量发展。

三是强化创新，转型升级，推动化肥工业高质高效发展。近年来，中国化肥工业重点在技术进步、转型升级上下功夫，在降耗、节能、节水上下功夫，在依法依规淘汰落后产能上下功夫，新建化肥装置和新增产能不仅要产能置换，而且能效、水效要达到先进水平，新世纪以来华东和华南地区几乎没有新建化肥装置和新增化肥产能，新建的化肥装置和新增化肥产能几乎全部选在西北煤炭资源富集区域，而且新建装置都实现了大型化和智能化。下一步，中国化肥工业的发展首先是立足现状创新领先，虽然中国化肥工业生产技术水平、关键设备制造水平都居国际领先，但创新无止境，特别是事关化肥工业的核心要素新型高效催化剂的创新，自哈伯发明铁系催化剂成功合成氨以来，催化剂始终是化肥工业创新的关键和重点，福州大学研发成功的新型钌系催化剂实现了氨的低压合成新工艺，已成功工业化；创新还应在新型高效肥料品种上下功夫，针对中国广袤的种植面积和植物种类的多样性，开发更多的土壤专用肥和植物专用肥，同时创新更多的科学施肥方法和植保一体化服务方案，大大提升施肥效果和肥料利用率，充分发挥肥料保障粮食安全和果蔬品质的应有效果。

化肥工业高质量发展第二个重点是绿色低碳转型，特别是中国以煤炭为原料的化肥企业，为适应碳达峰碳中和的新要求，在做好节能、降耗、降碳的同时，在前端的生产环节还要积极探索与新能源的耦合发展，特别是加快研发并积极探索与绿氢的耦合发展，如果在造气后的变换工段实现了补充绿氢调碳氢比，替代目前把一氧化碳转换为二氧化碳的方式，化肥工业的碳排放量将大幅下降；在后端的使用环节还要加快研发肥料新品种以及科学的施肥方法和方案，提高肥效、减少损失，也就减少了温室气体的排放，化肥行业“双碳”目标面临的艰巨性将大大缓解。

化肥工业高质量发展第三个重点是磷肥工业磷石膏资源化利用，这是长期困扰磷肥工业可持续发展的难题，也是伴随磷肥工业长期没有很好解决的难题，目前实行的“以膏定产”的措施，即以不新增磷石膏的量为基准控制磷肥的产量，不是最终的根本解决之道。磷肥生产企业在磷石膏资源化利用方面已开展了很多研究和试验，磷石膏资源化制作建筑材料是破解途径之一，但消化的量有限；磷石膏用于盐碱地土壤改良也是途径之一，但因磷石膏组分复杂而有待验证和标准规范。最成功的解决之道应属鲁北化工的磷石膏制硫酸联产水泥，真正实现了从磷矿石到磷铵的闭路循环，是目前磷石膏资源化利用的最佳方法，自“八五”国家科技攻关成功以来，工业化规模不断扩大、运行稳定；今年 3 月份贵州磷化集团的 140 万吨磷石膏生产 60 万吨硫酸、联产 80 万吨水泥装置一次投料成功，再次证明该技术路线大型化的可行性。7 月底，我与鲁北化工吕天宝董事长和班子成员交流时谈及此事，他们表示愿意将这一技术在国内、甚至国外磷肥企业推广，这对磷肥工业高质量发展是很有意义、也是值得探讨和重视的一个课题。

可持续发展正在成为我们的共识与行动 *

1. 可持续发展必须成为我们的共同行动和自觉行动

可持续发展是全球的共同关注，也是面向未来的共同选择。自联合国 2015 年通过《2030 年可持续发展议程》以来，可持续发展的理念已成为绝大多数国家和几乎所有跨国公司的共识，特别是气候危机日益严峻世界气象组织今年初报道说：刚刚过去的 8 年是有观测记录以来最热的 8 年。刚刚过去的今年夏天高温天气有增无减。有报道称今年以来北大西洋的水温持续偏高，地中海的温度也创下了多项历史新高，西班牙《国家报》甚至形象地说：地中海创纪录高温，热得像一锅粥。我们在北京也有深切的感受，今年的夏天不仅仅是气温高，而且还湿度大，今年的夏天是一个难熬的夏天。

另一方面极端天气频发。前几年墨西哥湾的极寒天气导致多套石化装置停产，一度造成世界石化市场的担忧。以暴雨和洪水为例，去年夏天缅甸特大暴雨、韩国持续洪灾；去年郑州的暴雨、北京的洪水也都是几十年或百年未遇。刚刚过去的今年夏天，北美遭遇了强烈暴雨，南美洪水泛滥。今年 9 月上旬，“摩羯”以超强台风的强度相继袭击了菲律宾、我国海南和越南，造成了极其严重的经济损失。上周，中国东部沿海发生了从未有过的海水倒灌，福建、浙江、上海、辽宁等多地海水升高、海水倒灌，给人们的生产、生活都造成不便，至今也没有找到原因。极端高温、热浪、洪水、干旱、森林火灾频发，其危害性变得更加严重。这些极端天气和自然灾害频发，也就是在警示我们可持续发展的极端重要性，所以可持续发展要成为我们的共识和共同行动。

2. 可持续发展要求我们必须加快发展方式的转变

今天我们正在经历的气候危机日益严峻的现状，有今天的我们和近几十年来我们生产方式和生活方式不科学、不可持续的因素，也是自工业革命以来工

* 这是 2024 年 10 月 30 日，傅向升同志在 2024AICM 专题会的致辞。

业化的快速发展和资源的大量消耗、过量废弃物的无节制排放造成了今天的恶果。为了保护人类的生存环境、地球资源和生态多样化，应对人类的生存危机，也为了人类和我们的子孙后代，今天的我们必须做好可持续发展。必须加快发展理念和发展方式的转变，改变过去单纯追求增长，过度依赖资源、过度消耗资源、拼规模、拼投资的传统发展思路和发展模式，切实认识到我国已经由高速增长阶段转向高质量发展阶段，贯彻落实好习近平总书记在党的二十大报告中强调的“高质量发展是全面建设社会主义现代化国家的首要任务”，高质量发展的重要标识就是可持续发展，这就要求我们把可持续发展理念摆在工业化、经济发展和生活习惯的更加突出的位置，以可持续发展推动高质量发展，让可持续发展成为新型工业化的前提条件和必须遵循的原则。

3. 石化产业的可持续发展在一个国家工业化和现代化过程中有着特殊重要性

石化产业是国民经济的重要支柱产业，也是基础性配套性产业，石化产品和材料、特别是高性能材料和专用化学品，不仅为交通运输、航空船舶提供清洁燃料，而且为汽车轻量化、飞机大型化发挥着极其重要的作用；石化化工新型保温材料、建筑材料及其多功能涂料，为建筑、冷链、家电等保温节能发挥着重要保障作用；化工高性能材料、高端膜以及功能化学品，不仅为高端制造业、战略性新兴产业提供保障和支撑，更是新能源汽车以及光伏、风电等新能源发展不可或缺的重要配套材料，以上这些产业的可持续发展以及清洁能源的转型，都与石化产业的可持续发展密切相关，甚至可以说石化产品和化工新型材料对众多领域的可持续发展起着决定性的作用。鉴于石化产业可持续发展的特殊重要性和极端重要性，**一是石化产业的可持续发展一定是创新发展。**自工业革命以来的实践证明，创新是可持续发展的首要因素，也是关键要素和核心要素，创新是第一动力。石化产业作为资源型和能源型产业，通过技术创新和新技术的应用，使得生产过程中少消耗化石资源、少排放废弃物、降低电力蒸汽等能源消耗，就是不断促进石化产业的可持续发展。

二是石化产业的可持续发展一定是绿色发展。石化产业的原料主要还是石油、天然气、煤炭以及磷矿石、萤石等化石资源和自然资源，石油天然气煤炭为原料必然伴随大量二氧化碳的排放，磷矿石、萤石等自然资源为原料又伴随着大量固体废渣污水的产生，创新与实践告诉我们“所谓废弃物，实际上是放错了地方的资源”，这就要求石化产业的可持续发展一定要高度重视循环经济的发展，做好废弃物的资源化利用，尤其要重视废弃塑料的资源化利用，不仅消除废弃物堆积或随意丢弃造成的环境影响；而且通过磷石膏、电石渣等资源化利用减少自然矿产资源的开采与消耗，通过废弃塑料的循环利用可以大量减少石油天然气煤炭等化石资源的消耗，实现节约资源、保护环境、绿色发展和可持续发展。

三是石化产业的可持续发展一定是协同发展。为应对气候危机，为了实现石化产业的可持续发展，既要求我们通过协同创新来实现，又要求我们理念共识、携手行动来实现。可持续发展不是一个国家或某一地域做到就行了，更不是一个企业做好了就好了，因为地球只有一个，山水相连、气流相通，因此我们石化领域的广大企业、企业家和创新工作者，一定要携起手来为了石化产业的可持续发展、为了人类美好的未来，从我们每一个人的工作岗位开始、从每一家企业做起，强化创新、共促可持续发展，并贡献我们的智慧与方案。

习近平总书记指出，我们要倡导绿色、低碳、循环、可持续的生产生活方式，平衡推进 2030 年可持续发展议程，不断开拓生产发展、生活富裕、生态良好的文明发展道路。今后中国石化联合会将继续与各方携手同行，加强合作，做好服务，形成推动石化行业高质量可持续发展共识和一致行动，共谋发展良策。

农化行业为国家粮食安全提供了强力保障*

"第三届现代农业发展论坛"，是为深入贯彻落实习近平总书记关于"加快建设农业强国，推进农业农村现代化"重要讲话精神、扛稳农资行业保障粮食安全的第一使命而召开，是坚持创新和发展、共同探讨农化发展新动能、合力推进中国现代农业发展步伐、为推动行业和现代农业高质量发展而召开，必将对推动农化行业创新和现代农业的发展产生重要而深远的影响。

1. 石化运营基本平稳，但下半年困难增加

去年因受疫后市场恢复不及预期、产品价格低位的影响，全年石化全行业营业收入、实现利润、进出口总额同比均出现下降。今年初我们基于世界市场和宏观经济大环境预判，今年将是总体平稳、底部盘整、筑底企稳的一年，走过上半年基本上兑现了年初的预判，中国经济上半年同比增长 5.0%（全年是 5.2%），石化行业也是如此，上半年实现营业收入同比增长 5.1%，实现利润总额同比微降 1.6%，进出口总额同比下降 2.5%，"底部盘整，筑底企稳"态势明显。可是，进入下半年以来困难在逐月增加，同比增幅逐月收窄、同比降幅逐月扩大，到前三季度营业收入同比增幅收窄到 3.5%，利润总额同比下降扩大到 10.2%，进出口总额同比下降 1.4%，从利润来看困难增加。

2. 农化行业为国家粮食安全提供了强力保障

习近平总书记指出，确保国家粮食安全，把中国人的饭碗牢牢端在自己手中。贯彻习近平总书记重要指示精神，端牢中国人自己的饭碗，离开了化肥、农药、农膜等农化产品，恐怕难以做到。因为有统计证明化肥对全球粮食增产的贡献率平均为 40%，而在发展中国家甚至可以达到 60%。化肥增加作物养分，对粮食是增产，农药的使用是有效控制和防治病虫草害，对作物、果蔬是减少损失，对作物和果蔬是保产。据联合国粮农组织测算，农药的使用挽回了

* 这是 2024 年 12 月 23 日，傅向升同志在第三届现代农业发展论坛的致辞。

世界农作物总产量 30% ～ 40% 的损失；美国农业部的资料显示，停止使用农药将导致作物产量减少 30%，农产品价格将提高 50% ～ 70%。由此可见，化肥、农药、农膜等农化产品与保障粮食安全密切相关，化肥、农药的品质与粮食、果蔬以及人们的生活质量密切相关，科学施肥、科学施药与农业现代化密切相关。去年我国化肥总产量（折纯）同比增长 5%、农药总产量同比增长 2.8%、农膜产量同比增长 6.8%，为我国粮食总产量超过 6.95 亿吨、比上年增产 888 万吨作出了重要贡献。今年前三季度，我国化肥总产量（折纯）同比增长 7.3%、农药总产量同比增长 25.3%、农膜产量同比增长 0.8%，为我国今年夏粮增产 362.7 万吨、预计秋粮增产高于 900 万吨又提供了重要保障，为我国粮食安全作出了重要贡献。

3. 石化强国的画卷正在徐徐展开

石化强国目标提出以后，已接续奋斗了十年。目前我们正在开展“十五五”规划前期调研，正在前瞻谋划“十五五”的发展思路和目标。集企业家、科学家和社会各界的智慧，我们初步思考“十五五”期间一定要坚定石化强国的目标不动摇，在规模大、总量大、世界第二石化大国和世界第一化工大国的平台上，正视“大而不强”的现状，强化原始创新，面向世界科技前沿和国家重大需求，聚焦重大关键核心技术和卡脖子的堵点，集聚力量组织科技攻关，加快石化大国向石化强国的跨越。“十五五”期间，紧盯石化强国目标，贯彻党中央对新时代新阶段高质量发展、新型工业化、中国式现代化的新部署，突出创新驱动、绿色低碳、国际合作、集群发展等重点任务，在提升自主创新能力和高水平科技自立自强、攻克重大关键技术和核心技术上狠下功夫，在加快绿色低碳转型和数字化智能化上狠下功夫，在培育世界一流企业和世界一流石化产业集群上狠下功夫，在深化国际交流与合作和拓展国际化经营管理水平上狠下功夫，全力推动石化强国目标在“十五五”取得新进展和新跨越，为中国式现代化做出石化产业的新贡献!

农业现代化是一个国家现代化的基础，农化现代化是农业现代化的前提，让我们携起手来，为早日实现农化行业的生产现代化、智慧化和产品的高端化、绿色化，以及施肥和用药的科学化而不断创新，以农化现代化为农业现代化提供重要支撑和保障，并助力石化强国目标的实现!

石化强国目标正在引领我们前进 *

1. 石化产业既是国民经济的重要支柱产业，也是一个国家发展水平的体现

近三年石化全行业年营业收入保持在 16 万亿元，营业收入和实现利润均占到全国规模以上工业企业总收入和利润总额的 12% 左右，进出口总额占全国进出口总量的 16% 左右，多年来为稳经济、稳外贸、稳就业作出了重要贡献。石化产业的化肥、农药等农用化学品不仅关系到农业的丰产丰收和人们生活质量的提升，石化产业的合成纤维、染料还关系到人们五彩斑斓的生活；高端制造业、战略性新兴产业以及新能源和新能源汽车、大飞机等，离不开化工新材料、高性能纤维及其复合材料的配套与保障；太空行走、探月工程、航空航天以及国防军工等尖端和国家安全领域，离不开特种密封材料、保温材料以及特殊功能材料的配套和保障。

一个国家技术水平的体现，是因为石化产业既是基础配套性原材料产业，也是技术密集型资金密集型产业，可以说是强国的标志，是一个国家发展水平和创新水平的重要体现。自第二次工业革命以来，德国近百年的时间里一直引领着世界化学工业的创新与发展，二战结束以后美国崛起，世界石化工业走向大型化和现代化，近半个世纪以来美国登顶世界石化产业新的巅峰。综观今天的世界石化产业，美国、德国、日本、英国、法国、比利时、荷兰等国既是世界石化和化工强国，也是世界经济强国、科技强国，有的还是世界军事强国，离开了世界石化和化工强国这一重要支撑和保障，无论哪一个国家都难为世界经济强国和科技强国，更不可能成为军事强国。所以，近百年来美欧日等发达国家和地区都把发展化学工业、特别是化工新材料和精细化学品、专用化学品作为国家战略，持续加大关键核心技术的创新，高度重视知识产权的保护，始

* 这是 2024 年 12 月 23 日，傅向升同志在中国投资协会专精特新投资专业委员会成立大会暨专精特新全链条赋能创新发展研讨会的致辞。

终占据技术制高点，甚至长期垄断高端产品市场。

2. 我国石化产业既进步与成就显著，又结构性矛盾突出

近十年来我国石化产业新基地加快建设、新项目集中投产，产业规模、产业集中度、产业整体水平都不断取得新进步和新跨越，以炼油、乙烯为代表的石化产能和整体水平以及 20 多种主要石化产品的产能、产量都稳居世界第一位；在创新方面聚碳酸酯、聚苯硫醚等工程塑料以及碳纤维、芳纶、聚酰亚胺等新材料和高性能纤维，通过自主创新都已实现了产业化，聚氨酯新型材料、长碳链及芳香族尼龙及己二腈等长期被“卡脖子”的关键单体，其关键核心技术也都相继取得重大突破；在石化基地和建设世界级石化产业集群方面，国务院在沿海规划布局了长兴岛、曹妃甸、连云港、上海、宁波、古雷、大亚湾“七大石化基地”，在西北煤炭富集区布局了鄂尔多斯、榆林、宁东、准东“四大现代煤化工示范区”，石化全行业以“七大石化基地”和“四大现代煤化工示范区”为核心，正在全力培育和构建环渤海湾、杭州湾、海西湄洲湾、泛大亚湾和西北“能源金三角”“五大世界级石化产业集群”，正在向着“十四五”末 50 家智慧化工园区示范、50 家绿色化工园区、50 家高质量示范园区的目标迈进；在建设世界一流企业方面，不仅有中国石化、中国石油等大型骨干企业，近年来又涌现出恒力、盛虹、浙石化、裕龙石化等一批炼化一体化新生力量，也有万华、新和成、东岳、华峰、丰原生物等一批创新能力强、核心竞争力强的创新型企业，还有默锐科技、奥首、会通新材等一大批专精特新和单项冠军“小巨人”企业。

当然，我们也要看到，我国石化产业的结构性矛盾仍然突出，一方面是我国多煤少油缺气的资源禀赋导致的原油天然气对外依存度居高不下，另一方面是大宗基础产品和通用材料供大于需，而高性能材料、高端专用化学品依赖进口的结构性矛盾改观不明显，特别是高性能材料、高端专用化学品这一短板，甚至成为制约我国高端制造业、战略性新兴产业发展与进步的瓶颈。我们既要肯定石化产业的进步与成就，也要正视存在的结构性矛盾与短板，全力推动石化产业在高质量发展、绿色低碳转型和数字化智能化过程中，迈向“科技含量高、资源消耗少、三废排放低、经济效益好”的新型工业化。

3. 石化强国的目标正在引领我们前行

我们即将迈入“十四五”的最后一年，进入四季度以来石化联合会在做的一项重点工作就是“十五五”规划前期调研，通过调研全面总结评估“十四五”

规划目标任务的完成情况，充分听取企业家、科学家、重点省区市主管领导的发展意见和建议，思考并谋划好“十五五”发展的思路和目标。在前期调研的基础上，我们初步思考“十五五”期间一定要坚定石化强国的目标不动摇，石化强国目标提出的时间是“十三五”，提出的背景是 2010 年我国石化产业迈上了世界第二石化大国和世界第一化工大国的新平台，当时我们也认识到规模大了、总量大了，但“大而不强”，特别是原始创新能力不强的矛盾是突出的，因此我们提出从“十三五”开始，要加快石化大国向石化强国跨越。石化强国目标的提出，不仅凝聚了行业共识，而且经过两个五年规划、十年的奋斗已取得明显的进步，不论是科技创新、运营质量、绿色发展、管理水平等多个维度，都在质的有效提升和量的合理增长方面实现了新突破和新进展。但是，与世界石化第一梯队的美欧日等强国和发达地区相比，还存在不小的差距。这就要求我们在思考和研究“十五五”规划目标与任务的时候，一定要继续紧盯石化强国的目标，贯彻党中央对新时代新阶段高质量发展、新型工业化、中国式现代化的新部署，突出创新驱动、绿色低碳、国际合作、集群发展等重点任务，在提升自主创新能力和高水平科技自立自强、攻克重大关键技术和核心技术上狠下功夫，在加快绿色低碳转型和数字化智能化上狠下功夫，在培育世界一流企业和世界一流石化产业集群上狠下功夫，在深化国际交流与合作和拓展国际化经营管理水平上狠下功夫，全力推动石化强国目标在“十五五”取得新进展和新跨越，为中国式现代化做出石化产业的新贡献！

石化产业过去的发展和取得的每一项成就，如果离开了各位的推动和重要贡献是万万不可能的！石化产业今后的发展潜力、特别是国民经济各领域的发展以及国家未来产业之发展和国家战略之所需，都离不开化工新材料和特种化学品的保障和石化产业的高质量发展，这也证明石化产业的投资潜力不仅是巨大的也是无限的！今天在座的有不少民营企业的朋友，民营企业健康可持续发展的关键是牢牢把握“专精特新”。一定不能把追求规模作为主要目标，要在“专精特新”即“专业化、精细化、特色化、新颖化”上下功夫，只要不崇洋、不羡大，要学习德国一家隐形冠军企业的理念“不争 500 强，但活 500 年”，借鉴默锐科技的理念“把一米宽的市场，做到百米深”，坐定“小而美”、瞄准“小而强”，这样的民营企业一定会成长为百年企业。最后再跟新成立的专精特新专委会说一句话，专精特新专委会在研究中小企业发展政策方面大有文章可做，在服务中小企业协同创新上大有文章可做，在服务与引导中小企业国际化方面大有文章可做。以我国石化行业为例，规模以上企业有 3 万多家，其中民营企业占 90% 以上，精细化工、专用化学品、新材料加工等高端领域更是以民营和中小企业为主体，民营企业、中小企业以及众多专精特新和单项冠军企业是石化产业高质量发展和创新发展的重要力量，是推进中国式现代化的生力军。

我国涂料行业高质量发展的任务很重 *

涂料工业不仅是石化产业的重要组成部分，也是国民经济的重要工业门类，涂料产品与建筑、家居、汽车、电子以及家用电器等行业密切相关，涂料工业的发展质量还关系到高端制造业、战略性新兴产业以及国防军工等高端领域和战略领域，航母、“东风快递”都需要涂料，太空舱、落月的国旗、深潜器也离不开涂料，可见涂料工业不仅与千家万户有关，更与国家战略和国家安全有关。我国涂料工业自改革开放以来发展成就与进步显著，其产量已连续 15 年位居世界首位，占到全球总产量的 1/3，也是世界涂料产业的重要增长极。

涂料大国的成绩值得肯定，但当前看我们离涂料强国还有不小的差距，我国涂料工业的现状也是“低端产品过剩，高端产品短缺”的结构性矛盾突出，高端涂料、特别是特种和功能性涂料无论是产品种类、还是质量与性能差距更加明显。我国身为涂料大国去年涂料产品有出口，也有进口，数量看出口量是进口量的 2 倍多，但贸易逆差却高达近 8 亿美元，可见我们出口的属普通涂料产品，而进口的是高端产品；从进出口价差也可以证明，出口均价 3245.6 美元 / 吨，而进口均价 11250 美元 / 吨，进口均价是出口均价的 3.47 倍。再看一个跨国公司的情况，阿克苏诺贝尔去年高性能涂料销售额占比 60%、息税折旧前利润占 71%、营业利润占 61%。与跨国公司相比，我国涂料行业的产业集中度、经济效益和竞争力都差距更大，据国家统计局数据我国涂料行业规模以上企业有 2430 多家，去年的总产量 2820 多万吨，实现营业收入 3200 多亿元、利润高于 210 亿元。就涂料本行业内看每个企业的年均产量是 1.16 万吨，年均收入 1.34 亿元，年均利润 862.2 万元；就石化全行业看企业数占全行业 3.2 万家的 7.6%，营业收入占 16.28 万亿元的 2.0%、利润占 7897.1 亿元的 2.7%。

可见规模与集中度差距之显著，阿克苏诺贝尔 2 月 26 日发布，2024 年

---

* 这是 2025 年 4 月 10 日，傅向升同志在 2025 中国国际涂料协大会的致辞。

实现销售额107.11欧元（约合816.18亿元人民币，是我国涂料行业营业收入的1/4），息税折旧前利润12.88亿欧元（调整后+3%），调整后的营业利润是11.13亿欧元（+4%），营业利润（折合人民币84.3亿元）是我国涂料行业实现利润的40%，归母净利润5.42亿欧元（+22.62%）。业绩增长主要是由高性能涂料业务推动的，船舶、防护涂料和粉末涂料持续增长，汽车涂料也表现强劲，尤其是在中国。

当然我国涂料行业也有领军企业，创新成效也明显，绿色转型和数字化升级也都进步很快，也正在迈向高质量发展。但是我们“十三五”规划就提出了石化强国的目标，涂料行业也提出了涂料强国的目标，要实现强国目标就需要与发达国家对标，而强国目标又必须有一批世界一流的企业做支撑，要打造世界一流企业就需要我们与具有国际竞争力的跨国公司对标，在肯定我们自己的进步与成绩的基础上，通过在与世界一流跨国公司对标中找差距，找准了我们自己的弱项和短板，也就明确了我们的发展目标和方向。我们就可以在强弱项、补短板中实现做强做优，把自己建设成为具有国际竞争力的世界一流企业。

我们正在做“十五五”发展规划，涂料协会也在做涂料行业的“十五五”发展规划，我们很多涂料企业也正在思考和谋划“十五五”的发展思路和发展目标，建议涂料行业及各企业、特别是一批涂料领军型企业，一定要在认真总结评估“十四五”成就与差距的基础上，找一家与自己主业相近的世界一流企业，认真对标、认真研究，不仅研究对标企业的产品、创新、管理、文化，也要认真研究对标企业的发展理念、发展历程，甚至是经验与教训。因为我们工业化的时间还短、高速发展的时间就更短，有的企业在近几十年的快速发展过程中甚至走过弯路，只要选准对标的目标企业，认真研究就对我们有启发，都值得我们在借鉴中少走弯路，我们就可能发展得更好一些、更快一些。祝愿有更多的涂料企业在不久的将来都发展成为核心竞争力强的世界一流企业，为实现石化强国目标做出新贡献！为中国式现代化作出新贡献！

当前石化产业趋势与农药中间体创新发展思考*

农药与农药中间体现状与创新发展思考

农药不仅是石化产业的重要组成部分，而且是国民经济的重要工业门类，甚至可以说是国家的战略保障领域，因为农药工业的高质量可持续发展关系国家粮食安全，据联合国粮农组织测算，农药的使用挽回了世界农作物总产量30%～40%的损失。我国多年来一直是农药生产大国，也是出口大国，据国家统计局统计，去年我国农药总产量360多万吨，其中出口量高于85%，实现营业收入接近3000亿元，实现利润160多亿元，同比看：产量同比增长22.2%，而营业收入增长3.2%，利润却下降3.4%，在产量大幅增加的情况下，营业收入增幅小得多、而利润却是下降的主要因素是产品价格。更进一步的因素是近年来多种农药产品的产能增速较快，结构性矛盾进一步加剧，在农药领域“内卷式”竞争也在进一步加剧，导致价格低位、效益下降。并购先正达以后，我国农药工业整体水平和竞争力已大幅提升。就农药全球格局看，中国、德国、美国“三国”整体水平均属第一梯队，但就我国农业企业与美国科迪华（陶氏杜邦合并再拆分后专注于农业科学的新公司）、德国拜耳（前几年并购了美国孟山都）、巴斯夫以及日本住友等跨国农药巨头相比，我们农药企业的原始创新能力、规模集中度以及品种结构和剂型等方面都存在明显差距。拜耳集团去年销售额466亿欧元、息税折旧前利润101.2亿欧元，其中作物科学事业部的销售额222.6亿欧元、息税折旧前利润43.3亿欧元。科迪华去年的营业收入169.1亿美元（折合人民币1204亿元），净利润9.19亿美元，其中作物保护业务的营业收入是73.6亿美元（合524亿元人民币）；可见我国的农药企业与跨国公司相比，差距还是明显的。另一个差距是我国农药产品进出口的数量和价格，去年我国出口量超过310万吨、而进口高于8万吨，数量的巨大差距自然

* 这是2025年5月27日，傅向升同志在首届农药中间体技术与市场交流会的报告（节选）。

是顺差、高于 80 亿美元，可我们进出口的均价差距可就悬殊了，出口均价是 2834.2 美元 / 吨，而进口均价 9927.9 美元 / 吨，两者相差 3.5 倍，恐怕这里面既有我们“内卷式”竞争加剧的原因，也有我们产品结构“低端有余、高端不足”的原因。

农药中间体是合成农药的重要原料，生产水平和产品质量不仅决定着农药工业的生产与进步，而且还影响着医药、染料、食品添加剂、信息化学品等众多精细化学品的生产和质量。从“六五”到“十五”原国家科委、原化工部组织国家科技攻关项目开始，农药中间体一直是重点攻关内容之一，特别是社会的进步、人们生活质量的和水平的提升以及生态环境的要求，农药产品要向高效、低毒、低残留发展，其关键中间体更显重要，那时因受创新条件和创新能力以及技术水平的制约，很多关键中间体都成为制约农药自主创新的瓶颈，甚至有些关键中间体就像今天的“尼龙 66 关键单体己二腈”一样被“卡脖子”。当然，经过多年的持续创新，今天大部分农药中间体都实现了关键技术突破和连续稳定生产，过去那种高价进口、受制于人的局面已大为改观，但在农药中间体领域按照高质量发展的要求，还有不少课题和创新内容需要我们继续发力。

首要发力点就是技术创新，与大宗基础化学品和通用材料相比，农药中间体的生产过程其技术要求高，因为农药中间体的生产不仅需要催化，通常还会涉及硝化、氯化、氟化、加氢以及重氮化、过氧化，甚至光气化等反应过程，这些反应过程不仅技术难度大、反应条件苛刻、操作规范性高，通常还都伴有高温高压、绝热等反应条件和操作过程，而且有些物料有毒有害、易挥发和易燃易爆，从物料到反应都属于安全风险大、等级要求高的化工反应过程，这就要求我们从事农药中间体生产的企业一定要高度重视创新，特别是关键核心技术的自主创新和先进适用技术的应用，如微通道反应技术，这是从事农药中间体生产企业核心竞争力的关键。

其次就是绿色低碳转型，从事农药中间体生产的企业和创新的团队都清楚，正因为农药中间体生产的技术难度大、要求高，所以农药中间体生产的过程就比大宗基础化学品的过程复杂、流程长、反应条件苛刻，催化剂效率、反应转化率、收率的高低，不仅直接影响到原材料和能源消耗，决定着产品的成本和质量，而且也直接影响着废弃物的排放量。如此一来，从事农药中间体生产的企业当前面临的绿色低碳的要求，就比其他石化企业更为严峻一些，尤其是生产用原料的结构与性质特殊、造成废固组分的复杂性以及废水往往含有酚类、芳环类有机物，处理难度大，废渣、废水、废气、甚至某些副产品的资源化综合利用，是我们做好绿色低碳工厂不容忽视的重要课题。

再次是数字化升级，农药中间体属于精细化工领域，大多数产品的产量不大，而纯度要求高，又鉴于作为精细化工生产企业通常都规模小，生产过程以间歇操作为主，又加上反应过程和提纯过程的风险等级要求又高，数字化升级对农药中间体生产企业和生产过程就尤为重要。通过智慧车间、智能工厂的建设和运行，实现自动加料、自动卸料以及反应过程智慧化控制，一个是减少人为操作的不稳定性，提升生产过程的本质安全水平；另一个是减少现场操作人员的数量，通过数字化升级避免重特大事故的发生。通过数字化升级、智慧车间和智能工厂，还可以实现重大危险源和风险点的实时监控，一旦发现不安全因素及时报警，也是保障生产本质安全的重要措施。大家记忆犹新的响水“3·21”特别重大爆炸事故，如果当年天嘉宜是一家已建成的智能工厂的话，储存有硝基副产物的危废仓库，一定会作为易燃易爆的重点危险源 24 小时实时监控，一旦堆放在仓库里的危废生热、冒烟、自燃，第一时间及时报警，然后及时采取措施解决，那场造成 78 人死亡、617 人受伤的大爆炸事故就不会发生了。

炼油行业应对新挑战的关键是绿色低碳与创新*

在全球石化产业调整和产业链重构加快、效益持续低迷的形势面前，我国炼油行业面临的挑战也很艰巨，欧洲和日本的炼油装置都在重新评估的基础上加快调整，埃克森美孚、壳牌、利安德巴赛尔等跨国公司都相继宣布对欧洲炼油装置的重新评估、定位和战略调整，三菱化学、英力士、三井化学相继宣布退出煤化工和基础化学品业务。在新的形势和新的挑战面前，如何把握新的机遇，推动石化产业和炼油行业走出当前“内卷式”竞争加剧、效益下滑的困境，实现石化强国和炼油强国目标的新跨越?

1. 我国炼油行业进步明显，但也面临新的挑战

成就与进步看，我国炼油装置总产能 2022 年年底首次超过美国，炼油产能和乙烯产能双双跨上世界第一的平台，最新统计到 2024 年年底我国炼油规模再创新高、已达 9.3 亿吨，稳居世界第一；其中千万吨级及以上炼油装置 35 家，占炼油总产能的 55% 以上。2024 年年底我国乙烯产能 5455 万吨 / 年、产量 4780.4 万吨 / 年，其中百万吨级及以上乙烯装置 21 套，产能占乙烯总产能的约 50%。我国炼油和乙烯装置的规模集中度进一步提升，整体竞争力持续增强，自主设计、建设以及主体设备制造的千万吨级炼油和百万吨级乙烯装置的整体技术水平已进入世界先进行列。

但去年我国原油加工量 7.08 亿吨，炼油装置的年均开工率只有 76.1%，与世界平均水平相差 10 个百分点以上，与美国炼油装置的开工率差距更大一些。我国炼油行业的效益更难一些，炼油板块前年营业收入利润率只有 1.3%，去年亏损额高于 230 亿元，今年上半年受原油价格波动的影响效益更加严峻。第三个新情况是受新能源汽车去年渗透率已高于 45%（今年将超过 50%）的影响，

---

* 这是 2025 年 6 月 25 日，傅向升同志在 2025（第十三届）亚洲炼油和化工科技大会炼化专题会的致辞。

汽油销售量出现首次下降；受 LNG 重卡车替代的影响，柴油消费量下降进一步加速，多位业内人士预测我国成品油消费已达峰值。

因此炼油行业应认真研究“减油增化”的实施路径与方案，尤其是在当前“低端过剩、高端短缺”结构性矛盾突出的情况下，“减油增化”增什么？鉴于目前“内卷式”竞争加剧的现状，大宗基础化学品和通用材料是不能再增了，应在产品差异化、高端化上下功夫，在高性能材料、高端膜材料和专用化学品创新发展下功夫。炼化企业还要认真研究炼化一体化方案，无论是发达国家还是近年来中国石化、中国石油以及恒力、浙石化、盛虹和利华益、京博等炼化企业的竞争力来看，做好炼化一体化产品链的延链和强链以及油和化的产品优化，企业的市场竞争力、抗风险能力以及效益都明显好于以成品油为主的炼油型企业。当然炼化一体化炼化企业还要认真研究原油直接制化学品、原料多元化和原料轻质化等新技术、新工艺和新方案，以实现“减油增化”的最优方案。当然，不能做到炼化一体化运营的炼油企业要在“减油增特”上下功夫，在“油转特”中以适应成品油消费下降，而高端润滑油及其基础油、低硫船燃、特种油品短缺的新形势，并不断增强企业的市场竞争力、改善效益水平。

2. 绿色低碳是石化和炼油行业未来可持续发展的重要趋势

绿色是高质量发展的底色，推动经济社会发展绿色化、低碳化是实现高质量发展的关键环节。石化产业既是国民经济的重要支柱产业，也是资源型能源型产业，绿色低碳发展对石化和炼油行业既是新的挑战，也是新的机遇，一方面通过绿色低碳的先进性标准，加快炼油和石化装置的升级改造、加快一批落后产能的有序退出，为先进企业和能耗物耗低、竞争力强的生产装置和产能腾出市场空间。

另一方面通过循环经济实现固体废弃物的资源化利用、废催化剂的有效回收、废弃塑料的物理循环与化学循环等，推动石化产业的绿色低碳和可持续发展。对于炼油行业加快绿色低碳新技术的工业化示范与应用，是现实可行的路径选择，如绿电裂解代替蒸汽裂解技术的工业化，巴斯夫与 SABIC、林德公司经多年的协同创新，已在路德维希港基地一台裂解炉上完成工业化考核，取得了工业化应用的成果。

石化行业和炼化企业绿色可持续发展在加快与绿电、绿氢耦合发展示范与探索的同时，还要关注生物质化学品和生物合成技术以及二氧化碳合成化学等的创新，探索炼油与生物质资源的耦合发展，如生物柴油、生物航煤、生物质船燃以及生物质甲醇制烯烃、非粮生物质乙醇制烯烃等，为实现减碳、应对碳关税和绿色低碳转型，创新和探索新的路径。这些课题都是当前国际国内学术界、科技界关注和创新的前沿，也是石化产业未来摆脱化石资源制约、减少温室气体排放、绿色可持续发展的重要方向。

3. 创新是破解当前困境实现强国目标的关键

美国和欧盟、日本以及埃克森美孚、陶氏、巴斯夫、三菱化学等发达国家和跨国公司的成功实践告诉我们，科技强则产业强、经济强，国家和公司的竞争力就强；科技强也是国家安全和产业链自主可控的重要保障。新世纪以来我国石化和炼油行业创新进步明显，但由于历史、工业现代化以及发展阶段的原因，我国原始创新能力和企业自主创新水平与发达国家和跨国公司相比，仍存在一定的差距，创新短板始终是我们由石化大国迈向石化强国最明显的瓶颈制约。

这就要求我们要面向世界科技前沿，以国家战略需求为导向，以实现高水平科技自立自强为目标，聚焦关键共性技术、聚焦战略性全局性前瞻性科技前沿，瞄准原创性引领性实施重点突破。为化解结构性矛盾突出、破解“内卷式”竞争加剧，炼化企业在做好茂金属聚合技术工业化、原料多元化与轻质化、组分炼油和分子炼油以及数字化转型等新方案、新赛道产业化的同时，还要关注并开展甲烷直接制烯烃、合成气直接制烯烃、二氧化碳绿色化学、废弃塑料化学循环、费托合成等前沿技术的协同创新。通过创新化解结构性矛盾、破解高质量发展的瓶颈制约，实现企业核心竞争力的提升，推动炼油和石化产业迈向高质量发展。

为应对贸易壁垒加剧、“脱钩断链”和“小院高墙”等挑战，全球石化产业正在经历新一轮重组与调整，这是为适应新的竞争形势的需要，也是为了产业链自主可控的需要，当前的布局调整与重新定位，也是在为开启新一轮未来竞争与发展做准备，人类社会未来的进步与发展离不开石化材料，人类社会未来的转型离不开清洁能源。我们今天这个专题会的主题是“绿色低碳未来”，来自石化和炼油界的各位嘉宾将重点围绕绿色和创新为我们做精彩报告，每个人的经历、阅历不同，站的角度不同，将为大家呈现精彩纷呈的观点，相信今天专题定的观点碰撞、思想碰撞会带给各位新的启发和新的收获，带给各位推动炼油行业转型与创新发展的新思路和新思考。

石油石化企业高质量发展应转变传统发展理念*

这次大会的主题是：面向“十五五”，引领新未来，助推石油石化企业高质量发展。是为深入贯彻党的二十大精神，全面推动我国石油石化产业转型升级，以产业技术变革创新驱动石油石化行业高质量发展，因地制宜发展新质生产力而组织召开的。围绕大会的主题和目的，今天重点与各位分享石油石化企业创新发展的几点个人思考：

一是我国石油石化行业进步明显，但也面临新的挑战。（略）

二是加快发展新质生产力，助推石油石化企业高质量发展。（略）

三是高质量发展应转变传统的发展思路和理念。我国由石化大国迈向石化强国的征途上还有不少挑战，自 2010 年以来，我国一直位居世界石化第二大国和化工第一大国，据欧盟化学理事会统计，我国化工市场销售额占比多年高于全球总量的 40%，市场份额高于美欧日的总和；但与美国、欧盟、日本等世界石化强国第一梯队的国家或地区相比，我国一直是石化大国、而非强国，无论是原始创新能力、综合竞争力、效益水平，还是产业结构、国际化水平，大而不强的差距是明显的。近年来很多跨国公司为了应对当前的经济低迷、不确定性因素增多和效益下滑，都在加快战略评估和调整，石油天然气领域的并购重组从未间断过，洛克菲勒石油帝国就是在不断收购兼并中形成的，二十世纪初美国“反托拉斯法案”出台以后，1911 年被拆分为 34 家独立的公司，二战以后随着国际化的不断深化，跨国公司间的并购重组不断演绎着新的故事。埃克森美孚是 1999 年埃克森和美孚合并成立的公司，2009 年以 410 亿美元收购美国最大非常规天然气生产商 XTO 能源，加强了其在非常规天然气领域的布局；2023 年花费 49 亿美元完成对登巴瑞公司的收购，2024 年又以 595 亿美元完成对先锋自然资源公司的收购，进一步巩固了在页岩油气领域的优势地位。

* 这是 2025 年 7 月 24 日，傅向升同志在第二届石油石化企业创新发展大会的报告（节选）。

雪佛龙 2000 年以 450 亿美元收购德士古，2020 年以 130 亿美元收购来宝能源，2023 年又以交易价值 530 亿美元收购赫斯公司，进一步巩固了深水领域的地位。

壳牌 2015 年以 700 亿美元的总价收购英国天然气集团，大大增强了天然气领域的实力，最近有外媒曾报道壳牌正与顾问团队商讨收购竞争对手英国石油的可能性。若交易达成，将缔造一家市值约 2050 亿英镑（约 1.97 万亿元人民币）的全球能源与航运巨擘，成为油气行业有史以来规模最大的并购案之一。除了以上埃克森美孚、雪佛龙、壳牌知名跨国公司外，还有康菲石油、英国石油、挪威石油、道达尔等能源巨头的兼并重组。这两年活跃起来的一家公司是阿布扎比国家石油公司，去年刚刚 166 亿美元要约收购了德国的科思创，今年上半年刚刚完成对另一家德国企业诺瓦化学的并购的同时，正在与奥地利石油天然气集团整合北欧化工的新材料业务，最近又有报道阿布扎比石油公司正在发起以 187 亿美元要约收购澳大利亚油气生产巨头桑托斯。近期“内卷式”竞争持续加剧，作为石化大国，不仅是烧碱、纯碱、甲醇、化肥、农药、染料、涂料等基础化学品和传统领域产能产量世界第一，而且炼油、乙烯、合成材料（聚氯乙烯、聚乙烯、聚丙烯、聚酯、己内酰胺等）以及有机硅单体、异氰酸酯与聚氨酯等产品的产能产量也都全面跨越、登顶世界首位，在结构性矛盾突出、供过于求严重、“内卷式”竞争加剧的今天，为贯彻中央财经委：依法依规治理企业低价无需竞争，推动落后产能有序退出的部署和要求，我们应当借鉴发达国家和跨国公司的做法，贯彻高质量发展的时代要求，转变过去传统的发展思路和发展理念，改变过去拼规模、拼投资、拼资源，过度追求增量、以规模论英雄的发展思路和发展模式，在做强核心竞争力上下功夫，贯彻新发展理念，突出新型工业化，在高质量发展和做强竞争力上下功夫，在自主创新和绿色低碳转型上下功夫，以国际视野、在国际化布局和国际化经营上下功夫，培育一批世界一流石化企业。

“十五五”期间一定要以石化强国目标为统领，加快建设世界一流企业，实践证明世界一流企业是石化强国的重要支撑和保障，美国有埃克森美孚、陶氏、杜邦等，德国有几十年稳居世界第一化工公司的巴斯夫以及拜耳、赢创、科思创等，日本有三菱化学、三井化学、住友等，英国有 BP，荷兰有壳牌，法国有道达尔，韩国有 SK、LG 等，可见石化强国是由一批综合竞争力强的世界一流企业作支撑的，离开了这些具有全球竞争力的跨国公司，美欧日韩等石化强国的品牌也就成了镜中花、水中月。世界一流企业其经济规模只是一个量化指标，关键看核心竞争力，核心要素是创新能力与创新水平，再辅以国际化布局与国际化水平，如果这些要素都位居世界先进或前列，才称得上是世界一流企业。因此，我们一直在思考和研究一个国家的石化产业达到什么样的水平才称得上是石化强国？企业具备了什么样的条件才能称其为世界一流企业？我们认为石化强国应当是：科技创新力强、结构高端化强、整体竞争力强、产业链自主可控；世界一流企业的条件应当是：创新一流、管理一流、人才一流、效益一流。我们应在石化强国目标的战略统领下，加大力度培育世界一流企业，加大力度建设现代化石化产业集群。

创新是高质量发展和科技自立自强的关键，是实现石化和炼油强国的关键，也是破解当前困境实现强国目标的关键。我们还要更加重视创新，面向世界科技前沿，以国家战略需求为导向，以实现高水平科技自立自强为目标，聚焦关键共性技术、聚焦战略性全局性前瞻性科技前沿，瞄准原创性引领性实施重点突破。为化解结构性矛盾突出、破解“内卷式”竞争加剧，也为了应对贸易壁垒加剧、“脱钩断链”“小院高墙”和全球新一轮产业链重构与布局调整。通过创新化解结构性矛盾、破解高质量发展的瓶颈制约，实现企业核心竞争力的提升，推动石油石化企业实现高质量发展，共同谱写加快发展新质生产力、推动石化行业高质量发展的壮美篇章，为中国式现代化做出石油石化行业的新贡献！

在华陆工程化工产业高质量发展大会的致辞*

石化产业“十四五”即将圆满收官。回顾这五年，虽然受复杂外部环境和“内卷式”竞争加剧、价格持续低位等因素的影响，但石化行业在“十四五”创造了多项新的历史纪录，2021 年实现利润总额 1.16 万亿元、2022 年营业收入 16.56 万亿元、进出口额 1.05 万亿美元，均创造了石化行业的历史新高，分别比“十三五”的最高年份高出 37.2%、20% 和 40.8%。就总量来看,“十四五”5 年的营业收入总量将达到 79 万亿元、利润总额 4.72 万亿元、进出口额总计 4.73 万亿美元，分别比“十三五”的总量增加 25.8%、34.5% 和 50.2%。在经济运行业绩靓丽的同时，为保障国家能源安全、粮食安全都作出了重要贡献，我国石化大国的地位和影响力得到进一步巩固和加强。

石化产业正在向石化强国的目标迈进。党的二十届四中全会刚刚闭幕，我国正在开启“十五五”中国式现代化的新阶段。当前新一轮科技革命和产业变革迅猛发展，全球创新版图正在加快重构，世界石化领域的创新层出不穷，原油直接制化学品、烯烃原料轻质化、煤制油、煤制烯烃、合成气直接制烯烃、甲烷一步法制烯烃以及化工新材料、功能化学品和石化产业与绿氢耦合、生物可降解材料及生物基化学品等新技术、新成果不断涌现。我们提出石化强国目标 10 年来，产业规模和集中度、产业结构和竞争力、高水平科技自立自强和石化基地化工园区建设等都实现了新的跨越。今天我们又迎来了“十五五”中国式现代化的新时期，我们要深入贯彻“建设现代化产业体系，巩固壮大实体经济”“加快高水平科技自立自强，引领发展新质生产力”等战略部署，坚定石化强国的目标不动摇，把高质量发展作为首要任务，将科技创新置于发展全局的核心位置，继续深入实施创新驱动发展战略、绿色低碳战略和人才强企战略，培育世界一流企业，建设世界级石化产业集群，推动石化产业高质量发展

* 这是 2025 年 11 月 1 日，傅向升同志在华陆六十周年暨化工产业高质量发展大会上的致辞。

再上新台阶。

工程公司是实现强国目标的重要力量，华陆工程将再创新的辉煌。华陆公司成立六十年以来，不仅凭借设计重水、液氢、偏二甲肼这类产品装置，为我国国防事业作出了重要贡献，多次获得国务院、中央军委通令嘉奖；也为石油化工、煤化工、有机化工、高性能材料等行业啃下了很多别人不敢啃的硬骨头。令我记忆深刻的就有邻二甲苯氧化制苯酐，因为邻二甲苯遇高温易爆炸，在国家重大科技攻关项目工程化过程中没人敢接，当时接下这一国家重大科技任务的是六院（即化工部第六设计院，华陆公司的前身）！还有 1,4- 丁二醇也是国家重点攻关项目，由于涉及高度敏感爆炸物，当时也是没有人敢接，又是六院！后来就是有机氟、有机硅等新材料及煤制油等自主创新项目的产业化发展，以及近年来为新能源配套的多晶硅、新型节能材料气凝胶的创新与工业化，都渗透着华陆工程的重要贡献！华陆公司过去的六十年是奋斗的六十年！是艰苦创业的六十年！更是书写华丽篇章的六十年！未来在迈向石化强国的新征途上，华陆公司将有更大作为，建设世界一流工程公司，为新型工业化和中国式现代化宏图伟业续写新的篇章！再创新的辉煌！

劳模工匠是石化行业高质量发展的重要力量*

这次山东专场活动，既是今年系列活动的收官之作，也是未来承前启后的重要实践。从春季的常州，到夏季的重庆，再到今天隆冬时节的济宁，就像一首协奏曲精彩的三个乐章一样，活动层层递进、内涵场场精彩，始终聚焦高质量发展的主题，演绎了新时期“劳模精神、工匠精神”“创新与奉献的”的时代旋律。

一、劳模工匠是行业高质量发展的重要力量

石化产业是国民经济的重要支柱产业，不仅肩负着保障国家能源安全、粮食安全的重要历史使命，而且还与轻工、纺织、交通运输等国民经济领域密切相关，为高端制造业、战略性新兴产业、航空航天和国防安全提供重要保障。近年来石化产业年营业收入稳定在 16 万亿元左右、进出口总额 9000 亿美元以上，为经济稳增长、稳外贸都做出了重要贡献。未来石化产业高质量发展面临的任务和挑战都很艰巨，虽然石化大国的地位和影响力日益巩固，但与石化强国相比还存在明显的短板，鉴于石化行业当前的现状，要破解自主创新能力不强、关键核心技术被“卡脖子”的窘境，需要更多新时代的劳模和大国工匠；要破解大宗基础产品和通用材料领域差异化不够，结构性矛盾突出，“内卷式”竞争加剧的困境，加快产业布局优化和产品结构高端化，需要更多新时代的劳模和大国工匠；要破解资源型能源型产业属性，能耗总量和碳排放总量居高不下的挑战，加快技术升级、应对“双碳”目标的挑战，加快行业和企业的绿色低碳转型，需要更多新时代的劳模和大国工匠；当然要破解人才队伍结构不合

* 这是 2025 年 12 月 12 日，傅向升同志在化工行业“劳模工匠助企行”“劳模工匠进校园”山东专场活动的讲话。

理，人员数量多，高技能人才少、创新人才和国际化人才缺乏的制约瓶颈，更需要新时代的劳模和大国工匠；总之，要推动石化产业的高质量发展，建设更多世界一流企业和培育世界级石化产业集群，实现由石化大国向石化强国的跨越，都需要更多新时代的劳模和大国工匠。正如习近平总书记考察甘肃时指出的，“我国经济要靠实体经济作支撑，这就需要大量专业技术人才，需要大批大国工匠。”

因为劳模工匠是技术创新的实践者。他们长期深耕于生产一线，凭借精湛的技艺和丰富的经验，在工艺优化、装备改进、质量提升等方面取得了显著成效。刚才我们一起聆听了六位大师的精彩报告，华北制药齐名老师的“安全、创新、报国、育人”，金陵石化孙同根老师的“做好定位、终生学习、振兴石化”，神马张国华老师的“坚守”，仪征化纤陈云华老师的“守安全之基，筑创新之魂”，河南炼化居斌老师的“传承工匠精神，助力企业发展”和仪征化纤董雪老师的“以匠心为火种，点亮 AI 时代的那团火”，不仅很生动、很精彩，我听了以后很受教育、激励人奋进，也很震撼！他们都以实际行动生动诠释了“爱岗敬业、争创一流，艰苦奋斗、勇于创新，淡泊名利、甘于奉献”的劳模精神，以及“执着专注、精益求精，一丝不苟、追求卓越”的工匠精神。

劳模工匠也是产业升级的驱动者。面对新一轮科技革命和产业变革的浪潮，劳模工匠们积极拥抱智能化、数字化趋势，主动学习应用新知识、新技术，在推动智能制造、数字化转型中发挥了关键作用。他们是连接传统技艺与前沿技术的桥梁，是推动行业高质量发展的重要力量。他们的榜样力量，激励着广大从业者潜心钻研技能，立足岗位建功立业。

二、活动亮点纷呈，为年度活动注入新内涵

石化联合会始终将人才工作作为行业服务的核心任务。通过搭建“进校园、助企行”平台，我们推动劳模工匠从生产线走向讲台、从车间走进园区，实现技艺传承与产业需求的“双向奔赴”。在常州，我们聚焦“大国工匠进校园”，让学子们感受到技术的温度；在重庆，我们首创“助企行”模式，通过结对拜师、技术问诊，精准破解企业难题；在济宁，我们进一步深化校企融合，聘请劳模工匠担任兼职导师、客座教授，构建“教学—实践—创新”一体化生态。

山东专场的成功举办，为全年活动增添了浓墨重彩的一笔。在济宁职业技术学院、金乡新材料产业园区、恒信集团等现场，大家不仅看到了劳模工匠与

青年学子的深度互动，也见证了技术专家与企业一线的无缝对接，更为企业现场解决了很多生产、工艺、设备以及管理、数字化、技术升级中的现实问题。劳模工匠们的精彩分享，不仅为师生带来了前沿知识，更为企业提供了实实在在的解决方案。

特别值得一提的是，本次系列活动通过线上线下融合的方式，覆盖了数十万行业职工和师生，打破了时空限制，让劳模精神辐射更广、影响更深。同时，通过发布企业需求清单、签订结对意向书，我们初步形成了“需求导向—精准匹配—长效服务”的机制，为行业技能生态建设探索了新思路、积累了新经验。

三、以终为始，携手开创技能人才工作新格局

2025 年的系列活动虽已收官，但行业对高素质技能人才的渴求从未止步，行业高质量发展对高素质技能人才的需求更为迫切。面向未来，中国石油和化学工业联合会将重点推动三方面工作：

一是加强人才培育。积极参与构建以企业为主体、职业学校为基础，政府推动、社会支持、工会参与的技能人才培养体系建设，发挥行业的技术优势，将人工智能、数字孪生等新技术融入培养标准，培养既懂工艺又懂数字化的复合型人才，支撑行业转型升级、推动行业高质量发展。

二是完善长效机制。总结“进校园、助企行”的成功经验，形成可复制、可推广的服务模式，推动活动从“阶段性开展”转向“常态化运行”，让劳模工匠成为行业创新发展的“移动智库”。

三是强化价值引领。加大劳模工匠事迹宣传力度，让“技能成就人生”的理念深入人心，激励更多青年以技术报国为志，以匠心坚守为荣，立足岗位，创新奉献，实现人生与事业双辉煌。

工匠精神不分学历高低，惟看专注持久之心；技能报国不论出身何处，但求担当作为之志。刚才马晓老师思政课中，程平同志吃苦、攻坚成为焊接大师、成为现代化建设顶梁柱的事迹，充分证明了这两句话的内涵。今天的中国石化行业，正伴随着新型工业化和中国式现代化，向着石化强国的目标奋进，迫切需要更多青年才俊加入这场伟大的征程。愿我们携起手来，以劳模工匠为榜样，在学习中锤炼真本领，在创新中勇担新使命，在创新与创造中共同书写中华民族伟大复兴的壮丽篇章。

石化强国

新征程

New Journey
of
Petrochemical Power

区域篇

共抓大保护 争创绿色发展示范区*

新年刚过，常州滨江经济开发区召开“争创国家长江经济带绿色发展示范区”推进大会，是认真贯彻落实长江经济带高质量发展、坚定不移推进沿江化工产业高质量绿色转型发展的一次重要行动。

1. 今天的推进大会有着非凡的意义

在《中华人民共和国长江保护法》刚刚通过，即将于 3 月 1 日起施行之际，常州市和滨江开发区及时组织召开这次“争创国家长江经济带绿色发展示范区”推进大会，有着特别重要的意义。这不仅是常州市和滨江开发区重视绿色发展、推动产业转型升级、贯彻习近平总书记重要指示、保护长江经济带的具体行动，也是贯彻落实即将施行的《中华人民共和国长江保护法》的实际行动！长江干流流经 11 个省区市，面积占全国 21%，人口和经济总量都超过 40%。从经济发展视角看：长江经济带不仅经济总量占比高，而且更占据具有强劲带动作用的龙头地位；从全面建设社会主义现代化国家进程的视角看：不论是其经济结构、产业结构，还是其现代化水平，都是先导区，均发挥着先导引领作用，是名副其实的领航者；从生态环境的视角看：长江经济带不仅处于祖国大地的核心区域，而且其生态状况直接关系到中华民族的永续发展和子孙后代的幸福家园建设。所以我们一定要认真贯彻习近平总书记“共抓大保护，不搞大开发”的重要讲话精神，更要准确领会习近平总书记第二次视察长江经济带时特别强调的：共抓大保护，不搞大开发，不搞大开发不是不要开发，而是不搞破坏性开发，要走生态优先、绿色发展之路。要坚持在发展中保护，在保护中发展。我们要认真贯彻落实《中华人民共和国长江保护法》，坚持生态优先、绿色发展的理念，坚持统筹协调、科学规划、创新驱动、系统治理，研究制定推进产业、企业、园区等绿色转型的方案和具体措施，依法推进长江流

* 这是 2021 年 1 月 9 日，傅向升同志在争创国家长江经济带绿色发展示范区推进大会上的致辞。

域绿色、可持续、高质量发展。

2. 常州市和滨江开发区、江苏省推进石化产业绿色转型发展走在了前面

江苏省一直是我国石化产业第二大省，2016 年石化产业主营业务收入高于 2 万亿元、利润总额 1200 多亿元，占到当年全国石化产业总收入的 15.4%、利润总额的 18.8%。江苏省是最早启动石化产业整顿和转型升级行动的省份，自 2006 年 10 月最早启动了化工生产企业专项整治行动，当时成立了江苏省化工行业专项整治领导小组并下设办公室，作出了“三年一个周期”、连续整治三个周期的工作安排。经过十几年的专项治理、与持续推进转型升级，江苏省石化产业本质安全得到根本提升、区域布局明显优化、低端产能大幅减少，总体看成效明显。常州市高度重视长江大保护工作，牢固树立“生态优先、绿色发展”的理念，正准确地把握“在发展中保护、在保护中发展”的辩证关系，新建了“长江大保护展示馆”，对存在重大安全隐患的企业和生产装置实施搬迁改造，建成生态绿地向市民开放，并积极推进长江经济带绿色发展示范区建设，引导全社会进一步认识长江、热爱长江，共同绘就保护长江的时代华章，这些做法和经验值得肯定和兄弟单位借鉴。

3. 绿色发展是石化产业高质量发展的必然选择

由于石化产业的特殊性和物流要求，长江沿岸是石化园区和化工厂布局比较集中之地，这也是发达国家几十年、甚至是上百年的实践和发展验证的成熟路径程。常熟、上海、济宁等化工区的生态湿地自然循环系统都建得很好、效果也很好。实际上今天的创新水平和技术进步可以为石化园区和化工厂实现绿色发展提供坚强保障，例如焚烧技术的成功和应用，解决了固体废弃物、高浓度有机废水等处理难题；加氢还原代替铁粉还原、双氧水氧化代替强酸氧化等新工艺、新技术的研发成功及其应用，使得过去的污染难题都成为了高污染生产路径被清洁生产工艺全面替代；山东省院的“水相合成技术”应用于很多有机化学品生产装置，不仅实现了清洁生产，而且大大提高了反应过程的转化率和目的产物的收率，已成功应用于吡啶、二氯苯氧乙酸、羟胺、糠醛等一些过去一直难以解决的产品的生产过程，有效解决了这些产品传统生产中长期存在的技术难题。不仅是常州滨江开发区，江苏的南京新材料产业园、泰兴、扬州、小洋口等化工园区绿色发展都做得不错，国内上海、宁波、东营港、古雷、湛江、钦州等一大批园区都做得不错。大亚湾石化区坐落在广东惠州，惠州市每年的空气优良天数在全省乃至全国都是名列前茅。去年 10 月园区年会期间，大亚湾的常务副主任黄伟忠讲 2019 年惠州空气质量优良率 94.2%、2020 年前 9 个月优良率 98.8%。国内外事实都证明：石化企业只要做到科学管理、本质安全和绿色发展，化工不是污染源、也不会成为不安全因素，我们应当对化工园区和石化产业这个国民经济的支柱产业有一个科学和客观公正的认识。

绿色石化园区建设一直是“十三五”以来石化园区和石化行业的重点工作。已有 12 家石化园区正在开展“绿色化工园区试点示范”，另有 8 家石化园区被评为“绿色化工园区创建单位”。“十四五”期间“绿色化工园区”的试点示范和创建已列入“五项重点工程”之一，我们的目标是到“十四五”末，建成 50 家绿色化工园区，并将绿色发展作为“高质量发展示范园区”的重要考评内容和条件。希望今天在常州召开的“争创国家长江经济带绿色发展示范区”的推进大会，不仅成为常州市、江苏省长江经济带绿色发展的新起点和出发令，而且成为全国石化园区绿色发展和石化全行业高质量发展新征程的新起点和起跑线!

高质量发展须强化创新与绿色转型*

在中国共产党成立100周年之际，道恩集团迎来了30岁生日，今天我们相聚一起共同回顾道恩集团蓬勃发展、硕果累累的30年历程和所谱写的华丽篇章，这是我们以优异成绩向建党中国共产党成立100周年献礼的具体行动！

去年因新冠疫情的影响，全球经济遭遇了金融危机以来的最严重下滑，中国防疫抗疫取得重要战略性成果，中国经济实现率先恢复，成为全球唯一正增长的主要经济体。中国石化产业去年也深受新冠疫情的影响，但中国作为世界第二石化大国的地位进一步巩固。全行业的结构不断优化，新旧动能转换不断加快，创新驱动、绿色发展、本质安全、国际交流、园区管理等诸多方面都取得了显著的进步。目前，中国对世界石化市场的贡献稳居40%左右，多年来一直是世界石化产业增长与发展的“火车头”。

全球正面临百年未有之大变局，新冠疫情又使这个大变局加速变化，全球产业链供应链以及国际格局都在经历深刻调整。今年是中国“十四五”规划的开局之年，一季度中国经济和石化行业都实现良好开局。石化行业一季度实现营业收入同步增长29.3%，实现利润已是去年利润总额的53.6%，中国石化市场呈现出产销两旺的态势。“十四五”石化产业将进入高质量发展的关键时期，我们将坚定不移贯彻新发展理念，充分把握新一轮全球技术创新和产业革命大趋势，以推动高质量发展为主题，以绿色低碳数字化转型为重点，面向石化强国跨越的总目标，在继续实施创新驱动发展战略和绿色可持续发展战略的同时，加快培育世界一流企业和现代石化产业集群，构建“双循环”新发展格局，全力推动石化产业高质量发展和实现石化强国的跨越不断取得新进步和新突破。

道恩是一家原创型的民营企业，30年从无到有、从小到大、从弱到强一

* 这是2021年6月28日，傅向升同志在道恩集团30周年活动的致辞。

路走来，今天已发展成为一家深耕高性能材料领域、核心竞争力强的专业化公司，其产品广泛应用于汽车家电等民用领域、轨道交通等高端制造领域，以及航空航天、医疗等新兴领域。特别是去年疫情防控的关键时期，道恩集团出色地完成医疗物资保障的紧急任务，受到国务院医疗物资保障组的表彰。道恩过去的 30 年是创新发展的 30 年，进步与成就是显著的，尤其是在去年全球经济与国内各领域受新冠疫情严重冲击和影响的背景下，道恩却争分夺秒、夜以继日、克服各种困难实现了逆势大幅增长，去年实现营业收入大幅增长 61.7%、净利润同比增长超过 4 倍，增幅创 8 年来新高，可以说道恩过去的 30 年是辉煌的！

希望道恩集团继往开来，立足新的发展阶段，按照党中央高质量发展的主题和部署，贯彻新发展理念，加快创新驱动和新旧动能转换，突出本质安全和绿色发展，努力构建“双循环”的新发展格局，为实现第二个百年奋斗目标和石化强国跨越做出新的更大的贡献！

深耕中国创新共发展*

热烈祝贺赢创上海创新园今天正式揭幕！赢创这个品牌虽然创立只有 14 年，但其前身“德固赛”却有着近 150 年的历史。中国改革开放以来，化工部的很多老领导和化工行业的很多企业家、老专家都对“德固赛”很熟悉，尤其是对德固赛在染料、颜料以及精细化工领域的先进性和竞争力赞不绝口！14 年前由德固赛更名为赢创以来，赢创在 5G 与电子、食品与饲料、汽车与机械等“六大领域”进一步深耕中国市场，不仅自身取得了不凡的业绩，也为满足中国市场高端石化产品的需求、为推动中国石化产业的结构调整与优化都做出了重要的贡献！

目前，新冠疫情还在世界各地持续扩散和并不断出现新的变异毒株，去年对世界经济造成严重冲击和影响。今年上半年随着疫苗的注射，世界和各主要经济体都呈现良好的恢复态势。中国防疫抗疫取得重要战略性成果，去年是全球唯一正增长的主要经济体，今年上半年经济增长良好，同比增长 12.7%，经济活动、社会生活基本正常。中国石化产业今年上半年的业绩大大超出预期，营业收入同比增长 32.9%，实现利润增长 3.35 倍，实现利润已超过去年全年利润总额，如果这种态势继续保持的话，今年石化行业的效益将创造新的历史纪录。党的十九届五中全会已经对中国“十四五”以及中长期发展作出部署，石化产业的“十四五”规划也已绘就，将以推动高质量发展为主题，贯彻新发展理念，深入实施创新驱动、绿色可持续发展战略和数字化智能化转型，把握新一轮全球技术创新和产业变革的大趋势，突出供给侧结构性改革这条主线，进一步深化和拓展国际合作与交流，努力构建新发展格局。

中国经济发展对石化产品和新材料有着巨大的市场需求。今年上半年即使受到疫情影响，中国进出口贸易总额仍高于 18 万亿元人民币，与去年同期比增长 27.1%，比 2019 年同期增长 22.8%，创历史同期最高水平；中国石化行业

---

* 这是 2021 年 8 月 25 日，傅向升同志在赢创上海创新园揭幕仪式的致辞。

进出口贸易额高达4010亿美元，比去年同期增长31.4%，比2019年同期也增长11.8%。这样巨大的市场需求和发展潜力，将使中国继续成为世界经济增长的强劲引擎，也为跨国公司在中国的发展提供了巨大的空间和广阔的未来。像赢创这样以化工新材料及其高性能复合材料、功能化学品为主导产品的公司，在中国有着更好的发展前景和更强的竞争力。一是多年来中国石化市场高端产品一直是逆差，今年上半年逆差高达1255.2亿美元，同比增长21.8%，主要集中在合成树脂、专用化学品、高性能纤维材料、高端膜材料等高端领域；二是中国作为人口大国、农业大国、畜牧业大国，随着经济的发展和人民生活水平的改善提高，对医疗健康、营养化学品、功能化学品、饲料添加剂等有着更加巨大的市场需求；三是中国高端制造业的发展、国家重点项目和重点工程建设以及大飞机、5G、新能源等领域的需求，都为赢创等跨国公司的高性能材料、耐高低温特种材料以及密封材料、特种添加剂等高端产品，提供了广阔的市场需求和竞争力空间。

让我们共同携手，立足中国新的发展阶段，面向中国更加广阔的发展空间，共创可持续发展的新未来！预祝赢创以今天上海创新园揭幕为新的起点，开启在中国发展的新阶段，践行“超越化学边界，引领美好未来”的新愿景，争取更大的进步和更显著的成绩！

强化创新
加快化工新材料和精细化工高端化*

1. 先进高分子材料仍然是制约我国高端制造业和战略性新兴产业的短板

先进高分子材料如果不包括通用合成材料的话，也应该包括工程塑料、特种工程塑料、高性能聚烯烃、聚氨酯新材料、有机硅有机氟材料、高端纤维及其复合材料、高端膜材料等，这都是发达国家和跨国公司进入新世纪以来转型升级和研发创新的重点领域，大家熟悉的巴斯夫、陶氏、杜邦、三菱化学、以及科思创、赢创、索尔维、帝斯曼、亨斯曼等等都是世界先进高分子材料的领导者。我国每年生产消费合成材料是全球第一大国，但在先进高分子材料领域我们与发达国家和跨国公司的差距明显，每年在这些产品类别上贸易逆差居高不下，大家看看近几年合成树脂的进口量与消费量，尤其看看以聚乙烯为代表的高端聚烯烃每年的进口量。2019 年合成树脂进口量 3366.8 万吨、消费量 1.23 亿吨，其中聚乙烯进口 1666 万吨；2020 年合成树脂进口量 3743.6 万吨、消费量 1.34 亿吨，其中聚乙烯进口 1853 万吨；2021 年合成树脂进口量 3124.3 万吨、消费量 1.31 亿吨，其中聚乙烯进口 1458.9 万吨；今年上半年合成树脂进口量 1358.4 万吨、消费量 6385.8 万吨，其中聚乙烯进口 656.7 万吨。实际上特种树脂、高性能纤维及其复合材料、高端膜材料的进口依存度更高一些，受此制约在某些领域甚至存在被“卡脖子”的痛点。因此“十三五”以来，我们集中人力、物力、财力，聚焦于化工新材料、新能源材料和为高端制造业和战略性新兴产业配套的材料组织国家和行业技术攻关，创建共性和关键技术创新平台和重点实验室等，取得了明显的进步，但差距尚未明显改观。今天我们在淮北专题研讨先进高分子材料未来的创新与发展很有必要，专门请来国家新材料产业发展专家咨询委员会的谢曼主任，为我们主讲“国家新材料产业‘十四五’发

---

* 这是 2022 年 8 月 26 日，傅向升同志在 2022 中国（淮北）先进高分子材料与精细化工产业发展论坛的致辞（节选）。

展思路的研究”，肯定对我们深入了解国家对新材料产业的创新发展与战略布局很有帮助，不仅对淮北下一步瞄准先进高分子材料加快创新和升级带来新的启发，而且对我们石化行业瞄准国家重点工程和重大需求更好地提供新材料配套也将带来新的启发和思考。

2. 精细化工是我国石化产业结构调整的重点方向

精细化工是化学工业整体技术水平的标志，是国民经济、尤其是高端制造业、电子信息和石化产业高质量发展一个越来越重要的领域，我们经常听到一个词：精细化工率，即精细化学品占全部化工产品的比重，不仅代表了一个国家化学工业产品结构的高端化和差异化水平，通常也是衡量一个国家化学工业整体技术水平的标志。与欧、美、日等发达国家相比，我国石化行业的精细化工率一直不高，据精细化工重点实验室的统计，欧、美、日等发达经济体的精细化工率，2018 年都高达 68% ～ 69%，而我国 2018 年的精细化工率只有 45%左右，所以我国石化行业的产品结构一直处于中低端，全行业和大多数石化企业的效益与发达国家和跨国公司比始终存在明显的差距，所以我们转型升级和结构调整的路还很长，尤其是高性能涂料、高档造纸化学品和胶黏剂、高纯和超纯化学试剂、高性能阻燃剂等产品的高端化、差异化差距更明显，最明显的是严重制约我国高端制造业和电子信息产业的电子化学品、液晶显示材料、高纯医用化学品、医疗诊断试剂和透析膜材料等，不仅高端产品技术上受制于人，而且产品的质量稳定性也有差距，高端产品全部依赖进口。这就要求我们一定要高度重视创新并强化高性能材料和精细化学品的创新，以科技自立自强为目标，加大新技术、新产品、新品种创新的同时，还要重视已有化学品的高端化、差异化和高性能化以及超纯超净的实用型创新。疫情以来有两个案例对我触动很大，一个是全球疫苗用玻璃瓶，德国的肖特公司占全球市场的 50%，加上日本的 NEG 和美国的康宁公司则占据全球疫苗玻璃瓶的约 90%，我国虽然是玻璃第一生产大国，但我们用的疫苗玻璃瓶只能依赖进口，因为我们的纯净度不够；另一个是新冠疫苗用的一款包装材料：特卫强，只有杜邦能够生产，当工业和信息化部的领导说起此事的时候，我还存在疑问，后来我专门与新材料方面的专家请教和交流，梁院长告诉我“确实是只有杜邦能生产”，我再深入了解才知道这是一款高强度、高渗透的 HDPE，首先在高温下喷成极细的纤维，经多层粘接成低粉渣的复合材料，这种材料抗乙二醇、酒精等灭活剂，透水、但不透蛋白质等大分子，只有杜邦公司能生产。

淮北新型煤化工材料基地作为重点培育的30家专业化工园区之一，煤化工产业的资源优势明显、基础较好也较扎实，近些年淮北加大创新、加快调整与优化，在延伸产业链上抢抓机遇，在功能助剂、专用化学品、化工新材料等领域成效明显，已成为高质量承接长三角产业转移示范基地，希望淮北借今天论坛的新动力，巩固已有的基础和优势，突出先进高分子材料和精细化学品，创造条件、利用好长三角一体化的发展机遇，走出一条高端化、特色化、绿色低碳化发展的新路子。

石化产业高质量发展的思考*

1. 石化产业高质量发展最重要的是做强

新世纪以来一直强调企业的做大做强，回望这走过的二十年，前十年以做大为主，近十年转向做强；尤其是"十三五"以来，党中央提出"培育具有全球竞争力的世界一流企业"的战略部署以后，很多企业开始研究和开展国际对标，瞄准世界一流企业、把做强摆在公司战略目标的首位，实施创新战略、转型升级和调整优化，开启了打造"全球竞争力世界一流企业"的新征程。但是我们冷静地想一想，是不是还有不少企业的掌舵人并未从做大的惯性思维中走出来呢？身边的事实告诉我们"拼投资、拼规模"的传统发展理念尚未彻底转变，以"大"代"强"的认识论也存在模糊概念，近十年很多企业在做强上取得了明显的进步和成效，但离"具有全球竞争力的世界一流企业"的战略部署和要求，还有漫长的路需要走，还有许多障碍有待跨越。今天以世界 500 强为参照系，跟各位分析一下中国企业的做强之路究竟还有多长。

每年 8 月 7 日，《财富》世界 500 强榜单的发布，是全球经济界都高度关注的一个重要事件。简要回顾世界 500 强榜单的发布，可以追溯到二战胜利后的第 10 个年头即 1955 年，《财富》杂志第一次依据上一年度企业的营业收入，由大到小排序发布"世界 500 强"第一届榜单，那一年的榜单只是对美国 500 家工业企业按营业收入排序的榜单，此后每年发布一次。走过了 40 年以后的 1995 年 8 月 7 日，《财富》杂志开始把全球工业企业和服务业企业统一按营业收入排序发布 500 强榜单。中国是这一榜单中最引人注目的，发展和进步也是最快的，1997 年中国只有 4 家企业入榜，入世的 2001 年中国有 12 家企业入榜，2008 年金融危机以后，中国企业入榜的数量快速增加，先后超过德国、法

* 这是 2022 年 8 月 30 日，傅向升同志在山东省石化产业高质量发展论坛上的报告（节选），原标题是"石化行业近况与高质量发展思考"。

国、英国以及日本，2020 年中国上榜企业数量又超过美国，实现新的跨越、居榜单之首，在 2022 年的榜单又超过美国，成为上榜数量最多的国家。今年最新的榜单中从前 10 位和前 100 位的企业数量看，中国又是最为耀眼，上一年度前 10 位的企业美国有 5 家、中国 3 家，而今年的榜单中国增加 1 家、美国减少 1 家，都是 4 家；前 100 位的企业数量变化更明显一些，上一年度美国是 36 家、中国 31 家，而今年的榜单美国减少到 34 家、中国增加到 35 家，比美国还多了 1 家，这都得益于改革开放以来、尤其是新世纪入世以来的成绩和进步，中国的企业在快速发展，中国的制造业和工业化尽快在快速发展，为中国成为世界第二大经济体提供了坚实的基础和支撑。当然国内不少人诟病“这是 500 大，不是 500 强”，细想也有一定的道理。但是如果与同期发布的“最赚钱的 50 家公司”和“500 强亏损公司”一并研究和分析的话，每年发布的这个“榜单”不仅反映了世界性大公司的强与弱，而且还透射出一个国家经济的强与弱。尤其是党中央提出“培育具有全球竞争力的世界一流企业”的战略部署以后，正在培育和拟打造世界一流企业的国内公司，都可以在这个“榜单”中找到对标的对象，从全球经济界对这个“榜单”的关注和认可度来说，某种意义上这个“榜单”是汇聚了或者说集齐了全球核心竞争力较强的企业集群，因为大是强的基础和重要因素。下面我们对比分析最近三年发布的世界 500 强榜单：

从近三年“世界 500 强”榜单可以看出：**一是三年的变化：**2020 年榜单门槛由上一年度的 248 亿美元提升到 254 亿美元，500 强的营业收入总额达到 33.3 万亿美元，同比增长 2%，创了榜单发布以来的历史新高，利润总额 2.06 万亿美元，同比减少 4.3%。

2021 年榜单变化比较大，主要是 2020 年突发的疫情对全球经济的影响，上一年排行榜上有 45 家企业跌出榜单，退出企业的数量比往年大幅增加，门槛也由上一年度的 254 亿美元下降到 240 亿美元，降低了 5.5%，500 强的营业收入总额达到 31.7 万亿美元，同比也是下降 4.8%，利润总额 1.65 万亿美元，同比下降幅度更大 19.9%。

2022 年榜单门槛由上一年度的 240 亿美元提升到 286 亿美元，500 强的营业收入总额达到 37.8 万亿美元，同比增长 19.2%，增幅创了榜单发布以来的历史最高，利润总额 3.1 万亿美元，利润总额也创历史新高，同比大幅增长 88%，增幅是 2004 年来新高。

二是中国企业的进步是明显的，2020 年中国企业实现了新的历史性跨越，入榜数量124家、历史上第一次超过美国的121家，中国的进步最为明显，1997年中国只有4家企业入榜，入世的2001年中国是12家企业入榜，2008年金融危机以后，中国企业入榜的数量快速增加，先后超过德国、法国、英国以及日本，在2020年的榜单又超过美国，成为上榜数量最多的国家。规模看2020年榜单500强企业的平均营业收入666亿美元，中国上榜企业平均669亿美元，基本相等；500强企业平均净资产364亿美元，中国上榜企业平均364.4亿美元，基本相当；利润看差距就明显了，2020年《财富》世界500强榜单平均利润41亿美元，中国上榜企业平均利润35.6亿美元。

2021年中国上榜企业增加达135家，中国企业变化明显，整个榜单由45家企业迭出榜单，美国比上年度只增加1家企业，而中国增加11家，达到135家，数量上继续位居榜首。经营质量上也有所提升，中国上榜企业平均营业收入661亿美元，第一次高于500强平均营业收入634亿美元，中国上榜企业的平均利润35亿美元，高于500强平均利润33亿美元，而低于美国上榜企业的51亿美元；500强企业平均净资产392亿美元，中国上榜企业平均390亿美元，基本相当；这也证明疫情对中国企业的影响相对较小。

2022年中国上榜企业又实现了新的历史性跨越，入榜数量136家、超过美国的124家，上榜企业数量继续领跑榜单。

三是中国企业做强之路还需努力（效益）。2020年《财富》世界500强榜单企业平均利润41亿美元，中国上榜企业平均利润35.6亿美元，美国上榜企业的平均利润是70亿美元；如果剔除了银行业中国上榜的非银行企业的平均利润是22亿美元，美国上榜的非银行企业的平均利润是63亿美元，美国是中国企业的2.86倍，可见与美国上榜企业相比效益的差距更大；再看看体现运营质量的几个具体指标：2020年榜单500强企业的销售利润率6.2%，美国企业是10.5%，中国上榜企业是5.4%；榜单500强企业的净资产收益率11.3%，美国企业是17%，中国上榜企业是9.8%。

2021年中国上榜企业的平均利润35亿美元，高于500强企业平均利润33亿美元，而低于美国上榜企业的51亿美元；500强企业平均净资产392亿美元，中国上榜企业平均390亿美元，基本相当；如果剔除了银行业中国上榜的非银行企业的平均利润是23亿美元，美国上榜的非银行企业的平均利润是47亿美元，美国是中国企业的2.04倍，差距有所缩小；再看看体现运营质量的几个具体指标：2021年榜单500强企业的销售利润率5.2%，美国企业是6.47%，中国上榜企业是 5.4%；榜单 500 强企业的净资产收益率 8.4%，美国企业是 11.8%，中国上榜企业是 8.7%。

2022 年《财富》世界 500 强榜单企业平均利润 62 亿美元，中国上榜企业平均利润 41.2 亿美元，美国上榜企业的平均利润是 100.5 亿美元，美国平均利润是中国企业的 2.44 倍；如果剔除了银行业中国上榜的非银行企业的平均利润是 26 亿美元，美国上榜的非银行企业的平均利润是 92 亿美元，美国是中国企业的 3.54 倍，可见与美国上榜企业相比效益的差距更大；实际上德国上榜企业的平均利润是 44 亿美元、英国上榜企业 69.6 亿美元、加拿大上榜企业 47.5 亿美元、法国 48.5 亿美元、巴西 84.8 亿美元，均高于中国上榜企业。再看看体现运营质量的几个具体指标：2022 年榜单 500 强企业的销售利润率 8.2%，美国企业是 11%，中国上榜企业是 5.1%；榜单 500 强企业的净资产收益率 14.8%，美国企业是 21.9%，中国上榜企业是 9.5%。

再看一看近三年世界 500 强中最赚钱的 50 家公司和亏损公司：

2020 年榜单最赚钱的 50 家公司：美国有 25 家、占 50%，中国 10 家（其中 7 家金融机构）、占 20%；2020 年榜单有 45 家亏损公司：其中美国 7 家、中国 9 家、日本 8 家。

2021 年榜单最赚钱的 50 家公司：美国有 23 家、占 46%，中国 11 家（其中 7 家金融机构）、占 22%；2021 年榜单有 69 家亏损公司：其中美国 24 家（占 34.8%）、中国、德国、法国各 6 家（各占 8.7%）。

2022 年榜单最赚钱的 50 家公司：美国有 22 家、占 44%，中国 8 家（其中 6 家金融机构）、占 16%；2022 年榜单有 24 家亏损公司：其中美国 4 家、中国 8 家、德国 4 家。

2. 企业要做强最重要的是创新

创新是转型升级的关键，“十三五”以来实施创新驱动发展战略，石化领域取得了一批百万吨乙烯成套技术、聚碳酸酯产业化技术以及煤制油、煤制烯烃等现代煤化工产业化示范工程等重大关键技术和高端聚烯烃、精细化学品等一批高性能材料和产品，最近尼龙 66 的关键单体丁二烯法己二腈产业化装置试车成功，这都标志着创新的成效是明显的，但是与发达国家相比、与石化产业高质量发展的需求相比，还存在一定的差距，尤其是在创新投入、创新模式和创新机制等方面的差距更明显，在有些领域、有些高端产品上还不能满足重点工程所需，甚至还存在“卡脖子”的问题，这就要求我们围绕国家重大工程和重点项目、围绕高端制造业和战略性新兴产业，聚焦化工新材料、高端纤维及其复合材料、高性能膜材料、高端精细化学品等组织技术攻关、加大创新力度；还要聚焦未来前瞻性技术开展创新，如甲烷制烯烃、合成气一步法制烯烃、二氧化碳为原料制化学品以及绿色低碳的绿电裂解替代蒸汽裂解新技术、绿氢与石油化工和煤化工耦合发展、CCUS 等新技术的创新。另一方面是，现有生产装置转型升级的新技术新设备应用，针对国内成品油市场已现饱和的现状，原油直接制化学品技术在埃克森美孚已建成运营工业化装置的基础上，石科院、北京院、中国海油以及东明石化等相继取得中试成果的基础上，正在加快工业化应用和示范；石科院的原油直接制化学品技术，把原来已有的多产乙烯或丙烯的 DCC 或 CPP 技术创新的基础，再融合近几年新的创新分子炼油技术，在扬州 460 万吨 / 年的炼油装置上获得工业化示范成果，其烯烃产出率 50.9% ～ 70%，目前正在论证把龙油石化一套 550 万吨 / 年的炼油型装置改造为化工型。当然，还要加快推广分子炼油、离子液体烷基化、微通道连续流反应器等的工业化应用。

3. 当前投资势头很猛产大于求的担忧日甚

去年石化产品价格的持续高位，尤其是基础化学品的价格几乎都创出了历史新高，让很多企业产生了新的投资冲动，尤其是今年以来鼓励有效投资保经济增长，各地集中开工、新开工项目急剧增加、投资可谓巨大。但我们一定要科学论证，把握好新的投资项目一定要布局在石化基地或规范的化工园区内，对于产业基础好、集聚度高的补链延链项目可以优先，而对于已经产大于求的产品应严控新增产能，对于产业政策明确规定的要严格执行，如未列入《布局方案》的新建及改扩建炼油、新建乙烯、新建 PX 项目须经国家核准，未经核准一律不得开工，更不得办理违规项目核准（备案）、用地、环评等审批手续。新建项目一定要避免不合规开工，一定要避免低水平、高排放项目重复建设，一定要避免加剧产大于求。避免低水平重复就要求我们，新建项目既要论证区域优势、原料来源，更要论证技术路线和技术水平，除了具备区位优势、原料优势、市场优势以外，更要选择先进的技术路线和技术经济指标，同一个产品选择不同的技术路线和技术工艺，其竞争力是完全不同的。如去年以来很热门的 1,4- 丁二醇，主要有炔醛法、顺酐法，顺酐法中又分丁烷为原料的碳四工艺和苯为原料的顺酐工艺，顺酐加氢又分气相加氢和液相加氢，等等，不同的原料、不同的工艺和技术路线，建成投产以后的竞争力是不同的、甚至差异很大，市场热销、价格好的时候感觉不到，市场疲软、价格低的时候面临的就是生与死的考验，这只是一个当前热点项目的代表。避免加剧产大于求也是不容回避的考量。

4. 新建项目要论证供应链安全

由于逆全球化的回潮、疫情的冲击，尤其是俄乌冲突的突发，供应链安全已经是不能回避也不容忽视的问题，近几年北美和海湾地区充分利用页岩气和伴生气资源，加快建设乙烷裂解和丙烷脱氢制烯烃以及混合轻烃进料制烯烃装置，我国也在论证和加快建设轻烃制烯烃的装置，但我国的资源禀赋决定了我们所需的乙烷、丙烷以及轻烃原料主要依赖进口，供应链安全更是不容回避。充分利用好已有的轻烃资源尽量多产烯烃，进而延伸产业链和产品链到新材料和精细化学品，尤其是已形成的千万吨级及以上的石化基地和炼化一体化装置，要充分用好装置副产和周边区域的轻烃资源，尽量延伸具有规模效应的烯烃产品链条，这是国内大型石化基地延链补链强链的重要选择。

最后谈谈山东省石化产业的转型升级，山东二十多年来一直是全国第一石化大省，“十三五”以来在推进石化产业转型升级、新旧动能转换和化工园区规范认定、规范化管理等方面都取得了显著的进步和成效，正是在山东先期开展化工园区认定的启发和带动下，全国各省逐步开展了园区认定、联合会和园区委、甚至国家工业和信息化部都及时总结山东的做法，及时研究制定了化工园区认定标准和管理办法，及时研究制定了化工园区规范化建设导则等相关制度和标准。山东石化产业高质量发展在深入推进，一批核心竞争力强的企业在做强做优中不断取得新的跨越，石化园区的智慧化建设、绿色化工园区创建以及规范化管理水平都不断提升，下一步随着裕龙岛一体化基地的建设和炼油产能的置换与集中、随着大宗基础化学品落后和过剩产能的淘汰、随着布局结构及产业结构和产品结构的调整和优化，山东石化产业有望不仅在规模上在国内做排头兵，而且在高端化和竞争力等方面成为国内石化产业高质量发展的引领者。

去年前 5 各省石化行业的情况：山东营业收入 2.55 万亿元，利润 1623.7 亿元，收入利润率 6.4%；广东 1.78 万亿元；浙江 1.39 万亿元，利润 1359 亿元，收入利润率 9.7%；江苏 1.36 万亿元，利润 1428.7 亿元，收入利润率 10.5%；辽宁 1.01 万亿元，利润 322.4 亿元，收入利润率 3.2%。

在渤海湾南岸打造
东方的路德维希港 *

当前，世界百年未有之大变局正加速演进，新一轮科技革命和产业变革深入发展，国际力量对比正在深刻调整，尤其是疫情的持续，叠加今年突发的俄乌冲突，进一步更加速了世界石化产业的重构，石化产业也面临着新的挑战。

一是全球经济下行的挑战，从 OECD、IMF 等国际组织对世界经济最新的预测来看，今年全球经济增速将明显低于去年，对明年的预测更加悲观、明年将更差，特别是发达经济体因能源危机、通胀加剧等影响，明年陷入衰退的概率在增加。**二是持续动荡的大国博弈和地缘政治冲突带来的新挑战，**大国博弈加剧催生贸易保护主义抬头与单边制裁升级，甚至出现产业链供应链“脱钩”的激进主张。大国博弈在加剧贸易保护主义和单边制裁，甚至发展到拟议产业链供应链脱钩，尤其在地缘冲突突发背景下，能源危机愈演愈烈，天然气供应中断、能源价格飙升等连锁反应，正严重冲击欧洲工业体系。尤其是突发地缘冲突造成的能源危机、天然气断供，受高昂的能源价格影响，欧洲许多工业部门正在减产，德国《商报》报道：为节省天然气和电力，当地能源密集型行业已普遍减产：钢铁行业减产约 5%、化工行业减产 8%、化肥行业甚至关闭停了德国境内 70% 的产能，造成产业链供应链不稳定、不可持续，甚至造成断供的风险。**三是全球石化产业深受冲击，**全球经济的颓势直接影响着石化产业，全球石化产业和各跨国公司今年的效益与去年相比落差很大，较上一年大幅下滑，尤其是其中作为世界化学工业的重要区域的欧洲的情况更差。此前市场对 2022 年行业前景抱有较高预期，如今却沦为备受煎熬的一年；从当前态势判断，2023 年行业景气度亦难以显著回升本来以为 2022 是值得期待的一年，现在看来将成为不堪其苦的一年，从目前的情况看明年也难以好转。中国石化产业前三季度全行业营业收入高于 12 万亿元，同比增幅 18.5%，但效益情况不甚

* 这是 2022 年 11 月 10 日，傅向升同志在裕龙石化市场推介恳谈会上的致辞。

理想，增速由上半年的 24% 急速下滑到前 9 个月的 7.6%；当然，我们寄希望四季度会好一些，在去年经济指标创造历史新高的基础上，再迎来一个收获的年份。总的看来说，经济下行，尤其是大国博弈和地缘政治冲突将对世界石化产业造成新的挑战。上午我不止一次地提到了裕龙岛，现在我想用几分钟时间跟朋友们谈谈我对裕龙岛的认识和对裕龙岛未来的期望：

一是裕龙岛的设计理念和布局是先进的。当我站在裕龙岛那片规划土地上的时候，我脑海中立刻浮现出的是新加坡裕廊岛，大家对世界石化领域最具代表性的现代化石化基地新加坡裕廊岛都很熟悉——这座在全球石化领域堪称标杆的现代化石化基地，早已是行业内外公认的典范。2019 年 3 月我带队访问了裕廊岛并与埃克森美孚等跨国公司作了交流，实地考察了埃克森美孚其全球唯一的原油直接制化学品的工业化装置。裕龙岛七个功能岛的布局方案，从设计理念开始就是与世界一流石化基地对标，起步即站在国际顶尖水平起点，就是世界一流。

二是裕龙岛的规模和产业链设置是先进的。裕龙岛炼化一体化装置的总规模 4000 万吨 / 年炼油（一期 2000 万吨 / 年），为适应未来市场竞争的需求，按照“少油多化”的原则，成品油产出率不到 30%，以重点发展乙烯、芳烃、高性能聚乙烯、聚丙烯、EVA 等产业链为主，建成投产之日将是国内整体技术水平高、产业链高端、竞争力强、居国内前列的炼化一体化基地。

三是裕龙岛的未来不仅是渤海湾南岸的一颗明珠，而且将成为东方的路德维希。德国路德维希港是巴斯夫全球最大的石化基地，上午我已经提到希望裕龙岛未来成为东方的路德维希，这既是对裕龙岛的期望，但我相信，无论是近至“十四五”末，还是远至“十五五”末，裕龙岛也都将逐步兑现这份承诺，以顶尖石化基地的姿态呈现在世人面前，我也相信近在“十四五”末、远在“十五五”末这将是裕龙岛呈现给我们的真实景象。山东作为蝉联多年的全国第一石化大省，举全省之力深耕石化产业。就山东举多年第一石化大省之全省之力，在国家沿海七大石化基地布局中山东曾独缺一席的背景下，在国家沿海布局七大石化基地唯独山东缺席的情况下，裕龙岛大型炼化一体化项目获批既是国家对这一国民经济重要支柱产业的支持，更是对山东第一石化大省的看重地位与实力的认可。裕龙岛虽起步晚，但起点高、理念先进、产业链高端，相信裕龙岛建成投产之时，一定是国内石化基地的后来居上者和佼佼者。裕龙岛炼化一体化项目的领导团队怀揣破局攻坚的坚定决心、秉持高瞻远瞩的战略，立意决心之大、立意之高，以及这个团队的兼具敬业和善打硬仗、敢闯敢试的精神，让我们相信裕龙岛建成投产之时，一定是世界一流的石化基地。希望裕龙岛在加快建设炼化一体化装置的同时，同步推进智慧园区创建和绿色园区建设，高度重视科创中心、中试基地等创新平台建设，裕龙岛未来必将成为21世纪的现代石化基地的典范，一定会为石化强国、制造业强国目标和推进现代化建设贡献举足轻重的力量，为现代化国家做出重要贡献！

祝福裕龙岛令人期待的未来！

实施人才战略
加快转型升级*

党的二十大指出“人才是第一资源”，深入实施人才强国战略，加快建设人才强国，着力造就拔尖创新人才，聚天下英才而用之。党的二十大特别强调：加快建设世界重要人才中心和创新高地，促进人才区域布局和协调发展，着力形成人才国际竞争的比较优势。揭阳市地处大湾区，不仅具有临海的区位优势，而且历史悠久，文化底蕴深厚，也是一个人才辈出的好地方。我国石化领域科技创新的科学家代表、炼油催化剂的老前辈侯祥麟老先生就是揭阳人的骄傲，为我国石油化工从无到有和从小到大都作出了重要贡献！可见，揭阳具有加快建设重要人才中心和创新高地的明显优势。

石化产业是国民经济的重要支柱产业，为高端制造业、战略性新兴产业以及航空航天等领域提供重要配套和保障，配套性强和带动力都很强。中国化工产值占世界化工总量产值的 40% 以上。中国石化产业已经发展成为与北美、欧洲等并肩的、世界石化产业的重要一极。中国石化产业的发展不仅受到世界同行们的高度关注，而且在世界石化界有着重要的话语权。我国石化产业去年营业收入超过 14 万亿元，利润总额首次突破万亿元，进出口总额 8600 多亿美元，去年这三大经济指标都创造了石化行业的历史新高。放眼全球，一个国家石化产业的实力，往往是其经济实力、科技实力、高端制造能力乃至国防军工实力的重要体现；聚焦国内，石化产业的强弱与区域经济发展水平高度契合，广东、山东、江苏、浙江等经济强省，无一不是国内石化产业的领军省份。国际上看：石化强，通常都经济强、科技强，以及高端制造强、国防军工强；国内看：石化强省通常都是经济强省，广东、山东、江苏、浙江等经济强省，石化产业也是国内强省；广东石化产业“十三五”以来发展很快，已由原来的全国第四位上升为第二位，去年广东石化产业收入 1.78 万亿元，仅次于几十年位

---

* 这是 2022 年 12 月 13 日，傅向升同志在揭阳人才周暨揭阳市绿色石化产业发展论坛的讲话。

居全国第一石化大省的山东的2.55万亿元。中国石油广东石化炼化一体化项目今年在揭阳建成投产，揭阳市也拥有了自己的大型炼化一体化石化基地，炼油、乙烯、芳烃的产能分别达到了2000万吨/年炼油、120万吨/年乙烯、260万吨/年芳烃，不论是装置规模、还是产业链的完整性，都是国内领先水平，为揭阳打造万亿级绿色石化基地奠定了坚实的基础，为揭阳市经济腾飞打造了重要的平台。下面对揭阳市石化产业的高质量发展谈三点思考：

一是把握二十大确立的强国目标的新要求。党的二十大指出，高质量发展是全面建设社会主义现代化国家的首要任务。建设现代化产业体系，推进新型工业化，加快建设制造强国、质量强国、航天强国、交通强国、网络强国和数字强国。制造强国、航天强国、交通强国等这“六大强国目标”的实现，哪一项也离不开石化材料和石化产品的配套与支持，尤其是化工新材料及其复合材料、高端精细化工产品、高性能纤维和高端膜材料等。我国已连续十几年石化是世界第二、化工是世界第一，但我们是石化和化工的大国，还不是强国，尤其是高端聚烯烃、专用化学品、高纯试剂等高端领域还存在明显的短板，有些还是长期制约我国高端制造业和战略性新兴产业的瓶颈。美欧日等发达国家和地区以及巴斯夫、陶氏、杜邦、三菱化学、赢创、帝斯曼等跨国公司，都把高性能材料和高端专用化学品作为战略转型的重点。揭阳作为后起的大型石化基地，乘着二十大召开的东风建成投产，一定要把握二十大确立的战略和强国目标，瞄准国际领先、聚焦国内的短板，重点在攻克关键技术和高端化上下功夫，把揭阳建设成为化工新材料和高端化学品的新高地，为实现强国目标作出新贡献。

二是把握“十四五”高质量发展的新机遇。党的二十大指出：未来五年是全面建设社会主义现代化国家开局起步的关键时期，主要目标任务是：经济高质量发展取得新突破，科技自立自强能力显著提升，构建新发展格局和建设现代化经济体系取得重大进展。《全国化工园区“十四五”发展规划和2035远景目标》提出：立足全国已认定的600多家石化基地和化工园区，在加大智慧化工园区和绿色化工园区建设的同时，组织实施“五项重点工程”，重点建设70家沿海石化基地和内陆专业化工园区，重点培育“五大世界级石化产业集群”，即环渤海湾、杭州湾、海西湄洲湾、泛大亚湾四大沿海石化产业集群和能源金三角现代煤化工产业集群，具体目标是“十四五”末这五大集群初具轮廓，到2035年“五大世界级石化产业集群”全部建成。其中“泛大亚湾世界级石化产业集群”就包括揭阳、大亚湾、茂湛和钦州、洋浦这几大石化基地和化工园区，揭阳是重要的石化基地之一，所以揭阳要把握住“十四五”规划的这一重要机遇，找准揭阳在重点培育的世界级石化产业集群中的定位和未来发展重点，强化创新，做好产业链协同，做强竞争力，把自己建设成为全国石化基地和化工园区的标杆和领先者，为实现石化强国的奋斗目标作出新的贡献。

三是把握当前和未来转型升级的新趋势。当前世界石化产业大的布局是北美、欧洲、东北亚这“三大重要区域”，北美、东北亚、海湾这“三大发展热极”，美国、德国、日本这“三个石化强国的第一梯队”；我国石化产业在规模上是世界第一梯队、在增量和未来发展上是世界石化产业的主要动力源和火车头，但我国石化产业的结构性矛盾还比较突出，当前看成品油过剩、大宗基础产品过剩，而化工新材料和高端化学品短缺的矛盾更为突出，所以我们要把握的趋势一个是“少油多化”，已经建成的装置和未来产业链的设计上一定要少产成品油、多产化学品，国家总的要求是到“十四五”末成品油产出率降至40% 以下，近年新投产的恒力长兴岛一体化装置、浙石化舟山一体化装置和正在建设的裕龙岛一体化装置，其成品油产出率都不高于 30%；第二个需要把握的趋势是烯烃原料轻质化，这是“十三五”以来的世界趋势，北美和海湾地区“十三五”以来新增的烯烃、聚烯烃几乎都是乙烷、丙烷等轻烃资源为原料，我国因资源限制乙烷裂解和丙烷脱氢装置所用原料主要依赖进口，可以说轻烃资源是我国石化产业转型升级的宝贵资源，每一套炼化一体化装置、每一个大型石化基地，在生产过程中都有一定量的轻烃产品产生，我们一定要充分利用好这些轻烃资源，多产烯烃、进一步延伸产业链多产化学品和化工高性能材料，以优化基地的产业结构、提升炼化一体化装置的竞争力；还有一个不容忽视的趋势就是“碳达峰和碳中和”，石化产业因为以化石资源为原料，生产过程必然伴随二氧化碳的产生与排放，这就要求我们一定要科学做好节能降碳和碳达峰碳中和，石化基地一定要研究做好产业的耦合发展，尤其是与绿氢、绿电的耦合，是石化基地碳达峰碳中和的可选路径和现实选择，以绿氢代替化石资源制氢、以绿电代替煤电或天然气发电，都会直接减少碳排放。实现和把握住这些新的趋势的关键是创新，通过创新实现“减油增化”，通过创新实现原料轻质化，通过创新实现碳达峰和碳中和。总之，通过创新实现揭阳万亿绿色石化基地的发展目标。

未来正在向我们招手，让我们深入学习贯彻党的二十大精神，立足新的发展阶段，贯彻新发展理念，努力构建新发展格局，全力推动揭阳石化基地和石化产业的高质量发展，预祝揭阳的明天更美好！

推动产业转移
加快构建新发展格局*

“十三五”以来，我国石化产业抓住全球经济和石化产业迎来新的景气周期的新机遇，石化产业的总体规模、产业集中度、整体技术水平和布局结构、产业结构、产品结构都得到持续提升和优化，石化大国的地位进一步巩固，作为国民经济重要支柱产业的地位和作用更加凸显。当前受全球经济增速下滑以及美国为抑制通胀持续加息，叠加俄乌冲突和能源危机、天然气短供的影响，从最近的调研看，不少企业反映市场恢复不如预期，受美元持续加息、全球美元供应量减少，全球市场消费受到抑制，美元升值、大宗原材料和产品价格就会下跌，企业效益遭遇严重冲击。今天重点谈谈“产业转移与高质量发展”的话题：

党的二十大报告指出：加快构建新发展格局，着力推动高质量发展。产业转移是构建新发展格局、推动产业和经济高质量发展的重要措施，是解决当前发展不平衡不充分矛盾、尤其是解决我国东西部发展不平衡状况的主要途径，也是推进产业结构调整、加快经济发展方式转变的必然选择。

1. 产业转移推动了全球工业化进程

看看今天的国际化程度之高和产业分工与协同，也是产业转移推动与深化的结果，世界工业发展史上、工业革命以来曾有过三次大的和明显的产业转移。工业革命的发源地在英国，世界第一次大的和明显的产业转移，应该是英国和欧洲向北美洲的转移。

我们学习工业历史就会知道，当时英国在机械制造技术、棉纺技术、尤其是纺织机械的制造，技术封锁十分严厉，有的人是冒着生命风险把纺织机械的零部件带到了北美，重新组装起来；有的人是凭借自己超人的记忆力，把纺织机械关键部件的图纸和结构记在自己的脑子里，只身来到北美以后抓紧时间凭

* 这是 2023 年 7 月 30 日，傅向升同志在 2023 中国产业转移发展对接活动（广西）的讲话（节选）。

记忆重新画出来，开始纺织机械的制造，开启了北美的纺织业。当今世界最知名的跨国公司——杜邦的诞生与工业革命早期的产业转移不无关系：1802 年，E.I. 杜邦在法国拉瓦锡实验室学徒掌握了火药生产的技术，然后移民到新生的美国，在特拉华州的威尔明顿市建了一座火药厂，经过近百年的发展杜邦公司成为当时北美最大的火药公司；进入第二个百年以后，杜邦重视创新、加快并购，使杜邦公司在二十世纪发展成为全球知名、竞争力最强的化学品和材料公司；今天的杜邦也就是与陶氏重组再拆分后的新杜邦，转型为全球化工 50 强中的特种化学品公司。

世界第二次大的和明显的产业转移，是二战后美国向日韩和通过“马歇尔计划”向欧洲以及随后向“亚洲四小龙”的梯次转移；世界第三次大的和明显的产业转移，应该是从上世纪八十年代开始、九十年代加速，美欧以及日韩向中国的转移，第二次世界产业的转移有些人是了解的，第三次很多人就更熟悉。看看历史上世界产业的三次大的转移，就看得出对世界经济的发展及其工业化进程的推动与促进作用，甚至对今天世界经济的格局、工业化的布局、国际化分工与深度融合，都起到了十分明显而重要的作用。

世界第四次大的和明显的产业转移何时启动？近一段时期以来有人说：今天我们正面临着世界产业的第四次大转移，但也有人说：转移的声调虽然高了一些，但在这“高调”之下，下一个承接地在哪里且尚未找好。随着中国式现代化的发展、工业化进程的推进和工业水平的升级，世界产业第四次大转移将是大势所趋，也许在中国式现代化基本建成或全面建成的时候，下一个承接世界产业第四次大转移的承接地条件具备并成熟。

2. 产业转移推动中国经济高质量发展

在下一个世界产业转移的承接地具备条件和成熟之前，国内的产业转移需要认真研究，务实推进。经过改革开放四十多年的发展，我国经济总量和经济实力都实现大幅提升，近年来一直稳居世界第二大经济体、货物贸易第一大国、外汇储备第一大国，经济总量的世界占比几年来一直稳定在 18% 左右，经济增量对世界经济增长的贡献几年来一直稳定 38% 左右，世界经济火车头和稳定器的作用愈益明显。但是，我国发展不平衡不充分的矛盾还十分突出，尤其是东部与西部的不平衡性更加明显，客观分析南北差距、东中部不平衡也是存在的，就是中部与西部其不平衡性也是显而易见的；这是我国人口多、地域广、资源分布不均衡造成的，也有区位优势、政策措施以及管理与观念的因素。国内的产业转移已经在市场因素、尤其是资源因素、劳动力成本、能源价格以及管理与行政等多种因素的作用下启动了，我国一段时期以来产业转移表现出东向西和南向北的特点。东部向西部转移的企业或产业有的是充分开发和利用西部的煤炭和天然气资源；有的是因为危化品监管和东部地区园区管理日趋严格，有些像农药、医药中间体以及伴有硝化、氯化、加氢等反应过程的产品或装置面临着不能扩产、甚至不能正常开车的不科学状况。本着西部的资源、能源和成本而向西转移的企业或产业属于主动型；而因东部监管因素而向西转移的企业或产业则属于被动型，甚至有的企业还有些许无奈。但不论何种因素，随着经济的发展和新的阶段的要求，也为了加快解决区域发展的不平衡问题，国内东部向中西部、南向北的产业转移，将是近期和未来一段时期我国经济结构调整与布局调整的重要内容，也许是我国经济增长和发展新的空间与动力源，也许是企业未来可持续发展的重要路径选择。烟台的万华、泰和新材都已到宁夏的宁东基地布局，万华看中的是西部未来广阔的市场、泰和新材看中的是氨纶生产的原料供应；神华到宁夏建设 400 万吨 / 年煤制油、中煤能源在榆林建设煤制烯烃等，都是要充分开发当地的煤炭资源；恒力北上在大连长兴岛已投产 2000 万吨 / 年炼化一体化装置，并实现了“从一点油到一根丝、一匹布”的全产业链布局，既是看中了大连长兴岛“国家布局七大石化基地之一”发展大型石化产业的优势，也是看重了长兴岛临海的区位优势。

3. 产业转移得到国家的高度重视和鼓励

国家及相关部委对产业转移高度重视并予以鼓励和支持。**一是国务院早在 2010 年就研究制定并印发了《关于中西部地区承接产业转移的指导意见》。**在总体指导思想的指导下，明确了“坚持市场导向，减少行政干预；坚持因地制宜，加强分类指导；坚持节能环保，严格产业准入；坚持深化改革，创新体制机制”“五个坚持”的基本原则，对充分发挥市场配置资源的基础性作用，合理确定产业承接重点、防止低水平重复建设，严禁污染产业和落后生产能力转入、发展循环经济，突破发展瓶颈、优化发展环境、增强发展活力和动力等，都做出了明确的要求。对如何依托中西部地区产业基础和劳动力、资源等优势，推动产业承接发展，进一步壮大产业规模，加快产业结构调整，培育产业发展新优势，构建现代产业体系以及对促进承接产业集中布局和改善承接产业转移环境、加强资源节约和环境保护、加强政策支持和引导等，都做出了具体的部署和要求。

二是2021年底工业和信息化部等十部委发布了《关于促进制造业有序转移的指导意见》（以下简称《指导意见》）。《指导意见》对推进产业国内梯度转移、引导各地发挥比较优势承接产业转移、鼓励特殊类型地区承接发展特色产业以及促进产业转移国际合作、创新产业转移合作模式、完善支持产业转移的体制机制和优化产业转移政策环境等，都在深入研究的基础上提出明确的要求、作出了具体的指导。并在《指导意见》中特别强调：推动制造业有序转移，是优化生产力空间布局、推动区域协调发展、拓展制造业发展新空间的重要途径，是保持产业链供应链稳定、维护我国产业体系完整性、加快构建新发展格局的迫切需要。

三是前几天国家发展改革委最新印发了《承接产业转移示范区管理办法》（以下简称《管理方法》）。这个《管理办法》共22条，明确指出“承接产业转移示范区”在中西部或东北地区设立，须经国务院或国家发展改革委批复设立，示范区总数控制在20个左右，原则上每个省区市不超过1个。《管理办法》明确“示范区”的申报条件是：符合国家发展规划、区域重大战略、区域协调发展战略、主体功能区战略和国土空间规划有关要求；区位交通条件好、产业发展基础扎实、产业承载潜力较大、开放合作基础较好、发展环境良好。《管理办法》也明确了申报程序：省级发展改革委根据《承接产业转移示范区总体方案编写指南》，指导和组织符合条件的地市（也可以是多个相邻地市）编写示范区总体方案，并向国家发展改革委报送申请设立示范区的请示及总体方案。国家发展改革委负责示范区建设的指导工作，省级发展改革委是示范区管理的责任主体，负责统筹推进示范区建设，落实国家有关承接产业转移的政策文件，定期跟踪示范区建设发展情况。示范区所在地人民政府是示范区建设的责任主体，根据总体方案细化发展目标和重点任务，抓好工作落实，并积极承接产业转移、提高产业转移能力、优化营商环境，开展统计监测与分析研究。《管理办法》同时明确：国家发展改革委组织开展示范区年度总结评价和5年综合考核评估，省级发展改革委负责组织对示范区开展年度总结自评价，国家发展改革委在地方自评价的基础上，采取定量和定性相结合的方式，综合经济发展、承接产业、园区建设、发展环境、组织落实等各项指标，对示范区开展年度总评价；以年度总评价结果为依据，建立奖惩和激励机制，对年度总结评价结果为优秀的示范区，安排下一年度相关中央预算内投资时予以倾斜支持。在年度总评价的基础上，国家发展改革委每5年开展综合考核评估，对综合考核评估结果为优秀和良好的示范区，延续一个示范周期；对综合考核评估合格的示范区，提出切实可行整改措施后，延续一个示范周期；对综合考核评估结果为较差的示范区，不再延续示范周期。以上这些政策都值得我们认真研究，把精神吃透，把规定和要求领会到位，并做好贯彻落实，推动产业转移健康有序而高效地发展。

4. 产业转移如何把握石化产业创新发展的趋势

当前，中国作为石化大国，其产业布局、产品结构以及产能产量和创新与发展，不仅对世界石化产业的发展与重构有着很强的影响力，而且中国石化产业的创新与发展立足于国际石化产业的大背景和大平台，也许进程和阶段有所区别，但趋势和谋划的重点基本是一致的，通过强化创新推动转型升级，在转型升级中实现做大做强。

广西炼化企业需要关注的“两个趋势”。广西以钦州为基地随着百万吨乙烯的建设，其炼化一体化规模及其产业链布局都具备较强的竞争力，关注炼化行业的趋势也是重点之一。第一个是炼油装置的原料轻质化。第二个是产品结构的“减油增化”。广西炼化企业还要关注另两个重点：一个是烯烃原料的轻质化，另一个是制氢原料轻质化的问题。

广西的石化产业与山东、广东、浙江、江苏这“四大省份”相比，在产业规模、产出规模以及对省域经济发展的贡献有着一定的差距，但广西也有着自身发展石化产业和承接东部省份中高端石化产业转移的许多优势。就自身发展石化产业来说，广西沿海的区位优势明显，从我国原油和液化气资源大量进口的现实来看，广西地处大陆的南端，与海湾、非洲等资源富集地区的运输距离、物流成本优势突出；广西还有像钦州这样规划布局合理、产业和企业基础好、产出规模和管理水平等均位居全国前列化工园区，华谊集团在上海之外布局的最重要的基地选在了钦州就是最好例证，既证明了广西钦州承接东部石化产业转移的优越条件和区位优势，也为钦州未来承接更多、更好的东部石化企业和产业奠定了基础；中国石油在钦州百万吨乙烯项目的开工与建设，更为广西钦州发展石化产业延伸产业链和实施“减油增化”战略创造了良好的条件，也为承接东部化工新材料和精细化学品的企业和产业转移创造了良好的原料和产业链协同的条件和更多的路径选择；广西还有很丰富的生物质资源以及研究院、高校等创新平台和人才基础，这些都是广西发展和承接东部石化产业转移的诸多突出优势。实际上广西还有一个其他省份不具备的独特优势，就是广西地处北部湾，直接面向东南亚和 RCEP 广袤的市场，如果再把钦州港作为西部出海大通道重要枢纽作用充分发挥好，广西承接东部产业转移的市场优势、辐射区域等优势将更加突出。让我们共同携手、共同努力，在创新与发展中把钦州建设成为沿海重要的石化基地，成为“五大世界石化产业集群”更加璀璨的一极！

石化行业东西部产业协作空间广阔*

加强东西部协作、推动西部省份高质量发展具有重要意义和重要影响！石油和化学工业既是国民经济的重要支柱产业，也是能源资源型产业。在当今世界百年未有之大变局加速演进，石化产业链供应链加速重构的大背景下，我国石化产业高质量发展和绿色低碳转型、数字化转型都面临着新时代的新要求。结合今天论坛的主题，跟各位分享“四句话”：

1. 东西部协作是全面实现中国式现代化的重大战略

党的二十大指出，深入实施区域协调发展战略，构建优势互补、高质量发展的区域经济布局，推动西部大开发形成新格局，促进中部地区加快崛起。改革开放四十多年特别是十八大以来，中国经济实力实现了历史性跨越，多年来一直稳居世界第二大经济体、第一制造业大国，经济总量的世界占比约18%；经济增量对世界经济增长的贡献约38%，比G7国家贡献的总和还要高，世界经济增长的火车头作用愈益明显。但我国发展不平衡不充分的矛盾还比较突出，尤其是东部与西部的差距和不平衡性尤为突出。为推动区域协调发展，解决发展不平衡不充分的矛盾，实现共同富裕的目标，党中央着眼全局深入实施区域协调发展战略，加大东西部协作。今天这次论坛就是深刻领会党中央决策部署、深入贯彻党的二十大精神的实际行动和有益探索，几十年后再回首，也许今天的这次论坛将在东西部协作史上留下浓墨重彩的一笔。

2. 数字化转型是迈向中国式现代化的重要举措

二十届中央财经委员会第一次会议强调，要把握人工智能等新科技革命浪潮，适应人与自然和谐共生的要求，保持并增强产业体系完备和配套能力强的优势，高效集聚全球创新要素，推进产业智能化、绿色化、融合化，建设具有

---

* 这是2023年8月9日，傅向升同志在2023现代化工与新材料数智化转型升级高峰论坛（贵阳）的致辞。

完整性、先进性、安全性的现代化产业体系。当前世界各国的战略部署充分证明，数字经济已经成为各国抢占发展制高点、打造国际竞争新优势的重要抓手。中国石化产业“十三五”以来通过数字化转型和智能工厂、智慧化工园区的试点示范，赋能并加快传统产业转型升级，充分发挥数字经济具有高创新性、强渗透性、广覆盖性的特点，明显提高生产效率，提升管理水平和本质安全水平。数字化转型正在成为改造提升传统石化产业的重要支点，成为助推石化产业高质量发展的重要引擎。

3. 石化产业东西部协作成效明显

今年上半年石化行业实现收入 7.6 万亿元，利润 4310.9 亿元，进出口总额 4763.6 亿美元。中国石化产业十几年来稳居世界第二石化大国，其中化工销售额占世界总量 40% 以上，超过欧美日等总和，我国石化产业的全球影响力显著增强。但是，我国石化产业的东西部差距明显，东西部产业发展的不平衡性十分明显，东西部化工园区的智慧化和绿色化水平、集群化和管理水平都存在明显的差距。诸多因素的叠加和推动成为石化产业东西部产业协作的广阔空间和潜力之源，青岛红星到贵州，烟台万华、泰和新材以及神华集团到宁夏，中煤能源到榆林，中国石化拟到贵州建设和发展无机化学品、化工新材料、煤制油、可降解材料等，石化产业东西部协作正在深入推进，很多企业或项目的成功实践，都为石化产业东西部协作探索了路径、积累了经验。

4. 贵州开展东西部协作有着独特的优势

贵州是一个山美水美人更美的地方。贵州也是一个资源相对丰富的省份，有发展现代煤化工产业的煤炭资源，有丰富的发展磷肥工业和磷化工的磷矿资源。今天的磷矿资源属于国家战略资源，不仅生产磷肥，还可以生产电子级含磷化学品，更是战略性新兴产业新能源汽车动力电池用磷酸铁、磷酸铁锂、六氟磷酸锂等必不可少的重要资源。贵州还有生产钡锶盐的原料重晶石和天青石资源，以及生物质资源等。贵州已认定和拟布局新设共 12 家化工园区，贵州的磷化集团、赤天化、黔轮胎等一批化工企业国内外知名度高、影响力强，贵州大学、贵州省化工研究院的研发力量尤其是以宋宝安院士领衔的农药和精细化学品创新团队创新力都很强。

这些都是贵州在石化化工领域开展东西部协作的良好基础和优势。希望贵州深刻领会习近平总书记强调的深化改革健全区域战略统筹、市场一体化发展等机制，优化生产力布局，推动重点产业在国内外有序转移，支持企业深度参与全球产业分工和合作，促进内外产业深度融合，打造自主可控、安全可靠、竞争力强的现代化产业体系。认真研究国务院《关于中西部地区承接产业转移的指导意见》，抓住当前新一轮科技革命和产业变革深入发展、全球产业结构和布局重构深入调整的新机遇，深化东西部协作，把贵州建设成为东西部协作的新高地，在东西部深度协作中推动贵州高质量发展和绿色可持续发展，为中国式现代化作出贵州的新贡献。让我们全面贯彻落实党的二十大精神，共同努力，在东西部协作中为全面实现中国式现代化做出我们的新贡献！

国际同行关注的焦点在哪里？*

3 月 20—27 日，应邀参加在休斯敦举办的“2024 世界石化大会”，并顺访在休斯敦附近的美国科琴公司、中石化休斯敦研究开发中心、利安德巴赛尔，因航线的原因又经巴黎访问交流了阿科玛、法液空、赛蒽斯科（SYENSQO）3 家法国公司。这是受新冠疫情影响以来，时隔 5 年再次走出国门，直接与国际同行交流和沟通。虽然在国内每年都有不少与在华跨国公司高管和朋友交流的机会，但置身国际会议、走进跨国公司面对面，所听到的、感受到的还是有许多不同之处，特别是感受到国际同行对中国的关切、对中国石化产业的关切，期望更多地了解中国的发展和中国石化产业的发展，尤其是感受到在中国发展的意愿之强烈，特别希望探讨在中国投资的方向以及政策趋向等。这次出访时间很短，但收获很多、感受颇深，在此简要梳理在世界石化大会和与跨国公司交流过程中，参会代表和跨国公司同行关注度最高的几个问题，也许带给看到此文的朋友们某些启发和思考。

一、首先简要介绍访问公司的基本情况

1. 科琴（Ketjen）公司

是一家催化剂公司，2024 年 1 月 1 日刚刚从雅保公司分离而出。雅保公司中国很多人都很熟悉，交流中才知道 1835 年曾诞生过一家 Ketjen 公司，当时是专门生产硫酸的，1947 年开始炼厂催化剂生产，但到了 1969 年被阿克苏公司并购，再后来阿克苏诺贝尔公司把这一部分业务卖给了雅保，2024 年 1 月 1 日，雅保公司正式把催化剂业务剥离即今天的科琴公司，专注于炼化催化剂业务，重点在 FCC（流化床催化裂化）用催化剂和柴油加氢催化剂，这两种催化

* 这是 2024 年 3 月，傅向升同志带团参加 2024 世界石化大会和访问美法跨国公司的启示。

剂都将应用于盘锦正在建设的华锦炼化一体化装置。科琴公司也正在致力于循环经济的研发与创新，正在开展废植物油、废弃塑料、废垃圾以及生物质制取生物柴油或可再生航煤的研究与开发。

2. 中石化休斯敦研究开发中心

主要聚焦于油气勘探开采技术的理论研究与创新，在地理物理软件、地球物理信息处理等方面创新领先，在页岩油气勘探开发方面研究颇深。尤其是这个团队朴实、敬业、肯吃苦，不虚张声势、不夸夸其谈的作风感染了我，他们不计较个人得失、团结一心、默默奉献的精神值得我们学习和致以敬意。

3. 利安德巴赛尔

石化领域的很多朋友都不陌生，这是世界上最大的聚合物公司之一，尤其是聚烯烃全球第一，聚烯烃聚合技术也是世界领先，国内很多石化企业的聚烯烃技术、EVA 技术都是引进该公司的。环氧丙烷及其衍生物技术也是世界领先，该公司在中国的代表性工厂是盘锦辽滨经济技术开发区的百万吨乙烯及其聚烯烃生产装置。现在非常重视绿色可持续发展和废弃塑料的回收与资源化再利用。

4. 法国阿科玛

是一家高性能材料和特种化学品生产企业，其产品广泛应用于汽车、电子、运输、化妆品、奢侈品、运动等领域。在中国的常熟、泰兴、广东南沙等地都有生产工厂。是在生物基尼龙、高吸水性树脂、含氟高分子化合物等新材料领域世界领先的公司，访问过程中专门给我们介绍了该公司的中空纤维水处理膜的应用、聚偏氟乙烯（PVDF）在新能源电池领域、生物基新材料特别是尼龙 11 的优异性能和全循环运动鞋、3D 打印等方面的应用，也重点介绍了该公司的高性能胶黏剂。

5. 法液空公司

是一家专注于气体产品的公司，长期以来与林德、普莱克斯（已被林德并购）和美国气体产品公司并驾齐驱，是由一位科学家（乔治·克劳德）和一位金融家（德洛姆）于 1902 年共同创办的，当时乔治·克劳德发明了低温分离技术，与德洛姆一拍即合，成立了这家气体公司，为客户提供氢气、氧气、氮气、二氧化碳等气体产品，后来随着市场的需求，又开发了氩气、氦气、硅烷气、乙炔气、一氧化碳等多种气体产品，今天还可以提供甲烷制氢、电解水制氢等技术方案，已在全球 70 多个国家有业务，共有员工 6.7 万多名。法液空在中国有 4500 名员工，40 多家工厂和研发中心，有 740 多家客户。下一步法液空在二氧化碳减排、绿氢制备、园区用氢以及绿氢与石化和炼钢等产业的耦合发展等方面，都在开展新的研发与创新。法液空为巴黎 100 多辆出租车的制氢和加氢提供保障。

6. 赛蒽斯科（SYENSQO）

是去年 12 月底刚刚从索尔维拆分出来的新公司，其中文名称尚未确定（预计 4 月份发布），“赛蒽斯科”是我根据读音暂写的[1]，我们是该公司接待的第一个中国代表团，也是新成立以来为数不多的访问团之一。索尔维大家都很熟悉，1863 年比利时发明了索尔维制碱法，从此垄断世界纯碱市场，大约 60 年后中国诞生了“侯氏制碱法”，十九世纪末至二十世纪上半期，索尔维就依靠纯碱起家驰骋世界市场，进入新世纪以来索尔维加快转型步伐，通过并购与自身创新与研发，逐步转型为一家新材料和特种化学品的公司，纯碱主攻食品级和医用级、电子级等高端领域，新材料主攻高性能材料和液晶材料用化学品、医用透析膜等高端市场。到去年索尔维的纯碱、小苏打、双氧水等传统产品只占公司业务的 40%，而新材料和特种化学品业务占到公司业务的 60%，为充分展现公司的价值，也为适应资本市场的要求，索尔维公司决定一分为二，一家以新材料为主业的全新的公司 SYENSQO 诞生。在交流中了解到，该公司未来在做好原有新材料主业的基础上，将聚焦于新能源电池材料、高性能热塑性塑料、绿氢、可再生材料和生物技术，这四大领域将为新能源汽车以及储能、航空航天和减少温室气体排放做出更大贡献。

二、重点谈谈国际同行对中国石化产业的关注点

1. 跨国公司同行都十分关注中国石化产业的发展情况

国际同行几乎都谈到了去年的挑战较多，中国石化产业去年的发展如何？主要挑战表现在哪里？我们与国际同行交流去年世界市场恢复不及预期，世界经济增速继续下滑，挑战确实很多，尤其是企业的效益大幅下降更为突出。但中国经济长期向好的态势没有改变，去年 GDP 同比增长 5.2%，中国经济的增速高于世界和各主要经济体，经济总量超过 126 万亿元人民币，增量以美元计

[1] 注：SYENSQO 公司于 2024 年 12 月发布企业中名文称——“世索科”。

约 8000 亿美元，仍然是世界经济增长最大的引擎，并且高质量发展扎实推进，现代化产业体系建设取得重要进展。

去年中国石化行业的运营业绩既有挑战，也实属不易。根据中国国家统计局的数据，2023 年石化行业实现营业收入 15.95 万亿元，利润总额 8733.6 亿元，进出口总额 9522.7 亿美元。虽然同比都有不同程度的下降，但是无论是收入、利润，还是进出口总额都是石化行业历史上值得铭记的一年。其中全行业效益与世界同行感受是一样的，同比下降幅度较大，即利润总额同比下降 20.7%，我们分析认为其主要原因是原油、天然气及绝大多数石化产品的价格下降造成的，2023 年度国际市场布伦特原油均价 82.6 美元 / 桶，同比下降 18.3%；根据国内的统计 2023 年度石油和天然气开采业出厂价格同比下降 10.2%，化工原料和产品出厂价格同比下降 9%。如此一来，2023 年度在中国市场主要石化产品产量、消费量和进出口量都增加的情况下，出现了营业收入、利润和进口额、出口额及进出口总额都不同程度地下降。所以，去年中国石化企业和行业遇到的主要挑战，与跨国公司遇到的挑战没有差别，主要是产品价格下跌、效益下降。这与疫后全球市场恢复不及预期有关，与美元的持续加息也有关，当然与贸易保护主义抬头和人为的“脱钩断链”也不无关系。

我们进一步分享，去年中国石化行业为国内市场供应和世界石化产业链稳定与安全都作出了重要贡献。去年中国原油产量 2.09 亿吨，同比增幅 2%；天然气产量 2297.1 亿立方米，同比增长 5.8%，连续 7 年增量超 100 亿立方米。成品油产量同比增长 16.5%，合成树脂产量同比增长 6.3%，化肥总产量（折纯）同比增加 5%，其中氮肥产量（折纯）同比增加 7%，磷肥产量（折纯）同比增加 6%，农药原药产量（折纯）同比增加 2.8%，钾肥产量（折纯）占国内表观消费量的 53%，可见，中国石化产业去年不仅为保障中国国内市场的供应和消费作出了重要贡献，而且为世界市场的供应链稳定与安全也作出了重要贡献。

2. 国际同行都高度关注今年的经济形势

因为去年大家都遇到了新的挑战，因此对今年经济形势的预判，就成为在访问交流中共同探讨最多的话题之一。我们交流认为，世界经济增速将继续放缓，中国经济增速保持在 5% 及以上是大概率，中国经济继续是世界经济增长的火车头和稳定器。从经济发展的周期性来看，2024 年世界经济在继续放缓的同时，将是“底部盘整，筑底企稳”的一年，将为 2025 年世界经济迎来新的景气周期做准备。我们这样预判的依据：第一、主要经济体的通胀虽然尚未达到预期目标，但已降到一定的水平；第二、美元加息已告一段落，即将开启降息的周期，美元的降息将逐步为世界市场提供货币宽松的环境，产品价格将扭转大幅下降的局面，产品价格的止跌或上涨，企业的效益将随之改善；第三、疫情过后第一年的去库存，已经把库存降到合理的区间或低位，今年企业的产销情况将有所改善；第四、因俄乌冲突造成的能源价格高企趋于相对稳定，特别是因此深陷能源危机的德国和欧洲其受影响程度将趋于减弱，德国和欧盟的经济同比将有所改善。基于以上分析，我们认为今年的世界经济将是“底部盘整，筑底企稳”的一年。

对于今年中国的石化行业，我们预判营业收入和利润不应当继续双下降，同比应当由负转正，因为去年的基数与前两年相比偏低、石化产品价格同比也不该继续大幅下跌，所以今年石化行业和各公司的效益会比去年要好。交流中国际同行表示认同。

3. 世界石化大会的很多代表都关注“双碳”目标对中国石化产业的影响

中国政府已经就碳达峰碳中和作出了承诺，会议代表关心“双碳”目标对中国石化产业的挑战和影响，也关心中国政府承诺以后有什么样的行动。在交流中我们首先谈到“双碳”目标对中国石化产业的挑战有其严峻性，这主要是因为两点：一点是中国石化产业的原料结构与美国、欧洲以及海湾地区不同，煤化工在中国石化产业中的占比较高，最典型的是合成氨、甲醇 70% 的产能都是煤炭为原料，而发达国家和海湾地区都是以天然气为原料，另一个代表性的产品是聚氯乙烯，中国 70% 的产能是传统的电石乙炔工艺，而发达国家和海湾地区都是乙烯氧氯化工艺，其他还有以甲醇为原料的甲醛、聚甲醛、醋酸、1,4- 丁二醇等的初始原料也是煤炭，大家都熟悉的就是以煤炭为原料与石油和天然气相比，其碳排放量要高许多。另一点就是与美国、欧洲等发达国家和地区相比，中国石化产业的产品结构主要以大宗基础化学品和通用合成材料为主，生产基础产品和通用材料的过程就比生产高性能材料、高端精细化学品的能耗和物耗都要高，因此碳排放量也就高。

其次我们谈到中国正在积极应对面临的挑战，努力推动“双碳”目标的实现。中国政府 2020 年 9 月向世界庄严承诺“3060”目标，即：力争 2030 年前实现碳达峰，力争 2060 年前实现碳中和。自中国政府庄严承诺以来，中国政府对中国的工业结构、产业结构和产品结构，从产业政策推动，加快中国工业领域、特别是重点耗能产品的节能降耗。举国家之力推动中国经济社会发展加快向绿色化、低碳化转型，推动中国新型工业化加快形成绿色生产方式和全社会的绿色生活方式，到 2060 年非化石能源消费比重达到 80% 以上。也正在推动“双碳”标准体系、加快碳排放核算、碳足迹、减碳技术以及绿色制造和绿色评价标准的研制。中国石化行业也研究制定了《碳达峰碳中和行动方案》，向石化全行业发布了《碳达峰倡议书》，每年都组织开展“能效领跑者”和“水效领跑者”活动，每年都组织开展绿色工厂、绿色化工园区和绿色产品、绿色设计等创建活动，为石化行业和石化企业树立标杆、培育典型，这些活动在石化行业和企业中已坚持开展了多年，取得了明显的效果。石化联合会还组织全行业大力研发和推广先进节能技术，加快 CCUS 项目产业化示范（山东胜利油田、吉林油田、辽宁辽河油田以及新疆油田、长庆油田等，二氧化碳驱油都取得了阶段性成果），电石炉和黄磷炉等工业尾气、磷石膏、电石渣、废塑料等固体废弃物的资源化利用，大力发展循环经济和水的循环利用，不断探索地热、氢能等清洁能源的补充替代和与石化产业的耦合发展，并通过加大责任关怀、构建 ESG 工作体系等措施，积极构建并完善绿色制造体系和绿色低碳工作机制。绿电代替传统的蒸汽裂解制乙烯技术，原油直接制化学品新技术、天然气（合成气）一步法制烯烃、二氧化碳合成汽油及化学品等都在研发中。然后我们也谈到应对气候危机正在成为共识。我们已经深深地认识到：地球可以没有人类，但人类决不可以没有地球，中国正在与世界各国共同努力，以实际行动保护人类共有的、也是唯一的家园：地球！特别是在经历了 2023 年是地球有记录以来最热的一年，目睹了近年来洪水、暴雪、大火频发，气候灾害和给人类造成的损失日益严重。应对气候危机需要国际社会携起手来，加强合作、共同应对。中国也公布了甲烷减排计划，中国政府在应对气候危机方面态度是积极的，行动是认真的，效果正在显现。

同时我们强调，气候变化主要受温室气体大量排放和持续增加的影响，温室气体排放的大量增加是自工业革命以来开始的，是工业现代化以来快速增加的，温室气体排放的总量主要是先期工业化的国家、即今天的发达国家排放的（英国《自然·可持续发展》杂志刊发的研究显示，全球 90% 的过量碳排放源自发达国家），后工业化的国家、即今天的发展中经济体或欠发达地区，所排放的总量仅占约 10%，哈佛大学的格雷厄姆·艾莉森教授指出，“几乎所有的气候问题都是由富裕国家造成，贫穷国家不仅不是气候破坏的实施者，反而是气候危机的重要受害者”。今天的发达国家不应简单地只强调当前的减排，而应当从历史责任出发，在推动全球温室气体减排和解决气候问题上，既要带头行动，还要主动和帮助后工业化中国家和欠发达地区多做一些工作、多分担一份。这就是《巴黎协定》“共同但有区别的责任”原则，即排放量大的发达国家必须首先采取行动，迅速减少排放。

最后我们希望：国际同行间应加强合作，打破阻碍降耗减碳的一些技术壁垒和贸易壁垒，让更多的节能新技术、节水新技术、降耗减碳新技术，造福石化行业、造福人类。

4. 世界石化大会的很多代表都关注中国化工企业如何应对能源转型带来的挑战

因为今年的世界石化大会与今年的“剑桥能源周”同期在休斯敦开幕，会场相邻，很多代表都是根据会议的日程和内容，有选择地在两个会场之间穿梭，所以能源转型的话题也是世界石化大会的关注点，尤其是对中国作为能源消耗大国，大家对中国应对能源转型更为关注。与会议代表交流我们首先谈到，工业发展史告诉我们能源转型是推动社会进步的重要动力，因为第一次工业革命是以煤炭代替薪柴进入“蒸汽机时代”为标志，第二次工业革命是以石油代替煤炭进入以内燃机为标志的“电气化时代”，即能源转型推动了工业革命的进程，能源转型是社会进步的推动力。中国也特别关注到今天为应对气候危机，能源转型再次按下了加速键，特别是去年底在迪拜召开的第二十八届联合国气候大会，达成了开启化石燃料转型加速进程的历史性协议，加快能源转型成为实现《巴黎协定》减排目标的共识和行动，各大能源公司都加快了由传统能源向新能源即清洁能源的转型。但是我们也注意到，2023 年 10 月埃克森美孚宣布以 595 亿美元收购先锋自然资源公司，以确立其在二叠纪盆地的霸主地位；随后雪佛龙宣布以 530 亿美元收购赫斯公司，以确立其在非常规和深水领域的优势地位。

中国化石能源的消费总量将于 2030 年前达到峰值，中国石油的消费量将在 2027 年前后达到峰值，届时原油消费量约 8 亿吨，以中国石油、中国石化、中国海油、国家能源、延长石油等为代表的能源公司，为适应当前能源转型的新趋势，也为应对“双碳”目标的新要求，都在加大清洁能源的研发与创新和应用，都成立了清洁能源公司，加大氢能、生物质能的开发与应用，重视与氢能、风能、光伏以及地热等清洁能源的耦合发展。

最后我们谈到，为应对能源转型带来的新挑战，中国石化全行业也十分重视新能源的开发和清洁能源的应用，石化联合会成立了氢能专委会，与联合国环境规划署和ICCA、AEPW等国际组织和行业组织加强在终止废弃塑料污染方面的合作，成立了废弃塑料循环利用工作组，同时还加大生物降解材料和生物基化学品的研发，重视二氧化碳的资源化利用和合成化学品的创新研究。中国石化行业为加快推进高质量发展而不懈努力，一直致力于绿色低碳转型，并不断深化供给侧结构性改革。

5. 国际同行高度关注产大于求

无论是世界石化大会的代表，还是跨国公司同行都十分关注产大于求问题。在世界石化大会的提问与互动环节，主持人问“中国和全球产业链中，大部分都存在明显的产大于求，在未来几年里，中国各级政府是否会干预任何进一步的产能增加计划，以便让需求有机会吸收过剩产能？”在访问和交流过程中几乎每一家跨国公司都会提出“产能的大量增加，企业赚钱吗？中国如何对待产大于求问题？”他们甚至谈到新能源汽车，也有的跨国公司谈到与自己主业密切相关的基础化学品、通用材料、聚偏氟乙烯（PVDF）等产品。我们只好反复强调，中国有的产品确实存在产大于求问题，但中国人口多、市场潜力大，而中国又是发展中国家，目前人均GDP只有发达国家的1/3或1/4，甚至只有美国的1/6，所以中国发展的任务很重也很艰巨，而工业经济、实体企业又是经济发展的基础和重要支撑，在发展过程中有的产品出现了产大于求，这已引起中国政府的高度关注，中国政府也正在积极努力，研究防止和化解产大于求的调控措施，特别是通过产业政策、产业结构调整目录以及能效水平等，限制低水平重复建设，淘汰落后产能。当然，我们也要看到有些产大于求也是一个动态的过程，有短期的、也有周期性的，有的是市场需求不振造成的，也有的是产品不适应下游客户需求或新的应用领域开发不到位或不充分造成的。对有些产品种类多的行业来说，也存在结构性过剩问题，中国石化产业就是一个“低端过剩，高端短缺”的结构性过剩状态，很多跨国公司的朋友也很清楚，中国石化行业的大宗基础化学品和通用合成材料存在产大于求问题，而化工新材料、高性能聚合物、高端专用化学品、高性能纤维及其复合材料、高端膜材料、超纯超净化学试剂等，很多高端产品和高性能材料中国市场都是短缺状态、长期依赖进口。中国政府已经认识到了中国石化产业产能结构性过剩的问题，正在充分发挥和依靠市场调节机制的前提下，采取有效措施防止、调控和化解有的产品产大于求的问题，已经采取的有效措施有：产能置换的措施，如新建或扩建炼油产能必须实行产能置换或减量置换，到 2025 年底控制炼油总规模不超过 10 亿吨 / 年；烧碱等基础产品也是采取产能置换的原则。不符合经济规模和产业布局的落后产能则予以淘汰，如 200 万吨 / 年以下已建成的小炼油装置关闭退出。中国政府也在探索改变简单以规模为标准、过去“一刀切”的做法，正在研究和实施更科学、更精准的淘汰落后产能的思路和办法，如以能效水平的高低为参考，新建炼油装置其能效一定要达到标杆水平及以上，对于符合经济规模的已建成炼油装置，实施节能降碳技术改造提升，要求能效提高到基准水平以上，到 2025 年末经改造仍不能达到基准水平以上的，坚决关闭退出。下一步还将研究制定水效指标、碳排放指标、环境指标等综合性考评要求，科学严谨地评价装置的物耗能耗水平和废弃物与碳排放水平，更加科学地调控新增产能和无序扩张。推动中国经济的高质量发展和健康可持续发展。

6. 深度思考

此次出访，在与会议代表和国际同行交流沟通以及探讨深化合作中，国际同行对世界石化产业的布局和未来发展格局也都颇为关心，这也带给我们很多深度思考。就全球石化产业布局来看，“十三五”期间我曾与国内同行交流过，世界石化产业从大的格局看，呈现出“三个强极”和“三个热极”的全球格局，“三个强极”是以美国为代表的北美地区、以德国、法国、英国、比利时、荷兰为代表的欧洲地区以及以日本为代表的东北亚地区，“三个热极”是以美国为代表的北美地区、以沙特阿拉伯为代表的海湾地区和以中国为代表的东北亚地区。尤其是“三个强极”的代表国家所代表的是世界石化和化工产业的第一梯队，“三个热极”则代表了近年来世界石化产业发展速度最快的区域；近年来“三个强极”中的欧洲地区以及东北亚的日本，石化产业几乎没有新的大型炼化一体化装置建设和投产，反而是在加大石化产业结构和产品结构调整的力度，不断有小规模生产装置（如小型乙烯装置）关闭和退出基础产品（苯酚、双酚 A、环己酮、己内酰胺、乙丙橡胶、PTA 等）业务；近年来世界石化产业的增量主要贡献者在“三个热极”区域，特别是中国石化产业的发展是世界石化产业发展的重要动力源。今天看这“三个强极”“三个热极”的世界石化产业格局，继续在演绎着。

从此次出访交流中，又带给我们新的思考，未来全球石化产业的发展主要在美国、中国、沙特阿拉伯、印度和东南亚的几个国家，这些国家要么是资源优势突出，有的是市场需求巨大，具备发展石化产业的相对优势；欧洲和日本石化和化工产业的规模将保持相对稳定，重点在材料高性能化和产品高端化、专用化上将更具竞争力；俄罗斯和非洲地区发展炼化产业的资源优势也很明显，俄罗斯和非洲地区国家对发展下游化工产业也会十分重视，但受制于技术、资金等制约，更具优势的应当是资源方面，下游化工产业的发展将相对迟缓。

这次出访是时隔 5 年后，这五年世界发生了很多新的变化，贸易保护主义抬头，地缘政治冲突和区域动荡加剧，全球经济增长乏力，各发达经济体通胀高企，洪水、暴雪、大火等气候灾难频发，能源危机、粮食危机、气候危机日益严峻，全球经济增速持续下滑，全球政治环境和经济环境都变得更加复杂。对美国来说更是从上一届政府换成了现任拜登政府，今天又面临着新一届、更加扑朔迷离的大选，美国的历史和世界的历史五年内都已书写了很多新的内容！

这五年中国也发生了很多变化，我们隆重庆祝新中国成立 70 周年、中国共产党成立 100 周年，我们胜利召开了党的二十大，向全世界宣告：中国式现代化是人口规模巨大的现代化，是全体人民共同富裕的现代化，是物质文明和精神文明相协调的现代化，是人与自然和谐共生的现代化，是走和平发展道路的现代化。过去的五年中国经济的增速一直高于世界和各主要经济体，中国一直为世界经济增长贡献 30% 以上的份额，是世界经济增长的火车头。

这次出访的时间虽然不长，但收获很大，国际同行与国内众多石化企业一样，都更加关注创新转型、绿色低碳与责任关怀和可持续发展。跨国公司继续看好中国的巨大市场潜力、继续重视在中国的发展，在交流中很多国际同行都表示希望继续深耕中国市场，加强与中国的合作，抓住在中国更多的发展机遇。我们也跟国际同行交流：我们深刻地认识到，“人类是相互依存的命运共同体，世界好，中国才会好；中国好，世界会更好”。中国对外开放的大门将越开越大。中国石化联合会和中国的广大石化企业和企业家们，都真诚地希望与各国跨国公司和石化同行携起手来，携手推进可持续发展，共同应对气候变化，加快绿色低碳转型，共创“化学创造美好生活”的灿然明天！

广东省石化产业正在做大中做强*

近年来，广东省石油和化工产业健康稳步发展，产业规模居全国前列，逐渐形成炼化、基础化工、合成材料、精细化工等产业链一体化发展格局，广东已成为我国重要的石化基地之一。因为对石化产业多年之感情的缘故，我在本文中探讨了广东石化产业之现状和未来发展，看看对其他省市或地区能否有所借鉴和启发?

一、去年广东石化产业又是骄人的一年

去年对国内国际石化产业来说是挑战更为严峻的一年，特别是企业的效益困难更大。从国内看，去年石化全行业营业收入同比下降 1.1%，进出口总额同比下降 9%，而全行业实现利润总额同比大幅下降 20.7%；从国际看，跨国公司去年的业绩几乎全是下降，尤其是效益同国内一样下降幅度更大，特别是欧洲化工公司的效益更为惨淡一些。

在面临国际国内市场需求不及预期、企业效益下降明显的大背景下，而广东的石化产业却逆势增长。据统计，去年广东石化产业规上企业的营业收入同比增长 1%，实现利润同比增长 2.7%。这种收入、利润“双增长”的情况，无论是地域、还是企业都是少之又少，这显示广东“十三五”期间由石化第四位跃升为第二石化大省以来，与石化第一大省山东的距离正在快速拉近。

据各省工信系统的统计，去年山东继续稳居石化第一大省，规上企业实现收入 2.8 万亿元，实现利润 1141.8 亿元；石化第二大省广东规上企业实现收入 2.05 万亿元，实现利润 1330.4 亿元；石化第三大省浙江规上企业实现收入 1.62 万亿元，实现利润 626 亿元；石化第四大省江苏规上企业实现收入 1.35 万

---

* 这是 2024 年 5 月，傅向升同志应邀发表的署名文章。

亿元，实现利润 575 亿元。这四大石化大省的排序多年未改。从效益看，山东省石化规上企业实现收入利润率 4.1%，广东是 6.5%，浙江是 3.9%，江苏是 4.3%，而去年石化全行业规上企业实现的收入利润率 5.5%。可见，广东石化产业去年的效益高于全国平均水平，也高于国内前 6 位的石化大省的水平，这从一个重要的维度证明，其发展质量要更好一些。

二、广东省打造绿色石化战略性支柱产业集群是出于哪些方面的考虑呢？

实际上，广东省分别于 2020 年和去年年底先后两次发布的《广东省发展绿色石化战略性支柱产业集群行动计划》（以下简称《行动计划》），我也都第一时间看到了。我不仅认真学习了，而且还对这个《行动计划》中提出的目标进行了思考，我的第一反应就是对广东省研究制定这样的《行动计划》感到高兴，对广东省把绿色石化确立为全省重点打造的“十大战略性支柱产业”之一感到振奋。因为广东省的行动，让我看到了我国由石化大国迈向石化强国的目标有了强有力的支撑和保障。

对于多年来经济总量一直稳居全国第一省的广东，出台这样的《行动计划》是出于哪些方面的考虑？我的个人理解：广东省的经济总量自 2019 年首次突破 10 万亿元大关以来，2023 年达到 13.57 万亿元，已连续 5 年超过 10 万亿元，实际上自上世纪九十年代以来连续三十多年稳居全国第一。

这样的一个经济大省和经济强省，把石化产业作为战略性支柱产业重点发展，我认为首先是认识到了石化产业是国民经济重要支柱产业的重要性，以及石化产业涉及面广、带动性强等特点。近年来我国石化产业虽然受到国际市场不确定性因素复杂多变的严峻挑战和新冠疫情的影响，但 2022 年全行业营业收入再创历史新高、达到 16.56 万亿元，2021 年和 2022 年连续两年利润均高于 1.1 万亿元，2022 年石化行业的进口出口总额也创历史新高、首次突破 1 万亿美元。近几年规上企业实现的营业收入和利润额，占全国规模以上工业收入总量和利润总额的 12% 左右，进出口总额占全国进出口总量的 16% 左右，石化产业对国民经济稳增长、稳就业和稳外贸的作用不仅是显著的，而且十分稳定，是名副其实的重要支柱产业。

第二点是广东省认识到了石化产业极强的配套性和极端重要性。石化产业既是国民经济的重要支柱产业，也是重要的基础性配套产业。石化产品和石化材料不仅关系到人们的衣食住行等日常生活，而且涉及高端制造业、战略性新兴产业以及航空航天和国防军工等国家安全领域。化肥、农药等绿色、高端产品关系到广东乃至全国的农业丰产丰收和高品质果蔬的口感和口碑；高端精细化学品和专用化学品关系到广东省乃至全国电子信息、新能源、高端制造领域是否会被“卡脖子”；化工新材料、高性能纤维及其复合材料、高端涂料和膜材料等，直接关系到广东省乃至全国的汽车、轨道交通、大飞机、新能源、无人机以及船舶等高端制造、战略性新兴产业的制造水平。

第三点是广东认识到了石化产业的发展质量和水平是一个国家工业技术水平的重要代表。这是一个国际视野层面的认识，石化产业不仅是资源型和能源型的产业，还是一个技术密集型和资金密集型的产业。一个国家化学工业的技术水平和发展质量是其工业技术水平的重要体现，看看美国、德国、日本以及英国、法国就可以明了，这都是世界石化和化工强国，也都是世界经济、工业强国、科技强国和尖端制造强国，有的还是国防军事强国。无论是经济和科技强国，还是尖端制造、国防军事和航空航天强国，离开了化工新材料、高端精细化学品和高性能复合材料以及耐超高温、超低温和绝缘、密封材料，强国梦是难以实现的。

三、广东省打造绿色石化战略性支柱产业集群具备哪些优势和特点呢？

第一个优势和特点是基地和园区优势。广东省已认定一批基础较好、管理规范、骨干企业带动作用明显的化工园区，特别是惠州大亚湾是国务院规划布局的全国“七大石化基地”之一（另 6 家是长兴岛、曹妃甸、连云港、上海、宁波、古雷），这“七大石化基地”是国家宏观发展规划布局的，是石化产业链集群式发展、打造现代石化产业集群的重要基地。有的省其石化产业的规模和发展还是不错的，有的省化工园区内产业链协同、管理水平处于领先地位，虽几经努力都未能列入“七大石化基地”之列，也有的曾设想以“7+N”的形式并列国家规划布局均未如愿。又加上广东目前沿海已形成的揭阳、广州、湛江、茂名、珠海等几家化工园区，如果把广东这几家产业基础、企业基础、产业链协同、管理水平较高的石化基地和园区“连线”来看的话，这就像镶嵌在南海的一串珍珠，这样的基地和园区优势是很多省份无可比拟的。

第二个优势和特点是广东省骨干石化企业的作用突出。从现有基地和园区的布局和规模看，广东省成为国内外重要石化企业发展布局的重要阵地，尤其是国内骨干石化企业都已布局，并且发展和创新趋势良好。中国石化自“十三五”时期起，把“茂湛基地”作为在全国布局的“四大基地”之一（另3个是南京、上海、宁波）；中国海油在惠州大亚湾与壳牌前二期合作的基础上，正在推进“中海壳牌三期”项目的落地；中国石油去年全面投产的集团内最大的炼化一体化装置（大南海项目）在广东的揭阳，也成为中国石油未来发展的重要基地。连同广州、茂名和珠海，中国石油、中国石化、中国海油等国内重要骨干石化企业，在广东都已有布局，骨干石化企业的领军作用不仅过去明显，而且今后都将更加凸显。

第三个优势和特点是广东石化产业的发展潜力大。正在建设中的巴斯夫湛江一体化基地和埃克森美孚惠州新材料基地就是最好的证明，“中海壳牌三期”也正在推进中。石化领域这些跨国公司的典型代表，相继选择在广东推进新的项目建设，一是看到了广东作为改革开放最前沿的发展政策和营商环境，二是为深耕中国市场而来，三是证明广东石化产业集群发展的未来潜力。

第四个优势和特点是广东的区位优势。石化产业是资源型和能源型产业，从原料和产品两端来看也属于“大进大出”的类型。针对我国“多煤缺油少气”的资源禀赋来说，几年来原油的对外依存度都高于70%，对于我国石化行业结构性矛盾突出的现状来说，不少基础产品和通用材料的市场在海外。从美国在墨西哥湾沿岸、德国在莱茵河沿岸、比利时在安特卫普、荷兰在鹿特丹港以及日本在东京湾、韩国在蔚山、沙特阿拉伯在延布和朱拜勒等布局来看，发达国家都把石化基地和石化企业建在沿海或沿江。广东地处我国南方沿海，鲜明的区位优势对于原料进口和产品出口的物流成本有着明显优势，尤其是面向RCEP区域和“一带一路”国家的深度开放与合作，其区位优势显要。

四、广东绿色石化战略性支柱产业集群的建成对我国石化产业做大做强具有怎样的意义？未来广东省内的“五大基地”还有哪些发展的空间？

广东省绿色石化战略性支柱产业集群的建成对我国石化产业做大做强，不仅意义重大，而且十分重要。因为我国石化产业从 2010 年起一直是世界第二大国，化工产品销售额的世界占比多年来高于 40%，论化工产品的销售额则是第一化工大国，但我国石化产业“大而不强”的瓶颈是明显的。因此,“十三五”规划提出推动石化大国向石化强国跨越的目标；“十四五”全国《化工园区发展规划和 2035 中长期展望》又提出了培育“五大世界级石化产业集群”的目标，具体是环渤海湾、杭州湾、海西湄洲湾、泛大亚湾和“能源金三角现代煤化工”产业基地这“五大世界级石化产业集群”。其中“泛大亚湾世界级石化产业集群”就是以广东的惠州大亚湾国家级石化基地为核心，北延揭阳，南连广州、茂湛、珠海以及钦州、洋浦等沿海石化园区，“十四五”末初具轮廓，力争 2035 年建成世界级石化产业集群。

由此可见，广东省提出的“以惠州、揭阳、广州、茂名、湛江‘五大石化基地’，培育世界级石化产业集群”的思路和布局的重要性，这不仅是石化行业发展规划中重要布局的一环，而且是石化行业在全国重点培育“五大世界级石化产业集群”的重要组成部分。广东省世界级石化产业集群的思路和目标能否建成，直接关系到我国“五大世界级石化产业集群”目标的实现，也直接关系到我国由石化大国迈向石化强国目标的实现，因此说意义重大且十分重要。

至于说未来广东省规划的“五大基地”还有哪些发展空间？谈几点不成熟的思考，仅供广东省和行业同仁讨论。我前面提到广东省石化产业未来发展的潜力很大，这不仅是因为广东省目前的石化产业已具备了规模优势、企业优势、园区优势以及较高的智慧化水平、绿色化水平等较好的基础和前提，已形成的炼油产能高于 8700 万吨 / 年、乙烯产能高于 500 万吨 / 年、芳烃产能接近 500 万吨 / 年，具备这样石化产业规模和基础的省份难寻。另一重要的方面是，我国要实现第二个百年奋斗目标和民族复兴需要石化产业的高质量发展，而且我国要发展成为制造强国、航空强国、国防强国，也都离不开石化产业未来高质量发展的强力支撑和保障，这是从国家富强、经济强国、工业强国的角度和大背景所考虑的发展潜力和空间。

从广东省石化产业本身来考虑，其发展的空间和潜力也是很大的。先从广东省定位的揭阳、惠州、广州、湛江、茂名这“五大基地”的个体来看，这“五大基地”的每一个，不论是与德国路德维希港巴斯夫基地相对标、与比利时安特卫普石化基地相对标，还是与新加坡裕廊岛、沙特阿拉伯朱拜勒工业城相对标，我们还都是有差距的。我们是已经具备了较好的基础，但就产品结构高端化、产业链协同、产业集群化程度、规划布局等方面，都存在一定的差距。我们必须正视这种差距，在与国际一流对标中找准差距，在补短板和持续创新中缩小差距，在高端化水平、绿色化水平、智慧化水平以及质量效益和管理水平等方面，努力向世界一流石化基地看齐，这是广东省“五大石化基地”的发展空间和方向。

再从产业集群的角度来谈一下未来发展的空间。当前看揭阳、惠州、广州、湛江、茂名这“五大石化基地”之间的产业协同还不够，省里面提出了培育“世界级石化产业集群”的目标，这种立意、战略定位和目标有高度、有魄力，也值得其他省区市借鉴。这不仅对全省石化产业的高质量发展明确了定位，也对这五个地市提出了要求，这五个地市及其省内“五大石化基地”，无论是发展规划和工业布局，都要服从和服务于省政府“培育世界级石化产业集群”的总体思路和目标，在招商引资、资金投向、政策措施、创新引领、人才引进等各方面，都要向这一总体思路和目标聚焦，聚人财物以及智策等各方优势于打造世界一流石化基地上。还要从产业规划、产品结构、物料互供、能源共享以及产业链协同等方面统筹谋划，强化“五大基地”间产业链协同和产业集群化发展，这是本省内未来发展的空间和潜力之所在。

最后还有一个全国布局的发展空间。前面谈到我们“十四五”规划提出的全国重点培育的“五大世界级石化产业集群”，其中“泛大亚湾世界级石化产业集群”不仅以惠州大亚湾为核心涵盖了广东的这“五大石化基地”，而且还包含珠海、钦州、洋浦等沿海的石化园区。今天谈的广东这“五大石化基地”未来发展的思路和产业发展、规划布局上，还要注重我们所作行业发展规划和发展目标的协同。如果思路和视野再放宽一些的话，广东省世界级石化产业集群的培育还要统筹和兼顾北面的以古雷为核心的“海西湄洲湾世界级石化产业集群”的产业协同发展，视野再放宽一点还要注重与不远处的以上海和宁波为核心的“杭州湾世界级石化产业集群”的产业协同发展，视野更宽一点还要注重辐射 RCEP 区域和东南亚、南亚等区域石化产业的协同与发展。这都是广东省“世界级石化产业集群”未来发展的空间和潜力所在。

我们期盼广东省世界级石化产业集群这艘航船早日启航，扬帆并驰骋于世界石化强国之海洋的竞技场，为我国早日实现石化强国的目标助力，为中国式现代化作出广东和石化产业的新贡献。

中部六省石化产业的高质量发展迎来了新的机遇 *

1. 石化产业的重要性和带动力日益显现

石化产业是国民经济的重要支柱产业，“十三五”以来我国石化产业迎来了创新发展的快速时期，石化全行业把握新的机遇，在推动石化大国向石化强国的跨越过程中，我国化工市场的世界占比多年稳定在 40% 以上，为世界石化产业的发展做出了重要贡献。进入“十四五”，2021 和 2022 两年我国石化产业营业收入和进出口总额连创历史新高，利润保持了 1.1 万亿元以上的历史高位，2023 年虽然受世界市场需求不振、大宗商品及主要石化产品价格下跌的影响，企业和行业效益不及前两年，但石化规上企业实现收入和利润均占全国规上企业总量的 12% 左右，进出口总额占全国进出口总量的 16% 以上，克服诸多挑战，继续为国民经济稳增长、稳就业和稳外贸做出了重要贡献。今年前 4 个月石化全行业营业收入同比增长 4.2%，实现利润同比增长 2%，全面扭转去年增速下滑的局面，均由负转正、稳定增长。

2. 中部六省石化产业是实现石化强国目标的重要区域

我国自 2010 年以来一直稳居世界第二石化大国，近三年行业总收入基本稳定在 16 万亿元上下。据统计中部 6 省（湖南、湖北、山西、河南、安徽、江西），规上石化企业的营业收入合计接近 3 万亿元，约占石化全行业总量的 20%。特别是湖南以岳阳、湖北以武汉、江西以九江、安徽以安庆、河南以洛阳，都已形成炼化产业基础好、规模集约度较高的石化园区和基地，再加上山西、河南、安徽煤化工的突出优势和岳阳石化、洛阳石化正在建设新的百万吨乙烯项目，这都将为未来延伸产业链、做强化工新材料和高端精细化学品创造良好的发展条件。希望中部六省紧扣党中央中部地区重要能源原材料基地、现代装备制造及高技术产业基地的战略定位，立足石油化工、煤化工、盐化工的

* 这是 2024 年 5 月 31 日，傅向升同志在中部地区现代石化产业链招商推介会的讲话。

传统优势，聚焦化工新材料、高端精细化学品、生物制造以及为新能源、高端制造等战略性新兴产业配套领域，做强做优，为实现石化强国目标做出中部六省的新贡献。

3. 中部六省石化产业的高质量发展迎来了新的机遇

5 月 27 日，习近平总书记主持召开中央政治局会议，审议《新时代推动中部地区加快崛起的若干政策措施》，推动中部地区崛起是以习近平同志为核心的党中央作出的重大战略决策，我们一定要深刻领会党中央的战略意图，坚持创新驱动发展，加快构建现代化产业体系，统筹推进传统产业转型升级，培育壮大新兴产业，谋划布局未来产业；我们一定要瞄准石化强国的目标，既与美国、德国、日本等石化化工强国对标，也与山东、广东、浙江、江苏等石化大省、强省对标，多培育世界一流企业、多打造世界一流化工园区和石化基地；我们一定要按照“十四五”石化发展规划提出的任务目标，认真研究并组织实施好“五项重点工程”，在建设 70 家（岳阳、武汉、九江、安庆、淮北、洛阳、濮阳等在列）重点化工园区上下功夫，在建设智慧化工园区（全国已有 40 家）和绿色化工园区（全国已有 30 家）上下功夫，积极争取高质量发展园区的试点示范，为实现党中央中部崛起的战略部署做出石化产业的新贡献。

中部石化产业基础扎实，潜力强劲，特别是岳阳石化，是一个有着 60 多年历史的老石化基地，像巴斯夫路德维希港基地布局在莱茵河沿岸一样，岳阳石化、武汉石化沿江的区位优势突出，具备建成国内一流化工园区、打造世界先进水平新材料基地的条件和优势。湖南还拥有湖南省化工研究院等创新能力强的省级创新平台和国家级农药创制中心，具有打造石化化工强省的基础优势和良好条件。石化联合会一定全力为湖南和中部六省石化产业的创新发展、绿色转型和数字化升级做好服务，为推动中部六省石化产业的高质量发展做好服务，与中部六省一起为新型工业化和中国式现代化作出石化产业的新贡献！

石化产业发展正处于转型升级的关键时期*

一是今年上半年石化行业运行质量进一步向好，今年前五个月石化行业实现营业收入 6.62 万亿元、同比增长 5%，实现利润 3519 亿元、同比下降 3.4%，进出口总额 3831.4 亿美元、同比下降 3.7%，扭转了去年同期收入、利润、进出口总额大幅下降的状况，呈现总体向好的态势。据此推算，上半年营业收入将达 8 万亿元、利润 4200 亿～ 4300 亿元、进出口总额 4600 亿美元，同比情况将比去年明显好转。

二是石化产业发展正处于转型升级的关键时期，世界化学工业几乎与第二次世界化学工工业革命同步开启了快速发展的进程，二战结束以后世界化学工业又加快由煤化工向石油化工的转型，石化产品和石化材料不断丰富着人们的生活，也不断推动着社会和文明的进步。目前从衣食住行到航空航天、从汽车电子到国防军工，特别是高端制造业和战略性新兴产业，都离不开石化产品和石化材料的支撑和重要保障。可今天应对气候危机、经济高质量发展又对石化产业转型升级提出了新的要求，为应对气候危机要求我们要加快由化石能源向清洁能源的转型，为贯彻“双碳”战略要求我们一边加快推广应用节能降碳新技术，一边推动石化产业加快绿电替代和与绿氢耦合发展的转型；为适应国家重大战略和重点工程配套所需，石化产业正在通过创新驱动发展战略向高端化、差异化转型；为适应新时代高质量发展的新要求，石化产业正在加快布局优化、原料结构优化和产品结构优化的调整与转型，通过组分炼油、分子炼油、短流程反应过程、新催化技术、高效分离技术、新一代信息技术的创新与应用，石化产业也正在推进原料轻质化、生产绿色化、过程低碳化、管控智能化的转型。可见今天的石化产业正处于转型升级的关键时期，我们各石化园区和

* 这是 2024 年 7 月 19 日，傅向升同志在 2024 海南自贸港儋洋经济圈石化新材料产业投资推介会的致辞。

广大石化企业，都是这次发展转型的亲历者和推动者，不仅为这次发展转型作出重要贡献，而且将载入石化产业高质量发展的历史史册！

三是洋浦与宁波是我国石化产业高质量发展的两大重要基地，宁波石化基地是国务院规划布局的“七大石化基地”之一，是目前国内炼化一体化基地规模最大、产业链协同好，不仅是国家新型工业化示范基地、循环化改造示范试点园区，而且是国家级绿色园区、智慧化工园区，其管理规范、整体竞争力高，正在向世界一流石化基地迈进。洋浦经济开发区已形成千万吨炼油、百万吨乙烯以及聚酯、新材料一体化、产值过千亿的石化基地，特别是中国石化海南炼化新建百万吨乙烯装置去年投产以来，洋浦主攻石化新材料的原料优势和延链补链强链的基础条件更为突出，洋浦也正在对标世界一流化工园区强化创新、加快转型；还有一点就是洋浦地处南海，是我国油气勘探开采和天然气生产重点区域，有着发展石化产业的资源优势和上游原料优势。

实际上，洋浦和宁波都是中国石化、中国海油等大型骨干企业重点发展的新材料基地，都具有沿海的区位优势，洋浦又多了自贸港的许多政策优势和国内顶尖、以基铭院士领衔的、由多位院士组成的院士工作站。宁波和洋浦发展石化的良好基础和许多共性以及各自的特殊优势，是我国石化产业高质量发展的重要支撑，是我国实现石化强国目标的前哨阵地和示范引领高地。“十四五”发展规划提出的，培育五大世界级石化产业集群的发展目标和部署，宁波和上海是杭州湾世界级石化产业集群的两大主体基地，洋浦是泛大湾区世界级石化产业集群的重要一极，特别是洋浦自贸港的特殊政策优势和面向东南亚、辐射陆海西部大通道的区位优势，都将成为打造世界级石化产业集群的独特优势和重要支撑。洋浦与宁波石化产业的协同发展，必将开启我国石化产业协同创新、优势互补、差异化、高端化的新征程，宁波和洋浦这两大石化基地互为支撑、协同发展，我国沿海石化产业将形成环环相扣、链链相连的、整体具备国际竞争力的世界一流石化产业集群，这必将对我国众多石化园区产业协同、低碳转型和高质量发展产生重要而深远的影响。

真诚地希望宁波敞开怀抱、洋浦创造一切条件，实现宁波与洋浦石化产业的深度合作与产业链协同，在合作与协同中实现共赢，在合作与协同中共同迈向高质量发展的新未来。助推宁波和洋浦在合作与协同中为实现石化强国目标和中国式现代化做出宁波和洋浦的新贡献！

新形势　新战略 *

11 月 6—16 日，中国石化联合会代表团出访了日本、德国和希腊，时间虽然短暂，但行程安排紧凑，参加了“中日石化产业会议”“欧洲化工会议”“国际化工协会联合会（ICCA）会员大会及董事会”，还访问交流了日本和德国的 8 家知名化工企业，访问团成员以企业家为主，还有行业协会、化工园区、工程咨询和大学研究人员，全体团员都感慨时间紧、行程满、收获多，现将这次出访和访问交流的情况简要汇总如下，以便行业同仁交流和参考:

一、日本化学工业基本情况

11 月 6 日，航班一降落在东京羽田机场，我们访问团一行就急急忙忙赶往“中日石化产业会议”会场，中餐是在机场到会场的大巴上解决的。当天下午的全体大会由双方协会领导致辞和介绍中日两国石化产业的发展现状，中日双方的企业家们分别探讨了未来趋势与循环经济的内容；第二天上午的分科大会（即分论坛），中日双方企业家代表又分别介绍和交流了“碳中和举措”“绿色可持续发展”“化学品监管”等内容。从中日石化产业会议全体大会的内容我们了解到日本石化产业的现状概括如下: 2021 年日本石化产业的销售收入是 48.114 万亿元日元。2023 年日本化工产品出口额约 13.3 万亿日元，同比下降 6%，进口额约 13 万亿日元，同比下降 13%；与中国的业务出口约占 60%、进口约占 2/3。对中国出口为 3.5 万亿日元，从中国进口为 2.5 万亿日元，也就是日本对中国化工产品的顺差是 1 万亿日元；在产品结构上看，出口与进口都是 50% 是塑料制品和有机化工产品。

日本石油化学工业协会预测，全球乙烯、聚乙烯的需求近几年将继续以 500 万吨 / 年在增长，特别是乙烯产能主要以中国为中心的亚洲为代表，对全

* 这是 2024 年 11 月，傅向升同志出访日本、欧洲后的收获与体会。

球乙烯增量的贡献在73%左右。在日本石油化工协会预测全球基础化学品需求、乙烯产能继续扩大的同时，也预测日本国内市场将趋于成熟、需求稳定，需求低迷，乙烯的运转率将在低位徘徊。特别是日本国内的乙烯生产设备严重老化加重，半数以上投产运行已超过50年，2014年以来已停产了3套乙烯生产装置，由原来的15套减少为现在的12套，产能由原来的740万吨/年，下降到现在的620万吨/年。

日本石油化工协会也谈到，下一步一是为了安全稳定运营而提高安全水平和推进智能化；二是根据世界石化产业的发展趋势，在不断优化老旧设备运营稳定和竞争力的同时，推进高附加值产品的转换，如工程塑料、半导体材料、蓄电池材料、显示器材料、水处理等；三是面向2050年碳中和，加快向绿色化工产业的转型，大力发展循环经济和可持续发展。

日本化工协会在谈到日本化工产业今后发展战略与展望时，特别分析了全球竞争的加剧和风险增大、内需减少、能源及原材料价格高涨以及面向2050年碳中和的应对。重点强调了为应对碳中和化工产业的原料转换与燃料转换，原料转换主要是由目前的化石原料向未来的生物质原料、废弃物循环利用、二氧化碳制化学品等转换；燃料转换主要是外购电和自备发电向购入绿电和可再生能源及核能化，生物质燃料以及氢能、氨气等的利用。总之，按照日本化学工业协会2023年3月17日发布的新目标“到2030年，化工产业温室气体排放的绝对量比2013年度削减23%的二氧化碳当量”，不仅从产品整个生命周期来优化碳排放量，而且通过产品生产过程的低碳化减排、产品的高功能化帮助下游减排和通过创新置换成低碳或脱碳产品。

通过这次出访与交流，使我进一步感受到中日石化产业不仅市场互补性强，而且技术互补性、产品互补性都很强。以日本化学工业协会数据为例，2022年日本出口全部化学品高于8.53万亿日元，进口化学品7.86万亿日元；出口量最多的是塑料材料2.42万亿日元、第二的是有机化学品1.56万亿日元、第三的是香精香料0.91万亿日元、第四的是医药产品0.84万亿日元。进口量最多的是医药产品3.2万亿日元、第二的是有机化学品1.67万亿日元、第三的是塑料材料0.88万亿日元、第四的是无机化学品0.59万亿日元。

2022年日本化学品出口市场以亚洲为主，占出口总额的70.9%，进口也是亚洲占比最高37.8%、西欧35.7%、北美20.2%。中国2022年进出口总额1.05万亿美元，其中进口6901.3亿美元，出口3564.8亿美元，贸易逆差3336.5

亿美元；2023 年进出口总额 9522.9 亿美元，其中进口 6357.5 亿美元，出口 3165.3 亿美元，贸易逆差 3192.2 亿美元；2024 年前 9 个月，进出口总额 7157.7 亿美元，其中出口额 2419.2 亿美元，进口额 4738.5 亿美元，贸易逆差 2319.3 亿美元。中国出口量多的是基础化学原料、橡胶制品、合成材料；而进口量多的高性能材料等高端产品。我们又是隔海相望、一衣带水的友好邻邦，坐飞机到东京比到广州、海口还方便，可见中日石化领域的合作不仅互补性强，合作又有着十分便利的区位优势。

二、欧洲化工产业基本情况

欧洲化工产业一般以欧盟 27 国为统计口径，欧盟 27 国无论是经济、工业，还是化学工业，德国为其龙头。我们这次访问的就是德国，从这次访问和交流过程中我感受到，欧洲化学工业因受俄乌冲突的影响，当前遇到了比其他地区更为严峻的挑战，但其总体来看，欧洲化学工业仍然是世界石化产业的“三个强极”之一（另两个是北美和东北亚），德国作为欧洲的代表是世界石化产业第一梯队的国家（另两个是美国和日本）。德国化学工业伴随着第二次工业革命，相继诞生了拜耳（1863 年成立）、巴斯夫（1865 年成立），特别是 1871 年铁血宰相俾斯麦统一德意志民族、建立德意志帝国以来，德国就以欧洲强国而立。德国化学工业也始终引领着世界化学工业的创新与发展，看看获得诺贝尔化学奖科学家的数量则一目了然，20 世纪上半叶获得诺贝尔化学奖的科学家德国独领风骚。进入 20 世纪下半段以后，美国获诺贝尔化学奖的人数，才逐步赶上和超过德国。所以我认为，当前欧洲特别是德国石化产业，虽然遇到了比其他地区更为严峻的挑战，但欧洲特别是德国石化产业的基础影响甚微，产业水平、创新能力、管理水平、人才队伍都在，伴随世界经济大环境的转好和俄乌冲突过后，欧洲特别是德国石化产业还将会呈现良好的发展。这也就是巴斯夫同行的判断：长期看，欧洲对化学品的需求是稳健的。现在我们从欧洲化工理事会（CEFIC）的统计数据来看看欧洲的化工概况：

欧盟 27 国化学品销售额：2018 年 5410 亿欧元，占全球总额的 15%；2019 年 5460 亿欧元，占全球总额的 14%；2020 年 5060 亿欧元，占全球总额的 14%；2021 年 6180 亿欧元，占全球总额的 14%；2022 年 7600 亿欧元，占全球总额的 14%。这次欧洲化工会议上，欧洲化工理事会公布的 2023 年数据是

6550亿欧元，全球化工总的销售额是5.042万亿欧元，即欧盟最新占比13%。

我们再以2022年欧洲化工理事会的统计数据来看看欧洲化学工业的构成：销售额7600亿欧元中，按行业分：石化产品占27%，特种化学品25%，聚合物19%，基础无机化学品16%，消费化学品13%。按国家分：德国占30%，法国18%，荷兰11%，意大利9%，西班牙8%，比利时7%，其他17%。

2022年欧盟化学品出口额2400亿欧元，特殊化学品最高占30%，石化产品占26%，聚合物18%，消费化学品16%，基础无机化学品11%。2022年欧盟化学品进口额2380亿欧元，石化产品最高占41%，特殊化学品占23%，聚合物17%，基础无机化学品15%，消费化学品5%。

在此多说一句：根据中国国家统计局数据，2022年全行业营业收入16.56万亿元，按欧元年均汇率7.082、折算为2.34万亿欧元；剔除其中的油气板块，炼油板块（5.19万亿元）与化工板块（9.56万亿元）相加，为2.08万亿欧元，占当年全球5.43万亿欧元（据欧洲化工理事会数据推算额）的38.36%。所以，我们讲"中国化工产品销售额占世界总量的40%左右"，是符合基本情况的。这次访问交流过程中，我们与欧洲同行有着同感：在当前不确定性因素增加的情况下，中欧经贸合作更显重要，中欧石化领域的合作要走在前面。

三、访问交流公司的基本情况

在这次出访参加国际会议的间隙，充分利用在外的时间，多访问几家跨国公司并与之交流，了解跨国公司的发展历程，学习借鉴跨国公司的发展经验，为推动石化产业的创新发展、绿色转型和高质量发展多思考，为编制"十五五"发展规划提供借鉴。现将这次先后访问公司的基本情况简要梳理如下：

1. 三井化学

三井化学的前身是1912年成立的三井矿山株式会社，1913年是日本第一家企业实现人工合成染料，1924年也是日本第一家企业实现人工合成氨，是开启日本化学工业的先驱。二战结束以后实现了向石油化工的转型。1997年10月1日由三井石油化学工业公司与三井东亚化学公司合并成立三井化学株式会社，总部在东京。主要从事基本石化原料、合成纤维、基础化学品、合成树脂、精细化学品等，以石油化工和基础化学品、功能性材料为核心业务。三井化学2023年经营业绩销售额1.7万亿日元，利润500亿日元。

2. 住友化学

成立于 1913 年，当时是为解决铜矿冶炼的烟害，回收烟气中的硫磺生产肥料而成立的。住友成立之初就把“不追求短期利益，张弛有度，服务于社会发展（住友家法）”作为家训。住友化学现有四大业务板块：农业和生活环境解决方案，ICT 和移动解决方案，先端医疗解决方案，基础化学品和绿色材料研究。住友碳中和的目标是 2030 年削减 50%，2050 年实现净零，住友的具体方案除了技术的进步实现减排以外，还有化石燃料向不排放二氧化碳的能源转换，化石原料向碳资源的循环转换，尤其是在碳资源循环方面，一是垃圾生产乙醇进而制造聚烯烃，二是通过直接分解废塑料制造烯烃，三是由废塑料到合成气制乙醇再到烯烃和聚烯烃，四是二氧化碳制造酒类再到烯烃和聚烯烃。二氧化碳制甲醇 2028 年完成实验验证，垃圾制乙醇再到聚烯烃 2025 年上半年千叶工厂设备运行，以制造丙烯为主，同时副产氢气。住友化学上一年度（2023 年 4 月—2024 年 3 月）经营业绩销售收入 2.45 万亿日元。

3. 日本化学工业报社

总部在东京，是日本最大的化学工业的专业报社，专注于化工领域的信息通信与交流，以每日发行大版面内容的纸媒为主，正在构建数字化平台。日本化学工业报社与中国石化行业联系密切，与中国石化联合会合作渊源已久，織田岛修董事长告诉我们他自李勇武会长时期就与中国石化联合会开展交流合作，也是“中日石化产业会议”的发起单位，每年石化行业的很多重要会议他们都参加，并采访和及时报道。交流过程中他们把第一版显要位置刊有前天“中日石化产业会议”报纸分发给我们，我们发现报道内容很具体，观点和论点把握得都很准确。这次会面就绿色低碳、塑料回收、化学品安全以及今后的合作，都进行了深入而充分的沟通。

4. 巴斯夫（BASF）

成立于 1865 年，是德国也是全球最大的化工公司，连续多年一直高居全球化工 50 强榜首。其业务遍及全球 91 个国家，239 个生产基地，分六大业务领域：包括化学品、材料、工业解决方案、表面处理技术、营养与护理以及农业解决方案。巴斯夫在中国的上海化工区、南京江北新材料科技园、重庆长寿化工园区都建有主要的生产基地，在湛江临港工业园正在建设巴斯夫一体化新材料基地。巴斯夫 2023 年销售收入 689 亿欧元，息税折旧前利润 76.7 亿欧元；今年前 9 个月实现销售收入 494 亿欧元，息税折旧前利润 62.91 欧元。

5. 默克（Merck）

1668 年成立，位于德国达姆施达特市，是一家全球领先的科技和医药公司。当年默克家族收购了当地的一家天使药店更名为默克天使药店，从生产一些草药产品开始，后来经从草药中提取生物碱技术，掌握了吗啡的提纯技术，奠定了默克作为德国生物碱生产领导者的地位，到 19 世纪 20 年代开始了药品成药的生产，逐步发展成为一家化学制药厂。今天的默克在医药、生命科学和液晶显示领域全球领先，业务遍及 66 个国家，全球有 6.4 万名员工。默克的生命科学专注于全球生物医药和生物技术行业提供创新解决方案。默克健康关怀致力于研发和生产创新药物，包括肿瘤、神经科学、免疫学和感染病等多个治疗领域。默克电子化学品聚焦智能科技和未来移动方案，包括电子、汽车、建筑和太阳能等；产品包括涂料、涂层、液晶技术和高性能塑料等。

6. 科思创（Covestro）

前身是德国拜耳公司（1863 年成立）的材料科技板块，2015 年 9 月从拜耳分立出来，主要是聚氨酯和聚碳酸酯两大材料领域的领导者，其产品主要应用于汽车与交通、建筑、家具与木材加工以及电子、电气与家电行业，还包括运动休闲、化妆品、医疗及化工行业等。目前在全球有 50 个生产基地，约 1.8 万名员工。2023 年销售额 143.8 亿欧元，利润 7.07 亿欧元。

7. 赢创（Eeonik）

赢创在德国马尔化工区内，马尔化工区占地 6 平方公里，1938 年规划建立工业园区，1988—2006 年发展为化工园区，园区内有公路 55 公里、铁路 100 公里、管廊 1200 公里，有赢创、陶氏、英力士、林德气体、萨索尔等 12 家企业，有 1 万多名员工。马尔化工园区是赢创最大的生产基地，赢创是全球领先的特种化学品公司，是 2007 年 9 月整合德固赛（1873 年成立）业务后新成立的工业集团，2023 年销售额 152.7 亿欧元，遍布 100 多个国家和地区，有 3.3 万名员工。赢创一直非常重视创新，研发重点有锂离子电池材料、工业催化剂、高性能聚合物、护理化学品及油田添加剂等，研发投入约 4.4 亿欧元，有 2500 人从事研发工作。

8. 汉高（Henkel）

成立于 1876 年，总部在德国杜塞尔多夫，主要业务是胶黏剂和日用化学品。汉高的竞争优势来源于创新、可持续发展和数字化，其胶黏剂产品在电动汽车、建筑、消费者品牌以及包装等方面世界领先。汉高销售额的 50% 来源于工业领域，汉高给我们重点介绍了新能源汽车用胶黏剂的情况。汉高在中国的 17 个城市、建有 23 个工厂和办事处，有 4000 多名员工。汉高去年销售额 215 亿欧元，息税折旧前利润 17.77 亿欧元，其中在中国的销售额 107.9 亿欧元，约占汉高销售总额的 50%。今年上半年汉高的销售收入 108 亿欧元，同比增长 2.9%，息税折旧前利润 16.1 亿欧元，同比增长 28.4%。

四、这次出访的主要收获与体会

这次出访虽然时间很短，除了出席“中日石化产业会议”“欧洲化工会议”“国际化工协会联合会会员大会和理事会”以外，工作日公务、夜晚旅途，尽量利用在外的时间，多访问几家跨国公司并进行深入交流。这次出访分别与日本石油化学工业协会、日本化学工业协会、欧洲化工理事会、国际化工协会联合会的会长、主席和总干事进行了交流，并访问了三井、巴斯夫等 8 家跨国公司，就石化产业现状、未来发展趋势、面临挑战以及可持续发展、绿色转型、循环经济、应对气候危机、化学品监管等议题进行了广泛的探讨和交流，诸多问题达成共识，很多议题颇有收获，体会良多、启发良多：

1. 这次出访感觉到对中国的关注度越来越高

无论是在日本，还是在德国、希腊，无论是与企业家交流，还是与日本行业协会、欧洲化工理事会（CEFIC）、国际化工协会联合会（ICCA）交流，无论是欧洲化工会议的主讲人，还是对话环节的被访谈人，甚至是对华友好人士原中国欧盟商会主席伍德克先生和对华持强硬立场的原北约秘书长斯托尔滕贝格，似乎开口必谈中国；每场会议以及餐叙和茶歇过程中，被提到最多的是“CHINA”，谈得最多的是中国的发展速度、中国的产业规模、中国的竞争力等，问得最多的是“中国石化产业是不是基础产品与高端产品齐步发展？其竞争力很快就会超过欧洲（西方）了？”通过这次出访和交流，特别是欧洲化工会议和国际化工协会联合会的会议上，使我感受最深的不仅仅是中国的被关注度大大提高，而且是中国石化产业的全球规模和地位以及影响力都大幅提升。我们所传递的就是中国正处于发展阶段，正处于全力推动工业、经济和社会高质量发展的新阶段，发展仍然是中国目前最重要的主题和任务，只有发展才是尽快解决人民对美好生活的向往与发展不平衡不充分矛盾的唯一办法，发展得快一点、发展速度高于其他主要经济体是正常的；中国的发展对世界经济增长也是重要贡献，多年来中国的发展为全球经济增长的贡献都在 30% 左右，今年前三季度中国经济总量已达 95 万亿元人民币，同比增长 4.8%，环比是连续第九个季度正增长，正如国际货币基金组织和世界银行讲的“仍然是世界增长的主要引擎”；中国石化行业今年前三季度的经济运行总体平稳，呈现筑底态势，主要石化化工产品和合成材料的生产和消费都增长较快，全行业前三季度营业收入同比增长 3.5%，虽然效益的情况挑战更大一些，但今年中国石化产业从前三季度的同比数据看将会是“筑底企稳”的一年。中国石化产业的结构来看，基础产品和通用材料规模是世界领先的，这种规模效应不仅是中国市场保供稳价的基础，也是世界石化产业链供应链稳定与韧性的重要保障。虽然中国石化产业当前整体的生产装置及其生产水平与世界水平基本相当，但是高端产品和高性能材料与欧美日等发达国家和地区相比中国这方面的短板还比较明显，特别是功能化学品、高端聚烯烃及其专用料、高端膜材料等差距更大一些，创新能力和创新水平与欧美日相比差距也是明显的，基于这样的现状正是中国石化领域与欧美日优势互补之所在，也是中国石化产业与欧美日下一步合作空间和潜力之所在。这也正是原中国欧盟商会主席伍德克先生演讲时所言：中国是欧洲重要的合作伙伴，对于跨国公司借用中国一首老歌的名字“是走还是留”？一定要留！一定要深耕中国！

2. 这次访问过程中感觉对世界经济的不乐观氛围普遍较浓

无论是与日本企业家还是欧洲企业家交流，甚至在多个会议上的演讲人，都对今年的全球经济悲观情绪比较普遍，甚至有的企业家对接下来两年的经济发展也是信心不足；特别是美国大选的结果刚刚揭晓，几乎所有会议代表对特朗普再次当选将带给世界哪些不确定性都表示了担忧。有的企业家也关心中国目前的这个发展速度能保持几年？我们交流了中国今年前三季度 GDP 同比增长 4.8%、实现全年增长 5% 左右的目标是可能的，并进一步分析现在中国经济的总量基数大了，即使从增速看不如以前 8% 甚至 10% 高了，可按年均汇率计算近几年增量一直都保持在 1 万亿美元上下，这样的增量就相当于排名第 20 位左右一个国家的年经济总量，可见这个增量也是不小的，这也就是多年中国对世界经济增长贡献 30% 的原因，我们相信中国经济这种增势即年增量保持在 1 万亿美元左右将保持 10 年甚至更长一段时期。因为发展是实现中国式现代化的最重要途径和最重要的政治任务。在与巴斯夫等跨国公司交流时，我也谈到从今年前三度石化领域跨国公司公布的季度报预测，多家公司今年的经营业绩将好于去年，明年将会好于今年，大多数企业家表示认同。

3. 国际石化界应对挑战有着广泛共识

无论中日石化产业会议，还是欧洲化工会议、国际化工协会联合会会议，无论与三井化学、住友化学高层交流，还是与巴斯夫、科思创、赢创、汉高等高层交流，无论是日本化学工业协会会长岩田圭一先生，还是欧洲化工理事会总干事马克先生，对于应对目前和未来石化产业面临的诸多新挑战都有着广泛的共识，为应对气候变暖而减碳降碳、加快绿色低碳转型、大力发展循环经济，国际石化领域业界同仁在加快石化产业原料转型、能源转换、生物质化学品与材料等方面不谋而合，特别是企业家们都在积极研究对策、采取行动；为应对人们对石化产品和化工材料的不理解和不科学、不客观的对待，巴斯夫的马丁先生、也是 ICCA（国际化工协会联合会）的理事会成员这次提出了组建由科学家组成的 IPCC 委员会，主要是为政策制定者、政府决策和国际公约的达成提供咨询、科学建议与方案；为应对当前化学品监管、新化学物质登记与管控、PFAS、塑料公约等管控新规和即将达成的国际公约，大家也都进行了深入的讨论。国际同行与我们有着广泛的共识，共同认为对于化学品的监管与管控要建立在对化学品危害性科学规范的评估基础上；对于 PFAS，鉴于含氟材料的优越性能和某些应用领域的重要性及不可替代性，在科学评估的前提下制定管控措施；对于正在韩国釜山 INC-5 研究的塑料公约，国际同行们都表示支持达成科学公正的塑料公约，但大家认为，所达成的公约应只涉及塑料，不应涉及化学品；与各国政府沟通不同意塑料的减产、限产。我们认为：一是塑料自诞生以来为人类文明和社会进步作出了重要贡献，如果今天没有了塑料、再回到金属时代，汽车、家电、飞机等等完全是钢铁的或铝合金的，不仅是汽车行驶、飞机航程要消耗更多的能源、排放更多的温室气体，而且在生产这些钢铁、铝材等金属材料的过程中，也必将消耗更多的能源与铁矿石、铝矿和煤炭资源，试想一下今天的空气质量、生态环境是更好？还是更差？那一定是更差！二是这几天在釜山就达成塑料公约时间稍显仓促，一般一个国际公约从提出到达成，过去都用时七八年时间，而这个塑料公约草案的提出是在 2022 年 3 月，到今天只有两年半时间，既没有充分的论证，更缺乏科学的评估。三是塑料种类繁多，性能各异，不仅应用领域不同，生产用原材料也不同，使用后的处理和归途也不同，应对不同塑料种类危害性科学评估的基础上，达成共识、形成公约是可取的。四是不能凭感觉减产、限产，过去塑料使用以后随便丢弃，确实给生态环境、江河湖海造成了污染，为了解决塑料污染废塑料的回收和资源化再利用也是一条有效路径，并且经实验证明是可行的，通过物理循环和化学循环是可以有效解决塑料污染问题的，所以应加大塑料循环资源化再利用的研发和政策支持。

4. 跨国公司当前的最新动向值得关注

这次访问交流与以往出访不同的一是使我更加感受到跨国公司对绿色转型、生物质和循环经济的重视程度及其迫切性都大幅提升，三井化学、住友化学以及巴斯夫、科思创、赢创、汉高等都高度重视绿色低碳和清洁能源的转型，都高度重视循环经济和生物质化学品和材料的创新与研发，三井化学的生物质石脑油和废塑料裂解油制烯烃以及氨燃烧、住友化学的 PMMA 回收再利用以及垃圾和废塑料制乙醇进而制烯烃（以获得丙烯为主）和二氧化碳制甲醇、巴斯夫在路德维希港基地已建成世界上第一套工业化绿电裂解代替蒸汽裂解的石脑油裂解制烯烃的装置运行稳定，科思创的聚碳酸酯工程塑料循环利用和生物基苯酚、赢创把向生物质转型确定为“新三大战略”之一，赢创认为生物基主要是利用生物技术开发解决方案，改善人们的健康水平和生活质量，节约能源和资源，保护生态系统。这些创新和转型方向都给我留下了深刻的印象。

二是这次访问和交流使我更加感受到跨国公司正在加快战略调整和新的布局。科思创，以 128.7 亿欧元被阿布扎比国家石油公司并购，即石油巨头正进入高科技化学品和材料领域。这是今年欧洲化工行业最大的一笔并购交易，在科思创访问时我特意谈到科思创自从拜耳分离出来以后，近十年来主导产业和核心竞争力一直很强，发展得很好，这笔并购的主要考量是什么呢？科思创全球董事、首席商务官 Sucheta Govil 女士告诉我这一并购谈了很长时间，可谓是好事多磨，当几次起伏、深入沟通后，科思创决策层认识到这是有利于科思创发展的难得机会，关键是双方管理团队的相互欣赏和尊重以及理念的共识，更重要的是科思创从管理层到每一位员工对这一并购都沉浸在喜悦中，最终科思创董事会同意了这一收购邀约，与阿布扎比石油公司达成一致。

另一个代表是索尔维，2023 年 12 月宣布，将特种材料和化学品拆分出一家全新的公司 SYENSQO（刚刚确定中文名称是：世索科，SYENSQO 的同事告诉我：寓意“世世代代探索科学”），将作为一家科技企业，通过创新为轻量化、电气化、数字化、提高资源效率和生物材料等领域的颠覆性技术服务。索尔维保留了传统的业务：纯碱、过氧化物、二氧化硅、溶剂和稀土。

SYENSQO 包括特种聚合物、复合材料、表面活性剂、芳香剂、技术解决方案、石油和天然气，以及电池、绿色氢能、热塑性复合材料和可再生材料以及生物技术“四个增长平台”，包括原索尔维的氟化工业务。今天 SYENSQO 的掌门人是欧洲化工协会的轮值主席，在这次雅典召开的国际化工协会联合会上又被刚刚选举为 ICCA 的新主席。

这次访问过程中第二个案例是赢创最新发布全新创新战略，聚焦生物基、能源转型、循环经济三大领域，并确立为三大核心创新增长领域，预计 2032 年比 2023 年实现 15 亿欧元的新增销售额。赢创 CEO 库勒曼先生宣布“我们的行业正在全球范围内经历根本性结构变革”。只有将所有资源与最强大的业务保持一致，赢创才能以必要的速度抓住这些市场的增长机会。

这次访问过程中第三个案例是巴斯夫的新战略，核心业务与自主业务差异化管理，核心业务将聚焦于化学品、材料、工业解决方案、营养与护理等，这些业务与巴斯夫的价值链高度关联，通过创新产品和运营效率保持竞争优势。自主业务主要是环境催化剂、电池材料等，这些将专注于市场，赋予更大的战略灵活性以应对各自市场的需求。巴斯夫还宣布对路德维希港生产基地进行全面调整，部分低效资产已被关停。主要目的是优化资源利用，提高成本效率，并加强在核心领域的竞争力。这次访问和交流过程中，欧洲同行还告诉我们：长期看欧洲对化学品的市场需求是稳健的。日本同行告诉我们：日本在基础化学品方面不再具有优势，将通过创新聚焦于高性能材料和功能化学品，并增强其竞争力。

三是这次访问过程中使我更加感受到为应对当前世界经济的低迷跨国公司都在“瘦身”。三井化学已宣布，决定退出苯乙烯丙烯酸树脂及聚酯树脂业务（主要为碳粉胶黏剂配套），将于 2025 年上半年停止生产。三井化学表示：因价格竞争加剧、原材料价格上涨以及新冠疫情后工作方式的改变导致印刷需求的下降，业务盈利性日趋严峻，收益无法维持业务存续而退出该项业务。实际上，近年来三井化学正加快业务重组和高性能产品转型升级，以提高竞争力。已相继关停日本岩国大竹 40 万吨 / 年 PTA 和 14.5 万吨 / 年 PET 工厂，将关闭（2026 年）千叶县 19 万吨 / 年苯酚工厂，出售裕廊岛三井苯酚公司。

赢创对非核心业务也在进行大规模重组，或被出售或关停。这涉及胶黏剂和密封剂或轮胎添加剂的液体聚丁二烯，以及用于医疗和包装行业的特种丙烯酸树脂，位于德国哈瑙的药用酮酸生产基地也将于 2025 年停产。涂料和胶黏剂树脂业务的聚烯烃业务将作为 C_4 业务的一部分出售。这种业务调整和重组都是为了释放内部更多的增长潜力。

其他还有朗盛也在剥离或出售非核心业务，优化业务结构，朗盛出售其聚氨酯系统业务给日本宇部兴产，退出聚合物业务，专注于特种化学品领域。三菱化学 2021 年宣布，退出石油化工和煤化工业务。决定在未来几年内退出石油化工和煤化工业务，将电子、健康与生命科学定位为战略重点，同时进一步提高在化学品、聚合物、薄膜和成型材料等功能材料领域的竞争力。今年 9 月三菱化学宣布，将三醋酸纤维业务转让，实际上三醋酸纤维是三菱化学的独有技术，是由天然纸浆的植物纤维经过特殊化学处理制成的半合成纤维，全球只有三菱化学掌握该技术，并已在全球内衣、家具领域获得丰硕成果。陶氏化学因全球聚醚多元醇供应过剩，阿根廷工厂持续开工率低，难以维持，而将阿根廷多元醇工厂关闭以后，又宣布将于 2024 年底关闭台湾南港工业区的聚醚多元醇 / 烷氧化工厂；此前陶氏化学计划于 2025 年底前关闭得克萨斯环氧丙烷工厂。LG 化学宣布，今年关闭韩国丽水的烧碱生产线，涉及产能 32 万吨 / 年，实际上 2021 年底 LG 已经暂停了同一地点的 2 号生产线。

为应对世界经济增长乏力和行业竞争加剧以及市场的变化，也是为了应对近两年盈利下降，跨国公司正在展开较大规模的战略重组和业务调整，通过“瘦身”、优化业务结构，出售剥离非核心业务资产，以减缓财务压力，寻求新的突破口，迎接新一轮周期和新的发展机遇的到来。跨国公司认为：在当前形势下剥离非核心业务可以帮助企业减轻债务负担、盘活资金、优化资产结构，进而回归主业或调整主业方向，提升核心竞争力，这是战略调整的一种方式，也是应对市场竞争的重要举措。这对我们过分重投资、重规模的传统发展理念和思路会否得到某些启示?

总之，我们这次出访和交流，向国际同仁和跨国公司传递的主要信息概括起来：一是加强技术合作，而不是“小院高墙”，通过技术合作推动共同进步，特别是为应对气候变化的节能降碳新技术、绿色转型新技术以及清洁能源、循环经济、数字化转型等方面的新技术，通过技术合作和协同技术攻关，缩短研发周期、提高研发效率，加快这些新技术的应用，共同加快全球石化领域的节能降碳和绿色化转型，共同为应对气候危机和保护人类做出石化领域的新贡献。二是加强产业链合作，而不是“脱钩断链”，各地区有各地区的优势，各国有各国的强项，北美海湾地区有资源优势，美国、德国、日本以及法国、英国、比利时、荷兰等国有高端产品和高性能材料、功能化品很强的优势，中国有全产业链和基础化学品、通用材料的配套优势，加强产业链合作就能够优势互补，增强产业链供应链的韧性，提升生产的稳定性，增强企业的竞争力。三是加强贸易合作，而不是贸易保护，贸易合作是经济合作的重要方面，贸易自由和畅通是促进经济繁荣的重要因素，历史的经验和实践告诉我们，什么时候贸易畅通、活跃，世界经济就发展得快，近年来世界经济增速放缓、跌入了低谷，有新冠疫情的影响，主要还是深受自 2018 年以美国为首发起贸易战、对进口产品加征关税、贸易保护主义抬头影响造成的，只有加强贸易合作重振贸易繁荣，才能早日促进世界经济重现繁荣周期。四是加强携手合作，而不是各自为政，世界经济一体化、各国携手合作是实现高质量发展、应对危机与挑战的正确方向，无论是可持续发展、责任关怀、绿色低碳等理念与共识，还是应对化学品管控、塑料公约等新的挑战和气候变暖人类生存危机，在风险评估、数据库建设等方面都需要我们携手合作和行动一致，否则挑战会更加严峻，危机将进一步加重。

以上是这次出访的过程与收获和体会，因时间仓促，也许有偏颇之处，仅供工作交流与参考。不妥之处敬请批评指正。

转变与转型 聚焦高质量发展*

2025 年 3 月 20—28 日，中国石化联合会代表团 13 人参加了在休斯敦召开的“2025 世界石化大会”并参观访问了几家跨国公司，无论是大会期间，还是访问过程，与参会代表和访问企业，都进行了坦诚而深入的交流，我们代表团都感到收获满满。

一、这次出访的概况

这次出访主要是应标普全球邀请到美国参加“2025 世界石化大会”，应韩国 SK 邀请访问 SK，并与韩国化学产业协会共商今年“中韩石化产业大会”的方案。

借此机会，除参加在休斯敦召开的世界石化大会外，共访问考察了 10 家单位，分别是 7 家企业、1 家团体组织、1 家大学实验室、1 家协会。在有效的时间内都进行了深入的交流与探讨，每位团员都说时间紧、日程满、收获多。

1. 大休斯敦伙伴

成立于 1989 年，是一家会员制的社会组织，也相当于是一家中介组织，主要以商贸合作、公共事业为主，可以帮助到休斯敦投资或开展商贸活动的单位，做先期项目研究、选址、咨询服务，以及争取政策支持等。这次交流中也达成共识：可以帮助拟到中国来投资的跨国公司与石化联合会对接。

2. 贝克休斯

是一家知名的为油气领域服务的公司，主要为能源领域和工业领域提供技术服务，在全球 120 多个国家有 5.8 万名员工，为能源领域可提供碳捕集服务，为工业领域可提供工艺解决方案和设备运行状况在线监测，基于在线数据

* 这是 2025 年 3 月，傅向升同志带团参加 2025 世界石化大会的报告。

分析设备运行状况，给出优先维修方案，节省运营成本，如百万吨乙烯的压缩机等；新能源转型方面的订单较多，可持续能源管理在美国、中国、中东都有应用。

3. KBR

是2007年从哈里伯顿独立出来单独上市的一家工程与技术公司，今天的KBR以高科技、数字化和创新引领发展。KBR主要提供技术解决方案和催化剂业务，特别是为炼油、石化和合成氨领域提供催化剂和技术创新方案，国内很多合成氨装置、炼油装置都是应用KBR的催化剂，近年来国内多套双酚A和聚碳酸酯工程塑料装置、多套烷基化装置都是KBR转让的成套技术。KBR的首席商务官自豪地告诉我们，40多年前KBR为中国化肥工业的技术引进和建设与发展作出了重要贡献。因为KBR合成氨技术与催化剂的传统优势来自被重组的凯洛格公司，自上世纪60年代以来已在全球范围内授权和设计了230多套合成氨装置，为世界粮食的贡献约40%。KBR非常重视在中国的业务和发展，认为中国是过去几十年和未来几十年石化产业发展最快、最大的市场。

4. 卫星石化

成立于1992年，主要以轻烃为原料制烯烃，进而生产聚烯烃、有机化学品等。去年营业收入456.5亿元、同比增长10%，实现归母净利润60.7亿元、同比增长26.8%。现有乙烷加工能力500万吨/年，未来的目标是1000万吨/年；其中在连云港有2条乙烷裂解制乙烯生产线，每条线125万吨/年。

这次重点是现场考察了卫星石化在休斯敦地区的乙烷码头，该码头是美国目前主要的3个乙烷码头之一，已投用6个泊位，分别是3个液体码头、3个气体码头；第7个泊位正在建设中，这个码头乙烷、丙烷都可以装卸，装船速度是3万桶/小时，1天可装满一艘乙烷船，巧的是我们到码头考察时卫星石化的“二郎神号”乙烷船正在装船。

美国的乙烷是页岩气分离获得，离该码头61英里左右有一个页岩气分离站，分离以后的乙烷通过管道输送到该码头，该码头装载乙烷的能力是350万吨/年。卫星石化现在休斯敦有员工185人，其中美籍人员占95%；卫星石化现有乙烷船17艘（自有14搜、租用3艘），另有6艘更大容量的正在建造中（现有容量是9.8万立方米/艘，正在建的是现在的1.5倍）。陪同参观的负责人告诉我们该码头还是北美最大的原油储备基地之一，储量3000万桶；也有最大的乙烷储罐，直径是100米。

5. 托普索

是一家丹麦公司，成立于1940年，现全球有2800名员工，托普索的突出优势是催化剂和技术创新，特别是在能源转型方面，可以提供设计、研究、催化剂、材料等一体化服务和解决方案。原料加上托普索的催化剂和技术，即可以获得绿色能源，例如绿氨、绿醇、生物航煤等。托普索重点介绍了天然气制蓝氢的工艺技术，经变换反应后的气体组分是：氢气73%、二氧化碳25%、一氧化碳0.3%、甲烷1%，再经变压吸附提纯以后氢的纯度99.9%，捕捉的二氧化碳经深冷分离后纯度99%；托普索特别介绍其主反应器的结构和设计以及催化剂保护等。

托普索又重点介绍了低碳氨的技术，特别强调托普索从1930年开始就掌握了氨合成技术（指当年的凯洛格），当时的反应器产能是100吨/天，在全球共卖出了规模不等的320套装置，今天托普索的氨合成反应器产能是全球最大的（3600吨/天），就在得克萨斯州并于2周前已成功开车；托普索自豪地称，75年来全球氨产量的50%、生产装置的60%，都应用托普索的催化剂。

托普索也重点介绍了可再生燃料技术，首先介绍了第一代技术是植物油、预处理、加氢得航空煤油，第二代技术是废弃油、预处理、加氢制得航空煤油，而第三代技术是废弃物为原料，如废塑料、废轮胎经气化、再经费托合成油品。托普索特别介绍了以植物油或废弃油为原料其技术的创新性与特点，托普索与其他工艺不同，其他工艺是去羰基化反应，反应过程中会减掉一个碳，就会产生二氧化碳；而托普索工艺是氢化脱氧，这样就不需要去掉一个碳，不仅少排二氧化碳、而且也不产生酸性气体；托普索工艺可生产可持续柴油，也可以生产可持续航煤，也可以是混合物。托普索技术从2003年开始研发，2008年成功转让，2010年在瑞典第一套开车成功，到2024年已形成产能25万桶/天，2025年将达到31万桶/天，已建成可再生柴油15个生产点、生物航煤6个，随意调节产品组合的有38个生产点。

托普索在介绍其绿氨技术时，特意强调其低碳氢、低碳甲醇、低碳氨已建成多套装置，其新转化炉的催化剂寿命长达20年。并幽默地重申：这对催化剂公司不是好事，可对生产企业减少更换次数、改善效益大有益处。

6. 艾斯本

成立于1970年，当时正值第一次石油危机，成立的目的是为发现新能源的生产方式，他们讲成立之初就与中国有着良好的合作，中国石油、中国石化都是最早的客户。艾斯本是最早开展流程建模到流程优化的公司，现在又重点开展资产优化工作。从 2020 年以后开始与艾默生合作，从智慧电网到二氧化碳储存与驱油等，最近刚刚被艾默生并购，艾默生的优势在自动化、控制系统和智能系统，而艾斯本的优势是流程设计与优化，即两家公司的重组是硬件与软件的优势互补。艾斯本可提供运营 + 设计 + 维护的服务，特别是流程设计最强，在资产优化方面可制造与供应链结合、资产绩效管理，特别是在建模方面的持续核心创新，流程模拟与设计、工程计算与预算、计划与排产软件，从单个产品到一体化解决方案，可以帮助企业节省 30% 的投资，若应用于制造环节可增加 20% 的利润，陶氏、雪佛龙、巴斯夫、埃克森美孚、沙特阿美、壳牌、SABIC、SK、LG 等都是艾斯本的客户。艾斯本还介绍了氢能与电网的耦合优化，以及电解槽制氢的动态模拟，介绍了碳足迹核算、废塑料循环利用等，他们讲到对废塑料瓶醇解循环的方式，而对聚乙烯、聚丙烯、聚苯乙烯等混合塑料，则以热裂解、裂解油与炼油装置耦合，其废塑料供应链优化的问题是回收点设在哪里、送到热裂解工厂的最优方案等，也谈到了废电池回收，把锂电的有效成分解析出来，把贵金属回收再利用，以及生物质材料经生物发酵制 1,4- 丁二醇工艺优化等技术。

7. 卡博特

1882 年在波士顿成立，是一家从事功能性补强材料的专业公司，主要是炭黑和白炭黑，卡博特的市值 61 亿美元，2024 年营收 40 亿美元，息税折旧前利润 7.77 亿美元，即利润率 19%。卡博特安排在研发中心接待我们，并特意陪同我们参观了轮胎应用实验室、新电池应用实验室和印刷应用实验室。卡博特介绍公司在北美有 11 个生产基地和 2 个研发中心，在亚太地区有 13 个生产基地和 4 个研发中心，在欧洲有 10 个生产基地和 2 个研发中心，可见亚太地区是卡博特重点布局的区域及其重要性。卡博特于 1882 年成立的时候，当时流行黑色，黑色料价格很高。1948 年到英国建厂、1962 年到阿根廷建厂，1976 年到马来西亚建厂，1988 年在中国建厂，是与华谊合资的；2004 年天津新工厂投产，是目前世界最大的工厂，卡博特在江西、武汉、乌海都有工厂，他们的执行副总裁 Bart 先生强调，中国市场对卡博特至关重要，去年中国市场营收 70 亿元人民币，占全球份额的 23%，仅次于北美 25% 的份额。卡博特的炭黑还应用于印刷、合成纤维，白炭黑还应用于风电叶片的黏结剂，现在新能源电池用炭黑也很多，主要是碳纳米管结构，还应用于发泡塑料、电线电缆等。目前炭黑生产主要以自然资源或钢厂、炼油厂的副产物为原料，生产过程中二氧化碳排放量较高，他们也正在探索以废弃轮胎为原料或以生物质为原料生产炭黑，废弃轮胎是走热裂解油路线，生物质为原料则成本太高，难以大规模产业化；为了降碳他们也在研发炭黑炉电气化问题。

8. 麻省理工学院热化学实验室

该实验室设在麻省理工学院机械工程系，主要研究燃烧反应过程的机理和工业应用，利用燃烧反应制备化学品的典型代表是炭黑的制造过程，煤焦油或石油焦，经过特殊的燃烧设备即反应器，控制反应温度和反应时间获得工业品炭黑，或通过控制反应条件获得微米级或纳米级炭黑，该实验室与美国卡博特公司也有合作。重点向我们介绍了目前正在通过燃烧反应制备新能源电池用技术材料，不仅在研究锂电池用金属锂的制取，还在研究钴、镍、锰等二元或三元组分的制备技术，关键是通过控制燃烧温度、进料方式等反应条件，使得所获得的二元或三元金属组分的粒度可控、分布更均匀。该实验室负责人特别介绍希望与企业合作进行模试或工业化放大实验。

9. 韩国 SK 化工

现在是 SK Innovation，成立于 1962 年，是韩国成立最早的炼油企业，其炼油能力和技术水平世界领先，目前是韩国最大的能源企业，业务涵盖能源、化学、新材料等多个领域。崔安燮社长带队接待了我们一行，崔社长也介绍 SK 在美国、中东、欧洲、亚洲四大区域布局，也介绍到韩国的石化产业介于中日之间，在中国中韩石化的合作一直良好，中韩的市场互补性很强。崔社长强调韩国石化产业要生存首先是提升成本竞争力，尽量缩减一些变动成本，提高产品组合的多样性。崔社长在了解了中国石化产业去年的总体情况以后，也介绍到去年是 SK 效益最差的一年，下一步 SK 将重点在特种化学品和高性能材料领域发展。同时崔社长还重点介绍了在中国正在建设、即将投产的 EAA、EPC 两个项目，尤其是项目延期了，经费比原来上升了很多，市场情况也变化很大，希望下一步得到中国石化联合会的支持。

10. 韩国化学产业协会

1974 年成立时是韩国石化协会，2024 年更名为现名称，LG 化学 CEO 辛学喆担任会长，严粲旺执行副会长带队与我们交流，2024 年韩国国内化学品需求 940 万吨，出口增长了 3.1%、达到 1290 万吨，他们对今年化学品市场不乐观，预计因关税影响和通商环境恶化，今年化学品需求量将下降 3.1%。除外部通商环境的变化，预计今年油价会走低约 70 美元 / 桶，又加上全球供应过剩、环境监管压力增加（如“双碳”目标）等，将造成化学品市场的萎缩。他们也谈到应对气候变化是中国的国家战略之一，韩国也将积极与多国合作，共同应对气候变化。庞广廉专门介绍了今年中韩石化产业大会的方案，并强调中韩石化产业产品互补、市场互补性强，未来合作共同推动两国石化产业高质量发展空间和潜力大，同时诚挚邀请严会长带队出席今年在中国召开的中韩石化产业大会。严会长表示韩中石化领域的交流与合作很重要，他很感谢中方提出的方案，他会首先与辛学喆会长商量、并充分听取会员企业的意见以后，再及时答复与沟通，共同努力把会议开好。

二、交流与收获

此次出访感受最深的还是国外同行、众多跨国公司对中国石化产业现状与未来发展的高度关注，无论是世界石化大会期间和访问交流的每一家企业，还是世界石化大会的对话环节和每一家企业交流过程中所提的问题，都使我们更加深切地体会到大家的关注、甚至是忧虑。我们于 21 日凌晨抵达休斯敦国际机场，8: 10 赶到世界石化大会的会场，迎接我们的盖瑞先生一见面就说，今年世界石化大会从开幕伊始，会上会下每天听到最多的都是参会代表对中国石化产业的关注，会前与标普全球的副主席马克先生见面时，再次提到这一关注，我们问主要关注哪些方面呢？两位先生都说：关注产能，更关注“十五五”还会继续增加吗？在与卡博特交流过程中，Bart 执行副总裁最为关心的也是中国的炭黑产能会不会继续扩能？他对中国炭黑市场研究颇深，他说今天中国有 52 家炭黑厂，远多于世界其他国家工厂的总数，产能已经很大并且效益都不怎么好。在与韩国 SK 交流时，崔安燮社长也是重点谈到了近年来石化产业的发展、产能的增加以及当前竞争的加剧。我们在会议演讲、对话环节以及访问过程的关注，向参会代表和访问过程中参加交流的人员，实事求是地谈了我们的思考和理解。

1. 去年中国经济增长良好和中国石化产业实现了稳中有进

虽然世界经济增长低迷，外部环境变化不利影响加深，但 2024 年中国经济增长良好，GDP 总量达到 134.9 万亿元，增速 5% 是主要经济体中最高的，增量相当于一个中等国家一年的经济体量，继续为世界经济增长贡献约 30% 的份额。

去年中国石化行业突出高质量发展，贯彻新发展理念，在转方式、调结构、提质量、增效益上狠下功夫，克服了下游市场需求不足、产品价格低位徘徊、企业效益下滑等不利因素的影响，经济运行保持基本稳定并做到了稳中有进。全行业实现营业收入 16.28 万亿元，同比增长 2.1%；利润总额 7897.1 亿元，同比下降 8.8%；进出口总额 9488.1 亿美元，同比下降 2.4%。因价格低位的影响，行业和企业效益面临挑战严峻一些外，进出口贸易额与去年基本持平，营业收入增长，主要石化产品产量增长，主要石化产品的市场消费量增长，这不仅实现了稳中有进，特别是产量增长为增强世界石化产业链供应链的韧性和稳定都提供了重要保障。

2. 客观公正地看待中国石化产能的增加

近十年来世界石化产能出现了一波新的快速增长，主要集中在北美、海湾地区和东北亚，北美以美国页岩气革命成功以来的轻烃制烯烃进而生产聚烯烃为代表，海湾以沙特阿拉伯为代表，东北亚以中国为代表。而中国石化产品的集中建设和快速发展，产能产量的快速提升主要还是为了满足国内巨大市场的消费需求，因为中国人口多、消费市场大。中国消费市场对石化产品的需求巨大，2024 年中国市场无机化学品消费量增长 8.6%，有机化学品消费量增长 4.6%。有些人说中国石化产品的产能产量规模大，对世界石化市场造成了冲击，这只是看到了一个侧面；另一个事实告诉我们中国石化产品无论是疫情期间、还是疫后经济恢复过程中，都为保障全球石化产业链供应链稳定做出了重要贡献。就中国市场对主要石化产品的需求与消费量来看，自己的产量满足不了国内市场的需求，每年都有大量的进口。如原油消费量 7.64 亿吨，其中进口 5.53 亿吨；天然气消费量 4244.2 亿立方米，其中进口 1840.7 亿立方米；石脑油消费量 9260.4 万吨，其中进口 1215.1 万吨；精甲醇消费量 8487 万吨，其中进口 1349.4 万吨；乙烯当量消费量 6942 万吨，其中当量进口量 2157 万吨；合成树脂消费量 1.36 亿吨，其中进口 2641.5 万吨，仅聚乙烯单个产品就进口 1385.2 万吨。中国化学品市场占世界份额的比例多年来高达 40% 左右，中国石化产品的生产稳定、运行稳定，不仅是中国经济发展的稳定器，也是世界石化产业稳定运营和发展的压舱石。

3. 中国石化产业“十五五”的发展思路将转变

今年是“十四五”规划的收官之年，也是“十五五”规划的布局之年，按照中国经济社会发展的节点，今年是一个重要的年份。从去年四季度开始我们在全国各重点地区、重点企业开展“十五五”规划的前期调研。在前期调研的基础上，形成的初步想法是：“十五五”期间的发展思路要转变，将突出高质量发展和可持续发展，转变过去主要把做增量作为规划发展主要目标的传统思路，不能再走拼规模、拼资源、拼投资的老路，要把思路转变到“做优增量、盘活存量”上来，要把关键转移到“创新驱动和优化结构”上来，要把重点转移到“绿色低碳转型和数字化升级”“国际合作和国际化”“培育世界一流企业和现代石化产业集群”上来。

特别是要重点突出战略转变，在当前面临国际市场低迷、国内有效需求不足、“内卷”式竞争加剧以及世界经济不确定性增多等挑战，要学习和借鉴跨国公司应对当前世界经济增长乏力和行业竞争加剧以及市场变化的对策，加快战略重组和业务调整，通过“瘦身”来优化业务结构，剥离非核心业务，减轻债务负担、盘活资金、优化资产结构，回归主业或调整主业方向，提升核心竞争力。改变过去把做大增量作为重点目标、以规模论英雄的传统思路，一定要认识到石化产业到了非深度调整将难以度过当前的低迷期、非经历深度调整的阵痛将难以走出“内卷”困境的时刻。把重点放在提升创新能力和水平、放在绿色低碳转型和数字化升级上来，依靠产业政策和科学先进的标准，推动落后低效产能退出，让达不到能效标准、排放标准的装置和产能关停并转，在公平竞争和充分竞争中，淘汰竞争力不强的落后产能。“十五五”期间基础化学品和通用化工材料的产能都不会再像以往那样大规模增加了，会把重点放在发展质量和改善效益上。他们都关心如何做到产能的调控？我们交流主要依靠规范市场、公平竞争和产业政策，对石化产业来说炼油已设置总的产能控制目标：到“十四五”末产能控制在 10 亿吨 / 年以下（现在产能是 9.3 亿吨 / 年），新建炼油装置一律执行产能置换；大家关注度高的乙烯、PX 新建项目由国家发展改革委核准，且执行能效标杆水平及以上。对于已建成投产、正在运行的石化装置，从明年开始能效水平经改造也达不到基准水平的，将逐步关停退出；从产业政策上除执行已颁布的能效标准外，重点石化产品还要考核水效标准、废弃物排放标准以及碳排放总量和碳排放强度的双控要求，主要目标就是正在运行的落后产能将有序退出，新建装置一定是能效和水效水平高、单耗和排放低的先进产能。

绿色石化产业的可持续发展*

一、石化产业为国民经济稳增长作出了重要贡献

石化产业是国民经济的重要支柱产业，经济总量大、产业链条长、产品种类多、关联覆盖广，关乎产业链供应链安全稳定、绿色低碳发展、民生福祉改善。我们刚刚走过的2024年，因受地缘政治、区域动荡以及贸易保护主义、供应链重构等多重因素的影响，全球经济增速持续低迷。中国经济实现了稳中有进，增速居世界主要经济体前列，对全球经济增长的贡献保持在30%左右。去年石化行业面对外部压力加大、内部困难增多的复杂严峻形势，克服了下游市场需求不足、产品价格低位徘徊、企业效益明显下滑等不利因素，实现了经济运行总体平稳、稳中有进。全行业实现营业收入16.28万亿元，同比增长2.1%；实现利润总额7897.1亿元、进出口总额9488.1亿美元；主要化学品总产量增长7.2%，消费总量增长6.1%。全行业营业收入已连续3年稳定在16万亿元左右，营业收入和利润均稳居规模以上工业经济总量的12%左右，进出口总额稳定在我国进出口总量的16%左右，为国民经济稳增长、稳外贸都作出了重要贡献。今年以来，随着世界加快石化产业布局和产能调整的加快，国内“两新”“两重”政策加力扩围，行业结构优化和稳增长方案的实施以及下游房地产市场止跌回暖，我国石化产业发展态势将回升向好。我们预判今年行业效益将明显改善，“十四五”将圆满收官，“十五五”将开启新篇章。

* 这是2025年5月23日，傅向升同志在2025年浙江开发区绿色石化产业对接活动的演讲。

二、石化产业绿色可持续发展应突出“三大战略部署”

党的十八大以来，党中央对新阶段经济发展做出了具体部署，习近平经济思想对我国经济发展提出明确的要求，石化行业和广大石化企业要深刻领会，把握核心要义，做好贯彻落实。

1. 高质量发展是石化产业绿色可持续发展的目标要求

我国经济已由高速增长阶段转向高质量发展阶段，正处在转变发展方式、优化经济结构、转换增长动力的攻关期，高质量发展是全面建设社会主义现代化国家的首要任务。推动高质量发展是我们当前和今后一个时期确定发展思路、制定经济政策、实施宏观调控的根本要求。石化产业的高质量发展，首先要转变过去拼规模、拼投资、拼资源的传统发展思路和模式，通过自律规范市场、公平竞争和协同发展，在做优增量和盘活存量上下功夫，以高端化、差异化和核心竞争为目标，通过质的有效提升和量的合理增长，破解“内卷式”竞争持续加剧，推动石化产业的高质量发展。

2. 新发展理念是石化产业绿色可持续发展的根本遵循

发展是解决我国一切问题的基础和关键，发展必须是科学发展，发展理念是发展行动的先导，是发展思路、发展方向、发展着力点的集中体现。贯彻新发展理念是关系我国发展全局的一场深刻变革，创新发展注重的是解决发展动力问题，协调发展注重的是解决发展不平衡问题，绿色发展注重的是解决人与自然和谐问题，开放发展注重的是解决发展内外联动问题，共享发展注重的是解决社会公平正义问题。发展理念是否对头，从根本上决定着发展成效乃至成败。石化产业贯彻新发展理念，关键是加大创新加快发展新质生产力，深刻领会并贯彻好总书记“科技创新是发展新质生产力的核心要素”的重要指示精神，面向国际科技前沿，聚焦国家战略和经济社会发展的现实需要，以关键共性技术、前沿引领技术、现代工程技术、原创性颠覆性技术创新为突破口，打好关键核心技术攻坚战，通过原创性、颠覆性创新，培育发展新质生产力的新动能，通过新发展理念开辟石化产业高质量发展的新赛道。

3. 新型工业化是石化产业绿色可持续发展的重要路径

工业化是一个国家或地区人均收入提高和经济结构高级化的发展过程，是一个国家实现现代化的必由之路。新时代新征程，以中国式现代化全面推进强国建设、民族复兴伟业，实现新型工业化是关键任务。高质量发展是推进新型工业化的核心所在，贯彻新发展理念，深刻把握新时代新征程推进新型工业化的基本规律，积极主动适应和引领新一轮科技革命和产业变革，准确把握推进新型工业化的战略定位、阶段性特征以及面临环境条件变化，坚持走中国特色新型工业化道路，为全面建成社会主义现代化强国提供坚实的物质技术基础。石化产业的新型工业化，就是要把握数字技术正在成为第四次技术革命重要驱动力的新机遇，加大数字化转型赋能传统产业转型升级，通过数字车间、智能工厂、智慧化工园区的示范与建设，让数字化转型不仅成为改造提升传统石化产业的重要支点，而且成为助推石化产业高质量发展的重要引擎。

三、石化产业绿色可持续发展应聚焦“五化”

因受地缘政治、区域动荡和世界产业链供应链重构的影响，又叠加贸易保护主义抬头和“脱钩断链”“小院高墙”的冲击，世界经济的不确定性风险加大，全球经济正陷入低迷期，发达国家和跨国公司为应对当前世界经济形势和环境的严峻复杂，都在加大战略调整和业务重组。面对当前的经济形势和国际环境，借鉴发达国家和跨国公司的发展经验，我国石化产业的绿色可持续发展应在“五化”上持续发力。

1. 炼化一体化是绿色可持续发展的重要前提

发达国家和跨国公司（巴斯夫路德维希港、新加坡裕廊岛、比利时安特卫普、韩国蔚山、沙特阿拉伯朱拜勒等）的实践以及我国改革开放 40 多年的经验和教训（上下游炼化一体化企业与炼油型地炼的运营状况），都已证明炼化一体化是石化产业可持续发展的典型路径，不仅可以实现产业链协同、产品结构多元化，而且有利于原料单耗低、能源和公用工程共享、资源综合利用，从而实现原料利用效率高、运营效益最大化。炼化一体化就要求我们，在做好产品链设计、产业链协同的基础上，目前炼化一体化装置（基地）关注度最高、也是最成熟的技术是原油直接制化学品新技术，埃克森美孚是目前唯一工业化的拥有者（在新加坡裕廊岛 100 万吨/年装置已运行多年），沙特阿美、中国石化、中国海油、东明石化等公司也都相继攻克了原油直接制化学品的技术关键。炼化一体化未来的主要方向是少油多化，也就是产品的设计要最大化地减油增化，并根据原料的不同和市场的供需而最大化减油增特。少油多化和减油增化主要是因为，我国成品油市场受新能源汽车 45% 渗透率（今年将超过 50%）的影响已进入饱和期，甚至有业内同仁根据去年市场消费数据推断，我国汽柴油消费已提前达峰，在这样的形势面前少油多化成为必然选择，要逐步实现成品油产出率50%以上到40%以下的目标。减油增特的主要考虑是在柴油消费2019年已达峰（去年LNG替代又加快了柴油销量收缩）、汽油市场2024年首次下降的情况下，在持续调低柴汽比的基础上，考虑到航空煤油和清洁船用燃料市场还有一定的需求增长空间，根据市场需求、通过产品结构调整，将部分柴油和汽油转产航空煤油和清洁船用燃料；减油增特的另一个考虑是我国润滑油基础油和高端市场自我满足率还有待提升，减油增特的第三个考虑是我国石化产品"低端过剩、高端短缺"的结构性矛盾一直比较突出，通过减油增化主要是向高端专用化学品及其中间体、高性能材料方面转化。

2. 原料多元化是绿色可持续发展的重要趋势

目前生产石化产品的原料主要是石油和天然气，在我国还包括较高比例的煤化工（如合成氨和化肥、甲醇以及电石路线的聚氯乙烯），目前国内国际还有部分产品是以生物质为原料，如成熟的以玉米、甘蔗、木薯为原料生产生物基乙醇，进而以生物基乙醇为原料制乙烯、丙烯，再进一步获得聚乙烯、聚丙烯或丙烯酸及其酯等生物基聚合物和生物基化学品；以淀粉、葡萄糖为原料生产生物可降解材料聚乳酸以及丁二酸、丙二醇等生物基化学品。为解决生物化工与人争粮和与粮争地的问题，以植物秸秆为原料生产生物基材料和化学品的第二代生物技术，正处在技术示范阶段和工业化生产的前夜；以微藻为原料制取生物基化学品的第三代生物技术是当前聚焦创新与关键技术突破的重点课题，以微藻制取高价值营养、健康产品有些市场已有销售，而大规模制取工业产品还处于实验室研发阶段。

目前生物化工的另一个热门产品是生物质燃料，生物质乙醇大家都很熟悉了，生物质甲烷或生物质经气化合成甲醇燃料也在研发过程中；再一个就是由欧盟推动的生物质液体燃料，以废弃植物油或大豆油为原料合成生物柴油、生物航煤是目前比较成熟的技术路线，以生物质气化经费-托合成获得可持续航空燃料也成为当前集中技术攻关的技术路线之一。总之生物合成技术和生物化工新世纪以来已上升为美国、欧盟的国家战略之一，我国也给予了高度重视，鉴于生物制药和生命健康、营养化学品等领域已取得成就，也为人类摆脱对化石资源的过度依赖，以生物质原料制取化学品和合成材料将代表石化产业未来的重要趋势。

今天原料多元化还有一个热门话题，就是废弃物的资源化循环利用，这是石化产业绿色可持续发展很重要、也是有待创新破解的重点课题之一，固体废弃物的磷石膏、工业废盐、电石渣等都已有循环利用的工业化装置在运行，工业废气如焦炉尾气、电石炉气制化学品也都有工业化装置长期稳定运行。当前国际国内共同关注和正在协同创新的是废弃塑料的资源化循环利用，塑料虽然为社会进步和人类文明作出了重要贡献，但因为不当使用和随意丢弃所造成的环境和生态污染已危害到海洋生物、气候变暖和人类生存，到了不容忽视的地步。而废弃塑料的资源化循环利用又可以减少化石资源的用量，因此废弃塑料的物理循环和化学循环正成为国际国内高度共识的领域和协同创新的重点，多套示范装置正在世界各国建设和试运行过程中。

原料多元化当前做得最好、也是未来重要方向的是原料轻质化，即轻烃为原料制烯烃如乙烷裂解制乙烯、丙烷脱氢制丙烯和混合轻烃制烯烃的大规模工业化，这在北美、海湾地区和我国都是当前建设新的烯烃装置的最热门选择。

原料多元化还有一个正处于研发阶段的二氧化碳绿色化学的创新课题，即以二氧化碳为原料合成油品、化学品和化工新材料，这不仅可以减少温室气体排放，而且还变废为宝合成化学品，这是当前为实现碳达峰碳中和战略目标，企业家高度关注、科学家正在集中攻克的重点课题之一。

3. 产品高端化是绿色可持续发展的重要目标

改革开放以后、特别是新世纪以来，我国石化产业进入快速发展时期，尤其是近十年来石化基地、化工园区的集中建设和新的炼化一体化装置的相继建成投产，我国石化产品的产能产量快速提升，炼油、乙烯、PX、PTA 以及烧碱、纯碱、尿素、甲醇、涂料、染料、农药等 20 多种石化和化工产品以及聚氯乙烯、聚乙烯、聚丙烯、聚酯、聚酰胺等通用合成材料的产能产量多年来稳居世界首位，但我国石化产业“低端过剩，高端短缺”的结构性矛盾始终存在，高端聚烯烃及其弹性体、高性能纤维及其复合材料、高端膜材料以及 α- 烯烃、己二腈、高性能电子化学品、超纯试剂、高端专用化学品等，其关键核心技术和高性能催化剂长期难以攻克，成为制约石化产业由中低端迈向中高端的瓶颈，有的也成为制约我国高端制造业、战略性新兴产业和国防军工等尖端领域的短板。所以，加大自主创新和原创性、颠覆性技术攻关，突破一批关键核心技术和重大共性技术，并通过产学研协同创新加快科技成果的产业化和先进适用技术的推广应用，加快石化领域产业结构和产品结构的差异化、高端化，为做强增量和优化存量提供技术支撑，为化解“低端过剩，高端短缺”结构性矛盾创造条件，通过差异化、高端化破解“内卷式”竞争持续加剧的窘境。如果我们不能取得自主创新和原创性、颠覆性技术的突破，在“小院高墙”的严峻形势面前，我们就可能长期处于产业链的中低端，而受制于人、甚至会出现被“卡脖子”的被动局面；如果我们不能取得自主创新和原创性、颠覆性技术的突破，在贸易保护主义抬头、“脱钩断链”加剧的情况下，我们就可能会长期陷入“中等技术陷阱”，而难以跨越“中等收入陷阱”这样的经济发展阶段。自工业革命以来的历史和近代史都告诉我们，自主创新和科技自立自强的极端重要性，看看阿根廷、巴西等国家的发展过程和教训，是值得深思和总结的。石化产业作为国民经济的重要支柱产业，其现代化和高端化水平，不仅与轻工、纺织、家用电器、汽车制造等工业领域密切相关，更与新能源、电子信息、航空航天、国防安全等战略和尖端领域密切相关，石化领域化工新材料和精细化学品的高端化水平是一个国家工业技术水平的代表，因此石化产业特别是化工新材料和高端专用化学品的创新与发展，美欧日韩等发达国家都是作为国家发展的重点战略，尤其当下的生物合成、清洁能源等新兴领域和为国家安全配套的特种化学品和新型材料。

4. 过程低碳化是绿色可持续发展的重要措施

为了适应碳达峰碳中和战略目标，通过节能节水、减排降耗推动生产过程的低碳化，已成为跨国公司和广大石化企业多年来研发创新、持续改进和应用示范的重点，近年来创新成果和新技术应用效果不断显现，资源消耗、能效水平、工业水循环、废弃物排放等各项指标都在持续提升，特别是新技术、新工艺、新设备的创新不断取得新突破。

生产过程低碳化的另一个重点是炼化企业或煤化工企业、炼化一体化基地等与新能源的耦合发展，巴斯夫新建湛江基地、埃克森美孚新建惠州大亚湾基地以及上海化工区科思创等一批跨国公司，都已实现全部或部分绿电替代，国内不少石化企业也都部分实现绿电替代；连云港石化基地利用核电副产蒸汽以减少锅炉用煤和天然气化石燃料的用量，其减排效果明显；古雷石化基地也在论证与核能耦合发展的问题；宁东、鄂尔多斯等现代煤化工示范园区以光伏、风电代替煤电也都取得了良好的进展。

生产过程低碳化的最新研发重点是炼化企业和煤化工企业与绿氢的耦合，炼化企业的加氢过程、煤化工企业的反应过程都需要大量的氢气，目前大规模工业化获得氢气的成熟工艺是煤制氢或天然气制氢，我国是煤制氢为主、欧美日和海湾地区天然气制氢为主，煤制氢和天然气制氢都伴随产生大量二氧化碳，为了减碳降碳国内外企业都在探索和研发以绿氢代替化石资源制氢，宝丰能源是煤制烯烃的龙头企业，在宁东和鄂尔多斯的生产装置都与绿氢耦合发展开展了工业化示范、积累了经验；除了绿电电解水制氢，生物质制氢、废弃物循环利用制氢等，也有不少科学家和工程公司、高校院所、重点实验室在集中创新中，随着持续创新、绿氢的技术成熟和经济性成熟的时候，石化产业与绿氢的耦合发展一定会大放异彩。

5. 产业集群化是绿色可持续发展的重要保障

党的二十大和二十届三中全会都对“建设现代化产业体系”和“培育壮大先进制造业集群”作出了部署。全国化工园区“十四五”发展规划也对培育世界级石化产业集群提出了构思和目标要求，我们的思路是以国务院规划布局“七大石化基地”和“四大现代煤化工产业示范区”为依托，契合京津冀、长三角、珠三角、“能源金三角”以及西部开发、中部崛起和东北振兴等国家战略，重点培育“70 家综合竞争力强的化工园区”，组织实施创新工程、绿色化、智慧化、标准化和高质量示范“五项重点工程”，加快培育环渤海湾、杭州湾、海西湄洲湾、泛大亚湾和“能源金三角”“五大世界级石化产业集群”。环渤海湾世界级石化产业集群以长兴岛为依托，东西呼应南港、东营港，南北呼应即将投产的裕龙岛；杭州湾世界级石化产业集群以上海和宁波两大国家级石化基地为依托，“双核”驱动协同舟山、大榭、嘉兴、上虞以及九江、安庆、淮北等化工园区；海西湄洲湾世界级石化产业集群以古雷石化基地为依托，协同泉港、泉惠、莆田、福州江阴化工园区；泛大亚湾世界级石化产业集群以惠州大亚湾石化基地为核心，北连揭阳大南海，南联茂名、湛江、钦州、洋浦等化工园区；“能源金三角”主要是现代煤化工产业集群，以宁东、榆林、鄂尔多斯“三大现代煤化工产业示范区”为主体。这种构思和布局也特别突出了中国石油大连基地和揭阳、钦州基地，突出了中国石化天津南港、上海、镇海、古雷、茂湛、洋浦，突出了中国海油惠州大亚湾、宁波大榭，突出了中国中化泉州基地等“串珠成链、协同成群”的概念。规划提出的目标是到“十四五”末，这“五大世界级石化产业集群”初具轮廓；到 2035 年与国家基本实现现代化同步，建成“五大世界级石化产业集群”，以石化产业的现代化支撑中国式现代化。实现了产业的集群化，就可以更好地实现原料互供、能源共享、产品协同、设施共用、管理高效，实现产品链协同、产业链延伸，物耗能耗最小化、产出效益最大化，石化产业绿色可持续发展就有了坚实的保障！

浙江省石化产业位居国内前三，规模集中度、综合竞争力、产业集群化协同效应以及石化基地和园区的智慧化、绿色化水平都居国内前列；石化产业已发展成为浙江省规模最大的支柱产业之一，已形成炼油、基础原料、化工新材料、高端专用化学品完整的产业链。宁波是国务院规划布局的“七大石化基地”之一，宁波又是全国化工园区发展规划重点培育“五大世界级石化产业集群”中杭州湾世界级石化产业集群的核心之一，宁波拥有石化经开区、大榭岛、北仑相邻成片的化工园区，连同新建的舟山扩展区，石化产业规模炼油、烯烃、芳烃等主要石化产品的规模全国领先，又拥有明显的区位优势、港口物流优势、原油储备优势，发展石化产业基础和优势都很突出。希望浙江省和宁波市正在谋划的“十五五”发展规划，在深刻领会和贯彻落实好党中央高质量发展、新型工业化和中国式现代化战略部署的前提下，进一步加大创新驱动，加快绿色低碳转型和数字化升级，对标世界一流，在建设世界一流石化基地上明确新目标、再上新台阶！在建设杭州湾世界级石化产业集群上，与上海协同、发挥出上海基地和宁波基地“双核驱动”的核心带动作用，把杭州湾世界级石化产业集群打造成为国内领先、世界一流的现代石化产业集群的“龙头”，带动和引领我国石化产业实现石化强国的跨越！为中国式现代化探索宁波新模式！ 打造浙江新标杆！做出石化产业新贡献！

园区篇

化工新材料创新发展决定着中国的未来*

1. 今年的中国石化产业经济指标将再创新高

前 9 个月实现营业收入 12.25 万亿元，同比增长 18.5%；实现利润总额 9794.3 亿元，同比增长 7.6%；进出口总额 7870.4 亿美元，同比增长 27.4%；这组数据大大超出了年初的预期。如果跟 2019 年相比：石化行业今年前 9 个月的经济运行已高于 2019 年全年！尤其是利润总额已高出 2019 年全年的 46.5%，进出口总额也已超过 2019 年全年。从四季度开始企稳向好预判，今年将再收获一个好年景，中国石化产业成为全球石化可持续运营的稳定器和增长的火车头的作用越发显现。

2. 今年全球石化产业遭遇了新的挑战

百年变局叠加世纪疫情，大国博弈叠加变革调整，科技革命叠加产业重构，各种因素的叠加加剧了世界的动荡，尤其是全球经济下行难以遏制，通胀在加剧、能源危机在加剧、经济政策在收紧，欧元区等发达经济体陷入衰退的概率在增加。全球石化产业深受影响，今年跨国化工公司的效益与去年相比落差很大，特别是欧洲因天然气断供、能源价格高企，更加剧了全球石化产业链供应链的不稳定性和不可持续性，欧洲化工公司正在经受一个不堪其苦的冬天。多家国际组织和机构都悲观地预测：大国博弈和地域冲突给世界经济和欧洲化工公司造成的冲击和影响，尤其是欧盟的能源危机和天然气短缺状况，明年都难见曙光。对明年全球石化产业和石化市场我们应未雨绸缪，早做应对。

3. 化工新材料某种意义上讲决定着中国的未来

党的二十大提出：加快建设制造强国、质量强国、航天强国、交通强国、

---

* 这是 2022 年 11 月 25 日，傅向升同志在上海化工区尼龙一体化产业基地推进会暨尼龙产业发展论坛的视频致辞。

网络强国、数字强国。这每一项强国目标的实现都离不开化工新材料、功能化学品的配套和支撑，这不仅对化工新材料和功能化学品提出了新的市场需求，也提出了新的目标和更高的要求，化工新材料的发展水平、质量和性能直接关系到高端制造业、电子信息、航空航天和战略性新兴产业的水平与未来，决定着建设现代化产业体系和现代化强国奋斗目标的实现。

尼龙是化工新材料领域的重要代表之一，自 1935 年首次合成、1939 年实现工业化的尼龙 66 开始，尼龙 66 成为尼龙家族的第一个品种，最开始的应用是纤维，当时轰动美国的是尼龙丝长袜，经历了近 30 年的不断创新，尼龙家族的成员快速繁殖，从大类上分脂肪族尼龙和芳香族尼龙，具体品种有尼龙 66、尼龙 6、尼龙 11、尼龙 12、尼龙 610、尼龙 612、尼龙 1010 以及尼龙 6T、尼龙 10T 和今天的生物基尼龙 46、尼龙 56；家族成员和种类不断增加的同时，尼龙的应用不断拓展，从最初的纤维拓展到工程塑料、特种工程塑料，不仅用于服饰、地毯、轮胎帘子布等，而且作为工程塑料和特种工程塑料成为汽车、电器、通信、电子、机械、仪器仪表以及航空航天、核工业等领域不可或缺的重要配套材料；又加上尼龙系列不同的优异性能和持续创新，尼龙的合金产品不仅可与 PE、PP 等通用塑料改性，还可以与 ABS、PC、PPS 等工程塑料改性，性能不断改善和提高，应用领域也越来越广泛。

今天上海化工区组织召开“尼龙一体化产业基地推进会暨尼龙产业发展论坛”很及时也很重要，这不仅是推动我国尼龙产业创新发展和化工新材料高质量发展的一次重要会议，更是贯彻落实党的二十大精神、为中国式现代化和全面建成社会主义现代化强国谋篇布局的一次重要会议。这次论坛规模虽然不大，但一定会在我国化工新材料产业发展史和石化强国征途上留下闪光的一页！

上海化工区打造尼龙一体化基地和发展尼龙产业有着良好的基础，一是上海化工区一直是全国化工园区的翘楚，特别是化工新材料产业集聚度高，发展质量和管理水平国内领先；二是上海化工区英威达刚刚投产的尼龙 66 关键单体己二腈，这是长期制约我国尼龙 66 产业链发展的关键“卡脖子”单体，近年来国内多家单位相继取得创新突破，但规模化及其竞争力都有待工业化连续稳定运行的考核，我们期待着大家在市场竞争中合作共赢；三是上海和上海化工区是创新力量和创新人才集聚的高地，化工新材料的发展水平是一个国家化学工业整体技术水平的重要体现，也是一个国家整体工业水平和发展水平的重要代表，只有具备上海化工区科创中心这样的创新条件和已形成的高水平创新人才队伍，才能不断开辟化工新材料发展的新领域和新赛道，不断塑造石化产业高质量发展的新动能和新优势！预祝上海化工区尼龙新材料产业再创新辉煌！

深入学习贯彻党的二十大精神
奋力构建化工园区高质量发展新格局*

今天，我们在线上召开“2022 中国化工园区与产业发展论坛”，主要任务是：深入学习贯彻党的二十大精神，以推动高质量发展为主题，完整准确全面贯彻新发展理念，深入实施创新驱动和绿色可持续发展战略，加大培育世界级石化产业集群的力度，为构建创新园区、绿色园区、智慧园区和低碳园区等高质量化工园区的示范与标杆而努力。

今年以来，全球政治、经济不确定性增加，加之疫情的持续变异和多点散发，对我国经济造成严重影响。石化行业是重要的国民经济支柱产业，承载着国民经济高质量发展和中华民族伟大复兴的历史重任，作为石化行业规模化、集群化发展的主战场，要实现“十四五”规划确立的奋斗目标，我们应当按照“十四五”规划做出的总体部署，立足新发展阶段，贯彻新发展理念，为构建高质量发展的新格局，认真组织实施好“五项重点工程”，加快培育“五大世界级石化产业集群”，为实现石化强国目标提供坚强保障。下面，我讲三点意见，供大家参考。

一、中国化工园区经过多年发展，已具备高质量发展的基础和条件

党的二十大报告指出，“高质量发展是全面建设社会主义现代化国家的首要任务”。经过多年发展，特别是近几年的规范建设与评价工作持续推进，我国的化工园区无论是硬件建设水平还是管理规范程度都有了较大水平的提升，具备了高质量发展的基础和条件。

* 这是 2022 年 12 月 23 日，傅向升同志在 2022 中国化工园区与产业发展论坛的视频讲话。

一是管理规范化程度显著增强。我国化工园区经过30余年的发展，规范化、集约化、绿色化水平不断提升。“十三五”以来，我们按照《关于促进化工园区规范发展的指导意见》提出的化工园区规范发展的要求。特别是工业和信息化部、自然资源部、生态环境部、应急管理部等六部委相继发布《化工园区认定条件和管理办法（试行）》《化工园区风险排查治理导则》《化工园区安全整治提升工作方案》等文件以后，从化工园区选址布局、规划体系、公用工程、安全应急、环境保护、制度建设等方面，提出了具体的建设标准和管理要求，化工园区建设和管理正逐步成为有章可循、有规可依的规范性工作，这极大地促进了我国化工园区软硬件水平迅速提升。

“十三五”以来，各省、区、市以国家相关政策文件和标准规范为依据，结合本区域石化产业现状、经济发展水平、产业结构及资源禀赋等要素，研究制定符合区域实际的化工园区认定和评价办法，从主要石化大省开始开展化工园区认定工作，一些石化产业基础薄弱、规模效应不突出、安全环境隐患较大的化工园区被取消。进入“十四五”，在过去五年各地化工园区认定和规范化管理取得明显进步的基础上，20多个省区市按照最新发布的《化工园区认定条件和管理办法》，全面启动了化工园区认定、复评、整治、提升工作。进一步理顺化工园区管理链条，按照“规划科学，布局合理，管理规范，产业协同，集群发展”的原则，重新修订总体规划、产业发展、禁限控目录、化工项目准入条件等，规范化管理水平显著提高，化工园区高质量发展正在稳步推进。根据石化联合会园区委所做的全国性调研统计，截至目前，全国重点化工园区或以石油和化工为主导产业的工业园区共有643家，其中由各省公布认定的化工园区572家。在各省公布认定的化工园区中，山东、江苏、浙江等6个省份认定工作全部完成，共认定化工园区187家；黑龙江、辽宁、河北等17个省份已分批次认定化工园区385家；另有天津、广东、甘肃等8个省份及新疆生产建设兵团相关工作正在进行中。

二是建设标准化程度显著提高。标准化体系建设是化工园区认定、规范管理的重要基础和前提。“十三五”开始，中国石化联合会园区委牵头启动了化工园区标准化体系建设工作，目前已形成建设管理、绿色发展、智慧园区等标准化体系构架。截至10月底，园区委已牵头编制完成《化工园区公共管廊管理规程》《化工园区综合评价导则》《智慧化工园区建设指南》等3项国标，《绿色化工园区评价导则》1项行标，《化工园区应急事故设施（池）建设标准》等11

项团标；备受关注的国标《化工园区开发建设导则》已审核通过，即将发布；另有《化工园区中试基地建设导则》《化工园区低碳运行管理规范》等2项国标、19项团体标准，正在组织相关单位研究制定过程中。标准体系的建立为化工园区规范建设与管理提供了科学依据和技术支撑，在化工园区认定评价、管廊建设、智慧化建设、绿色园区建设和创新与中试基地创建过程中，都发挥了重要的指导和支撑作用，有力促进了化工园区硬件建设与软件管理水平的大幅提升。

三是布局调整成效已经显现。随着各省化工园区认定工作的推进以及新建化工项目进区、人口密集区危化品企业搬迁入园等工作的深入推进，我国化工产业园区化特征越发明显，极大促进了产业结构的优化与布局调整。《石油和化学工业“十四五”发展指南》提出了行业“坚持总量控制，推动集聚发展”的发展方向，要“以大型炼化项目为龙头，以高端制造业项目为核心，进一步形成企业数量多、项目规模大、产业链条长，装置与装置、工厂与工厂以及企业与企业之间管线互连，物料互供，综合循环的集群发展优势，实现一体化、集群化、基地化发展”。今年，石化联合会对各省市投资建设的380多个重点项目调查分析显示，这些项目大部分落户在各省重点化工园区和煤化工基地，包括石油化工、化工新材料、精细化工、现代煤化工以及安全环保等项目共8大类，投资合计达19193亿元，对于全行业未来结构调整、产业集聚度提高、布局优化以及整体竞争力提升都将产生重要影响。

目前来看，以沿海七大炼化基地、沿江和内陆专业化工园区、西北现代煤化工示范区为核心的若干产业集群已初具规模。以上海、宁波、长兴岛、大亚湾、古雷和连云港为代表的沿海七大石化基地正充分发挥区位优势，稳步推进重大项目，进一步延伸产业链，集群化效果正在显现。以南京江北新材料科技园、常熟氟化工新材料产业园区、烟台化学工业园、衢州智造新城、长寿经济技术开发区等园区为代表的一批沿江和内陆专业化工园区快速发展，他们在新能源、氟硅化工、聚氨酯、电子化学品等高端精细化工与新材料等方面独具特色，无论是产业集聚度，还是产业关联度水平都较高，对区域特色产业发展起到了较强的推进作用。四大现代煤化工基地加快建设，宁东、榆林、鄂尔多斯等一批重大现代煤化工产业示范项目积极推进，同时煤化工基地充分发挥产业平台作用，提升创新联动能力，部分化工基地已实现与下游高端精细化学品、化工新材料，以及绿电、绿氢新能源等产业耦合发展。

四是绿色化发展水平逐步提升。习近平总书记在二十大报告中指出：推动绿色发展，促进人与自然和谐共生。绿色发展是石化行业高质量发展的根本要求，我们一定要贯彻总书记二十大报告的精神，统筹产业结构调整、污染治理、生态保护、应对气候变化，协同推进降碳、减污、扩绿、增长，促进生态优先、节约集约、绿色低碳发展。据统计，全国约有各类产业园区 1.5 万多个，对整个中国经济的贡献达到 30% 以上，石化产业的园区化水平远高于其他领域，化工园区的产值占石化全行业总产值的 50% 以上。可以说，产业园区已成为生产体系绿色化的主战场，产业园区绿色化是产业绿色化的关键，化工园区的绿色化也是我们行业实现绿色低碳发展的关键。中共中央、国务院先后印发了《关于完整准确全面贯彻新发展理念做好碳达峰碳中和工作的意见》和《2030 年前碳达峰行动方案》，提出“十四五”的绿色低碳目标是：到 2025 年，非化石能源消费比重达到 20% 左右，单位国内生产总值能源消耗比 2020 年下降 13.5%，单位国内生产总值二氧化碳排放比 2020 年下降 18%。行业提出的绿色目标是：“到 2025 年，万元增加值能源消耗、CO_2 排放量、用水量分别比“十三五”末降低 10%，重点产品单位综合能耗进一步下降；重点行业挥发性有机物排放量下降 30%，固体废物综合利用率达到 80% 以上，危险废物安全处置率达到 100%”。

要实现绿色低碳的“十四五”目标，产业园区的绿色化势在必行。目前化工园区的绿色化程度正不断提高，截至 2021 年底，57 家化工园区在国家发展改革委产业发展司的支持下开展了循环化改造；33 家化工园区获评工业和信息化部“国家新型工业化产业示范基地”；首批《绿色化工园区适用技术目录》发布，推出 19 项适用技术；70 家化工园区签署责任关怀全球宪章。

截至 2022 年 11 月底，列入《绿色化工园区名录》的园区已达 15 家，另有 12 家化工园区处于建设期。2022 年第四批《绿色化工园区目录》的相关工作正在进行中，计划年底完成。

五是智慧化建设能力显著进步。智能化、信息化手段是提高化工园区安全环保监管能力和提升管理效率的重要途径。智慧化工园区建设可以有效提升对于化工园区各类安全环境风险源的监测、监控能力，及时提出应急处置方案将事故控制在最小范围之内，并可通过对进出园区的人流、车流、物流进行实时监控和动态管理实现有效的封闭化管理，打造智慧政务，网上办公还可提高园区办公效率等。

智慧化工园区建设是“两化融合”的重要途径，近年来智慧园区建设不断深化，在工业和信息化部、应急管理部和石化联合会的共同推进下，目前我国智慧化工园区建设取得阶段性成果，危化品全生命周期监管服务平台不断完善，现有五批“智慧化工园区（建设期）单位”共 84 家，列入“智慧化工园区名录”单位共 26 家，智慧化工园区“由点到面”地从试点向全面建设稳步推进。首批《智慧化工园区适用技术目录》已发布，推出 28 项适用技术，这些技术涉及安全、环保、应急等多个应用场景，涵盖了基础层、平台层、应用层三大层级，为化工园区开展智慧化建设提供了技术支撑。预计到 2025 年年底，全国所有化工园区都将拥有信息化平台，30% 的省级及以上重点化工园区将在现有基础上开展智慧化工园区建设工作，重点石化基地和化工园区实现重大安全风险可控、重点危险源和风险点可监测、可预警、可防控。

二、准确把握新形势新趋势下，行业发展对化工园区提出的新要求和新挑战

今年前 10 个月实现收入已达 13.6 万亿元、实现利润已过万亿元、进出口总额已接近 8700 亿美元，尤其是利润占全国工业利润总额的 15% 以上，是国民经济和区域经济发展的重要贡献者。在肯定成绩的时候，我们还要保持清醒和冷静，今年 2 月下旬以来，受突发俄乌冲突的影响，全球能源价格持续推高，主要经济体通胀加剧到几十年来少有的水平，尤其是欧盟天然气、原油、煤炭等能源严重短缺，即将迎来一个“十分寒冷”的冬季，最近经合组织、国际货币基金组织等机构都再次下调了今明两年世界经济和各主要经济体的经济增速预期，尤其对欧元区做了大幅下调。全球石化产业也深受影响，欧洲化工装置为节约能源，大多出现减产、甚至停产，尤其是以天然气为原料的合成氨和化肥冲击更为严重；中国石化产业今年炼油板块受原油价格高位的影响，效益严重受挫，进入下半年以来整个石化行业的效益增速在下滑，但近期的情况看 9、10 月份正在明显改善，预计总体情况四季度将好于三季度，今年全年仍将是一个收获不错的年景。我们一定要把握二十大胜利召开的重要机遇，准确把握新形势下行业发展的新趋势以及新时代的新要求。

一是准确把握安全稳定供应链的新要求和新挑战。要充分考虑当前全球疫情反复、通胀加剧情况对我国对产业的影响。世界经济下行压力增大，在全球产业链供应链连带作用下，给石化行业也会带来冲击。受国际局势影响，当前美

国、欧盟通胀率居高不下，加息步伐仍在继续，俄乌冲突不确定性增加，国际原油价格波动幅度大、频率高，连带影响大宗原料价格巨幅波动。同时受疫情影响，原材料、产成品运输受到严重制约，物流成本占比上涨明显，人员流动受限、用工成本上涨，造成企业经营成本上升，盈利水平大幅下降。石油和化工行业产业链、供应链较长，生产装置连续化生产要求较高，行业需要建立健全稳定、安全可靠的供应链。化工园区作为行业主要发展载体，应很好地研究和把握供应链建设新要求，发挥平台总调度作用，源头把控，从园区产业建设和供应保障入手，延链、补链、强链，构建抗风险能力强、互补作用明显的产业协同发展的格局，逐步建立安全可靠的供应链和产品链。

二是准确把握供给侧高端化带来的新要求和新挑战。当前，国内外经济发展都面临需求萎缩压力，油价刺激和需求萎缩带来了化工市场的剧烈波动，同时消费结构和市场需求都发生重大变化。国际方面，俄乌冲突引发的天然气、原油、煤炭以及化肥和粮食供应紧张，特别是对全球能源、化工、消费市场带来的连锁反应和冲击；国内方面，要把握国内市场变化，既要关注房地产等建筑领域对建材市场消费下降的变化，也要关注新兴产业、新能源汽车和汽车出口量大幅增加对化工新型材料、复合材料和高性能材料的需求增长的新变化。同时，还要密切关注国内能源安全以及冬季能源保供和化肥冬储、秋冬用肥、春耕备肥等关系国计民生的现实需求。

加快石化产品供给侧高端化、培育新的增长点很重要，一个现实需求是长期以来国内重大工程所需的高端石化产品缺乏，另一个是眼前的急需欧洲化工装置因天然气短缺而减产、停产，我们的产品能不能及时补上？补上的是大宗基础产品还是高端和高性能化学品？如果补上的是中低端产品那只能是临时替补，如果抓住了机遇实现了高端替代，也许就为中国石化产业拓展了未来的发展空间。化工园区要发挥平台作用，组织和引导企业实施好“创新工程”，加快实现企业和园区供给侧高端化水平和能力，为企业转型升级和核心竞争力提升、为石化强国目标助力。

三是准确把握石化产业布局优化的新要求和新挑战。去年石化全行业和众多化工企业都是一个丰收年，很多企业也就产生了新的投资冲动，据石化联合会不完全统计，集中开工的项目很多，今年年底投产的就有 157 个项目，涉及投资 8641 亿元，初步统计，这些在建项目将新增 PX 产能 1239 万吨 / 年、PTA 产能 3060 万吨 / 年、1，4- 丁二醇 1085 万吨 / 年、PBAT+PBS+PGA 可降解材料产能 265 万吨 / 年、磷酸铁锂 200 万吨 / 年等；也有煤制乙二醇 440 万吨 / 年、煤（甲醇）制烯烃 220 万吨 / 年和纯碱 960 万吨 / 年、尿素 256 万吨 / 年、聚氯乙烯 180 万吨 / 年等。各化工园区一定要深刻领会并把握今年 8 月印发的《工业领域碳达峰实施方案》的最新要求：落实石化产业规划布局方案，科学确定东中西部产业定位，合理安排建设时序；坚决遏制高耗能高排放低水平项目盲目发展。东西部园区都要加大可再生能源制取高值化学品的技术开发，加快部署大规模碳捕集利用封存产业化示范项目。各园区一定要坚决杜绝产大于求、高消耗高排放低水平项目入园。

四是准确把握安全环境高标准的新要求和新挑战。安全红线、绿色底线是石化全行业和石化园区、石化企业牢固树立、不可逾越的“两条线”，这“两条线”也是石化产业高质量发展的警戒线。石化化工生产过程中大都存在高温高压，原料和产品大都易燃易爆、甚至有毒有害，所以安全风险一刻也不能懈怠，尤其是石化园区作为石化企业和化工装置的集聚区，安全更要警钟长鸣。生产石化产品的原料当前又是以石油天然气为主，中国与发达国家不同的是煤化工占比高，石化产业面临的绿色低碳高质量发展的任务比其他行业要艰巨，石化园区肩负的使命比单个企业更重要。

在今年石化联合会开展的“调结构稳增长，实现高质量发展”调研工作中，化工园区、企业普遍反映在安全和绿色低碳方面面临增长压力大。党的二十大明确提出：持续深入打好蓝天、碧水、净土保卫战，加强污染物的协同控制，基本消除重污染天气，统筹水资源、水环境、水生态治理，加强土壤污染源头防控，开展新污染物治理。人民对美好生活的向往必然要求安全环保政策趋紧，这就要求化工企业尽快转变发展方式。要充分发挥化工园区的主阵地作用，深刻理解政策要求，把握发展方向，为企业排忧解难，积极协调产能、土地、环境容量等指标，优化园区空间布局，不断提升园区本质安全水平，开展园区循环化改造，推动园区企业循环式生产、产业循环式组合，促进废弃物综合利用、能量梯级利用、水资源循环利用，率先实现园区规范化、绿色化、安全化。

三、深入学习贯彻党的二十大精神，构建化工园区高质量发展新格局

未来五年是全面建设社会主义现代化国家的关键时期。党的二十大指出，

“从现在起，中国共产党的中心任务就是团结带领全国各族人民全面建成社会主义现代化强国、实现第二个百年奋斗目标，以中国式现代化全面推进中华民族伟大复兴”。中国化工园区建设与发展，要放到中国式现代化建设全局中思考和谋划，要放到建设石油和化工强国全局中思考和谋划，既要学习借鉴发达国家化工园区建设经验，更要突出基于国情的中国特色，走出一条产业集群化、管理智慧化、发展绿色化、运营一体化的化工园区高质量发展之路。当前，化工园区要完整、准确、全面贯彻新发展理念，贯彻落实“疫情要防住、经济要稳住、发展要安全”的要求，突出高质量发展的主题，重点把握好以下几方面的工作。

一是进一步优化园区布局，推动产业结构“更优化”。要紧紧抓住化工园区作为行业载体的特征，瞄准《关于“十四五”推动石化化工行业高质量发展的指导意见》中提出的产业布局目标“城镇人口密集区危险化学品生产企业搬迁改造任务全面完成，形成 70 个左右具有竞争优势的化工园区；到 2025 年，化工园区产值占行业总产值 70% 以上”，化工园区作为行业未来高质量发展的主阵地，应加快优化调整产业布局，推动产业结构调整，加快存量企业和存量项目的转型升级，严把新建和拟建项目准入关，为行业供给侧结构性改革提供有力支撑。

优化调整产业布局的重点一是统筹项目布局，促进区域协调发展；二是引导化工项目进区入园，促进高水平集聚发展。切实做到新建危险化学品生产项目必须进入一般或较低安全风险的化工园区，引导其他石化化工项目在化工园区发展；推进新建石化化工项目向原料及清洁能源匹配度好、环境容量富裕、节能环保低碳的化工园区集中；推动现代煤化工产业示范区转型升级，稳妥推进煤制油气战略基地建设，构建原料高效利用、资源要素集成、减污降碳协同、技术先进成熟、产品系列高端的产业示范基地。

目前，全国化工园区认定、评价分级工作正在有序推进，对化工园区的规划体系、“禁限控”目录，项目准入与退出提出了具体要求。应借助这一政策性机会，引导化工园区进一步建立、完善包括产业规划、总体规划、专项规划等在内的规划体系，特别是要强化园区产业规划对全局发展的引领作用，补足部分园区产业规划缺失的“功课”。化工园区应按照规范要求，结合所在地土地资源、产业基础、水资源、环境容量通等基础条件，通盘考虑产业链、产品链的构建，按照“原料产品项目一体化”的理念编制出高效协同的产业规划，促进化工园区产业结构更趋合理。要通过规划体系的完善，尽快形成集聚效应，推动全行业产业布局更趋合理。

“十四五”期间，我们要重点培育18个沿海石化园区、18个内陆石化园区、4个现代煤化工基地和30个专业化工园区，实现石油化工、现代煤化工与下游化工产品的产业链协同，实现东部与西部的优势互补。通过园区规范化和提前布局，促进行业产业结构调整，早日实现“大宗化工产品生产集中度进一步提高，产能利用率达到80%以上；乙烯当量保障水平大幅提升，化工新材料保障水平达到75%以上”的总体目标。

二是进一步完善基础设施和配套服务，促进化工园区“高质化”。新形势要求化工园区为企业提供更加平稳的发展空间和高效低成本的公共资源和服务，以抵御经济下行压力、化工市场剧烈波动等。园区要进一步完善基础设施、不断提升配套服务水平，以推动化工园区规范化发展，加快园区污染防治等基础设施建设，提升本质安全和清洁生产水平。应进一步加强标准化工作，提升化工园区硬件建设水平，按照统筹、协调、共享的原则规划、建设和管理公用工程与基础设施，落实国家相关标准要求，严控工程质量，实现化工园区规范化、高质化运行，同时完善、提升配套服务水平，为行业降本增资、高质量发展打牢基础。

完善的基础设施和配套服务将大大提升企业的生产效益，公用工程和配套设施做得好的化工园区，企业资源和能源的消耗可降低30%以上，运营成本降低约50%。以上海化工区为例，园区按照公用工程物流一体化的建设理念，通过引入专业公用、物流配套企业为合作伙伴，集中热电联供、工业气体等公用工程岛，通过公用海运码头、公共仓储区和集中管道运输相结合的方式，实现了经济性、安全性和可靠性相统一的资源供给和物流运输。在今年疫情防控形势最严峻时期，上海化工区统筹协调，仍维持了石化产业总产值的同比3.7个百分点的正增长，其高效的运营体系功不可没。

三是持续推进信息化与工业化深度融合，实现行业绿色安全支撑平台的“智慧化”。园区智慧化建设7年来成绩显著，不少园区正在推出升级版，《关于“十四五”推动石化化工行业高质量发展的指导意见》要求：石化、煤化工等重点领域企业主要生产装置自控率达到95%以上，建成30个左右智能制造示范工厂、50家左右智慧化工示范园区；大宗产品单位产品能耗和碳排放明显下降，挥发性有机物排放总量比“十三五”降低10%以上，本质安全水平显著提高，有效遏制重特大生产安全事故。

化工园区正在运用智慧化等手段，建设行业减污降碳的有效支撑平台，加快 5G、大数据、人工智能等新一代信息技术与石化化工行业融合，实施“工业互联网 + 危化安全生产”工程，响应应急管理部要求，切实落实化工园区本质安全提升工程，推动安全管理数字化转型试点，建设一批本质安全型化工园区。特别是在做好现有智慧化工园区建设基础上，不断增强化工过程数据获取、处理能力，真正实现全过程一体化智慧管控，切实提高化工园区本质安全水平。同时进一步加快智能工厂、智慧园区等标准建设，目前石化联合会正在进行一系列相关标准的制订工作，以进一步为行业和化工园区的智慧化提供有效技术支撑。

在绿色化建设方面，充分发挥化工园区集聚、协同发展的特长，协同推进产业链碳减排，引导鼓励石化化工企业因地制宜、合理有序开发利用“绿氢”，推进炼化、煤化工与“绿电”“绿氢”等产业耦合示范，促进行业间耦合发展，提高资源循环利用效率。同时，还要组织开展绿色工艺、绿色产品、绿色工厂、绿色低碳技术应用、绿色供应链和绿色园区认定，构建全生命周期绿色制造体系。

四是探索新模式新机制，打造创新高地，引领行业发展“创新化”。习近平总书记在二十大报告中指出：必须坚持科技是第一生产力、人才是第一资源、创新是第一动力，深入实施科教兴国战略、人才强国战略、创新驱动发展战略，开辟发展新领域新赛道，不断塑造发展新动能新优势。坚持创新在我国现代化建设全局中的核心地位，加快实现高水平科技自立自强，以国家战略需求为导向，集聚力量进行原创性科技攻关，坚决打赢关键核心技术攻坚战，加快实施一批具有战略性全局性前瞻性的国家重大科技攻关项目，增强自主创新能力。各化工园区一定要深刻领会二十大的精神，以产业需求为引领，引导创新资源向园区集聚，加强中试基地、科创中心、产业基金等公共创新平台建设，不断探索新的运行和激励机制，营造创新氛围，提升园区服务创新型企业的能力，提高整体科研创新与成果转化能力，打造园区、企业与科研机构协同创新的新高地，加快形成区域性行业创新体系。

化工园区要集聚力量全力组织实施好“产业升级创新工程”，从硬件设施架构和组织体制创新上两端发力，一方面建设小试、中试平台及设施，建设科创中心等，提升园区服务创新型企业的硬件能力；另一方面积极搭建引才引智、产业金融、科技成果孵化转化等创新平台桥梁，不断探索新的运行和激励机制，营造创新氛围，提高整体科研创新与成果转化能力，真正使创新成为化工园区高质量发展的核心要素，并充分发挥核心地位的重要作用。在南京、大亚湾、上海、泰兴、宁东等化工园区创新平台建设与运营取得积极进展的基础上，大力推进化工园区科创中心建设，力争到2025年，建成50个化工园区科创中心。把化工园区建设成为石化和化工领域自主创新的新高地和高端人才、专业学科带头人的集聚地。

五是提高能效水平，打造一流营商环境，努力推动化工园区迈向的世界一流。按照多年实践探索的“原料产品项目一体化、公用工程物流一体化、安全消防应急一体化、环境保护生态一体化、智能智慧数据一体化和管理服务科创一体化”的“六个一体化”理念，提高管理能力，打造一流营商环境，建设世界一流化工园区，构建化工园区高质量发展新格局。

经过长期的努力和几代人的接续奋斗，我国化工园区规范化程度不断提升，产业基础和规模不断扩大，产业链协同和集聚效应显著改善，创新能力、整体技术水平和管理水平都明显提升，尤其是杭州湾、泛大湾区聚集了包括惠州大亚湾、上海化工区、南京江北新材料科技园、宁波石化区、连云港徐圩新区、嘉兴港、杭州湾上虞经开区以及新拓展的舟山炼化一体化基地等一批产业基础好、产业规模大、关联度高、管理建设水平强的化工园区，都在向世界级先进石化产业集群的目标努力。

全国化工园区“十四五”《规划指南和2035发展展望》提出：加快培育“五大世界级石化产业集群”，努力争取“十四五”末初具轮廓，2035年基本建成环渤海湾、杭州湾、海西湄洲湾、泛大亚湾和“能源金三角”“五大世界级石化产业集群”。这一思路和目标的提出主要是立足于国家在沿海布局的“七大石化基地”和西北“四大现代煤化工示范区”，站在今天的时点上看，环渤海湾区域北有“七大石化基地”之一的长兴岛，南有国家新布局的裕龙岛，连接已具备较好基础的辽东湾、天津南港、沧州临港以及山东滨州、东营、潍坊和烟台化工园区；杭州湾区域有“七大石化基地”的上海和宁波两大主阵地，外加新拓展的舟山炼化一体化装置，连接嘉兴港、上虞等新材料化工园区；海西湄洲湾有“七大石化基地”之一的古雷半岛，连接泉港、泉惠、福州江阴等化工园区；泛大亚湾区有“七大石化基地”之一的惠州大亚湾，北连揭阳，南接茂湛、钦州、洋浦等化工园区，以上是沿海四大石化产业集群；第五个是以

“能源金三角”的宁东、榆林、鄂尔多斯为主体的现代煤化工产业集群。这“五大产业集群”都已具备坚实的基础，尤其是产业规模、区位优势、整体水平和国际竞争力都居前列。我们可以毫不夸张地说：沿海的“四大世界级石化产业集群”已经整装启航，正在驶向世界石化产业同台竞技的舞台，只要我们按照规划的目标，不论遇到什么样的风浪，不迷失方向、坚定向前，未来 15 年后沿海“四大石化产业集群”一定会成为与美欧石化产业优势互补、并肩扬帆的远洋战舰，西北的现代煤化工基地关键时刻也将成重要而稳固的后方母港和储备基地。那时的中国石化产业一定会成为世界石化领域的重要一极，不仅为中国式现代化作出积极贡献，而且将为建设人类命运共同体作出更大贡献!

回望几十年来的不平凡发展历程，我国石油和化工行业在党的坚强领导下，在中国革命、建设、改革等不同历史时期都作出了重要贡献。全行业要继往开来，以深入学习贯彻党的二十大精神为契机，把握新的机遇，向着石化强国的奋斗目标大步向前!

全面贯彻落实党的二十大精神
开启化工园区可持续发展新征程*

一、化工园区可持续发展既成效明显又存在短板

据园区委最新统计，截至 2022 年年底全国共有石化基地和化工园区 643 家，其中经各省区市认定过的有 593 家，产值在 500 亿元以上的有 53 家，入园企业实现收入占石化全行业总收入的 50% 以上，化工园区已成为石化产业高质量发展的重要平台。**一是绿色化工园区和智慧化工园区的创建和试点示范都成效显著，**“十三五”以来，已有 22 家园区列入“绿色化工园区名录”、另有 9 家正处于绿色化工园区创建阶段，还相继遴选发布了 32 项绿色化工园区适用技术；已有 26 家园区列入“智慧化工园区名录”，另有 48 家正在开展智慧化工园区创建，经遴选也推出了 57 项智慧化工园区适用技术。

二是化工园区的标准化规范化建设持续推进，在相继发布实施《化工园区综合评价导则》《化工园区开发建设导则》《智慧化工园区建设指南》《绿色化工园区评价导则》等一批国标、行标和团体标准的基础上，另有《高质量化工园区评价规范》《化工园区安全风险评估导则》《化工园区碳达峰碳中和实施指南》等一批标准和规范性文件正在研究和起草过程中，也有的正在征求意见、即将发布实施，化工园区规范化管理和建设都取得明显进步。

三是园区化基地化水平持续提升。（略）

当然，短板也是明显的。我国化工园区已走过 20 多年的路程，尤其是“十三五”以来，积累了一定的经验，成就是显著的，发展质量稳步提升，管理持续规范。但是，在看到成绩的同时，还要看到我国化工园区在未来高质量发展的征途上、尤其是承载石化大国向石化强国跨越的重任，还存在不容忽视的

* 这是 2023 年 3 月 30 日，傅向升同志在 2023 中国化工园区可持续发展大会的讲话（节选）。

短板与瓶颈制约，全国化工园区的布局还需要进一步优化，园区与园区之间的差异化还需要优化，园区内产品链的补链强链以及产业链协同还需要强化，协同区域经济布局培育现代石化产业集群的力度还需加大，东部与西部园区发展的不平衡性以及规模、尤其是管理水平的差距还十分明显，最直观的智慧化工园区和绿色化工园区创建与试点示范的数量与 600 多家化工园区总量相比差距较大，同时列为智慧化工园区和绿色化工园区“双名录”的就更少。这都是化工园区实现高质量发展和可持续发展不容忽视、下功夫研究和下力气改进的。

二、开启化工园区可持续发展新征程

习近平总书记在党的二十大报告指出，我们坚持可持续发展，坚持节约优先、保护优先、自然恢复为主的方针，坚定不移走生产发展、生活富裕、生态良好的文明发展道路，实现中华民族永续发展。化工园区的可持续发展必须全面贯彻落实党的二十大精神，走在石化行业可持续发展的前列，充分发挥化工园区和石化基地在行业绿色可持续发展方面的主阵地和排头兵作用。化工园区可持续发展应突出重点发力：

一是化工园区可持续发展应当做好高质量发展。党的二十大报告指出，高质量发展是全面建设社会主义现代化国家的首要任务。化工园区可持续发展首先要在“首要任务”上发力，40 多年的高速发展告诉我们：拼规模、拼投资、拼资源的传统发展思路是不可持续的，尤其是在大多数大宗基础化学品和通用材料产品产大于求的今天、低水平重复更不可持续。因此化工园区的可持续发展必须坚持高质量发展为主题，加大科学规划和布局优化的力度，加大落后产能淘汰和有序退出的力度，加快传统产业转型升级的同时、不断加大战略性新兴产业培育力度、配套能力和水平，特别是通过“腾笼换鸟”加快产业链补链延链和强链，提升产业链供应链的韧性和安全水平，对标世界一流园区加大培育世界一流骨干企业的力度，通过 10 到 15 年的努力，建成一批与新加坡裕廊岛、比利时安特卫普、沙特阿拉伯朱拜勒工业城并肩的规模集聚度高、产业链协同好的大型石化基地，建成一批与德国路德维希港、勒沃库森那样的以化工新材料或专用化学品为主的产品高端、管理精细的专业化工园区。我们正在认真研究化工园区高质量发展示范园区的创建条件和示范标准，希望各园区一起共同研究、认真思考，更希望有条件的园区早日成为“高质量发展的示范园区”，不仅为其他园区提供标杆和示范，而且为石化全行业高质量发展奠定基础、提供保障。

二是化工园区可持续发展应当是创新驱动发展。党的二十大报告指出，坚持创新在我国现代化建设全局中的核心地位。创新驱动发展是化工园区及其石化企业实现可持续发展的核心要素、是第一驱动力。化工园区可持续发展不仅建设好公共创新平台、中试基地等研发设施，而且要充分发挥园区内骨干企业的引领支撑作用；不仅重视面向园区内企业、产业发展的现实需求，更要把握世界科技进步的前沿、国家重大项目和重点工程的需求，集聚力量组织和开展原创性引领性科技攻关，坚决打赢关键核心技术攻坚战，有能力的园区和园区内的企业还要努力争取承担具有战略性全局性前瞻性的国家重大科技项目，不仅增强自主创新能力，而且为国家实现高水平科技自立自强多做贡献。各园区一定要认真研究化工园区“十四五”发展规划提出组织实施的“五项重点工程”之一的“产业提升创新工程”，努力创造条件早日成为“50 家园区科创中心”，有条件的化工园区还要积极争取建设世界重要人才中心和创新高地。

三是化工园区可持续发展应当是绿色低碳发展。党的二十大报告指出，推动经济社会发展绿色化、低碳化是实现高质量发展的关键环节。在化石资源大量消耗、温室气体排放持续增加、气候变化不断恶化、人类生存挑战日益严峻的情况下，忽视了绿色化和低碳化，任何一家园区的发展都不可能持续。因此，各化工园区一定要大力推进清洁生产技术改造和循环化改造，推广先进适用的节能、低碳、节水技术以及废弃物综合利用技术，高度重视各类资源的节约集约利用，加快构建废弃物资源化循环利用体系，实现源头减排、过程控制、末端治理、综合利用全过程绿色发展；还要重视原料互供、能源互供以及能源梯级利用，减少物流运输、降低化石能源消耗，努力协同推进降碳、减污、扩绿、增长，推进生态优化、节约集约、绿色低碳发展。重点石化基地和化工园区都要积极应对碳达峰碳中和这场广泛而深刻的经济社会系统性变革，重点控制化石能源消费，推动能源清洁低碳高效利用，主动研究并帮助企业完善能源消耗总量和强度调控，逐步转向碳排放总量和强度“双控”，坚持先立后破，积极推进原料轻质化、有计划分步骤实施碳达峰行动。我们正在研究、将适时开展“低碳化工园区示范”，各化工园区及其石化企业都要认真研究并落实好去年新颁布的能效“基准水平”和“标杆水平”，加大节能降碳改造升级力度，各园区还要按照化工园区“十四五”发展规划提出的组织实施“绿色化工程”

的思路，努力在“十四五”末把自己建设成为“50家绿色化工园区”之一，能效务必要达到“基准水平”以上、力争达到“标杆水平”，全部化工园区2035年前都必须实现绿色化发展，否则将面临不予认定、甚至被淘汰的风险。

四是化工园区可持续发展应当是智慧化发展。化工园区加大5G、大数据、人工智能等新一代信息技术的应用力度与整体相融合，加快化工园区智能化数字化转型与升级，是提升园区整体管理水平和本质安全水平的重要举措和路径选择，正在试点示范和正在开展的智慧化工园区创建，对重点监管的危险工艺和风险点、重大危险源以及危化品物流、危险作业等实时监控和预警等方面都积累了经验。

各园区一定要按照化工园区“十四五”规划提出的组织实施“智慧化工程”的目标要求，高度重视并加快智慧化工园区的建设，通过数字化智能化转型和智能工厂、智慧化工园区的试点示范，探索并把握数字化、网络化、智能化方向，促进数字技术与实体经济深度融合，赋能传统产业转型升级，催生新产业新业态新模式，并不断提升园区和企业的管理水平和运营效率，把握住新一轮科技革命和产业变革的新机遇，充分发挥数字经济具有高创新性、强渗透性、广覆盖性的特点，让智慧化工园区不仅成为改造提升传统石化产业的重要支点，而且成为助推石化产业高质量发展的重要引擎。

五是化工园区可持续发展的高级阶段将是集群化发展。党的二十大报告提出“建设现代化产业体系”，对打造具有国际竞争力的产业集群也作出了部署，建设现代化产业集群是推动高质量发展、全面提高经济整体竞争力的必然要求，是推动我国经济发展焕发新活力、迈上新台阶的必然选择。化工园区“十四五”发展规划提出：重点培育“五大世界级石化产业集群”，按照这样的总体思路，东部沿海石化基地、石化园区以及部分拥有千万吨级以上炼油、规模集中度高、管理水平高的老石化基地，要立足已有的炼化一体化规模和产业链水平，充分用足用好已建成和即将建成的炼化一体化装置副产的轻烃原料，认真研究和论证好“减油增化”的路径和措施，把重点放在下游产业链的延链、补链、强链上，增强天然气、乙烷、丙烷等原料供应能力，提高低碳原料比重；推广应用原油直接裂解制乙烯等新技术、新工艺，到2025年“减油增化”取得积极进展，新建炼化一体化项目成品油产出率降至40%以下。西部现代煤化工园区要把握“合理控制煤制油气产能规模”的最新要求，还要加快合成气一步法制烯烃的技术和工程化创新，争取2030年实现规模化应用。沿江和内陆专业化工园区一定要突出专业化特色，不求面面俱到、专攻专精特新，在高端化、差异化、专业化上下功夫，培育更多专业化程度高、特色鲜明的化工新材料、精细化学品的专业化园区。各园区一定要贯彻执行新的产业政策，坚决杜绝产大于求、高消耗高排放低水平项目入园。为实现“十四五”末环渤海湾、杭州湾、海西湄洲湾、泛大亚湾和“能源金三角”“五大世界级石化产业集群”初具轮廓的发展目标和到2035年全面建成“五大世界级石化产业集群”而努力！

化工园区可持续发展是我们面临的共同课题，也是新时代新征程上需要我们求解的重要课题。上面每一个发力点都提到了“十四五”规划，因为今年也是“十四五”规划承上启下关键的一年，今年的工作将直接影响并决定着“十四五”任务目标的圆满完成。我们各化工园区一定要深刻领会并完整准确全面地贯彻新发展理念，通过组织实施创新工程、绿色化工程、智慧化工程等“五项重点工程”，培育高质量可持续发展的化工园区标杆和示范；先进园区要优先对标具有国际竞争力的世界一流园区，其他园区要积极对标国内一流园区，立足自身实际，面向新的阶段，突出自身优势，补短板、锻长板，共同探索并破解化工园区可持续发展这一重要课题，600多家园区的答案不可能是唯一的，但可以相互借鉴、取长补短，建成世界一流化工园区是我们的目标，让园区可持续发展助推石化产业高质量发展，为迈向石化强国奋斗目标做出新的更大贡献！

智慧化水平将成为未来化工园区高质量发展的关键*

智慧化工园区的创建与试点示范是石化产业数字化转型的重要内容和重点领域。自 2016 年第一批智慧化工园区创建以来，得到了越来越多化工园区和石化基地的重视与响应。从最初的“以提升园区本质安全和环境保护水平为目的”起步，智慧化工园区的建设重点越来越突出，目标越来越明确，标准越来越规范，效果越来越显著。

据石化联合会园区工作委员会的最新统计，截至目前全国化工园区约 650 家，在已公布通过省级认定的化工园区 618 家当中，已有 54 家成为智慧化工园区建设期单位。加上这次会议新入选的天津南港工业区、青岛董家口化工产业园等 6 家园区，共有 32 家正式列入智慧化工园区名录。这些园区代表了全国智慧化工园区建设的最新成果。同时园区委于 2021 年开始智慧化工园区适用技术申报认定工作，截至目前，共有 83 项技术入选智慧化工园区适用技术名单。

8 年来，智慧化工园区的建设取得了显著的进步与成效，特别是在提升化工园区管理水平、本质安全水平以及运营效率方面发挥了重要作用。当然，在肯定成绩的同时，我们还要看到差距。一是数量上与 650 家园区总量相比，只有 54 家列入建设期，占比只有 8.3%；正式列入名录的就更少，32 家，占比只有 4.9%，可以说数量的差距很大。二是质量上建设的水平参差不齐，虽然千亿元以上的大园区和百亿元以下的小园区、东部沿海和中西部内陆的园区、大型石化基地和精细化工、化工新材料等专业化园区，都有代表和示范标杆，但建设的内容、水平以及监测预警、信息资源整合、数据共享等也都参差不齐。三是正在创建和已经列入名录的智慧系统和智慧平台的实际运营和进一步升级也有待提升。下一步智慧化工园区既要高度重视，又要规范推进。

* 这是 2023 年 8 月 31 日，傅向升同志在第四届中国智慧化工园区建设发展大会的讲话。

一是智慧化水平将成为未来化工园区高质量发展的关键。习近平总书记指出，数字经济具有高创新性、强渗透性、广覆盖性，不仅是新的经济增长点，而且是改造提升传统产业的支点，可以成为构建现代化经济体系的重要引擎。

从“十三五”以来的 8 年，通过智慧化工园区建设的实践来看，大多数开展智慧化建设的园区，都在整合信息化资源以及园区内资源配置、能效优化、安全生产管控、环境生态监测等方面取得了明显的效果。特别是实现了重大风险源监控、园区封闭管理、可视化操作、现场人员行为识别、应急处置、有毒有害气体泄漏、特殊作业和危化品运输车辆的实时监控与预警，园区本质安全水平都大幅提升，智慧化工园区建设正在成为化工园区高质量发展的重要内容和重要途径。

《化工园区“十四五”规划指南及 2035 中长期发展展望》将智慧化工程列为“五项重点工程”之一，并与《关于“十四五”推动石化化工行业高质量发展的指导意见》共同提出“建成 50 家智慧化工示范园区”。化工园区“十四五”规划指南的 2035 中长期发展展望部分特别强调：“到 2035 年，我国全部化工园区建成智慧化工园区和绿色化工园区，成为石化产业高质量发展和石化强国的重要支撑。”

从规划目标和国家推动石化产业高质量发展的部署和要求来看，能不能建成和建设好智慧化工园区不仅关系到化工园区的高质量发展。而且在新时代的新征途上，在我国基本建成社会主义现代化国家的时点上，今天认定的化工园区是否建成了智慧化园区？是否做到了本质安全？将成为决定一批化工园区命运的关键要素。

今天，我们正处在经济发展的新阶段，正在贯彻新发展理念、迈向石化强国的征途上，必须站在这样的高度来认识智慧化工园区建设的重要性。既要增强对智慧化工园区建设的使命感、责任感，也要进一步增强对智慧化工园区建设危机感。

二是智慧化工园区将成为石化产业高质量发展的关键。石化产业是国民经济的重要支柱产业，不仅为国民经济稳增长、稳外贸作出重要贡献，而且对世界石化产业发展的带动作用正发挥着“火车头”的功能。其中，化工销售额的世界占比多年来稳居 40% 以上，对世界石化产业的话语权和影响力日益增强。

但是我们也要看到，我们目前只是石化大国，还不是强国。与美欧日等发达国家和地区相比，我们的原始创新、产业布局、规模集中度等都差距明显。

"基础产品过剩，高端产品短缺"的结构性矛盾突出，这也都证明石化产业高质量发展的任务还很艰巨。要缩小差距、突破瓶颈、实现石化强国的目标，坚持创新在我国现代化建设全局中的核心地位，深入实施创新驱动发展战略，加快实现高水平科技自立自强很重要；加快石化产业的基地化、园区化和产业集群化也很重要。

据统计，目前石化产业的入园率高于 50%，化工园区在产业链协同、能源互供、"三废"集中处置以及应急管理等方面的效果正在显现。若"到 2025 年，化工园区产值占行业总产值 70% 以上"，化工园区将成为石化产业高质量发展的重要阵地和重要支撑。

因此，智慧化工园区建设要深刻领会和把握好习近平总书记强调的"数字经济发展速度之快、辐射范围之广、影响程度之深前所未有，正在成为重组全球要素资源、重塑全球经济结构、改变全球竞争格局的关键力量。"各园区要重视智能工厂、智慧车间和设备的智能化改造，在园区内培育更多世界一流企业，并加大现代石化产业集群的培育力度，推动石化产业的高质量可持续发展。

三是化工园区智慧化建设在示范中规范，在创新中提升。智慧化工园区的创建与试点示范已经开展了 8 年。这 8 年是不断探索、不断深化和不断积累经验的过程，也是各园区间持续创新、不断交流经验、相互借鉴提升的过程。

在持续探索与提升的过程中，管理也日益规范。受工业和信息化部委托，石化联合会园区委牵头编制的《智慧化工园区建设指南》作为国家标准已于 2020 年 10 月发布，并于 2021 年 5 月 1 日正式实施，这是化工园区智慧化建设的规范化文件和重要依据。为配合智慧化工园区建设国家标准的贯彻实施，石化联合会园区委还相继研究制定，并将很快颁布智慧化工园区的安全、环保、应急、物流、能源和空间数据库几个《管理系统建设指南》系列团体标准和行业标准。应急管理部还印发了《化工园区安全风险智能化管控平台建设指南（试行）》和《危险化学品企业安全风险智能化管控平台建设指南（试行）》。各园区要认真研究，结合化工园区自身的实际，特别是园区的企业情况、产业链协同和产品结构、管理现状，研究制定智慧化工园区的建设方案，高起点、高标准推动化工园区的智慧化建设。

立足世界范围内新产业革命和新科技变革的时代背景，通过智慧化工园区建设推动产业结构优化升级，加快现代石化产业体系建设的进程，让智慧化工园区带动石化产业走在第四次工业革命的前列，为打造具有国际竞争力的石化产业集群作出新的贡献。

《化工园区智慧化评价导则》正在编制过程中，预计今年年底编制完成，智慧化工园区建设将从顶层设计上更加规范和科学化。今天我们来到连云港徐圩新区，徐圩新区不仅产业布局、产业规模、产业链协同和骨干企业的带动作用强，而且智慧化工园区和绿色化工园区建设也走在了众多园区的前列。徐圩新区在打造具有国际竞争力的世界一流石化园区方面，不仅与国际知名咨询公司合作、深入研究、开展对标，而且提出了明确的指标，正在探索推进。这次大会在徐圩新区召开，希望各位嘉宾和园区，把你们好的做法、经验和智慧留给徐圩新区，也与徐圩新区多交流、多沟通，在相互学习和相互借鉴中，携手创新，共同提升，让智慧化工园区建设不断取得新突破，为实现石化强国跨越和中国式现代化做出新的更大贡献！

对标一流　建设一流*

一是区位与定位。为什么要谈“区位与定位”呢？因为区位决定定位，定位要与区位相匹配。今天参加座谈会的化工园区都地处长三角区域，长三角经济发展处于我国经济发展的龙头地位，长三角经济一体化发展是国家战略，也是国家经济发展的重要布局。据统计，长三角区域“三省一市”石化产业的营收占全国石化全行业的24.7%，与长三角区域经济总量占全国占比基本一致；长三角区域已认定的化工园区共121家（上海3家，江苏28家，浙江51家，安徽39家），我们这些园区地处长三角区域、地处国家经济发展的龙头地位，一定要找准发展的定位，那就是“世界一流和国内一流”。为什么不全都是“世界一流”呢？因为我们要实事求是，上海、南京、宁波、连云港、舟山等这些园区的定位一定要瞄准“世界一流”，瞄准德国路德维希港、比利时安特卫普、新加坡裕廊岛以及沙特阿拉伯朱拜勒工业城等，这些世界一流的石化基地和化工园区，甚至泰兴、常熟、上虞、嘉兴、常州滨江等也要瞄准世界一流的专业化园区，把自己定位为精细化工、氟化工新材料、碳纤维复合材料等主导产业鲜明的专业化园区。当然，全部目前已认定的121家化工园区中，大多数还是要把自己定位为“国内一流”，也就是再经10年努力都要建设成为国内一流的标杆化工园区。如果地处长三角区域的石化基地和化工园区不能确立这样的定位和目标，再过10年地处国家经济战略龙头地域的化工园区，不是走在全国化工园区的前列，在国内相比还是平庸的，与国际对标还不具备国际竞争力的话，那我们就很难与所在区域相匹配，就更谈不上为实现石化强国目标提供强力支撑。

定位为“世界一流或国内一流”如何实现呢？首先要认真研究“化工园区综合竞争力评价导则”的6大项和细分的28小项的评价指标，当然还要综合研究安全风险评估的要求和近几年研究制定的一系列“建设指南”和“评价导

* 这是2024年8月22日，傅向升同志在第三届长三角化工园区高质量发展座谈会的总结讲话。

则”，在研究中找差距、补短板，实现快速提升；根据工业和信息化部的工作部署和对石化产业高质量发展的目标要求，到“十四五”末要建成 70 家综合竞争力园区，希望在现有 30 强中已有 16 席长三角园区的基础上，能有更多的园区到明年年底打造成为 70 家综合竞争力园区。

打造“世界一流和国内一流”化工园区的第二个标志是“智慧化工园区”，在现有 44 家“智慧化工园区名录”中，长三角区域占 24 席，占比 54.5%，各园区一定要认真研究已发布的《智慧化工园区建设指南》和《智慧化工园区评价导则》，还要与已列入“智慧化工园区名录”和正在“智慧化工园区（建设期）”的单位对对标，尽快把自己打造成为智慧化工园区。

打造“世界一流和国内一流”化工园区的第三个标志是“绿色化工园区”，目前已列入“绿色化工园区名录”的有 30 家，其中长三角区域有 16 家（占 53.3%），各园区也要认真研究已发布的《绿色化工园区建设指南》和《绿色化工园评价导则》，也组织专人与已列入“绿色化工园区名录”和正在建设期的园区对对标；绿色化工园区对世界一流和国内一流更为重要，因为这是贯彻党中央“双碳”战略重要而具体的内容，对于长三角区域的化工园区更显重要，这是落实国家长江流域共抓大保护新要求的重要举措。这两项工作都通过国家标准或行标、团标的形式，已有了具体的建设内容和规范要求，只要认真研究是很容易看到差距、找到方向的，如果再借鉴已列入“绿色化工园区名录”园区的做法和经验，也是相对容易组织实施的。还是重复原来的一句话：如果到 2035 年今天已认定的化工园区还不能建成“智慧化工园区”和“绿色化工园区”的话，真的将会面临淘汰出局的局面，今天在化工园区工作的同志一定要有这样的危机感和紧迫感。

二是差异化与集群化。基地化、园区化和炼化一体化与产业集群化是石化产业高质量发展的重要途径，也是发达国家和跨国公司成功实践和可借鉴的做法与经验。“十四五”化工园区发展规划提出了重点培育“五大世界级石化产业集群”的总体部署和目标要求，其中“杭州湾区世界级石化产业集群”，是沿海“环渤海湾”“海西湄洲湾”“泛大亚湾”“四大沿海石化产业集群”之一，也是地处长三角区域重要的产业集群之一，当时明确杭州湾区的主体园区有上海、宁波、大榭、舟山、嘉兴、上虞等石化基地和化工园区。今天听到大家发言中对长三角化工园区联盟过去工作和信息交流、协同发展平台作用的肯定，以及对联盟未来寄予的厚望，下一步我们要研究“杭州湾区世界级石化产业集群”如何扩大群体？是否把长三角区域主要的化工园区都包括其中？为了契合长三角经济一体化发展的国家战略，在下一个五年发展规划时，我们应当把长三角区域 121 家化工园区世界级石化产业集群的协同发展作为一个重要课题认真研究。

当然，各石化基地和化工园区在认真思考和研究产业集群化发展、产业链协同问题的同时，还要认真研究自己园区的差异化发展，因为园区与园区间产业结构、产品结构雷同的问题是普遍存在的、也是严重的，受各种因素的制约、尤其是受技术创新的瓶颈制约，各园区间差异化不够，大都以基础石化产品和通用合成材料为主，规模是都上去了，但相互间差异化和产业链协同效果不明显，甚至造成园区间、企业间、产品间的恶性竞争和内卷。下一步，我们应当在加大集群化和协同发展的同时，各园区要认真研究和探索差异化、高端化，真正实现长三角区域内世界级石化产业的集群化与产业链协同和经济一体化高质量发展。

三是“十四五”与“十五五”。“十四五”伊始，全国化工园区“十四五”规划发展指南就明确提出了组织实施“五项重点工程”即产业升级创新工程、智慧化工程、绿色化工程、标准化工程、高质量发展示范工程，实现“五个 50 的目标”即创建 50 家园区科创中心、新建 50 家智慧化工示范园区、开展 50 家绿色化工园区试点示范、研究制定 50 项化工园区的标准、选择 50 家化工园区高质量发展示范（20 家综合示范和 30 家专项示范），重点培育 70 家石化基地和化工园区，打造“五大世界级石化产业集群”即环渤海湾、杭州湾、海西湄洲湾、泛大亚湾以及能源金三角现代煤化工“五大世界级石化产业集群”，沿海四大石化产业集群以国务院规划布局的“七大石化基地”为核心，西北煤炭资源富集区以国务院布局的“四大现代煤化工产业示范区”为核心，当时提出的分阶段目标是：“十四五”末这“五大世界级石化产业集群”初具轮廓，到 2035 年与石化强国目标同步、基本建成“五大世界级石化产业集群”。全国化工园区“十四五”发展规划发布以后，沿海石化基地和各省区市化工园区、煤化工示范区都立足自己的发展现状和基础、突出自己的主导产业和园区内领军企业，研究制定了自己园区的“十四五”发展规划，提出了自己的发展目标、思路和重点项目，“十四五”以来我国化工园区的发展质量和管理水平都达到新的水平，实现了新的跨越。转眼到了“十四五”末，又到了谋划新的五年规划的时间节点，石化联合会已成立“十五五”规划领导小组，将在全面评估“十四五”规划实施情况和目标任务完成情况的基础上，开始“十五五”规划的调研工作，现在的初步安排是年内完成对沿海、中西部以及各主要省区市石化产业“十四五”发展情况的调研，摸清家底、分析面临的新挑战，提出新的发展目标、确立新的发展思路和发展重点。各石化基地和化工园区从今天开始，各园区主任一定要把“十五五”发展规划的研究提上议事日程，一是与当年自己园区的“十四五”发展规划做一个全面梳理，看看哪些目标实现了？哪些重点任务还有差距？二是与全国化工园区“十四五”发展规划作对标分析，重点对标“五项重点工程”“五大世界级石化产业集群”等，看看我们做了哪些？做到了什么程度？三是与世界一流的路德维希港、裕廊岛以及国内的上海化工区、南京新材料科技产业园、常熟氟化工产业园等对对标，分析分析自己园区的产业优劣势、管理优劣势、创新优劣势、骨干企业的优劣势等等，通过对标找差距、明措施，然后认真研究和制定自己的“十五五”发展规划。如果园区的领导刚到任不久，很有必要通过研究编制“十五五”发展规划的机会，既熟悉了情况，又明确了发展思路和重点与目标任务；如果园区的领导已长期工作在园区，也有必要把自己的工作积累和经验传承下来，为10年后自己曾经工作过的园区、发展成为世界一流或国内一流的化工园区贡献自己的智慧；如果有的园区领导正面临着升迁或转岗，借研究制定新的发展规划的机会，把您对曾经战斗过园区与同事的感情、工作与创新的激情，留在园区、留给后来人，等十年后您曾经工作过的园区发展成为世界一流或国内一流化工园区的时候，人们会情不自禁地说：是您当年带领大家做的发展规划，激励着大家的热情、引领着园区的发展；今天能有这样的成绩和进步，也是多亏您当年打下的基础！这样我们每一位曾经在化工园区工作的同志，都是无愧于职责、无愧于时代的！

让我们共同努力、携手创新，为长三角化工园区联盟不辜负大家的厚望、为石化产业的高质量发展和早日实现石化强国的目标，做出我们今天在座的每一位园区工作者的新贡献。

为石化强国培育世界一流产业集群*

“十四五”时期，我国化工园区在智慧化建设、绿色低碳转型、创新发展、管理体制机制等各方面都取得了显著进步。今年是“十四五”规划收官之年，也是“十五五”的布局之年。今天召开的是化工园区“十五五”规划研讨会，也是启动会，从去年四季度开始，石化联合会在全国各省区市、各重点化工园区、企业开展“十五五”规划调研，今年以来石化行业、化工新材料、现代煤化工等各专业以及化工园区的“十五五”规划工作已全面展开。借今天启动会的机会，特别是听了前面 10 位同志交流发言带给我的启发，就“十五五”我国化工园区发展规划的初步思考，与各位做个分享：

一、近十年来我国化工园区的发展与进步

回顾“十三五”和“十四五”这十年，我国化工园区无论是产业规模还是管理水平，以及创新发展都取得了显著成就。**一是管理水平大幅提升，通过园区认定推动化工园区的管理水平普遍提升。**根据石化联合会园区委的最新统计，全国认定的化工园区数量已达到 722 家。同时，各省也构建起了较为完善的园区管理体系。以山东省为例，通过严格的认定标准，园区数量从最初的 190 多家优化到现在的 84 家，管理水平和发展质量得到明显提升。目前，工业和信息化部正在研究制定全国统一的化工园区认定标准，这将进一步推动园区管理的规范化。

“十三五”期间，我们提出了园区发展的 16 字方针，即“规划科学、布局合理、管理规范、集群发展”来推动化工园区规划布局、管理提升和创新发展。

* 这是 2025 年 5 月 29 日，傅向升同志在化工园区“十五五”发展规划启动会的讲话（根据录音整理）。

“十四五”期间，我们在总结“十三五”工作与经验的基础上，进一步提出了重点组织实施“五项重点工程”，实现“5 个 50 的目标”，重点培育 70 家重点石化基地和化工园区，重点培育和打造五大世界级石化产业集群。按照这样一个总体目标和要求，经过“十四五”这五年，化工园区的创新发展、产业集中度、管理水平以及绿色化水平、智慧化水平和本质安全水平，都有了新的跨越、新的突破和新的进步。

“六个一体化”推动化工园区管理水平普遍提升。园区委在总结南京、上海、大亚湾、宁波等一批先进园区可借鉴的做法和经验的基础上，近年来一直在持续推动的“六个一体化”理念。即原料产品项目一体化、公用工程物流一体化、安全消防应急一体化、环境保护生态一体化、智能智慧数据一体化、管理服务科创一体化。园区委还专门编辑出版了“六个一体化”相关的书籍，相信大部分化工园区对此都有很深刻的体会，也都结合自己园区的实际情况做了大量卓有成效的工作。“六个一体化”发展理念确实对推动园区管理发展方面、产业链协同、公用工程共享等各方面起到了很好的推动作用。

标准化工程推动化工园区管理的规范化。“十三五”初期，化工园区建设发展没有相关标准可参考，虽然“十三五”在工业和信息化部的指导下就启动了智慧化工园区的建设与示范，从山东省开始各主要省份也启动并开展化工园区的认定工作，但那时都没有统一的标准，各园区、各省市是在探索中推动与开展的。自“十四五”开始，我们正式启动并实施化工园区的标准体系建设工作。截至目前，已经拥有了接近 40 项相关标准（国标、行标、团标）。昨天在南通专门召开了“建设导则”“评价导则”等标准宣贯会议，今天绿色化工园区、智慧化工园区、公共管廊、危化品运输车辆停放等都有了明确的标准要求，都可以有章可循，彻底改变了“十三五”时期的“摸着石头过河”式的“八仙过海”的状况。可以说，如今在化工园区管理与发展上，基本每项工作都有相关标准可以作为参考依据。

二是实施创新工程推动化工园区创新发展上新台阶。石化产业和化工园区的高质量发展离不开创新引领和创新驱动，打造园区核心竞争力，实现产业链高端化、差异化发展，创新肯定是放在第一位的。“十四五”把“创新工程”放在“五项重点工程”之首位，园区委加大组织实施和推动力度，各大石化基地和化工园区高度重视、积极行动，有些园区创新工作取得的成绩是显著的。上海化工区、南京江北新材料科技园、惠州大亚湾经济技术开发区、宁东能源化工基地、上虞、泰兴、鲁西等，都建成了自己的科创中心、中试基地、实训基地等，上海化工区已建成的 5 万多平方米的科创中心最具代表性，朗盛、罗姆等跨国公司都是整层楼、整座楼地入驻。各园区创新意识明显增强，创新条件、创新平台、创新队伍等各方面可谓有目共睹。

三是智慧化工园区建设成效明显。第一批只有两家—— 中国化工新材料（嘉兴）园区和中国化工新材料（聊城）产业园。通过组织实施智慧化工程，已经有 47 家园区入选“智慧化工园区名录”，77 家园区成为智慧化工园区（建设期）单位。通过智慧园区的建设，可以实现重大风险源和重点监控点的实时监控，对化工园区本质安全方面有重要的推动和保障作用。

四是绿色低碳转型进步很大。由于石化行业绿色低碳转型比其他行业面临的挑战要严峻，生产石化产品用的原料是石油、天然气、煤炭等化石资源为原料，尤其是煤化工企业，面临的碳达峰碳中和的挑战更严峻一些。在这方面，我们通过组织实施绿色化工程，有效促进了绿色化工园区的培育建设工作。通过组织实施绿色化工程，已有 37 家园区进入“绿色化工园区”名录，5 家园区进入低碳化工园区（建设期）单位，还有一批化工园区在建设当中。

五是产业链协同和产业集群发展效果显现。“十四五”规划提出了“培育五大世界级石化产业集群”的构想和总目标，党的二十大和二十届三中全会都对建设现代产业集群作出了部署，很多园区也都认识到产业链协同和产业集群的培育的重要性。特别是看看新加坡裕廊岛、德国巴斯夫路德维希港基地、比利时安特卫普、荷兰鹿特丹、韩国蔚山、沙特阿拉伯朱拜勒工业城等世界先进的石化基地和化工园区，都告诉我们以产业链为主干培育世界级产业集群的做法是整体竞争力的重要路径，现在化工园区已发展成为石化行业和产业高质量发展的重要阵地。根据去年的统计，化工园区实现营业收入占全行业营业收入总额 62%，离工业和信息化部提出的“十四五”末 70% 的目标接近了。另外，在全国 722 家认定的化工园区当中，产值高于 500 亿元的，现在有 73 家。我记得在“十三五”末的时候，我们统计产值高于 500 亿元的园区数量是 50 家左右。也就是说，通过“十四五”的发展，产值高于 500 亿元的园区数量又增加了 20 家、即增加了 40%。尤其在长三角地区，是最明显的，前面陈震主任介绍在长三角联盟的 19 家化工园区当中，有 15 家园区产值高于 500 亿元，只有 4 家园区产值低于 500 亿元，也就是说长三角联盟的 19 家化工园区约 80% 是 500 亿元以上的；其中，宁波石化区独家超过了 3000 亿元，2000 亿～3000 亿元的还有 3 家。可见，长三角区域化工园区的发展是走在全国前面的，发展质量也是领先的。

二、当前化工园区存在的主要差距和面临的挑战

在肯定成绩的同时，我们也要看到化工园区的高质量发展还存在着一些差距，也面临着一些挑战：

第一个表现是数量的问题，可以通俗概括为“多与少”的问题。一方面，关于“多”的问题。我记得在我刚刚接触园区工作的时候，还没有进行化工园区认定工作，全国化工园区统计数是 800 多家。再以山东省为例，根据山东省 2016 年底的统计，该省曾有各类化工园区和化工聚集区 199 个。

2017 年，山东省发布了《山东省化工园区认定管理办法》。自此，山东省成为全国首个开始化工园区认定工作的省份。此后，经过不断压缩，最终成为 84 家。就全国来看，我认为通过规范认定的化工园区，722 家这个数量多了，下一步如果开展全国统一认定最好不要超过 500 家，很多时候数量并不代表质量。从今天开始我们应该一起思考，全国需不需要 700 多家化工园区？如果工业和信息化部要推出统一认定标准的话，这些已认定的园区能不能达到国家统一认定的标准？这需要我们共同去思考，特别是在“十五五”规划中作出部署。

另一方面，是“少”的问题。就规模集中度来看，产值在 500 亿元以上的化工园区数量 73 家，仅占到已认定总数 722 家的 10% 左右。我认为，这个数量少了。前面谈到长三角联盟的 19 家化工园区中，20% 是 500 亿元以下的，就全国化工园区来看 90% 的化工园区产值在 500 亿元以下。如果我们设想全国化工园区产值在 500 亿元以下的减少到 80%、也就是 500 亿元以上的占比提高到 20%，这还是能够实现的！那时我们化工园区产出占石化全行业的比重将会是多少呢？化工园区的地位与作用、产业集中度都将会更加显著，化工园区乃至全行业的高质量发展状况将必然会呈现另一番景象。

另一个“少”是智慧化工园区和绿色化工园区的数量还不够多。前面提到，在 722 家化工园区中，列入智慧化工园区名录的只有 47 家。绿色化工园区就更少、只有 37 家，47 家占比不到 7%、37 家占比只有 5%。显然，这样的数量和占比是远远不够的。智慧化工园区和绿色化工园区是未来化工园区高质量发展非常重要的载体和平台，下一步被全国认定下来的化工园区必须是智慧化工

园区或绿色化工园区。如果到 2035 年，我们通过认定、复核等工作，最终保留下来的化工园区还不是智慧化工园区或绿色化工园区的话，我认为那样的化工园区是没有必要存在的，因为你不具备高质量发展的基本要求。

第二个差距是全国化工园区发展水平参差不齐。参差不齐的一个表现是规模“大与小”的问题。前面提到，目前全国产值在 500 亿元以上的化工园区，占总数的 10%，也就是说，90% 的化工园区产值都在 500 亿元以下，规模集中度高的大园区少。参差不齐的另一方面是管理水平“高与低”的问题。我们这些年到过很多园区，尤其是到中西部园区，管理水平与东部相比，差距是非常明显的。另外，园区委也做过统计，不管是智慧化工园区，还是绿色化工园区，基本上都集中在华东和华南这一带，主要就是江苏、浙江、山东这三个省，所以说管理水平上的高与低，差距也是明显的。

第三个存在的问题是化工园区发展面临一些瓶颈和政策性制约。比如华东地区的园区，面临着发展扩区的问题，很多园区基本上没有新的发展空间。再如沿江的化工园区，几乎都面临着“一公里”“干支流”等问题。这些事情都是当前发展过程中面临的瓶颈和问题。我认为，应当准确把握和领会“共抓大保护，不搞大开发”精神的战略要求，正确处理好发展与保护的关系，贯彻好总书记对沿江企业员工讲的，长江经济带要共抓大保护、不搞大开发，不是说不要大的发展，而是要先立个规矩，把长江生态修复放在首位，保护好中华民族的母亲河，不能搞破坏性开发。通过立规矩，倒逼产业转型升级，在坚持生态保护的前提下，发展适合的产业，实现科学发展、有序发展、高质量发展。沿江各化工园区一定要做好绿色发展，保护好长江生态的前提下，努力推动化工园区和化工企业绿色高质量发展。

第四个差距是安全环保方面还有较大的空间。安全是高质量发展的基石，绿色是高质量发展的底色，化工园区必须重视安全环保问题。石化行业去年的安全形势明显好转，近年来化工园区的本质安全水平不断提升，进步是明显的，但时不时有些园区还是会发生一些生产安全和环保事故，安全环保事故无论对于园区还是企业，在很多方面都是一票否决的。在实际工作中，我们也发现，本来有些化工园区在安全环保方面建设情况很不错，专家打分也打得很好，就是因为某一年度发生过安全事故，最终无法进入绿色化工园区名录。

三、化工园区“十五五”发展规划的初步思考

“十五五”规划与以往的五年规划不同，是一个重要的历史阶段，承载着重要的历史使命，因为“十五五”结束的时候是2030年，离党的二十大报告提出“到2035年基本实现社会主义现代化”的时间节点只差5年时间，离我们提出2035年实现石化强国目标也是只差5年；2030年又是我国向世界承诺“碳达峰”的时点。认识到这几个重要节点，就不难理解“十五五”规划的重要性，就会认识到“十五五”的特殊历史阶段和特别历史使命，如果“十五五”规划的前瞻性、引领性不够，“十五五”的发展没有跟上时代的步伐，不仅会影响到石化强国目标的实现，而且将影响科技强国和中国式现代化目标的实现。我们从事“十五五”规划的每一位同志，站在今天的时点上，应站在这样的高度来认识“十五五”发展规划的重要性，高度重视做好“十五五”发展规划的重要性。

过去的发展思路已经不能适应新时期和新发展阶段，国际环境的复杂多变，不确定性因素的持续增多，大国博弈和“脱钩断链”“小院高墙”竞争的不断加剧，以及市场需求乏力、“内卷式”竞争加剧，行业效益受到严重冲击，2023年全行业实现利润总额比2022年同比下降20.7%，2024年比2023年再次下降8.8%。究其原因，就是因为行业内卷严重、结构性矛盾突出。因此，“十五五”规划一定要改变过去拼投资、拼规模、拼资源的传统发展思路，认真研究优化存量和做强增量；认真研究创新驱动和绿色低碳转型；认真研究国际化；认真研究培育世界一流企业，打造世界一流化工园区等课题。

今天的中国已是名副其实的世界石化大国，石化产业是国民经济的重要支柱产业，全行业营业收入已连续三年稳定在16万亿元，就区域布局来看，山东、广东、浙江、江苏四省的营业收入高于全行业营业收入总额的50%；就龙头企业来看，中国石油、中国石化、中国海油、中化四大骨干企业的营业收入也占到全行业营业收入总额的50%；就化工园区的规模集中度看，去年统计已认定化工园区营业收入占全行业营业收入总额已达65%。石化产业整体竞争力明显提升，高质量发展的基础良好。做好化工园区“十五五”发展规划的初步思考，首先战略思路上，要深刻领会并把握好党中央对新时期新阶段高质量发展、新发展理念、新型工业化、中国式现代化的战略部署；在发展思路和目标上，概括为“11655”：

第一个“1”是“坚定一个目标”。即建设石化强国目标不动摇。我们一定要坚定“十三五”规划中提出的“由石化大国向石化强国跨越”的目标，并为这一目标持续发力。自“十三五”提出这一目标以来，我们已经走过了十年，当初设想的到 2035 年实现强国目标，从今天算起还有 10 年时间。我们要继续在“十五五”时期，坚定向着石化强国的目标努力和奋进。相信当我们走过下一个十年，到“十六五”末的时候，我们再来回望今天的“十五五”规划及其走过的路，我们一定会为实现石化强国目标的前瞻部署和所做出的努力而骄傲。

第二个“1”是世界一流。每一家园区，尤其是在化工园区高质量发展综合评价前 30 的园区，以及最具发展潜力前 10 的园区，一定要瞄准世界一流化工园区去发展，例如新加坡的裕廊岛、德国的路德维希港、比利时的安特卫普港、荷兰的鹿特丹港，以及沙特阿拉伯的朱拜勒工业城。我今年 3 月份刚从韩国回来，它们以 SK 为龙头企业的蔚山石化产业集群也是打造得很好。大家一定要去研究、对标世界一流化工园区和石化基地，不仅研究他们的规划、产业链、骨干企业、产业集群培育，也要研究他们走过的历史过程和发展过程中的经验以及教训。努力建设“创新水平一流、管理水平一流、整体竞争力一流、效益水平一流”的世界一流石化基地和化工园区。

“6”是“六个一体化”。“六个一体化”管理理念，各化工园区要结合自己园区的实际，认真研究并落实好。相信切实做好“六个一体化”的化工园区，在产业链协同、产业集群培育、管理水平、循环经济等各个方面，一定会得到大幅提升。

第一个“5”是五项重点工程。即产业提升创新工程、绿色化工程、智慧化工程、标准化工程、高质量发展示范工程。这是我们“十四五”提出的，进入“十五五”，我们要继续发力这五项重点工程，在“十五五”规划中，要在全面评估总结“十四五”成绩与进步的同时，认真分析这“五项重点工程”方面还存在哪些差距？更要认真研究“十五五”我们新的目标和要求，持续发力推动“五项重点工程”再上新台阶。

第二个“5”是五大世界级石化产业集群。即环渤海湾、杭州湾、海西湄洲湾、泛大亚湾石化产业集群，以及能源“金三角”现代煤化工产业集群。在“十四五”规划中，我们提出的目标是“十四五”末初具轮廓、2035 年基本建成，我们首先要全面评估是否已初具轮廓？走过“十四五”有哪些经验和教训需要总结？“十四五”规划提出的构成产业集群的石化基地或化工园区是否需要调整和补充？以杭州湾石化产业集群为例，“十四五”规划时，杭州湾石化产业集群这个概念，构思是以上海和宁波两大石化基地为骨干，连同舟山、大榭、嘉兴、上虞、独山港等杭州湾区内的园区。“十四五”这五年走过来以后，我们要认真评估实施情况，可以再对杭州湾石化产业集群进行分析，研究如何将连云港、南京、泰兴、常州、张家港、扬州、南通等长三角区域以及九江、安庆、淮北等产业规模优势明显、竞争力较强的化工园区，吸纳到杭州湾石化产业集群当中，扩大其概念和范围。是否可以提出新的思路以“上海、宁波”两大国家布局的石化基地为核心？实施“双核驱动”战略，与国家长三角一体化发展战略高度契合，把杭州湾世界级石化产业集群打造成为“五大世界石化产业集群”的“龙头”，不仅成为国内高质量发展的示范高地，而且成为具有国际竞争力的世界一流石化产业集群。

以上就是关于化工园区“十五五”规划思路的简要分享，因时间所限，不尽全面，仅供参考。今年年底，我们将正式形成征求意见稿。那个时候我们会邀请重点省市和一批重点化工园区坐在一起，征求并认真听取大家的意见和建议。希望各园区高度重视，共同努力把我国化工园区“十五五”规划做好，推动我国化工园区朝向高质量发展不断迈进，为建设石化强国提供保障、贡献力量！

推动化工园区智慧化建设再上新台阶*

今年是“十四五”规划收官之年，也是“十五五”规划布局之年。因受地缘政治冲突多发频发，关税战持续升级，不确定性因素增多以及新一轮科技革命和产业变革迅猛发展，全球创新版图加快重构，国际分工体系和全球价值链面临重塑等影响，全球经贸体系受到严重冲击，世界经济下行压力加大。中国经济上半年顶住压力、迎难而上，生产需求稳定增长，经济运行稳中有进，高质量发展取得新成效，经济总量同比增长 5.3%，继续为世界经济稳增长作出重要贡献。石化行业贯彻新发展理念，以石化产业高质量发展为首要任务，以“十四五”圆满收官为重点目标，克服世界经济增速放缓、贸易纠纷不断加剧、不确定性因素增多等诸多挑战，实现了原油、天然气和化肥、农药及主要石化产品产销量稳定增长，为保障国家能源安全、夏粮丰收和战略性新兴产业、国防安全等配套，都作出了重要贡献。但是受“内卷式”竞争加剧、主要石化产品价格持续低位的影响，全行业营业收入、实现利润都出现了不同程度的下降，今年经济运行、特别是效益方面的挑战更为艰巨。这就要求我们下半年需要认真贯彻落实好 7 月 30 日中央政治局会议的精神，加强行业自律，推动市场竞争秩序持续优化，依法依规治理企业无序竞争，推进重点领域产能治理。加大政策和市场双向发力，加快落后产能和低效、无效产能有序退出取得明显进展。下面，围绕智慧化工园区，谈几点思考：

1. “十四五”智慧化工园区建设取得明显成效

数字化技术已日益融入经济社会发展的各领域全过程。人们也认识到数字技术正在成为第四次工业革命的主要推动力，数字化、智能化将成为推动全球经济发展和社会变革的主要动力，各国都在加快布局数字经济，都想通过数字技术抢占科技革命的制高点。石油和化学工业“十四五”规划将“数字化、智

* 这是 2025 年 8 月 7 日，傅向升同志在 2025（第六届）中国智慧化工园区建设发展大会的致辞。

能化转型”列为“四大发展战略”之一，化工园区“十四五”规划将“智慧化建设”列为“五项重点工程”之一，《石油和化工行业“十四五”智能制造专项规划》以及工业和信息化部、国家发展改革委等部门发布的《关于“十四五”推动石化化工行业高质量发展的指导意见》，都对智慧化工园区建设作出部署、明确目标、提出要求，即“到 2025 年，石化、煤化工等重点领域企业主要生产装置自控率达到 95% 以上，建成 30 个左右智能制造示范工厂、50 家左右智慧化工示范园区”。并对建设“可共享”、“可溯源”的智慧监管系统、实现危险化学品全生命周期监管、打造响应快速、决策高效的应急救援体系以及数字技术创新等提出了明确要求。截至目前，已有 46 家化工园区列入“智慧化工园区名录”，另有 77 家智慧化化工园区正在建设期。智慧化工园区的规范化与标准化同步推进，《智慧化工园区建设指南》《智慧化工园区建设导则》《化工园区智慧化评价导则》等国标和行标团标颁布实施，“化工园区智慧化评价管理系统”上线运行。通过智慧化工园区建设、特别是已列入智慧化工园区名录的园区，可显著增强安全生产的感知、监测、预警、处置和评估能力，不仅可满足更高安全标准、实现敏捷应急、精准治污、控制碳排放等管理要求，而且实现了重点监管化工工艺、重点监管危险化学品和重大危险源、风险点的可监测、可预警、可防控，大大提升了重点园区和行业本质安全水平。

总之，通过智慧化工园区建设，化工园区的管理水平显著提升，特别是一批重点智慧化工园区，如南京、上海、宁波、如东、上虞、嘉兴等园区，在智能管控、风险识别、重大危险源防控、污染源追踪、能源管理、空间定位等方面实现了精准管控，并已开始利用采集数据开展智能分析与辅助管理，以实现精细管理与精准决策，通过智慧化推动园区管理水平和本质安全水平大幅提升，助力石化产业高质量发展。

4 年来还推出了 143 项，涉及安全、环保、应急等众多应用场景，涵盖了基础层、平台层、应用层的“智慧化工园区适用技术”，多项已在智慧化工园区建设和升级过程中应用，为化工园区智慧化建设提供了有力的技术支持。

2. 智慧化建设离高质量发展的要求还有明显的差距

化工园区智慧化水平已成为化工园区管理水平和发展质量的重要体现，智慧化工园区也是石化行业高质量发展的重要标志。与石化行业高质量发展和化工园区现代化管理的时代要求相比，化工园区智慧化建设还存在明显的差距，一是智慧化工园区的数量差距明显，截至目前只有 46 家化工园区列入“智慧化工园区名录”，占已认定720多家化工园区的6.4%，连同正在建设期的77家化工园区，也只占已认定化工园区总数的17%，这样的占比离高质量发展的要求远远不够。二是分布不均衡、参差不齐，智慧化工园区主要分布在华东地区，最早2016年列入工业和信息化部第一批智慧化工园区试点示范的是聊城新材料产业园和嘉兴2家，江苏、浙江和山东对智慧化工园区建设起步早、投入大，截至目前已列入“智慧化工园区名录”的华东地区占78%；而西北、西南部省份开展化工园区建设主要集中在“十四五”期间，东西部相比化工园区智慧化水平，东部园区普遍高于西部中小园区，西部地区很多中小型化工园区有的仅实现了“有信息化平台”，且使用率、准确率都有待进一步提升。三是应用水平有待提升，智慧化平台具有“越用越聪明”的特点，即应用场景越多，越能通过实际应用持续改善、优化数字化模型，从而不断提升、实现更多功能。但在实际运用中，不少园区重建设、轻应用，已建成的平台实时监控、大气水系监测做得较好，但功能预测、分析决策、集中控制与优化作用发挥得还不够；有的园区智慧化平台建成了，但由于缺乏既懂企业生产、园区管理，又懂政策规范、信息技术的专业人员，在及时发现问题、提出新的应用需求、不断改进技术，发掘更多应用场景等方面都有待加强。

3.“十五五”化工园区智慧化建设再上新台阶

“十五五”是我国经济社会高质量发展的关键五年和重要时期，按照党的二十大“到2035年基本实现社会主义现代化”的阶段目标，“十五五”是承上启下的关键五年。对标我们提出“2035年实现石化强国目标”的部署和设想，“十五五”也是石化大国迈向石化强国的关键五年。7月30日中央政治局会议指出，“十五五”时期是基本实现社会主义现代化夯实基础、全面发力的关键时期。石化产业进一步稳固石化大国的地位，通过创新驱动和高水平科技自立自强、坚定地迈向石化强国目标，也到了夯实基础、全面发力的关键时期，石化产业加快结构调整和绿色低碳转型，实现高端化、智能化、绿色化、集群化发展，也到了夯实基础、全面发力的关键时期。按照到今年年底入园率不低于70%的目标要求，化工园区的智慧化建设和智慧化水平，将直接影响并决定着石化行业“高端化、智慧化、绿色化、集群化”发展目标的实现及其高质量发展的水平。这就要求我们，“十五五”期间石化产业和化工园区的高质量发展，在继续坚定石化强国目标的大前提下，积极对标世界一流，持续加大力度实施创新驱动发展战略和绿色低碳战略，在推动石化产业智慧化数字化转型上狠下功夫，继续组织实施“化工园区智慧化建设工程”，到“十五五”末，力争30% ～ 50% 已认定的化工园区，建设成为“智慧化工园区”。近十年来已列入“智慧化工园区名录”的园区不能有“功成名就”的想法，技术革命日新月异、信息技术迭代迅猛，连同正处在“智慧化工园区建设期”的 77 家化工园区，都要对标世界一流石化基地和化工园区，在已有智慧化平台运营所积累的经验和发现问题的基础上，进一步做好持续创新、功能优化、平台升级、生产应用等方面再创新、再提升，并结合石化基地和化工园区的生产、工艺、物料、仓储等现场和实际，不断探索 5G 场景、AI+ 在石化基地和化工园区的创新性应用，通过智慧化工园区建设工程的深入实施，推动石化基地和化工园区本质安全水平和高质量发展再上新台阶。

石化产业高质量发展正处于创新转型的关键时期，数字化转型正在成为推动全球经济发展的主要动力，人工智能、新能源、生物技术正在重塑未来产业的新赛道新优势。我们正在组织编写化工园区“十五五”发展规划，大家对化工园区智慧化建设以及石化产业高质量发展的宝贵意见和建议，都可以及时提出或随时交流。今年的智慧化工园区建设发展大会在宁波召开，是因为宁波石化区不仅对智慧化工园区建设工作高度重视，已建成高水平的智慧化平台，而且宁波石化区已发展成为国内一流、全国唯一产值过 3000 亿元的化工园区，宁波化工区的炼油和乙烯规模都位居国内前列，具备打造世界一流园区的基础和条件；“十四五”发展规划提出的“杭州湾世界级石化产业集群”是重点培育的“五大世界级石化产业集群”之一，宁波石化区是“杭州湾世界级石化产业集群”的核心区,“十五五”期间将以宁波、上海两大国家级石化基地为核心，实施“双核驱动”战略，把“杭州湾世界级石化产业集群”打造成为“五大世界级石化产业集群”的“龙头”，不仅具备世界一流产业集群水平，而且成为具有国际竞争力的石化创新高地。出席今天会议的嘉宾和同仁，很多都是见证了智慧化工园区从无到有、从小到大、从初级阶段到高质量发展的发展历程，也有很多为智慧化工园区的建设与发展都作出了重要贡献，今天在“十四五”收官和“十五五”布局之年，在宁波召开的这次智慧化工园区发展大会意义非凡，希望大家既要总结过去，又要展望未来，畅所欲言，共同为智慧化赋能世界一流化工园区，助推石化产业高质量发展和石化强国目标的实现，为中国式现代化谱写石化新篇章，作出我们更大的贡献！

把握政策　创新图强　在绿色低碳转型中实现高质量发展*

2021 年由宁东能源化工基地发起，我们在这里召开了第一届能源“金三角”化工园区协同发展大会，那次会上石化联合会与能源“金三角”地区的 17 家主要煤化工园区共同发布了《能源“金三角”化工园区绿色协同发展倡议》。按照当初的预案，鄂尔多斯、榆林分别于 2023、2024 年组织举办了第二届、第三届，今年是第四届，因为疫情的影响时隔五年，也就是说这个品牌会议刚好与“十四五”规划同期、同步。

走过“十四五”，今天看宁东、鄂尔多斯、榆林等能源“金三角”区域的主要化工园区，以煤化工为主导产业，创新驱动发展、绿色低碳转型、产业规模与管理水平，都取得了明显的进步与成效，跃上了新的发展平台。今天又到了新的关键时点，未来高质量发展既面临着新的挑战，也有着新的机遇。借今天的机会，我重点跟各位分享几点思考，特别是煤化工和煤化工园区的发展思考，供同志们在做好“十四五”圆满收官工作和研究部署“十五五”新目标、新举措过程中参考。

一、今年石化全行业经济运行挑战较多，但对完成全年任务目标应充满信心

今年上半年，国际力量对比深刻调整，大国博弈日趋激烈，地缘政治冲突多发频发，单边主义、保护主义逆流涌动，对国际经贸秩序造成严重冲击。特别是新一轮科技革命和产业变革迅猛发展，世界主要国家都在抢占科技创新制高点，全球创新版图加快重构，国际分工体系和全球价值链面临重塑。

---

* 这是 2025 年 9 月 25 日，傅向升同志在 2025（第四届）中国能源“金三角”化工园区协同发展大会的讲话。

石化全行业和广大石化企业深入贯彻党中央对经济工作的部署，完整准确全面贯彻新发展理念，以推动石化产业高质量发展为首要任务，以“十四五”圆满收官为重点目标，克服世界经济增速放缓、贸易纠纷不断升级、市场需求乏力等诸多不利因素，实现主要石化产品生产销售稳中有增，经济运行基本平稳。

上半年，石化全行业实现营业收入 7.77 万亿元，利润总额 3810.3 亿元，进出口总额 4414.3 亿美元，主要石化产品产量、消费量、进出口量增幅较大。与去年同期相比，因受价格影响出现营业收入、利润和进出口总额同步下降，其深层次原因还是供强需弱、供求失衡、“内卷”加剧。所以说今年的挑战较多，特别是效益的压力较大。

但我们对下半年保持谨慎乐观、对完成全年任务目标、确保“十四五”圆满收官还是要充满信心。从国际因素看：当前全球石化产能正在加快调整与重组，特别是欧洲、日韩等跨国公司炼油、烯烃及部分基础化学品产能的关停与退出，预计石化产品价格将走强。从区域因素看：因中东战乱对化工产业造成的冲击，伊朗、以色列等中东国家关停了多套炼油和石化装置，这将有利于炼油、烯烃、化肥、甲醇、聚合物、芳烃等石化产品价格上行。

从国内因素看：随着治理“内卷式”竞争行动的展开，低价恶性竞争将被遏制，国内市场石化产品价格具有上行的趋势。尤其是 7 月底中央政治局会议以后，随着宏观政策持续发力和适时加力，以及十大行业稳增长方案的实施，全年希望是“前低后高”走势，经济运行指标下半年转好，争取“十四五”各项任务目标圆满收官。从已经拿到的 7 月份运行数据看，行业利润同比下降幅度收窄了 1 个百分点、进出口总额同比下降幅度收窄了 0.7 个百分点，运行的质量出现改善、向好。

二、今年上半年现代煤化工行业运行情况明显好于去年同期

据煤化工专委会统计，上半年煤制油、煤制气、煤制烯烃、煤制乙二醇“四大现代煤化工”产业整体运行平稳，“四大产品”的总产量 1741.6 万吨、同比增长 13.1%，总销量 1716.7 万吨、同比增长 13.8%，平均产能利用率 87.1%、同比提升 2.4 个百分点；“四大产品”实现营业收入 1152.3 亿元、同比增长 18.5%，实现利润 80.2 亿元、同比增长 86.9%，营业收入利润率 6.96%、

比石化全行业 4.9% 的平均水平高出 2.06 个百分点。

具体到“四大产品”看，煤制油产能 823 万吨 / 年（无新增产能），产量 352.2 万吨（同比降低 2.5%），产能利用率 85.6%（同比降低 2.2 个点），销量 338.6 万吨（同比降低 2.5%）；主营收入 211.1 亿元，同比降低 10%，利润 26.1 亿元，同比增长 9.7%，主营收入利润率 12.4%。煤制气产能 74.55 亿立方米 / 年（无新增产能），产量 39 亿立方米（同比增长 8%），产能利用率 104.6%（同比增加 7.8 个点），销量 37.8 亿立方米（同比增长 4.4%）；主营收入 103.7 亿元，同比增长 1.3%，利润 11.1 亿元，同比下降 5.1%，主营收入利润率 10.7%。煤制烯烃总产能 1542 万吨 / 年（无新增产能），产量 771 万吨（同比降低 21.9%），产能利用率 100%（与去年同期持平），销量 770 万吨（同比增长 21.7%）；主营收入 674.8 亿元，同比增长 30.3%，利润 40 亿元，同比增加 28.2 亿元，主营收入利润率 5.93%。煤制乙二醇产能 1213 万吨 / 年（新增产能 70 万吨 / 年），产量 353.1 万吨（同比增长 17.8），产能利用率 58.2%（同比提升 5.8 个点），销量 351 万吨（同比增长 24.9%）；主营收入 162.7 亿元、同比增长 38.4%，利润 3 亿元、同比增加 7.4 亿元，主营收入利润率 1.84%。

当前看下半年，煤制油、煤制气、煤制烯烃三大产品无新增产能投产、产能保持不变；煤制乙二醇计划有 1 个新项目投产，将增加产能 120 万吨 / 年。从上半年运行情况看，现代煤化工“四大产品”的总体情况以及增长率、利润率（除煤制乙二醇外）要好于石化全行业。

当前，全球正经历百年未有之大变局，地缘政治紧张局势不断加剧，世界经济正在经历低迷期，全球能源供需格局与转型深度调整，行业周期性调整正在经历阵痛。现代煤化工产业是我国能源保障的重要支撑，发展现代煤化工产业，对于保障我国能源安全、经济安全、促进石化原料多元化和石化产业供应链产业链安全都具有十分重要的意义和作用。在全球能源供应出现地缘性紧张的情况下，现代煤化工产业不可或缺，既面临能源保供、原料多元的战略机遇，又面临对行业技术创新、绿色低碳、高质量发展要求带来的挑战。

为推动现代煤化工产业创新发展，拓展石油化工原料来源，加强科学规划，做好产业布局，国家发展改革委在 2017 年印发的《现代煤化工产业创新发展布局方案》基础上，国家发展改革委等六部委于 2023 年又印发了《关于推动现代煤化工产业健康发展的通知》。近期拟组织对 2017 年版《现代煤化工产业创新发展布局方案》进行修订，防止重复布局、重复建设，综合整治“内卷式”竞争加剧，杜绝低水平、低效无效产能无序扩张，避免资源浪费、产能浪费和环境受损，提倡工艺先进化、创新化、绿色化、多元化。

三、当前能源“金三角”化工园区高质量发展的重点工作

一是研究把握产业政策，避免在发展过程中走弯路。《关于推动现代煤化工产业健康发展的通知》在“规范项目建设管理”方面要求，从严从紧控制现代煤化工产能规模和新增煤炭消费量，确需新建的现代煤化工项目，应确保煤炭供应稳定，优先完成国家明确的发电供热用煤保供任务，不得通过减少保供煤用于现代煤化工项目建设；未纳入《现代煤化工产业创新发展布局方案》的新建煤制烯烃、新建煤制 PX 项目，由国家发展改革委、工业和信息化部会同相关部门，按照规定、根据项目原料、用能、水资源等要素保障条件，经评估论证并纳入《方案》以后，由省级政府核准。新建 100 万吨 / 年规模以上的煤制甲醇项目，原来由省级政府核准，现在有了新的规定。

在“加强规划布局引导”方面要求，进一步加强规划引导，优化产业布局，推动存量现代煤化工项目加快实施先进技术装备改造升级，新建煤制烯烃、煤制 PX、煤制甲醇、煤制乙二醇、煤制可降解材料等项目，重点向煤水资源相对丰富、环境容量较好地区集中，促进产业集聚化、园区化发展。对于现有现代煤化工产能规模较大的地区，鼓励通过上大压小、煤炭用量置换等方式实施新建项目，避免同质化、低水平重复建设。

二是“十五五”高质量发展的关键是创新，创新是引领产业高端化发展的核心引擎。当前，我们的煤化工技术还有不少卡点、堵点，在原始创新和集成创新以及高性能复合新型催化剂、合成气一步法制烯烃、一步法制低碳醇醚、煤制对二甲苯（PX）产业化等方面还需要技术创新来重点突破。同时在大型高效煤气化、新一代高效甲醇制烯烃等技术装备及关键原材料、零部件上，国产化水平还需要进一步提高。还要强化人工智能、大数据、5G 深度赋能煤化工生产、物流与供应链管理，加快智能工厂、智慧车间和智慧园区建设，探索 AI 技术在研发端辅助高附加值化学品、化工设备的工艺路径设计，在生产端进行工艺控制、设备诊断、能耗管理等，推动煤化工领域智能化数字化加快升级。鼓励新建现代煤化工项目承担相应的技术创新示范升级任务，实施重大技术装备攻关工程，加快产业技术优化升级。加快煤基新型合成材料、先进碳材料、可降

解材料等高端化工品生产技术开发应用。

在此特别强调耦合发展的创新，这是事关煤化工未来发展的重要趋势。煤化工与绿电、绿氢的耦合，多家园区和企业已开展了多年的探索，像宝丰能源等企业也积累了宝贵的经验。目前已关注并与煤化工园区未来减碳降碳密切相关的，与二氧化碳、废弃塑料、植物秸秆等生物质资源的耦合发展，也是一条值得研究、探索价值很高的耦合发展之路。随着技术的进步，二氧化碳可以经等离子催化等新技术与碳或水反应获得一氧化碳，废弃塑料及混合聚合物以及植物秸秆、灌木枝等生物质资源经热解、气化等方式可以获得合成气，甚至生活垃圾经沼气可以获得生物质甲烷，一氧化碳、合成气、生物质甲烷，这都是煤化工产业的重要原料。如果这样的耦合得以实现，煤化工的绿色低碳之路就更加广阔了。我们有条件的煤化工园区可以结合当地资源，通过创新先行先试，待技术相对成熟、经济也显现出竞争力的时候，加快工业化示范进程，为我国煤化工绿色低碳全面转型探索新的路径、提供新的技术方案。

三是“绿色低碳”。煤化工行业是高能耗、高排放的行业之一，“绿色低碳”是行业实现可持续发展乃至健康生存的必要条件。随着环保要求的提高和能源结构的调整，国家对煤化工行业提出了更高的降碳要求。

在《关于推动现代煤化工产业健康发展的通知》中，明确提出了对现代煤化工产业绿色低碳发展的要求，严格能效和环保约束，拟建、在建项目应全面达到能效标杆水平，能效低于基准水平的已建项目须在 2025 年年底前完成改造升级，主要产品能效须达到行业基准水平以上，到今年年底，如果能效仍在基准水平以下的项目，将予以淘汰退出。

去年 7 月，中共中央、国务院印发《关于加快经济社会发展全面绿色转型的意见》，对推动传统产业绿色低碳改造升级、加快培育有竞争力的绿色低碳企业、打造一批领军企业和专精特新中小企业，以及支持企业用数智技术、绿色技术改造提升传统产业、推进既有设施节能降碳改造、逐步淘汰“老旧小散”设施，都提出了明确要求。并特别强调：坚决控制化石能源消费，深入推动煤炭清洁高效利用，“十四五”时期严格合理控制煤炭消费增长，接下来 5 年逐步减少。推动重点行业节能降碳改造，加快设备产品更新换代升级；构建碳排放统计核算体系，加强固定资产投资项目节能审查，探索开展项目碳排放评价，严把新上项目能耗和碳排放关；落实水资源刚性约束制度，加强非常规水资源利用；大力发展资源循环利用产业，强化废弃物分类处置和回收能力，提升再生利用规模化、规范化、精细化水平，深入推进循环经济助力降碳行动。并强调中央预算内投资对绿色低碳先进技术示范、重点行业节能降碳、资源高效循环利用、环境基础设施建设等领域重点项目积极予以支持。

因此，各园区必须加大环保投入和技术改造力度以满足日益严格的环保要求。不仅聚焦能源绿色低碳转型、低碳零碳工艺流程再造、二氧化碳捕集利用与封存、资源节约集约与循环经济、新污染物治理等领域，统筹强化关键核心技术攻关。而且要实现煤与多种能源资源协同、梯度利用，促进原料的低碳化利用及废弃物的源头减量。探索煤化工与新能源、天然气化工、生物化工、石油化工、冶金建材等过程的耦合技术，提供能效物耗优化解决方案。要提高煤炭作为化工原料的综合利用效能，积极采用节能提效、绿色工艺、与清洁能源耦合、推进 CO_2捕集、利用与封存等多种措施，努力走出一条高碳产业低碳排放的新路子。

四是认真做好化工园区规范化建设和认定管理。8 月初，工业和信息化部等五部委印发《关于推进化工园区规范建设和高质量发展有关工作的通知》，对推动化工园区由规范建设向高质量发展迈进提出工作要求。第一是在各省区市已开展化工园区认定的基础上，开展省级化工园区认定办法复核，严格化工园区认定管理。这项工作于 2025 年年底前完成复核。

第二是加快化工园区问题整改，要求各省级化工园区认定管理机构对化工园区认定、复核等环节发现的问题以及工业和信息化部前期组织开展的化工园区认定管理“回头看”反馈的问题，生态环境部门排查调度发现的化工园区污水收集处理设施建设运行不到位等问题，国务院安委会办公室化工园区安全整治提升专家指导服务发现的问题建议，要建立台账、责任到人，加快推进整改，确保按期完成。

第三是开展化工园区评价及改造，主要是要求各省级化工园区认定管理机构，要组织已认定化工园区对照《化工园区竞争力评价导则》《化工园区智慧化评价导则》，开展竞争力、智慧化分级评价，这项工作于 10 月 31 日前完成，将评价结果报送工业和信息化部原材料司。在竞争力和智慧化分级评价的基础上，于 2025 年年底前制定专业化改造方案，督促指导有关化工园区对标改造、提级进步；并支持竞争力二级、智慧化提升级化工园区在创新驱动、绿色低碳、可持续发展、智慧化转型等方面进一步完善提升。

各园区一定要高度重视化工园区的高质量发展。就全国已认定的 720 多家化工园区来看，经济规模、产业规模、发展质量、管理水平、本质安全等方面参差不齐，而且720多家这一数量确实多了。5月底我在谈化工园区“十五五”发展的时候讲，在规范认定的基础上，以石化产业和化工园区高质量发展为目标，化工园区总量应控制在500家以内。这样讲的思考是在工业和信息化部已组织化工园区认定工作“回头看”的基础上，“优中选优”保留已认定园区的70%，作为全国重点支持与发展的化工园区，现在甚至有人提出50%就够了。

所以，各化工园区、各位园区领导一定要高度重视、认真做好这次化工园区分级评价工作，特别是针对这次复核、评价过程中发现和反映出的突出问题、短板弱项以及前期有关部委已反馈的问题，一定要认真研究、专人负责、整改到位。“十五五”期间能不能保留在国家队，就看这次分级评价和整改提升的实际效果。只有通过这次分级评价和整改提升，已认定化工园区的管理水平和发展质量取得实质性的改善和进步，我们就能稳居化工园区国家队之列；如果有的园区只是走走过场、应付了事，将难以在国家队立足，恐怕将面临取缔或退出的命运。这不是危言耸听，这是高质量发展之要求，这是石化强国之要求，也是我们各化工园区和园区管理者所肩负的新时代的使命之所在。

附件一
“十三五”“十四五”10年石化全行业营业收入、利润、进出口情况

附表1 “十三五”“十四五”10年石化全行业营业收入、利润、进出口情况

（国家统计局和海关总署当年底发布的数据）

年份	营业收入/万亿元）	利润总额/亿元	进出口总额（进口额；出口额）/亿美元
2016年	13.29	6444.4	4778.2（3069.5；1708.7）
2017年	13.78	8462.0	5833.7（3904；1929.9）
2018年	12.4	8393.8	7432.7（5122.6；2310.1）
2019年	12.27	6683.7	7222.1（4952.6；2269.5）
2020年	11.08	5155.5	6297.7（4202.7；2095.0）
“十三五”累计	62.8	35139.4	31564.4（21251.4；10313.2）
2021年	14.45	11613.9	8600.8（5645.4；2955.5）
2022年	16.56	11257.1	10466.2（6901.3；3564.8）
2023年	15.95	8733.6	9522.9（6357.5；3165.3）
2024年	16.28	7897.1	9488.1（6257.6；3230.5）
2025年	15.67	7020.9	9020.1（5708.8；3311.3）
“十四五”累计	78.91	46522.6	47098.1（30870.6；16227.4）

注：由于小数点进位问题，部分年份进口额和出口额之和与进出口总额存在偏差。

附件二
“十三五”“十四五”10年化工板块营业收入、利润、进出口情况

附表2 “十三五”“十四五”10年化工板块营业收入、利润、进出口情况
（国家统计局和海关总署当年底发布的数据）

年份	营业收入 / 万亿元	利润总额 / 亿元	进出口总额（进口额；出口额）/ 亿美元
2016年	9.21	5073.2	2929.3（1516.4；1412.9）
2017年	9.1	6050.7	3289.4（1737.4；1552）
2018年	7.27	5006.5	3710.7（1923.7；1787.1）
2019年	6.89	3978.4	3479.1（1765.3；1713.8）
2020年	6.57	4279.2	3386.8（1723.9；1662.9）
“十三五”累计	39.04	24388.0	16795.3（8666.7；8128.7）
2021年	8.66	7932.2	4465.4（2038.2；2427.2）
2022年	9.56	7289.2	4808.6（1969.3；2839.3）
2023年	9.27	4846.6	4148.7（1711.7；2437.0）
2024年	9.76	4544.4	4236.1（1709.8；2526.2）
2025年	9.6	4173.6	4291.3（1693.8；2597.4）
“十四五”累计	46.85	28786.0	21950.1（9122.8；12827.1）

注：由于小数点进位问题，部分年份进口额和出口额之和与进出口总额存在偏差。

附件三
中国上榜《财富》世界500强企业（“十三五”“十四五”）情况

附表3　2015年（“十二五”末）中国石油与化工行业上榜《财富》世界500强企业情况

企业名称	排名	上一年排名	营业收入/亿美元	净利润/亿美元
中国石化	第2位	第3位	4468.1	51.77
中国石油	第4位	第4位	4286.2	163.6
中国海油	第72位	第79位	992.62	85.93
中国中化	第105位	第107位	806.35	5.63
中国化工	第265位	第276位	418.1	—
潞安集团	第358位	第372位	332.9	—
河南能源化工	第364位	第328位	331.6	—
延长石油	第4位	第432位	313.9	10.85
阳泉煤业	第409位	第391位	293.98	—
陕西煤业	第416位（新进入）	—	286.66	—

附表4　2020年（“十三五”末）中国石油与化工行业上榜《财富》世界500强企业情况

企业名称	排名	上一年排名	营业收入/亿美元	净利润/亿美元
中国石化	第2位	第2位	4070.1	67.93
中国石油	第4位	第4位	3791.3	44.43
中国海油	第64位	第63位	1086.9	69.57
恒力集团	第107位	第181位	805.88	20.77